Eisenbach · Die Gegenwart Jesu Christi im Gottesdienst

FRANZISKUS EISENBACH

Die Gegenwart Jesu Christi im Gottesdienst

SYSTEMATISCHE STUDIEN ZUR LITURGIEKONSTITUTION
DES II. VATIKANISCHEN KONZILS

MATTHIAS-GRÜNEWALD-VERLAG · MAINZ

CIP-Kurztitelaufnahme der Deutschen Bibliothek

Eisenbach, Franziskus
Die Gegenwart Jesu Christi im Gottesdienst: Systematische Studien z. Liturgiekonstitution des
II. Vatikanischen Konzils / Franziskus Eisenbach. – Mainz: Matthias-Grünewald-Verlag, 1982
    ISBN 3-7867-0927-0

© 1982 Matthias-Grünewald-Verlag, Mainz
Reihengestaltung: Dieter Gielnik, Mainz
Gesamtherstellung: Druckhaus Darmstadt

Dem Bischof von Mainz,
Hermann Kardinal Volk,
in Verehrung und Dankbarkeit
gewidmet

VORWORT

Die vorliegende Untersuchung wurde im Sommer 1981 von der theologischen Fakultät der Albert-Ludwigs-Universität Freiburg als
Dissertation zur Erlangung des Doktorgrades angenommen. Mit
ihrer Veröffentlichung verbinde ich den Dank an diese Fakultät
und zugleich den Dank an alle, die die Fertigstellung dieser
Arbeit ermöglicht haben.
Der erste Dank gebührt meinem Bischof, Hermann Kardinal Volk.
Er hat mich zur wissenschaftlichen Arbeit ermutigt und mit die
dazu nötige Freistellung gewährt. Durch seine eigene theologische Arbeit und durch sein Verständnis von Theologie hat er mir
die Freude an dieser Wissenschaft eröffnet. Er hat mein Denken
durch seine Predigten, Vorträge und Veröffentlichungen geprägt.
So ist er als mein Bischof zugleich in einem weiten Sinn mein
theologischer Lehrer geworden, dem ich dieses Buch in Verehrung
und Dankbarkeit widme.
Nach ihm danke ich Herrn Professor Dr. Dr. Karl Lehmann. Er hat
mich bereitwillig in den großen Kreis seiner Doktoranden aufgenommen und mir geholfen ein Thema zu finden, dessen theologische
und geistliche Fruchtbarkeit mir erst im Lauf der Arbeit aufge-
gangen ist. Durch seinen kundigen Rat und seine freundschaft-
liche Begleitung hat er entscheidend zum Gelingen dieser Arbeit
beigetragen. Schließlich sei ihm wie auch dem Zweitgutachter,
Herrn Professor Dr. Helmut Büsse, herzliche für die angesichts
des Umfangs der Arbeit erhebliche Mühe des Gutachtens gedankt.

Dankbar denke ich auch an das Priesterseminar der Erzdiözese
Freiburg in St. Peter. Sein früherer Regens, Herr Erzbischof
Dr. Oskar Saier, der jetzige Regens, Herr Dr. Klaus Stadel,
Herr Spiritual Dr. Rudolf Herrmann, die Dozenten Dr. Paul Wehrle, jetzt Weihbischof in Freiburg, und Herbert Horn, Pfarrer
Josef Läufer, die Diakone und Studenten des Priesterseminars
haben mich brüderlich in ihren Kreis aufgenommen. Zusammen mit
den Ordensschwestern und Angestellten des Hauses haben sie mir
den Raum für ein konzentriertes Studium und ein erfülltes Leben
gewährt.

Weiterhin danke ich den zahlreichen Freunden aus den Freiburger
Studienjahren, die mich begleitet und bestärkt haben, nicht nur
in der theologischen Diskussion, sondern mehr noch im geistlichen Gespräch und im freundschaftlichen Austausch.
Schließlich danke ich Herrn Verleger Dr. Jakob Laubach und dem
Grünewald-Verlag für die Bereitschaft, dieses Buch zu veröffentlichen.
Gerne verdanke ich die Fertigstellung dieser Arbeit einer großen
Zahl von Menschen, die mich beschenkt haben. Wenn sie sich durch
das Erscheinen dieses Buches auch ein wenig beschenkt fühlen
können, ist das für mich ein Freude.

Dieburg, im November 1981

                                    Franziskus Eisenbach

INHALTSVERZEICHNIS

IV

VIII

X

ABKÜRZUNGSVERZEICHNIS

Abkürzungen werden angeführt nach S. Schwertner, Internationales Abkürzungsverzeichnis für Theologie und Grenzgebiete (IATG), Berlin-New-York 1974;

außerdem werden folgende Abkürzungen gebraucht:

AA	II. Vat. Konzil, Dekret über das Apostolat der Laien: *Apostolicam actuositatem*.
ACI	A. Schönmetzer (Hg.), Acta Congressus Internationalis de Theologia Concilii Vaticani II (Rom, 26.9.-1.10.1966), Vatikan 1968.
AD I	Vaticanum II, Acta et documenta Concilio Oecumenico Vaticano II apparando, Series I (Antepraeparatoria), 16 Bde., Vatikan 1960 bis 1961.
AD II	-, Series II (Praeparatoria), 7 Bde., Vatikan 1964-1969.
AG	II. Vat. Konzil, Dekret über die Missionstätigkeit der Kirche: *Ad gentes*.
AS	Vaticanum II, Acta Synodalia sacrosancti Concilii Oecumenici Vaticani II, bisher 19 Bde., Vatikan 1970-1976.
BKV	Bibliothek der Kirchenväter. Eine Auswahl patristischer Werke in deutscher Übersetzung, hg. v. O. Bardenhewer/ Th. Schermann/ K. Weyman, Kempten-München 1911 ff.
Bugnini	A. Bugnini (Hg.), Documenta Pntificia ad Instaurationem Liturgicam spectantia, Bd. I (1903-1953), Rom 1953; Bd. II (1953 bis 1959), Rom 1959.
CD	II. Vat. Konzil, Dekret über die Hirtenaufgabe der Bischöfe: *Christus Dominus*.
DV	II. Vat. Konzil, Dogmatische Konstitution über die göttliche Offenbarung: *Dei Verbum*.
EM	Ritenkongregation, Instructio de cultu mysterii eucharistici: *Eucharisticum mysterium* (25.5.1967), in: AAS 59 (1967) 539-573.
Eucharistie-Verehrung:	Gottesdienstkongregation, Ritus de sacra communione et cultu mysterii eucharistici extra Missam (21.6.1973), Vatikan 1973.
FS	Festschrift.
GE	II. Vat. Konzil, Erklärung über die christliche Erziehung: *Gravissimum educationis*.
GS	II. Vat. Konzil, Pastorale Konstitution über die Kirche in der Welt von heute: *Gaudium et spes*.
Hg., hg.	Herausgeber, herausgegeben.
IGLH	Gottesdienstkongregation, Institutio Generalis de Liturgia Horarum (2.2.1971), lat. und deutsch in: NK 34 (1975) 33-177.
IGMR	Ritenkongregation, Institutio Generalis Missalis Romani (6.4. 1969: Editio typica; 7.12.1974: Editio typica altera), in: Missale Romanum, 19*-92*.
IM	II. Vat. Konzil, Dekret über die sozialen Kommunikationsmittel: *Inter mirifica*.
IThSt	Innsbrucker Theologische Studien, Innsbruck-Wien-München 1978 ff.
Jungmann	J. A. Jungmann, Einleitung und Kommentar (zur Konstitution des II. Vat. Konzils über die heilige Liturgie), in: LThK.E I, 109 bis 109.
Kaczynski	R. Kaczynski (Hg.), Enchiridion Documentorum Instaurationis

	liturgicae I (1963-1973), Turin 1976.
KKD	J. Auer/ J. Ratzinger, Kleine Katholische Dogmatik, Regensburg 1975 ff.
LebGo	Reihe Lebendiger Gottesdienst, hg. v. H. Rennings, Münster 1962 ff.
Lengeling	E. J. Lengeling (Hg.), Die Konstitution des Zweiten Vatikanischen Konzils über die heilige Liturgie. Lateinisch-deutscher Text mit einem Kommentar von E. J. Lengeling, Münster ^{2}1965 (= LebGo 5/6).
LG	II. Vat. Konzil, Dogmatische Konstitution über die Kirche: *Lumen gentium.*
LitW	L. Brinkhoff u.a. (Hg.), Liturgisch Woordenboek, 2 Bde., Roermond 1962/ 1968.
MC	Pius XII., Enzyklika *Mystici Corporis* (29.6.1943), in: AAS 35 (1943) 193-248 (zur Zitierweise vgl. S. 62, Anm. 219).
MeD	Pius XII., Enzyklika *Mediator Dei* (20.11.1947), in: AAS 39 (1947) 521-600 (zur Zitierweise vgl. S. 58, Anm. 206).
MF	Paul VI., Enzyklika *Mysterium fidei* (3.9.1965), in: AAS 57 (1965) 753-774 (zur Zitierweise vgl. S. 635 f., Anm. 259).
NK	Nachkonziliare Dokumentation, Trier 1967 ff.
OT	II. Vat. Konzil, Dekret über die Ausbildung der Priester: *Optatam totius.*
PC	II. Vat. Konzil, Dekret über die zeitgemäße Erneuerung des Ordenslebens: *Perfectae caritatis.*
PO	II. Vat. Konzil, Dekret über Dienst und Leben der Priester: *Presbyterorum ordinis.*
QL(P)	QLP seit 51 (1970) (seither nur noch "Questions liturgiques").
SC	II. Vat. Konzil, Konstitution über die heilige Liturgie: *Sacrosanctum Concilium.*
Schemata	Vaticanum II, Schemata Constitutionum et Decretorum de quibus disceptabitur in Concilii sessionibus, 4 Bde., Vatikan 1962 f.
Schmidt	H. Schmidt, Die Konstitution über die heilige Liturgie. Text - Vorgeschichte - Kommentar, Freiburg-Basel-Wien 1965 (= HerBü 218).
TLi	Tijdschrift voor Liturgie, Hekelgem: Affligem 1919/1920 ff. (vorher Liturgisch tijdschrift, 1-4 [1910-1914]).
UR	II. Vat. Konzil, Dekret über den Ökumenismus: *Unitatis redintegratio.*

EINLEITUNG

Die Gegenwart Jesu Christi im Gottesdienst ist für den gläubigen Christen eine selbstverständliche Voraussetzung jeder liturgischen Feier. Denn wie könnte der Christ sein Gebet an Gott
"durch Jesus Christus" richten, wenn der Herr nicht in irgendeinem Sinn da wäre; wie könnte er den Leib und das Blut des
Herrn empfangen, wenn dieser Leib und dieses Blut und damit Jesus Christus selbst nicht wirklich gegenwärtig wäre?
Aber in dieser Selbstverständlichkeit verbirgt sich eine Fülle
von Fragen. Jesus Christus lebt in Gottes Herrlichkeit. Wie
kann er zugleich hier auf der Erde sein? Ist damit nichts weiter gesagt, als daß er, Gott von Gott, allgegenwärtig ist, oder
meint "Gegenwart Jesu Christi im Gottesdienst" noch mehr? Gibt
es eine Gegenwart des Sohnes, die vom Vater und vom Heiligen
Geist nicht einfachhin im selben Sinn ausgesagt werden kann?
Eine solche spezifische Gegenwart Jesu Christi ist ja offensichtlich nach dem Glauben der Kirche zumindest in der eucharistischen Realpräsenz des Leibes und Blutes des Herrn gegeben.
Aber auch andere Weisen seiner Gegenwart werden in der gottesdienstlichen Feier vorausgesetzt. Schon der Zuruf an die Gemeinde: "Der Herr sei mit euch", läßt dies erkennen. Aber auch
die Akklamation nach der Verkündigung des Evangeliums: "Lob sei
dir, Christus", bekundet den Glauben an eine Gegenwart des
Herrn im Vorgang der Verkündigung.
Mit solchen aus dem liturgischen Vollzug zu entnehmenden Hinweisen auf eine verschiedenartig sich verwirklichende Gegenwart
Jesu Christi verbindet sich die Frage, wem der im Gottesdienst
gegenwärtige Herr denn begegnet und welche Bedeutung die "Partner" dieser Begegnung für die Gegenwart des Herrn haben. Liturgie ereignet sich ja nur, wenn die Gläubigen sie feiern und darin den Glauben an die Gegenwart des Herrn bekennen. Damit
scheint die liturgische Feier als menschliches Tun die Bedingung für die liturgische Gegenwart Jesu Christi zu sein. Wie
aber läßt sich damit die unbedingte Souveränität des Herrn ver-
einen, der seine Gegenwart gewährt wem und wann er will?
Zu fragen ist also nicht nur, was überhaupt mit "Gegenwart Jesu

Christi im Gottesdienst" gemeint ist, sondern auch, wie näherhin diese Gegenwart zu verstehen ist, wie die verschiedenen im
Glaubensvollzug vorausgesetzten Weisen seiner Gegenwart je für
sich zu bewerten sind und wie sie sich zueinander verhalten.

Diese Fragen haben keineswegs nur akademischen Charakter. Sie
zielen vielmehr auf den Kern des christlichen Glaubens und Lebens. Denn in Entsprechung zu der Argumentation des Apostels
Paulus, der den Korinthern die alles entscheidende Bedeutung
des Auferstehungsglaubens nahebringt, kann man sagen: Wenn Jesus Christus nicht gegenwärtig ist als das Haupt seiner Kirche,
wenn nicht er selbst ihr Wirken letztlich trägt und durch sie
sein Heilswerk vollzieht, "dann ist unsere Verkündigung nichts,
und nichts ist euer Glaube" (1 Kor 15,14).
Ein deutlicheres Bewußtsein von der gegenwärtigen Wirksamkeit
des Herrn im Gottesdienst der Kirche wird darum unmittelbar zum
Anspruch an den Vollzug des Glaubens. In diesem Vollzug aber
erweist sich das "Objekt" unserer Fragestellung vielmehr als
das entscheidende Subjekt. Es ist ja der gegenwärtige Herr, der
den Menschen anspricht und an ihm handelt und ihn so als "Hörer
des Wortes" und Empfänger göttlichen Lebens beansprucht. Vor
diesem Anspruch muß dann aber nicht nur die liturgische Feier
des Glaubens, sondern auch die theologische Reflexion über diesen Glaubensvollzug sich verantworten.
Wer sich einer solchen Frage stellt, kann sich ihr folglich
sachgerecht nur als Betroffener nähern. Er vermag niemals neu-
tral als unbeteiligter Beobachter, niemals "sine ira et studio"
vorzugehen.
Dies gilt für die theologische Untersuchung dieses Glaubensinhaltes, so sehr bei einer solchen Erörterung die persönliche
Betroffenheit in den Hintergrund zu treten hat. Dies gilt aber
auch und erst recht für den kirchlichen Umgang mit diesem Glaubensinhalt, von dem Entstehen, Bestand und Leben der Kirche
entscheidend bestimmt werden.
Deshalb ist es nicht verwunderlich, daß die Frage nach der
Wirklichkeit und dem Sinn der Gegenwart Jesu Christi im Gottesdienst sich zu allen Zeiten der Kirchengeschichte im Kontext

2

der jeweils akuten Fragestellungen stellte und mit der ganzen, diesem Thema angemessenen Leidenschaft erörtert wurde.

Eine neue, verstärkte Brisanz erhielt die Frage, als infolge der reformatorischen Einsprüche die katholische Lehre von der durch Wesensverwandlung bewirkten eucharistischen Realpräsenz des Herrn verteidigt werden mußte. Diese Lehre wurde immer stärker reflektiert und ausgebaut; der Glaube an die eucharistische Realpräsenz entwickelte sich zum Mittelpunkt des geistlichen und theologischen Interesses der katholischen Kirche. Infolgedessen war von anderen Weisen der Gegenwart des Herrn nur noch wenig die Rede. Insbesondere die Lehre von der Gegenwart und Wirksamkeit Jesu Christi in der Verkündigung des Evangeliums wurde, wiederum in Reaktion auf die Betonung dieser Wirklichkeit in der reformatorischen Theologie, katholischerseits kaum noch beachtet.

Dies änderte sich, von einzelnen Ausnahmen abgesehen, erst zu Beginn dieses Jahrhunderts, als in der Liturgischen Bewegung und der daraus erwachsenen Mysterienlehre und Verkündigungstheologie im Rückgriff auf patristisches Denken ein neues Interesse für die Frage nach der Art und Weise der Gegenwart Jesu Christi in der Liturgie und nach den verschiedenen Formen ihrer Verwirklichung wach wurde.

Die in diesem Zusammenhang einsetzende theologische Bemühung fand in der Enzyklika "Mediator Dei" (1947) einen ersten offiziellen Ausdruck. In dieser Enzyklika ist von verschiedenen Weisen die Rede, in denen Jesus Christus seiner Kirche in der Liturgie gegenwärtig ist.

Das II. Vatikanische Konzil griff in seiner Liturgiekonstitution dieses Thema auf. In Artikel 7 dieser Konstitution werden mehrere Weisen der Gegenwart Jesu Christi aufgezählt, nämlich seine Gegenwart in der Feier der Eucharistie, und zwar in der Person des Priesters und besonders in den eucharistischen Gestalten, seine Gegenwart in den Sakramenten, im Wort der Verkündigung und in der betenden und singenden Kirche.

Dieser Text war im Konzil Anlaß zu heftigen Auseinandersetzungen; man befürchtete eine Nivellierung des katholischen Glaubens an die eucharistische Realpräsenz, wenn diese in eine

Reihe mit anderen Gegenwartsweisen Jesu Christi gestellt würde.
Der Text blieb dennoch seiner Substanz nach erhalten. Er wurde
von den übrigen Konzilsdokumenten zwar nicht in zusammenfassen-
der Weise, aber doch seinen einzelnen Aussagen nach bestätigt
und entfaltet.

Schon in den Jahren vor dem II. Vatikanischen Konzil und verstärkt während des Konzils war eine nun auch innerkatholisch
geführte neue Diskussion um den Sinn der Realpräsenz entstanden. In diesem Zusammenhang mußte auch die Frage nach den übrigen Gegenwartsweisen Jesu Christi neu bedacht werden. Dadurch
fand das Thema des Artikels 7 der Liturgiekonstitution immer
weitere Beachtung. Liturgiewissenschaftler und Dogmatiker nahmen sich seiner an und legten schon bald nach dem Konzil in
einzelnen Aufsätzen Überlegungen zur Frage nach den verschiedenen Gegenwartsweisen des Herrn vor. Zwei ausführlichere Untersuchungen folgten einige Jahre später, eine liturgiewissenschaftliche Abhandlung in italienischer Sprache von dem römischen Liturgiker Armando Cuva (1973) und eine ebenfalls in Rom
angefertigte dogmatische Dissertation in spanischer Sprache
von Atilio A. G. Gimeno (1976), die nur in einem Teildruck veröffentlicht wurde [1]. Während bei Cuva das pastoralliturgische
Anliegen im Vordergrund steht, die Lehre von den verschiedenen
Gegenwartsweisen des Herrn in der Liturgie einem breiteren
Kreis ins Bewußtsein zu bringen und für die Feier des Gottesdienstes fruchtbar zu machen, verfolgt Gimeno das Ziel, den Begriff der Gegenwart des Herrn in den Texten des II. Vatikanischen Konzils herauszuarbeiten und insbesondere die einzigarti-
ge Bedeutung der eucharistischen Realpräsenz hervorzuheben.

Die in den oben erwähnten systematischen Aufsätzen ansatzweise
erörterten Fragen nach der grundsätzlichen Möglichkeit und
Wirklichkeit einer liturgischen Gegenwart des Herrn und nach
dem Verhältnis ihrer verschiedenen Verwirklichungsweisen zueinander bleiben in diesen beiden umfangreicheren Arbeiten fast
völlig unberücksichtigt.

---

1 Vgl. die Berichte über diese Arbeiten in Abschnitt 5.3.

Daraus ergibt sich das Ziel der hier vorgelegten Untersuchung.
Sie soll, ausgehend von der Lehre der Liturgiekonstitution des
II. Vatikanischen Konzils, einen Beitrag zur Klärung der Frage
leisten, wie überhaupt die liturgische Gegenwart Jesu Christi
zu denken ist, das heißt, welche theologischen Implikationen,
Voraussetzungen und Folgerungen sich aus der diesbezüglichen
positiven Lehre der Kirche ergeben. Weiterhin soll dargestellt
werden, welche verschiedenen Weisen der Verwirklichung diese
liturgische Gegenwart des Herrn hat und wie diese einander zugeordnet werden können.

Methode und Aufbau

Ausgangspunkt der vorliegenden Studie ist der Text des Artikels
7 der Liturgiekonstitution des II. Vatikanischen Konzils. Außer
der Aufzählung verschiedener Weisen der liturgischen Gegenwart
Jesu Christi enthält der Artikel grundsätzliche Aussagen über
Wesen, Ziel und Bedeutung der Liturgie. Der theologische Gehalt
dieses Textes soll möglichst umfassend erhoben werden. Dazu ist
nach seiner Vorgeschichte, seiner Entstehung, seiner theologischen Aussage und seiner Wirkungsgeschichte zu fragen. Aus dieser Fragestellung ergibt sich der Aufbau der Untersuchung.
Im ersten Kapitel wird den theologiegeschichtlichen Voraussetzungen des genannten Konzilstextes nachgegangen. Dazu sind insbesondere die *Liturgische Bewegung* und die *Mysterienlehre* der
ersten Hälfte unseres Jahrhunderts im Hinblick auf unsere Fragestellung summarisch darzustellen. Sie fanden in der Enzyklika
"Mediator Dei" (1947) kirchenamtliche Resonanz. Die in dieser
Enzyklika amtlich vorgetragene Lehre der Kirche über die Liturgie geriet jedoch in den folgenden Jahren in zunehmende Spannung zu der rasch fortschreitenden theologischen Weiterentwicklung unserer Frage. Dieser gesamte Vorgang muß als Voraussetzung zum Verständnis von Artikel 7 der Liturgiekonstitution
dargestellt werden.
Im zweiten Kapitel wird die konziliare Arbeit an der Liturgiekonstitution und speziell an ihrem Artikel 7 untersucht. Die
Geschichte dieses Textes in der Zeit der Vorbereitung des Konzils, die Diskussionsbeiträge der Konzilsväter und die Verbes-

serungsvorschläge und Stellungnahmen der liturgischen Konzilskommission müssen zur Interpretation unseres Textes herangezogen werden.
Im dritten Kapitel wird die Frage erörtert, wie nach der Lehre
der Liturgiekonstitution eine liturgische Gegenwart des Herrn
zu denken ist. Diese Frage wird im Konzil nicht direkt und ausdrücklich beantwortet. Die diesbezügliche Lehre der Liturgiekonstitution muß deshalb aus dem Gesamttext erschlossen werden.

Im vierten Kapitel werden die einzelnen Verwirklichungsweisen
der liturgischen Gegenwart des Herrn untersucht. Dazu wird jedes Glied der in Artikel 7 der Liturgiekonstitution vorgelegten
Aufzählung jeweils aus dem Gesamttext der Konstitution und unter Berücksichtigung der grundsätzlichen Überlegungen des dritten Kapitels interpretiert.
Im fünften Kapitel wird nach der Wirkungsgeschichte des Artikels 7 der Liturgiekonstitution gefragt. Dazu müssen in knap-
pem Überblick die diesbezüglichen Texte aus anderen Konzilsdokumenten, die amtlichen Dokumente zur nachkonziliaren Liturgiereform sowie einige zu unserer Fragestellung veröffentlichte
theologische Untersuchungen vorgestellt und diskutiert werden.

Aus diesen kirchenamtlichen und theologischen Beiträgen kann
der Vorgang der Rezeption sowie der theologischen Weiterentwicklung der Lehre von der liturgischen Gegenwart des Herrn erhoben werden.
Zur besseren Übersichtlichkeit des Gedankenganges wird nach jedem Kapitel das Untersuchungsergebnis formuliert. Außerdem werden längere Abschnitte innerhalb der einzelnen Kapitel jeweils
durch eine Zusammenfassung abgeschlossen. Bei kürzeren und
leicht übersichtlichen Abschnitten konnte auf eine solche Zusammenfassung verzichtet werden. Schließlich wird der Gang der
Untersuchung durch eine detaillierte Gliederung und bei länge-
ren Teilabschnitten durch zusätzliche Zwischenüberschriften
deutlich gemacht.

Abgrenzung

Die hier vorgelegte Studie mußte angesichts der unabsehbaren
Breite ihres Gegenstands eng begrenzt werden, damit ihr ohnehin
schon beträchtlicher Umfang doch in vertretbaren Grenzen blieb.
Sie beschränkt sich auf die theologische Interpretation der
Lehre der Liturgiekonstitution über die Gegenwart Jesu Christi
im Gottesdienst.

Diese unvermeidliche Begrenzung ist von der Sache her in verschiedener Hinsicht zu bedauern. Insbesondere wäre eine biblische Grundlegung wünschenswert. Sie müßte vor allem von den Berichten über die Erscheinungen des auferstandenen Herrn ausgehen, die als Einweisung der jungen Kirche in die neue Weise der
Gegenwart des erhöhten Herrn gedeutet werden könnten, wie sie
vor allem im Gottesdienst erfahren wird.

Ein weiteres umfangreiches und vielversprechendes Untersu-
chungsfeld wäre die reiche patristische Literatur zu unserem
Thema. Manche Blickverengungen und Einseitigkeiten späterer
Jahrhunderte könnten so von den Ursprüngen her überwunden werden.

Von besonderem Interesse für die Frage nach der Gegenwart Jesu
Christi im Gottesdienst sind ferner die liturgischen Texte
selbst. Sie sprechen hinsichtlich unseres Themas oft eine
deutlichere Sprache als die theologische Reflexion und bewahren
im lebendigen Glaubensvollzug auch eine Reihe von Glaubensin-
halten, die in der Theologie zeitweise in den Hintergrund ge-
treten oder fast völlig vergessen worden sind.

Schließlich wäre auch für eine umfassende Erörterung unseres
Themas der Beitrag vor allem der orthodoxen Liturgie und Theologie mit einzubeziehen, aber auch der Beitrag der reformatorischen Theologie. In der orthodoxen Theologie ist die enge Verbindung zwischen Theologie und Liturgie, zwischen Glaubenser-
kenntnis und Glaubensvollzug deutlicher gesehen worden, als das
in der westlichen Theologie der letzten Jahrhunderte der Fall
war. So blieben dort Themen wie die Bedeutung des Heiligen Geistes für alles kirchliche Leben, die Einbindung des amtlichen in
das gemeinsame Priestertum, der Gemeinschaftsbezug jeder liturgischen Feier und andere mehr stets in der theologischen Re-

flexion gegenwärtig.

Aus dem Bereich der protestantischen Theologie wären vor allem
die Hochschätzung der Wortverkündigung und die Bedeutung des in
der Gnade ermöglichten Glaubens als Bedingung jeglichen Heils
für den Menschen als bereichernde Beiträge mit zu verwerten.

Alle diese Gebiete konnten in der vorliegenden Arbeit nur kurz
gestreift, nicht aber wirklich in die Untersuchung einbezogen
werden. Es bleibt die Hoffnung, daß die Beschränkung auf ein
eng umgrenztes Arbeitsfeld dennoch nicht zu einer dem Thema un-
angemessenen sachlichen Verengung führt, daß vielmehr auch in
dem hier untersuchten Teilgebiet die ganze Sache unseres Themas
in Erscheinung tritt und so ein brauchbarer Baustein zu einer
umfassenden Behandlung der Frage nach der Gegenwart Jesu Christi im Gottesdienst geliefert werden kann.

1. ZUR VORBEREITUNG DER LEHRE DES II. VATIKANISCHEN KONZILS ÜBER DIE GEGENWARTSWEISEN JESU CHRISTI IN DER LITURGIE

Die Liturgiekonstitution des II. Vatikanischen Konzils muß im Zusammenhang der sogenannten 'Liturgischen Bewegung' dieses Jahrhunderts gesehen werden, welche ihrerseits wiederum nur aus einem größeren geistesgeschichtlichen und theologiege- schichtlichen Kontext verständlich wird. Die Liturgische Bewe- gung ließ den dringlichen Wunsch nach einer Erneuerung der ge- samten kirchlichen Liturgie wach werden und erbrachte zugleich die theologischen Voraussetzungen zu einer solchen Reform, wie sie vom II. Vatikanischen Konzil beschlossen und in Angriff genommen worden ist.

Innerhalb dieses gesamtkirchlichen Vorgangs ist zunächst eine vorwiegend pastoral orientierte Richtung zu beobachten. Aus der Erfahrung einer weitgehenden Entfremdung der Gläubigen von der Liturgie der Kirche wurde nach Möglichkeiten gesucht, dem Volk die Liturgie wieder nahe zu bringen. Der Beitrag dieser 'pastoralliturgischen' Bemühungen zur Fragestellung der vor- liegenden Untersuchung soll in einem ersten Abschnitt (1.1.) dargestellt werden.

Die Liturgische Bewegung mußte sich aber nicht nur darum bemü- hen, die Kluft zwischen Volksfrömmigkeit und kirchlicher Li- turgie zu überwinden, sie mußte auch die Frage nach dem inne- ren Sinn der Liturgie selbst stellen, damit so erst deren wah- re seelsorgliche Bedeutung hervortreten konnte. Diese Frage- stellung war durch die historischen Forschungen des 19. Jahr- hunderts vorbereitet worden und wurde in den ersten Jahrzehn- ten des 20. Jahrhunderts durch intensive Untersuchungen zum patristischen Liturgieverständnis vorangetrieben. Diese Arbeit wurde vor allem in der sogenannten 'Mysterienlehre' von Theo- logen aus der Benediktinerabtei Maria Laach in Angriff genom- men. Ihr Beitrag zu unserem Thema soll im zweiten Abschnitt (1.2.) skizziert werden.

Alle diese Bemühungen hätten nicht zum Ergebnis einer gesamt- kirchlichen Liturgiereform führen können, wenn sie nicht von

der Kirchenleitung unter entschlossener Führung liturgisch interessierter Päpste aufgenommen worden wären. Die kirchenamtliche Rezeption und Weiterführung der Liturgischen Bewegung
fand in der Enzyklika "Mediator Dei" (1947) von Pius XII. ihren verbindlichen Ausdruck. Die in dieser Enzyklika gipfelnde
amtliche Lehre soll im Hinblick auf die Frage nach den liturgischen Gegenwartsweisen Jesu Christi im dritten Abschnitt
(1.3.) erörtert werden.
Mit der genannten Enzyklika war das Fundament und zugleich der
Impuls für eine intensive theologische Weiterarbeit an liturgiewissenschaftlichen Fragen gegeben. Im Gefolge des immer wa-
cheren Interesses an der Liturgie wurden die Wünsche nach konkreten Reformen drängender. Der Papst sah sich zu zügelndem
Eingreifen genötigt, um zu verhindern, daß die Entwicklung zu
einer Bedrohung der kirchlichen Einheit in der Liturgie wurde.
Zugleich kam aber auf bedeutenden liturgiewissenschaftlichen
und pastoralliturgischen Kongressen ein internationaler Austausch von Erfahrungen und Forschungsergebnissen aus der Liturgischen Bewegung zustande. Auf dieser Grundlage trugen Bischöfe und Theologen die Forderung nach einer durchgreifenden
Liturgiereform immer selbstbewußter vor. Diese Entwicklung
wird in groben Umrissen im vierten Abschnitt (1.4.) nachgezeichnet. So kann schließlich die Situation der Liturgischen
Bewegung zu Beginn des II. Vatikanischen Konzils deutlich werden.

1.1. Der Beitrag der Liturgischen Bewegung des 20. Jahrhunderts

Die Bemühungen um die Erneuerung des kirchlichen Gottesdienstes in unserem Jahrhundert lassen sich in den Vorgängen zusammenfassen, die man Liturgische Bewegung genannt hat[1]. Diese

---

1 Einen Überblick geben die Darstellungen von H. A. P. Schmidt, Introductio in Liturgiam occidentalem, Rom-Freiburg-Barcelona 1960, 164-208; 742
  bis 785; F. Kolbe, Die liturgische Bewegung, Aschaffenburg 1964 (= Der
  Christ in der Welt, IX. Reihe, 4. Bd.); B. Botte/ P. Jounel/ O. Rousseau,
  Abriß der Liturgiegeschichte, in: HLW I, 36-59; Th. Maas-Ewerd, Liturgie

'Bewegung'[2] stellt ein Geflecht von vielfältigen geistesgeschichtlichen, theologischen und kirchenpolitischen Komponenten dar, die in einer bestimmten geschichtlichen Konstellation,
wie sie vor allem zwischen den beiden Weltkriegen gegeben war,
zu einem geradezu frühlingshaften Aufbruch lange verborgener
Kräfte in der Kirche führten.
Dieser Vorgang erstreckte sich über mehrere Jahrzehnte; er
setzt sich unter den durch die Liturgiekonstitution des II.
Vatikanischen Konzils veränderten Bedingungen noch immer fort.
Er hat nicht nur die Entwicklung der Liturgie, sondern auch
der gesamten Theologie nachhaltig beeinflußt.
Die Liturgische Bewegung kann hier weder in ihrem ganzen ge-
schichtlichen Umfang noch im Hinblick auf ihre verzweigten
theologischen Auswirkungen untersucht werden. Sie soll ledig-
lich in ihren Grundzügen skizziert werden, soweit dies zum
Verständnis der Liturgiekonstitution des II. Vatikanischen
Konzils und speziell der hier interessierenden Fragen nach den
Weisen der Gegenwart Jesu Christi in der Liturgie nötig ist.

1.1.1. Zur Vorgeschichte der Liturgischen Bewegung

Die Liturgische Bewegung unseres Jahrhunderts muß von ihrer
Vorgeschichte her verstanden werden, die bis zum Beginn der
Neuzeit zurückreicht. Erst vor dem Hintergrund dieser hier nur

---

und Pfarrei, Paderborn 1969, 27-65; vgl. außerdem J. Wagner, Liturgische
Bewegung, I., in: LThK[2] VI (1961), 1097-1099; L. Br. (L. Brinkhoff), Li-
turgische Beweging. I., in: LitW II (1968), 1596-1606; J. A. Jungmann,
Liturgische Bewegung, in SM III (1969), 288-291; R. Berger, Liturgische
Bewegung, in: Ders., Kleines liturgisches Wörterbuch, Freiburg-Basel-
Wien 1969 (= HerBü, Bd. 339/340/341), 272 f. - Aus reformatorischer
Sicht vgl. W. Birnbaum, Die katholische liturgische Bewegung. Darstellung und Kritik, Gütersloh 1926 (= Beiträge zur Förderung christl. Theologie, 30. Bd., 1. Heft); eine stark überarbeitete, von kontroverstheologischen Einseitigkeiten befreite und die Entwicklung bis einschließ-
lich zum II. Vaticanum einbeziehende Neufassung dieser Arbeit bietet
ders., Das Kultusproblem und die liturgischen Bewegungen des 20. Jahrhunderts, Bd. I: Die deutsche katholische liturgische Bewegung, Tübingen
1966.
2 Zu diesem Sprachgebrauch, der nicht unwidersprochen blieb, vgl. W. Birnbaum, Das Kultusproblem I, 93; Th. Maas-Ewerd, a.a.O., 56 mit Anm. 155.

in einer knappen Zusammenfassung wiederzugebenden Entwicklung[3] tritt ihre Bedeutung hervor.

Spätmittelalterliche Frömmigkeit

In der westlichen Kirche war nach einer langen Periode der Entwicklung die Gestalt des Gottesdienstes etwa zu Beginn des 14. Jahrhunderts weitgehend festgelegt[4]. Es war der lateinische Gottesdienst der römischen Kirche, der in Pontifikalien und Caeremonialien bis in die Einzelheiten beschrieben war und in einer mehr und mehr vereinheitlichten Gestalt überall Verbreitung fand. Da aber nur die Gebildeten, vor allem der Klerus, Latein verstanden, wurde der offizielle Gottesdienst vorwiegend zu einer Sache der Kleriker, an welcher das Volk kein Interesse mehr fand und deshalb den Ausdruck seiner Frömmigkeit in vielfältigen Andachten, Wallfahrten und anderen außerliturgischen Formen des Gottesdienstes suchte[5].

Als das im Spätmittelalter aufstrebende Bürgertum seine eigene, nichtklerikale Bildung entwickelte (Humanismus), versuchte der Klerus, seine bisherige Vorrangstellung mit den politischen Mitteln der Zeit zu verteidigen und verlor so an geistlicher Autorität. Die von der Kirche eingeschärfte Notwendigkeit des Besuches der Meßfeier wurde zum Druckmittel in der Hand des Klerus. Die Messe drohte durch den geradezu unglaublichen Mißbrauch des Stipendienwesens zu einem wohlfeilen Zaubermittel für die Erlangung des Heils pervertiert zu werden.

---

3 Vgl. dazu außer der in Anm. 1 genannten Literatur W. Trapp, Vorgeschichte und Ursprung der liturgischen Bewegung, vorwiegend in Hinsicht auf das deutsche Sprachgebiet, Regensburg 1940; H. B. Meyer, Von der liturgischen Erneuerung zur Erneuerung der Liturgie, in: StdZ, Bd. 175 (1965) 81-97, hier 81-84; K. Wittstadt, Frömmigkeitsformen im späten Mittelalter und in der Barockzeit. Kirchengeschichtliche Aspekte zum Verhältnis von Sakrament und Frömmigkeit, in: G. Koch/ L. Lies/ J. Schreiner/ K. Wittstadt, Gegenwärtig in Wort und Sakrament. Eine Hinführung zur Sakramentenlehre, Freiburg-Basel-Wien 1976 (= Buchreihe Theologie im Fernkurs, Bd. 5), 84-109.
4 Vgl. B. Botte, Abriß der Liturgiegeschichte. Von den Anfängen bis zum Konzil von Trient, in: HLW I, 36-46, hier 37-43; H. B. Meyer, a.a.O., 81 f.
5 Vgl. dazu und zu der folgenden Charakterisierung der spätmittelalterlichen Frömmigkeit K. Wittstadt, a.a.O., 84-96. Wittstadt bietet im Hinblick auf sein Thema einen allgemeinen Überblick.

Der einschneidende gesellschaftliche und geistige Wandlungs-
prozeß am Ende des Mittelalters erzeugte Unsicherheit und
Angst im Volk und eröffnete zugleich den Ausblick auf neue
geistige und politische Möglichkeiten im gebildeten Bürgertum.
Dem entsprach einerseits das Bedürfnis nach Heilsvergewisse-
rung durch nahezu magische Praktiken der Reliquienverehrung,
von Wallfahrten usw. Andererseits entwickelte sich eine stark
subjektiv gefärbte Laienfrömmigkeit, in welcher die Begegnung
mit Gott nicht in den fremd gewordenen liturgischen Feiern,
sondern in der Verinnerlichung des betrachtenden Lebens gesucht wurde. So erklärt sich auch die weitgehend unliturgische
Frömmigkeit der *Devotio Moderna*, einer in Brüder- und Schwesterngemeinschaften gelebten und von Gerhard Groote (1340 bis
1384) geprägten Spiritualität, die sich vor allem aus der
ständigen Betrachtung des Lebens und Leidens Jesu speiste[6].
In diesem Umkreis entstand im 15. Jahrhundert die "Nachfolge
Christi" des Thomas von Kempen, die nach der Bibel zum wei-
testverbreiteten Buch der Weltliteratur wurde[7]. Sie wendet
sich mit harten Worten gegen das alles überwuchernde Wall-
fahrtswesen und eine übertriebene Reliquienverehrung, sucht
aber ihrerseits die Christusbegegnung nicht zuerst im liturgischen, kirchlichen Gottesdienst, sondern in der Betrachtung
und in der alltäglichen Nachfolge Christi[8]. Die Meßfeier wurde nicht so sehr als gemeinschaftlicher Gottesdienst erlebt,
sondern primär als Gelegenheit zur persönlichen Zwiesprache
zwischen dem einzelnen Menschen und dem eucharistischen Christus[9].

---

6 Vgl. die Übersicht von E. Iserloh, Die Devotio Moderna, in: HKG III/2,
516-538; ders., Die Kirchenfrömmigkeit in der "Imitatio Christi", in: J.
Daniélou/ H. Vorgrimler (Hg.), Sentire Ecclesiam. Das Bewußtsein von der
Kirche als gestaltende Kraft der Frömmigkeit (FS H. Rahner), Freiburg-
Basel-Wien 1961, 251-267; ders., Thomas von Kempen und die Devotio Moderna, in: Nachbarn (Veröffentlichungen der Presse- und Kulturabteilung
der Kgl. Niederländischen Botschaft Bonn) 21 (1976) 7-15.
7 Vgl. E. Iserloh, Thomas von Kempen und die Devotio Moderna, a.a.O., 18.
Zur Person des Verfassers und zur Textgeschichte vgl. ebd., 15-19.
8 Vgl. E. Iserloh, Die Kirchenfrömmigkeit in der Imitatio Christi, in: K.
Wittstadt (Hg.), Verwirklichung des Christlichen im Wandel der Geschichte, Würzburg 1975, 33-49.
9 Vgl. J. Sudbrack, Meditierter Personalismus. Zum Gespräch zwischen Ost

Eine ähnliche Einstellung läßt sich beispielsweise auch bei
Caterina von Siena (1347-1380) beobachten, die etwa gleichzeitig mit Gerhard Groote lebte. Für ihre Lebensaufgabe, sich
sühnend und streitend für die Rettung und Reform der Kirche zu
verzehren, schöpfte sie ihre Kraft aus der inneren Christus-
Mystik. Liturgie und Sakramente spielten daneben nur eine sehr
untergeordnete Rolle, zumal sie von dem weithin moralisch ver-
kommenen Klerus verwaltet wurden [10].

War schon bei solchen herausragenden Repräsentanten spätmittel-
alterlicher Frömmigkeit der Sinn für liturgische Kirchlichkeit
wenig entwickelt, so ist es kaum verwunderlich, daß die Mehrzahl der Gläubigen keinen inneren Zugang zur Liturgie mehr
fand.

Eine solche Feststellung darf gewiß nicht dazu verleiten, die
mittelalterliche Frömmigkeit als oberflächlich und entartet
einzuschätzen; sie war in ihren besten Vertretern von einer
kaum überbietbaren Innigkeit und Tiefe gekennzeichnet [11]. Sie
war auch kirchlich in einem umfassenden Sinn. Aber sie fand
keinen angemessenen Ausdruck in der Liturgie, welche ihrerseits dadurch ihrer inneren Lebenskraft beraubt war und oberflächlich werden mußte.

Die Meßfeier konnte nicht mehr als Zentrum aller Frömmigkeit
erkannt werden, da sie fast ausschließlich unter dem Aspekt
des Heilmittels gegen alle inneren und äußeren Nöte verstanden
wurde, dessen man sich durch das Bezahlen des Stipendiums be-

---

und West, in: GuL 46 (1973) 206-216, hier 208: "Im 4. Buch z.B. tritt
der einzelne Mensch (...) mit dem Jesus des Altarssakraments in den Dialog. Dogmatisch ist das überaus einseitig: die Gemeinde, die Kirche, die
Liturgie ... fehlt ... Der mittelalterliche Mensch wurde sich der eigenen Individualität nirgendwo mehr bewußt, als im zweisamen Gegenüber zu
seinem Gott in der Hostie". - Zur isolierten Betonung der eucharistischen Realpräsenz im späten Mittelalter vgl. auch den Überblick von E.
Iserloh, Abendmahl III.2. Mittelalter, in: TRE I (1976), 89-106.

10 Vgl. Caterina von Siena, Gespräch von Gottes Vorsehung, Einsiedeln 1964,
z.B. S. 97, wo die Speise, durch die die Seele Kraft zum Leiden findet,
"in der Weisung des gekreuzigten Christus" genossen wird, und viele andere Stellen.

11 Vgl. als ein Beispiel u.a. die hohe Bewertung der geistlichen Kommunion;
vgl. dazu H. R. Schlette, Kommunikation und Sakrament. Theologische
Deutung der geistlichen Kommunion, Basel-Freiburg-Wien 1959 (= QD 8),
passim.

diente. Das Altarssakrament selbst wurde in außerliturgische
Formen gedrängt. Während die sakramentale Kommunion kaum eine
Rolle spielte, nahmen Segnungen und Prozessionen mit dem Al-
lerheiligsten breiten Raum ein.

Reformation und Konzil von Trient

Aus solchen Einseitigkeiten und Mißbräuchen, deren die ver-
schiedensten Reformbemühungen nicht Herr zu werden vermochten[12],
wird schließlich der Protest der Reformatoren des 16. Jahrhunderts verständlich. Sie versuchten, mit einer einfachen, zuerst noch lateinischen, dann aber volkssprachlichen Liturgie
das Volk wieder neu am kirchlichen Gottesdienst zu beteiligen.
Diese liturgische Reform war aber verbunden mit den dogmatischen Auseinandersetzungen bezüglich des Eucharistieverständnisses, insbesondere des Opfercharakters der Messe. Das Konzil
von Trient mußte deshalb einerseits die katholische Lehre von
der Meßfeier verteidigen und andererseits eine katholische liturgische Reform durchführen, die dann freilich auch von der
Auseinandersetzung mit der Reformation geprägt war.

Das liturgische Reformwerk des Trienter Konzils fand seinen
Ausdruck vor allem im Römischen Brevier von 1568 und im Römischen Meßbuch von 1570. Die Befreiung der Liturgie von unli-
turgischen Überwucherungen, die Rückkehr zu den überlieferten
liturgischen Formularen und die Vereinheitlichung der römischen Liturgie waren Ziele der Reform[13]. Sie war nicht von pastoralen Anliegen bestimmt, sondern historisch und apologe-
tisch orientiert[14]. Eine größere Nähe zum Volk wurde dabei
nicht erreicht. Gegen die dadurch weiterhin drohende Verfrem-
dung des Gottesdienstes durch alle möglichen Arten von Volks-
andachten erwies sich die definitive Festlegung der Liturgie

---

12 Vgl. J. A. Jungmann, Missarum Sollemnia. Eine genetische Erklärung der
   römischen Messe, 2 Bde., Wien-Freiburg-Basel ⁵1962, I, 168–174.
13 Vgl. ebd., 176–186; P. Jounel, Abriß der Liturgiegeschichte. Vom Konzil
   von Trient bis zum Zweiten Vatikanischen Konzil, in: HLW I, 46–54; F.
   Kolbe, a.a.O., 7 f.
14 J. A. Jungmann, Einleitung, in: Konstitution des II. Vatikanischen Konzils "Über die heilige Liturgie", hg. und erläutert von Bischof S. K.
   Landersdorfer, J. A. Jungmann und J. Wagner, Münster 1964, 5.

durch die tridentinische Reform als Schutz. Allerdings bewirkte die von Pius V. verfügte allgemeine Verbindlichkeit und
Unveränderlichkeit der Meßbuches eine Erstarrung der Liturgie.
Über die Einhaltung der vorgeschriebenen Ordnung der Meßfeier
sowie der gesamten Liturgie sollte die 1588 eingesetzte Ritenkongregation in der ganzen lateinischen Kirche wachen[15].
Eine höchst bedeutsame positive Auswirkung der tridentinischen
Liturgiereform war es, daß die Meßfeier und das Altarssakrament wieder in den Mittelpunkt der kirchlichen Frömmigkeit gerückt wurden. Wenn auch in kontroverstheologischer Absicht oft
einseitig der Opfercharakter der Messe und die wirkliche Gegenwart des Herrn im Altarssakrament betont wurden, so war
doch im Bewußtsein der Gläubigen der offizielle, liturgische
Gottesdienst wieder ins Zentrum gerückt[16]. Allerdings konnte
die Eucharistiefeier als solche den Gläubigen vielfach nicht
die nötigen geistlichen Impulse geben, da der Ritus für die
meisten unverständlich war und gewöhnlich unerklärt blieb[17].
Die Mitfeier der Eucharistie durch die Gläubigen vollzog sich
nicht eigentlich in den liturgischen Texten, die der Priester
betete, sondern wurde durch Rosenkranz, Andachtstexte und
deutsche Lieder gestaltet. So sollte das Ziel eines inneren
Mitvollzugs des eucharistischen Geschehens und schließlich das
innere Gebet als eine Hochform der Einigung mit Jesus Christus
angestrebt werden.
Der öffentliche und soziale Charakter der Liturgie konnte dabei nicht zur Auswirkung kommen, und diese bekam erneut den
Anschein eines nur äußerlichen rituellen Vollzugs.

---

15 Vgl. P. Jounel, a.a.O., 50 f., wo von drei Jahrhunderten liturgischen
   Stillstands gesprochen wird; vgl. auch J. A. Jungmann, Missarum Sollemnia I, 183–185.
16 Vgl. L. A. Veith/ L. Lenhart, Kirche und Volksfrömmigkeit im Zeitalter
   des Barock, Freiburg 1956; K. Wittstadt, Frömmigkeitsformen ..., a.a.O.
   (Anm. 3), 97–106; vgl. auch E. Iserloh, Abendmahl III.3.2. Reformationszeit – Römisch-katholische Kirche, in: TRE I (1976), 122–131.
17 Die Bestimmung des Konzils von Trient, das mit der Beibehaltung der lateinischen Sprache die Mahnung verband, den Gläubigen während der Messe
   die Riten und Texte zu erklären (vgl. DS 1749), konnte diese Schwierigkeit offenbar nicht beheben. Das zeigt die ganze folgende Entwicklung
   bis zum II. Vaticanum. Es gelang nicht, die Kluft zwischen dem offiziellen Ritus und der Mitfeier der Gläubigen zu schließen.

Ansätze zur Überwindung dieser Kluft zwischen liturgischem
Vollzug und Mitfeier der Gläubigen finden sich im 17. Jahrhundert vor allem in Frankreich. Im Oratorium des Kardinals Pierre de Bérulle (+1629) wurde versucht, das private Gebet mit
der offiziellen Liturgie zu verbinden. Die Teilnahme am Meßopfer wurde zum Inbegriff der Frömmigkeit[18]. Die französischen
Benediktiner Jean Mabillon (1632-1707) und Edmond Martène (1654
bis 1739) kamen aus dem Studium der Väter und der alten Liturgien zu Versuchen, die Meßfeier für das Volk zu erklären und
Meßtexte in Übersetzungen zugänglich zu machen. Diese pastoralliturgischen Bemühungen wurden aber in Rom als Versuch der
Einführung der Landessprache in die Meßfeier mißverstanden und
1661 von Papst Alexander VI. verurteilt[19].
Die durch die Möglichkeit des Buchdruckes rasch verbreiteten
Gebetbücher stellten einen neuen Versuch dar, die Teilnahme am
Gottesdienst zu erleichtern. Sie enthielten aber nur entfernte
Hinweise auf den Ablauf der Meßfeier und entsprachen dem Bedürfnis nach gemeinsamem Beten und Singen durch Gebetstexte
und Lieder, welche die Liturgie überdeckten.
Die in dieser Zeit zu großem und prunkvollem Reichtum entfaltete Kirchenmusik verstärkte diese Tendenz. Feierliche Gottesdienste, zumal an den kultivierten Fürstenhöfen, erweckten den
Eindruck von Kirchenkonzerten im reich geschmückten Festsaal
der Barockkirche[20]. Die Liturgie selbst stellte sich dabei für
die Gläubigen als eine rätselhafte, unverrückbare Ordnung dar,
in deren Mitte die Gegenwart des Herrn im Sakrament steht, um
dessentwillen alles übrige geschieht[21]. Ein 1734 in Würzburg
erschienener Katechismus konnte die Messe als eine der fünf
Weisen eucharistischer Anbetung des Herrn bezeichnen[22]; eine
1710 in Frankreich veröffentlichte Abhandlung über das Geheimnis der christlichen Mysterien verband die Treue zur Kirche

---

18 Vgl. J. A. Jungmann, a.a.O., 189.
19 Vgl. F. Kolbe, a.a.O., 10 f.; J. A. Jungmann, a.a.O., 189 ff.
20 Vgl. J. A. Jungmann, a.a.O., 186-200.
21 Ebd., 196.
22 Vgl. ebd., 199.

mit dem Verzicht auf Erklärung und Übersetzung der Liturgie,
da man Heiliges nicht anrühren dürfe [23]. Die auf unmittelbare
Beteiligung der Gläubigen hingeordneten Vollzüge wurden aus
der Liturgie ausgegliedert: Die Predigt fand in der Regel vor
der Messe statt oder ganz getrennt davon als eigene, stunden-
lange Veranstaltung. Sie wurde nicht mehr als liturgische Auslegung des Gotteswortes, als liturgische Präsenz des Herrn
verstanden [24]. Die Kommunion der Gläubigen war oft erst nach
der Messe, und zwar, wegen des Nüchternheitsgebotes, gewöhnlich nur nach der Frühmesse [25].

Aufklärung

Die Zeit der Aufklärung brachte bedeutsame Impulse zur Erforschung und Erklärung der Liturgie. Es ist im Rahmen dieser Arbeit nicht möglich, die liturgiegeschichtliche Bedeutung dieser Epoche darzustellen [26]. Auf die oft überraschende Übereinstimmung zwischen den Reformbemühungen damaliger Theologen und
den Bestimmungen der Liturgiekonstitution des II. Vatikanischen Konzils wurde in letzter Zeit mehrfach hingewiesen [27]. Es
gibt offensichtliche Parallelen zwischen den liturgischen Er-
neuerungsversuchen des 19. Jahrhunderts und der Liturgischen
Bewegung unseres Jahrhunderts. Dabei darf aber nicht übersehen

---

23 Vgl. F. Kolbe, a.a.O., 11.
24 Damit ist nichts gegen die homiletische Bedeutung der Barockpredigt gesagt. Vgl. dazu J. B. Schneyer, Geschichte der katholischen Predigt,
   Freiburg 1969, 267-271.
25 Vgl. J. A. Jungmann, a.a.O., 196; ders., Liturgische Erneuerung zwischen
   Barock und Gegenwart, in: LJ 12 (1962) 1-15, hier 13; vgl. auch den Literaturbericht von E. W. Zeeden, Die abendländische Liturgie im Zeitalter der Glaubenskämpfe und des Barock, in: ALW 5/1 (1957) 209-231.
26 Vgl. E. Hegel, Aufklärung, II. Kirchengeschichte, E. Liturgie und Seelsorge, in: LThK2 I, 1062 f.
27 Vgl. z.B. E. Keller, Die Konstanzer Liturgiereform unter Ignaz Heinrich
   v. Wessenberg, Freiburg 1965 (= Freiburger Diözesan-Archiv, 85. Bd. =
   Dritte Folge, 17. Bd.), 484-491; M. Probst, Gottesdienst in Geist und
   Wahrheit. Die liturgischen Ansichten und Bestrebungen Johann Michael
   Sailers (1751-1832), Regensburg 1976 (= Studien zur Pastoraltheologie,
   Bd. 2), 288-294; J. Steiner, Liturgiereform in der Aufklärungszeit. Eine Darstellung am Beispiel Vitus Anton Winters, Freiburg-Basel-Wien 1976
   (= FThSt 100), 11-16; P. Wehrle, Orientierung am Hörer. Die Predigtleh-
   re unter dem Einfluß des Aufklärungsprozesses (Diss. München 1975), Zürich-Einsiedeln-Köln 1975 (= Studien zur praktischen Theologie, Bd. 8),
   259-267 ("'Parallelen' zwischen der Aufklärungspastoral und heute").

werden, daß schon damals die Motive zu einer liturgischen Erneuerung recht unterschiedlicher Art waren. Während eine Gruppe von Theologen der Aufklärungszeit den Sinn der Liturgie wie der Religion überhaupt im Gefolge Kants im Dienst der Sittlichkeit sah und den Gottesdienst damit zu einem Instrument moralischer Erbauung und sittlicher Belehrung degradierte[28], betonten andere die absolute Priorität des Heilshandelns Gottes vor der menschlichen Aktivität, die Priorität der Religion vor der Sittlichkeit[29]. Bei einem solchen echt theologischen Grundverständnis konnten die legitimen Anliegen der Aufklärungszeit, vor allem eine ausdrückliche Hinwendung zum Menschen in seiner Subjektivität, aufgenommen werden, ohne daß dabei ein flacher Horizontalismus das Ergebnis war[30].

Die konkreten Reformforderungen waren dabei oft einander sehr ähnlich. Es ging immer, wenn auch aus verschiedenen Gründen, um die Verdeutlichung der liturgischen Vollzüge, um die Ermöglichung einer wirklichen Teilnahme der Gläubigen am Gottesdienst. Fast alle Reformvorschläge, die in der Liturgischen Bewegung unseres Jahrhunderts vorgebracht und in der Liturgiekonstitution des II. Vatikanischen Konzils angenommen worden sind, finden sich schon in den Schriften damaliger Liturgiker und systematischer Theologen[31].

Trotz dieser erstaunlichen Parallelen gelang es den Theologen der Aufklärungszeit nicht, eine liturgische Reform durchzusetzen. Eine offizielle, von Rom in Angriff genommene Litur-

---

28 Als Beispiel kann V. A. Winter gelten (1754-1814), der in Ingolstadt, später in Landshut lehrte; vgl. J. Steiner, a.a.O., 29-44.
29 Stellvertretend für diese Richtung kann J. M. Sailer (1751-1832) genannt werden; vgl. M. Probst a.a.O., 277-279, 288 f.: Kritik an V. A. Winter; vgl. dazu W. Trapp, Vorgeschichte ... (s. Anm. 3); J. A. Jungmann, a.a.O., 202 f.
30 Vgl. G. Duffrer, Auf dem Weg zu liturgischer Frömmigkeit. Das Werk des Markus Adam Nickel (1800-1869) als Höhepunkt pastoralliturgischer Bestrebungen im Mainz des 19. Jahrhunderts, Speyer 1962 (= Quellen und Abhandlungen mittelrheinischer Kirchengeschichte, Bd. 6); H. Plock, Feier der Versöhnung und des göttlichen Lebens. Zur Theologie der Liturgie und ihrer heilsgeschichtlichen Begründung im Systemdenken Franz Anton Staudenmaiers, Münster 1978 (= LQF 61).
31 Vgl. die Aufzählung der Reformwünsche der Aufklärungsliturgiker bei J. A. Jungmann, a.a.O., 202 f. und die dort gegebenen Hinweise auf Belege bei W. Trapp, a.a.O., 85-189.

giereform scheiterte, weil Papst Benedikt XIV. die Ergebnisse
einer von ihm eingesetzten Kommission zur Erarbeitung dieser
Reform ablehnte (1747) [32]. Die auf der Synode von Pistoia (1786)
formulierten liturgischen Reformvorschläge, die sich weitgehend mit denen des II. Vatikanischen Konzils decken, aber im
Kontext eines vom Josefinismus geprägten Kirchenverständnisses
standen, wurden in die Verurteilung dieser Synode durch Papst
Pius VI. (1794) einbezogen [33]. Die liturgietheologischen Impulse vor allem von Johann Michael Sailer (1751-1832) wurden von
der mit den politischen Wirren der Zeit in Atem gehaltenen
Kirche nicht aufgenommen und gerieten bald in Vergessenheit[34].
Ähnlich erging es auch der erstaunlichen Liturgiereform des
letzten Konstanzer Generalvikars Ignaz Heinrich von Wessenberg
(1774-1860, Generalvikar von 1802-1827), die in der "Allgemeinen Gottesdienstordnung" von 1809 und im Konstanzer Gesangbuch
von 1812 ihren Ausdruck gefunden hat [35]. Sie hatte weithin das
liturgische Reformwerk des II. Vatikanischen Konzils vorweggenommen, konnte sich aber nicht durchsetzen, ebensowenig wie
die liturgischen Reformvorschläge so bedeutender Theologen wie
Johann Baptist Hirscher (1788-1865), Markus Adam Nickel (1800
bis 1869) und Johann Adam Möhler (1796-1838) [36].

Restauration

Wenn auch der anthropozentrische Religionsbegriff der Aufklärung und die damit verbundene Funktionalisierung des Gottesdienstes zum Instrument sittlicher Erziehung zur Aufklärungszeit selbst nicht unwidersprochen blieben, so gelang es doch
nicht, ihn von seinen Einseitigkeiten wirksam zu befreien. Es
kam zur Gegenreaktion der katholischen Restauration, die sich
mit der romantischen Überbewertung antiker und mittelalterli-
cher Gedanken verband. Im Gegensatz zu der auf die Autonomie
der menschlichen Vernunft gegründeten natürlichen Religion der

---

32 Vgl. P. Jounel, a.a.O. (Anm. 13), 52.
33 Vgl. F. Kolbe, a.a.O., 14; J. A. Jungmann, Liturgische Erneuerung zwischen Barock und Gegenwart, a.a.O. (Anm. 25), 2 f.
34 Vgl. M. Probst, a.a.O., 293 f.
35 Vgl. E. Keller, a.a.O., bes. 377-472.
36 Vgl. F. Kolbe, a.a.O., 12-19.

Aufklärungszeit wurde nun neu die übernatürliche Offenbarung betont, die Notwendigkeit des Dogmas und des der kirchlichen Autorität geschuldeten Gehorsams[37]. Auch die positiven Reformbemühungen der Aufklärungstheologen gerieten in Mißkredit und schließlich in Vergessenheit.

In diesem geistesgeschichtlichen Umkreis[38] ist die intensive liturgiegeschichtliche Forschungsarbeit zu sehen, die vor allem von den neubegründeten Bendediktinerabteien Solesmes (1837), Beuron (1863), Maredsous (1872) und Maria Laach (1892) getragen wurden[39]. Ihr Anliegen, das insbesondere vom Gründerabt von Solesmes, Prosper Guéranger[40], mit unnachgiebiger Konsequenz verfochten wurde, war die Wiederherstellung der lateinischen Liturgie nach dem römischen Missale und Brevier. Die vorwiegend pastoral orientierten Reformwünsche der vorigen Epoche wurden scharf bekämpft; in traditionalistischer Haltung ließ man allein die überkommene Liturgie gelten, die dem Volk zwar erklärt werden sollte, aber dennoch stets vom Schleier des Geheimnisses umhüllt bleiben mußte. Es ging zuerst um Liturgie, nicht um die Gläubigen. Diese Phase der Liturgischen Bewegung wurde deshalb als "Zeit der liturgischen Denkmalspflege" apostrophiert[41]. Die Pflege des Gregorianischen Chorals drängte den deutschen Volksgesang zurück. Bei aller Bemühung um formvollendete Liturgie wurde das Volk mehr denn je in die Rolle des Zuschauers verwiesen[42], der der Meßfeier mit Andacht beiwohnen soll, aber keinen konstitutiven Anteil an

---

37 Vgl. J. A. Jungmann, Missarum Sollemnia I, 207-210; F. Kolbe, a.a.O., 20-29.
38 Vgl. dazu die geistesgeschichtliche Orientierung bei A. L. Mayer, Die Stellung der Liturgie von der Zeit der Romantik bis zur Jahrhundertwende, in: ALW 3/1 (1953) 1-77, bes. 54-65 ("Verhältnis zur Liturgie").
39 Zur Bedeutung dieser Abteien für die Liturgische Bewegung vgl. O. Rousseau, Abriß der Liturgiegeschichte. Die Liturgische Bewegung von Dom Guéranger bis Pius XII., in: HLW I, 54-59; Th. Maas-Ewerd, Liturgie und Pfarrei, 27-34, und die dort jeweils angegebene Literatur.
40 Vgl. A. Nocent, Guéranger, Prosper-Louis-Pascal, in: LThK[2] IV, 1263 f.; J. A. Jungmann, a.a.O., 210 f.
41 J. A. Jungmann, Liturgie zwischen Bewahrung und Bewegung, in: Ders., Liturgisches Erbe und pastorale Gegenwart, Innsbruck-Wien-München 1960, 121; weitere Belege für eine solche Einschätzung dieser Phase der Liturgischen Bewegung bei Th. Maas-Ewerd, a.a.O., 27 f.
42 Vgl. J. A. Jungmann, Missarum Sollemnia I, 209.

ihrem Vollzug hat[43].

Ein Bewußtsein von verschiedenen Weisen wirksamer Gegenwart
Jesu Christi in der Liturgie findet sich in dieser gesamten
Zeit fast überhaupt nicht. Eine Ausnahme bilden lediglich einige bedeutende Liturgiker der Aufklärungszeit, die sich um
eine genuin theologische Deutung der Verkündigung bemühten. So
ist für Johann Michael Sailer die wirksame Gegenwart des Herrn
keineswegs auf das Altarssakrament beschränkt; sie gilt für
alle Sakramente und für die liturgische Versammlung als ganze[44]. Eine Gegenwart des Herrn als des eigentlichen Verkündi-
gers des Gotteswortes findet man zwar bei Sailer nicht ausdrücklich[45]; sie ist aber bei Markus Adam Nickel ausgesagt,
der von der Heilskraft des Gotteswortes auch in den liturgischen Texten und in der Predigt spricht[46]. Solche und andere
theologischen Einsichten blieben aber zunächst unwirksam und
wurden in der zweiten Hälfte des 19. Jahrhunderts durch die
Restauration überdeckt und als dem Geist der Aufklärung ver-
haftet abgetan.

1.1.2. Die Liturgische Bewegung der ersten Hälfte des 20.
       Jahrhunderts

Aus dem Rückblick auf die Geschichte wird deutlich, daß die
liturgische Erneuerung der letzten Jahrzehnte keineswegs unvermittelt entstanden ist, sondern die Frucht einer langen
Vorgeschichte darstellt, deren bereicherndes und belastendes
Erbe sie mit sich führt. Nicht schlechthin neue Erkenntnisse
haben zur liturgischen Erneuerung geführt, sondern vielmehr
eine günstige Konstellation verschiedener geistesgeschichtlicher und theologiegeschichtlicher Tendenzen[47]. Einzelne Ele-

---

43 Vgl. W. Birnbaum, Das Kultusproblem I, 20–22, wo er die Auffassung von
   V. Thalhofer, Handbuch der katholischen Liturgik, Freiburg [1]1883, referiert.
44 Vgl. M. Probst, a.a.O., 231.
45 Vgl. ebd.
46 Vgl. G. Duffrer, a.a.O., 72 ff., 148.
47 Vgl. A. L. Mayer, Die geistesgeschichtliche Situation der liturgischen

mente, die bisher oft infolge einseitiger Betonung in Gegensatz zueinander geraten waren, verbanden sich zu einem neuen
Ganzen, das man *Liturgische Bewegung*[48] genannt hat.

Die bewegenden Kräfte

Zu den historischen Forschungen, wie sie vor allem von Abt
Guéranger angeregt und in Angriff genommen worden waren, kam
als notwendige Ergänzung das pastorale Bemühen um eine Er-
schließung der Liturgie für die Gläubigen. Diese "pastorale
Phase"[49] der Liturgischen Bewegung wurde vor allem von einem
Benediktiner der 1899 gegründeten Abtei Kaisersberg (Mont-César) in Belgien, Lambert Beauduin (1873-1960)[50], ausgelöst.
Ihm ging es darum, dem Entfremdungsprozeß vieler Menschen von
der Kirche, den er als Arbeiterseelsorger in Lüttich unmittelbar kennengelernt hatte, zu begegnen. Als geeignetes Mittel
dafür erkannte er die lebendige Kraft einer bewußt vollzogenen
Liturgie, wie er sie als Mönch von Kaisersberg kennengelernt
hatte. Diese Quelle christlichen Lebens wollte er den Gläubigen erschließen helfen. Dazu war eine Übersetzung der Meßtexte und eine Erklärung der Riten erforderlich. Die Mitfeier der
Liturgie sollte für die Christen zur Schule des Glaubens und
des Gebetes werden, zum Mittelpunkt der Frömmigkeit und des
gesamten christlichen Lebens.
Mit diesem Programm trat Dom Beauduin erstmals beim belgischen
Katholikentag in Mecheln (1909) vor die kirchliche Öffentlichkeit[51]. Damit ist der Beginn der pastoralliturgischen Bewegung
markiert[52]. Zum Ausgangspunkt seiner Überlegungen nahm Beaudu-

Erneuerung in der Gegenwart, in: ALW 4/1 (1955) 1-51, bes. 44-51.
48 Die Literatur über die Liturgische Bewegung ist kaum überschaubar. Das
   von L. Brinkhoff u.a. hg. LitW II, 1604 f., nennt etwa 50 Monographien.
   Dazu kommen zahllose Beiträge vor allem in den liturgiewissenschaftlichen Fachzeitschriften. Vgl. z.B. die Stichworte "Liturgische Bewegung"
   und "Liturgische Erneuerung", in: LJ, Registerband zu den ersten zehn
   Jahrgängen 1951-1960, Münster 1962, 63 f.
49 So nennt Th. Maas-Ewerd, a.a.O., 34, diese Periode.
50 Vgl. O. Rousseau, Beauduin, dom Lambert, in: LitW I, 224 f.
51 Vgl. B. Fischer, Das "Mechelner Ereignis" vom 23. September 1909, in:
   LJ 9 (1959) 203-219.
52 Vgl. neben vielen anderen Beiträgen Th. Maas-Ewerd, a.a.O., 24-31; F.
   Kolbe, a.a.O., 33-35; O. Rousseau, Abriß der Liturgiegeschichte, a.a.O.
   (Anm. 39), 57.

in ein Wort Papst Pius' X. über die Notwendigkeit der tätigen
Teilnahme der Gläubigen an der Liturgie[53]. Damit kommt ein
weiteres wesentliches Element der liturgischen Erneuerung unseres Jahrhunderts in den Blick: sie wurde von vornherein von
der kirchlichen Leitung unterstützt, mitgetragen und auch kritisch begleitet. Dadurch konnte sie, anders als die liturgischen Reformbemühungen vorangegangener Epochen, schließlich zu
einer gesamtkirchlichen Liturgiereform führen. Die Äußerungen
des kirchlichen Lehramts zu liturgischen Fragen sollen deshalb
in einem eigenen Abschnitt im Hinblick auf ihre Bedeutung für
das Thema dieser Arbeit untersucht werden[54].

Die intensive Beschäftigung mit liturgischen Fragen drängte
aber nicht nur zu einer offiziellen Reform der Liturgie, sondern auch zu einer Besinnung auf die theologische Bedeutung
der liturgischen Feiern. Zu der historischen Blickrichtung des
Abtes Guéranger und dem pastoralen Interesse von Dom Lambert
Beauduin kam die theologische Diskussion, die vor allem von
einem weiteren Benediktiner, Odo Casel (1886-1948) von Maria
Laach, angeregt wurde. Seit 1918 entwickelte und verteidigte
er in einer Fülle von Veröffentlichungen seine These von der
Mysteriengegenwart der Person und Heilstat Jesu Christi. Diese
sogenannte *Mysterienlehre* soll wegen ihrer unmittelbaren Bedeutung für die Frage nach der Gegenwart des Herrn in der Liturgie im nächsten Abschnitt zusammenfassend dargestellt werden[55].

Die weitere Geschichte der Liturgischen Bewegung zwischen den
beiden Weltkriegen kann aus dem Zusammenspiel der vier genannten Elemente verstanden werden: historische Forschung, pastorales Interesse, theologische Vertiefung und kirchenamtliche
Leitung. Dazu kam die geistesgeschichtliche Situation nach den
Erschütterungen des ersten Weltkrieges, die unter anderem dadurch gekennzeichnet war, daß die Frage nach Sinn und Wert des
menschlichen Lebens neu aufbrach. So wurden auch die gestal-
tenden Kräfte wieder wach, die sich um die Jahrhundertwende in

---

53 Vgl. unten, Abschnitt 1.1.3., S. 30-36.
54 Vgl. unten, Abschnitt 1.3., S. 57-86.
55 Vgl. unten, Abschnitt 1.2., S. 38-57.

kraftloser Reproduktion vergangener Leistungen zu erschöpfen
drohten [56].

Erste Vorkämpfer

Die pastoralliturgische Arbeit Dom Beauduins fand rasch in den
meisten katholischen Ländern Anklang und weitere Förderung.
Vor allem in Deutschland wurden seine Ideen schon vor dem ersten Weltkrieg begeistert aufgenommen, schneller als in Frankreich [57]. Die Abtei Maria Laach [58] wurde zum Zentrum der deutschen Liturgischen Bewegung [59]. Diese war von vornherein stärker theologisch interessiert, verband aber mit der theologischen Forschung auch einen starken pastoralen Impuls.
Maria Laach brachte eine Reihe bedeutender Liturgiewissenschaftler hervor. Der 1913 zum Abt gewählte Ildefons Herwegen
(1874-1946) verstand es, junge Akademiker um sich zu sammeln,
die ihrerseits mit Hilfe des 1913 neugegründeten Akademiker-
verbandes die liturgische Erneuerungsbewegung in weiten Krei-
sen der katholischen Kirche bekannt machten [60]. Fast gleichzeitig begann Romano Guardini in dem 1909 begründeten Jugendbund
Quickborn und dem seit 1919 bestehenden Bund *Neudeutschland*
Einfluß zu gewinnen [61]. Mit großem pädagogischen Talent vermochte er Jugendliche für Kirche und Liturgie zu begeistern.
Dabei nahm Guardini das positive Erbe der Aufklärung auf. Er
schrieb: "Der Liturgie ist vor allem darum zu tun, die grundlegende christliche Gesinnung zu schaffen. ... Sie will den
Menschen dahin bringen, daß er sich in die rechte, wesenhafte
Ordnung zu Gott stelle, daß er in Anbetung, Gottesverehrung,

---

56 Vgl. F. Kolbe, a.a.O., 29; J. A. Jungmann, Missarum Sollemnia I, 209 f.
57 Vgl. O. Rousseau, a.a.O., 57; Th. Maas-Ewerd, a.a.O., 46-48.
58 Vgl. E. v. Severus, Maria Laach, in: LThK² VII, 45 f.
59 Vgl. die zusammenfassende Darstellung der deutschen Liturgischen Bewegung bei Th. Bogler, Deutschland, in: Ders. (Hg.), Liturgische Erneuerung in aller Welt. Ein Sammelbericht, Maria Laach 1950, 15-28; Th.
   Maas-Ewerd, Pius Parsch und die Liturgische Bewegung im deutschen
   Sprachgebiet, in: N. Höslinger/ Th. Maas-Ewerd (Hg.), Mit sanfter Zähigkeit. Pius Parsch und die biblisch-liturgische Erneuerung, Klosterneuburg 1979 (= Schriften des Pius Parsch-Instituts Klosterneuburg, Bd.
   4), 79-119, hier 86-100.
60 Vgl. Th. Maas-Ewerd, Liturgie und Pfarrei, 48-56.
61 Vgl. ebd., 57-65.

Glauben und Liebe, Buß- und Opfergesinnung innerlich *recht* werde"[62]. Die Erziehung zum wesensgerechten Menschentum steht aber bei ihm nicht unter der Norm der autonomen menschlichen Vernunft, sondern wird von der göttlichen Offenbarung geleitet. Liturgie ist für Guardini nicht Erziehungsmittel in der Hand menschlicher Autoritäten, sondern in der Hand Gottes, der den Menschen durch Jesus Christus mittels der liturgischen Feiern ergreift und in sein Leben einbezieht[63].

Neben dieser Verbreitung liturgischen Interesses in Akademikerkreisen und in der katholischen studierenden Jugend war es aber auch ein Anliegen der führenden Persönlichkeiten in der Liturgischen Bewegung, über die Pfarrseelsorge auf die ganze Breite des gläubigen Volkes einzuwirken[64]. Diese volksliturgische Arbeit wurde außer von Guardini entscheidend durch den Klosterneuburger Augustiner-Chorherrn Pius Parsch (1884-1954) geprägt und gefördert[65]. Sie fand in der Zeit zwischen den beiden Weltkriegen tatkräftige Unterstützung durch einige herausragende Seelsorger und Theologen[66].

Ein Vorzug dieser ganzen Bewegung war es, daß sie bei aller angestrebten und auch erreichten Breitenwirkung nicht an theologischem Tiefgang verlor. Gewiß gingen manche Popularisierungsversuche liturgischer Texte und Erklärungen auf Kosten der theologischen Präzision[67]. Insgesamt wurde aber die pastoralliturgische Arbeit von gründlichen liturgiehistorischen und -theologischen Untersuchungen begleitet und untermauert. Davon geben die im Zusammenhang mit der Liturgischen Bewegung

---

62 R. Guardini, Vom Geist der Liturgie, Maria Laach 1920 (= EcOra 1), 87.
63 Vgl. W. Birnbaum, Das Kultusproblem I (s. Anm. 1), 46; Th. Maas-Ewerd, Liturgie und Pfarrei, 62. Dort auch weitere Literatur.
64 Vgl. die instruktiven Beispiele liturgischer Erneuerung in der Pfarrseelsorge bei Th. Maas-Ewerd, a.a.O., 66-89.
65 Vgl. ebd., 92-103; F. Kolbe, a.a.O., 42-55. Vgl. dazu neuerdings N. Höslinger, Der Lebensweg von Pius Parsch, in: Ders./ Th. Maas-Ewerd (Hg.), Mit sanfter Zähigkeit (s. Anm. 59), 13-78.
66 Vgl. F. Kolbe, a.a.O., 55-61; Th. Maas-Ewerd, Liturgie und Pfarrei, 164 bis 213, wo eingehend über die Arbeit von Athanasius Wintersig, Mönch von Maria Laach, Pius Parsch, Pfarrer Konrad Jakobs von Mülheim, Johannes Pinsk und Constantin Noppel berichtet wird.
67 Vgl. zu Pius Parsch: Th. Maas-Ewerd, ebd., 93 f. mit Anm. 142-144, und den in Anm. 59 angeführten Band über Pius Parsch.

gegründeten liturgiewissenschaftlichen Zeitschriften Zeugnis [68].

Natürlich gab es sowohl auf der praktischen wie auf der theologischen Ebene auch heftige Gegner der Liturgischen Bewegung. Die entsprechenden Kontroversen brauchen hier nicht dargestellt zu werden [69]. Soweit sie für diese Untersuchung relevante theologische Fragen zum Inhalt haben, wird darauf im Zusammenhang mit der Mysterienlehre einzugehen sein.

Kirchenamtliche Führung

Von größter Bedeutung für den Fortgang der Liturgischen Bewegung in Belgien, Frankreich und Deutschland war es aber, daß die Bischöfe in zunächst abwartender, später entschieden zustimmender Einstellung die Entwicklung begleiteten. Unmittelbar vor dem zweiten Weltkrieg und während der ersten Kriegsjahre wurden heftige Angriffe gegen die Liturgische Bewegung gerichtet. Sie fanden in den Einseitigkeiten gewisser Liturgiker, die nichts anderes mehr als die Liturgie gelten lassen wollten, und in manchen dilettantischen Versuchen zur Popularisierung liturgischer Fragen Angriffspunkte zu vernichtender Kritik [70]. Wie schon zu Beginn der Liturgischen Bewegung in Belgien der Erzbischof von Mecheln, Désiré Kardinal Mercier, die Bemühungen Dom Beauduins unterstützt und ihn gegen die harten Angriffe von Gegnern der Liturgischen Erneuerung verteidigt hatte [71], so traten jetzt auch deutsche Bischöfe für

---

68 Vgl. vor allem die von L. Beauduin begründete Zeitschrift *Questions liturgiques et paroissiales*, Löwen 1910 ff.; das von Maria Laach hg.*Jahrbuch der Liturgiewissenschaft,* Münster 1921-1945, und die ebenfalls von Maria Laach hg. Reihe *Liturgiegeschichtliche Quellen und Forschungen,* Münster 23 (1928) - 31 (1939). Diese Reihe setzt die früheren Reihen *Liturgiegeschichtliche Quellen,* Münster 1 (1918) - 22 (1927) und *Liturgiegeschichtliche Forschungen,* Münster 1 (1918) - 10 (1927) fort; sie wurde später wieder fortgeführt in der Reihe *Liturgiewissenschaftliche Quellen und Forschungen,* Münster 32 (1957) ff.
69 Vgl. F. Kolbe, a.a.O., 44 f., 63-79, Th. Maas-Ewerd, Liturgie, 220-249.
70 Vgl. bes. M. Kassiepe, Irrwege und Umwege im Frömmigkeitsleben der Gegenwart, Kevelaer 1939; A. Doerner, Sentire cum Ecclesia! Ein dringender Aufruf und Weckruf an Priester, Mönchengladbach 1941; vgl. dazu F. Kolbe, a.a.O., 63 f.; Th. Maas-Ewerd, Liturgie und Pfarrei, 220 f.; H. B. Meyer, a.a.O. (Anm. 3), 86.
71 Vgl. Th. Maas-Ewerd, Liturgie und Pfarrei, 42 und Anm. 80.

eine rechtverstandene liturgische Erneuerung ein. Bischof Albert Stohr von Mainz bat Guardini, dem er seit langem freundschaftlich verbunden war, um einen Bericht über die Situation. Dieser schrieb einen berühmt gewordenen Brief[72], in welchem er ausgewogen und überzeugend den Sinn und die Anliegen der Liturgischen Bewegung darstellte, ohne dabei die Fehler und Einseitigkeiten zu verschweigen, die in ihrem Umkreis aufgetreten waren. Er bat die Bischöfe, sich nun selbst an die Spitze der Liturgischen Bewegung zu stellen, um ihr so die rechte Form und die notwendige kirchliche Bindung zu geben.

Dieser 1940 verfaßte Brief blieb nicht ohne Auswirkungen auf das im selben Jahr eingerichtete Liturgische Referat und die Liturgische Kommission der Fuldaer Bischofskonferenz unter den Bischöfen Simon Konrad Landersdorfer von Passau und Albert Stohr von Mainz[73]. In den "Richtlinien zur Gestaltung des pfarrlichen Gottesdienstes" von 1942 legte die Liturgische Kommission eine Rahmenordnung für die Gottesdienstgestaltung vor[74].

Dieser Beginn einer kirchenamtlichen Bestätigung und Leitung der Liturgischen Bewegung rief freilich auch erhebliche Widerstände hervor. 1943 wurde aufgrund mancher Beschwerden in Rom eine Kardinalskommission mit der Überprüfung der deutschen Liturgischen Bewegung beauftragt. Sie machte den deutschen Bischöfen einige Auflagen, ohne jedoch die Liturgische Bewegung als solche anzugreifen[75]. Der Vorsitzende der Fuldaer Bischofskonferenz, Adolf Johann Kardinal Bertram von Breslau, schrieb auf Ersuchen dieser Kommission einen Bericht über die Liturgische Bewegung. Darin erläuterte er deren durchweg positiven Sinn und ihre seelsorgliche Bedeutung, die wegen einiger Mißbräuche nicht grundsätzlich infragegestellt werden sollten[76].

---

72 R. Guardini, Ein Wort zur liturgischen Frage (mit einem Geleitwort von Bischof A. Stohr von Mainz zu Allerheiligen 1940 veröffentlichter Brief an Bischof Stohr), neu zugänglich in: Ders., Liturgie und liturgische Bildung, Würzburg 1966, 193-213.
73 Vgl. J. Wagner, Liturgisches Referat - Liturgische Kommission - Liturgisches Institut, in: LJ 1 (1951) 8-14.
74 Vgl. F. Kolbe, a.a.O., 70; Th. Maas-Ewerd, Liturgie und Pfarrei, 226.
75 Vgl. die Anordnungen der Kommission in: MD, Nr. 7 (1946) 105-107.
76 Vgl. den Titel des Berichts bei Th. Maas-Ewerd, a.a.O., 228 f.: "Bericht

Kardinal-Staatssekretär A. Maglione gab im Auftrag des Papstes eine im ganzen zustimmende Antwort und bat um sorgfältige Wahrung der nötigen Aufsicht und Führung durch die deutschen Bischöfe [77].

Dem Bericht des Breslauer Kardinals war der Freiburger Erzbischof Conrad Gröber mit einem Memorandum an die deutschen Bischöfe zuvorgekommen, worin er in 17 Punkten zum Teil mit heftiger Kritik und großer Besorgnis auf theologische Zeitströmungen im Zusammenhang mit der Liturgischen Bewegung hinwies [78]. Da in dieser Denkschrift auch das Wiener Seelsorgeamt angegriffen wurde, reagierte der Erzbischof von Wien, Theodor Kardinal Innitzer, mit einer Verteidigung der Liturgischen Bewegung [79].

Einen vorläufigen Abschluß fanden diese Auseinandersetzungen durch die Enzyklika "Mediator Dei" (1947). Pius XII. machte sich darin das Grundanliegen der Liturgischen Bewegung zueigen und wies zugleich ihre Einseitigkeiten und Irrtümer zurück [80]. Mit dieser Enzyklika war die kirchenamtliche Grundlage für die liturgische Erneuerung gegeben.

In mehreren Ländern [81] hatten sich inzwischen die nationalen

---

über die Ausbreitung der Liturgischen Bewegung sowie über die Existenz und Tragweite der Gefahren, welche die bedauerlichen Abirrungen, die gemeldet worden sind, darstellen". Vgl. dazu F. Kolbe, a.a.O., 75-79.
77 Vgl. den Brief in: LJ 3 (1953) 108-110.
78 Dieser Brief "an den Hochwürdigsten großdeutschen Episkopat" (18.1.1943) wurde von Erzbischof Gröber auch nach Rom geschickt. Vgl. die informativen Auszüge aus dem Brief, in: MD, Nr. 7 (1946) 97-104. Pius XII. antwortete ihm darauf: vgl. Th. Maas-Ewerd, a.a.O., 228, Anm. 73.
79 Vgl. zu diesen Auseinandersetzungen die Darstellungen von F. Kolbe, a.a.O., 70-79, und Th. Maas-Ewerd, a.a.O., 220-249, und die dort angeführten Belege. Zum ganzen vgl. auch H. A. P. Schmidt, Introductio ... (s. Anm. 1), 170 f., und neuerdings die ausführliche Darstellung des gesamten Vorgangs bei Th. Maas-Ewerd, Die Krise der Liturgischen Bewegung. Studien zu den Auseinandersetzungen um die "liturgische Frage" in Deutschland und Österreich von 1939-1944, Regensburg 1979 (= Studien zur Pastoraltheologie, Bd. 3).
80 Vgl. J. Froger, L'Encyclique "Mediator Dei" sur la liturgie, in: PenCath H. 7 (1948) 56-75; J. A. Jungmann, Unsere liturgische Erneuerung im Lichte des Rundschreibens "Mediator Dei", in: GuL 21 (1948) 249-259.
81 Über die Entwicklung in den einzelnen Ländern kann hier nicht berichtet werden. Vgl. dazu Th. Bogler (Hg.), Liturgische Erneuerung in aller Welt. Ein Sammelbericht, Maria Laach 1950, wo in 21 Beiträgen über die verschiedenen Länder berichtet wird; vgl. auch ders., Die liturgische

Bischofskonferenzen dieser Bewegung angenommen. Sie hatten
sich in den liturgischen Instituten, vor allem in Frankreich
und in Deutschland, wirkungsvolle Instrumente zur Weiterführung der liturgischen Erneuerung unter bischöflicher Führung
geschaffen[82]. Damit waren die Voraussetzungen gegeben, daß nun
nach der anfänglichen historischen Blickrichtung der letzten
Jahrzehnte des 19. Jahrhunderts und dem vorwiegend pastoralen
Interesse zwischen den beiden Weltkriegen in einer dritten
Etappe [83] aus der Liturgischen Bewegung eine Erneuerung der Liturgie entstehen konnte [84]. Bedeutende Liturgiewissenschaftler,
allen voran Josef Andreas Jungmann[85], erarbeiteten die historischen und theologischen Grundlagen der Reform. Auf internationalen Studientreffen [86] entwickelte sich ein umfassender Erfahrungsaustausch und eine wissenschaftliche Diskussion, die
zu vielfältigen konkreten Reformanregungen führten[87]. Pius XII.
verwirklichte Schritt für Schritt einzelne Reformwünsche, so
daß schließlich der Boden bereitet war für die umfassende liturgische Reform durch das II. Vatikanische Konzil.

1.1.3. Die leitenden Ideen der Liturgischen Bewegung

Nach dem in den beiden vorausgehenden Abschnitten versuchten
historischen Überblick über die Vorgeschichte der Liturgischen

---

Bewegung seit dem Erscheinen von "Mediator Dei", in: LJ 1 (1951) 15-31,
wo Bogler kurze Berichte über die Situation in 10 Ländern gibt. Vgl.
auch F. Kolbe, a.a.O., 120-134.
82 1943 wurde in Paris das *Centre de Pastorale Liturgique* gegründet, dessen Organ die Zeitschrift *La Maison-Dieu* (seit 1945) ist; 1947 wurde
das Liturgische Institut in Trier von der Liturgischen Kommission der
Fuldaer Bischofskonferenz eingerichtet; es gibt seit 1951 das *Liturgische Jahrbuch* heraus. Andere liturgische Institute folgten: vgl. J.
Wagner, Liturgische Institute, in: LThK[2] VI, 1101.
83 Vgl. zu diesem Ausdruck O. Rousseau, a.a.O. (Anm. 39), 58.
84 Vgl. dazu H. B. Meyer, a.a.O. (Anm. 3).
85 Von grundlegender Bedeutung blieb bis heute sein Werk "Missarum Sollemnia" (s. Anm. 12).
86 Sie fanden statt in Maria Laach (1951), Odilienberg (1952), Lugano
(1953), Mont-César (1954), Assisi (1956), Montserrat (1958) und München
(1960). Vgl. dazu F. Kolbe, a.a.O., 91-95.
87 Vgl. auch unten, Abschnitt 1.4.2., S. 99-106.

Bewegung und ihre Geschichte in der ersten Hälfte unseres
Jahrhunderts muß nun noch die Frage gestellt werden, welchen
Beitrag diese Bewegung zu unserem Thema, der Frage nach den
Gegenwartsweisen Jesu Christi in der Liturgie, leistet. Dabei
können allerdings nicht die einschlägigen Aussagen der Liturgiekonstitution des II. Vatikanischen Konzils als Frageraster
verwendet werden, denn man würde so eine spätere Fragestellung
zum Deutungsrahmen der Geschichte machen. Das ist zwar eine
mögliche Weise des Vorgehens, um die Vorbereitung dieser Fragestellung in der Geschichte zu erhellen, bringt aber die Gefahr mit sich, daß die Geschichte in ihrer eigenen Aussage
nicht zur Geltung kommt. Es soll deshalb versucht werden, nach
den leitenden Ideen der Liturgischen Bewegung von ihrer eigenen Entwicklung her zu fragen, wobei sich dann zeigen muß,
welcher Ertrag sich für die Frage nach den Gegenwartsweisen
des Herrn in der Liturgie herausstellt.

"Das Grundanliegen der liturgischen Erneuerung" ist es nach
Josef Andreas Jungmann, "die Liturgie, die bis dahin wie ein
kostbarer Schatz nur vom Klerus gehütet und selbst von ihm
kaum verstanden wurde, aufzuschließen und sie dem Volke zu
bringen, um so dem christlichen Volke im allgemeinen Zerfall
der Überlieferungen eine neue Verwurzelung, einen festen Halt,
ein neues christliches Selbstbewußtsein zu geben"[88]. Im Hintergrund dieses Anliegens steht die Neuentdeckung des Reich-
tums der vorgegebenen Liturgie durch die historischen Forschungen der vorausgegangenen Jahrzehnte. Die Pflege der nachtridentinischen römischen Liturgie vor allem in Solesmes unter
Abt Guéranger konnte dabei nur einen ersten Schritt bedeuten.
Eine entscheidende Weiterführung leisteten die Mönche von Maria Laach. Unter Führung ihres Abtes Ildefons Herwegen er-
forschten sie die Liturgie des christlichen Altertums. Dadurch
wurde der Blick wieder dafür frei, daß Liturgie nicht eine ex-
klusive Sache des Klerus oder einer Mönchsgemeinschaft sein
kann, sondern vom ganzen Gottesvolk getragen und vollzogen

---

88 Vgl. J. A. Jungmann, Das Grundanliegen der liturgischen Erneuerung, in:
   LJ 11 (1961) 129-141, hier 136.

werden muß. Zu dieser Erkenntnis kam das neue Interesse für
die Kirche in der Zeit nach dem ersten Weltkrieg, das Bewußtsein, daß die Kirche die vom Heiligen Geist geeinte Gemeinschaft aller Gläubigen ist. Das 1922 formulierte und immer
wieder zitierte Wort Guardinis vom Erwachen der Kirche in der
Seele der Gläubigen steht symptomatisch für diesen Vorgang[89].
Guardini selbst hat es 33 Jahre später ergänzt durch den Satz:
"Die Kirche zeichnet sich im Bewußtsein der Welt als eine Realität ab, mit der man rechnen muß, im Guten oder im Schlim-
men"[90].

Wenn aber die Liturgie der Gottesdienst des gesamten Gottesvolkes sein soll, dann galt es nun, die Gläubigen für dieses
Verständnis zu gewinnen. Die theologische Einsicht mußte sich
mit dem pastoralen Impuls von Leuten wie Dom Lambert Beauduin
verbinden, um die kraftvolle Liturgische Bewegung der ersten
Jahrzehnte dieses Jahrhunderts zu ermöglichen[91]. Daraus resultiert das Grundanliegen, "die Liturgie ... aufzuschließen und
sie dem Volke zu bringen"[92].

Zunächst scheint hier eine weitgehende Übereinstimmung mit dem
Anliegen der Liturgiereform der Aufklärungstheologen zu bestehen. In Wahrheit liegen aber tiefgreifende Unterschiede zwischen beiden Bewegungen vor. Ging es den Aufklärungstheologen
vorwiegend um eine Liturgie für das Volk im Interesse der Erziehung und Besserung der Menschen[93], so gingen die führenden
Theologen der Liturgischen Bewegung dieses Jahrhunderts von
der theozentrischen Sicht der Liturgie als Gottesdienst aus.
Nicht primär die Erziehung zu vernünftigem menschlichen Leben
war ihr Ziel als vielmehr die Ausrichtung auf Gott selbst als
das Heil des Menschen in der Teilnahme am Gottesdienst[94]. Für

---

89 Vgl. R. Guardini, Vom Erwachen der Kirche in der Seele, in: Hochl. 19
   (1922) 257-267.
90 Vgl. ders., Papst Pius XII. und die Liturgie, in: LJ 6 (1956) 125-138,
   hier 125.
91 Vgl. zu diesem Überblick J. A. Jungmann, Liturgische Erneuerung zwischen Barock und Gegenwart, a.a.O. (Anm. 25), 12-15.
92 Vgl. die in Anm. 81 angegebene Literatur.
93 Vgl. aber die einschränkenden Feststellungen, oben, S. 19 f.
94 Die Gemeinsamkeiten und Unterschiede zwischen aufklärerischer und heutiger Liturgiereform sind mehrfach dargestellt worden. Vgl. dazu die in

beide Epochen folgte daraus die Forderung, den Gläubigen die
Liturgie zu erschließen, aber aus völlig verschiedenen Motiven [95]. Konnte in der Aufklärungszeit Gott selbst als der alles
liturgische Tun des Menschen erst Ermöglichende nicht eigentlich in den Blick kommen, so geht es im 20. Jahrhundert gerade
darum, das Heilshandeln Gottes durch Jesus Christus in der Liturgie zu erschließen. Dies aber nicht nur zu intellektueller
Kenntnisnahme, sondern zum tätigen Mitvollzug des Gottesdienstes als der den ganzen Menschen einbeziehenden Glaubensschule
der Christen [96]. Wenn es also darum geht, dem Volk die Liturgie
zu erschließen, so zum Ziel der Teilhabe der Gläubigen am
Heilshandeln Gottes in Jesus Christus vermittels der aktiven
Teilnahme an einer ihnen verständlichen Liturgie [97].
Hier ist das Wort von Pius X. anzuführen, das er programmatisch
schon im ersten Jahr seines Pontifikates formuliert hatte, und
das sich wie ein 'roter Faden' durch die Liturgische Bewegung
hindurchzieht: "die tätige Teilnahme der Gläubigen an den hei-

---

Anm. 27 angegebene Literatur. Dazu noch B. Thiel, Die liturgische Bewegung im Zeitalter der Aufklärung und in unseren Tagen, in: BZThS 5
(1928) 32-41; W. Trapp, Der Ursprung der liturgischen Bewegung, in:
ThGl 25 (1933) 464-475. Thiel und Trapp sehen den Hauptunterschied in
der anthropozentrischen Ausrichtung der Aufklärung und der theozentrischen Orientierung der Liturgischen Bewegung dieses Jahrhunderts. Vgl.
dazu auch die etwas zu summarischen Vergleiche bei J. Steiner, a.a.O.
(Anm. 27), 39 f., 66-69, 134-136, 194-197, 231-236; dazu kritisch die
Rezension von M. Probst, in: TThZ 86 (1977) 156 f.
95 J. Steiner, a.a.O., 246-248, deutet diesen Unterschied mit dem Bild von
Probe und Ernstfall bei der Bekämpfung eines Brandes. Damit ist aber
weder der Ernst der aufklärerischen Liturgiereform noch die ganz andere
Blickrichtung der Liturgischen Bewegung adäquat zum Ausdruck gebracht.
Es ist verfehlt, wenn er (ebd., 248) die Belehrung und Erbauung der
Aufklärungszeit mit der heute geforderten *participatio actuosa* gleich-
setzt. - Zum Ergebnis tiefgreifender Unterschiede zwischen aufkläreri-
schem und heutigem theologischen Denken kommt auch im Hinblick auf Buß-
theologie und -pastoral K. Stadel, Buße in Aufklärung und Gegenwart.
Buße und Bußsakrament nach den pastoraltheologischen Entwürfen der Aufklärungszeit in Konfrontation mit dem gegenwärtigen Sakramentsverständnis (Diss. Würzburg 1973), München-Paderborn-Wien 1974, bes. 542-545.
96 Vgl. dazu J. A. Jungmann, Das Grundanliegen ... (s. Anm. 88), 133.
97 Vgl. Kard. J. Lercaro, "Tätige Teilnahme" - Das Grundprinzip des pastoralliturgischen Reformwerks Pius' X., in: LJ 3 (1953) 167-174, hier
167: "Das Ziel der liturgischen Bewegung, damals wie heute, war dieses:
Dem christlichen Volk Verständnis und Liebe für die heilige Liturgie
wieder zu geben, um es dadurch zur aktiven Teilnahme an den heiligen
Mysterien zu führen".

ligen Mysterien" als der "ersten und unerläßlichen Quelle des christlichen Geistes" [98]. Die ursprüngliche italienische Fassung des Textes [99] hat hier den Ausdruck: "... partecipazione attiva ai sacrosanti misteri e alla preghiera publica e solenne della Chiesa" [100]. Die erste lateinische Übersetzung, die als "versio fidelis" [101] bezeichnet wird, läßt den Ausdruck "attiva" unübersetzt und schreibt: "... participatio divinorum mysteriorum atque Ecclesiae communium et solemnium precum" [102]. Später folgte eine authentische Übersetzung mit dem Wortlaut: "... actuosa cum sacrosanctis mysteriis, publicis solemnibusque Ecclesiae precibus communicatione" [103]. Mit dieser Übersetzung ist der ursprüngliche Sinn des Ausdrucks "partecipazione attiva" wohl richtig wiedergegeben. Er wird meistens mit "tätige Teilnahme" oder "aktive Teilnahme" übersetzt [104] und wurde zum Schlüsselbegriff der Liturgischen Bewegung [105]. Er besagt nicht nur "inneren Mitvollzug" im Sinn von "frommes Bewußtsein dieser kultischen Solidarität" aller Glieder des mystischen Leibes Jesu [106], sondern auch äußeres Mitvollziehen der liturgischen Feiern in der Versammlung der Gläubigen, in Körperhaltung, Prozessionen, Gesang, Aufmerksamkeit, Staunen und Schweigen [107]. Zwar ist im Begriff *Teilnahme* und deutlicher noch im

---

98 Pius X., Motu Proprio über die Erneuerung der Kirchenmusik:"Tra le sollecitudini" (22.11.1903), in: ASS 36 (1903/1904) 329-339 (italienisch), hier 331; 387-395 (lateinisch), hier 388.
99 Vgl.ebd., 329, Anm. 1: "Haec Instructio de Musica sacra, quamvis a Romano Pontifice italico idiomate exarata sit ...".
100 Ebd., 331.
101 Ebd., 387.
102 Ebd., 389.
103 Dieser als Dekret der Ritenkongregation veröffentlichte Text findet sich bei A. Bugnini, Documenta Pontificia ad Instaurationem Liturgicam spectantia, Bd. 1 (1903-1953), Rom 1953, Bd. 2 (1953-1959), Rom 1959 (künftig zitiert: Bugnini I bzw. II), hier I, 10-26, Zitat: 12 f.
104 Vgl. E. J. Lengeling, Was besagt "aktive Teilnahme"?, in: LJ 11 (1961) 186-188; vgl. zur Übersetzung von "partecipazione attiva" B. Fischer, Übersetzungsfehler in der Wiedergabe päpstlicher Verlautbarungen zur Liturgie, in: LJ 2 (1952) 93-97, hier 93-95.
105 A.-M. Roguet, Gottesdienstliche Versammlung und tätige Teilnahme, in: LJ 3 (1953) 187-195, hier 187, schreibt in Bezug auf "Mediator Dei": "Die liturgische Erneuerung besteht in der Teilnahme der Gläubigen".
106 So eine von E. J. Lengeling zurückgewiesene These von Th. B. Rebmann: vgl. E. J. Lengeling, Was besagt "aktive Teilnahme"?, a.a.O.
107 Vgl. die entspr. Ausführungen bei A.-M. Roguet, a.a.O., 188-192.

lateinischen *participatio* oder *communicatio* noch der Sinn von
Teilgabe und der durch sie ermöglichten Teilnahme wenigstens
andeutungsweise mitzuhören[108]. Die patristische Verwendung
des Ausdrucks weist stärker in diese Richtung, die den Blick
auf die kultische Feier lenkt, in welcher der Herr die Mitfeiernden an den Heilsmysterien teilnehmen läßt [109]. Dennoch ist
es offensichtlich, daß die Verwendung des Ausdrucks im Umkreis
der Liturgischen Bewegung ihrem Sinn nach auf das Tun der Mitfeiernden Gläubigen zielt, was durch den Zusatz *aktiv* oder *tätig* noch verdeutlicht wird.

Hier zeichnet sich eine höchst bedeutsame Korrektur im Verständnis der Liturgie ab. Jahrhundertelang wurde die liturgische Feier, vor allem die Meßfeier, als eine in sich geschlossene, objektive Größe gesehen, die in ihrer vorgegebenen Ordnung unveränderlich bleiben mußte. Träger der Liturgie war allein der Klerus, während das Volk zwar zur (passiven) Teilnahme, zur Anwesenheit bei der Meßfeier verpflichtet war, aber
dabei keine konstitutive Rolle spielte[110]. Mit der Betonung
der tätigen Teilnahme der Gläubigen wurde nun wieder die alt-
christliche Überzeugung lebendig, daß das gesamte Gottesvolk
Träger der Liturgie ist[111].

Wenn aber die Liturgie Mitvollzug des Priesteramtes Jesu
Christi ist, so schließt die tätige Teilnahme des Volkes als
konstitutives Element der Liturgie das gemeinsame Priestertum
der Gläubigen mit ein[112]. Damit ist auch das Fundament genannt,

---

108 E. J. Lengeling, a.a.O., 118, weist auf diese Bedeutung der lateinischen Termini hin.
109 Vgl. H. Manders, Deelname, actieve, aan de liturgie, in: LitW I, 503
   bis 512, hier 503 f.: "De term vertoont minstens een materiele conti-
   nuiteit met de patristische term participatio (μετάληψις, deelhebbing
   of deelneming)".
110 Vgl. dazu W. Birnbaum, a.a.O. (Anm. 43).
111 Diese Einsicht bezeichnet E. J. Lengeling, Die Liturgiekonstitution
   des II. Vatikanischen Konzils. Grundlinien und kirchengeschichtliche
   Bedeutung, in: LJ 14 (1964) 107-121, als "das Ende des Mittelalters in
   der Liturgie" (ebd., 111) und als "kopernikanische Wende" (ebd., 112).
   Vgl. auch J. A. Jungmann, Unsere Liturgische Erneuerung, a.a.O. (Anm.
   80), 251: "Damit (mit der Teilnahme des Volkes an der Liturgie) ist
   eine säkulare Wende im Leben der Kirche ... vollzogen".
112 Auf die theologischen Implikationen der Forderung nach tätiger Teilnahme muß später noch eingegangen werden, vgl. unten, Abschnitt 3.4.2.

von wo aus das Mißverständnis vermieden werden kann, als er-
schöpfte sich *tätige Teilnahme* in äußerer Aktivität oder als
sei der Sinn der Liturgie nur dann erreicht, wenn sich der
Gottesdienst unmittelbar auf das praktische Leben auswirkt [113].

Es ist geschichtlich wohl verständlich, daß die vor allem pastoral orientierten Wortführer der Liturgischen Bewegung das
Anliegen der tätigen Teilnahme der Gläubigen so sehr betonten,
daß das, woran man teilnehmen sollte, die liturgische Feier in
ihrer Heilsbedeutung, zwar als gegeben vorausgesetzt, aber
nicht immer genügend theologisch reflektiert wurde. Der bleibende Ertrag dieser Phase der Liturgischen Bewegung kann aber
darin gesehen werden, daß sie, abgesehen von vielen Einzelele-
menten der Liturgie, die neu bedacht wurden, die konstitutive
Rolle der gläubigen Gemeinde für das Zustandekommen der liturgischen Feier herausstellte und damit erstmals seit Jahrhunderten den menschlichen Partner der Begegnung mit Gott aus
theologischen Gründen in den Blick nahm. Daraus ergaben sich
seelsorgliche Impulse von großer Tragweite [114].

1.1.4. Zusammenfassung

Überblickt man diese kursorische Übersicht über die Vorgeschichte der Liturgischen Bewegung und ihre Geschichte in diesem Jahrhundert, so läßt sich im Hinblick auf die diese Untersuchung leitende Frage nach den Gegenwartsweisen des Herrn
in der Liturgie etwa die folgende grob skizzierte Entwick-
lungslinie erkennen: Im Ausgehenden Mittelalter führte eine
volksfremde Klerusliturgie dazu, daß Begegnung mit Jesus Christus in außerliturgischen Frömmigkeitsformen, vor allem im betrachtenden Gebet des einzelnen Gläubigen gesucht wurde. Die

---

113 Vgl. zu diesen Einseitigkeiten das klärende Wort von R. Guardini, Ein
    Wort zur liturgischen Frage, a.a.O. (Anm. 72), 202 ff.
114 Als Beispiel für diese Blickrichtung und ihre Bedeutung kann das 3.
    Internationale Studientreffen in Lugano gelten (1953), das unter dem
    Thema "Tätige Teilnahme der Gläubigen am Gottesdienst der Kirche"
    stand. Vgl. dazu unten, S. 100 f.

tridentinische Liturgiereform stellte die Gegenwart des Herrn im Altarssakrament und die Gegenwart seines Kreuzesopfers in der Meßfeier neu in den Mittelpunkt katholischer Frömmigkeit. Andere Weisen der wirksamen Gegenwart des Herrn, etwa in der Verkündigung des Gotteswortes, kamen aus kontroverstheologischen Gründen nicht mehr in den Blick. In der Barockzeit stellte sich die Meßfeier als ein in sich geschlossenes, vor aller Veränderung sorgfältig bewahrtes aber unzugängliches Mysterium dar. Die eucharistische Gegenwart blieb das Zentrum der Frömmigkeit. Begegnung mit Jesus Christus beschränkte sich jedoch weitgehend auf das Schauen der Hostie. Die Frömmigkeit speiste sich mehr und mehr aus gefühlvollen Andachten.

Die Aufklärungszeit erschloß den Gläubigen die Liturgie und legte großen Wert auf verständliche Verkündigung des Gotteswortes, aber nicht primär aus der Überzeugung, daß in der Verkündigung Jesus Christus selbst am Werk sei, sondern zur Belehrung und Besserung des Volkes letztlich kraft menschlicher Einsicht und Vernunft.

Die Zeit der Restauration entdeckte wieder die Ursprünge der liturgischen Formen und pflegte sie in Ehrfurcht vor ihrem letztlich göttlichen Ursprung. Sie verlor dabei die pastorale Sorge um den Menschen vielfach aus dem Blick. Gegenwart des Herrn und Begegnung mit ihm in der Liturgie wurde vor allem im Altarssakrament gesehen.

Eine neue Situation entstand mit der Liturgischen Bewegung der ersten Hälfte des 20. Jahrhunderts. In ihr verbanden sich historisches Interesse, pastorale Impulse, theologische Forschung und kirchenamtliche Leitung zu einem neuen Ganzen. Die Arbeit einzelner Wortführer der Liturgischen Bewegung wurde von den Bischöfen aufgenommen und offiziell weitergeführt. Mit Hilfe besonnener Theologen und Bischöfe und nicht zuletzt durch das Eingreifen des Papstes gelang es, die Krise der Liturgischen Bewegung, die aus der Konfrontation ihres vorwärtsdrängenden Erneuerungswillens mit beharrenden Kräften entstanden war, zu überwinden. Eine historisch und theologisch fundierte Erneuerung der Liturgie konnte in Angriff genommen werden.

In diesem gesamten Vorgang spiegelt sich eine theologiege-
schichtliche Entwicklung von großer Tragweite. Ein neues Bewußtsein von der Kirche als Volk Gottes und von der Würde der
Christen als Gliedern des Leibes Christi führte dazu, daß auch
der Gottesdienst wieder als Vollzug des gesamten Gottesvolkes
verstanden werden konnte. Daraus entstand die Forderung nach
tätiger Teilnahme der Gläubigen an der Liturgie, wodurch das
Wesen der Liturgie und ihre Wirksamkeit erst voll zur Entfaltung kommen können. Nicht nur das göttliche Heilswerk, sondern
auch der menschliche Empfänger des Heils wurde zum Thema der
liturgietheologischen Besinnung. Gottesdienst konnte wieder
als heilbringende Begegnung zwischen Gott und Mensch gesehen
werden, eine Begegnung, die nur zustande kommt, wenn ihre beiden Partner dazu das Ihrige beitragen.

1.2. Der Beitrag der Mysterienlehre

1.2.1. Leben und Lehre Odo Casels

Als das Grundanliegen der Liturgischen Bewegung kann das Bemühen gelten, dem Volk die Liturgie zu erschließen, damit es an
dem darin gefeierten Heil Teil bekommt. Die breite pastoralliturgische Arbeit wandte sich insbesondere der Aufgabe zu, die
tätige Teilnahme der Gläubigen am Gottesdienst zu ermöglichen
und zu fördern.
Ebenso dringlich war aber die liturgietheologische Aufgabe,
den Blick auf den Gottesdienst selbst zu richten, um ihn in
seiner Heilskraft für die Gläubigen zu erhellen. Dieser theologischen Grundlegung der liturgischen Erneuerungsbewegung war
das Leben des Maria Laacher Benediktiners Odo Casel (1886 bis
1948) [115]. gewidmet. Er begründete die sogenannte *Mysterienleh-*

---

115 Biographische Angaben über Odo Casel: B. Neunheuser, Casel, in: LThK[2]
II (1958), 966; E. Dekkers, Casel, Odo-Johannes, in: LitW I (1962), 364
f.; J. Plooij, Die Mysterienlehre Odo Casels. Ein Beitrag zum ökumenischen Gespräch, Neustadt/ Aisch 1968, 7-12 (holländ. Original 1964);
V. Warnach, Odo Casel, in: H. J. Schultz (Hg.), Tendenzen der Theologie
im 20. Jahrhundert, Stuttgart-Freiburg 1966, 277-282; O. D. Santagada,

re [116], die vor allem von ihm selbst und anderen Mönchen seines Klosters vertreten wurde. "Nach dieser Lehre ist das Christentum nichts anderes als das Mysterium Christi, das in den Kultmysterien gegenwärtiggesetzt wird, damit die Gläubigen daran teilhaben" [117]. Es geht bei Casel also nicht zuerst um die Erforschung einer theologischen Detailfrage, sondern um die Wiedergewinnung einer grundlegenden Sehweise der gesamten Wirklichkeit des Christlichen. Ausgangspunkt und bewegendes Interesse seiner Arbeit ist die Frage, wie die Gläubigen des von Gott in Jesus Christus gewirkten Heils teilhaftig werden. Die herkömmliche Antwort genügt ihm nicht; danach ist kraft des Stiftungswillens Jesu Christi seine Heilstat im Gottesdienst, vor allem in der Eucharistiefeier und in den Sakramenten, ihrer Heilswirkung nach gegenwärtig und erreicht so die Gläubigen. Nach Casels Auffassung sind die Heilstaten des Herrn im Gottesdienst selbst gegenwärtig und deshalb wirksam. Das Heil erlangt der Mensch, der sich in der Feier des Gottesdienstes in die darin präsente Wirklichkeit des Christusgeschehens einbeziehen läßt.

Seine Einsicht in diesen grundlegenden Sachverhalt verdankte Casel nach eigenem Zeugnis nicht zuerst theologischen Studien, sondern einer ursprünglichen Intuition bei der Feier der Eucharistie [118]. Bestärkt wurde er darin dann durch seine Beschäftigung mit Justinus Martyr [119]. Danach studierte er die

---

Dom Odo Casel, in: ALW 10/1 (1967) 7-9 (Biographie), 52-54 (Nachrufe und Würdigungen); A. Gozier, Dom Casel, Paris 1968 (= Collection théologiens et spirituels contemporains).

116 Über die Mysterienlehre informieren folgende Monographien: Th. Filthaut, Die Kontroverse über die Mysterienlehre, Warendorf 1947; L. Monden, Het Misoffer als Mysterie, Roermond-Masseik 1947; J. Oñatiba, La presencia de la obre redentora en el Misterio del Culto. Un estudio sobre la Doctrina del Misterio de Odo Casel O.S.B., Vittoria 1954; dazu die in Anm. 115 genannten Arbeiten von J. Plooij und A. Gozier. Vgl. auch V. Warnach, Mysteriengegenwart, in: LThK^2 VII (1962), 722; ders., Mysterientheologie, ebd., 724-727; E. Dekkers, Mysterieleer, in: LitW II (1968), 1831-1839; B. Neunheuser, Mysterientheologie, in: SM III (1969), 645-649.
117 J. Plooij, a.a.O., 8.
118 Vgl. ebd., 9, und die dort angegebenen Belege.
119 Casels theologische Dissertation trug den Titel: *Die Eucharistielehre des heiligen Justinus Martyr*, veröffentlicht in: Katholik 4 (1914) I, 153-176, 243-263, 351-355, 414-435.

antiken Mysterienfeiern, welche ihm als Hilfe zum Verständnis
der christlichen Mysterien dienten. Die ersten Ergebnisse seiner Forschungen erschienen in der von Maria Laach unter Leitung von Abt Herwegen herausgegebenen Schriftenreihe *Ecclesia
Orans* [120]. Ab 1921 konnte Casel seine Arbeiten in dem von ihm
selbst im Auftag seines Abtes herausgegebenen *Jahrbuch für Liturgiewissenschaft* veröffentlichen[121]. Von 1923 bis zu seinem
Tod im Jahr 1948 war Casel Spiritual in der Benediktinerinnen-
abtei Herstelle. Dort fand er den ihm gemäßen Lebensraum für
seine aus der täglichen Erfahrung liturgischer Feiern gespei-
ste wissenschaftliche Forschung und zugleich einen Zuhörer-
kreis, in dem er in regelmäßigen Konferenzen seine Gedanken
vortragen konnte. Eine zusammenfassende Darstellung seiner Mysterienlehre veröffentlichte Casel 1932 unter dem Titel *Das
christliche Kultmysterium* [122]. Diesem wichtigsten Buch Casels
folgte noch eine Reihe weiterer Schriften, die zum Teil erst
nach seinem Tod herausgegeben wurden[123].

Die Grundthese Casels von der Mysteriengegenwart findet sich
in der Definition, "daß die christliche Liturgie der rituelle
Vollzug des Erlösungswerkes Christi in der Ekklesia und durch
sie ist, also die Gegenwart göttlicher Heilstat unter dem
Schleier der Symbole"[124]. Zum Verständnis dieser These muß
nach dem Begriff des Mysteriums gefragt werden, der eine
Schlüsselstellung in der Theologie Casels einnimmt und ihr den
Namen gegeben hat.

---

120 Vgl. O. Casel, Das Gedächtnis des Herrn in der altchristlichen Liturgie, Maria Laach 1918, [5]1920 (= EcOra 2); ders., Die Liturgie als Mysterienfeier, Maria Laach 1922, [5]1923 (= EcOra 9).
121 Insgesamt erschienen 15 Bände von 1921-1941.
122 O. Casel, Das christliche Kultmysterium, Regensburg 1932, [4]1960. Die
   4. Aufl. ist erheblich erweitert durch Auszüge aus Vorträgen und Briefen Casels, posthum hg. v. B. Neunheuser und von dems. ausführlich
   eingeleitet.
123 Vgl. die Liste der Arbeiten Casels, in: Th. Filthaut, a.a.O., 122-125
   (bis 1941) und die Bibliographie von P. Bienias, in: A. Mayer/ B.
   Neunheuser/ J. Quasten (Hg.), Vom christlichen Mysterium, Düsseldorf
   1951, 363-373, und vor allem O. D. Santagada, in: ALW 10/1 (1967) 7
   bis 77. In dieser letztgenannten Bibliographie sind auch die posthum
   herausgegebenen Schriften Casels und die umfangreiche Sekundärlitera-
   tur zu seinem Werk aufgeführt.
124 O. Casel, Mysteriengegenwart, in: JLW 8 (1928) 145-224, hier 145.

Die geistesgeschichtliche Entwicklung der Neuzeit sieht Casel
als eine Abkehr vom göttlichen Mysterium, das vom Licht der
menschlichen Vernunft verdrängt wird. Der autonome Mensch gestaltet seine entzauberte Welt selbst und sucht sich seinen
Weg zu Gott in eigener Verantwortung. Dieser Weg des Individu-
alismus und Humanismus der Neuzeit ist nach Casel gescheitert.
Er vermag dem Menschen keine Antwort auf die ihn bedrängenden
Fragen zu geben, und so kommt Casel zum Schluß: "Unsere Zeit
brachte zugleich mit dem Zusammenbruch des Humanismus die neue
Wende zum Mysterium" [125].

Mysterium hat bei Casel einen dreifachen Sinn: "Das Mysterium
ist zunächst *Gott in sich*"[126], sodann in der Menschwerdung "die
wunderbare *Offenbarung Gottes in Christus*"[127] und schließlich,
da nach einem von Casel oft zitierten Wort Leos des Großen
"das am Herrn Sichtbare in die Mysterien übergegangen" ist [128],
das Kultmysterium. "Seine Person, seine Heilstaten, seine Gnadenwirkung finden wir in den Kultmysterien"[129]. Dabei kommt es
Casel darauf an, daß das Christentum nach Paulus "*Mysterium,*
aber nicht bloß im Sinne einer verborgenen, geheimnisvollen
Lehre vom Göttlichen (ist) ... vielmehr zunächst eine *Gottes-
tat,* die Ausführung eines ewigen Gottesplanes in einer *Handlung,* die aus der Ewigkeit Gottes hervorgeht, sich in der Zeit
und Welt auswirkt und ihr Ziel wiederum im ewigen Gott selbst
hat" [130]. Das göttliche Handeln, in welchem das Mysterium Gottes offenbar wird, ist das Christus-Mysterium [131] als Inbegriff
für "die Person des Gottmenschen und seine Erlösungstat zum
Heil der Kirche, die auf diese Weise in das Mysterium einbezogen wird" [132]. Dieses Christus-Mysterium umfaßt das gesamte
Heilsgeschehen von der Menschwerdung bis zur Wiederkunft des
Herrn [133]; sein Zentrum ist "das heilige *Pascha,* der Übergang

---

125 Ders., Das christliche Kultmysterium, Regensburg ⁴1960, 21.
126 Ebd., 22. Hervorhebungen hier und im Folgenden von Casel.
127 Ebd., 23.
128 Vgl. Leo d. Gr., Sermo 74,2, in: PL 54, 3981.
129 O. Casel, Das christliche Kultmysterium, 28.
130 Ebd., 24.
131 Vgl. dazu J. Plooij, a.a.O., 37-55 (Kap. II: "Das Mysterium Christi").
132 O. Casel, Das christliche Kultmysterium, 29.
133 Dieser eschatologische Aspekt des Mysteriums wurde von Casel immer ge-

des für uns im Fleische der Sünde als Mensch erschienenen Got-
tessohnes zum Vater"[134]. In dieses Pascha wird die Kirche einbezogen; in ihr vollzieht sich der durch Christus und seine
Heilstat ermöglichte "Übergang der Menschheit zu Gott"[135]. So
ist das Pascha "das Opfer des Gottmenschen im Kreuzestode und
seine Auferstehung zur Herrlichkeit - das Opfer der Kirche im
Gefolge und in der Kraft des gekreuzigten Gottmenschen und ihre daraus erspreßende Gottvereinigung und Vergöttlichung"[136].
Der einzelne Mensch wird des von Christus erwirkten Heils in
der Kirche teilhaftig, indem er sich im Glauben an Christus
anschließt und in der Taufe in den mystischen Leib Christi
eingegliedert wird. Damit die Erlösung an uns Wirklichkeit
werden kann, müssen wir den Weg des Herrn mit ihm gehen in tätiger Teilnahme an seiner Erlösungstat[137], einer Teilnahme,
"die *passiv* ist, insofern als der Herr sie an uns wirkt, *aktiv*,
insofern als wir tätig daran durch eine Handlung teilnehmen"[138].
Opus operatum und *opus operantis* müssen in den Mysterien des
Kultes zusammenwirken. In ihnen haben wir in den Heilstaten
des Herrn teil; er, der durch die Passion zum Pneuma wurde[139],
erfüllt uns mit seinem Pneuma. "Durch dieses Pneuma wird der
Christ dem persönlichen Pneuma, Christus, angeglichen und dadurch selbst pneumatisch gesalbt"[140].
Casel entfaltet dann diese Lehre, indem er sie auf die einzelnen Sakramente anwendet, in denen die Angleichung an Jesus
Christus sich vollzieht. In ihrer Mitte steht als das zentrale

---

sehen, was aber von seinen Kritikern oft nicht anerkannt wurde. Das
erklärt sich auch daraus, daß seine diesbezüglichen Arbeiten erst in
dem posthum erschienenen Band: *Das Mysterium des Kommenden*, Paderborn
1952, zusammengefaßt sind. Vgl. dazu J. Plooij, a.a.O., 89-100 (Kap.
V: "Mysterium und Eschaton").
134 O. Casel, Das christliche Kultmysterium, 29.
135 Ebd.
136 Ebd.; auf die Beziehung Christus-Kirche muß später noch genauer eingegangen werden, s. unten; Abschnitt 2.4.1.; vgl. dazu J. Plooij, a.a.O.,
173-181.
137 O. Casel, Das christliche Kultmysterium, 30 f.
138 Ebd., 31.
139 Ebd., 34; vgl. dazu die Erläuterungen von B. Neunheuser, ebd., 239, wo
Neunheuser die Schriftgemäßheit dieses Ausdrucks mit Hinweis auf 1 Kor
15,45 betont.
140 Ebd., 35.

Mysterium das eucharistische Opfer, in welchem das Pascha des Herrn gefeiert wird; in der Eucharistie ist das Pascha-Mysterium [141] wirksame Gegenwart. Es umfaßt das gesamte Heilswerk des Herrn, das im Lauf des Kirchenjahres mit je verschiedener Akzentsetzung gefeiert wird [142]. "Das Kirchenjahr ist also das Mysterium Christi" [143]. In ihm werden die Erlösungstaten des Herrn nicht nur betrachtet, sondern als gegenwärtige Wirklichkeit gefeiert [144]. Im täglichen Offizium, dem Gebet der Kirche, wird, ähnlich der Entfaltung des Pascha-Mysteriums im Kirchenjahr, das Mysterium Christi im ganzen Tagesablauf symbolisch dargestellt [145].

Das Christus-Mysterium in seiner Gesamtheit findet also nach Casel "seine Fortsetzung und Auswirkung in dem Kultmysterium, in dem Christus sein Heilswerk, körperlich unsichtbar, aber pneumatisch gegenwärtig und wirkend, auf alle 'Menschen des göttlichen Wohlgefallens' (Lk 2,14) ausdehnt" [146]. Der Begriff *Kultmysterium* steht dabei für die liturgischen Vollzüge der Kirche insgesamt, wobei Kultmysterium und Liturgie dasselbe unter verschiedener Rücksicht bezeichnen. *Mysterium* meint "in erster Linie das erlösende Wirken des erhöhten Herrn durch die von ihm eingesetzten heiligen Handlungen; *Liturgie* aber ... mehr das Tun der *Kirche* bei diesem Heilswerk Christi" [147]. Liturgie ist ihrem Wesen nach "*das Mysterium Christi und der Kirche*" [148].

---

141 Dieser Ausdruck, der bei Casel das gesamte Heilswerk bezeichnet, welches sein Zentrum in Tod und Auferstehung des Herrn hat und in der Eucharistie gefeiert wird (vgl. z.B. *Das christliche Kultmysterium*, 96), blieb nicht unwidersprochen. Vgl. die Literaturangaben bei V. Warnach, Zur Einführung in die Theologie Odo Casels, in: O. Casel, Das christliche Opfermysterium. Zur Morphologie und Theologie des eucharistischen Hochgebetes, Graz-Wien-Köln 1968, XVII-LV, hier XL, Anm. 46; vgl. auch I.-H. Dalmais, Liturgie und Heilsmysterium, in: HLW I, 214 bis 238, hier 234: Literatur zu § 4: "Die Liturgie als Paschamysterium".
142 Vgl. J. Plooij, a.a.O., 69-88 (Kap. IV: "Der christliche Kult im Jahreskreis").
143 O. Casel, Das christliche Kultmysterium, 92.
144 Ebd., 93.
145 Vgl. ebd., 100-127.
146 Ebd., 60.
147 Ebd., 62.
148 Ebd., 59.

Die entscheidende These Casels ist es, daß in dem so beschriebenen Kultmysterium nicht nur ein Gedächtnis der Heilstaten im
Sinne subjektiver Erinnerung begangen wird, diese auch nicht
nur ihrer Wirksamkeit nach präsent sind, sondern selbst in objektiver Wirklichkeit gegenwärtig werden.

Diese These findet Casel in den Texten der Kirchenväter begründet, die er zeitlebens studiert und in seinen Schriften
ausgiebig zitiert hat. Die Väter verstehen nach Casels Interpretation *Mysterium* nicht im neuzeitlichen Sinn eines Lehrge-
heimnisses [149], sondern als Heilsgeheimnis, in welchem die
Heilstaten Christi selbst gegenwärtig sind. Um diesen jahrhundertelang vergessenen Sinn des Mysteriums zu verdeutlichen,
verweist Casel auf die Analogie der heidnischen Mysterien, bei
welchen in der kultischen Handlung die heilbringende Tat des
Gottes sich je neu vollzieht und die feiernde Gemeinde am
göttlichen Leben teilnimmt [150].

In diesem Typus, dem kultischen Eidos *Mysterium*, wie Casel es
nennt [151], sieht er ein Vorbild, das "*erst im Christentum seine
wahre Erfüllung erhielt*" [152]. Im Alten Testament sieht Casel
dagegen keine entsprechende Vorbereitung des christlichen Mysteriums. "Wohl hatte der jüdische Kult neben dem Gebete und
dem Opfer das Eidos des *Gedächtnisses* ... Aber ein eigentliches Mysterium war dieser Brauch nicht, weil er sich zunächst
auf Irdisches bezog und irdisches Heil brachte" [153].

1.2.2. Die Kontroverse um die Mysterienlehre

Die Veröffentlichungen Casels lösten eine lebhafte Diskussion
aus, bei der es zunächst nicht eigentlich um seine Grundthese

---

149 Vgl. Th. Filthaut, a.a.O., 18–21.
150 Vgl. O. Casel, Das christliche Kultmysterium, 75–89, bes. 78 f.
151 Vgl. ebd., 78.
152 Ebd., 80. Von Casels religionsgeschichtlichen Studien gibt auch sein
    posthum erschienener Literaturbericht: *Beziehungen zur Religionsge-
    schichte*, in: ALW 1 (1950) 200–235, einen Eindruck.
153 Ders., Das christliche Kultmysterium, 51. Vgl. die vorsichtig korri-
    gierenden Erläuterungen von B. Neunheuser, ebd., 240; vgl. auch J.
    Plooij, a.a.O., 32 f.

von der Mysteriengegenwart, der kultischen Gegenwart des Herrn und seiner Heilstaten, ging, sondern mehr um die von Casel gebrauchten Begründungen und Belege für diese These [154]. Zunächst wurde die Frage der Analogie zwischen christlichen und heidnischen Mysterien diskutiert [155] und vor allem von Johann Baptist Umberg strikt abgelehnt [156]. Derselbe bestritt auch Casels These, daß die liturgischen und patristischen Texte bis zum Tridentinum die Mysterienlehre enthielten [157]. Schließlich wurde von Umberg noch Casels Lehre von der Mysteriengegenwart als sakramentaler Gegenwartsweise der Heilstaten im Kult zurückgewiesen [158].

Es braucht in diesem Zusammenhang die weitere Entwicklung der anfänglichen Diskussion nicht noch einmal nachgezeichnet zu werden; sie kreist im wesentlichen um dieselben Themen, die von Umberg diskutiert wurden [159]. Außerdem ging die Debatte noch über die rechte Interpretation des Alten Testamentes [160],

---

154 Einen Überblick über die geschichtliche Entwicklung dieser Diskussion bietet Th. Filthaut, a.a.O., 11-15.
155 Vgl. O. Casel, Die Liturgie als Mysterienfeier (s. Anm. 120); ders., Altchristlicher Kult und Antike, in: JLW 3 (1923) 1-17; ders. (Hg.), Mysterium. Gesammelte Arbeiten Laacher Mönche, Münster 1926.
156 Vgl. die Rezension des Sammelbandes *Mysterium* von J. B. Umberg, "Mysterien"-Frömmigkeit?, in: ZAM 1 (1926) 351-366.
157 So dargestellt von O. Casel, Das Mysteriengedächtnis der Meßliturgie im Lichte der Tradition, in: JLW 6 (1926) 113-204, und abgelehnt von J. B. Umberg, Die These von der Mysteriengegenwart, in: ZKTh 52 (1928) 357-400, wo Umberg auch gegen die Erwiderung Casels, Mysterienfrömmigkeit, in: BZThS 4 (1927) 101-117, Stellung bezieht.
158 J. B. Umberg, Die These von der Mysteriengegenwart; dagegen O. Casel, Mysteriengegenwart, in: JLW 8 (1928) 145-224.
159 O. Casel, Das christliche Kultmysterium, 75-89; vgl. Th. Filthaut, a. a.O., 86-98: "Die Auseinandersetzung über die Beziehung von heidnischen und christlichen Mysterien vor allem mit K. Prümm". Vgl. dazu die ebd., 128, angegebenen Schriften von K. Prümm, vor allem: Christentum als Neuheitserlebnis, Freiburg 1939; vgl. J. Plooij, a.a.O., 101 f.
160 Wohl mit Recht wurde Casel mehrfach vorgeworfen, daß er die Bedeutung des Alten Testamentes für das christliche Mysterienverständnis unterschätze, so vor allem A. Arnold, Der Ursprung des christlichen Abendmahles im Lichte der neuesten liturgiegeschichtlichen Forschung, Freiburg 1939 (= FThSt 45); vgl. Th. Filthaut, a.a.O., 75, und J. Plooij, a.a.O., 104-112, der die Bedeutung der Anamnese, des jüdischen zikkaron beim Abendmahl hervorhebt und Casel vorwirft, er sei "so sehr beeindruckt von der *formalen* Verwandtschaft zwischen dem heidnischen und dem christlichen Mysterienkult, daß er übersieht, daß der letztere im Grunde ganz und gar vom Alten Testament her erklärt werden kann und muß" (ebd., 109).

des Neuen Testamentes, insbesondere Röm 6,2-11[161], und der patristischen Schriften[162].

Wichtiger ist die Diskussion mit Gottlieb Söhngen[163] über die Frage der Gegenwartsweise der Heilstaten im Kultmysterium. Mit Casel nimmt Söhngen eine reale Vergegenwärtigung der Heilstaten Christi in der Liturgie an. Während aber Casel die These vertritt, daß die Heilstaten primär objektiv in sich, unabhängig vom Empfänger, real gegenwärtig sind und so erst vom Gläubigen mitvollzogen werden können[164], erklärt Söhngen, daß

---

161 Vgl. Th. Filthaut, a.a.O., 76 und 81-85, wo er über die Auslegung von Röm 6,2-11 referiert, wie sie folgende Autoren gaben: S. Stricker, Der Mysteriengedanke des hl. Paulus nach dem Römerbrief 6,2-11, in: LiLe 1 (1934) 285-296; K. Prümm, Der christliche Glaube und die altheidnische Welt, 2 Bde., Leipzig 1935, II, 265-270; G. Söhngen, Die Kontroverse über die kultische Gegenwart des Christusmysteriums, in: Cath 7 (1938) 114-149, hier 129-133; ders., Der Wesensaufbau des Mysteriums, Bonn 1938 (= Grenzfragen zwischen Theologie und Philosophie, H. VI); H. Keller, Kirche als Kultgemeinschaft, in: BenM 16 (1934) 25-38. - Die Aussagen Casels dazu sind vor allem in der von Filthaut nich nicht berücksichtigten posthum erschienenen Schrift: Zur Kultsprache des heiligen Paulus, in: ALW 1 (1950) 1-64, zusammengefaßt. Vgl. dazu V. Warnach, Zur Einführung in die Theologie Odo Casels, a.a.O. (Anm. 141), XXXIX und Anm. 44 mit weiteren Literaturangaben; vgl. auch J. Plooij, a.a.O., 123-141.

162 Während Casel die Väterschriften durchweg als Bestätigung der Mysterienlehre betrachtet, lesen seine Gegner, vor allem M. D. Koster, K. Prümm, J. B. Umberg und J. M. Hanssens, das Gegenteil aus ihnen heraus, oft mit Bezug auf dieselben Stellen. Beide Seiten warfen einander vor, die Vätertexte entsprechend der eigenen theologischen Position zu interpretieren. Der Grund liegt wohl darin, daß eine systematische Darstellung der Gegenwartsweise der Heilsmysterien im Kultmysterium bei den Vätern fehlt; beide Seiten tragen eine spätere Fragestellung an die Vätertexte heran. Vgl. dazu Th. Filthaut, a.a.O., 77-80; J. Plooij, a.a.O., 123-141.

163 Die wichtigsten Veröffentlichungen von G. Söhngen in dieser ersten Diskussionsphase sind: Ders., Symbol und Wirklichkeit im Kultmysterium, Bonn 1937, 2., wesentl. erw. Aufl., Bonn 1940 (= Grenzfragen zwischen Theologie und Philosophie, H. IV); ders., Der Wesensaufbau des Mysteriums (s. Anm. 161); ders., Die Kontroverse über die kultische Gegenwart des Christusmysteriums (s. Anm. 161); ders., Le rôle agissant des mystères du Christ dans la liturgie d'après théologiens contemporains, in: QLP 20 (1939) 79-107.- Vgl. dazu Th. Filthaut, a.a.O., 16-22 (2. Kap.: "Das Problem der Mysteriengegenwart"); J. Plooij, a.a.O., 49-55, 142-164.

164 Vgl. O. Casel, Mysteriengegenwart (s. Anm. 158), 174: "Das wirkliche Mitleben und Mitsterben setzt aber ein wirkliches Leben und Sterben Christi hic et nunc voraus ... die Heilstat wird sakramental, in mysterio, in sacramento, gegenwärtig und dadurch für den Heilsuchenden zugänglich".

die "Heilstat hier und jetzt dadurch hingestellt (wird), daß
sie an uns und von uns innerlich mitvollzogen wird, innerlich,
das heißt durch den lebenschaffenden Geist des Herrn"[165]. Die
Vergegenwärtigung der Heilstat geschieht also nach Söhngen
nicht in sich, sondern an uns. Das Heilswerk Jesu Christi wird
nicht eigentlich als es selbst, sondern lediglich in seinem
Effekt auf den menschlichen Empfänger gegenwärtig[166]. Damit
ist der Blick nicht auf die Gegenwart des Herrn und seiner
Heilstaten gerichtet, sondern primär auf den Menschen, der
durch die Wirkung der Sakramente mit Jesus Christus gleichgestaltet wird[167].

Unabhängig von diesem - freilich nicht unbedeutenden - Unterschied lehren beide Theologen eine reale, nicht nur intentionale Gegenwart des Herrn und seines Heilswerks im Kultmysterium. Dieses Christus-Mysterium ist dabei nicht in seiner historischen, vergangenen Wirklichkeit präsent, sondern (nach
Söhngen[168]) in seinem übergeschichtlichen, göttlichen Heils-
gehalt, seiner überzeitlichen Substanz nach (so Casel[169]), in
sakramentaler Gegenwartsweise. Dabei besteht das Problem, wie
es erklärt werden soll, daß ein historisches Ereignis, die
Person und das Heilswerk Jesu, in einer Weise gegenwärtig ist,
die einerseits nicht als je neue und unmögliche Vergegenwärtigung historisch vergangener Ereignisse als solcher verstanden
wird, andererseits aber die historische Faktizität nicht in

---

165 G. Söhngen, Der Wesensaufbau des Mysteriums, 47.
166 Vgl. G. Söhngen, ebd., 54 f.; dazu Th. Filthaut, a.a.O., 29-32 ("Söhn-
    gen und die Effektustheorie"); J. Plooij, a.a.O., 152-161.
167 Vgl. bes. G. Söhngen, Symbol und Wirklichkeit im Kultmysterium[2], 100;
    ders., Der Wesensaufbau des Mysteriums, 69.
168 Vgl. ders., Der Wesensaufbau des Mysteriums, 66: "Mysteriengegenwart
    ist die Gegenwart göttlicher Heilstaten in ihrem Mysterium oder ge-
    heimnisvollen Heilsgehalt"; ebd., 75: "Es ist das göttliche Heilsge-
    heimnis, das durch die geschichtliche Tat ein für allemal vollbracht
    und so göttliche Gegenwart geworden ist".
169 Vgl. O. Casel, Mysteriengegenwart (s. Anm. 158), 191: "Die Passion ist
    nicht in ihrer natürlichen Seinsweise da, wie sie historisch war, in
    tempore, sondern sakramental, und weil nicht in tempore, deshalb se-
    cundum modum substantiae"; und ebd., 190 f.: "Dafür aber kommt es
    nicht auf die historischen Begleitumstände an ..., sondern auf den Akt
    Christi als des Heilandes, also auf die Substanz der Heilstat als sol-
    cher".

einen unhistorischen, zeitenthobenen Wesenskern des Heilsgeschehens verflüchtigt. Die damit angedeutete Frage nach der
näheren Erklärung der sakramentalen Gegenwartsweise des Christusmysteriums ist das eigentliche Problem der Mysteriengegenwart, das weder von Casel noch von Söhngen abschließend gelöst
worden ist [170].

Die lebhafte Auseinandersetzung, die Casel selbst mit seinen
verschiedenen Kritikern führte, brachte in manchen Punkten eine Klärung und Annäherung der Standpunkte [171], zugleich aber
oft auch die Konzentration auf sekundäre Fragen [172]. Eine neue
Situation entstand durch das Erscheinen der Enzyklika "Mediator Dei", die zwar nicht direkt auf die Mysterienlehre Bezug
nimmt, aber dennoch von ihren Gegnern gegen sie und von ihren
Befürwortern für sie ausgelegt wurde [173]. Nach dem Tod Casels
(1948) wandte sich eine ruhigere Diskussion den wesentlichen
Punkten zu, und es wurde möglich, die gültige Grundeinsicht
Casels von manchen nicht haltbaren Theorien, die er vertreten
hatte, zu unterscheiden. Korrigiert wurde seine Auffassung von
der Bedeutung der heidnischen Mysterien für das Verständnis
der christlichen Liturgie [174], insbesondere wurde von den Exegeten die Behauptung zurückgewiesen, der paulinische Mysterienbegriff sei von heidnischen Mysterienvorstellungen, zumindest formal, beeinflußt [175]. Auch die Casel'sche Exegese von

---

170 Vgl. die klare und ausgewogene Darstellung, Gegenüberstellung und Kritik der Positionen Casels und Söhngens bei J. Betz, Die Eucharistie in
der Zeit der griechischen Väter, bisher 2 Bde., Freiburg 1955/ 1961,
hier Bd. I/1: Die Aktualpräsenz der Person und des Heilswerkes Jesu im
Abendmahl nach der vorephesinischen griechischen Patristik, 242-257.
171 Vgl. dazu auch Casels Literaturbericht (posthum), in: ALW 1 (1950) 135
bis 199, wo Casel im Blick auf die Mysterienlehre eine Fülle von Literatur bespricht.
172 Eine sorgfältige und ausgewogene Darstellung dieser Diskussion mit Casel selbst bietet Th. Filthaut, a.a.O.
173 Vgl. dazu den nächsten Abschnitt, 1.3., bes. S. 67 f., 81 f.
174 Vgl. dazu die in Anm. 159 angegebene Literatur; dazu R. Padberg, Die
Mysterienlehre und die Religionsgeschichte. Die Verwertung der Religionsgeschichte durch die Laacher Mysterienlehre im Lichte der christlichen Verkündigung und Seelsorgekunde (Diss. masch.), Tübingen 1950;
ders., Verkündigung und Religionsgeschichte, in: ThQ 131 (1951) 272-287.
175 Vgl. vor allem R. Schnackenburg, Das Heilsgeschehen bei der Taufe nach
dem Apostel Paulus. Eine Studie zur paulinischen Theologie, München
1950 (= MThS.H 1), bes. 124, 139-144 und 183. Darauf antwortete V. War-

Röm 6,2-11 wurde weithin kritisiert [176]. Ferner blieb Casels
Interpretation der Vätertexte nicht unwidersprochen. Bei aller
Anerkennung der entscheidenden Rolle des Mysteriendenkens bei
den Vätern wurde doch klar, daß die Lehre von der Mysteriengegenwart
im Sinne Casels sich so bei ihnen noch nicht findet [177]
und auch bei Thomas von Aquin nicht so deutlich nachzuweisen
ist, wie Casel meinte [178].

1.2.3. Bleibende Einsichten

Trotz dieser Kritik und mit den notwendigen Korrekturen [179] wurde
der Grundgedanke der Casel'schen Mysterienlehre mehr und
mehr rezipiert. Die Einsicht, daß die Liturgie nicht bloß Gedächtnisfeier
im subjektiven Sinn ist, daß sie also nicht nur
nach Art einer intentionalen Gegenwart die gefeierten Ereignisse
in Erinnerung bringt, sondern die Realpräsenz des Herrn
und seiner Heilstaten zum Inhalt hat, ist weithin anerkannt
worden. Damit ist eine jahrhundertealte Einseitigkeit in der
Theologie überwunden, die Gottesdienst und Sakramente nur

---

nach, Taufe und Christusgeschehen nach Röm 6, in: ALW 3/2 (1954) 284
bis 366; vgl. ders., Die Tauflehre des Römerbriefes in der neueren
theologischen Diskussion, in: ALW 5/2 (1958) 274-332. Kritisch zu Casel und weithin ohne Anerkennung der von ihm gegebenen Impulse und
auch ohne Berücksichtigung der Arbeiten Warnachs äußerte sich P. Neuenzeit, Das Herrenmahl. Studien zur paulinischen Eucharistieauffassung, München 1960 (= StANT 1), bes. 17, 133 f., 151; ders., Biblische
Ansätze zum urchristlichen Sakramentsverständnis, in: H. Fries (Hg.),
Wort und Sakrament, München 1966, 88-96, hier 90.
176 Vgl. auch die in Anm. 161 genannte Literatur und R. Schnackenburg, a.
a.O., 39 f., 44 f.
177 Vgl. z.B. G. Fittkau, Der Begriff des Mysteriums bei Johannes Chrysostomus, Bonn 1953 (= Theophaneia 9).
178 Vgl. die Ablehnung der Casel'schen Thomasinterpretation bei B. Poschmann, "Mysteriengegenwart" im Licht des hl. Thomas, in: ThQ 116 (1935)
53-116, und den Versuch einer Deutung der Lehre von der Heilsgegenwart
bei Thomas im Sinn einer differenzierteren Weiterentwicklung von Casels Auffassung bei P. Wegenaer, Heilsgegenwart. Das Heilswerk Christi
und die virtus divina in den Sakramenten unter besonderer Berücksichtigung von Eucharistie und Taufe, München 1958 (=LQF 33).
179 Eine zusammenfassende und die Casel'sche Position in ihren wesentlichen Punkten ablehnende Kritik findet sich bei C. Vagaggini, Theologie
der Liturgie, Einsiedeln 1959, 81-86.

oder doch vorwiegend im Blick auf den Effekt des sakramentalen Geschehens im Empfänger sah und die ursprüngliche Feier der Gegenwart des Herrn nicht mehr zu kennen schien. Vor allem die Maria Laacher Benediktiner Burkhard Neunheuser [180] und Viktor Warnach [181] haben dazu beigetragen, die Gedanken Casels zu klären und weiterzuentwickeln [182]. Eine positive Würdigung und Weiterführung findet sich bei Johannes Betz [183], der Casels My-

---

180 Vgl. die Berichte über den Diskussionsstand von B. Neunheuser, Mysteriengegenwart. Ein Theologumenon inmitten des Gesprächs, in: ALW 3/1 (1953) 104-122; ders., Ende des Gesprächs um die Mysteriengegenwart?, in: ALW 4/2 (1956) 316-324; ders., Mysteriengegenwart. Das Anliegen Dom Casels und die neueste Forschung, Berlin 1957 (= StPatr/Tu 64); ders., L'anné liturgique selon Dom Casel, in: QLP 38 (1957) 286-298; ders., Neue Äußerungen zur Frage der Mysteriengegenwart, in: ALW 5/2 (1958) 333-353; ders., De praesentia Domini in communitate cultus: Quaestionis evolutio historica et difficultas specifica, in: A. Schönmetzer (Hg.), Acta Congressus internationalis de theologia Concilii Vaticani II (1966), Vatikan 1968, 316-328; ders., Masters in Israel: Odo Casel, in: The Clergy Review, March 1970, 194-212; ders., Odo Casel a 25 anni dalla sua morte, in: RivLi 60 (1973) 228-235, sowie die Einführungen Neunheusers vor allem in: O. Casel, Das christliche Kultmysterium, Regensburg 41960, 5-10, und in: J. Plooij, a.a.O., 1-6, und die von Neunheuser hg. und eingeleiteten Sammelbände zur Theologie Casels: Ders. (Hg.), Opfer Christi und Opfer der Kirche. Die Lehre vom Meßopfer als Mysteriengedächtnis in der Theologie der Gegenwart (Vorträge der Jahrestagung 1958 des Abt Herwegen-Instituts), Düsseldorf 1960; ders. (Hg.), Vom christlichen Mysterium (s. Anm. 123).
181 Bibliographische Hinweise zu V. Warnachs Werk: S. ders., Christusmysterium. Dogmatische Meditationen. Ein Überblick, hg. (posthum) v. B. Neunheuser, Graz 1977, 259, Anm. 4. Hier sind außer den in Anm. 175 angeführten Arbeiten bes. zu nennen: Ders., Zum Problem der Mysteriengegenwart, in: LiLe 5 (1938) 9-39; ders., Zur Einführung in die Theologie Odo Casels (s. Anm. 141); ders., Mysteriengegenwart in religionsgeschichtlicher und biblischer Sicht, in: QL(P) 51 (1970) 195-211; ders., Christusmysterium (siehe oben); vgl. außerdem die in Anm. 116 angegebenen Artikel in: LThK2.
182 Dabei beschränkte sich B. Neunheuser im Wesentlichen auf die Erläuterung und Verteidigung der Casel'schen Lehre, während V. Warnach einen eigenständigen Ansatz zur Erklärung der Mysteriengegenwart suchte. Während Casel und Söhngen danach fragten, wie das Heilswerk Christi uns gegenwärtig werden könne, fragt er, wie wir dem überzeitlichen und stets präsenten Heilswerk des Herrn gegenwärtig werden. Vgl. ders., Zum Problem der Mysteriengegenwart, 35; ders., Mysteriengegenwart in religionsgeschichtlicher und biblischer Sicht, 209; ders., Christusmysterium, 196-199. Kritisch dazu J. Betz, a.a.O., 250, der allerdings die beiden letzten differenzierteren Arbeiten noch nicht kannte.
183 Vgl. J. Betz, a.a.O., 242-251. Diese Ausführungen bezeichnet A. Gerken, Theologie der Eucharistie, München 1973, 166, Anm. 9, als "eine gründliche und, wie wir meinen, im wesentlichen abschließende Stellungnahme zu der Mysterienlehre Casels". J. Betz hat seine Auffassung

steriengegenwart im Begriff der kommemorativen Aktualpräsenz
der Person und des Heilswerkes Jesu Christi aufnimmt, aber die
von Casel gelehrte absolute, vom Empfänger unabhängige Gegenwart der Heilstaten ablehnt und dagegen von einer symbolischen,
relativen, kommemorativen Gegenwart spricht, "nach der die vergangene Tat in einem anderen Geschehen zur Erscheinung kommt,
weil letzteres jene einstigen Ereignisse nach deren Wesenszü-
gen nachahmend darstellt" [184]. Hier trifft sich die Position
von Betz mit der von Gottlieb Söhngen in seinen späteren
Schriften vertretenen Auffassung [185]. Söhngen hat darin seinen
ursprünglichen Ansatz insofern korrigiert, als er nicht nur
die Gegenwart eines übergeschichtlichen Heilsgehalts seiner
Heilswirkung nach, sondern der geschichtlichen Heilstat selbst
in aktualer aber relativer Präsenz lehrte [186].
Weitere Erklärungsversuche folgten, die meistens entweder die
Gegenwart eines überzeitlichen und deshalb stets präsenten

nochmals präzisiert: vgl. ders., Die Gegenwart der Heilstat Christi,
in: L. Scheffczyk/ W. Dettloff/ R. Heinzmann (Hg.), Wahrheit und Verkündigung (FS M. Schmaus), 2 Bde., München-Paderborn-Wien 1967, II,
1807-1826; vgl. auch die Zusammenfassung in: Ders., Eucharistie als
zentrales Mysterium, in: MySal IV/2 (1973), 281: Die vergangene Heilstat ist präsent "nicht absolut in sich, sondern relativ und im Symbol".
184 Ders., Die Eucharistie in der Zeit der griechischen Väter, I/1, 249.
Zur Kritik vgl. die ausführliche Rezension von J. Barbel, in: ThR 53
(1957) 61-71, der die entscheidende These von Betz bezüglich der kommemorativen Aktualpräsenz ebenso ablehnt wie die Casel'sche Mysterienlehre. Dieser Kritik an Betz schließt sich auch C. Vagaggini, a.a.O.,
(Anm. 179), 82, Anm. 6, an. Dagegen wieder und sehr positiv zu Betz:
B. Neunheuser, Neue Äußerungen ... (s. Anm. 180).
185 Vgl. vor allem G. Söhngen, Das Mysterium des lebendigen Christus und
der lebendige Glaube, in: Ders., Die Einheit in der Theologie. Gesammelte Abhandlungen, Aufsätze, Vorträge, München 1952, 342-369 (Erstveröffentlichung 1943); ders., Das sakramentale Wesen des Meßopfers,
Essen 1946; ders., Christi Gegenwart in uns durch den Glauben (Eph 3,
17). Ein vergessener Gegenstand unserer Verkündigung von der Messe,
in: Ders., Die Einheit in der Theologie, 324-341 (Erstveröffentlichung
1950); ders., "Tut dies zu meinem Gedächtnis". Wesen und Form der Eucharistiefeier als Stiftung Jesu, in: Ders., Christi Gegenwart in Glaube und Sakrament, München-Salzburg 1967, 19-50 (Erstveröffentlichung
1950).- Ein seit langem angekündigter Sammelband: Mysteriengeschehen.
Gesammelte und durchgesehene Schriften zur Kontroverse über die "Mysterientheologie" (vgl. den Hinweis in: J. Ratzinger/ H. Fries (Hg.),
Einsicht und Glaube ((FS G. Söhngen)), Freiburg-Basel-Wien 1962, 481)
ist m.W. noch nicht erschienen.
186 Vgl. bes. ders., Das sakramentale Wesen des Meßopfers, 40-43; vgl. dazu J. Betz, a.a.O. (Anm. 184), 256.

Kerns der Heilstat Christi annahmen [187] oder von der stets gegenwärtigen Person des erhöhten Herrn ausgingen, der durch sein Heilswerk bleibend geprägt ist, welches so dem Menschen zugänglich wird [188]. In beiden Fällen ist nicht recht ersichtlich, wie die Bedeutung des historischen Geschehens, des ein für allemal vollzogenen Erlösungswerkes Jesu Christi gewahrt und in seiner gegenwärtigen Wirksamkeit erklärt werden kann, wie also nicht nur eine Begegnung mit dem *Christus passus*, sondern auch ein Mitvollzug der *passio Christi* möglich sein soll. Der Lösung der Frage scheinen die Theologen am nächsten zu kommen, die mit Hilfe eines ausgearbeiteten Symbolbegriffs die Gegenwart des vergangenen Geschehens als solchen in einem gegenwärtigen Geschehen, der liturgischen Feier, erklären [189].

---

187 Vgl. z.B. L. Monden, a.a.O. (Anm. 116), bes. 146-150, der ein Perennitätsmoment, einen überzeitlichen Kern, in der Passion Christi annimmt, seinen stets aktuellen Hingabewillen im Gehorsam gegen Gott zum Heil der Menschen, welcher im Meßopfer, losgelöst von den historischen Umständen, Gegenwart wird.

188 So z.B. M. Schmaus, der, mit Berufung auf F. X. Durrwell, La résurrection de Jésus, Paris 1950, lehrt, daß der Gläubige in den Sakramenten "zunächst mit dem erhöhten Christus und erst so und durch ihn mit dem Christusgeschehen verbunden wird", da ja der erhöhte Herr "für immer geprägt durch seinen Tod und durch seine Auferstehung" bleibt. Daraus folgt eine Gegenwart der Heilstaten nicht in sich, sondern in ihrer Wirkkraft: vgl. ders., Der Glaube der Kirche. Handbuch katholischer Dogmatik, 2Bde., München 1970, II, 402 f., hier 402; im selben Sinn schon ders., Katholische Dogmatik IV/1, München 61964, 73. Auf die interessante Entwicklung der Position von M. Schmaus seit der 1. Aufl. der Katholischen Dogmatik kann hier nicht eingegangen werden. - Ein ähnlicher Gedanke findet sich schon bei R. Guardini, Vom liturgischen Mysterium, in: Ders., Liturgie und liturgische Bildung, Würzburg 1966, 127-177 (Erstveröffentlichung 1925), 168: Gott koexistiert und inexistiert allem Zeitlichen und Räumlichen. Christi Geschichte ist "*aevitern* und allgegenwärtig auf unser Jetzt und Heute bezogen ... Was *aevitern* aller Geschichte koexistiert, kann, wenn es Gottes Wille ist, auch zu jeder Zeit wiederum in die Geschichte eintreten ... in einer eigenen Realität: als *Mysterium*".

189 So außer Betz auch Ch. Journet, L'Eglise du Verbe incarné. Essai de théologie spéculative, Paris 1955-1969 (3 Bde.), hier I, 180: "L'objection à resoudre, c'est que la passion est passée et qu'elle ne peut plus opérer dans le présent: ce qui n'est plus, n'opère plus. Et la réponse consiste à dégager la valeur *permanente* de l'acte *transitoire* de la passion ... Pourtant il (l'acte sanglant) opérait en vertu de la divinité qui lui était conjointe. Par la même, il pouvait participer à l'éternité et à l'ubiquité divines"; E. H. Schillebeeckx, Christus, Sakrament der Gottbegegnung, Mainz 1960, bes. 65-73 ("Die Gegenwart des Christusmysteriums in den Sakramenten"); J. Gaillard, Chronique de li-

Ohne daß die Frage nach der Art und Weise der Vergegenwärtigung der vergangenen Heilstaten schon endgültig geklärt worden
wäre [190], darf man doch feststellen, daß die Anregungen Casels
in ihrem Grundanliegen Allgemeingut der katholischen Theologie
geworden sind [191] und auch in der reformatorischen Theologie
ein positives Echo gefunden haben [192].

---

turgie. La théologie des mystères, in: RThom 57 (1957) 510-551, bes.
533-542 ("Le contenu du mystère cultuel"), hier 540; vgl. dazu auch A.
Cuva, La presenza di Cristo nella Liturgia, Rom 1973 (= Liturgica 4),
180-185.

[190] Vgl. die kurze Darstellung der diesbezüglichen Diskussion bei I.-H.
Dalmais, a.a.O. (Anm. 141), 230-234, und bes. die eingehende Erläuterung der Positionen von Casel, Söhngen und Schmaus bei J. Auer, Allgemeine Sakramentenlehre und das Mysterium der Eucharistie, Regensburg
1971 (= KKD IV), 57-70, bes. 63-70, wo aber J. Betz nicht erwähnt wird;
vgl. auch den Beitrag von L. Scheffczyk, Katholische Glaubenswelt.
Wahrheit und Gestalt, Aschaffenburg 1977, 146, 150-154 ("Heilsgegenwart im Sakrament").

[191] Vgl. die positiven Würdigungen z.B. von E. Schillebeeckx, a.a.O.;
ders., Sakramente als Organe der Gottbegegnung, in: J. Feiner/ J.
Trütsch/ F. Böckle, Fragen der Theologie heute, Einsiedeln-Zürich-Köln
1957, 379-401, hier 390; J. Ratzinger, Die sakramentale Begründung
christlicher Existenz, Meitingen-Freising [4]1973, 6: Die Mysterienlehre
ist die "vielleicht fruchtbarste theologische Idee unseres Jahrhunderts"; H. U. v. Balthasar, Die Messe, ein Opfer der Kirche?, in:
Ders., Spiritus Creator. Skizzen zur Theologie III, Einsiedeln 1967,
166-217, hier 174-182; A. Gerken, Theologie der Eucharistie, München
1973, 166-173. - Erstaunlich ist, daß L. Ott, Grundriß der katholischen Dogmatik, Freiburg-Basel-Wien [7]1965, 488, der "Mysterientheorie"
nur 7 Zeilen widmet. Ihr Schrift- und Traditionsbeweis sei unzureichend; die Enzyklika "Mediator Dei" stehe ihr ablehnend gegenüber.
Auch in H. Vorgrimler/ R. Vander Gucht (Hg.), Bilanz der Theologie im
20. Jahrhundert, Freiburg 1970, wird die Mysterienlehre nur selten und
beiläufig erwähnt; vgl. die Fundstellen im Register unter dem Stichwort "Mysterientheologie", ebd., Bd. III, 560.

[192] Vgl. die allerdings recht einseinige Darstellung von W. Birnbaum, Die
katholische liturgische Bewegung (s. Anm. 1), 47-58, 93-98, hier 56:
"Zusammenfassend ist festzustellen, daß die Liturgie in der Auffassung
der Benediktiner (gemeint ist die Mysterienlehre) wesentlich Verklä-
rungsmittel ist, damit also ganz der caritas angehört". Hier ist wohl
das Grundanliegen Casels, die objektive Gegenwart des Christus-Mysteriums, nicht gesehen; vgl. auch die wohlwollende Stellungnahme von G.
Heintze, Die Gegenwart Christi im Gottesdienst. Systematisch-theologische Betrachtungen zur Mysterienlehre Odo Casels, in: MPTh 43 (1954)
266-279; eine positive Würdigung Casels und einen eigenen Versuch zur
Erklärung der Mysteriengegenwart bietet G. Van der Leeuw, Sakramentales Denken. Erscheinungsformen der außerchristlichen und christlichen
Sakramente, Kassel 1959, bes. 180-189; sehr ausgewogen, vor allem im
darstellenden Teil, ist schließlich die umfassende Studie von J. Plooij (s. Anm. 115), der dann freilich im kritischen Teil neben vielen
berechtigten Einwänden doch eine starke Tendenz erkennen läßt, die von

1.2.4. Die liturgische Gegenwart des Herrn und seines Heilswerks

Es braucht hier nun nicht noch einmal versucht zu werden, eine kritische Würdigung der Mysterienlehre zu geben. Es muß aber noch gefragt werden, welchen Beitrag sie zum Thema dieser Arbeit leistet.

Das Hauptanliegen der pastoralliturgischen Bewegung war es, die tätige Teilnahme der Gläubigen an der Liturgie zu fördern, damit sie so an dem in der Liturgie gefeierten Heil teilhätten. Der Akzent lag auf der Verständlichkeit der liturgischen Vollzüge und auf ihrem Mitvollzug durch die Gläubigen, also in anthropologischer Blickrichtung. Die Mysterienlehre erbrachte dazu die notwendige Ergänzung, indem sie den Blick auf das in der Liturgie gegenwärtige Heilsgeschehen selbst lenkte. Daraus entstand, gerade bei Casel, wiederum eine Einseitigkeit: nur die objektive Gegenwart des Christus-Mysteriums interessierte ihn. Es ist präsent "unter dem Schleier der Symbole"; diese haben also "mehr die Funktion einer Einkleidung der Mysteriengegenwart, sie sind nicht selbst und als solche die sakramentale, sichtbare Gestalt der vergangenen Heilstat" [193].

Damit ist aber der menschliche Vollzug der Liturgie nicht eigentlich konstitutives Element der Mysteriengegenwart, sondern nur Anlaß und Bedingung für sie. Im Betonen der objektiven, absoluten Präsenz des Christus-Mysteriums verliert dann der menschliche Partner der Christusbegegnung an Bedeutung; er ist letztlich nur Empfänger der Heilsfrucht, so sehr sein Mittun an der Feier des Heilswerks betont wird. Eine eigentliche Vermittlung zwischen göttlichem und menschlichem Tun, eine Begegnung zwischen Gott und Mensch ist dabei nicht mehr recht zu erkennen [194]. Außerdem ist in der Mysterienlehre die Frage nicht genügend thematisiert, woher denn die Möglichkeit kommt,

---

ihm abgelehnte Transsubstantiationslehre gegen Casel selbst als unvereinbar mit der Casel'schen Lehre darzustellen: vgl. bes. a.a.O., 172 f.

193 A. Gerken, a.a.O., 167.
194 Darauf haben vor allem J. Betz, Die Eucharistie in der Zeit der griechischen Väter I/1, 249, und A. Gerken, Theologie der Eucharistie, 167 f., aufmerksam gemacht.

daß im Kult das Christus-Mysterium sich präsent macht, wie also das menschliche Tun im liturgischen Vollzug zum Träger der Mysteriengegenwart werden kann, ohne daß dem Menschen die magisch mißdeutbare Verfügungsmacht über das Präsentwerden des Göttlichen zugesprochen würde. Casels Betonung der Analogie zu den heidnischen Mysterienkulten ist geeignet, dieses mögliche Mißverständnis noch zu fördern.

Es bleibt also die Frage zu klären, wie das Miteinander von göttlicher Initiative und menschlichem Mitvollzug im Zustandekommen der Heilsgegenwart zu denken ist. Darauf muß später nochmals eingegangen werden [195].

Als bleibendes Ergebnis der Arbeit Casels kann aber jedenfalls die Einsicht festgehalten werden, daß es der erhöhte Herr selbst ist, der in der Liturgie sein Heilswerk für uns präsent macht, indem er zu uns spricht und sich in den Symbolen seiner Gegenwart zeigt und schenkt. Mit dieser Erkenntnis ist überhaupt erst die Grundlage gegeben, auf der dann über verschiedene Weisen der realen Gegenwart des Herrn nachgedacht werden kann [196].

Diese Frage ist als solche bei Casel nicht ausführlich behandelt, wohl aber finden sich bei ihm ihre verschiedenen Elemente [197]. Er spricht von der Gegenwart des Herrn in seinem verkündigten Wort [198], und beansprucht dies auch für die Predigt [199]. Damit kommt auch die Zusammengehörigkeit von Wort und Sakrament in den Blick; in beiden wird das Heilswerk Christi gegenwärtig, wenn auch in jeweils spezifisch verschiedener

---

195 S. unten, Abschnitt 4.1.4., wo das eucharistische Opfer als die Repräsentation des Kreuzesopfers dargestellt wird; damit ist die Frage nach der Mysteriengegenwart unter etwas anderer Rücksicht wieder gestellt.
196 Das wesentliche Verdienst Casels, das Realgedächtnis der Liturgie neu bewußt gemacht zu haben, betont A. Gerken, a.a.O., 166-169.
197 Außer den meist im JLW veröffentlichten Arbeiten von Casel zu Einzelfragen sind hier besonders die von B. Neunheuser zusammengestellten Auszüge aus seinen Vorträgen und Briefen zu beachten: vgl. O. Casel, Das christliche Kultmysterium, ⁴1960, 131-236.
198 Vgl. ebd., 172: "Zu der kultischen Handlung tritt das Wort. Beide, das Wort und das Tun, gehören zum Kultgedächtnis. Auch das Wort der Liturgie ist erfüllt von göttlicher Gegenwart". Vgl. dazu auch ebd., 192 bis 194. Zum ganzen vgl. unten, Abschnitt 4.5.2., 502-520.
199 Vgl. ebd., 180: "Die Predigt ist die uns zugewandte Seite des Christusgeschehens".

Weise [200]. Die sakramentale Gegenwart des Herrn gilt für alle
Sakramente [201]. Sie verwirklicht sich in der "Kirche als Myste-
riengemeinschaft", da "die Gegenwart des Christusmysteriums in
den sakramentalen Handlungen des Kultes", welche Handlungen
der Kirche sind, in Erscheinung tritt [202]. In diesem Zusammenhang spricht Casel auch vom gemeinsamen Priestertum der Gläubigen und von der besonderen Repräsentation Christi durch den
geweihten Priester und Bischof [203].
Auf die einzelnen Weisen der kultischen Gegenwart des Herrn,
die sich bei Casel organisch aus seiner Sicht des Kultmysteriums ergeben, braucht hier nicht näher eingegangen zu werden.
Bei der Erörterung der einzelnen Gegenwartsweisen wird auch
Casels Beitrag noch einmal zu nennen sein [204].

1.2.5. Zusammenfassung

Der Beitrag der von Odo Casel (1886-1948) begründeten Mysterienlehre zur Liturgischen Bewegung liegt primär in der liturgietheologischen Erhellung des Wesens des Gottesdienstes. Odo
Casel erkannte in der Liturgie das Kultmysterium, in welchem
das Mysterium des göttlichen Heilswillens und seiner Verwirklichung im Christus-Mysterium zu gegenwärtigem Vollzug kommt.
Das Heil erlangt der Mensch durch den Mitvollzug dieses in objektiver Realität sakramental im kirchlichen Gottesdienst gegenwärtigen Heilswerkes Jesu Christi.
Die Kritik an Casels Lehre entzündete sich zunächst weniger an
seiner Grundthese als vielmehr an ihren biblischen, patristischen und philosophischen Begründungen. Später wurde in posi-

---

200 Ebd., 195: "Für die alte Kirche gab es nur das eine Heilswerk Christi,
    das in der gesamten Liturgie sich auswirkt, sowohl im Wort wie im Sa-
    krament, freilich in verschiedener Weise und deshalb wohl auch in ver-
    schiedener Stärke. Aber Christus wird dadurch nicht geteilt, sondern
    es ist immer ein und derselbe Christus, der durch Wort und Mysterium
    uns gegenwärtig wird".
201 Vgl. die Belege bei J. Plooij, a.a.O., 145.
202 O. Casel, Das christliche Kultmysterium, 196.
203 Vgl. ebd., 203-211.
204 S. unten, Abschnitt 4., S. 354-581.

tiver Weiterführung sein wesentliches Anliegen diskutiert, die
Frage nämlich, wie das historische Heilswerk im liturgischen
Vollzug gegenwärtig sein kann. Diese entscheidende Frage nach
dem Sinn der *Mysteriengegenwart* des Herrn und seines Heilswerkes konnte weder von Casel selbst noch von seinen Gegnern
und Diskussionspartnern befriedigend beantwortet werden.
Dennoch ist es das bleibende Verdienst der Mysterienlehre, daß
sie den Blick wieder auf die eigentlichen liturgietheologischen Fragen gelenkt hat. Liturgie konnte wieder als gegenwärtige Feier des Heils verstanden werden, nicht bloß als subjektive Erinnerung an vergangenes Geschehen. Es wurde wieder verstanden, daß Jesus Christus im liturgischen Vollzug auf verschiedene Weisen gegenwärtig ist und handelt. Zugleich erkannte man neu die theologische Bedeutung des aktiven Mitvollzugs
dieses gegenwärtigen Tuns des Herrn durch die Gläubigen. Erst
in der Feier des Heils durch Jesus Christus und die Kirche
insgesamt erreicht das Heilswerk des Herrn sein Ziel: das Heil
der Menschen.
Trotz einer Reihe von ungelösten Fragen erwies sich die Grundeinsicht der Mysterienlehre als fruchtbarer Gedanke für die
gesamte Theologie.

1.3. Die offizielle liturgische Erneuerung von Pius X. bis zur
     Enzyklika "Mediator Dei" Pius' XII.

Als drittes entscheidendes Element neben der Liturgischen Bewegung und der Mysterientheologie hat die Initiative liturgisch interessierter Päpste dieses Jahrhunderts die Grundlagen
zu einer durchgreifenden Liturgiereform gelegt. Insbesondere
Pius X. und Pius XII. ist es zu verdanken, daß die liturgiewissenschaftlichen Forschungen und pastoralliturgischen Erneuerungsbemühungen, von denen bisher berichtet wurde, nicht das
selbe Schicksal erlitten, wie manche früheren Reformversuche,
sondern schließlich zu einer offiziellen Liturgiereform in der
gesamten Kirche führten.
Zunächst waren es nur Reformen in Einzelheiten, die unter den

Päpsten Pius X., Benedikt XV. und Pius XI.[205] durchgeführt wurden. Bei ihrer Begründung zeigt sich aber schon eine erneuerte Sicht der Liturgie, die deutlich den Einfluß der Liturgischen Bewegung erkennen läßt. Eine Gesamtdarstellung der Liturgie von ihrem theologischen Fundament her und mit konkreten
praktischen Folgerungen gab erstmals Pius XII. in seiner Enzyklika "Mediator Dei" (1947). Sie ist die offizielle Bestätigung vieler Ergebnisse der Liturgischen Bewegung und markiert
zugleich die nötigen Abgrenzungen gegen Einseitigkeiten und
falsche Auffassungen, die im Umkreis dieser Bewegung entstanden waren. Damit übernimmt der Papst die Führung der liturgischen Reform. Der Sache nach und gelegentlich auch ausdrücklich wird die Liturgische Bewegung in den Dokumenten dieser
Päpste genannt und anerkannt [206].

Im Blick auf die Frage nach den Gegenwartsweisen des Herrn in
der Liturgie sollen zunächst einzelne Themen der liturgischen
Erneuerung durch die genannten Päpste und dann die Aussagen
der Enzyklika "Mediator Dei" zu den Gegenwartsweisen des Herrn
dargestellt werden. Schließlich wird noch nach dem Begriff der
Liturgie in den römischen Dokumenten gefragt.

---

205 Vgl. P. Jounel, Abriß der Liturgiegeschichte (s. Anm. 13), 53 f.; E. J.
Lengeling (Hg.), Die Konstitution des Zweiten Vatikanischen Konzils
über die heilige Liturgie. Lateinisch-deutscher Text mit einem Kommentar von E. J. Lengeling, Münster [2]1965 (= LebGo 5/6; künftig zitiert:
Lengeling), 44*-46*; F. Kolbe, a.a.O., 31-33, 57 f.
206 Vgl. z.B. Pius X., Motu Proprio "Abhinc duos annos" (23.10.1913), in:
AAS 5 (1913) 449-451, hier 449: Der Papst erklärt, daß es jahrelanger
Bemühungen bedürfe, um die Liturgie wieder vom Staub des Alters zu befreien; Pius XII., Enzyklika "Mediator Dei" (20.11.1947), in: AAS 39
(1947) 521-600 (die deutsche Übersetzung sowie die Nummernzählung sind
der Herder-Ausgabe, Freiburg 1948, entnommen. Die Enzyklika wird künftig zitiert: MeD mit der Abschnittsnummer sowie der Seitenzahl des lateinischen Textes), hier MeD 4/ 523: Der Papst anerkennt die Verdienste einiger Benediktinerklöster um die Liturgiewissenschaft und um das
liturgische Leben der Gläubigen; ders., Ansprache an Kardinäle und Bischöfe (2.11.1954), in: AAS 46 (1954) 666-677, hier 669: Der Papst
lobt das Entstehen und die Arbeit nationaler und regionaler liturgischer Kommissionen und Institute; ders., Ansprache an die Teilnehmer
des Internationalen Pastoralliturgischen Kongresses Assisi/ Rom (22.9.
1956), in: AAS 48 (1956) 711-725, hier 712: "Le mouvement liturgique
est apparu ainsi ... comme un passage du Saint-Esprit dans son Église",
eine Bemerkung, die später in die Liturgiekonstitution des II. Vatikanischen Konzils übernommen wurde (Nr. 43).

1.3.1. Einzelne Themen der liturgischen Reform

Bei den ersten liturgischen Reformen dieses Jahrhunderts kommt es nicht so sehr auf die konkreten Änderungen an, die sich in engen Grenzen halten, als vielmehr auf die theologischen Einsichten, die sich in den römischen Dokumenten zur Liturgiereform finden [207].

Tätige Teilnahme der Gläubigen

Am Anfang der päpstlichen Initiativen steht das Motu Proprio "Tra le sollecitudini" (1903) von Pius X.. Es handelt von der rechten Pflege der Kirchenmusik und greift damit ein persönliches Anliegen des Papstes auf, wie aus einem Hirtenbrief hervorgeht, den er als Patriarch von Venedig 1895 zum selben Thema und zum Teil mit demselben Wortlaut geschrieben hatte [208]. In diesem Motu Proprio stellt der Papst fest, daß die Kirchenmusik als Teil der Liturgie an deren Ziel teilhabe, nämlich der Ehre Gottes und der Heiligung der Menschen zu dienen [209]. Hier steht auch das Wort von der tätigen Teilnahme der Gläubigen am Gottesdienst, das für die Liturgische Bewegung eine programmatische Bedeutung gewonnen hat [210] und eines der Merkmale für die enge Beziehung zwischen dieser 'von unten' kommenden Bewegung und der offiziellen Liturgiereform ist. Die tätige Teilnahme der Gläubigen wird seit Pius X. immer wieder in den römischen Dokumenten unter verschiedenen Aspekten angesprochen [211]. Die neue Betonung dieses Themas hat eine Reihe

---

207 Eine Zusammenstellung solcher Dokumente Pius' X., Benedikts XV. und Pius' XI. findet sich bei H. Dausend, Kundgebungen der letzten Päpste zur liturgischen Bewegung und zum Kirchengesang, Düsseldorf 1931 (= Religiöse Quellenschriften, H. 91); vgl. auch B. Capelle, Le Saint-Siège et le mouvement liturgique, in: QLP 21 (1936) 125-147; umfassender und besonders hilfreich ist die Sammlung von A. Bugnini (s. Anm. 103).
208 Vgl. den Text des Motu Proprio, a.a.O. (Anm. 98), mit dem Text des Hirtenbriefes bei Bugnini I, 1-8; vgl. dazu Lengeling, 44* f.
209 Vgl. "Tra le sollicitudine", a.a.O., 332: "... la gloria di Dio e la santificazione ed edificazione dei fedeli" (Nr. 1); lat. ebd., 389: (finis liturgiae) "qui gloriam Dei et sanctificationem Christifidelium spectat" (Nr. 1).
210 S. oben, Abschnitt 1.1.3., S. 30-36.
211 Vgl. z.B. den Brief von Kard.-Staatssekretär P. Gasparri an P. A.-M.

von theologischen Untersuchungen über die Bedeutung dieses
lange wenig beachteten Elementes der Liturgie angeregt[212].

Die Teilnahme der Gläubigen an den liturgischen Feiern darf
aber nicht nur als äußere Beteiligung am Vollzug des Ritus
verstanden werden, sondern zielt auf die innere Anteilnahme am
gottesdienstlichen Geschehen. Das wird in der Lehre von der
rechten Disposition der Gläubigen betont, die Voraussetzung
ist für eine fruchtbare und heilswirksame Begegnung mit Jesus
Christus in der Eucharistiefeier und in den Sakramenten.
In diesem Zusammenhang sind die Kommuniondekrete Pius' X. bedeutsam[213]. Sie sehen den Kommunionempfang der Gläubigen wieder als integralen Bestandteil der Meßfeier. Die tägliche Kommunion wird empfohlen und soll jedem ermöglicht werden, der
die rechte Absicht hat[214], dem es nämlich wirklich um die Vereinigung mit Gott und die Überwindung der eigenen Schwachheit

Marcet (15.3.1915), in: Bugnini I, 52: "... attrarli (i fedeli) ad una
partecipazione attiva dei misteri sacri"; Pius XI., Apost. Konst. "Divini cultus" (20.12.1928), in: AAS 21 (1929) 33-41, hier 39: "Quo autem actuosius fideles divinum cultum participent ..."; Konzilskongregation, Instruktion (14.7.1941), in: AAS 33 (1941) 389-391, hier 390:
Eine rein passive Anwesenheit bei der Messe wird als ungenügend bezeichnet; Pius XII., Ansprache an Pfarrer und Fastenprediger der Stadt
Rom (13.3.1943), in: AAS 35 (1943) 105-116, hier 114: Der Papst er-
mahnt die Priester, die Gläubigen zur aktiven Teilnahme an der Messe
hinzuführen: "... e li formiate a parteciparvi attivamente"; ders.,
MeD 79/ 552: Die Gläubigen sollen an der Messe teilnehmen "tam impense
tamque actuose ut cum Summo Sacerdote arctissime coniungentur". - Vgl.
auch E. J. Lengeling, Was besagt "aktive Teilnahme"?, in: LJ 11 (1961)
186-188, wo in Anm. 1 insgesamt 19 Fundstellen aus der Sammlung von
Bugnini angegeben sind, in denen die *participatio activa* ausdrücklich
vorkommt, und weitere 30 Fundstellen, wo der Sache nach davon die Rede
ist. Vgl. dazu auch die Liste der päpstlichen Dokumente, die von *participatio activa* sprechen, bei H. Manders, Deelname, actieve, aan de
liturgie (s. Anm. 109), 511. - Zu der Bedeutung Pius' X. in diesem Zusammenhang vgl. den liturgischen Kongreß in Lugano (1953) (s.u., Abschnitt 1.4.2.), bes. das Referat von Kard. J. Lercaro, "Tätige Teilnahme" - das Grundprinzip des pastoralliturgischen Reformwerks Pius'
X., in: LJ 3 (1953) 167-174.
212 Vgl. den Überblick von A.-G. Martimort, Die Versammlung, in: HLW I, 87
bis 120, hier 97-100, und die dort angeführte Literatur.
213 Vgl. Konzilskongregation, Dekret über die tägliche Kommunion: "Sacra
Tridentina Synodus" (22.12.1905), in: ASS 38 (1905) 400-406; Sakramentenkongregation, Dekret über die Kommunion der Kinder: "Quam singulari"
(8.8.1910), in: AAS 2 (1910) 577-583.
214 Dekret "Sacra Tridentina Synodus", a.a.O., 404 (Nr. 2).

geht. Betont wird dabei die gute Vorbereitung und die Danksagung nach der Kommunion, um so die Disposition der Gläubigen zu fördern [215].

Die rechte Disposition wird hier als Komplementärbegriff zum *opus operatum* des Altarssakraments verstanden, also als *opus operantis* des Empfängers der Sakramente. Dieser Begriff wird aber noch nicht verwendet; erst Pius XII. gebraucht ihn in der Enzyklika "Mediator Dei", wo er bei aller Betonung des *opus operatum* die Notwendigkeit des *opus operantis* herausstellt und die innere Zusammengehörigkeit beider Elemente erklärt [216].

Gemeinsames und amtliches Priestertum

Ein weiterer Schritt in der theologischen Begründung und Durchdringung des Sinnes der Teilnahme der Gläubigen an der Liturgie war die Erörterung der Lehre vom gemeinsamen Priestertum [217]. In der Enzyklika "Miserentissimus" (1928) zur Einführung des Herz-Jesu-Festes erklärt Pius XI., daß bei der Eucharistiefeier sowohl die Selbsthingabe des Priesters, durch dessen Dienst Christus sich darbringt, wie auch die Selbsthingabe der Gläubigen sich mit dem Opfer Christi verbinden müssen, wenn die Eucharistie recht gefeiert werden soll. In diesem Sinn haben die Gläubigen als auserwähltes Volk und königliche Priesterschaft (vgl. 1 Petr 2,9) Anteil am priesterlichen Amt Jesu Christi [218].

Schon wegen der reformatorischen Leugnung eines speziellen

---

215 Ebd., (Nr. 4).
216 Vgl. MeD 27-37/ 532-537, bes. 36/ 537.
217 In den amtlichen Dokumenten wird das Priestertum der Gläubigen beschrieben, ohne daß ein fester Begriff dafür geprägt wäre. Erst in der Diskussion des II. Vaticanums über Nr. 10 der Kirchenkonstitution wurde erörtert, ob *sacerdotium universale* oder *sacerdotium commune* der rechte Ausdruck sei. Man entschied sich für *sacerdotium commune*, um den Eindruck zu vermeiden, als umfasse das Priestertum der Gläubigen alles (*universa*); vgl. dazu A. Grillmeier, Kommentar zu LG, Kap. II, in: LThK.E I, 176-209, hier 180-183. Die deutsche Übersetzung muß dementsprechend *gemeinsames Priestertum* heißen, was in der im Auftrag der deutschen Bischöfe erstellten ersten Übersetzung (vgl. Aschendorff-Ausgabe, Münster 1965), noch nicht berücksichtigt ist, wohl aber in der verbesserten Fassung von 1966, in: LThK.E I, 183.
218 Vgl. Pius XI., Enzyklika "Miserentissimus" (8.5.1928), in: AAS 20 (1928) 165-178, hier 171.

Amtspriestertums konnte über das gemeinsame Priestertum nur im
Zusammenhang mit dem Weihepriestertum gesprochen werden. Die
Enzykliken Pius' XII., "Mystici Corporis" (1943) und "Mediator
Dei" (1947), betonen vor allem die Bedeutung des geweihten
Priesters als des Repräsentanten Jesu Christi und seines mystischen Leibes. Beim eucharistischen Opfer "vertreten nämlich
die Priester nicht nur die Stelle unseres Heilandes, sondern
auch die des ganzen mystischen Leibes und der einzelnen Gläubigen"[219]. In Abhängigkeit davon wird dann das gemeinsame
Priestertum beschrieben: "Ebenso bringen aber auch die Gläubigen selbst das unbefleckte Opfer, das einzig durch des Priesters Wort auf dem Altare zugegen ward, durch die Hände desselben Priesters in betender Gemeinschaft mit ihm dem ewigen
Vater dar"[220].
Sowohl die Lehre, daß der Priester Repräsentant Jesu Christi
und der Gläubigen ist, wie auch die Lehre vom gemeinsamen
Priestertum der Gläubigen werden in "Mediator Dei" zusammenge-
faßt und erläutert[221], wobei der Unterschied zwischen dem amt-
lichen und dem gemeinsamen Priestertum deutlich betont wird[222].
Nur von den geweihten Priestern gilt, daß sie "die Person
Christi darstellen" (Nr. 40)[223]. Nur der Priester vertritt die
Person Christi und hat die Vollmacht, "in der Kraft und an
Stelle der Person Christi selbst zu handeln" (Nr. 68)[224].

---

219 Pius XII., Enzyklika "Mystici Corporis" (29.6.1943), in: AAS 35 (1943)
    193-248 (die deutsche Übersetzung sowie die Nummernzählung sind fol-
    gender Ausgabe entnommen: Unsere Kirche. Rundschreiben "Mystici Corpo-
    ris" Papst Pius' XII. vom 29.6.1943, hg. und erl. v. Dr. H. Schäufele,
    Heidelberg 1946. Die Enzyklika wird künftig zitiert: MC mit der Ab-
    schnittsnummer des deutschen Textes sowie der Seitenzahl des lateini-
    schen Textes), hier MC 82/ 232: "In eo enim sacrorum administri non
    solum Servatoris nostri vices gerunt, sed totius etiam mystici Corpo-
    ris singulorumque fidelium".
220 MC 82/ 232 f.: "Itemque in eo christifideles ipsimet immaculatam Ag-
    num, unius sacerdotis voce in altari praesentem constitutum, communi-
    bus votis precibusque consociati, per eiusdem sacerdotis manus Aeterno
    Patri porrigunt".
221 Vgl. MeD 79-110/ 552-562.
222 Vgl. MeD 82/ 553: Der Papst weist vor allem die Behauptung zurück, daß
    es gemäß dem Neuen Testament nur ein Priestertum aller Gläubigen geben
    dürfe.
223 MeD 40/ 538: "Christi personam sustinent".
224 MeD 68/548: "Idem itaque sacerdos, Christus Iesus, cuius quidem sacram

"Durch seine priesterliche Handlung leiht 'er also Christus gleichsam seine Zunge und reicht ihm seine Hand' (Johannes Chrysostomus)" (Nr. 68) [225]. Das Volk hingegen stellt "unter keiner Rücksicht die Person des göttlichen Erlösers" dar (Nr. 83) [226]. Wohl aber sollen die Gläubigen, "jedoch in anderer Weise, die göttliche Opfergabe darbringen" (Nr. 84) [227]. Durch die Taufe werden die Christen Glieder im mystischen Leib des Priesters Christus. "Insofern nehmen sie, ihrem Stand entsprechend, am Priestertum Christi selbst teil" (Nr. 87) [228]. Diese Lehre muß aber nach der Auffassung Pius' XII. gegen Übertreibungen geschützt werden, die in die Richtung gehen, die Gläubigen bei der Eucharistiefeier als wirkliche Konzelebranten mit priesterlicher Vollmacht zu bezeichnen, während der Priester von dieser Gemeinschaft der Gläubigen zu seinem speziellen Amt delegiert wird [229]. Entsprechend weist der Papst die Meinung zurück, die Meßfeier bedürfe der Bestätigung und Bekräftigung durch die Gläubigen und dürfe deshalb nicht privat gefeiert werden. Vielmehr, so schreibt der Papst, vollzieht der Priester das Meßopfer im Namen Christi und der Christen, unabhängig von der Frage, ob andere Gläubige dabei sind oder nicht [230]. Die Teilnahme der Gläubigen hat deshalb, obwohl sie höchst wünschenswert ist, keine konstitutive Bedeutung für

---

personam eius administer gerit. Hic siquidem, ob consecrationem quam accepit sacerdotalem, Summo Sacerdoti assimilatur, ac potestate fruitur operandi virtute ac persona ipsius Christi (cf. S. Thom., Summa Theol., III, q. XXII, a. 4)".

225 Ebd.: "Quamobrem actione sua sacerdotali Christo qudammodo 'linguam suam commodat, manum porrigit' (Ioann. Chrys., In Ioann. Hom., 86,4)".

226 MeD 83/ 553 f.: "Populum contra, quippe qui nulla ratione Divini Redemptoris personam sustineat ...".

227 MeD 84/ 554: "At praeterea christifideles etiam divinam offere hostiam, diversa tamen ratione, dicendi sunt". Im Folgenden wird diese unterschiedliche Weise der Ausübung des Priestertums näher erläutert.

228 MeD 87/ 555: "Baptismatis enim lavacro, generali titulo christiani in Mystico Corpore membra efficiuntur Christi sacerdotis, et 'charactere' qui eorum in animo quasi insculpitur, ad cultum divinum pro sua condicione participant".

229 MeD 82/ 553. Zu diesem zurückgewiesenen Begriff der Konzelebration vgl. ausführlich G. M. Hanssens, La liturgia nell' enciclica "Mediator Dei et hominum", in: CivCatt 99 (1948) Bd. I, 579–594, Bd. II, 242 bis 255, hier I, 589–594.

230 Vgl. MeD 94 f./ 556 f.

die Eucharistiefeier [231]. Die Vorschrift, daß ein Priester nicht ohne Ministranten zelebrieren soll [232], wird mit der Würde des Meßopfers begründet und folgt nicht aus innerer Notwendigkeit [233].

Dieselbe Auffassung zeigt sich auch bei der Erörterung der Kommunion der Gläubigen [234]. Es wird sehr empfohlen, daß die Gläubigen häufig kommunizieren [235] und möglichst von den Hostien empfangen, die in der Messe, an der sie teilnehmen, konsekriert worden sind [236]. Die Kommunion der Gläubigen darf aber nicht als konstitutiver Bestandteil der Messe oder gar als Höhepunkt der ganzen Opferfeier betrachtet werden [237], denn "wie alle wissen, gehört aber zur Vollständigkeit des Meßopfers nur, daß der Priester mit dem himmlischen Mahl sich labe, jedoch nicht, daß auch das Volk zum heiligen Tisch gehe, wiewohl das höchst wünschenswert ist" (Nr. 111) [238].

Ähnlich verhält es sich mit dem Stundengebet. Zwar wird die Teilnahme des Volkes am Stundengebet nachdrücklich empfohlen, aber diese Teilnahme gehört nicht zum Wesen des Stundengebetes [239], denn dieses ist erfüllt, "wenn es gebetet wird von den Priestern und von anderen Dienern der Kirche, sowie von Ordensleuten, und zwar im ausdrücklichen Auftrag der Kirche" (Nr. 140) [240].

---

231 Vgl. G. Frénaud, L'Encyclique "Mediator Dei" sur la sainte Liturgie, in: RGr 27 (1948) 41-48, 171-181, 231-141; 28 (1949) 82-93, 127-136, 201-208; 29 (1950) 12-21, hier 28 (1949) 87-93, bes. 89: Der formelle Sinn von aktiver und passiver Teilnahme "ne concerne que le caractère public et liturgique des actes cultuels". In diesem Sinn kommt den Laien nur eine passive Teilnahme zu.

232 Vgl. CIC, c. 813.

233 Vgl. MeD 96/ 557. Im deutschen Text fehlt die Übersetzung dieser Begründung: "ob huius tam augusti mysterii dignitatem"; vgl. auch MeD 105/ 560 f.

234 Vgl. MeD 111-120/ 562-566.

235 Vgl. MeD 118/ 565.

236 Vgl. MeD 117/ 564.

237 Vgl. MeD 113/ 563.

238 MeD 111/ 562: "Attamen, ut omnes norunt, ad eiusdem Sacrificii integritatem habendam requiritur solummodo ut Sacerdos caelesti pabulo reficiatur, non autem ut populus etiam - quod ceteroquin summopere optandum est - ad sacram synaxim accedat".

239 Vgl. MeD 148/ 575.

240 MeD 140/ 573: "Est igitur 'Divinum Officium', quod vocamus, Mystici Iesu Christi Corporis precatio, quae christianorum nomine eorumque in

Obwohl die Gläubigen also durch die Taufe auf ihre Weise am
Priestertum Christi teilnehmen[241], stellen sie unter keiner
Rücksicht die Person des göttlichen Erlösers dar[242]. Dieser
scheinbare Widerspruch ist nach der Enzyklika so zu lösen, daß
die Teilnahme der Gläubigen am Priestertum Jesu Christi als
eine rein rezeptive verstanden wird, als ein Teilnehmen am
priesterlichen Tun Christi durch die Kirche und ihre Priester,
das zugunsten der Gläubigen geschieht, aber auch ohne ihr aktuelles Mittun voll verwirklicht ist[243].

In den päpstlichen Äußerungen zum Thema der tätigen Teilnahme der Gläubigen an der Liturgie mit den darin gegebenen Implikationen kann man das Grundanliegen der Liturgischen Bewegung wiedererkennen. Es wird vom Lehramt der Kirche dankbar
aufgenommen, weiterverfolgt und nötigenfalls korrigiert, wie
Pius XII. in der Einleitung zu "Mediator Dei" ausdrücklich
sagt[244]. Diese Korrekturen erfolgen, wie die Texte zeigen, von
einem bestimmten Kirchenverständnis her, welches später noch
genauer untersucht werden muß.

Mysteriengegenwart

Der leitende Gedanke der Mysterienlehre, die Gegenwart des
Herrn und seines Heilswerks in den liturgischen Symbolen, hat

---

beneficium adhibetur Deo, cum a sacerdotibus aliisque Ecclesiae ministris et a religiosis sodalibus fiat, in hanc rem ipsius Ecclesiae
instituto delegatis".
241 Vgl. Anm. 228.
242 Vgl. Anm. 226.
243 Vgl. G. M. Hanssens, a.a.O. (Anm. 229), II, 254, Anm. 1: "I termini di
questa asserzione sembrano contradittori, ma non lo sono. Per San Tommaso, il sacerdozio dei battezati, partecipazione del sacerdozio di
Cristo e deputazione al culto liturgico, non conferisce però ad essi
che una potenza puramente passiva, una recettività; quella di ricevere
validamente gli altri sacramenti. Quindi nulla celebrazione dell' Eucaristia, non dà ai semplici fedeli nessuna parte immediata nel rito
dell' oblazione, ma solo in quello della communione. Nella dottrina di
San Tommaso, e atti di culto liturgico, non solo il 'conficere' ed il
conferire i sacramenti, ma anche il riceverli: Somma teologica, II-II,
q. 81, a. 3, ad 2; 1. 84, prol.; q. 89, prol., q. 95, a. 2, c.". Das
gemeinsame Priestertum ist also nur als Rezeptivität zu verstehen.
244 Vgl. MeD 6-10/ 523 f.; vgl. dazu L. Beauduin, L'encyclique "Mediator
Dei", in: MD, Nr. 13 (1948) 7-25; J. A. Jungmann, Unsere liturgische
Erneuerung ..., a.a.O. (Anm. 80); R. Guardini, Papst Pius XII. und die
Liturgie, in: LJ 6 (1956) 125-138, bes. 134-137.

dagegen zunächst keine Resonanz in den römischen Dokumenten gefunden. Erst Pius XII. hat in der Enzyklika "Mystici Corporis" ein Thema aufgegriffen, bei welchem sich die Möglichkeit bot, Gedanken der Mysterienlehre zu erörtern. Der Papst befaßt sich mit der Beziehung zwischen Christus und der Kirche (Teil I [245]) und mit der Beziehung zwischen Christus und den Gläubigen (Teil II [246]), um dann gegen Irrtümer auf dem Gebiet des aszetischen Lebens Stellung zu nehmen und pastorale Mahnungen anzuschließen (Teil III [247]).

Im ersten Teil ist sehr deutlich die Überzeugung ausgesprochen, daß Jesus Christus selbst in der Kirche gegenwärtig ist [248], nicht nur als ihr Stifter [249], sondern ebenso als ihr Haupt [250] und ihr Erhalter [251]. Er "lenkt und leitet auch selbst unmittelbar die von ihm gegründete Gesellschaft" (Nr. 38) [252], er ist es, "der durch die Kirche tauft, lehrt und regiert, löst und bindet, darbringt und opfert" (Nr. 53) [253]. Aber diese unmittelbare Leitung wird im Sinn innerer Erleuchtung der Christen verstanden [254], seine Tätigkeit durch die Kirche aber geschieht "zufolge der rechtlichen Sendung, womit der göttliche Erlöser die Apostel in die Welt sandte" (Nr. 53) [255] und kraft der Sendung des Geistes, durch den die Glieder des mystischen Leibes dem Haupt verbunden und verähnlicht werden [256]. Der Gedanke einer objektiven Gegenwart des Herrn und seines Heilswerks in der Feier der Liturgie wird dabei nicht erwähnt, außer dort, wo ausdrücklich davon die Rede ist, daß der Herr

---

245 Vgl. MC 12–66/ 198–225.
246 Vgl. MC 67–84/ 225–233.
247 Vgl. MC 85–107/ 233–247.
248 MC 92/ 238: "Christus est enim, qui in Ecclesia sua vivit, qui per eam docet, regit, sanctitatemque impertit".
249 Vgl. MC 25–32/ 204–208.
250 Vgl. MC 33–50/ 208–217.
251 Vgl. MC 51–56/ 217–221.
252 MC 38/ 209: "Sed directo etiam per se divinus Servator noster conditam ab se societatem moderatur ac dirigit".
253 MC 53/ 218: "Ipse est, qui per Ecclesiam baptizat, docet, regit, solvit, ligat, offert, sacrificat".
254 Vgl. MC 38/ 209 f.
255 MC 53/ 218: "Nam per iuridicam, ut aiunt, missionem, qua Divinus Redemptor Apostolos in mundum misit".
256 Vgl. MC 53–56/ 218–220.

sich selbst im Meßopfer zusammen mit den Gliedern seines mystischen Leibes dem Vater darbringt[257], wobei er "zugleich Opferpriester und Opferlamm ist und so in besonderer Weise das
Mittleramt ausübt" (Nr. 89)[258].

In der Enzyklika "Mediator Dei" ist dagegen offensichtlich die
Kenntnis der Mysterienlehre vorausgesetzt. Die Frage, in welchem Sinn Pius XII. dazu Stellung nahm, wurde Anlaß zu einer
lebhaften Diskussion[259]. Sie entzündete sich vor allem an dem
Tadel der Enzyklika, die in Nr. 163 davon spricht, daß im Kirchenjahr die Geheimnisse des Lebens Jesu "dauernd gegenwärtig
sind und wirken, nicht in der ungewissen, nebelhaften Weise,
von der gewisse neuere Autoren sprechen, sondern wie es katholische Lehre ist"[260]. Manche Verfechter der Casel'schen Position meinten bestreiten zu müssen, daß mit diesem Vorwurf die
Theologen der Mysterienlehre gemeint sein könnten[261]. Tatsächlich zielt jedoch der Tadel auf die Art und Weise, wie in der
Mysterienlehre die Gegenwart des Herrn verstanden wurde[262],
ohne daß damit das Anliegen der Mysterientheologie insgesamt
zurückgewiesen wäre. Die Frage der Gegenwartsweise der Mysterien des Lebens Jesu im Kirchenjahr und auch die Frage der Gegenwartsweise der Passion des Herrn in der Meßfeier werden in

---

257 Vgl. MC 82/ 233: "Non modo semet ipsum, ut Ecclesiae Caput, caelesti
   Patri offert, sed in semet ipso mystica etiam sua membra, quippe qui
   eadem omnia, debiliora quoque et infirmiora, in Corde suo amantissime
   includat".
258 MC 89/ 237: "Et quamvis in Eucharistico praesertim sacrificio - in quo
   Christus, cum sacerdos ipsemet et hostia sit, conciliatoris munere peculiari modo fungitur ...".
259 Vgl. die von V. Warnach, Zur Einführung in die Theologie Odo Casels
   (s. Anm. 141), XXVII, Anm. 29, angegebene Literatur und die Darstellung von J. Plooij, a.a.O., 161-164.
260 MeD 163/ 580: "... quae perfecto mysteria non incerto ac sub obscuro
   eo modo, quo recentiores quidam scriptores effutiunt, sed quo modo catholica doctrina nos docet, praesentia continenter adsunt atque ope-
   rantur".
261 Vgl. z.B. B. Ebel, Das Mysterium der Liturgie im Lichte der Enzyklika
   "Mediator Dei", in: Anima 3 (1948) 294-307, hier 300: "Wer sind diese
   (in der Enzyklika getadelten) Schriftsteller? Wir vermögen nicht anzunehmen, daß hier Odo Casel und die Seinen gemeint sind".
262 Das beweist die Antwort des Heiligen Offiziums auf eine Anfrage des
   Erzbischofs von Salzburg bezüglich der Interpretation der Enzyklika
   durch Abt B. Reetz; vgl. die Dokumentation des Schriftwechsels bei J.
   Plooij, a.a.O., 162 f.

der Enzyklika offengelassen[263]. Die Gegenwart des Herrn und seines Heilswerks wird aber eindeutig, wenn auch mit vorsichtigen Worten gelehrt. Das gilt sowohl für die Feiern des Kirchenjahres[264] wie auch in dem von Casel so betonten Sinn, "daß die einzelnen Menschen in lebendige Berührung mit dem Kreuzesopfer kommen, und daß ihnen darum die aus jenem Opfer fließenden Verdienste zugeteilt werden"[265]. Die effektive Gegenwart des Kreuzesopfers durch die Zuwendung seiner erlösenden Kraft wird hier abgeleitet aus der lebendigen Begegnung mit dem Kreuzesopfer selbst, womit dessen objektive Gegenwart vorausgesetzt ist, ohne daß die Weise dieser Gegenwart näher erörtert würde[266]. Gewiß ist damit die entscheidende Frage der Mysterienlehre ausgeklammert, aber man wird mit Burkhard Neunheuser sagen dürfen: "Kernanliegen der Mysterienlehre sind doch in einer Weise gebilligt, daß ihre Berücksichtigung unverkennbar ist"[267].

In diesem Sinn kann man auch die Äußerungen der Enzyklika "Mediator Dei" über die verschiedenen Weisen der Gegenwart des Herrn in Zusammenhang mit der Mysterienlehre bringen. Da der entsprechende Text der Enzyklika dem dieser Arbeit zugrundeliegenden Artikel 7 der Liturgiekonstitution des II. Vatikanischen Konzils als Grundlage diente, wird er eigens dargestellt.

---

263 Vgl. außer B. Ebel auch J. Hild, L'encyclique Mediator Dei et le mouvement liturgique de Maria Laach, in: MD, Nr. 14 (1948) 15-29; ders., L'Encyclique "Mediator" et la sacramentalité des actes liturgiques, in: QLP 29 (1948) 186-203.
264 Vgl. MeD 163/ 580: "Quapropter liturgicus annus ... non frigida atque iners earum rerum repraesentatio est, quae ad praeterita tempora pertinent vel simplex ac nuda superioris aetatis rerum recordatio. Sed potius est Christus ipse, qui in sua Ecclesia perseverat, quique immensae misericordiae suae iter pergit ...".
265 MeD 76/ 551: "... ut singillatim homines vitali modo Crucis sacrificium attingant, ideoque quae ex eo eduntur merita iisdem impertiantur".
266 Vgl. zu der Gegenüberstellung von effektiver und objektiver Gegenwart der Heilsmysterien Th. Filthaut, a.a.O., 43-53.
267 B. Neunheuser, Mysterienlehre und Mediator Dei, in: A. Mayer/ J. Quasten/ B. Neunheuser, Vom christlichen Mysterium (s. Anm. 123), 344 bis 362, hier 356. Diese Beurteilung Neunheusers bezieht sich auf die Stellungnahme der Enzyklika zur Gegenwart der Heilsmysterien im Kirchenjahr. Sie darf aber wohl auch auf die hier zitierte Stelle angewandt werden. Vgl. zum ganzen auch B. Neunheuser, Mysteriengegenwart. Ein Theologumenon inmitten des Gesprächs (s. Anm. 180), 104; A. Gozier, a.a.O. (Anm. 115), 121-128.

1.3.2. Die Lehre der Enzyklika "Mediator Dei" über die Gegenwartsweisen Jesu Christi in der Liturgie

Durch die zahlreichen römischen Dokumente aus der ersten Hälfte dieses Jahrhunderts, die sich mit liturgischen Fragen befassen, und durch die konkreten Reformmaßnahmen, vor allem unter Pius X. und Pius XII. [268], waren wichtige Schritte zur Erneuerung des Liturgieverständnisses und zur Befreiung der Liturgie aus einer jahrhundertelangen Starrheit getan. Auf dieser Grundlage und mit Hilfe der in der Liturgischen Bewegung erarbeiteten liturgietheologischen Einsichten konnte Pius XII. in der Enzyklika "Mediator Dei" [269] eine theologische Reflexion über Wesen und Bedeutung der Liturgie bieten, die eine umfassende Reform vorbereitete. Wenn auch manche Einzelfragen, die in der Enzyklika behandelt werden, schon in anderen offiziellen Texten zu finden sind, wie oben gezeigt wurde, so stellt diese Enzyklika als ganze doch den erstmaligen Versuch einer amtlichen Darstellung der Liturgie dar, die nicht nur Rubriken und Einzelvorschriften, sondern die Liturgie selbst zum Thema hat.

1.3.2.1. Das liturgietheologische Konzept der Enzyklika

In der Einleitung (Nr. 1-12) werden Thema und Absicht der Enzyklika genannt, wobei schon ihre Grundgedanken angedeutet sind. Jesus hat sich als der Hohepriester des Neuen Bundes für das Heil der Menschen geopfert (Nr. 1). Sein Priesterleben soll durch das von ihm eingesetzte Priestertum weitergeführt werden (Nr. 2). Die Kirche führt das Priesteramt vor allem durch die Liturgie weiter, in erster Linie durch das Meßopfer, dann durch die Sakramente, schließlich durch den Lobpreis des Stundengebetes (Nr. 3).

---

268 Über die einzelnen Reformen braucht hier nicht eigens berichtet zu werden. Ein Überblick findet sich bei F. Kolbe, a.a.O., 90-106.
269 Zur Literatur über die Enzyklika vgl. den Literaturbericht von B. Capelle, Autour de l'encyclique "Mediator", in: QLP 31 (1950) 12-17.

Damit ist das Thema der Enzyklika umgrenzt. Ihre Absicht wird aus den folgenden neun Nummern der Einleitung erkennbar: Die anerkennenswerten Bemühungen um eine liturgische Erneuerung können nur unter strikter Führung durch den Apostolischen Stuhl gebilligt werden; ihm allein kommt das Recht zu, die Liturgie zu ordnen (Nr. 4-12) [270].

Die einzelnen Aussagen der Enzyklika müssen von ihrer Zielsetzung her interpretiert werden. Es geht dem Papst darum, die kirchliche Lehre über die Liturgie in autoritativer Weise darzulegen, um so die Grenzen der legitimen theologischen Diskussion abzustecken, in die der Papst dann selbst nicht eingreifen will [271].

Im ersten Teil [272] handelt die Enzyklika von der Liturgie im allgemeinen und beschäftigt sich zunächst mit ihrem theologischen Fundament [273]. Der Mensch ist zur Gottesverehrung verpflichtet (Nr. 13). Das betrifft zuerst den Einzelnen, aber auch die menschliche Gemeinschaft (Nr. 14) und gilt in besonderer Weise in der übernatürlichen Ordnung (Nr. 15). Im Alten Bund hat Gott selbst die Riten des Kultes geordnet (Nr. 16), der nur ein schattenhaftes Bild des neutestamentlichen Kultes war (Nr. 17), in welchem nun Jesus Christus sein priesterli-

---

270 Daß der Papst bei aller positiven Erwähnung der Liturgischen Bewegung immer wieder ausführlich und nachdrücklich auf gravierende Irrtümer und Fehlentwicklungen hinweist, hat natürlich die Frage provoziert, wen er mit diesen Ermahnungen besonders im Sinn habe. L. Beauduin, L' encyclique "Mediator Dei", in: MD, Nr. 13 (1948) 7-25, meint, daß besonders Mißstände in Deutschland gemeint seien, was J. A. Jungmann, Unsere liturgische Erneuerung ..., a.a.O. (Anm. 80), vorsichtig zurückweist. Immerhin kann das Memorandum des Freiburger Erzbischofs C. Gröber (vgl. oben, S. 29) hier eine Rolle gespielt haben. Ein gewisses Bedauern über den tadelnden Ton der Enzyklika klingt auch bei G. M. Hanssens, a.a.O. (Anm. 229), II, 255, an: "Ammettiamo pure che la loro repressione (esagerazioni e errori) sia il suo principale intento". Dennoch enthalte sie, wie keine offizielle Erklärung zuvor, die Ermutigung zum liturgischen Apostolat. - Pius Parsch hat es offensichtlich nicht vermocht, den positiven Beitrag der Enzyklika zu würdigen; er war nur enttäuscht über die Kritik des Papstes: vgl. Th. Maas-Ewerd, Zur Reaktion Pius Parschs auf die Enzyklika "Mediator Dei", in: N. Höslinger/ Th. Maas-Ewerd (Hg.), Mit sanfter Zähigkeit (s. Anm. 59),199-214.
271 Vgl. L. Beauduin, a.a.O., 8-12 ("Normes d'interpretation de l'encyclique").
272 Vgl. MeD 13-64/ 525-547.
273 Vgl. MeD 13-22/ 525-530.

ches Amt in den Ereignissen seines Lebens und in seinem Tod
zur Ehre Gottes und zur Heiligung der Menschen ausübt (Nr.
18). Nach seiner Verherrlichung steht er den Menschen als Fürsprecher beim Vater bei und hilft ihnen "durch seine Kirche,
in der seine göttliche Gegenwart durch die Jahrhunderte fortdauert, die er zur Säule der Wahrheit (vgl. 1 Tim. 3,15) und
Spenderin der Gnade bestimmt ... hat" (Nr. 19) [274]. "Die Kirche
hat daher Zweck, Aufgabe und Amt gemeinsam mit dem Menschgewordenen Gott" (Nr. 20) [275]. Sie wirkt durch Lehre, Leitung,
Opfer, Sakramente, Verwaltung, Gebet und Christi Blut, was alles sie von Christus empfangen hat, auf das eine Ziel hin,
sich aufzubauen als Tempel Gottes.
"Deshalb ist in jeder liturgischen Handlung zugleich mit der
Kirche ihr göttlicher Stifter zugegen. Zugegen ist Christus im
hochheiligen Opfer des Altars, in der Person des seine Stelle
vertretenden Priesters wie vor allem unter den eucharistischen
Gestalten. Zugegen ist er in den Sakramenten durch seine Kraft,
die er in sie als die Werkzeuge der Heiligung strömen läßt.
Zugegen ist er endlich im Lob Gottes und im Bittflehen zu ihm,
nach dem Worte: 'Wo nämlich zwei oder drei in meinem Namen
vereint sind, bin ich mitten unter ihnen' (Matth. 18,20). Die
Liturgie als ganzes bildet deshalb den öffentlichen Kult, den
unser Erlöser, das Haupt der Kirche, dem himmlischen Vater erweist und den die Gemeinschaft der Christgläubigen ihrem Grün-
der und durch ihn dem ewigen Vater darbringt; um es zusammenfassend kurz auszudrücken: sie stellt den gesamten öffentlichen Kult des mystischen Leibes Jesu Christi dar, seines Hauptes nämlich und seiner Glieder" (Nr. 20) [276].

---

274 MeD 19/ 527: "... auxiliatur per Ecclesiam suam, in qua divina prae-
    sentia sua volventibus saeculis perennat quamque columnam veritatis
    (cf. 1 Tim. 3,15) ac gratiae dispensatricem constituit".
275 MeD 20/ 527 f.: "Ecclesia igitur commune habet cum Incarnato Verbo
    propositum, officium, munus".
276 MeD 20/ 528 f.: "Quapropter in omni actione liturgica una cum Ecclesia
    praesens adest Divinus eius Conditor; praesens adest Christus in au-
    gusto altaris Sacrificio, cum in administri sui persona, tum maxime
    sub Eucharisticis speciebus; praesens adest in Sacramentis virtute sua,
    quam in eadem transfundit utpote efficiendae sanctitatis instrumenta;
    praesens adest denique in Deo admotis laudibus ac supplicationibus, se-
    cundum illud: 'Ubi enim sunt duo vel tres congregati in nomine meo, ibi

Die Liturgie gibt es vom Anfang der Kirche an. Ihr Zentrum ist das Meßopfer; darum herum ordnen sich die übrigen Riten, zuerst die Sakramente, dann der Lobpreis Gottes, weiter die Schriftlesung und die Predigt. Durch diese Riten heiligen sich die Menschen und verherrlichen Gott (Nr. 21). Der Kult wird nach Bedarf ausgebaut und bereichert. Insgesamt ist die Liturgie Ausübung des Priesteramtes Jesu Christi. "Wie ihr göttliches Haupt, so ist die Kirche ihren Kindern immerfort zugegen" [277] und begleitet sie mit der Liturgie durch ihr ganzes Leben (Nr. 22).

1.3.2.2. Die Aussagen der Enzyklika über die Gegenwartsweisen Jesu Christi

Die Beziehung zwischen Jesus Christus und der Kirche

In der theologischen Konzeption der Liturgie, wie der erste Teil der Enzyklika sie bietet, besteht eine auffällige Teilung des priesterlichen Wirkens des erhöhten Herrn. Unmittelbar wirkt er als Fürsprecher beim Vater, mittelbar dagegen durch die Kirche, die kraft seiner Gegenwart "Säule der Wahrheit und Spenderin der Gnade" ist (Nr. 19) [278]. Aus dieser Zuordnung des Wirkens Jesu Christi und des Wirkens der Kirche zueinander, wie sie auch schon in der Einleitung der Enzyklika anklingt (Nr. 1-3), ergeben sich Folgerungen für das Verständnis der Gegenwart Jesu Christi. Er ist die ermöglichende Wirkursache für das Handeln der Kirche, die als Instrumentalursache durch ihre Liturgie die Menschen heiligt und Gott verehrt. Die Kirche ist dann das Subjekt des liturgischen Handelns; sie ist aber in gewissem Sinn auch das nächste Ziel der Liturgie, die

---

sum in medio eorum' (Matth. 18,20). Sacra igitur Liturgia cultum publicum constituit, quem Redemptor noster, Ecclesiae Caput, caelesti Patri habet; quemque christifidelium societas Conditori suo et per ipsum aeterno Patri tribuit; utque omnia breviter perstringamus, integrum constituit publicum cultum Mystici Iesu Christi Corporis, Capitis nempe membrorumque eius".

277 MeD 22/ 529: "Quemadmodum divinum eius Caput, ita Ecclesia filiis suis perpetuo adest ...".

278 MeD 19/ 527: "Columnam veritatis et gratiae dispensatricem".

bewirkt, daß die Kirche "sich weite nach außen und innerlich zusammenwachse" (Nr. 20) [279], gewiß schließlich zur Heiligung der Menschen und zur Ehre Gottes. Damit sie dieses Ziel erreicht ("quapropter"), ist in jeder liturgischen Handlung mit der Kirche (als Subjekt) auch Jesus Christus (als ermöglichende Ursache) zugegen. In diesem Kontext stehen dann seine verschiedenen Gegenwartsweisen in der Liturgie.

Bei aller Betonung der Abhängigkeit der Kirche von Jesus Christus entsteht der Eindruck, daß ihre relative Eigenständigkeit stark im Vordergrund steht. Sie ist das Subjekt des liturgischen Handelns, da sie, wie Jesus Christus, ihren Kindern zugegen ist und ihnen vor allem in den Sakramenten das Heil schenkt.

Diese Überbetonung des kirchlichen Handelns wird später etwas zurückgenommen, wenn von der Wirksamkeit des Meßopfers und der Sakramente *ex opere operato* die Rede ist (Nr. 27-31). Dort heißt es: "Christus ist in den Sakramenten und in seinem Opfer tagtäglich für uns tätig" (Nr. 29) [280], und es ist daran festzuhalten, daß dies "Handlungen Christi sind, welche die Gnade des göttlichen Hauptes in die Glieder des mystischen Leibes leiten und dort verteilen" (Nr. 31) [281].

Umso deutlicher wird dann die Wirksamkeit der Sakramentalien und der übrigen Riten dem Handeln der Kirche zugeschrieben, die aber "in engster Verbindung mit ihrem Haupt wirkt" (Nr. 27) [282].

In solchen Formulierungen spürt man die Schwierigkeit, die Abhängigkeit der Kirche von Jesus Christus und ihre relative Eigenständigkeit zugleich auszusagen. Durch die Unterscheidung von liturgischen Handlungen, die *ex opere operato* wirken, von solchen, deren Wirksamkeit *ex opere operantis ecclesiae* kommt (Nr. 27) [283], entsteht der Eindruck gewissermaßen getrennter

---

279 MeD 20/ 528: "Ut magis in dies amplificetur ac coagmentetur".
280 MeD 29/ 533: "Christus in Sacramentis et in Sacrificio suo singulis diebus saluti nostrae operatur".
281 MeD 31/ 533: "... quae sint ipsius Christi actiones, quae divini Capitis gratiam in Mystici Corporis membra transmittant atque diffundant".
282 MeD 27/ 532: "Arctissime cum suo Capite coniuncta operatur".
283 Vgl. ebd.: "Quae efficacitas, si de Eucharistico Sacrificio ac de Sa-

Zuständigkeitsbereiche für das Handeln der Kirche bzw. Christi, wenn auch versucht wird, beides in der organischen Einheit zu sehen, wie sie von dem zugrundeliegenden Bild der Kirche als des mystischen Leibes Christi vorausgesetzt wird. Bei der konkreten Anwendung des Bildes wird jedoch die relative Eigenständigkeit der Kirche zu sehr betont.

Die Gegenwart des Herrn im Meßopfer

Die angedeutete Spannung zwischen der Wirksamkeit des Herrn und der Wirksamkeit der Kirche wiederholt sich bei der Erörterung der Eucharistie. Einerseits finden sich Formulierungen, in denen Jesus Christus als zurückliegende Ursache für das gegenwärtige Wirken der Kirche erscheint. Er hat die Eucharistie "einstens eingesetzt" und läßt sie "durch seine Diener in der Kirche immerdar erneuern" (Nr. 65) [284]. Mit den Worten des Tridentinums wird gesagt, er habe der Kirche ein Opfer hinterlassen, das nun auf sein Geheiß die Apostel und ihre Nachfolger darbringen (Nr. 66) [285]. Andererseits aber werden eine Reihe von präsentischen Aussagen für die Wirksamkeit Jesu Christi in der Eucharistie gebraucht. Es ist Christus selbst, der sich nach den Worten desselben Konzils "jetzt durch den Dienst der Priester opfert" (Nr. 67) [286]. Er bringt Gott den Lobpreis dar (Nr. 70), er dankt dem Vater in der eucharistischen Handlung (Nr. 71), er "opfert sich auf den Altären täglich für unsere Erlösung" (Nr. 72) [287] und ist in seiner Fürbitte unser Mittler

---

cramentis agitur, *ex opere operato* potius ac primo loco oritur. Si vero vel actionem illam consideramus intaminatae Iesu Christi Sponsae, qua eadem precibus sacrisque caeremoniis Eucharisticum adornat Sacrificium et Sacramenta; vel si de *Sacramentalibus* ac de ceteris ritibus agitur, quae ab Ecclesiastica instituta sunt Hierarchia, tum efficacitas habetur potius *ex opere operantis ecclesiae*, quatenus ea sancta est atque arctissime cum suo Capite coniuncta operatur".

[284] MeD 65/ 547: "Eucharistiae Mysterium ... quam olim Summus Sacerdos Christus instituit, quamque per suos administros perpetuo in Ecclesia renovari iubet".

[285] MeD 66/ 547: Die Enzyklika zitiert hier einen Abschnitt aus Kap. 1 der 22. Sitzung des Trienter Konzils, vgl. DS 1740.

[286] MeD 67/ 548: "... idem nunc offerens sacerdotum ministerio, qui se ipsum tunc in Cruce obtulit": vgl. DS 1743.

[287] MeD 72/ 549: "Atque in altaribus itidem cotidie sese offert pro redemptione nostra ...".

bei Gott (Nr. 73) [288].

Die Gegenwart des Herrn im zelebrierenden Priester

Die Gegenwart Jesu Christi im Meßopfer wird in Nr. 20 der Enzyklika in zweifacher Weise spezifiziert: Er ist sowohl in der Person seines Dieners [289] gegenwärtig, wie auch vor allem unter den eucharistischen Gestalten. Diese Erläuterung der Gegenwart des Herrn im Meßopfer läßt vermuten, daß seine Gegenwart vor allem, wenn nicht sogar ausschließlich, in der Realpräsenz unter den eucharistischen Gestalten gesehen wird; seine Gegenwart im Priester hätte dann den Sinn, jene Gegenwart zu ermöglichen. Dementsprechend wird die Repräsentation Christi durch den Priester im Hinblick auf den Vollzug der Meßfeier beschrieben. Zu diesem Zweck ist das Priestertum eingesetzt [290]. Die Priester stellen die Person Jesu Christi dar [291]; sie werden durch das unauslöschliche Merkmal der Priesterweihe dem Hohenpriester gleichförmig gemacht und so befähigt, die liturgischen Handlungen vorzunehmen [292]. Deshalb ist es Christus, der sich durch den Dienst der Priester opfert [293] und dessen Person der Priester vertritt [294]. "Durch die Priesterweihe dem Hohenpriester angeglichen, besitzt er die Vollmacht, in der Kraft und an Stelle der Person Christi selbst zu handeln (vgl. hl. Thomas, Summa theol.). Durch seine priesterliche Handlung leiht 'er also Christus gleichsam seine Zunge und reicht ihm seine Hand' (Joh. Chrysostomus)" (Nr. 68) [295]. Er

---

288 Vgl. MeD 73/ 550.
289 Die Herder-Ausgabe übersetzt hier *in administri sui persona* mit *in der Person des seine Stelle vertretenden Priesters*. Damit ist eine bestimmte Deutung der Gegenwart des Herrn im Priester vorgenommen, die sich hier nicht aus dem Text ablesen läßt und an anderen Formulierungen der Enzyklika überprüft werden muß. Vgl. unten, Abschnitt 4.2.
290 Vgl. MeD 2/ 522: "... atque adeo perspicibile sacerdotium instituit ad offerendam in omni loco oblationem mundam (cf. Mal. 1,11)".
291 Vgl. MeD 40/ 538: "Christi personam sustinent" (vgl. Anm. 223).
292 Vgl. MeD 41/ 539: "... (character indelebilis), qui sacrorum administros Iesu Christo sacerdoti conformatos, eosdemque aptos exhibet ad legitimos illos religionis actus eliciendos, quibus et homines sanctitudine imbuuntur et debita Deo tribuitur gloria".
293 Vgl. Anm. 286.
294 Vgl. Anm. 224.
295 Vgl. Anm. 225.

"handelt nur deshalb an Stelle des Volkes, weil er die Person unseres Herrn Jesus Christus vertritt, insofern dieser das Haupt aller Glieder ist und sich selbst für sie opfert; er tritt folglich an den Altar als Diener Christi, niedriger als Christus stehend, aber höher als das Volk (vgl. hl. Robert Bellarmin, De Missa)" (Nr. 83) [296].

Diese Formulierungen zeigen, daß in Bezug auf die Repräsentation Christi durch den Priester die sonst in der Enzyklika zu beobachtende "Ekklesiozentrik" weitgehend fehlt. Daß der Priester an der Stelle der Person Christi steht, wird stets auf das eucharistische Handeln Christi durch den Priester hin ausgelegt [297]. Um dieser Funktion willen wird nach ihren Bedingungen gefragt [298].

Das wird noch einmal verdeutlicht, wo es um die Abgrenzung des Weihepriestertums gegenüber dem allgemeinen Priestertum geht (Nr. 87-96) [299]. Nur durch den Priester, "insofern er die Person Christi vertritt, nicht aber insofern er die Person der Gläubigen darstellt", wird "Christus im Zustand des Opfers auf dem Altare gegenwärtig" (Nr. 91) [300]. Der Priester "vertritt die Person Christi als des im Namen aller Glieder opfernden Hauptes" (Nr. 92) [301]; Christus selbst ist der "hauptsächlich Dar-

---

296 Vgl. MeD 83/ 553: "... sacerdotem nempe idcirco tantum populi vices agere, quia personam gerit Domini nostri Iesu Christi, quatenus membrorum omnium Caput est, pro iisdemque semet ipsum offert; ideoque ad altare accedere ut ministrum Christi, Christo inferiorem, superiorem autem populo (cf. S. Robertus Bellarmin, De Missa 2, c. 4)".

297 In diesem Zusammenhang kann man der Enzyklika wohl nicht den sonst durchaus begründeten Vorwurf der "Ekklesiozentrik" machen, wie es P. J. Cordes, Sendung zum Dienst. Exegetisch-historische und systematische Studien zum Konzilstext "Vom Dienst und Leben der Priester", Frankfurt/ M. 1972 (= FTS 9), 186 ff., tut.

298 Es scheint deshalb dem Textbefund nicht gerecht zu werden, wenn P. J. Cordes, a.a.O., 187, schreibt: "Nicht das *Handeln* des Amtsträgers soll geklärt werden, sondern sein *Sein* ... Die Blickrichtung auf das ausschließliche Präsentsein eines vorhandenen Zustands wird noch einmal greifbar an der Art und Weise, in der sich diese Enzyklika für solche Aussagen auf Robert Bellarmin beruft".

299 Vgl. MeD 87-96/ 555-557.

300 MeD 91/ 555: "Incruenta enim illa immolatio, qua consecrationis verbis prolatis Christus in statu victimae super altare praesens redditur, ab ipso solo sacerdote perficitur, prout Christi personam sustinet, non vero prout christifidelium personam gerit".

301 MeD 92/ 556: "... personam Christi utpote Capitis gerit, membrorum om-

bringende" (Nr. 92) [302].

Die Gegenwart des Herrn unter den eucharistischen Gestalten

In Nr. 20 wird die Gegenwart Jesu Christi unter den eucharistischen Gestalten besonders hervorgehoben (*maxime*). Auf dieses Ziel hin ist die Gegenwart des Herrn im Meßopfer formuliert. Dem dient auch seine Gegenwart im Priester. Das zeigt
sich an der Formulierung, wenn die Weise der Gegenwart Jesu
Christi im Meßopfer erläutert wird durch seine Gegenwart im
Priester und unter den eucharistischen Gestalten, wobei dem
Wortlaut nach diese Konkretisierung exklusiv zu verstehen ist
und die beiden im Meßopfer gegebenen Weisen der Gegenwart des
Herrn einander zugeordnet werden im Sinn der übergeordneten
Bedeutung der Gegenwart unter den eucharistischen Gestalten im
Verhältnis zur Gegenwart im Priester (*cum ... tum maxime*). Dadurch legt sich die Konsequenz nahe, daß unter der Gegenwart
des Herrn im Meßopfer eigentlich nur seine Gegenwart unter den
eucharistischen Gestalten zu verstehen ist, die durch die Wandlungsworte zustande kommt und insofern die Gegenwart Christi
im Priester, der diese Worte spricht, erfordert. Diese Folgerung wird durch die Formulierung in Nr. 91 bestätigt: "Die unblutige Hinopferung, in der durch die Wandlungsworte Christus
im Zustand des Opfers auf dem Altare gegenwärtig wird ..." [303].
Das Opfergeschehen wird auf die Konsekration konzentriert, der
Opfercharakter der Messe an der Trennung der konsekrierten Gestalten abgelesen [304]. Diese enthalten "wahrhaft, wirklich und
wesentlich den Leib und das Blut zugleich mit der Seele und

---

nium nomine offerentis". Damit entspricht die Enzyklika ganz der Darstellung Robert Bellarmins, was P. J. Cordes, a.a.O., bestreitet.
302 Ebd.: "Principalis offerens".
303 MeD 91/ 555: s. Anm. 300.
304 MeD 69/ 548: "Eucharisticae autem species, sub quibus adest, cruentam
corporis et sanguinis separationem figurant. Itaque memorialis demonstratio eius mortis, quae reapse in Calvariae loco accidit, in singulis altaris sacrificiis iteratur, quando quidem per distinctos indices Christus Iesus in statu victimae significatur atque ostenditur";
vgl. MeD 114/ 563: "... Eucharisticum Sacrificium suapte natura incruentam esse divinae victimae immolationem, quae quidem mystico modo
ex sacrarum specierum separatione patet".

mit der Gottheit unseres Herrn Jesus Christus (Trienter Konzil)" (Nr. 127) [305].

Die Eucharistie als Sakrament unterscheidet sich von den anderen Sakramenten dadurch, "daß sie nicht bloß die Gnade mitteilt, sondern den Urheber der Gnade selbst in fortdauernder Weise enthält"; er ist "unter den Schleiern der Eucharistie" verborgen gegenwärtig (Nr. 129) [306].

An dieser letzten Formulierung fällt auf, daß das Subjekt wechselt: Das Sakrament teilt die Gnade mit, es enthält den gegenwärtigen Christus. Das vom Tridentinum passivisch gebrauchte *contineri*, das dort von Christus ausgesagt ist [307], wird hier aktivisch verwendet und hat das Sakrament zum Subjekt.

Die Gegenwart des Herrn in den anderen Sakramenten

Es wurde schon darauf hingewiesen, daß die Enzyklika einerseits die Sakramente als Handlungen der Kirche beschreibt, andererseits aber als Handlungen Christi [308], ohne daß die Zuordnung der beiden Aussagereihen zueinander recht geklärt wäre. Die Frage bleibt, ob die Sakramente deshalb Handlungen Christi sind, weil er sie einmal eingesetzt und der Kirche den Auftrag zu ihrem Vollzug gegeben hat oder deshalb, weil Christus selbst im Tun der Kirche als Handelnder gegenwärtig ist.

Die Enzyklika erläutert in Nr. 20 die Gegenwart Christi in den Sakramenten auf zweifache Weise: er ist "durch seine Kraft" zugegen; diese Kraft läßt "er in sie als die Werkzeuge der Heiligung strömen" [309]. Die "Kraft" Christi, von der hier die Rede ist, muß als seine "göttliche Kraft" [310] verstanden wer-

---

305 MeD 127/ 568: "Eucharisticum pabulum continet, ut omnes norunt, 'vere, realiter et substantialiter corpus et sanguinem una cum anima et divinitate Domini nostri Iesu Christi' (Conc. Trid., Sess. XII, can. 1)"; vgl. DS 1651.
306 MeD 129/ 569: "... quod non modo gratiam gignit, sed ipsum gratiae auctorem stabili modo continet. ... Christum Eucharisticis delitescentem velis ... iisdem sub velis praesentem".
307 Vgl. DS 1636 und 1651.
308 S. oben, S. 73.
309 MeD 20/ 528: "Praesens adest in Sacramentis virtute sua, quam in eadem transfundit utpote efficiendae sanctitatis instrumenta".
310 Vgl. MeD 29/ 533: "Divina virtute".

den. Diese göttliche Kraft als Ausdruck der göttlichen Natur
des Herrn kommt aber den drei göttlichen Personen gemeinsam
zu. Die Gegenwart des Herrn seiner Kraft nach muß also unterschieden werden von seiner Gegenwart als Person, wie sie - in
unterschiedlicher Weise - im konsekrierenden Priester und unter den eucharistischen Gestalten ausgesagt wird. Dennoch sind
nach den Worten der Enzyklika die Sakramente ebenso wie das
Meßopfer "Handlungen Christi". Deshalb besitzen sie "eine ganz
ihnen innewohnende Kraft" (Nr. 31) [311]. Es wird also ein Handeln Christi beschrieben, das nicht seine personale Gegenwart
zur Voraussetzung hat, sondern die aktuelle Wirksamkeit seiner
göttlichen Kraft [312], die dann, so müßte man folgern, einen anderen personalen Träger hat, nämlich die Kirche.
In diese Richtung weist auch die Formulierung in Nr. 22, wo
die Kirche das Subjekt der durch die Sakramente bewirkten Heiligung der Menschen ist [313]. Die Sakramente werden dabei als
Werkzeuge beschrieben, deren Wirksamkeit aus der in sie hin-
eingegebenen Kraft Christi kommt [314]. In diesem Sinn sind sie
"Handlungen Christi ..., welche die Gnade des göttlichen Hauptes in die Glieder des mystischen Leibes leiten und dort verteilen" (Nr. 31) [315].

---

311 MeD 31/ 533: "Utique retinendum est Sacramenta altarisque Sacrificium
    intimam habere in semet ipsis virtutem, utpote quae sint ipsius Chri-
    sti actiones".
312 Vgl. P. Wegenaer, a.a.O. (Anm. 178); ähnlich auch G. Frénaud, der in
    seinem umfangreichen Kommentar zur Enzyklika auf die verschiedenen Ge-
    genwartsweisen nicht eingeht, aber in Bezug auf die Sakramente, a.a.O.,
    28 (1949) 83, sagt: "Le sacrement n'agit en effet que sous l'influence
    actuelle d'une vertu divine transmise par la Sainte Humanité du Christ,
    elle-même instrument 'conjoint' de la Divinité. C'est cette influence
    qui constitue la présence 'virtuelle' du Christ en tout acte sacramen-
    taire. Rien ne montre mieux que ce concours intime comment les plus
    nobles et les plus efficaces de nos actes liturgiques ne sont que l'
    exercice ininterrompu de l'unique sacerdoce du Verbe Incarné".
313 Vgl. MeD 22/ 529: "Quemadmodum divinum eius Caput, ita Ecclesia filiis
    suis perpetuo adest, eos adiuvat, eosque ad sanctimoniam adhortatur
    ...". Es folgt eine breite Ausführung dieser durch die Liturgie vor
    allem der Sakramente gewährten Begleitung des Menschen durch die Kirche.
314 Vgl. MeD 20/ 528: "Quamobrem societas a Divino condita Redemptore ...
    Sacrificio ac Sacramentis ab eo constitutis ... non alio contendit ac
    spectat ...".
315 Vgl. MeD 31/ 533: "Christi actiones, quae divini Capitis gratiam in
    Mystici Corporis membra transmittant atque diffundant".

Die in diesem Zusammenhang gebrauchten Ausdrücke: *Kraft strömen lassen* (Nr. 20), *Gnade leiten und verteilen* (Nr. 31), *Gnade mitteilen* (Nr. 129) [316], lassen auf ein vorwiegend sachhaftes Verständnis der Gnade schließen, wodurch die Bezeichnung der Sakramente als Mittel oder Instrumente ebenfalls eine dinghafte Färbung bekommt [317]. Daß die Sakramente als Zeichenhandlungen Ausdruck personaler Gegenwart und Zuwendung des Herrn sein könnten, läßt sich in solchen Begriffen kaum ausdrücken. So kommt auch das Wort *signum* für die liturgischen Riten in der ganzen Enzyklika nicht vor, außer in einem Augustinus-Zitat [318].

Die Gegenwart des Herrn im Gotteslob

Als letzte Gegenwartsweise Christi in der Liturgie nennt die Enzyklika in Nr. 20 seine Gegenwart "im Lob Gottes und im Bittflehen zu ihm, nach dem Worte: 'Wo nämlich zwei oder drei in meinem Namen vereint sind, bin ich mitten unter ihnen' (Matth. 18,20)" [319].
Das Stundengebet ist nach Nr. 140 "das Gebet des Mystischen Leibes Christi", und es ist nach Nr. 142 das Gebet Christi selbst. Nach der bisher beobachteten Tendenz der Enzyklika müßte vermutet werden, daß es das Gebet Christi sei, insofern er der Kirche den Auftrag zu seinem Vollzug gegeben hat. Tatsächlich aber betont die Enzyklika hier stärker als sonst das präsentische Wirken des Herrn selbst. Hier macht sich wohl der Einfluß des angeführten Augustinus-Textes geltend: "Er (Jesus) betet für uns als unser Priester, er betet in uns als unser Haupt; zu ihm wird gebetet von uns als zu unserem Gott" (Nr. 142) [320]. Es entsteht der Eindruck, daß in diesen mehr beschrei-

---

316 Vgl. MeD 20/ 528: "transfundit"; 31/ 533: "transmittant atque diffundant"; 129/ 569: "gratiam gignit".
317 Vgl. z.B. MeD 3/ 522, 20/ 528; für das Meßopfer: MeD 78/ 551.
318 Vgl. MeD 22/ 529: "Ut illis rerum signis nos ipsos admoneamus ... (S. Augustin., Epist. 130, ad Probam, 18)".
319 MeD 20/ 528: "Praesens adest denique in Deo admotis laudibus ac supplicationibus, secundum illud: 'Ubi enim sunt duo vel tres congregati in nomine meo, ibi sum in medio eorum' (Matth. 18,20)".
320 Die Enzyklika zitiert (142/ 573) einen Abschnitt aus Augustinus, Enarrat. in Ps. 85, n. 1: "Orat (Iesus) pro nobis ut sacerdos noster; orat

benden Texten der Enzyklika in aller Unbefangenheit eine gegenwärtige Wirksamkeit des Herrn vorausgesetzt wird, der das
Tun der Kirche zugeordnet ist, ohne eigens in seiner Eigenständigkeit betont zu werden. Freilich muß man beachten, daß
im Zusammenhang der theologischen Erörterung der Wirksamkeit
der liturgischen Feiern in Nr. 27 eindeutig das Gebet und die
übrigen liturgischen Riten außer dem Meßopfer und den Sakramenten dem Wirken *ex opere operantis ecclesiae* zugeschrieben
werden, so daß von daher der Gedanke einer Aktualpräsenz des
Herrn im Stundengebet fernliegt. Auch hier deutet sich eine
gewisse Spannung zwischen der von der Enzyklika vorgetragenen
Lehre und den von ihr unbefangen zitierten und übernommenen
Anschauungen aus der patristischen Tradition an [321].

Die Gegenwart des Herrn im Kirchenjahr

Wenn auch die Gegenwart Jesu Christi in den liturgischen Feiern des Kirchenjahres in der Aufzählung der Gegenwartsweisen
(Nr. 20) nicht genannt ist, muß diese Weise seiner Gegenwart
doch in die Erörterung einbezogen werden, da die Enzyklika dazu ausdrücklich Stellung bezieht und sich dabei unausgespro-
chen aber eindeutig mit der Mysterienlehre auseinandersetzt[322].

Nach der Darstellung der Enzyklika kommen die Heilstaten des
Herrn in den Herzen der Gläubigen zu neuem Leben[323]. Diese
Ausdrucksweise steht schon in Spannung zur Casel'schen These
von der objektiven, dem Mitvollzug der Gläubigen vorgängigen
Gegenwart der Heilstaten Jesu Christi. Dennoch gebraucht die
Enzyklika auch hier Formulierungen, die eine präsentische Tä-
tigkeit des Herrn aussagen. In Nr. 163 heißt es, das liturgi-
sche Jahr sei nicht nur Darstellung und Erinnerung vergangener

---

in nobis ut caput noster; oratur a nobis ut Deus noster".
321 Ähnlich auch bei dem oben erwähnten Gebrauch des Wortes *signum* (s. Anm.
    318) für die liturgischen Handlungen, das bei Augustinus und auch bei
    Thomas von Aquin so bedeutsam ist und in der Enzyklika nur in Form ei-
    nes Augustinus-Zitats vorkommt.
322 Vgl. oben, S. 67 f.
323 Vgl. MeD 150/ 577: "Christianorum animi veluti altaria sint, in quibus
    varia Sacrificii momenta, quod Summus immolat Sacerdos, alia aliis
    quodammodo reviviscant".

Ereignisse, "es ist vielmehr Christus selbst, der in seiner
Kirche weiterlebt"[324], wobei die Geheimnisse seines irdischen
Lebens "dauernd gegenwärtig sind und wirken"[325]. Sie sind also gegenwärtig, freilich nicht, wie Casel lehrte, ihrer objektiven Wirklichkeit nach, sondern "in ihrer Wirkung dauern sie
in uns" und sind so "Ursache unseres Heils"[326].

1.3.3. Der Begriff der Liturgie in den römischen Dokumenten bis "Mediator Dei"

In dem Motu Proprio "Tra le sollecitudini" von Pius X. wird
als Ziel der Liturgie die Ehre Gottes und die Heiligung und
Auferbauung der Gläubigen genannt[327]. Ohne daß damit eine eigentliche Definition der Liturgie gegeben wäre, ist es doch
bemerkenswert, daß der Papst hier den latreutischen und den
soterischen Aspekt der Liturgie, die Bewegung vom Menschen zu
Gott und von Gott zu den Menschen, zusammenbindet[328].
Davon unterscheiden sich die wenigen späteren Umschreibungen
der Liturgie in römischen Dokumenten, indem sie die Liturgie
als öffentlichen Kult der Kirche bestimmen und damit einseitig
den latreutischen Aspekt hervorheben. So werden im Kirchlichen
Rechtsbuch die Begriffe *öffentlicher Kult* und *Liturgie* offensichtlich in gleicher Bedeutung gebraucht[329] und bezeichnen
lediglich den im Namen der Kirche durch dazu seitens der Kirche beauftragte Personen verrichteten Gottesdienst[330].

---

324 Vgl. MeD 163/ 580: "Quapropter liturgicus annus, quem Ecclesiae pietas
    alit ac comitatur, non frigida atque iners earum rerum repraesentatio
    est, quae ad praeterita tempora pertinent, vel simplex ac nuda superi-
    oris aetatis rerum recordatio. Sed potius est Christus ipse, qui in
    sua Ecclesia perseverat ...".
325 Ebd.: "Quae profecto mysteria ... praesentia continenter adsunt atque
    operantur".
326 Ebd.: "Effectu suo in nobis perdurant, cum singula secundum indolem
    cuiusque suam salutis nostrae causa suo modo existant"; vgl. dazu G.
    M. Hanssens, a.a.O. (Anm. 229), I, 581.
327 A.a.O. (Anm. 98), 332 (ital.), 389 (lat.); vgl. den Text in Anm. 209.
328 Zu dem damit angedeuteten Fragekreis vgl. zahlreiche Veröffentlichun-
    gen von E. J. Lengeling, vor allem ders., Liturgie, in: HThG II, 75-97.
329 Vgl. CIC, c. 1256 mit c. 1257.
330 Vgl. CIC, c. 1256: "Cultus, si deferatur nomine Ecclesiae a personis

Ein ähnliches Verständnis liegt auch der Apostolischen Konstitution "Divini cultus" (1928) von Pius XI.[331] zugrunde. Der Gottesdienst (*divinus cultus*) wird als Dienst (*ministerium*) bezeichnet, "dessen besonderer Name Liturgie ist als eine im vorzüglichen Sinn heilige Handlung"[332]. Liturgie und Kult sind also gleichgesetzt und als menschliches Handeln in Bezug auf Gott verstanden. Ähnlich wird in demselben Dokument das Stundengebet als *opus Dei* bzw. *officium divinum* bezeichnet, wobei *opus Dei* als Genetivus objectivus zu lesen ist. Daß sich in der Liturgie auch ein *opus Dei* als Handeln Gottes am Menschen ereignet[333], ist hier nicht gesehen[334].

Dem entspricht auch die zusammenfassende Umschreibung des Wesens der Liturgie in Nr. 20 der Enzyklika "Mediator Dei": "Die Liturgie ... stellt den gesamten öffentlichen Kult des Mystischen Leibes Jesu Christi dar, seines Hauptes nämlich und seiner Glieder"[335]. Diese später als offizielle Definition der Liturgie ausgegebene Formulierung[336] umfaßt aber nicht die ge-

---

legitime ad hoc deputatis et per actus ex Ecclesiae institutione Deo, Sanctis ac Beatis tantum exhibendos, dicitur *publicus*; sin minus, *privatus*".

331 Vgl. den Text in: AAS 21 (1929) 33-41.
332 Ebd., 33: "... ministerium ..., cuius peculiare nomen est Liturgia, quasi actio sacra praecellenter".
333 Vgl. E. J. Lengeling, a.a.O., 78, wo Belege für die doppeldeutige Verwendung des Ausdrucks *opus Dei* angeführt sind; vgl. dazu auch A. Kirchgässner, Heilige Zeichen der Kirche, Aschaffenburg 1959 (= Der Christ in der Welt, VII. Reihe, 9. Bd.), 13-16, wo ebenfalls solche Belege gegeben werden, wobei Gottes Heilsinitiative, also das *opus Dei* im Sinne göttlichen Handelns, den Vorrang hat.
334 Dabei kennt die Enzyklika durchaus die enge Verbindung zwischen Kult und Heiligung der Menschen, vgl. "Divini cultus", a.a.O., 33: "Intima quaedam necessitudo ... inter cultum christianum et populi sanctificationem", kann aber diesen zweiten Aspekt nicht in die Definition der Liturgie selbst hineinnehmen.
335 Vgl. MeD 20/ 528 f.: "Sacra igitur Liturgia ... integrum constituit publicum cultum Mystici Iesu Christi Corporis Capitis nempe membrorumque eius".
336 Vgl. vor allem Ritenkongregation, Instr. de Musica sacra et sacra liturgia (3.9.1958), in: AAS 50 (1958) 630-663, hier 632, wo als Definition der Liturgie der zitierte Satz aus MeD angeführt wird. Vgl. auch L. Beauduin, a.a.O. (Anm. 270), 12 f., wo die Beschreibung von MeD 20 als Definition der Liturgie bezeichnet wird; vgl. aber ders., La Liturgie: Définition - Hiérarchie - Tradition, in: QLP 29 (1948) 123 bis 144, hier 125 f., wo als "idée generale" der Enzyklika gesagt wird: "La Liturgie est l'exercice par l'Eglise du Sacerdoce de Jésus Christ".

samte Aussage der Enzyklika. Es finden sich in ihr ebenso
'Definitionen' der Liturgie, die zuerst die soterische Seite
des Gottesdienstes betonen, vor allem die mehrfach wiederholte
Grundaussage, daß die Liturgie Fortsetzung des Priesteramtes
Christi durch die Kirche sei, durch welches sowohl die Heiligung der Menschen wie die Verherrlichung Gottes vollzogen
wird [337]. Damit entspricht die Gesamtaussage der Enzyklika viel
mehr der von Pius X. in "Tra le sollecitudini" angedeuteten
umfassenden Sicht von Liturgie; sie kann nicht für eine allein
auf den latreutischen Aspekt als Kult eingeschränktes Liturgieverständnis in Anspruch genommen werden.

Dabei ist der soterische Sinn nicht etwa sekundär; er ist, zumindest in der Ordnung des Vollzugs, primär, wenn Liturgie die
Fortsetzung des priesterlichen Wirkens Jesu Christi ist. Deshalb wird wohl auch die Interpretation von Jean Michel Hanssens der Enzyklila nicht gerecht, wenn er Liturgie als Kult
definiert und daraus folgert, daß es in der Liturgie zwar die
beiden Richtungen, die aszendente und die deszendente, gebe,
daß aber nur die aszendente konstitutiv sei [338]. Daraus folgt

---

337 Vgl. MeD 1-3/ 522 f., bes. 3/ 523: "Ecclesia igitur ... sacerdotale
    Iesu Christi munus imprimis per sacram liturgiam pergit". Vgl. auch z.
    B. MeD 20/ 528, 22/ 529, 29/ 533, 40 f./ 538 f., 67 f./ 548, 70-73/
    549 f., 80/ 552, 142/ 573, 150/ 577; der Sache nach noch öfter.

338 Vgl. G. M. Hanssens, a.a.O., I, 583: "Secondo gli insegnamenti dell'
    enciclica, se i riti della liturgia considerati nel loro insieme spet-
    tano tanto alla santificazione dell'uomo, quanto al culto divino, tut-
    tavia propriamente non sono liturgici que sotto questo secondo riguar-
    do"; ebd., 584 (mit Berufung auf Thomas v. Aquin): "Il culto, come ta-
    le, non comprende come un doppio moto, uno discendente da Dio all'uomo,
    l'altro ascendente dall'uomo a Dio ... Non si comprende, cioè, che un
    moto solo, quello ascendente; appartiene all'uomo in relazione con Dio,
    non a Dio in relazione coll'uomo". Gegen die Berufung auf Thomas von
    Aquin für diese einseitig aszendente Richtung der Liturgie vgl. A.-G.
    Martimort, Die Doppelbewegung der Liturgie: Verherrlichung Gottes und
    Heiligung des Menschen, in: HLW I, 201-213, hier 212 f., mit Hinweis
    auf J. Lecuyer, Réflexions sur la théologie du culte selon saint Tho-
    mas, in: RThom 55 (1955) 339-362. Gegen die Deutung von Hanssens vgl.
    auch H. Schmidt, Die Konstitution über die heilige Liturgie. Text -
    Vorgeschichte - Kommentar, Freiburg-Basel-Wien 1965 (=HerBü, Bd. 218;
    künftig zitiert: Schmidt), 139: "Mediator Dei" habe das untrennbare
    Band zwischen Heiligung des Menschen und Verherrlichung Gottes betont
    "und sich damit gegen eine auch in den Reihen der Liturgiker weitver-
    breitete Auffassung ausgesprochen, wonach die Heiligung selbst noch
    nicht unter den Begriff der Liturgie zu rechnen sei".

eine eigenartige Zweiteilung, indem etwa bei der Meßfeier die
Lektionen der Heiligung der Menschen dienen, während das eucharistische Opfer allein kultischen, auf Gott bezogenen Sinn
hat [339].

Die Enzyklika selbst gewinnt einen umfassenden Aspekt der Liturgie, indem sie darin die Fortsetzung des priesterlichen
Wirkens Jesu Christi sieht. Daraus folgt auch, daß mit Liturgie nicht nur der äußere Rahmen des Gottesdienstes, die Riten
und Zeremonien, gemeint sein können, was der Papst als völlig
abwegig bezeichnet [340], sondern der darin zum Ausdruck kommende Vollzug des Tuns Jesu Christi selbst durch die Kirche [341].

1.3.4. Zusammenfassung

Die päpstlichen Äußerungen aus der ersten Hälfte dieses Jahr-
hunderts zur Liturgie gipfeln in der Enzyklika "Mediator Dei".
Diese Enzyklika nimmt die verschiedenen vorher beschriebenen
Strömungen auf. Die Liturgische Bewegung und die Mysterienlehre haben deutlich Einfluß auf diese offizielle Verlautbarung
des kirchlichen Lehramts ausgeübt.
Dem Papst geht es darum, diese Vorarbeiten kritisch zu würdigen und in autoritativer Weise die Lehre der Kirche zu den
Fragen der Liturgie darzulegen; so steckt er den notwendigen
Rahmen für alle legitimen theologischen und praktischen Überlegungen zur Liturgiereform ab. Dabei läßt sich feststellen,
daß die versuchte Synthese neuerer Denkanstöße mit den traditionellen Anschauungen nicht immer bruchlos gelingt. So wird
das Anliegen der Liturgischen Bewegung, die tätige Teilnahme
der Gläubigen am Gottesdienst, ebenso aufgenommen wie der

---

339 Vgl. G. M. Hanssens, a.a.O., 582: "Se la Messa, come sacrificio euca-
    ristico, appartiene al culto divino cattolico, di cui è come il culmi-
    ne, tuttavia per le sacre lezioni che contiene, essa spetta alla san-
    tificazione dell'uomo".
340 Vgl. MeD 25/ 532.
341 Daß dieser Liturgiebegriff nicht so selbstverständlich ist, zeigt
    schon die überraschend eindringliche Betonung dieser Aussage im Kom-
    mentar von Hanssens, a.a.O., 579 f.

Grundgedanke der Mysterienlehre, die Betonung der wirksamen
Gegenwart des Herrn und seines Heilswerks in der Liturgie. Die
Einbindung beider Anregungen in Sprache und Denkweise tradi-
tioneller Theologie führt aber mehrfach zu einer gewissen
Zweigleisigkeit von Aussagen, deren innere Einheit noch nicht
erfaßt ist.

So äußert sich in der Formulierung, daß die Liturgie Werk
Christi und der Kirche sei, eine wichtige Erkenntnis; wie aber
diese beiden Aspekte sich zueinander verhalten, bleibt oft unklar. Eine gewisse Vorbetonung kirchlicher Vollmacht ist unverkennbar. Sie wird noch durch den Tonfall der Enzyklika akzentuiert, der vielfach mahnend, belehrend und korrigierend
ist.

Auch die Aussagen über die Beteiligung der Laien an der Liturgie sind zwiespältig. Einerseits werden das gemeinsame Priestertum der Gläubigen und ihre tätige Teilnahme am Gottesdienst stark betont, andererseits aber auch nachdrücklich relativiert durch die Akzentuierung des hierarchischen Amtes und
der priesterlichen Vollmacht in der Kirche, die so umfassend
sind, daß für eine konstitutive Beteiligung der Laien in der
Liturgie kein Raum bleibt.

Trotz dieser Einschränkungen ist die Enzyklika unzweifelhaft
der entscheidende Markstein auf dem Weg zu einer umfassenden
Erneuerung des Verständnisses und des Vollzugs der Liturgie,
wie sie das II. Vatikanische Konzil in Angriff genommen hat.

Auffällig ist, daß die Aussagen der Enzyklika über die liturgischen Gegenwartsweisen Jesu Christi, denen das Interesse die-
dieser Untersuchung gilt, in den Kommentaren kaum ein Echo gefunden haben [342].

---

342 Dies fällt besonders bei dem im Literaturbericht von B. Capelle, a.a.
O. (Anm. 269), 12, als wichtigster Kommentar bezeichneten Beitrag von
G. M. Hanssens auf, aber auch bei dem etwa 60 Seiten umfassenden Kommentar von G. Frénaud, a.a.O. (Anm. 231). Die Passagen in MeD 20 über
die Gegenwartsweisen werden von beiden ebensowenig kommentiert wie von
L. Beauduin, der ausdrücklich auf das Wesen der Liturgie zu sprechen
kommt (vgl. Anm. 336). Auch H. A. P. Schmidt, Introductio ... (s. Anm.
1), zitiert mehrfach MeD 20 (vgl. sein Register zu den Zitationen aus
MeD, ebd., 809), interessiert sich aber nur für die Definition am Ende

1.4. Die kirchenamtliche und theologische Weiterentwicklung
der Lehre über die liturgischen Gegenwartsweisen des
Herrn zwischen der Enzyklika "Mediator Dei" und dem
II. Vatikanischen Konzil

Zwischen der Enzyklika "Mediator Dei" (1947) und dem Beginn
des II. Vatikanischen Konzils liegen 15 Jahre intensiver liturgietheologischer Forschung. In dieser Zeit wurden auch auf
der in "Mediator Dei" gelegten Grundlage etliche gesamtkirchliche Reformen in der Liturgie durchgeführt. Außerdem fanden,
ebenfalls auf Anregung der genannten Enzyklika, zahlreiche liturgische Kongresse statt, die dazu beitrugen, die Forschungs-
ergebnisse einzelner Theologen zum Allgemeingut der Fachwis-
senschaftler zu machen.
Über die Entwicklung der liturgischen Erneuerung in diesem
Zeitraum soll nun im Hinblick auf das Thema der vorliegenden
Arbeit berichtet werden. Dabei werden zuerst die amtlichen Dokumente, dann die wichtigsten liturgischen Kongresse und
schließlich einige besonders einflußreiche theologische Veröffentlichungen auf ihren Beitrag zur Frage nach den liturgischen Gegenwartsweisen Jesu Christi untersucht.

1.4.1. Römische Verlautbarungen

Die Enzyklika "Mediator Dei" war zweifellos der Höhepunkt der
liturgischen Erneuerungsarbeit unter Pius XII., aber keineswegs deren Schlußpunkt. Bugnini zählt in den verbleibenden
zwölf Jahren des Pontifikates Pius' XII. noch weitere 43 Dokumente zu liturgischen Fragen [343]. Darin sind neben weniger

---

des Abschnitts, ohne die Aufzählung der Gegenwartsweisen auch nur zu
erwähnen. Eine Zitation des Textes über die Gegenwartsweisen findet
sich dagegen bei B. Reetz, Die Zielsetzung der liturgischen Erneuerung
in der Gegenwart, in: LuM 24 (1959) 41-63, hier 41, freilich ohne systematische Auswertung. Der Verfasser betont die Bedeutung der Begegnung mit dem gegenwärtigen Herrn in der Liturgie nur im Hinblick auf
sein zentrales Anliegen: die tätige Teilnahme der Gläubigen.
343 Vgl. die Liste bei Bugnini I, IX-XI, II, IX-X.

wichtigen Bestimmungen zu Detailfragen auch eine Reihe bedeutsamer Reformbeschlüsse enthalten [344], die einen ersten Durch-
bruch zur Verlebendigung der erstarrten Liturgie darstellen.
Vor allem die Erneuerung der Osternachtfeier (1951) [345] und der
Karwochenliturgie (1955) [346] sind hier zu nennen. Diese Beschlüsse sind in ihrer ermutigenden Kraft für die Liturgische
Bewegung kaum zu überschätzen. Sie werden hier allerdings
nicht eingehend besprochen, da sie für die liturgietheologische Fragestellung dieser Untersuchung wenig hergeben.
Weiterhin finden sich in vielen Ansprachen des Papstes Hinweise auf Fragen der Liturgie, wobei gewöhnlich die Enzyklika
"Mediator Dei" zitiert oder sinngemäß übernommen wird. Eine
Entwicklung läßt sich aus diesen Gelegenheitsäußerungen kaum
ablesen. Anders ist das bei der programmatischen Ansprache,
die Pius XII. an die nach Rom gekommenen Teilnehmer am Ersten
Internationalen Pastoralliturgischen Kongreß in Assisi (1956)
richtete [347]. Hier lassen sich bemerkenswerte Akzentuierungen
im Vergleich zu "Mediator Dei" beobachten.

Betonung der Hierarchie
Zunächst fällt auf, daß der Papst die entscheidenden Impulse

---

344 Z.B. 1945 eine neue lateinische Psalmenübersetzung für den liturgischen
   Gebrauch, 1946 Firmvollmacht für den Priester bei Lebensgefahr des
   Firmlings, 1944 und 1947 Erneuerung der Ordinationsriten, 1947 franzö-
   sich-lateinisches Rituale, 1950 deutsch-lateinisches Rituale, 1951 Erneuerung der Osternachtfeier, 1955 Erneuerung der Liturgie der Karwoche,
   1953 und 1957 Erleichterung der Nüchternheitsbestimmungen und Einführung der Abendmesse, 1955 Vereinfachung der Rubriken für das Stundengebet. - Vgl. dazu u.a. Schmidt, 55-58.
345 Vgl. J. Wagner, In sacratissima Nocte Paschali, in: LJ 2 (1952) 140 bis
   158; vgl. auch Th. Maas-Ewerd, Pius Parsch und die Erneuerung der
   Osterfeier, in: N. Höslinger/ Th. Maas-Ewerd (Hg.), Mit sanfter Zähigkeit (s. Anm. 59), 215-239.
346 Vgl. zur Bedeutung und Würdigung dieser Reform als Ermutigung zur Weiterentwicklung der gesamten liturgischen Erneuerung J. Wagner, Zwischen München und Assisi, in: LJ 5 (1955) 197 f.; F. Antonelli, Die
   Reform der Liturgie der Heiligen Woche. Ihre Bedeutung und ihr pastoraler Charakter, ebd., 199-203; J. A. Jungmann, Die Reform der Karwo-
   chen- und Osterliturgie in pastoraler Sicht, ebd., 204-213; vgl. auch
   den Bericht über den beim Kongreß von Assisi gehaltenen Vortrag von F.
   Antonelli, "Ordo Hebdomadae Sanctae instauratus". Bedeutung - Durchführung - Ausblicke, in: LJ 6 (1956) 216 f.
347 Der französische Originaltext findet sich in: AAS 48 (1956) 711-725;
   eine deutsche Übersetzung in: LJ 6 (1956) 234-246.

für die liturgische Erneuerung der Hierarchie zuschreibt[348].
Das berühmte, später auch vom II. Vatikanischen Konzil zitierte Wort, daß die liturgische Erneuerung einem Hindurchgehen des Heiligen Geistes durch seine Kirche gleiche [349], steht hier in unmittelbarem Zusammenhang mit dem Hinweis auf die päpstlichen Dokumente zur Liturgiereform [350]. Entsprechend wird auch die Funktion des hierarchischen Amtes für die Liturgie in erstaunlicher Weise betont. Bestimmte die Enzyklika "Mediator Dei" das Verhältnis der Kirche zu Jesus Christus in Bezug auf die Liturgie prinzipiell als ein Verhältnis fundamentaler Abhängigkeit, wenn dann auch in der Durchführung eine Vorbetonung des kirchlichen Tuns in der Liturgie zu beobachten war, so ist jetzt die Hierarchie das Subjekt des liturgischen Handelns. Unter dem Titel *La Liturgie et l'Eglise* [351] wird faktisch nur die Vollmacht der Hierarchie behandelt. Kirche und Hierarchie sind gleichgesetzt [352]. Die Hierarchie schöpft aus dem Glaubensgut die großen Glaubensgeheimnisse, läßt sie in die Liturgie einfließen und teilt sie so den Gläubigen mit [353]. Dasselbe gilt für das *depositum gratiae*, das der Herr den Aposteln übergeben hat und das die Hierarchie verwaltet [354]. Entsprechend wird dann der Beitrag der Gläubigen von der Hierarchie her beschrieben: sie empfangen die Wahrheit und Gnade Christi, die ihnen die Hierarchie durch die Liturgie mitteilt [355]. Die tätige Teilnahme der Gläubigen wird als aktives

---

348 A.a.O., 711: "L'impulsion principale, tant en matière doctrinale que dans les applications pratiques, vint de la Hiérarchie".
349 Ebd., 712: "Le mouvement liturgique est apparu ainsi ... comme un passage du Saint-Esprit dans son Eglise"; vgl. SC 43.
350 Im Konzilstext ist das Zitat in den Kontext der pastoralliturgischen Bewegung überhaupt gestellt.
351 A.a.O., 712-715.
352 Vgl. ebd., 713: "La Hiérarchie ... détient le *depositum fidei* et le *depositum gratiae*". Im nächsten Abschnitt: "C'est ainsi que l'Eglise communique par la liturgie la vérité et la grâce du Christ".
353 Ebd., "Au *depositum fidei* elle puise les grands mystères de la foi et les fait passer dans la liturgie".
354 Ebd.: "Par la liturgie aussi se répandent les trésors du *depositum gratiae*, que le Seigneur a transmis à ses Apôtres". Vgl. auch den in Anm. 352 zitierten Text.
355 Ebd., 713 f.: "Si la Hiérarchie communique par la liturgie la vérité et la grâce du Christ, les fidèles de leur côté ont pour tâche de les recevoir".

Empfangen dessen bezeichnet, was ihnen von der Hierarchie angeboten wird. Vom gemeinsamen Priestertum ist hier nicht mehr die Rede. Die Gemeinsamkeit zwischen Hierarchie und Gläubigen wird vielmehr mit dem Bild von Hirten und Herde, von lehrender und hörender Kirche beschrieben[356]. Der spezifische Beitrag der Gläubigen ist die Bemühung um die Außenseite des Kultes in Kunst und Architektur[357].

Es folgt dann in der Ansprache der Hinweis, daß sich die Leitungsgewalt der Hierarchie keineswegs auf die Liturgie allein beziehe, sondern auf die gesamte Breite des kirchlichen Lebens.

Betonung des amtlichen Priestertums

Der zweite Teil der Ansprache unter dem Titel *La Liturgie et le Seigneur* umfaßt drei Abschnitte: *1. Actio Christi*, 2. *Praesentia Christi* und 3. *Infinita et divina Maiestas Christi*. Unter *actio Christi* versteht der Papst die Konsekration und nur sie. Sie wird als ein intervenierendes Handeln Jesu Christi innerhalb des Handelns des Zelebranten verstanden[358]. Nur dabei stellt der Zelebrant die Person Jesu Christi dar. Nach dem Vollzug der Konsekration ist das Handeln Christi vollendet. Alles weitere ist ein Tun des Zelebranten, der Kirche und der Gläubigen[359].

---

356 Ebd., 714: "Les pasteurs et le troupeau, l'Eglise enseignante et l'Eglise enseignée ne forment qu'un seul et unique corps du Christ".

357 Ebd.: "Ils ont contribué ... à accroître l'apparat extérieur du culte".

358 Ebd., 717: "L'élément central du sacrifice eucharistique est celui où le Christ intervient comme *se ipsum offerens* pour reprendre les termes mêmes du Concile de Trente (Sess. XXII, cap. 2). Cela se passe à la consecration où, dans l'acte de la transsubstantiation operée par le Seigneur (cf. Conc. Trid., Sessio XIII, cap. 4 et 3), le prêtre célébrant est *personam Christi gerens*. - Diese Konzentration auf die Konsekration, wenn vom Handeln Christi bzw. dem Handeln des Priesters *in persona Christi* die Rede ist, war in "Mediator Dei" noch nicht durchgeführt, freilich auch nicht ausgeschlossen: vgl. MeD 67-69/ 548 f. Sie ist in der Adhortatio Pius' XII. "Menti nostrae" (23.9.1950), in: AAS 42 (1950) 657-704, hier 666, nahegelegt: "Quo quidem in Eucharistico Sacrificio, dum personam Christi sustinentes, panem et vinum consecrant ...". In diesem Sinn muß dann auch die *actio Christi*, von der Pius XII. in seiner Ansprache an Kardinäle und Bischöfe (2.11.1954) spricht, auf die Konsekration allein bezogen werden: vgl. a.a.O. (Anm. 206), 669: "Quoad Sacrificii Eucharistici oblationem tot sunt actiones Christi Summi Sacerdotis, quot sunt sacerdotes celebrantes".

359 Pius XII., Ansprache an die Teilnehmer des Kongresses von Assisi, a.a.

Wenn man das Handeln Christi und damit das spezifische Handeln
des Priesters in der Person Christi auf die Konsekration ein-
grenzt, so folgt daraus, daß nur sie den eigentlichen Begriff
des Meßopfers erfüllt und nur der zelebrierende Priester bei
der Konsekration das Opfer darbringt, wie der Papst ausdrücklich betont [360]. Gerade darin besteht das Merkmal des Priestertums "im eigentlichen und wahren Sinn", das sich vom gemeinsamen Priestertum der Gläubigen "nicht nur dem Grad nach sondern
dem Wesen nach unterscheidet", wie der Papst in einer Ansprache an Kardinäle und Bischöfe (1954) schon ausgeführt hatte [361]
und hier wiederholt. Daß auch die Laien in ihrer Weise ein eigentliches Opfer darbringen, wie es ja ausdrückliche Lehre
desselben Papstes ist [362], wird hier nicht mehr erwähnt und wä-

---

O., 717: "Quand la consécration du pain et du vin est opérée valide-
ment, toute l'action du Christ lui-même est accomplie ... Quand la consécration est achevée, l'*oblatio hostiae super altare positae* peut être
faite et est faite par le Prêtre célébrant, par l'Eglise, par les autres prêtres, par chaque fidèle. Mais cette action n'est pas *actio ipsius Christi per sacerdotem ipsius personam sustinentem et gerentem*". -
Diese Einschränkung des Handelns Christi auf die Konsekration kann sich
nicht auf die zitierten Texte des Konzils von Trient berufen (vgl. Anm.
358). Dort geht es darum, daß Kreuzesopfer und Meßopfer dadurch eine
Einheit bilden, daß in beiden derselbe Priester und dieselbe Opfergabe
sind.

360 Ebd., 716: "Itaque sacerdos celebrans, personam Christi gerens, sacrificat, isque solus, non populus, non clerici, ne sacerdotes quidem, pie
religioseque qui sacris operanti inserviunt; quamvis hi omnes in sacrificio activas quasdam partes habere possint et habeant". - Dieser Text
ist ein Zitat aus der Ansprache Pius' XII. an Kardinäle und Bischöfe
(2.11.1954), a.a.O. (Anm. 206), 668. Dort bezieht sich der Papst ausdrücklich auf die Enzyklika "Mediator Dei", deren Aussagen er wiederholt und erläutert. Eine deutsche Übersetzung dieser wichtigen Ansprache findet sich in : LJ 6 (1956) 247-252.

361 Pius XII., Ansprache an Kardinäle und Bischöfe, a.a.O., 669: "Firmiter
tenendum est, commune hoc omnium christifidelium, altum utique et arcanum *sacerdotium* non gradu tantum, sed etiam essentia differe a sacerdotio proprie vereque dicto, quod positum est in potestate perpe-
tuandi, cum persona Summi Sacerdotis Christi geratur, ipsius Christi
sacrificium". - Daß das gemeinsame Priestertum und das amtliche *essentia et non tantum gradu differant*, wurde vom II. Vaticanum gerade in
den umgekehrten Zusammenhang gestellt (vgl. LG 10). Geht es Pius XII.
um die Betonung des amtlichen Priestertums, so stellt das Konzil die
Bedeutung des gemeinsamen Priestertums heraus und schränkt sie durch
den zitierten Satz ein (*licet*). Diese doch sehr unterschiedliche Akzentsetzung wird freilich aus den Verweisen des Konzilstextes auf Pius
XII. nicht erkennbar.

362 Vgl. MC 82/ 232 f.; MeD 84-103/ 554-560; Ritenkongregation, Instructio

re auch gemäß der Argumentation dieser Ansprache wie auch der früheren von 1954 kaum zu vermuten.

Dem Papst geht es um die Abwehr von Meinungen, nach denen es gleichwertig sei, ob ein Priester zelebriert oder fromm die Messe eines anderen mitfeiert[363]. Er gewinnt die Präzisierung des spezifisch priesterlichen Tuns aus der Konzentration auf die Konsekrationsvollmacht in einer exklusiv anmutenden Zuspitzung, die zu einer Isolierung der Konsekration innerhalb der Meßfeier führt und zugleich keinen Raum mehr für ein gemeinsames Priestertum der Gläubigen erkennen läßt.

Betonung der eucharistischen Realpräsenz

Ein ähnlich einengender Gedankengang findet sich auch im zweiten Abschnitt mit dem Titel *Praesentia Christi*[364]. Es geht dabei ausschließlich um die eucharistische Realpräsenz, die durch die Transsubstantiation bewirkt wird und das Fundament für den eucharistischen Anbetungskult darstellt. Der Papst weist einerseits philosophische Erklärungen der Realpräsenz zurück, die nicht in Einklang mit der kirchlichen Lehre gebracht werden können[365], und verteidigt andererseits den Sinn der eucharistischen Anbetung gegen solche, die wegen des Vorrangs des eucharistischen Opfers den Anbetungskult unterbewerten. Unverkennbar ist dabei ein kritischer Ton des Papstes gegen manche Liturgiker[366].

---

de Musica sacra et sacra Liturgia, in: AAS 50 (1958) 630-663, hier 656 (Nr. 93 b); vorher schon Pius XI., Enzykl. "Miserentissimus" (Anm. 218).

363 Vgl. die Auseinandersetzungen um den Begriff der echten Konzelebration, in: MeD 82/ 553, sowie den verschärften Verweis in der Ansprache vom 2.11.1954, a.a.O., 669: "... (assertio) tamquam opinionis error reici debet, scilicet idem esse unius Missae celebrationem, cui centum sacerdotes religioso obsequio adstent, atque centum Missas a centum sacerdotibus celebratas". Diese Ausführungen wiederholte der Papst in Ansprache vom 22.9.1956, a.a.O., 716. Vgl. zu diesem Vorgang auch unten, Abschnitt 4.2.7., bes. S. 431-437; vgl. auch S. 371, Anm. 70.

364 Pius XII., Ansprache vom 22.9.1956, a.a.O., 718-723.

365 Die zurückgewiesene Meinung formuliert der Papst, ebd., 720: "Le contenu essentiel actuel des espèces du pain et du vin est *le Seigneur au ciel*, avec lequel les espèces ont une relation soi-disant réelle et essentielle de contenance et de présence".

366 Vgl. die Bemerkung, ebd., 722 f.: "Le liturgiste le plus enthousiaste et le plus convaincu doit pouvoir comprendre et deviner ce que rèprésente le Seigneur au tabernacle pour les fidèles profondément pieux".

Bei dieser Darlegung über die Gegenwart Jesu Christi ist von
verschiedenen Gegenwartsweisen nicht mehr die Rede.
Gewiß muß man berücksichtigen, daß der Papst in dieser Ansprache ausdrücklich nur einige Punkte herausgreift, die ihn zu
Klarstellungen veranlassen [367]. Dennoch ist nicht zu übersehen,
daß die Entwicklung der offiziellen Lehre in Richtung einer
restriktiven Auslegung der Enzyklika "Mediator Dei" läuft. Betont werden das besondere Priestertum, der Akt der Konsekration und die eucharistische Realpräsenz. Zurückgenommen werden
die Aussagen über das gemeinsame Priestertum der Gläubigen und
über die verschiedenen Gegenwartsweisen des Herrn. Auffällig
ist außerdem die gegenüber "Mediator Dei" noch entschiedenere
Betonung der Vollmacht der Kirche im liturgischen Bereich, wobei damit die Vollmacht der Hierarchie gemeint ist. Die radikale Abhängigkeit der Kirche von der wirksamen Gegenwart Jesu
Christi in der Liturgie kommt nicht mehr zum Ausdruck. Be-
zeichnend dafür sind zum Beispiel folgende Formulierungen:
"In der Eucharistie besitzt die Kirche den Herrn" [368] oder:
"Der Tabernakel besitzt zweifellos das *Sacramentum permanens*" [369]. Ohne daß solche Ausdrücke auf die Goldwaage gelegt
werden sollen, verraten sie doch ein ganz von der kirchlichen
Vollmacht ausgehendes Denken.

Restriktive Tendenz

Die Dokumente zu liturgischen Fragen aus den letzten Jahren
des Pontifikates Pius' XII. sind ebenfalls von einer eher restriktiven Tendenz bestimmt. In den Anfragen der Bischöfe an
den Heiligen Stuhl läßt sich eine Drängen zur Durchführung
mancher Reformen beobachten, dem Rom offenbar nicht nachgeben
wollte. So wurde es den französischen Bischöfen nicht gestattet, die Lesungen in der Meßfeier nur in der Muttersprache
vorzutragen [370], die Bestimmungen über die Art und Weise der

---

367 Vgl. diese ausdrückliche Zielsetzung in der Einleitung der Ansprache,
     a.a.O., 712.
368 Ebd., 719: "Dans l'Eucharistie l'Église possède le Seigneur".
369 Ebd., 721: "Le tabernacle possède sans doute le *Sacramentum permanens*".
370 Vgl. Hl. Offizium, Indult für die franz. Diözesen (17.10.1956), in:
     Bugnini II, 59.

Aufstellung des Tabernakels auf dem Hauptaltar wurden einge-
schärft [371] und jegliche Änderung der liturgischen Riten verbo-
ten [372]. Es folgte schließlich noch kurz vor dem Tod Pius' XII.
eine umfangreiche Instruktion der Ritenkongregation über die
Kirchenmusik und die heilige Liturgie (1958), die in zusammenfassenden Artikeln die Bestimmungen der Enzykliken "Mediator
Dei" und "Musicae sacrae disciplina" (1955) wiederholt [373]. Die
Absicht schien die Festschreibung der bestehenden Verhältnisse
zu sein.

Reformpläne Pius' XII.

Allerdings darf man in diesen Vorgängen keine Absage an die
geplante liturgische Reform sehen. Vielmehr hatte Pius XII.
schon 1946 den Plan einer umfassenden Neuordnung der Liturgie
gefaßt und eine Kommission mit der Ausarbeitung von Vorschlägen dafür beauftragt [374]. Diese Kommission legte 1948 eine umfangreiche Denkschrift vor [375], die eine vorwiegend rubrizistisch orientierte Gesamtreform der Liturgie enthielt [376]. Das
theologische Fundament dafür lieferte die im selben Zeitraum
erarbeitete und veröffentlichte Enzyklika "Mediator Dei". Unter liturgietheologischem Aspekt braucht deshalb die genannte
Denkschrift nicht berücksichtigt zu werden. Sie erklärt aber
das Verhalten der Kirchenleitung in den folgenden Jahren. Man
wollte keine Einzelreformen durchführen und schon gar nicht
zulassen, daß in verschiedenen Teilkirchen Reformen vorgenommen wurden, ehe die geplante umfassende Neuordnung vorbereitet
und reif zur Durchführung war.
Zu der Denkschrift von 1948 wurden drei namhafte Liturgiewis-

---

371 Vgl. Ritenkongregation, Dekret (1.6.1957), in: AAS 49 (1957) 425 f.
372 Vgl. Hl. Offizium, Ermahnungen vom 14.2.1958, in: AAS 50 (1958) 536,
   vom 18.2.1958, ebd., und vom 24.7.1958, ebd.
373 Ritenkongregation, Instructio de Musica sacra et sacra Liturgia ad
   mentem Litterarum encyclicarum Pii Papae XII "Musicae sacrae disciplina" et "Mediator Dei" (3.9.1958) (s. Anm. 336).
374 Vgl. H.-E. Jung, Die Vorarbeiten zu einer Liturgiereform unter Pius
   XII., in: LJ 26 (1976) 165-192, 224-240, hier 165. Diesem Beitrag sind
   alle folgenden Angaben entnommen.
375 Ritenkongregation, Memoria sulla Riforma Liturgica, Vatikan 1948.
376 Vgl. H.-E. Jung, a.a.O.

senschaftler um ihre Stellungnahme gebeten, nämlich Abt Bernhard Capelle von Mont César, Josef Andreas Jungmann und Mario Righetti, Pfarrer in Genua [377]. Damit waren der französische, der deutsche und der italienische Sprachraum durch führende Vertreter der Liturgischen Bewegung repräsentiert. Die im allgemeinen zustimmenden Gutachten der drei Experten wurden 1950 gedruckt [378].

Auf der Grundlage dieser Denkschrift und der dazu gelieferten Fachgutachten wurden seit 1948 die konkreten Reformvorschläge von einer weiteren Kommission erarbeitet. Sie bestand aus dem Präfekten der Ritenkongregation, Clemente Kardinal Micara, Alfonso Carinci, Ferdinando Antonelli und Joseph Löw, alle ebenfalls von der Ritenkongregation, sowie Anselmo Albareda (Präfekt der Vatikanischen Bibliothek), Augustin Bea (Rektor des Bibelinstituts) und Annibale Bugnini (Schriftleiter der *Ephemerides Liturgicae*) [379].

Diese Kommission erstellte eine Neuordnung der Festeinstufung, die das Kirchenjahr in seiner ursprünglichen Struktur als Entfaltung der Hauptfeste der Erlösung wiederherstellen und die Heiligenfeste als sekundäre Feiern dieser Ordnung einfügen sollte [380]. Weiterhin sollten die liturgischen Bücher entsprechend der neuen Ordnung überarbeitet werden, und schließlich war ein *Codex Iuris Liturgici* vorgesehen, in dem alle liturgischen Rechtsvorschriften enthalten sein sollten [381].

Die sehr gründliche Arbeit der Kommission zog sich über Jahre hin. Außer der Neuordnung des Kirchenjahres erarbeitete sie noch eine ausführliche Materialsammlung für die Reform des Heiligenkalenders [382]. Zu einer geplanten Brevierreform wurde in den Jahren 1956-1957 eine Befragung des Episkopates durch-

---

377 Vgl. ebd., 224.
378 Ritenkongregation, Memoria ..., Supplemento II, Vatikan 1950. Vgl. zu den Beiträgen der Experten H.-E. Jung, a.a.O., 227-235.
379 Vgl. die Angaben bei H.-E. Jung, a.a.O., 166; vgl. auch Th. Maas-Ewerd, Pius Parsch und die Liturgische Bewegung ..., a.a.O. (Anm. 59), 90.
380 Vgl. H.-E. Jung, a.a.O., 171-181. Diese Ordnung wurde 1950 veröffentlicht: Ritenkongregation, Memoria ..., Supplemento I, Vatikan 1950.
381 Vgl. H.-E. Jung, a.a.O., 181 f.
382 Vgl. Ritenkongregation, Memoria ..., Supplemento III. Materiale storico, agiografico, liturgico per la riforma del calendario, Vatikan 1951.

geführt, deren Ergebnisse 1957 veröffentlicht wurden [383].
Inzwischen hatten die Bischofskonferenzen von Frankreich und
Deutschland die Erneuerung der Osternachtfeier beantragt [384].
Pius XII. entschloß sich, diesem Wunsch zu entsprechen und damit doch einzelne Stücke aus dem geplanten Reformwerk schon
vorweg zu verwirklichen. So wurde aus dem vorliegenden Material der genannten Kommission die Neuordnung der Osternacht
(1951) und der gesamten Karwoche (1955) erarbeitet [385], wobei
vor der Reform der Karwochenliturgie nochmals die Bischöfe in
aller Welt um ihre Meinung gefragt wurden [386].
Die Gesamtreform konnte jedoch zu Lebzeiten Pius' XII. nicht
mehr durchgeführt werden. Daß sie bereits fast fertig ausgearbeitet vorlag, blieb weitgehend unbekannt. Durch den Tod Pius'
XII. im Jahr 1958 wurde die weitere Durchführung der Reform
zunächst unterbrochen.

Reformen unter Papst Johannes XXIII.

Mit dem Beginn des Pontifikates Johannes XXIII. kam ein neuer
Akzent in die römischen Verlautbarungen zu liturgischen Fragen. Schon in seiner ersten Predigt, bei der feierlichen Besitzergreifung der Lateranbasilika am 23.11.1958 [387] bezeichnete es der neue Papst als wichtigste pastorale Aufgabe, Begei-
sterung für die Heilige Schrift zu wecken [388]. Buch und Kelch

---

383 Vgl. Ritenkongregation, Memoria ..., Supplemento IV. Consultazione
   dell' Episcopato intorno alla Riforma del Breviario Romano (1956-1957),
   Vatikan 1957.
384 Vgl. die in Anm. 345 und 346 angegebene Literatur.
385 Vgl. H.-E. Jung, a.a.O., 236-239.
386 Auszüge aus den Umfrageergebnissen sind veröffentlicht in: Positio *De
   instauratione Liturgica Maioris Hebdomadae*, Vatikan 1955.
387 Vgl. den Text der Predigt, in: AAS 50 (1958) 913-921.
388 Man darf wohl vermuten, daß Papst Johannes XXIII. während seiner Zeit
   als Nuntius in Frankreich (1944-1953) wichtige Impulse von der dorti-
   gen pastoralliturgischen Arbeit aufgenommen hat. Das pastoralliturgische Institut in Paris hatte sich schon seit 1948 intensiv mit der
   Verkündigungsaufgabe der Kirche befaßt: vgl. z.B. MD, Nr. 16 (1948)
   (s. unten, Abschnitt 4.5.2.). Das Direktorium für die Sakramente (1951)
   (s. unten, S. 461, Anm. 445) und für die Meßfeier (1956) (s. unten, S.
   513, Anm. 683), die aufgrund der Vorarbeiten dieses Instituts von der
   französischen Bischofskonferenz erlassen wurden, zeigen Ergebnisse dieser Arbeit. Daß der Nuntius bei seinen engen Kontakten zum französischen Klerus und Episkopat diese Vorgänge kannte, ist nicht zu bezwei-

sind für ihn Symbole der kirchlichen Tätigkeit: Verkündigung
und Opfer [389]. Das Hauptinteresse des Papstes aber gilt dem
Buch, der Verkündigung in jeder Form. Die erste Aufgabe des
katholischen Priestertums sei es, die Lehre der Heiligen
Schrift zu verkünden und in die Seelen und in das gesamte Leben eindringen zu lassen [390].
Es handelt sich hier um eine persönliche und eigenständige Akzentsetzung des Papstes, wie sich aus dem Osterhirtenbrief ergibt, den er noch als Patriarch von Venedig 1957 geschrieben
hatte [391]. Er spricht darin von der Meßfeier und der liturgischen Erneuerung mit Hinweis auf die Enzyklika "Mediator Dei",
hebt aber im Unterschied zur Enzyklika die Bedeutung des Buches, der Verkündigung, stark hervor. Damit ist ein Thema genannt, das bisher in den päpstlichen Verlautbarungen fast
überhaupt nicht angesprochen worden war [392] und in der Liturgiekonstitution des II. Vatikanischen Konzils große Bedeutung
gewinnen sollte: die reichhaltige Lesung der Heiligen Schrift
im Gottesdienst. Wenn auch die genannte Predigt Johannes'
XXIII. nicht ausdrücklich von der Gegenwart und Wirksamkeit
des Herrn im Wort der Schrift spricht, so wird dies doch vorausgesetzt, wenn der Papst betont, daß Jesus, der Erlöser und
Hirt, mit der himmlischen Lehre seine Herde leite und mit dem
Feuer dieser Lehre alles entzünde [393].

---

feln; vgl. dazu A. Lazzarini, Johannes XXIII. Das Leben des neuen Papstes, Freiburg 1958, 91-110.
389 Das Stichwort *Buch und Kelch* wiederholte Johannes XXIII. nochmals in
einer Ansprache an Priester (12.3.1959), in: AAS 51 (1959) 198-202,
hier 200 f.
390 Vgl. den Text der Predigt, a.a.O. (Anm. 387), 916.
391 Vgl. den Text bei Bugnini II, 103-107. Bugnini weist darauf hin, daß
dieser Hirtenbrief das pastoralliturgische Interesse des Patriarchen
zeige. Ein vergleichbarer Vorgang zu Anfang des Jahrhunderts ist das
Motu Proprio Pius' X. "Tra le sollecitudini" (22.9.1903), welches das
Thema des Hirtenbriefes aufnimmt, den Pius X. als Patriarch von Venedig am 1.5.1895 geschrieben hatte: vgl. oben, S. 59.
392 MeD nennt Schriftlesung und Predigt lediglich bei der Aufzählung der
liturgischen Vollzüge: vgl. MeD 21/ 529, bzw. bei der Schlußermahnung:
vgl. MeD 200/ 593. Ähnlich auch die Instruktion der Ritenkongregation
(3.9.1958), a.a.O. (Anm. 336), 639.
393 Johannes XXIII., a.a.O. (Anm. 387), 916: "Gesù, il Redentore Divino,
Gesù, il Pastore, guida il suo gregge con la celeste dottrina, e col
fuoco di questa dottrina tutto accende".

Daß der Papst die Liturgische Bewegung unterstützen wollte und seine Hoffnung auf sie setzte, geht auch aus einer 1959 gehaltenen Ansprache an Alumnen hervor, in welcher Johannes XXIII. die Bedeutung der Liturgie hervorhob[394].

Eine völlig neue Situation entstand jedoch mit der Ankündigung des Konzils im Januar 1959. Daß zu seiner Aufgabe auch die Liturgiereform gehören mußte, war sicher[395]. Die Frage war, was nun aus den schon vorliegenden Entwürfen der Ritenkongregation werden sollte. Man entschloß sich, die schon entscheidungsreifen Arbeitsergebnisse rechtskräftig zu machen und dem Konzil lediglich die Festlegung allgemeiner Prinzipien zur Liturgiereform vorzubehalten. Dies war wohl aufgrund der schon geleisteten langwierigen Vorbereitungsarbeit verständlich, war aber zweifellos dennoch ein fragwürdiges Vorgehen, da doch die konkrete Durchführung der Reform erst auf der Grundlage der noch ausstehenden theologischen Prinzipien sinnvoll gewesen wäre. Aber offensichtlich wollte man das erarbeitete Material nun auch auswerten.

So veröffentlichte die Ritenkongregation 1960 einen neuen *Codex Rubricarum*, der eine umfassende Reform der Rubriken vornahm und in 530 Artikeln die gesamte Liturgie bis in die kleinste Einzelheit autoritativ regelte[396]. Damit war der Plan eines *Codex Iuris Liturgici*[397] verwirklicht. Im Motu Proprio vom 25.7.1960 zur Einführung dieser Rubrikensammlung erklärte der Papst, daß zwar die wichtigsten Prinzipien einer allgemeinen Liturgiereform dem bevorstehenden Konzil vorgelegt werden sollten, die Reform der Rubriken für Meßbuch und Brevier jedoch nicht länger zu verzögern sei[398].

Dieser gewichtigen Maßnahme folgten in "einer für Rom ganz ungewöhnlichen Schnelligkeit"[399] Richtlinien für die Verleger

---

394 Vgl. den Text bei Bugnini II, 112.
395 Fast 1/4 der Eingaben des Weltepiskopats bezog sich auf liturgische Fragen: vgl. Lengeling, 47*, und der Papst hatte dieses Thema bereits auf die Tagesordnung des Konzils gesetzt: vgl. Schmidt, 65.
396 Vgl. den Text, in: AAS 52 (1960) 597-705.
397 Vgl. oben, S. 95.
398 Vgl. Johannes XXIII., Motu Proprio "Rubricarum instructum" (25.7.1960), in: AAS 52 (1960) 593-595.
399 Schmidt, 65.

liturgischer Bücher (5.10.1960), Bestimmungen für die Festka-
lender der Bistümer und Ordensgemeinschaften (14.2.1961), authentische Ausgaben des Breviers (5.4.1961) und des Meßbuches
(23.6.1962) nach den neuen Rubriken, eine erneuerte Fassung
des Pontifikale (13.4.1961) und ein neuer Ritus für die Er-
wachsenentaufe (16.4.1962) [400].
Es war nicht zu verkennen, daß die Ritenkongregation noch vor
dem Beginn des Konzils vollendete Tatsachen schaffen und die
von ihr vorbereitete Liturgiereform durchführen wollte [401]. Der
Papst selbst vermochte diese Bestrebungen offenbar nicht zu
verhindern. Das Konzil ließ sich jedoch, wie sich später zeigen sollte, dadurch schließlich nicht abhalten, eine Liturgiereform grundsätzlicher Art zu beschließen, die eine Neufassung
auch aller Rubriken und liturgischen Bücher zur Folge hatte.

1.4.2. Internationale liturgische Kongresse

Ein zweites wichtiges Element der Vorgeschichte der Liturgiekonstitution sind die liturgischen Kongresse seit 1950 [402]. Ihre Bedeutung lag nicht nur in den jeweils behandelten Themen
und in den Arbeitsergebnissen, sondern auch in der Tatsache,
daß sich, insbesondere bei den internationalen Studientreffen,
Liturgiewissenschaftler aber auch Bischöfe aus aller Welt trafen und in Erfahrungsaustausch traten. So konnten die sonst
vereinzelten und deshalb möglicherweise unwirksamen Forschungs-
ergebnisse und praktischen Erfahrungen vieler Fachleute zusammengetragen werden und so etwas wie eine öffentliche Meinung
der Liturgischen Bewegung bilden. Hier erwiesen sich auch die
verschiedenen liturgischen Institute, besonders in Trier und
Paris, als sehr hilfreich; sie organisierten solche Tagungen
und übernahmen die wissenschaftliche Aufarbeitung der Ergeb-

---

400 Vgl. die Angaben bei Schmidt, 65-67; vgl. auch die Liste der unter Johannes XXIII. erlassenen liturgischen Dokumente, in: ELit 77 (1963) 403
bis 405.
401 Vgl. zu dieser Bewertung der Vorgänge Schmidt, 65-67.
402 Vgl. H. A. P. Schmidt, Introductio ... (s. Anm. 1), 772-785.

nisse [403].

Ein erstes Internationales Liturgisches Studientreffen kam
1951 auf Einladung des Liturgischen Instituts Trier in Maria
Laach zustande. Es hatte Fragen um das neue Missale Romanum
zum Thema und beschäftigte sich unter anderem mit der kurz zuvor zunächst als Experiment eingeführten Neuordnung der Osternachtfeier. Dazu wurde eine Resolution in Form von "Desideranda" verabschiedet [404].

Zum Zweiten Internationalen Liturgischen Studientreffen lud
das Centre de Pastorale Liturgique von Paris im Jahr 1952 auf
den Odilienberg ein. Hier nahmen an den Verhandlungen über *Der
Mensch unserer Zeit und die Meßfeier der Kirche* vier Bischöfe
und vierzig Liturgiker aus neun Ländern teil [405]. Neben den Resolutionen dieser Tagung, die durchweg später vom Konzil verwirklicht worden sind [406], ist es für unseren Zusammenhang bedeutsam, daß hier ein eindringliches Referat über *Das Wort
Gottes und die Meßfeier* gehalten wurde, in welchem das aktuelle Handeln Gottes in der liturgischen Wortverkündigung betont
wurde [407].

Das Dritte Internationale Liturgische Studientreffen fand 1953
in Lugano statt. Es behandelte das Thema *Tätige Teilnahme der
Gläubigen am Gottesdienst der Kirche* [408]. Unter den 150 Teil-

---

403 Auf die zahlreichen nationalen und diözesanen Treffen kann hier nicht
   eingegangen werden, obwohl sie z.T. von großer Bedeutung waren. Hinweise finden sich (außer bei Schmidt, s. Anm. 402) im LJ, vgl. das Stichwort "Kongresse, liturgische", in: LJ, Registerband zu den ersten 10
   Jahrgängen 1950-1960, Münster 1962, 62. Auf den Beitrag einzelner nationaler Kongresse zu unserer Frage wird bei der Erörterung der liturgischen Gegenwartsweisen zurückzukommen sein: vgl. unten, Abschnitt 4.
404 Vgl. dazu J. Wagner, In sacratissima Nocte Paschali (s. Anm. 345); zu
   den diesbezüglichen Resolutionen des Maria Laacher Kongresses vgl. ebd.,
   143-149; zur Tagung insgesamt vgl. J. Wagner u.a., Die Liturgiereform.
   Klärungen und Fragen. Das internationale liturgische Studientreffen
   vom 12.-15. Juli 1951 in Maria Laach, in: HerKorr 6 (1951/52) 178-187.
405 Vgl. P.-M. Gy u.a., Der Mensch unserer Zeit und die Meßfeier der Kirche. 2. Internationales Liturgisches Studientreffen (20.-24.10.1952)
   auf dem Odilienberg im Elsaß, in: LJ 3 (1953) 89-94, hier 89.
406 Vgl. die Liste der "Desideranda", ebd., 94.
407 Vgl. ebd., 92, den Bericht über das Referat von P. Fèret, Das Wort
   Gottes und die Meßfeier.
408 Vgl. L. Agustoni/ J. Wagner, Tätige Teilnahme der Gläubigen am Gottesdienst der Kirche. 3. Internationales Liturgisches Studientreffen (14.
   bis 18.9.1953) in Lugano (Schweiz), in: LJ 3 (1953) 127-147.

nehmern waren zwei Kardinäle und 15 Bischöfe. Der Kongreß beschloß vier Konklusionen, von denen die zweite um die Möglichkeit bat, die Lesungen im Gottesdienst in der Muttersprache vortragen zu können, damit den Gläubigen "die Nahrung des Wortes Gottes leichter gereicht werden könne"[409], ein Wunsch, der von Giacomo Kardinal Lercaro (Bologna) mit dem Hinweis vorgetragen worden war, daß damit die Teilnahme der Gläubigen noch vollständiger wäre, die Pius X. durch die Einladung zur häufigeren Kommunion schon erreicht habe[410]. Dieser Kongreß von Lugano war nicht nur durch sein Thema, sondern auch durch seine Konklusionen eine eindrucksvolle Manifestation der Liturgischen Bewegung.

Das Vierte Internationale Liturgische Studientreffen fand 1954 in der Abtei Mont-César in Löwen statt. Es hatte die Schriftperikopen der Messe und die Frage der Konzelebration zum Thema[411]. Besondere Bedeutung hatte dabei das Referat von Johannes Hofinger, Dogmatiker in Manila, der über *Heilige Schrift und missionarische Glaubensverkündigung* sprach[412] und daran erinnerte, daß in der frühen Kirche die gottesdienstliche Schriftlesung und die anschließende katechetische Unterweisung entscheidende formende Kraft auf die Taufbewerber ausübte[413]. Er zog daraus vielfache Konsequenzen in Bezug auf die reichere Verwendung der Schrift vor allem im Gottesdienst[414], wobei der Gebrauch der Muttersprache vorausgesetzt ist. Er stellte auch die Forderung nach einem vierjährigen Zyklus der Perikopenordnung auf[415], sprach über die Bedeutung eigener Wortgottesdienste[416] und priesterloser Gottesdienste[417] sowie über die Not-

---

409 Ebd., 142: "... ut etiam divini Verbi nutrimentum facilius mentibus tradatur".
410 Vgl. den Text des Referates von Kard. G. Lercaro, "Tätige Teilnahme" – das Grundprinzip des pastoralliturgischen Reformwerkes Pius' XII., ebd., 167–174, hier 173 f.
411 Vgl. den Kurzbericht von J. Wagner, 4. Internationales Liturgisches Studientreffen, in: LJ 4 (1954) 255.
412 Vgl. den Text des Referates, ebd., 187–209.
413 Vgl. ebd., 190.
414 Vgl. ebd., 196 f.
415 Vgl. ebd., 200 f.
416 Vgl. ebd., 197 f.
417 Vgl. ebd., 203 f.

wendigkeit, in der Katechese mehr aus der Heiligen Schrift zu
schöpfen [418]. Wenn dieses Referat auch die missionarische Situation zum Hintergrund hatte, so lag es doch auf der Hand, daß
die meisten seiner Forderungen generell gemeint waren.
Den Höhepunkt in der Reihe dieser internationalen Tagungen
bildete zweifellos der Erste Internationale Pastoralliturgische Kongreß 1956 in Assisi [419], dem das Fünfte Internationale
Liturgische Studientreffen vorausging [420]. Waren die bisherigen
Studientreffen wissenschaftliche Tagungen im Kreis von 3o bis
150 Liturgikern gewesen, so zählte dieser Kongreß 1500 Teilnehmer, darunter 6 Kardinäle, etwa 80 Bischöfe und Äbte und
die bedeutendsten Liturgiewissenschaftler aus aller Welt. Präsident des Kongresses war Kardinal Gaetano Cicognani, der Präfekt der Ritenkongregation [421].
Im Blick auf die Liturgiekonstitution des II. Vatikanischen
Konzils kann man sagen, daß dieser Kongreß ein Forum bildete,
auf welchem die entscheidenden Weichen für die damals noch
nicht vorhersehbare Aufgabe einer konziliaren Liturgiereform
gestellt worden sind. Er bekam noch einen besonderen Akzent
durch die Ansprache, die der Papst selbst an die dazu nach Rom
gekommenen Teilnehmer des Kongresses richtete [422].
Das Thema des Kongresses hieß: *Die Erneuerung der Liturgie aus
dem Geist der Seelsorge unter dem Pontifikat Papst Pius' XII.*
Dementsprechend konzentrierten sich auch die meisten Referate
auf die seelsorgliche Bedeutung der liturgischen Erneuerung
überhaupt und der schon durchgeführten Einzelreformen im besonderen. Wenn dabei auch nicht eigentlich liturgietheologi-

---

418 Vgl. ebd., 206 ff.
419 Vgl. J. Wagner (Hg.), Erneuerung der Liturgie aus dem Geiste der Seel-
    sorge unter dem Pontifikat Papst Pius' XII. Akten des Ersten Interna-
    tionalen Pastoralliturgischen Kongresses zu Assisi, deutsche Ausgabe,
    Trier 1957; ders., Die Erneuerung der Liturgie ... Rahmenbericht von
    J. Wagner, in: LJ 6 (1956) 189-225; vgl. auch F. Kolbe, Ein Rückblick
    auf Assisi, in: LJ 8 (1958) 42-49, wo sich, ebd., 42, Anm. 1, ein Über-
    blick über weitere Ausgaben der Kongreßakten sowie in Anm. 2 eine Li-
    ste von Besprechungen über den Kongreß finden.
420 Es hatte die Geschichte des Stundengebetes zum Thema, vgl. J. Wagner,
    a.a.O. (Anm. 419, Rahmenbericht), 199.
421 Vgl. die Teilnehmerliste, a.a.O. (Anm. 419), 48.
422 S. oben, S. 88-93.

sche Grundsätze thematisiert wurden, so bedeutete doch schon
die pastoralliturgische Blickrichtung dieses Kongresses einen
neuen Akzent. Es ging nicht mehr nur um die objektive Wirklichkeit der liturgischen Mysterien, sondern auch um ihre Bedeutung für die mitfeiernden Gläubigen. Diese Zielsetzung des
Kongresses wurde vom Papst ausdrücklich genannt und gutgeheis-
sen. Er selbst hielt es aber für nötig, den Kongreßteilnehmern
einige liturgietheologische Grundsätze in Erinnerung zu bringen[423]. Damit war gewiß keine grundsätzliche Desavouierung des
Kongresses beabsichtigt, wie manche Berichterstatter meinten[424]; dennoch ist ein korrigierender und warnender Ton nicht
zu überhören[425]. Es zeigt sich hier eine gewisse Divergenz
zwischen dem vorwärtsdrängenden, vom seelsorglichen Erfolg und
der theologischen Berechtigung weitergehender liturgischer Reformen überzeugten Ton der Referenten und der eher zurückhal-
tenden Tendenz der päpstlichen Ansprache. Vor diesem Hintergrund gewinnt der Hinweis des Papstes, daß die Hierarchie die
eigentlich treibende Kraft der liturgischen Erneuerung gewesen
sei[426], einen mahnenden Sinn. Der Heilige Stuhl war nicht ge-
willt, sich von den Reformwünschen vieler Bischöfe und Theologen zum Handeln nötigen zu lassen. Damit trat eine Spannung
hervor, die später in der Auseinandersetzung zwischen den kurialen Behörden und den Trägern der weltweiten liturgischen
Erneuerungsbemühungen zu Konzilsbeginn deutlich werden sollte.

Auf die Vorträge von Assisi kann hier nicht eigens eingegangen
werden. Hervorgehoben seien nur das grundlegende Eröffnungsre-
ferat von Josef Andreas Jungmann: *Seelsorge als Schlüssel der
Liturgiegeschichte*[427], das den gesamten Kongreß nachhaltig
prägte[428], und das Referat von Augustin Bea: *Die seelsorgliche
Bedeutung des Wortes Gottes in der Liturgie*[429], in welchem

---

423 Vgl. die Einleitung zur Ansprache des Papstes, a.a.O. (Anm. 347), 711 f.
424 Vgl. F. Kolbe, a.a.O. (Anm. 419), 48.
425 Vgl. auch die in Anm. 366 zitierte Bemerkung.
426 Vgl. das Zitat in Anm. 348.
427 Vgl. den Bericht von J. Wagner, a.a.O. (Anm. 419), 201-203.
428 Vgl. F. Kolbe, a.a.O., 45 f.
429 Vgl. den Text des Referates: *Die seelsorgliche Bedeutung des Wortes*

eindeutig eine wirksame Gegenwart Jesu Christi in der liturgischen Wortverkündigung ausgesagt wird.

Der Vollständigkeit halber seien noch die beiden letzten Tagungen in der Reihe der vorkonziliaren Internationalen Liturgischen Studientreffen genannt, das sechste in der Abtei Montserrat im Jahr 1958 mit dem Thema *Initiationis Sacramenta* [430] und das siebte in Verbindung mit dem Eucharistischen Weltkongreß 1960 in München. Es hatte das Thema: *Eucharistiefeier in Ost und West* [431].

Auch diesen beiden Tagungen kommt im Hinblick auf das bevorstehende Konzil über die behandelten Themen hinaus insofern weiterreichende Bedeutung zu, als ein großer Teil der dort anwesenden Liturgiewissenschaftler [432] auch in den konziliaren liturgischen Kommissionen vertreten war [433]. Das siebte Studientreffen hatte eine zusätzliche Breitenwirkung, indem die Schlußakademie in Gegenwart von zahlreichen Bischöfen, die zum Eucharistischen Kongreß gekommen waren, gehalten wurde. Der inzwischen (1959) zum Kardinal erhobene Augustin Bea [434] sprach dabei wiederum über die Bedeutung des Gotteswortes in der Liturgie [435].

Über die zahlreichen nationalen und regionalen liturgischen Kongresse der Jahre zwischen "Mediator Dei" und dem Konzil zu berichten, würde zu weit führen [436]. Dennoch verdient der Zweite Deutsche Liturgische Kongreß 1955 in München eigene Erwähnung [437]. Unter dem Thema *Liturgie und Frömmigkeit* waren dort 2500 Teilnehmer versammelt, darunter zahlreiche Bischöfe und

    Gottes in der Liturgie, in: J. Wagner (Hg.), a.a.O. (Anm. 419), 129 bis 153, und den Bericht von J. Wagner, a.a.O. (Anm. 419, Rahmenbericht), 208 f., dazu F. Kolbe, a.a.O., 47.

430 Vgl. J. Wagner, Initiationis Sacramenta. 6. Internationales Liturgisches Studientreffen, in: LJ 9 (1959) 95–98.

431 Vgl. F. Kolbe, Eucharistiefeier in Ost und West. 7. Internationales Liturgisches Studientreffen, in: LJ 11 (1961) 46 f.

432 Vgl. die Teilnehmerliste des 6. Studientreffens, in: LJ 9 (1959) 95 f.

433 Vgl. die Namenslisten bei Schmidt, 219–222.

434 Vgl. die Notiz in: AAS 52 (1960) 11 f.

435 Vgl. den Text des Referates: *Diener des Sakramentes und Diener des Wortes*, in: LJ 10 (1960) 193–199.

436 Vgl. Anm. 403.

437 Vgl. J. Wagner, II. Deutscher Liturgischer Kongreß (29.8.–1.9.1955) in München, in: LJ 6 (1955) 69–73.

Gäste aus 14 Ländern, so daß auch dieser Kongreß eine breite
Wirkung erzielte.

Unter den zahlreichen Referaten [438] soll die einleitende Fest-
vorlesung von Michael Schmaus hervorgehoben werden. Er sprach
über *Die Liturgie als Lebensausdruck der Kirche* [439]. Dabei bezeichnete er die Liturgie "als das entscheidende Ordnungsele-
ment für das Glaubensleben der Kirche" [440]. Christus selbst
setzt in der Liturgie durch das Gottesvolk seine geschichtliche Heilstat gegenwärtig [441], wobei die Kirche "durch die Relation zu Christus so tiefgehend bestimmt (ist), daß man sie eine relative Wirklichkeit nennen muß", so aber, "daß ihr Eigen-
sein nicht in ihrer Relativität versinkt" [442]. Schmaus klammer-
te in diesem Vortrag die Frage der Mysterienlehre nach der
Weise der Gegenwärtigsetzung des Heilswerkes Jesu Christi aus;
er sprach von einer "Wirkgegenwart Christi in der Liturgie",
ohne diese näher zu erklären [443].

Diese wirksame Gegenwart wird dann dargestellt in Bezug auf
die Wortverkündigung, die Sakramente und das Stundengebet [444].
Die Teilnahme der Laien wird betont, jedoch in dem Sinn, daß
sie an der Liturgie teilnehmen, "indem sie sich an das Tun der
Ordinierten anschließen und sich in deren Tun einfügen" [445],
ein Begriff von tätiger Teilnahme, der wohl zu äußerlich
bleibt.

Umso deutlicher betont Schmaus dann aber, "daß Christus selbst
in der Eucharistie wirksam ist" und erkennt darin den Sinn der
Formel *ex opere operato* [446]. Die Kirche wird dabei als "person-

---

438 Vgl. die Texte, ebd., 80-246.
439 Vgl. den Text, ebd., 80-95.
440 Ebd., 80
441 Vgl. ebd., 84.
442 Ebd.
443 Ebd. M. Schmaus war in der damals vorliegenden 4. Aufl. der *Kath. Dogmatik* IV/1, 44-57, bes. 52-54, auf die Mysterienlehre Casels sehr positiv eingegangen. Später scheint er sich davon mehr zu distanzieren:
vgl. ders., Der Glaube der Kirche (s. Anm. 188) II, 366: "Diese Gegenwärtigsetzung bedeutet nicht die Gegenwärtigkeit des geschichtlichen
Todes selbst. ... Diese These der Mysterienlehre (begründet durch Odo
Casel) überfordert den Begriff der Gedächtnisfeier". Vgl. ebd., 402.
444 Vgl. a.a.O. (Anm. 439), 85.
445 Ebd.
446 Ebd., 86.

haftes Werkzeug" gebraucht und spielt Christi Rolle ("personam
Christi agit"[447]), wobei sich "ein Dialog zwischen Christus
und der Kirche" vollzieht, der auf die Ehre Gottes zielt[448].
Da es letztlich Gott selbst ist, der durch Christus, in dessen
Tun sich die Kirche einfügt, das Heil der Menschen wirkt,
spielt die Kirche in der Liturgie auch die Rolle Gottes, des
Vaters[449]. Etwas unklar bleibt in diesem Zusammenhang das Verhältnis zwischen der Bezeichnung der Kirche als personhaftes
Werkzeug des Herrn und zugleich als sein bräutliches Gegenüber im Dialog mit ihm. Trotz dieser Einschränkung und der bereits genannten in Bezug auf die Wertung der tätigen Teilnahme
der Gläubigen kann gesagt werden, daß Schmaus in diesem Vortrag die wesentlichen Inhalte und die Aussagerichtung des liturgietheologischen Kapitels der Liturgiekonstitution vorweggenommen hat.
Insgesamt zeigt die Durchsicht der Akten der liturgischen Kongresse, daß sich hier neben den vielen praktischen Erfahrungen
eine liturgietheologische Vertiefung und Weiterführung der
Lehre von "Mediator Dei" Ausdruck verschafft hat und zugleich
einer breiten und für die kommende Konzilsarbeit maßgeblichen
Öffentlichkeit zugänglich wurde. In diesem Vorgang wird man
eines der entscheidenden Elemente zur Ermöglichung der konziliaren Liturgiereform erblicken dürfen.

1.4.3. Fachtheologische Vorarbeit

Die fachtheologische Erörterung liturgischer Fragen hat in den
Jahren zwischen dem Erscheinen der Enzyklika "Mediator Dei"
und dem Beginn des II. Vatikanischen Konzils einen solchen Umfang angenommen[450], daß darüber nicht im einzelnen berichtet
werden kann. Ihre entscheidenden Ergebnisse sind aber in zwei

---

447 Ebd., 86 f.
448 Ebd., 87.
449 Ebd., 88.
450 Einen Überblick bieten die umfangreichen Literaturberichte in: JLW
    (seit 1950), die bis zum Konzilsbeginn etwa 2500 Seiten umfassen.

einflußreichen Veröffentlichungen aus den letzten Jahren vor dem II. Vatikanischen Konzil zusammengefaßt, die als repräsentativ für die damalige fachtheologische Arbeit gelten dürfen. Es handelt sich dabei zunächst um das systematische Werk von Cipriano Vagaggini: *Theologie der Liturgie* [451]und dann um das vom Direktor des französischen pastoralliturgischen Instituts, Aimé-Georges Martimort, herausgegebene zweibändige *Handbuch der Liturgiewissenschaft* [452]. Man kann davon ausgehen, daß dieses von zahlreichen Fachtheologen erarbeitete Werk den Stand der liturgiewissenschaftlichen Diskussion unmittelbar vor Konzilsbeginn wiedergibt [453].

Diesen Veröffentlichungen kommt im Hinblick auf die Liturgiekonstitution auch deshalb große Bedeutung zu, weil Vagaggini und Martimort nicht nur an der Vorbereitung des Entwurfs der Liturgiekonstitution beteiligt waren [454], sondern auch in der Kommission mitgearbeitet haben, die das liturgietheologische Kapitel der Konstitution zu redigieren hatte [455].

Die Aussagen des Handbuchs zu den liturgischen Gegenwartsweisen Jesu Christi ergeben zusammen mit etwa gleichzeitig veröffentlichten Äußerungen anderer Liturgiker ein Bild des den

---

451 C. Vagaggini, Theologie der Liturgie, Einsiedeln-Zürich-Köln 1959 (ital. Original: Il senso teologico della Liturgia. Saggio di Liturgia teologica generale, Rom 1957, ^{2}1958 (= Theologica 17)). Die deutsche Fassung (übers. u. bearb. v. A. Berz) stellt eine erhebliche Kürzung dar (von 746 auf 461 Seiten), der B. Neunheuser in seiner Rezension (in: ALW 7/1 (1961) 160) bescheinigt, daß sie eine der Klarheit und Brauchbarkeit des Werkes dienende Straffung sei.
452 A.-G. Martimort (Hg.), Handbuch der Liturgiewissenschaft, 2 Bde., Freiburg 1963 (frz. Original: L'Église en prière. Introduction à la Liturgie, Tournai 1961).
453 Dabei ist jedoch zu beachten, daß sich im Handbuch in einzelnen Punkten deutliche Differenzen zu dem 3 Jahre früher erschienenen Werk von C. Vagaggini finden, dem ebenfalls große Bedeutung für die liturgietheologische Meinungsbildung zukommt.
454 Vgl. die Namenslisten der Vorbereitungskommission für Liturgie und der Konzilskommission für Liturgie bei Schmidt, 219-222. C. Vagaggini und A.-G. Martimort waren Konsultoren der Vorbereitungskommission und *Periti* der Konzilskommission für Liturgie. Unter den Mitarbeitern des Handbuchs finden sich noch weitere 7 Theologen, die in den genannten Kommissionen mitgearbeitet haben, nämlich B. Capelle, B. Botte, A. Chavasse, P.-M. Gy, P. Jounel, A.-M. Roguet und P. Salmon.
455 Diesen Hinweis verdanke ich Herrn Prälat J. Wagner, dem langjährigen Leiter des Liturgischen Instituts in Trier, der selbst Konsultor bzw. *Peritus* in den genannten Kommissionen war.

Konzilsvätern zu Beginn des Konzils zur Verfügung stehenden
Materials, das entsprechend der Zielsetzung dieses Kapitels
nur vorgestellt aber noch nicht diskutiert werden soll.

Das Handbuch bietet einen zusammenfassenden Text über die liturgischen Gegenwartsweisen des Herrn in dem von Irénée-Henri
Dalmais bearbeiteten Kapitel *Liturgie und Heilsmysterium* unter
der Überschrift "Die Liturgie als vornehmster Ort der Gegenwart des Hohenpriesters Christus" [456]. Die in "Mediator Dei"
(Nr. 20) genannten Gegenwartsweisen [457] sind hier vermehrt um
die "Gegenwart Christi in seinem Wort". Im übrigen entspricht
die Reihenfolge und Bewertung der Gegenwartsweisen dem Text
der Enzyklika.

Die Gegenwart Jesu Christi in der Liturgie im allgemeinen

Daß Jesus Christus seiner Kirche in der Liturgie "in besonderer Weise gegenwärtig ist", begründet Dalmais mit dem etwas
unklaren Hinweis, daß die Liturgie den priesterlichen Charakter des Heils ausdrücke [458]. Auffällig ist dabei eine gewisse
Akzentverschiebung gegenüber "Mediator Dei": Während es dort
heißt, daß in der Liturgie zusammen mit der Kirche auch Christus als ihr Stifter zugegen sei und damit die Aussage eigentlich auf die Gegenwart der Kirche bei den Gläubigen zielt [459],
ist hier eindeutig Christus das Subjekt der Gegenwart und die
Kirche sein Gegenüber, an dem er gegenwärtig handelt und es so
zugleich in sein Handeln einbezieht, daß die Liturgie dadurch
auch zu einem Tun der Kirche wird [460].

Dieser Akzentuierung entsprechen auch die diesbezüglichen Ausführungen von Vagaggini. Er betont den Vorrang Christi als des
einen Liturgen des Neuen Bundes [461]. Dabei spricht Vagaggini
mehrfach ausdrücklich davon, daß in der Liturgie Christus

---

456 Vgl. HLW I, 214-238, hier 220-222.
457 Erstaunlicherweise bezieht sich I.-H. Dalmais nicht auf den Text von
    MeD 20.
458 Vgl. a.a.O., 220.
459 Vgl. MeD 20/ 528 f.
460 Vgl. a.a.O., 217 ff.; vgl. auch I.-H. Dalmais, La liturgie, acte de l'
    Eglise, in: MD, Nr. 19 (1949) 7-25; ders., Initiation à la liturgie,
    Paris 1958, bes. 52-70.
461 Vgl. C. Vagaggini, a.a.O., 172-181.

"nicht als abstrakte Idee, sondern als lebendige Person" gegenwärtig ist[462], "so daß in allen Teilen der Liturgie, in der
Messe, den Sakramenten und Sakramentalien sowie im Stundengebet Christus selbst der Haupthandelnde ist"[463]. Diese Einsicht
bildet die Grundlage dafür, daß der Sinn der Liturgie mit der
Kategorie der Begegnung beschrieben werden kann: persönliche
Begegnung zwischen Gott und Mensch[464], zwischen Gläubigem und
dem verherrlichten Herrn[465].
Über die Art und Weise der Gegenwart des Herrn und vor allem
seiner Heilstaten, also über die Fragestellung der Mysterienlehre, finden sich divergierende Positionen. Unbestritten ist
die Grundthese Casels, daß die Gesamtheit der Heilstaten des
Herrn in der Liturgie heilswirksam gegenwärtig ist. Umstritten
ist dagegen seine These von ihrer objektiven Gegenwart. Während Dalmais in seiner im ganzen positiven Würdigung der Mysterienlehre diesen Punkt zurückhaltend kritisiert[466], wendet
sich Vagaggini entschieden gegen die Lehre Casels, daß sich in
der Liturgie eine objektive Gegenwart der Heilstaten des Herrn
ereigne. Bei aller Anerkennung des Grundanliegens Casels hält
er die Konsequenz einer numerischen Einheit der Substanz von
Kreuzesopfer und Meßopfer für metaphysisch unmöglich[467]. Solche und ähnliche Einwände werden von Vertretern der Mysterienlehre zu entkräften versucht[468]. Die Diskussion darüber war zu

---

462 Vgl. ebd., 179; vgl. auch ebd., 85.
463 Ebd., 176.
464 Vgl. I.-H. Dalmais, La liturgie, acte de l'Eglise (s. Anm. 460), 24:
    "L'acte liturgique est un lien de rencontre entre l'acte religieux de
    l'homme et l'acte salutaire de Dieu".
465 Vgl. B. Fischer, Der verherrlichte Mensch Christus und die Liturgie,
    in: LJ 8 (1958) 205-217 (Abschnitt I: "Begegnung mit Christus als Sinn
    der Liturgie"), hier 206: "Alle Liturgie ist zunächst einmal Begegnung
    mit dem verklärten Herrn".
466 Vgl. HLW I, 227-234, bes. 230 f.
467 Vgl. C. Vagaggini, a.a.O., 81-86, bes. 83 f. - B. Neunheuser stellt
    fest, daß in der hier verwendeten deutschen Ausgabe Vagagginis Kritik
    an Casel im Vergleich zur Originalausgabe gemildert sei: vgl. seine
    Rezension, a.a.O. (Anm. 451), 160.
468 Vgl. neben den fast durchweg aus der Perspektive der Mysterienlehre
    geschriebenen Rezensionen des ALW z.B. auch den Sammelband von B.
    Neunheuser (Hg.), Opfer Christi und Opfer der Kirche (s. Anm. 180).
    Einen neuen Erklärungsversuch bietet darin besonders C. v. Korvin-Kra-
    sinski, Christus praesens bei Thomas von Aquin und den griechischen

Beginn des Konzils noch keineswegs abgeschlossen.

In jedem Fall wird von den verschiedenen Autoren die Gnadenwirksamkeit der liturgischen Zeichen mit der in ihnen gegebenen Gegenwart des Herrn begründet. Dabei unterscheidet das
Handbuch der Liturgiewissenschaft sehr strikt zwischen Gnadenwirksamkeit *ex opere operato* und *ex opere operantis ecclesiae*
als einer im ersten Fall unmittelbaren, im zweiten Fall mit-
telbaren Gegenwart Christi [469], während Vagaggini sich stärker
bemüht, die beiden Wirkweisen in ihrem Zusammenhang miteinander darzustellen, indem er auch in den außersakramentalen liturgischen Feiern auf Elemente des *opus operatum* hinweist [470].

Die Gegenwart Jesu Christi in den Sakramenten

Bei den Sakramenten unterscheidet Dalmais im Handbuch der Liturgiewissenschaft verschiedene Wirksamkeitsgrade des "tätigen
Eingreifens" Christi. In der Eucharistie verändert der Herr
die Substanz von Brot und Wein, in Taufe und Firmung verleiht
er dem Wasser und dem Öl heiligende Kraft, in den anderen Sakramenten "wirkt die Kraft (virtus) Christi durch verschiedene
Zeichen und Gebärden" [471]. Hier scheint ein primär sachhaftes
Sakramentenverständnis zugrunde zu liegen, das sich mehr an
den sakramentalen Zeichen selbst orientiert als an der durch
diese Zeichen vermittelten personalen Begegnung mit Jesus
Christus.

Eine differenziertere Darstellung bietet Vagaggini. Ihm kommt
es, vor allem bei der Eucharistie, auf die "persönliche Gegenwart"[472] des Herrn an. Dabei unterscheidet er zwischen den ihrem physischen Sein nach vergangenen Heilstaten (gegen Casel)
und deren bleibender Wirkung sowie der ihnen zugrundeliegenden
ewig aktuellen Gesinnung Jesu Christi [473]. Mit Hilfe dieser Un-

---

Kirchenvätern, ebd., 117-137. Er spricht von einer quasi-formalen und
nicht nur efficienten oder operativen Gegenwart Christi in der Kirche.
469 Vgl. A.-G. Martimort, Die Doppelbewegung der Liturgie, a.a.O. (Anm.
338), hier 210-212; vgl. auch I.-H. Dalmais, a.a.O. (Anm. 456), 220.
470 Vgl. C. Vagaggini, a.a.O., 77-91, bes. 87.
471 Vgl. I.-H. Dalmais, a.a.O., 220 f.
472 Vgl. C. Vagaggini, a.a.O., 85.
473 Vgl. ebd.

terscheidung kann der Unterschied zwischen der Eucharistie und
den übrigen Sakramenten erklärt werden: In der Eucharistie ist
die Person Jesu Christi und mit ihr seine Gesinnung und die
Wirkung seiner Taten gegenwärtig, in den übrigen Sakramenten
dagegen ist der Herr nicht der Person nach, sondern nur seiner
göttlichen Kraft und seiner Gesinnung nach gegenwärtig[474].

Die Gegenwart Jesu Christi in seinem Wort

Es wurde schon darauf hingewiesen, daß eine ausdrückliche theologische Erörterung der Bedeutung des Wortes Gottes in der
katholischen Theologie erst sehr spät wieder eingesetzt hat.
Die Enzyklika "Mediator Dei" spricht nicht von einer Gegenwart
des Herrn in der Verkündigung des Gotteswortes. Auffällig ist,
daß bei Vagaggini zwar eingehend über das Wort als liturgisches Zeichen gehandelt wird, dabei aber zunächst immer nur
das sakramentale Wort gemeint ist[475]. Wo aber ausdrücklich von
der "Verwendung der Heiligen Schrift in der Liturgie" die Rede
ist[476], spricht Vagaggini wohl von einer "Aktualisierung des
Sinnes der neutestamentlichen Texte (,die) nur innerhalb der
Liturgie möglich" ist, die jedoch ihren Grund nicht in einem
aktuellen Sprechen des Herrn hat, sondern in der durch die Sakramente bewirkten Gegenwart des Christus-Mysteriums[477]. Dem
Wort der Verkündigung kommt in dieser Sicht nicht eigentlich
eine das Christus-Mysterium vergegenwärtigende Kraft zu, sondern es dient "der Ermahnung und Belehrung"[478], es weist hin
auf den sakramental gegenwärtigen Herrn[479].
Umso bemerkenswerter ist es, daß Dalmais im Handbuch der Liturgiewissenschaft unter den liturgischen Gegenwartsweisen einen eigenen Abschnitt über die "Gegenwart Christi in seinem
Wort" hat[480]. Hier ist nun ausdrücklich von der Verkündigung

---

474 Vgl. ebd., 85 und 179; zu diesen von Thomas v. Aquin eingeführten Un-
    terscheidungen vgl. auch P. Wegenaer, Heilsgegenwart (s. Anm. 178).
475 Vgl. C. Vagaggini, a.a.O., 46-48, 51 f.
476 Ebd., 267-284.
477 Ebd., 282.
478 Ebd., 103.
479 Vgl. zu Vagagginis nicht ganz eindeutigen Aussagen bezüglich der Be-
    wertung der Verkündigung: unten, S. 517-520.
480 Vgl. I.-H. Dalmais, a.a.O., 221.

die Rede: In der liturgischen Schriftlesung "läßt sich Chri-
stus hören und erkennen, das personhafte Wort, in dem alle
Schriften ihre Erfüllung finden"[481]. Das wird von Aimé-Georges
Martimort erläutert: "Die Liturgie schreibt den ... Texten den
Wert eines Wortes zu, das hier und heute durch den Propheten,
Apostel oder durch den Herrn selbst den hörenden Christen ver-
kündet wird. ... Der Apostel ist hier; der Herr ist hier; die
Lesung bewirkt, daß ein bestimmtes Heilsgeschehen sich wirk-
lich heute begibt"[482]. Ebenso deutlich betont Noële Maurice-
Denis-Boulet den eigenständigen Charakter "der öffentlichen,
kirchlichen Feier des Mysteriums *Gotteswort*", die nicht nur der
Vorbereitung auf die eucharistische Liturgie dient, sondern
ihren Sinn in sich selbst hat[483].

In solchen Ausführungen zeigt sich eine Bewertung der liturgischen Verkündigung an, die die Gegenwart des Herrn im Wort in
die Nähe seiner sakramentalen Gegenwart rückt und damit eine
jahrhundertelang unterbrochene Tradition wieder aufnimmt[484].
Dabei geht es nicht nur um die christologische Aktualisierung
alttestamentlicher Texte[485] oder die erinnernde Vergegenwärtigung des Lebens Jesu und der apostolischen Verkündigung, sondern im liturgischen Wortgottesdienst wird ein aktuelles Sprechen Gottes zu seinem Volk erkannt.

Die Gegenwart Jesu Christi im Priester

Über die Gegenwart Jesu Christi im zelebrierenden Priester
hatte Pius XII. in der Enzyklika "Mediator Dei" ausführlich
gehandelt[486] und diese Lehre später mehrfach wiederholt und

---

481 Ebd.
482 Vgl. A.-G. Martimort, Das Wort Gottes in der Versammlung, in: HLW I,
    122-130, hier 124. Es ist fraglich, ob es möglich ist, im selben Sinn
    zu sagen: "der Apostel ist hier" und "der Herr ist hier", doch kann
    diese Frage hier nicht erörtert werden. Vgl. aber unten, S. 522 f.
483 Vgl. N. Maurice-Denis-Boulet, Die Liturgie des Wortes, in: HLW I, 336
    bis 384, hier 368.
484 Vgl. auch die einflußreichen Beiträge von A. Bea (s. Anm. 429 und 435).
485 Vgl. z.B. B. Fischer, Die Psalmenfrömmigkeit der Martyrerkirche, Frei-
    burg 1949; ders., Le Christ dans les Psaumes, in: MD, Nr. 27 (1951) 86
    bis 109; ders., Christliches Psalmenverständnis, in: BiLe 3 (1962) 111
    bis 119.
486 S. oben, S. 75 f.

präzisiert[487]. Die liturgiewissenschaftlichen Veröffentlichungen gehen über das vom Lehramt Gesagte im Wesentlichen nicht hinaus. Vagaggini bemüht sich um eine Erklärung des Priestertums aus dem Begriff des Opfers, wobei das hierarchische Priestertum und das gemeinsame Priestertum der Gläubigen in je verschiedener Weise aus dem beide fundierenden Priestertum Christi abgeleitet werden[488]. Die hierarchischen Liturgen sind dabei Zeichen für Jesus Christus, "da sie Stellvertreter und Bevollmächtigte Christi sind"[489].

Martimort behandelt die Rolle des Priesters unter dem Begriff des "Vorsitzenden" der liturgischen Feier[490]. Die Art der Repräsentation Christi durch den Priester wird nicht näher erklärt. Allerdings findet sich die den Repräsentationsgedanken auf die Konsekration einengende Bemerkung: "Wenn er (der Priester) konsekriert, dann ist Christus in ihm gegenwärtig"[491]. Bei Dalmais wird die Gegenwart des Herrn im Priester umfassender dargestellt: "Mehr noch als in den anderen Akten ihres Amtes sind sie in den liturgischen Funktionen berufen, in persona Christi zu handeln"[492].

Die Gegenwart Jesu Christi in der liturgischen Versammlung

Die Wiederentdeckung der Bedeutung der gottesdienstlichen Versammlung bildet eines der zentralen Themen der liturgischen Neubesinnung unseres Jahrhunderts. Während in der alten Kirche die Versammlung der Gläubigen geradezu zum Merkmal des christlichen Glaubens wurde, zum sichtbaren Zeichen der von Gott durch Jesus Christus gestifteten neuen und endgültigen Sammlung des Gottesvolkes, geriet im Lauf des Mittelalters die grundlegende Bedeutung der liturgischen Gemeinde weitgehend in Vergessenheit[493]. In der abgrenzenden Fixierung des Interesses

---

487 S. oben, S. 87-93.
488 Vgl. C. Vagaggini, a.a.O., 104-114; vgl. auch ebd., 172-181 ("Der eine Liturge und die eine Liturgie").
489 Ebd., 51.
490 Vgl. A.-G. Martimort, Die Versammlung, in: HLW I, 87-120, hier 102-104.
491 Ebd., 103.
492 I.-H. Dalmais, a.a.O., 221.
493 Vgl. A.-G. Martimort, a.a.O., 87-91.

auf die eucharistische Gegenwart des Herrn vermochte man die
Gemeinde als solche nicht mehr als Zeichen des gegenwärtigen
Herrn zu erkennen. Das änderte sich erst, als man die patristischen Texte wieder intensiver erforschte. In der Mysterienlehre stellte die auffallende Betonung der *Ekklesia* im liturgischen Tun ein Ergebnis dieser Forschungen dar. In den lehramtlichen Texten dieses Jahrhunderts ist davon noch nicht viel
zu spüren. Zwar wird durch die Enzyklika "Mystici Corporis"
der Gedanke wieder offiziell aufgenommen, daß die Kirche als
ganze als mystischer Leib des Herrn das sichtbare Zeichen des
gegenwärtigen Christus ist, aber die liturgische Gemeinde als
zeichenhafte Konkretisierung dieses Wesens der Kirche wird
noch nicht gesehen. So fällt auch auf, daß in der Enzyklika
"Mediator Dei" die Kirche als Trägerin der Liturgie zwar eine
entscheidende Rolle spielt, der gottesdienstlichen Versammlung
im Konzept der Enzyklika aber keine systematische Bedeutung
zukommt. In der Aufzählung der liturgischen Gegenwartsweisen
des Herrn in Nr. 20 der Enzyklika "Mediator Dei" wird seine
Gegenwart "wo zwei oder drei in meinem Namen versammelt sind"
an letzter Stelle genannt und nur dem Stundengebet zugeordnet.

Umso auffälliger ist es, daß die liturgiewissenschaftliche
Forschung sich sehr entschieden mit dem Thema der liturgischen
Versammlung befaßte. Innerhalb weniger Jahre, vor allem seit
"Mediator Dei", erschien eine Fülle von Veröffentlichungen zu
dieser Frage[494]. Das Handbuch der Liturgiewissenschaft widmet
ihr ein ganzes Kapitel[495]; auch Vagaggini kommt mehrfach ausführlich darauf zu sprechen[496]. Dabei wird die Kontinuität mit
der alttestamentlichen Versammlung gesehen, die der Ort der
Gegenwart Gottes ist[497] und zum Vorbild der Kirche wurde[498].
Die Gemeinde ist deshalb selbst heiliges Zeichen für die in
ihrer Versammlung "stets lebendige und belebende Gegenwart

---

494 Vgl. z.B. die Literaturangaben, ebd., 87.
495 Vgl. ebd., 87-120.
496 Vgl. C. Vagaggini, a.a.O., 43, 74, 188 u.ö.
497 Vgl. A.-G. Martimort, a.a.O., 92 f.
498 Vgl. ebd., 93 f.

Christi unter den Menschen" [499].

Diese Sicht der liturgischen Versammlung bildet den Rahmen, innerhalb dessen dann die Frage nach dem gemeinsamen Priestertum der Gläubigen und nach ihrer tätigen Teilnahme an der Liturgie gestellt wird. Die Erörterung dieser Themen ist bei Martimort und Vagaggini sehr spürbar an den Abgrenzungen der Enzyklika "Mediator Dei" orientiert. Dort war betont worden, daß der Gemeinschaftscharakter der liturgischen Handlungen schon dadurch gewährleistet ist, daß der Akt des Liturgen ein Akt der ganzen Kirche ist, so daß die Anwesenheit der Gemeinde bei den liturgischen Vollzügen zwar höchst wünschenswert, aber nicht notwendig ist [500]. Entsprechend wird das gemeinsame Priestertum der Gläubigen zwar eindeutig gelehrt, aber in Zuordnung und Abhängigkeit vom hierarchischen Priestertum gesehen [501]. Es ist zwar eine durch die Taufe begründete Teilnahme am Priestertum Jesu Christi, lebt aber "ganz aus der Verbindung mit dem hierarchischen Priestertum" [502], so schreibt Vagaggini. Ähnlich argumentiert auch Martimort [503].

Die tätige Teilnahme der Gläubigen an der Liturgie wird, entsprechend den Ausführungen von "Mediator Dei", vorwiegend unter pastoralen Gesichtspunkten gesehen. Sie ist nicht so sehr als Vollzug des gemeinsamen Priestertums von Bedeutung, sondern dient primär dazu, die Disposition für eine Begegnung mit Jesus Christus zu schaffen [504].

Durch diese von den offiziellen Lehräußerungen vorgegebene Blickrichtung wird das grundlegende Zeichen der liturgischen Gegenwart des Herrn, die gottesdienstliche Versammlung, in ihrer Bedeutung wieder relativiert. Der systematische Ertrag der neugewonnenen Einsicht in ihre konstitutive Rolle für den

---

499 C. Vagaggini, a.a.O., 74.
500 Vgl. MeD 94-96/ 556 f.
501 Vgl. z.B. MeD 91/ 555.
502 Vgl. C. Vagaggini, a.a.O., 104-114, hier 111; anderswo argumentiert Vagaggini aber gegen ein nur metaphorisches Verständnis des gemeinsamen Priestertums, wie B. Capelle es vertritt: vgl. ebd., 106, Anm. 43.
503 Vgl. ebd., 413-416.
504 Vgl. A.-G. Martimort, a.a.O., 97-100; vgl. auch den Abschnitt über das Mitopfern der Gläubigen bei J. Pascher, Eucharistia. Gestalt und Vollzug, Münster-Freiburg ²1953, 270-283.

christlichen Gottesdienst bleibt deshalb gering. Weder Martimort noch Vagaggini machen den expliziten Versuch, die verschiedenen Gegenwartsweisen einander systematisch zuzuordnen.

Einen Schritt weiter geht Aimon-Marie Roguet. Er schreibt:
"Eine Theologie der gottesdienstlichen Versammlung müßte nämlich versuchen, dem Geheimnis der Gegenwart Christi in seinen
zum Gottesdienst versammelten Gliedern auf den Grund zu gehen,
gemäß der Verheißung: 'Wenn zwei oder drei in meinem Namen
versammelt sind, so bin ich mitten unter ihnen' (Mt 18,20).
Diese Gegenwart ist real, wenngleich sie verschieden ist von
der eucharistischen. Indes sie ruft nach der eucharistischen
Gegenwart, deren Vorbedingung sie ist. Es gäbe keine eucharistische Gegenwart ohne die Gegenwart von Getauften; es gibt
kein mysterium fidei ohne eine Versammlung der Gläubigen; es
gibt kein vinculum caritatis ohne eine Versammlung von Brüdern" [505]. Allerdings führte Roguet diese Gedanken nicht weiter
aus.

1.4.4. Zusammenfassung

Zur Beschreibung der unmittelbaren Vorgeschichte der Liturgiekonstitution des II. Vatikanischen Konzils wurde nach der Weiterentwicklung der Lehre von den liturgischen Gegenwartsweisen
Jesu Christi in der Zeit zwischen dem Erscheinen der Enzyklika
"Mediator Dei" und dem Konzilsbeginn gefragt. Dabei mußten drei
Faktoren untersucht werden, die in enger Abhängigkeit voneinander, aber auch in einer gewissen Spannung zueinander stehen:
die Äußerungen des kirchlichen Lehramts, die Selbstdarstellung
der Liturgischen Bewegung auf den liturgischen Kongressen und
einige für die Konzilsarbeit besonders wichtige liturgietheologische Veröffentlichungen.
Bei den römischen Verlautbarungen zu liturgischen Fragen ließ

---

505 A.-M. Roguet, Gottesdienstliche Versammlung und tätige Teilnahme, in:
    LJ 3 (1953) 187-195, hier 193 (Referat beim 3. Internationalen Litur-
    gischen Studientreffen in Lugano, 1953).

sich eine gewisse Stagnation beobachten. Die offiziellen Lehräußerungen beschränkten sich auf eine Wiederholung bzw. Auslegung der in "Mediator Dei" gegebenen Lehre. Dabei zeigte sich
die Tendenz einer verengenden Interpretation dieser Enzyklika
und gleichzeitig einer verstärkten Betonung der hierarchischen
Autorität. Trotz einiger wichtiger liturgischer Reformen war
die kirchliche Leitung vor allem um die Wahrung des bestehenden Zustands bemüht und nicht bereit, den weitergehenden Reformwünschen aus dem Umkreis der Liturgischen Bewegung zu entsprechen. Diese Haltung erklärt sich zu einem guten Teil aus
der Absicht Papst Pius' XII., eine umfassende Liturgiereform
durchzuführen, sobald die nötigen Vorarbeiten dazu abgeschlossen wären. Dieses Vorhaben konnte Pius XII. jedoch nicht mehr
zu Ende bringen.
Sein Nachfolger, Papst Johannes XXIII., kündigte schon bald
nach Beginn seines Pontifikates ein Ökumenisches Konzil an, zu
dessen Aufgabenstellung auch die Erneuerung der Liturgie gehören sollte. Indessen wurden noch unmittelbar vor Konzilsbeginn
in großer Eile gewichtige Teilstücke der vorbereiteten Reform
verwirklicht. Es entstand der Eindruck, die römische Kurie
wolle dem Konzil in dieser Sache vorgreifen und es vor bereits
vollendete Tatsachen stellen.
Die Liturgische Bewegung erlebte im selben Zeitraum einen bedeutenden Aufschwung. Sie war von Pius XII. im ganzen gutgeheißen worden und hatte in der Enzyklika "Mediator Dei" eine
dem Meinungsstreit enthobene Grundlage gefunden. Auf dieser
Basis wurde nun weitergearbeitet. In internationalen Studientreffen und zahlreichen liturgischen Kongressen auf nationaler
Ebene schuf man sich ein Forum der Meinungsbildung, des Er-
fahrungsaustauschs und der theologischen Vertiefung. Daraus
erwuchs der zunehmend drängende Wunsch nach durchgreifenden
Reformen in der Liturgie; diesem Wunsch schlossen sich zahlreiche Bischöfe und einige ganze Bischofskonferenzen an. Ihr
Drängen stieß jedoch auf den Widerstand des Apostolischen
Stuhles, der seine eigenen Reformpläne erarbeitete und durchführen wollte.
Die dadurch auftretenden Spannungen wurden noch durch die Tat-

sache verstärkt, daß die liturgiewissenschaftliche Forschungsarbeit Ergebnisse hervorbrachte, die nicht ohne Auswirkung auf
die konkreten Reformen bleiben konnten.

Die intensive theologische Arbeit in dem genannten Zeitab-
schnitt fand ihren Ausdruck in einer kaum überschaubaren Fülle
von Veröffentlichungen. Ihre Tendenzen und Ergebnisse lassen
sich in einigen repräsentativen liturgiewissenschaftlichen
Standardwerken erkennen. Im Hinblick auf die Fragestellung der
vorliegenden Untersuchung wurden insbesondere zwei solche Werke untersucht, deren Verfasser bzw. Mitarbeiter an der Erarbeitung der konziliaren Liturgiekonstitution maßgeblich beteiligt
waren. Dabei zeigte sich ein im Vergleich zu den lehramtlichen
Dokumenten neues Interesse an der liturgischen Wortverkündigung, eine differenziertere Bestimmung des Verhältnisses zwischen Christus und der Kirche in der Liturgie und der Versuch,
die verschiedenen Weisen der liturgischen Gegenwart des Herrn
in ihrer jeweiligen Bedeutung zu sehen. Versuche einer systematischen Zuordnung der verschiedenen Gegenwartsweisen zueinander ließen sich jedoch nur in ersten Ansätzen beobachten.

Das Interesse der Liturgiewissenschaft war mehr von der Aufgabe bestimmt, historisches und theologisches Material als Grundlage für die erhoffte Liturgiereform bereitzustellen, was auch
in großem Umfang geschah. Systematische Fragestellungen standen dabei noch nicht im Vordergrund.

1.5. Ergebnisse und Fragestellung

Die Aufgabe dieses ersten Kapitels war es, einige theologische
Entwicklungslinien nachzuzeichnen, die zum Verständnis der Liturgiekonstitution des II. Vatikanischen Konzils und speziell
der Frage nach den verschiedenen Weisen der Gegenwart Jesu
Christi in der Liturgie beitragen können. Damit sollte deutlich werden, in welcher Situation das Konzil diese Frage aufnahm und welche theologischen Voraussetzungen ihm dabei gegeben waren.

Zwei Problemfelder lassen sich bei diesem Rückblick unter-

scheiden: einmal die Frage, wie überhaupt eine Gegenwart Jesu
Christi in der Liturgie gedacht werden kann; zum anderen, welche Weisen einer solchen liturgischen Gegenwart des Herrn es
gibt.

1.5.1. Die Gegenwart Jesu Christi in der Liturgie

Aus der knapp skizzierten Vorgeschichte der Liturgischen Bewegung unseres Jahrhunderts ergab sich das Bild einer eigentümlichen Wechselbewegung. Nach einem generellen Schwinden des
liturgischen Interesses im ausgehenden Mittelalter forderten
die Reformatoren des 16. Jahrhunderts eine bessere Beteiligung
des Volkes an der Liturgie und betonten das gemeinsame Priestertum der Gläubigen auf Kosten der spezifischen Weihevoll-
macht des hierarchischen Amtes in der Kirche.
Darauf reagierte das Konzil von Trient mit einer Ausarbeitung
der kirchlichen Lehre vom amtlichen Priestertum als der von
Jesus Christus eingesetzten Instanz zur Fortsetzung seines
priesterlichen Dienstes. Daraus folgte faktisch eine hohe
Einschätzung der Liturgie als objektiver Wirklichkeit zur
Heilsvermittlung durch die Kirche, ohne daß aber dem gläubigen
Volk die Liturgie hinlänglich erschlossen und zugänglich gemacht worden wäre.
In der Aufklärungszeit empfand man deshalb erneut die Notwendigkeit, die Gläubigen aktiv an der Liturgie zu beteiligen,
verstand aber Liturgie vorwiegend als vernunftgemäßes menschliches Handeln von hohem sittlichen und erzieherischen Wert,
ohne dabei genügend das Glaubensmysterium des souveränen
Heilshandelns Gottes durch Jesus Christus in der Liturgie zu
beachten.
Darauf antwortete die historisch orientierte Epoche der katholischen Restauration im 19. Jahrhundert mit einer wiederum
einseitigen Betonung des unantastbaren und allem menschlichen
Verständnis und Mitvollzug entzogenen Glaubensgeheimnisses,
das sich in der Liturgie zunächst unabhängig von den mitfeiernden Menschen Ausdruck verschafft und sich heilbringend aus-

wirkt, wo der Mensch es gläubig annimmt und an sich wirken läßt.

Die Liturgische Bewegung des 20. Jahrhunderts nahm diese verschiedenen Fäden auf und verband sie zu einem neuen Ganzen, in welchem die beiden Blickrichtungen nicht mehr antithetisch aufeinanderstießen, sondern sich gegenseitig ergänzten.

Die Liturgische Bewegung muß zunächst als Frucht einer jahrhundertelangen wechselvollen Geschichte liturgischer Reformbemühungen verstanden werden. Dabei zeigte sich als leitende Idee dieser Bewegung die Einsicht, daß die Liturgie ihre volle heilswirksame Fruchtbarkeit nur entfalten kann, wenn sie von den Gläubigen bewußt und aktiv mitvollzogen wird. Eine solche tätige Teilnahme der Gläubigen an der Liturgie hat aber eine Liturgiereform zur Voraussetzung, die ein besseres und leichteres Verständnis der liturgischen Riten und Texte ermöglicht. Der Impuls zu einer liturgischen Erneuerung kam also vorwiegend aus pastoralen Überlegungen. Dabei verstand man aber die Liturgie nicht nur als ein menschliches Mittel zur Förderung von Einsicht und rechtem Verhalten, sondern als ein Wirken Jesu Christi in der Kirche zum Heil der Menschen und zur Ehre Gottes. Dieses genuin theologische Interesse wurde jedoch immer wieder durch die drängenden praktischen Überlegungen im Hinblick auf eine Liturgiereform überdeckt. Die Liturgische Bewegung blieb in ihrer großen Breite durch den Blick *von unten* bestimmt: Man suchte nach Möglichkeiten, den Gläubigen den Zugang zu der ihnen fremd gewordenen Liturgie zu erleichtern.

Als komplementäre Bewegung von der anderen Seite her entfaltete sich aber aus der Liturgischen Bewegung die Mysterienlehre. Auch sie fragte zunächst danach, wie die Feier der Liturgie seelsorglich besser wirksam werden könnte, nahm aber dabei nicht so sehr die am Gottesdienst teilnehmenden Gläubigen in den Blick als vielmehr die liturgische Feier selbst. Ihre Heilsbedeutung galt es zu verstehen, um so erst einsichtig zu machen, inwiefern die Teilnahme daran heilswirksam sei. So stand hier das Tun Gottes selbst im Zentrum des Interesses. Man fragte nach seinem Heilsplan für die Menschen, der sich in

der Menschwerdung, dem Tod und der Auferstehung Jesu Christi
verwirklicht hat und in der liturgischen Feier dieses Christus-Mysteriums in der Kirche stets gegenwärtig und wirksam
ist. Das, woran teilzunehmen dem Menschen Heil bringt, ist
demnach das Heilswerk Jesu Christi selbst, welches der erhöhte
Herr durch seine Kirche und in ihr stets aktuell vollzieht.

Bei dieser Blickrichtung *von oben* her konnte es dann freilich
geschehen, daß über der theologischen Diskussion über die Art
und Weise der wirksamen Gegenwart des Heilswerks Jesu Christi
wiederum die Rolle der Menschen zu wenig bedacht wurde, um
derentwillen Gott seinen Sohn gesandt hat.
Im Hinblick auf die beiden genannten Bewegungen zeigt sich das
Problem der Vermittlung zwischen dem Anliegen der Liturgischen
Bewegung und dem der Mysterienlehre an. Es ist die Frage, in
welcher Beziehung das Tun der Menschen, ihre tätige Teilnahme
an der Liturgie, und das Tun Gottes, seine als *Mysteriengegenwart* gekennzeichnete gegenwärtige Wirksamkeit in der liturgischen Feier, zueinander stehen. Diese Frage wurde weder von
der einen noch von der anderen Seite befriedigend beantwortet.
Es wird zu prüfen sein, ob nicht gerade die Forderung nach
tätiger Teilnahme stärker nach der diese erst ermöglichenden
Mitteilung von Seiten Gottes fragen müßte, und ob nicht das
Bedenken der gegenwärtigen Wirksamkeit Jesu Christi und seines
Heilswerks die Adressaten dieser Wirksamkeit ausdrücklicher
mitbedenken müßte.
Beide Aspekte könnten sich in dem zu Anfang der Liturgischen
Bewegung formulierten Wort von der *actuosa communicatio*
treffen, worin *mitteilen* und *teilnehmen* als zwei zwar höchst
unterschiedliche, aber dennoch einander bedingende Komponenten
ein und desselben Vorgangs anklingen.
Die Aufgabe ihrer Vermittlung wurde auch von Pius XII. in seiner Enzyklika "Mediator Dei" und den ihr folgenden Dokumenten
nicht bewältigt. So beeindruckend diese Enzyklika in ihrer die
vorliegenden Strömungen aufnehmenden und verbindenden Kraft

---

506 Vgl. oben, S. 34.

ist, sie bleibt doch geprägt von der nicht zur Synthese ge-
brachten Spannung zwischen dem seelsorglichen Anliegen der tätigen Teilnahme der Gläubigen an der Liturgie und dem theologischen Prinzip der allem menschlichen Tun vorgängigen und davon unabhängigen Wirksamkeit Gottes. Diese Spannung wird noch
durch einen Kirchenbegriff verschärft, der die kirchliche Gemeinschaft nicht so sehr vom Bild der das Heil empfangenden
Glaubensgemeinschaft her versteht, als vielmehr von ihrem Verständnis als aktiv das Heil vermittelnder Instanz, den Menschen gegenüber.
Über die schon genannte Frage nach der Vermittlung von Heilsgabe und Heilsempfang hinaus muß also noch die Frage nach der
Rolle der Kirche in diesem Vorgang gestellt werden. Es ist die
Frage nach der Struktur ihrer Beziehung zu Jesus Christus als
dem Gottmenschen, der alleiniger Mittler des Heils ist. Bei
der genaueren Bestimmung dieser Beziehung wiederholt sich auf
einer anderen Ebene das Problem der Vermittlung von Heilsgabe
und Heilsempfang, denn der Kirche kommt in beidem eine Schlüs-
selfunktion zu. Sie ist die von Jesus Christus zur Fortsetzung
seines priesterlichen Dienstes eingesetzte Instanz, die sein
Wirken präsent machen und in seinem Auftrag das von ihm erwor-
bene Heil den Menschen vermitteln soll. Dieser Aspekt findet
sich insbesondere in den päpstlichen Dokumenten, wobei das
Verständnis der Kirche als heilsvermittelnder Instanz mehr und
mehr zu einer Verselbständigung der Kirche führt. Sie wird als
die kraft des Stiftungswillens Jesu Christi mit göttlicher
Autorität ausgestattete Wächterin des Glaubens und Vermittle-
rin der Gnade angesehen, die diese Funktion durch das den
Gläubigen gegenüberstehende hierarchische Amt vollzieht.
Andererseits ist die Kirche aber auch die Gemeinschaft der das
Heil empfangenden Gläubigen; die Gemeinschaft der kraft der
Taufe mit dem gemeinsamen Priestertum ausgestatteten Christen,
die im Empfang der Heilsgabe auch selbst in das Heilsmysterium
einbezogen und am priesterlichen Dienst Jesu Christi zur Heiligung der Menschen und zur Verherrlichung Gottes beteiligt
sind. Ein solches Kirchenverständnis, wie es sich aus dem in
der Liturgischen Bewegung entwickelten Begriff von tätiger

Teilnahme der Gläubigen am Gottesdienst ergibt, mußte wiederum in eine gewisse Spannung zum vorwiegend hierarchisch geprägten Kirchenbegriff des Lehramts kommen.

Auch hier gelang die Vermittlung beider Anschauungsweisen noch nicht befriedigend, obwohl die Enzyklika "Mystici Corporis" den theologischen Ansatz dazu geliefert hatte. Ihre Lehre von dem Haupt und Glieder des mystischen Leibes verbindenden Heiligen Geist, der dann auch das hierarchische Amt und das gläubige Volk zu organischer Einheit zusammenschließt, findet sich in der Enzyklika "Mediator Dei" nur noch in Andeutungen und in späteren Dokumenten fast nicht mehr.

Im Bereich der Liturgiewissenschaft wurden kaum systematische Überlegungen angestellt, um das Problem der Vermittlung von wirksamer Gegenwart des Herrn und tätiger Teilnahme der Gläubigen, von hierarchischem Amt und gemeinsamem Priestertum zu bewältigen. Die wissenschaftliche Arbeit war noch zu sehr mit der Erforschung des liturgiehistorischen Materials und der Erarbeitung liturgietheologischer Grundlagen beschäftigt, die erst die Voraussetzung für eine systematische Diskussion erbringen mußten.

1.5.2. Die verschiedenen Weisen der liturgischen Gegenwart
       des Herrn

Der geschichtliche Rückblick zeigt in der Frage nach den liturgischen Gegenwartsweisen des Herrn eine zunehmende Engführung auf eine schließlich fast ausschließliche Betonung der eucharistischen Realpräsenz. Dies erklärt sich zu einem guten Teil aus der reformatorischen Vorbetonung der Wortverkündigung und den Auseinandersetzungen um das rechte Eucharistieverständnis. In antireformatorischer Zielsetzung wurde in der katholischen Theologie die Lehre von der Transsubstantiation und der durch sie bewirkten Gegenwart Jesu Christi in den eucharistischen Gestalten so betont, daß man über seine Gegenwart in der liturgischen Wortverkündigung kaum noch sprach. Zugleich wurde in der Verteidigung der kirchlichen Lehre vom

Weihepriestertum als der Bedingung für die eucharistische Konsekration das Interesse an einer Gegenwart Jesu Christi in der
liturgischen Versammlung der Gläubigen zurückgedrängt. Vom
Denkmodell der Transsubstantiation her schien nur noch die
substantiale Gegenwart des Herrn in den eucharistischen Gestalten den Begriff der Realpräsenz zu erfüllen, während sein
gegenwärtiges Handeln in den liturgischen Feiern im Vergleich
dazu als unwesentlich abfiel.
Hier hat erst die Mysterienlehre eine Wende gebracht. Die Kirche in ihrer konkreten Verwirklichung als liturgische Versammlung wurde wieder als der Raum erkannt, in welchem der erhöhte
Herr zu seinem Volk spricht und an ihm handelt.
Ein erstes Ergebnis dieser Entwicklung stellt die Aufzählung
verschiedener liturgischer Gegenwartsweisen in der Enzyklika
"Mediator Dei" dar. Doch war ihre Lehre von einer später noch
zunehmenden Konzentration auf die eucharistische Realpräsenz
gekennnzeichnet und zugleich von der Unterbewertung der aktuellen Wirksamkeit des Herrn in der Wortverkündigung.
Die theologische Forschung erbrachte hier ergänzend eine Neubesinnung auf die Bedeutung des Wortes Gottes in der Liturgie
und der liturgischen Versammlung als dem Zeichen des in seiner
Kirche und durch sie stets gegenwärtigen und wirksamen Herrn.
Auch wurde seine wirksame Gegenwart in der Eucharistiefeier
als Handlungsvollzug und in der Sakramentenspendung neu als
Weise wirklicher, wenn auch nicht substantialer Präsenz erkannt.
Die Weiterentwicklung solcher Ansätze wurde in den Jahren nach
dem Erscheinen der Enzyklika "Mediator Dei" durch ein zunehmend gespanntes Verhältnis zwischen der Kirchenleitung und den
Vertretern der Liturgischen Bewegung behindert. So kam es zu
einer Situation, von der Emil Joseph Lengeling sagte: "Entscheidende Fortschritte schienen nur noch möglich durch einen
von der Liturgischen Bewegung selbst geprägten Papst ..., der
zugleich einer sehr starken Willenskraft und Zielstrebigkeit
bedurft hätte, oder - durch ein Konzil"[507].

---

507 Lengeling, 46*.

2. DIE TEXTENTWICKLUNG IN DEN AUSSAGEN DER LITURGIEKONSTITUTION DES II. VATIKANISCHEN KONZILS ÜBER DIE LITURGISCHE GEGENWART JESU CHRISTI

Im ersten Kapitel wurde gezeigt, welche liturgietheologischen Voraussetzungen bezüglich der Fragestellung dieser Untersuchung dem II. Vatikanischen Konzil vorgegeben waren. Nun muß die konziliare Diskussion selbst dargestellt werden, soweit sie die hier interessierenden Texte betrifft. Dabei wird zunächst nur der Vorgang der Erarbeitung der Liturgiekonstitution bis zu ihrer Endfassung untersucht. Aus dem Vergleich zwischen den vorkonziliaren amtlichen Texten, wie sie vor allem in der Enzyklika "Mediator Dei" zu finden sind, und dem Konzilstext zur selben Sache ergibt sich der Beitrag des Konzils zu der Frage nach den liturgischen Gegenwartsweisen Jesu Christi.

In einem ersten Abschnitt soll die Entstehungsgeschichte der Liturgiekonstitution insoweit dargestellt werden, als es für diese Untersuchung notwendig ist (2.1.).

Die hier interessierenden liturgietheologischen Aussagen sind in einem eigenen Abschnitt des ersten Kapitels der Liturgiekonstitution zusammengefaßt. Das darin enthaltene liturgietheologische Konzept wird im zweiten Abschnitt vorgestellt (2.2.), damit so der Kontext für die einzelnen zu erörternden Aussagen deutlich wird.

Für unsere Fragestellung ist Artikel 7 der Liturgiekonstitution von entscheidender Bedeutung. Er enthält eine Aufzählung der liturgischen Gegenwartsweisen des Herrn und eine zusammenfassende Umschreibung des Wesens der Liturgie. Die Textentwicklung dieses Artikels in der Vorbereitungszeit des Konzils wird im dritten Abschnitt untersucht (2.3.).

Der vierte Abschnitt (2.4.) gibt einen Überblick über die Diskussion des Konzils bei der ersten Lesung des liturgietheologischen Abschnitts der Liturgiekonstitution.

Über die Verbesserungsvorschläge der federführenden Konzilskommission aufgrund dieser ersten Lesung wird im fünften Abschnitt referiert (2.5.).

Danach muß über die Änderungswünsche der Konzilsväter nach der
zweiten Lesung des liturgietheologischen Kapitels berichtet
werden (2.6.).

In den übrigen Kapiteln der Liturgiekonstitution finden sich
jeweils liturgietheologische Einleitungsartikel als Grundlage
für die einzelnen Reformbestimmungen. Soweit darin Ergänzungen
zu den Aussagen des Artikels 7 enthalten sind, soll auch die
konziliare Diskussion zu diesen Artikeln dargestellt werden
(2.7.).

Schließlich ist noch nach den Beiträgen der Konzilsväter zum
Thema der tätigen Teilnahme der Gläubigen an der Liturgie zu
fragen (2.8.). Die Aussagen darüber finden sich in einem eigenen Abschnitt der Liturgiekonstitution, sind aber darüberhinaus über den ganzen Text der Konstitution verstreut.

Die Untersuchung in diesem zweiten Kapitel bezieht sich nur
auf den vorliegenden Text der Liturgiekonstitution und seine
Entwicklungsstadien. Dabei bleiben jedoch die im ersten Kapitel als Problemanzeige erarbeiteten Fragestellungen präsent.
Es sind dies vor allem die Fragen, wie überhaupt eine liturgische Gegenwart des Herrn zu denken ist und wie sich dabei das
Handeln Jesu Christi und das Handeln der Kirche zueinander
verhalten. Dazu gehört die Frage, welche Bedeutung der tätigen
Teilnahme der Gläubigen an der Liturgie für das Verständnis
der liturgischen Gegenwart des Herrn zukommt. Ferner ist zu
fragen, welche liturgischen Gegenwartsweisen Jesu Christi genannt werden und wie man sie einander zuordnet.

Diese Fragen sind nicht eigentlich aus dem Text der Liturgiekonstitution abgeleitet. Sie kennzeichnen aber das theologische Umfeld, innerhalb dessen und in Bezug auf welches die
Konzilsväter ihre Formulierungen erarbeiteten.

Durch die genannten Fragen wird die Auswahl der hier insbesondere zu erörternden Texte bestimmt. Dabei ist darauf zu achten, daß das Frageinteresse der vorliegenden Untersuchung
nicht unbemerkt die Analyse und Interpretation der Texte einseitig beeinflußt.

2.1. Zur Entstehungsgeschichte der Liturgiekonstitution des
II. Vatikanischen Konzils

Der Text der Liturgiekonstitution des II. Vatikanischen Kon-
zils ist nicht nur das Ergebnis einer weit zurückreichenden
Vorgeschichte, er ist in seiner konkreten Gestalt auch weitge-
hend bestimmt vom theologischen Interesse derer, die den Text-
entwurf erarbeiteten, von der Zusammensetzung der zuständigen
Kommissionen und von einer Reihe mehr oder minder zufälliger
Begebenheiten im Verlauf der Konzilsarbeit. Die wichtigsten
Stationen dieser Entwicklungsgeschichte sollen zum besseren
Verständnis des endgültigen Textes kurz nachgezeichnet werden.

2.1.1. Die Vorbereitungszeit des Konzils

Am 28. Oktober 1958 wurde der Patriarch von Venedig, Giuseppe
Kardinal Roncalli, zum Papst gewählt. Schon zwei Tage später
sprach er in privatem Kreis von der Möglichkeit eines neuen
Konzils und nahm damit Pläne auf, die Pius XII. schon seit
1948 unter strikter Geheimhaltung verfolgt hatte[1].
Drei Monate später, am 25. Januar 1959, kündigte Papst Johannes XXIII. ganz überraschend für die Öffentlichkeit die Einberufung eines ökumenischen Konzils an[2]. Am 17. Mai gab er die
Einsetzung einer Vorbereitungskommission von Kurienbeamten bekannt, die unter Vorsitz des Kardinal-Staatssekretärs Domenico
Tardini Vorschläge bezüglich der Beratungsgegenstände des kom-

---

1 Vgl. zu diesen Angaben B. Caprile, Die Chronik des Konzils und der nachkonziliaren Arbeit vom Oktober 1958 bis Dezember 1967, in: LThK.E III,
624-664, hier 624.
2 Vgl. den Wortlaut in: Acta et documenta Concilio Oecumenico Vaticano II
apparando, Series I (Antepraeparatoria) (künftig zitiert: AD I), Vatikan
1960-1969. Die Reihe umfaßt vier Abteilungen: Vol. I: Acta Summi Pontificis Joannis XXIII (1 Bd.); Vol. II: Consilia et vota Episcoporum et
Praelatorum (8 Bde. und 2 Appendix-Bände mit systematischem Register);
Vol. III: Proposita et monita Sacrarum Congregationum Curiae Romanae (1
Bd.); Vol. IV: Studia et vota Universitatum et Facultatum Ecclesiastica-
rum et Catholicarum (3 Bde.); Indices (1 Bd.). Serie, Abteilung und Band
werden künftig mit römischen Zahlen angegeben, die Seitenzahlen mit ara-
bischen Zahlen. - Hier I/I, 3-6.

menden Konzils erarbeiten sollten[3].

Befragung der Bischöfe und theologischen Fakultäten

Der Kardinal-Staatssekretär bat dazu die künftigen Konzilsväter sowie die kirchlichen und einige staatliche theologische Fakultäten in aller Welt um Stellungnahmen und Wünsche im Hinblick auf das Konzil[4]. Ein Jahr später, im Mai 1960, waren bereits über 2000 Antworten eingegangen. Sie wurden zusammen mit den päpstlichen Dokumenten zur Einberufung und Vorbereitung des Konzils und den Vorschlägen der römischen Kurie in insgesamt 16 umfangreichen Bänden veröffentlicht[5]. Die "Ratschläge und Wünsche" der Bischöfe und höheren Prälaten füllen acht Bände; ihr Inhalt wurde systematisch nach Themenbereichen aufgeschlüsselt und in zwei eigenen Bänden stichwortartig zusammengefaßt. Etwa ein Viertel davon bezieht sich auf liturgische Fragen[6].

Die Durchsicht dieser Eingaben ergibt allerdings, daß sich darin wenig liturgietheologisch bedeutsames Material findet[7].

Die meisten Stellungnahmen der Bischöfe nennen nur die zu bearbeitenden Themen oder äußern konkrete Änderungswünsche in Detailfragen. Ihre Berücksichtigung blieb weitgehend den nachkonziliaren Kommissionen zur Durchführung der im Konzil beschlossenen Liturgiereform überlassen.

Von größerem Gewicht für die kommende Konzilsarbeit selbst waren die "Vorschläge und Hinweise" der römischen Kongregationen, da diese an der Vorbereitung der Konzilsvorlagen maßgeb-

---

3 Vgl. die Liste der Kommissionsmitglieder in: AD I/I, 22 f.
4 Vgl. zu diesen und den folgenden Angaben außer der Chronik von B. Caprile (s. Anm. 1) auch Lengeling, 46*-52*; Schmidt, 67-72; J. A. Jungmann, Einleitung und Kommentar zur Konstitution des II. Vatikanischen Konzils "Über die heilige Liturgie", in: LThK.E I, 10-109 (künftig zitiert: Jungmann), hier 10-13.
5 Vgl. AD I.
6 Vgl. AD I/II, Appendix: von insgesamt etwa 1600 Seiten systematisch aufgeschlüsselter Eingaben beziehen sich 460 Seiten auf liturgische Fragen.
7 Vgl. zu dieser Beurteilung auch A. A. G. Gimeno, La presencia de Cristo según el Vaticano II. Excerpta ex dissertatione ad Doctoratum in Facultate Theologiae Pontificiae Universitatis Gregorianae, Rom 1977. Er bezeichnet, ebd., 14, die Eingaben, die sich mit der Frage nach der liturgischen Gegenwart Jesu Christi befassen, als "pocos y muy generales".

lich beteiligt waren. Aber auch hier finden sich für unsere
Fragestellung nur sehr allgemeine Aussagen.

So forderte das Heilige Offizium recht undifferenziert: "Ver-
worfen werden sollen die 'Mysterien'-Übertreibungen und die
Umtriebe derer, die die heilige Eucharistie auf das Mahl (Aga-
pe) beschränken wollen"[8]. Außerdem müsse die gesamte Frage der
liturgischen Reform und ihrer Prinzipien gestellt und gelöst
werden[9].

Interessant ist die allgemeine Bemerkung, welche die Ritenkongregation ihren Vorschlägen voranstellte. Dort wird betont,
daß das Konzil die allgemein erhoffte generelle Liturgiereform
nur als Wunsch und als bald zu verwirklichende Notwendigkeit
bestätigen solle, daß es aber nicht die konkreten Reformvorhaben prüfen könne[10]. Neben anderen Vorschläge plädierte die Ritenkongregation für eine Erweiterung der Konzelebrationser-
laubnis, allerdings nicht am Gründonnerstag[11], und sprach sich
dafür aus, die kirchliche Beauftragung zum Breviergebet auch
für Schwesterngemeinschaften, Säkularinstitute und Gruppen von
interessierten Laien zu ermöglichen[12]. Schließlich erwartete
die Kongregation vom Konzil eine theologische Klärung der Fragen um die tätige Teilnahme der Gläubigen an der Liturgie und
um das gemeinsame Priestertum[13].

Umfangreichere und zum Teil auch als theologische Expositionen
ausgearbeitete Stellungnahmen haben die theologischen Institute
und Fakultäten geliefert. Die Eingaben der römischen theologischen Hochschulen füllen allein zwei Bände[14], die der wenigen
um Beiträge gebetenen theologischen Fakultäten außerhalb Roms

---

8 AD I/III, 3-17, hier 13: "Explodantur exaggerationes 'mystericae' ac mo-
  limina eorum qui SS. Eucharistiam ad Coenam (Agapem) reducere malunt".
9 Ebd., 14: "Tota quaestio de restauratione liturgica ac de eius princi-
  piis ponenda et solvenda est".
10 Vgl. ebd., 255-296, hier 255: Die allgemeine Liturgiereform könne vom
   Konzil beschlossen werden "tamquam desiderium vel necessitudo mox in
   actum deducenda, non tamen videtur posse ab eodem concilio examinari
   tamquam ratio accurata omnium quae fieri et innovari debeant".
11 Vgl. ebd., 256-259.
12 Vgl. ebd., 265.
13 Vgl. ebd., 284.
14 Vgl. AD I/IV/I/1 und I/2.

sind in einem Band zusammengestellt[15].

Das Päpstliche Bibelinstitut in Rom reichte den für unser Thema wichtigen Vorschlag ein, das Konzil solle die lange vernachlässigte, aber aus der Tradition wohl begründete Lehre von der Heilskraft des Wortes Gottes neu aufnehmen und bestätigen. Diese Heilswirksamkeit habe die Heilige Schrift nicht nur in der liturgischen Predigt, sondern auch im kirchlich legitimierten privaten Gebrauch[16].

Die Päpstliche Hochschule San Anselmo betonte unter anderem in einem von A. Günthör gezeichneten Beitrag, daß die Predigt zur sonntäglichen Meßfeier hinzugehöre und ihre Bedeutung vom Konzil neu betont werden müsse[17].

Von der Päpstlichen Hochschule der Salesianer kam innerhalb einer sehr umfangreichen Stellungnahme auch eine liturgietheologische Anregung allgemeiner Art, die vor allem darauf zielte, die tridentinische Lehre über das Meßopfer durch die Meßopferlehre Pius' XII. zu ergänzen. Insbesondere wurde das im Hinblick auf die in "Mediator Dei" gelehrte These gewünscht, daß das Wesen des Meßopfers in der Doppelkonsekration der getrennten Gestalten liege[18]. Außerdem solle die Konzelebration in größerem Maß erlaubt werden[19].

Auch die Theologische Fakultät der Katholischen Universität Lovanicum in Léopoldville (Kongo) schlug vor, die Lehrtradition von der Heilskraft des Wortes Gottes wieder in Erinne-

---

15 Vgl. AD I/IV/II.
16 Vgl. AD I/IV/I/1, 123-136, hier 126-128: "§ III. De efficacitate verbi Dei", bes. 127: "Proinde optatur ut a Concilio resumatur haec doctrina traditionis, scilicet virtutem salutarem et efficacitatem sanctificantem possidere tum sacramenta tum etiam, suo modo, verbum Dei quod fide suscipitur ... Illam virtutem peculiarem habet Sacra Scriptura non solum quando praedicatur et explicatur fidelibus in concionibus, sed etiam quandocumque adhibetur legitime in Ecclesia, in usu sive publico sive privato".
17 Vgl. AD I/IV/I/2, 31-50, hier 44 f.
18 Vgl. ebd., 113-220, hier 123 f.: die tridentinische Eucharistielehre solle entsprechend der in "Mediator Dei" vorgelegten Lehre Pius' XII. ergänzt werden, insbesondere "circa naturam sacrificii Missae, quae essentialiter consistit in duplici consecratione et non in Communione, ex eo quod duplex consecratio sacramentaliter renovat immolationem Crucis".
19 Vgl. ebd., 165.

rung zu rufen[20].

Die Theologische Fakultät von Cuglieri (Italien) wollte vom Konzil geklärt wissen, in welcher Beziehung die Lehre von der Mysteriengegenwart zur Meßopferlehre stehe. Eine eigene Meinung dazu wurde freilich nicht vorgetragen[21]. Die Päpstliche Theologische Fakultät von Mailand regte an, die liturgietheologische Lehre der Enzyklika "Mediator Dei" feierlich zu bestätigen[22]. Schließlich ist noch der sehr ausführliche liturgische Teil der Stellungnahme der Theologischen Fakultät von Trier zu erwähnen, worin eine Fülle sehr detaillierter Anregungen und Wünsche zur Liturgiereform mitgeteilt werden. Allerdings finden sich dort keine theologischen Begründungen für die vorgebrachten Voten. Für unseren Zusammenhang läßt sich deshalb auch aus dieser unter den von deutschen Fakultäten eingereichten Beiträgen umfangreichsten Stellungnahme nichts entnehmen[23].

Insgesamt muß man also feststellen, daß sich zu der hier untersuchten Frage nach den liturgischen Gegenwartsweisen Jesu Christi in den Akten dieser vorbereitenden Umfrage keine bedeutsamen Hinweise finden. Dieser Befund soll die Bedeutung der vorkonziliaren Umfrage nicht schmälern. Durch sie wurde einerseits weltweit das Interesse in der Kirche auf das kommende Konzil gerichtet, andererseits erhielten die zur Vorbereitung der Konzilsvorlagen beauftragten Kommissionen einen breiten Themenkatalog der vom Konzil zu bearbeitenden Fragen, dem sie zumindest die Richtung der gewünschten Reformen entnehmen konnten. Die inhaltliche Ausarbeitung der dem Konzil vorzulegenden Texte mußte jedoch von den dazu berufenen Fachleuten weitgehend in eigener Verantwortung vorgenommen werden.

---

20 Vgl. AD I/IV/II, 163-177, hier 170: Die "traditio doctrinalis asserens salvificam Verbi Dei virtutem" solle wieder in Erinnerung gebracht werden.
21 Vgl. ebd., 653-662, hier 655.
22 Vgl. ebd., 665-696, hier 693 f.
23 Vgl. ebd., 737-770, hier 754-770: zu liturgischen Fragen. Votum 34, ebd., 761 f., schlägt die Erweiterung der Konzelebrationsvollmacht vor.

Die liturgische Vorbereitungskommission

Am 5. Juni 1960 setzte der Papst eine Zentralkommission, zehn Fachkommissionen und drei Sekretariate zur Vorbereitung der Konzilsvorlagen ein[24]. Die Kommissionen waren nach der Ordnung der römischen Kongregationen eingeteilt und standen jeweils unter dem Vorsitz des Präfekten der entsprechenden Kongregation.

Die liturgische Vorbereitungskommission[25] wurde vom Präfekten der Ritenkongregation, Gaetano Kardinal Cicognani, geleitet.

Ihr Sekretär wurde der Liturgiewissenschaftler und Schriftleiter der römischen *Ephemerides Liturgicae*, Annibale Bugnini.

Die Kommission hatte 26 Mitglieder und 37 theologische Berater (Konsultoren), wobei eine weitgehende Internationalität und eine große theologische Bandbreite angestrebt wurden[26]. Die Vertreter der bedeutenden liturgischen Institute von Paris und Trier waren zwar nicht von Anfang an, aber doch bald schon an der Kommissionsarbeit beteiligt[27].

---

24 Vgl. Johannes XXIII., Motu Proprio "Superno Dei Nutu" (5.6.1960), in: AS I/I, 93-96, wo die einzelnen Kommissionen aufgeführt werden; dazu auch die vom Sekretariat der Zentralkommission hg. Aufstellung: "Pontifice Commissioni preparatorie del Concilio Ecumenico Vaticano II, 2. Ed., Vatikan 1961, wo die Mitglieder und Konsultoren der einzelnen Kommissionen genannt sind.

25 Pontificia Commissio de sacra Liturgia Praeparatoria Concilii Vaticani II. Die authentischsten Informationen über die Arbeit dieser Kommission finden sich in dem Bericht, den ihr zweiter Präsident, Kard. A. Larraona, am 26.3.1962 vor der vorbereitenden Zentralkommission des Konzils
 • gab. Er berief sich dabei auf den Arbeitsbericht des Sekretärs der liturgischen Vorbereitungskommission, A. Bugnini. Der Bericht des Kardinals findet sich in: Acta et documenta Concilio Vaticano II apparando, Series II (Praeparatoria), Vatikan 1964-1969 (künftig zitiert: AD II). Diese Reihe umfaßt 3 Abteilungen: Vol. I: Acta Summi Pontificis Joannis XXIII (1 Bd.); Vol. II: Acta Commissionis Centralis Praeparatoriae Concilii Oecumenici Vaticani II (4 Bde.); Vol. III: Acta Commissionum et Secretariatum Praeparatorium Concilii Oecumenici Vaticani II (2 Bde.); hier AD II/II/III, 46-63.

26 Vgl. Lengeling, 49*; dazu die Listen bei Schmidt, 219-221, und die davon geringfügig abweichenden Angaben bei Lengeling, 48* f. Nach dem Bericht von Kard. A. Larraona wurde die Zahl der Konsultoren im Lauf der Arbeit noch um etwa 30 Personen erhöht: vgl. a.a.O., 48.

27 Deutsche Kommentatoren (vgl. Jungmann, 12; Lengeling, 49*) machen darauf aufmerksam, daß die Vertreter der liturgischen Institute von Paris und Trier, die der Liturgischen Bewegung der beiden vergangenen Jahrzehnte entscheidende Dienste geleistet hatten, erst nachträglich zu Konsultoren ernannt wurden. Auch waren unter den ursprünglich ernannten

Die liturgische Vorbereitungskommission bildete bei ihrer konstituierenden Sitzung (12-15.11.1960) [28] dreizehn Unterkommissionen zur Erarbeitung der einzelnen Teilthemen [29]. Die Gesamtkommission hatte dann bei ihrer zweiten Sitzung (12.-22.4.1961) die Arbeitsergebnisse der Subkommissionen zu prüfen und zu diskutieren [30]. Aufgrund dieser Debatte wurde vom Sekretariat der Kommission unter Leitung von Bugnini ein Textentwurf von 252 Seiten erstellt, in welchem neben dem eigentlichen Text der Vorlage (Schema) auch zum Teil umfangreiche Erläuterungen (Declarationes) zum besseren Verständnis für die in diesem Spezialgebiet weniger informierten Konzilsväter enthalten waren.

Dieser Entwurf wurde am 10. August 1961 allen Kommissionsmitgliedern und Konsultoren zur Stellungnahme zugesandt. Daraufhin gingen über 1500 Verbesserungsvorschläge ein; sie wurden vom Sekretariat der Kommission in den Text eingearbeitet. Dabei entschloß man sich auch, die liturgietheologischen Grundsätze und die allgemeinen Prinzipien der angestrebten Reform in einem ursprünglich nicht geplanten Kapitel zusammenzufassen und an den Anfang der Vorlage zu stellen. Der erste Abschnitt dieses grundlegenden Kapitels trägt die Überschrift: "Das Wesen der heiligen Liturgie und ihre Bedeutung für das Leben der Kirche". Dieser wichtige liturgietheologische Abschnitt wurde also nicht unabhängig von den praktischen Fragen und Erneue-

---

Mitgliedern und Konsultoren keine deutschen oder französischen Bischöfe vertreten. Durch die nachträgliche Ernennung von Weihbischof H. Jenny (Cambrai/ Frankreich) und Bischof S. K. Landersdorfer (Passau) zu Mitgliedern, sowie Bischof O. Spülbeck (Meißen) und der Leiter der liturgischen Institute A.-G. Martimort (Paris), A.-M. Roguet (Paris) und J. Wagner (Trier) zu Konsultoren wurde diese Lücke einige Monate später ausgefüllt. Es ist zu vermuten, daß sich hier zunächst eine gewisse Reserve der römischen Stellen gegenüber den führenden Leuten der Liturgischen Bewegung geltend machte. - Vgl. auch: ELit 76 (1962) 129.

28 Vgl. zu diesem Datum den Bericht von Kard. A. Larraona, a.a.O., 47. Etwas abweichend: Schmidt, 69, und Jungmann, 12.

29 Eine Aufzählung der Subkommissionen und ihrer Aufgabenbereiche findet sich im Bericht von Kard. A. Larraona, a.a.O., 47 f. Die erste Subkommission hatte zum Thema: "De mysterio Liturgiae eiusque relatione cum intima vita Ecclesiae": vgl. ebd., 47.

30 Die folgenden Angaben über die Arbeit der Kommission stützen sich, wenn nicht anders vermerkt, auf den Bericht von Kard. Larraona.

rungswünschen des Gesamttextes geschrieben, sondern ist von
einer eigenen kleinen Kommission unter Leitung von Bugnini in
einer Sitzung vom 11-13. Oktober 1961 im Hinblick auf den Ge-
samtentwurf formuliert worden[31].
Durch dieses Voranstellen der allgemeinen Normen konnten unnötige Wiederholungen vermieden werden; der Text wurde dadurch
erheblich gestrafft. Dieser neue Entwurf wurde den Kommissionsmitgliedern und Konsultoren am 15. November 1961 zugesandt.
Aufgrund der wiederum dazu eingegangenen Stellungnahmen erarbeitete das Sekretariat der Kommission einen letzten Entwurf,
der nur noch 125 Seiten umfaßte und in der letzten Plenarsitzung der liturgischen Vorbereitungskommission (11.-13.1.1962)
diskutiert und schließlich einstimmig verabschiedet wurde[32].

Diese endgültige Vorlage enthielt 107 Artikel und dazu entsprechende Erläuterungen, die aber ausdrücklich nicht als Ab-
stimmungsmaterie gedacht waren. Der Präsident der Kommission,
Gaetano Kardinal Cicognani, unterschrieb das Schema am 1.
Februar 1962, wenige Tage vor seinem Tod.
Über die Arbeit dieser Vorbereitungskommission berichten die
Kommentatoren, daß sie in völliger Freiheit der Themenwahl und
der Diskussion vonstatten ging. Diese Freiheit war den Kommissionsmitgliedern vom Papst ausdrücklich zugesichert worden und
wurde auch gewahrt, wenn der Papst selbst in einer Einzelfrage
eine andere Ansicht vertrat als die von der Kommission vorgelegte. Gelegentliche Versuche des Präsidenten der Kommission,
die Diskussionsfreiheit einzuengen, blieben schließlich unwirksam[33].
Der Nachfolger des verstorbenen Präsidenten der liturgischen
Vorbereitungskommission und Präfekten der Ritenkongregation
wurde Arcadio Kardinal Larraona. Er konnte das fertige Schema
der Liturgiekonstitution an die Zentralkommission zur Vorbe-

---

31 Vgl. Schmidt, 71.
32 Der Entwurf trug den Titel: "Quaestiones de Sacra Liturgia. Schema Constitutionis de Sacra Liturgia a Commissione Liturgica propositum".
33 Beispiele bei Schmidt, 70. - Zur Würdigung von Kard. Cicognani vgl. A.
   Bugnini, L'opera del Card. Gaetano Cicognani per il rinnovamento liturgico dell'ultimo decennio, in: ELit 76 (1962) 130-133.

reitung des Konzils übergeben.

Die vorbereitende Zentralkommission

Die Aufgabe dieser Zentralkommission unter Leitung des Generalsekretärs des Konzils, Erzbischof Pericle Felici [34], war es, die Schemata zu prüfen, gegebenenfalls zu verbessern und dem Papst zur Behandlung auf dem Konzil vorzuschlagen [35]. In ihrer fünften Sitzung (26.3.-3.4.1962) behandelte diese Kommission unter anderem das Liturgieschema [36], gab ihm ihre prinzipielle Zustimmung und überwies es zur Verbesserung entsprechend den Voten der Kommissionsmitglieder an die im Rahmen der Zentralkommission gebildete "Unterkommission zur Verbesserung der Schemata" unter Leitung des Kurienkardinals Carlo Confalonieri [37]. Diese Unterkommission nahm an der Vorlage einige nicht unbedeutende Veränderungen vor, die sich nicht auf ausdrückliche Abstimmungsergebnisse in der Zentralkommission stützen konnten, dieser aber nicht nochmals vorgelegt werden mußten [38]. So wurden alle Erläuterungen aus dem Text gestrichen und an einigen Stellen einschneidende inhaltliche Veränderungen vorgenommen, vor allem im Sinn der Wahrung der Alleinzuständig-

---

34 Die Zentralkommission hatte 115 Mitglieder, darunter 74 Kardinäle, 5 Patriarchen, 28 Erzbischöfe, 5 Bischöfe, 3 Generaläbte, dazu 31 Konsultoren (durchweg Kurienbeamte); vgl. die Liste in: AD II/II/I, 11-18. Etwas abweichende Angaben bei Lengeling, 51*.
35 Die Diskussionsbeiträge und Stellungnahmen dieser Kommission sind im Wortlaut veröffentlicht, in: AD II/II.
36 Vgl. AD II/II/III, 26-144, 275-368, 460-492.
37 Vgl. zur oft kritisierten Arbeit dieser Kommission: Schmidt, 73-77.
38 In der Zentralkommission wurde nur über die Annahme des Schemas insgesamt abgestimmt, nicht über Einzelfragen. - Die Arbeit der Kommission zur Verbesserung der Schemata, die nur aus Kurienkardinälen zusammengesetzt war, wurde auch im Konzil mehrfach kritisiert. Die Konzilsväter wußten zwar, daß der Text des Schemas verändert wurden war; das zeigte der Vergleich mit dem den Mitgliedern der Liturgiekommission bekannten Schema, wie es diese Kommission verabschiedet hatte. Wer aber die Texte nochmals verändert hatte und mit welcher Berechtigung, wußte man zunächst nicht. Um allen Vermutungen darüber ein Ende zu machen, gab schließlich der Vorsitzende der Verbesserungskommission, Kard. C. Confalonieri, einen Bericht über ihre Arbeit: vgl. Acta Synodalia sacrosancti Concilii Oecumenici Vaticani II (künftig zitiert: AS), bisher 24 Bde., Vatikan 1970-1978. Diese Reihe umfaßt 4 Abteilungen: Vol. I: Periodus Prima (4 Bde.); Vol. II: Periodus secunda (6 Bde.); Vol. III: Periodus tertia (8 Bde.); Vol. IV: Per. quarta (6 Bde.), hier I/II, 106 ff.

keit des Heiligen Stuhles für Fragen der Liturgie. Die vom
Schema angestrebte Dezentralisierung zugunsten der regionalen
Bischofskonferenzen, die ohnehin nicht sehr weit ging, war
wieder völlig eliminiert. Neben anderen durchweg restriktiven
Eingriffen in den Text wurde ihm auch eine allgemeine Vorbe-
merkung vorangestellt, die es als ausschließliches Ziel der
Konstitution bezeichnete, allgemeine Regeln und große Grund-
sätze der Liturgiereform aufzustellen, während die praktische
Ausführung dem Heiligen Stuhl überlassen bleiben müsse. Diese
Vorbemerkung konnte als Beschränkung der konziliaren Autorität
verstanden werden [39].

Die Art der Bearbeitung des Schemas durch die geannte Kommission und die konkreten Änderungen, die man vornahm, lassen
deutlich erkennen, daß das Liturgieschema nach seiner Anlage
und dem Umfang seines Reformprogramms mit dem Widerstand vor
allem kurialer Kreise rechnen mußte. Die Spannung zwischen der
von der Liturgischen Bewegung geprägten Auffassung der Autoren
des Schemas und den zuständigen römischen Behörden war offensichtlich. Das schließlich den Konzilsvätern am 13. Juli 1962
zugeschickte Liturgieschema hatte eine entsprechende Korrektur
erfahren, ohne daß das freilich dem Text anzusehen war. Das
Konzil selbst bewahrte sich aber in dieser Auseinandersetzung
seine Freiheit und kehrte im Ergebnis in den meisten Fällen zu
den von der liturgischen Vorbereitungskommission vorgeschlagenen Formulierungen zurück [40].

---

39 Die "Nota" hatte folgenden Wortlaut: "Huius constitutionis mens est:
tantum normas generales et 'altiora principia, generalem liturgicam instaurationem respicientia' (cf. Joannes XXIII., Motu Proprio 'Rubricarum Instructum' (25.7.1960)) proponere, relinquiendo Sanctae Sedi singula exsecutioni demandare". Diese Vorbemerkung wurde später auf dem Konzil mehrfach kritisiert: vgl. Schmidt, 76. Sie ist aber tatsächlich
fast wörtlich der Erklärung entnommen, welche die Vorbereitungskommission selbst dem Vorwort der Liturgiekonstitution beigegeben hatte, nur
daß dort außer dem Hl. Stuhl auch nachkonziliare Kommissionen genannt
werden, die zur Durchführung der Reform bestellt werden sollten: vgl.
den Text dieser *Declaratio* im Anhang I, S. 778 f.
40 Nach dem Bericht von Schmidt, 76, sorgten die bischöflichen Mitglieder
der liturgischen Vorbereitungskommission dafür, daß die Konzilsväter
eine inoffizielle Dokumentation der von der Verbesserungskommission vorgenommenen Veränderungen bekamen, die den amtlichen Akten nicht zu entnehmen waren. Im Nachhinein ist jetzt der Vergleich möglich, da das ur-

2.1.2. Die erste Lesung und die Verbesserungsvorschläge der Konzilsväter

Am 11. Oktober 1962 wurde das Konzil eröffnet. Es lagen ihm zunächst sieben Schemata vor[41], vier von der theologischen Kommission vorbereitete, die durchweg wenig den Vorstellungen der Konzilsväter entsprachen[42], an fünfter Stelle das Liturgieschema, danach das Schema über die Kommunikationsmittel und das Schema über die Einheit der Kirche.

Der ausgereifteste Text schien das Liturgieschema zu sein. Das Präsidium des Konzils beschloß, diese Vorlage als erste auf die Tagesordnung zu setzen.

Zuerst aber waren die Konzilskommissionen aufzustellen. Es sollten zehn Kommissionen gebildet werden, wiederum nach der Ordnung der Kongregationen. Je 16 Mitglieder wurden vom Konzil gewählt, 9 zusätzlich vom Papst bestimmt.

Zum Präsidenten der liturgischen Konzilskommission wurde wiederum der Präfekt der Ritenkongregation, Kardinal Larraona, ernannt. Man hätte erwarten dürfen, daß Annibale Bugnini, der als Sekretär der Vorbereitungskommission entscheidende Arbeit bei der Formulierung des Schemas geleistet hatte[43], nun auch Sekretär der Konzilskommission würde. Statt seiner bestimmte Kardinal Larraona jedoch Ferdinando Antonelli, einen führenden Beamten der Ritenkongregation, der maßgeblich an den Vorarbeiten zu der von Pius XII. geplanten Liturgiereform beteiligt gewesen war[44]. Auch fiel auf, daß Giacomo Kardinal Lercaro, der Erzbischof von Bologna, eine der führenden Persönlichkei-

---

sprüngliche Schema in den Akten der Vorbereitungskommissionen veröffentlicht ist (vgl. AD II/III/II, 10-68) und das veränderte, den Konzilsvätern vorgelegte Schema in den Konzilsakten zugänglich ist: vgl. AS I/I, 262-303. Eine mit der letztgenannten identische Fassung findet sich in: Schemata Constitutionum et Decretorum de quibus disceptabitur in Concilii sessionibus, 4 Bde., Vatikan 1962-1963 (künftig zitiert: Schemata), hier I, 155-201.

41 Vgl. Schemata, Bd. I.
42 Vgl. Schmidt, 78.
43 Noch in seinem Bericht vor der Zentralkommission im März 1962 hatte Kard. A. Larraona die Verdienste Bugninis mehrfach hervorgehoben: vgl. a.a.O. (Anm. 25), bes. 47 f.
44 Vgl. oben, S. 95.

ten der Liturgischen Bewegung, nicht zum Vizepräsidenten der Kommission ernannt wurde, obwohl er als einziger Kardinal vom Konzil in die liturgische Kommission gewählt worden war. Vielmehr bestimmte Kardinal Larraona zwei weitere Kurienkardinäle zu Vizepräsidenten [45].

In diesem Vorgehen ließ sich unschwer erkennen, daß seitens der Ritenkongregation erhebliche Vorbehalte gegen die Arbeit der vom Geist der Liturgischen Bewegung getragenen Vorbereitungskommission bestanden.

Zu den 25 Kommissionsmitgliedern wurden noch 25 Fachtheologen (Periti) berufen, daruner Annibale Bugnini, Josef Andreas Jungmann, Aimé-Georges Martimort, Cipriano Vagaggini und Johannes Wagner [46].

Vom 22. Oktober bis zum 13. November 1962 wurde das Liturgieschema in 15 Vollversammlungen des Konzils diskutiert. Zu dieser ersten Lesung gaben Kardinal Larraona eine kurze Einführung und Ferdinando Antonelli einen Überblick über das Schema [47]. Danach wurden insgesamt 328 Reden gehalten [48], die sich vorwiegend mit konkreten Reformfragen wie der Einführung der Muttersprache in die Liturgie, Dezentralisierung des liturgischen Rechts und den einzelnen Reformen bei Meßfeier, Sakramentenspendung und Stundengebet befaßten. Die liturgietheologischen Fragen des ersten Kapitels wurden wenig diskutiert, wenn sie auch für einige Kurienkardinäle Anlaß zu der Forderung waren, das Schema erst noch einmal durch die theologische Kommission überprüfen zu lassen [49]. Daß aber eine überraschend große Zahl der Konzilsväter mit dem Text insgesamt zufrieden war, zeigte die erste Abstimmung über das gesamte Schema nach Abschluß der ersten Lesung am 14. November 1962. Von 2215 Stimmen waren 2162 zustimmend, nur 46 ablehnend und

---

45 Es waren die Kurienkardinäle P. Giobbe und A. Jullien, beide rangjünger als Kard. Lercaro: vgl. Schmidt, 79.
46 Vgl. die Liste bei Schmidt, 221 f.
47 Vgl. AS I/I, 304-308.
48 Vgl. Schmidt, 65. Eine Aufstellung der Redner findet sich ebd., 223-230. Die Reden sowie die schriftlichen Eingaben sind im Wortlaut veröffentlicht in: AS I/I, 309-664. Hinweise auf Literatur zur ersten Sitzungsperiode finden sich in: QLP 44 (1963) 70-72, 259 f.
49 Vgl. Lengeling, 57*.

7 ungültig[50].

Die Aufgabe der Konzilskommission für die Liturgie war es nun,
die 328 mündlich vorgetragenen Voten und zusätzliche 334
schriftliche Eingaben[51] der Konzilsväter zu sichten und daraus
einen verbesserten Text zu formulieren, der erneut dem Konzil
zur Abstimmung vorgelegt werden konnte. Diese Arbeit wurde von
der Kommission und ihren 13 Subkommissionen mit äußerster
Gründlichkeit vorgenommen[52]. Das Ergebnis wurde den Konzilsvätern in elf gedruckten Faszikeln vorgelegt, die jeweils die
einzelnen Verbesserungsvorschläge (Emendationes) enthielten
und dann in zweispaltigem Druck eine Gegenüberstellung des alten und neuen Textes boten, wobei Veränderungen im Druck
kenntlich gemacht waren. Ein Anhang enthielt jeweils noch Auszüge aus den "Declarationes", welche die Vorbereitungskommission dem Text beigefügt hatte und deren Streichung durch die
Zentralkommission von manchen Konzilsvätern ausdrücklich bedauert worden war[53].

2.1.3. Die zweite Lesung und die Änderungswünsche der
Konzilsväter

Noch während der ersten Sitzungsperiode des Konzils konnte die
liturgische Kommission das Vorwort und das erste Kapitel des
Schemas zur zweiten Lesung vorlegen[54]. Dabei wurde nicht mehr
diskutiert, sondern lediglich über die vorgeschlagenen Verän-

---

50 Vgl. AS I/III, 55; die zur Abstimmung gestellte Frage: ebd., 9-13.
51 Diese Angaben nach Lengeling, 61*; vgl. die etwas abweichenden Zahlen
bei G. Caprile, a.a.O. (S. 127, Anm. 1), 631.
52 Zur Arbeit der liturgischen Kommission vgl. den Bericht von Kard. G.
Lercaro zu Beginn der Abstimmungen über die Emendationes zu Kap. II bis
VII, in: AS II/II, 276-279; dazu H. (Hannibal = Annibale) Bugnini, De
sacra Liturgia in prima periodo Concilii Oecumenici Vaticani II, Rom
1963 (= Edizione Liturgiche); F. Antonelli, Introduzione, in: Ders./ R.
Falsini (Hg.), Commento alla Costituzione Liturgica, Mailand 1965, 9-21;
weitere Berichte finden sich in: QLP 44 (1963) 234-240.
53 Vgl. z.B. Kard. J. Frings (Köln), in: AS I/I, 309, Kard. J. Döpfner
(München), ebd., 319 f.
54 Vgl. "Emendationes a commissione conciliari de sacra Liturgia propositae", in: AS I/III, 114 f. (Vorwort); AS I/III, 693-702; AS I/IV, 166
bis 172, 268-290, 322-326 (Kap. I).

derungen abgestimmt. Kardinal Lercaro gab im Namen der Kommission einen allgemeinen Bericht über die Kommissionsarbeit[55]. Über die einzelnen Verbesserungsvorschläge berichteten jeweils verschiedene Kommissionsmitglieder[56]. Im Verlauf von fünf Vollversammlungen des Konzils vom 17. November bis zum 6. Dezember 1962 wurden in 28 Abstimmungen sämtliche von der Kommission vorgelegten Verbesserungsvorschläge zu Vorwort und Kapitel I angenommen, wobei die Zahl der Gegenstimmen in der Regel sehr gering war und in keinem Fall auch nur 10 % der abgegebenen Stimmen erreichte[57]. Außerdem legte die Kommission eine Reihe von stilistischen und formalen Änderungsvorschlägen vor, die im Text durch Kursivdruck kenntlich gemacht waren und nicht eigens durch Abstimmung bestätigt wurden.

Am 6. Dezember machte das Präsidium des Konzils den Vorschlag, auch über Vorwort und Kapitel I insgesamt abzustimmen, um so die nicht einzeln abgestimmten geringfügigen Textveränderungen global zu bestätigen[58]. Eine solche Abstimmung war ursprünglich in der Geschäftsordnung des Konzils nicht vorgesehen gewesen[59]. Bei ihr wurde erstmals die Form der Abstimmung angewandt, bei der man außer mit "Ja" und "Nein" auch mit "Ja mit Vorbehalt" (*placet iuxta modum*) stimmen konnte. Dies bedeutete die Zustimmung vorbehaltlich der Berücksichtigung eines dem Stimmzettel beizufügenden Veränderungswunsches[60].

Die Abstimmung wurde am 7. Dezember 1962 vorgenommen und ergab bei 2118 abgegebenen Stimmen 1922 *placet*, 180 *placet iuxta modum*, 11 *non placet* und 5 ungültige Stimmen[61]. Damit war die theologische Konzeption und das allgemeine Reformprogramm des

---

55 Vgl. AS I/III, 116–119. Einen weiteren allgemeinen Bericht gab ders. zu Beginn der Abstimmungen über Kap. II (s. Anm. 52).
56 Vgl. die Aufstellung der Berichterstatter zu den einzelnen Kapiteln bei Schmidt, 236.
57 Vgl. die Liste der Abstimmungsergebnisse bei Schmidt, 237. Die offiziellen Angaben finden sich in: AS I/III, 157 f., 739 f.; AS I/IV, 10, 213, 315, 319, 360.
58 Vgl. AS I/IV, 361 f.
59 Vgl. dazu "Ordo Concilii Oecumenici Vaticani II celebrandi", Vatikan 1962, 32–36 (Art. 31–39); dazu H. Jedin, Die Geschäftsordnung des Konzils, in: LThK.E III, 610–623, hier 616 f.
60 Vgl. H. Jedin, ebd., 617; dazu Lengeling, 64* f.
61 Vgl. AS I/IV, 384.

Liturgieschemas mit überwältigender Mehrheit angenommen.
Diese unvorhergesehene Abstimmung ergab eine gewisse Rechtsunsicherheit. Der Generalsekretär zog aus dem Abstimmungsergebnis den Schluß, daß mit der Annahme des Textes die Übersendung weiterer Veränderungswünsche (Modi) hinfällig sei [62]. Das entsprach aber nicht dem Sinn dieser Abstimmung nach der zweiten Lesung, denn es sollte ja die Möglichkeit geben, einzelne Modifikationen in den Text einzubringen, wie sie in den Stimmen *placet iuxta modum* vorgeschlagen waren [63].
Dementsprechend bearbeitete dann die Liturgiekommission auch diese Modi zu Vorwort und Kapitel I.
In gleicher Weise wurde während der zweiten Sitzungsperiode des Konzils (29.9.-4.12.1963) mit den übrigen Kapiteln des Liturgieschemas verfahren.
Die Liturgiekommission mußte dann jeweils die eingebrachten Veränderungswünsche prüfen (insgesamt 2702) [64]. Dabei stand sie vor der schwierigen Aufgabe, einerseits den schon jeweils mit großer Mehrheit angenommenen Text seiner Substanz nach zu erhalten, andererseits aber Verbesserungsvorschläge, bei denen sie mit der Zustimmung des Konzils rechnen konnte, einzuarbeiten.
Die Kommission nahm tatsächlich nur noch ganz geringfügige, meistens rein stilistische Änderungen am Text vor. Sie fertigte aber einen ausführlichen Bericht an, der zu jedem eingegangenen Modus eine Stellungnahme der Kommission enthielt [65]. Da-

---

62 Vgl. die Erklärung von Erzbischof P. Felici, ebd.: "Itaque cap. I cum prooemio ab amplissimo coetu approbatum est. Cum approbatum sit textus, non necesse est ut mittantur modi!".
63 Das ergibt sich auch eindeutig aus der zur Abstimmung gestellten Frage, ob eine solche Abstimmung über Vorwort und Kap. I stattfinden sollte. Dort wurde gesagt: "Qui autem suffragium dent (si forte fiat suffragatio) *placet iuxta modum*, possunt modum mittere ad secretariatum generalem intra mensem decembrem" (ebd., 361).
64 Vgl. Lengeling, 64* f.
65 Die zur Annahme vorgeschlagenen Modi, die dazugehörigen Berichte sowie der neue Text wurden veröffentlicht unter dem Titel: "Modi a Patribus Conciliaribus propositi a Commissione Conciliari de Sacra Liturgia examinati", in: AS II/V, 497-526 (Vorwort und Kap. I), 575-596 (Kap. II), 637-660 (Kap. III), 701-724 (Kap. IV), 725-744 (Kap. V-VII). Die Abstimmungsergebnisse finden sich ebd., 545 (Kap. I), 631 (Kap. II), 686 (Kap. III), 757 (Kap. V-VII).

mit sollte gewährleistet werden, daß auch in dieser Phase noch Vorschläge einer kleinen Zahl von Konzilsvätern oder selbst eines einzigen wirklich ernst genommen wurden[66].

2.1.4. Die dritte Lesung und Verabschiedung des Schemas

Bei der dritten Lesung des Liturgieschemas gab es wiederum keine Diskussion, sondern lediglich Abstimmungen über die von der Kommission vorgelegten Veränderungsvorschläge sowie zu der Behandlung der von den Konzilsvätern eingesandten Modi insgesamt. Die liturgische Kommission legte ihre Vorschläge zusammen mit dem Bericht und dem verbesserten Text in fünf Faszikeln vor[67]. Zu insgesamt acht wichtigeren Veränderungsvorschlägen wurden noch Einzelabstimmungen vorgenommen[68], außerdem wurde die Redaktion des Textes durch Globalabstimmungen über die einzelnen Kapitel bestätigt. Alle Abstimmungen erbrachten eine große Mehrheit für die Vorschläge der Kommission. Die höchste Zahl von Nein-Stimmen betrug 335. Sie wandten sich gegen eine elastischere Fassung der Bestimmungen zur Muttersprache in der Liturgie[69].
Obwohl also die über 2700 Veränderungswünsche der Konzilsväter auf die Endfassung des Textes nahezu keinen Einfluß mehr hatten, sind sie doch zur Interpretation der Liturgiekonstitution von großer Bedeutung, da die Stellungnahmen der liturgischen Kommission zu den einzelnen Modi zumindest die globale Zustimmung des Konzils erhalten hatten[70]. Diese Stellungnahmen bie-

---

66 Vgl. den allgemeinen Bericht (relatio generalis) von Kard. G. Lercaro (Bologna) zur Bearbeitung der Modi durch die liturgische Konzilskommission, in: AS II/V, 406-409, hier 408.
67 Vgl. Anm. 65.
68 Vgl. die Aufstellung der zur Einzelabstimmung vorgelegten Modi jeweils zu Beginn der in Anm. 65 aufgeführten Berichte; dazu die Liste der Abstimmungen bei Schmidt, 239.
69 Vgl1. Abstimmung 1, in: AS II/V, 686.
70 Die Abstimmungen zu den einzelnen Kapiteln hatten nicht eigentlich den Text zum Gegenstand; dieser war jeweils schon in den Globalabstimmungen nach der zweiten Lesung in seiner Substanz bestätigt worden. Die Globalabstimmungen nach der dritten Lesung bestätigten lediglich den Bericht der liturgischen Kommission über ihre Behandlung der Modi. Anläß-

ten also gewissermaßen eine authentische Interpretation des Textes und müssen zur Analyse der einzelnen Aussagen mit herangezogen werden.

Nach Abschluß der Abstimmungen über die einzelnen Kapitel wurde am 22. November 1963 eine Abstimmung über das gesamte Schema vorgenommen. Sie ergab bei 2178 abgegebenen Stimmen 2158 positive, 19 negative und eine ungültige Stimme [71]. Schließlich konnte in der feierlichen Sitzung zum Abschluß der zweiten Sitzungsperiode des Konzils am 4. Dezember 1963 die Schlußabstimmung über das Liturgieschema durchgeführt werden. 2147 Konzilsväter stimmten mit "Ja", nur 4 mit "Nein" [72]. Der nahezu einstimmig angenommene Text konnte vom Papst als *Konstitution über die heilige Liturgie* promulgiert werden [73].

2.1.5. Zur Bewertung der Konzilsdiskussion über das Liturgieschema

Der Überblick über die Behandlung des Liturgieschemas als des ersten Beratungsgegenstandes im II. Vatikanischen Konzil zeigt eine erstaunliche Durchsetzungskraft der von den konziliaren Kommissionen erarbeiteten Texte. Faktisch blieb das von der Vorbereitungskommission erarbeitete Schema in seiner Substanz unverändert. Dies ist einerseits zweifellos der hervorragenden Qualität der Arbeit dieser Kommission zu verdanken, die es verstanden hat, einen Text vorzulegen, der die theologischen Einsichten der Zeit und die Reformwünsche der Bischöfe und Liturgiker in einer Weise aufnahm, die allgemein als akzeptabel erachtet werden konnte. Trotz des umfassenden Re-

---

lich der Abstimmung zu Vorwort und Kap. I hatte der Generalsekretär des Konzils, Erzbischof Felici, erklärt, daß durch diese Abstimmung die zwar nicht notwendige, aber sehr sorgfältige Arbeit der Kommission, zu den Modi der Väter Stellung zu nehmen, bestätigt werde: vgl. AS II/V, 545 f., hier 246: "Per se haec suffragatio necessaria non est quia prooemium et cap. I sunt iam probata per longam maioritatem votorum".
71 Vgl. AS II/V, 767.
72 Vgl. AS II/VI, 407.
73 Vgl. den endgültigen Text mit den Unterschriften der Konzilsväter, ebd., 409-497.

formprogramms wurden Übertreibungen vermieden und blieb die
Kontinuität mit der gewachsenen römischen Liturgie gewahrt.

Andererseits wird man fragen müssen, ob die einzelnen Konzilsväter, sofern sie nicht Mitglieder der liturgischen Kommissionen waren, überhaupt eine wirkliche Möglichkeit der Einfluß-
nahme auf den Text hatten. Tatsächlich war die liturgische
Kommission mit all ihren Vorschlägen erfolgreich, sowohl bei
den Verbesserungsvorschlägen in der zweiten Lesung wie auch
bei der Behandlung der Änderungswünsche in der dritten Lesung.
Die einzelnen Konzilsväter konnten nur bei der ersten Lesung
ihre Auffassung vor dem Plenum darstellen und begründen, wobei
es da noch nicht so sehr um einzelne Formulierungen ging als
vielmehr um grundsätzliche inhaltliche Beiträge zum vorgeschlagenen Text. Die Begründung zu ihren Verbesserungsvorschlägen (Emendationes) gingen, soweit sie nur schriftlich
eingereicht wurden, lediglich an die liturgische Kommission
und wurden erst viel später veröffentlicht. Die Konzilsväter
insgesamt erhielten dagegen nur den gedruckten Kommissionsbericht ohne die Möglichkeit, dazu noch einmal Stellung zu nehmen. Immerhin konnten sie dann durch Abstimmung den einzelnen
Emendationen ihre Zustimmung geben oder verweigern. Ob jedoch
ein Verbesserungsvorschlag überhaupt zur Abstimmung gestellt
wurde und in welcher Form das geschah, entschied die Kommission. Der einzelne Konzilsvater konnte seine Zustimmung oder
Ablehung bezüglich dieser Entscheidung lediglich in der Glo-
balabstimmung über jedes Kapitel insgesamt ausdrücken, ohne
dabei jedoch kenntlich machen zu können, welche Kommissions-
entscheidung er eventuell anfechten wollte.
Eine vom Kommissionvorschlag abweichende Formulierung konnten
die Konzilsväter durch die Einsendung eines Änderungswunsches
(Modus) fordern. Dabei war aber klar, daß der schon abgestimm-
te Text in besserer Position war. Eine Begründung der Modi im
Plenum war nicht möglich, weder mündlich noch schriftlich; die
Modi wurden nur der Kommission zugeschickt. Da zudem in den
meisten Fällen Globalabstimmungen über die Behandlung der Modi
durch die liturgische Kommission vorgenommen wurden, hätte ein

144

einzelner Konzilsvater auf seinem durch die Kommission nicht
angenommenen Modus nur durch die globale Ablehnung des Kommis-
sionsberichtes bestehen können, ohne daß er die Möglichkeit
gehabt hätte zu erklären, welchen Modus er gegen die Kommission aufrecht erhalten wollte. Einzelabstimmungen über bestimmte Modi zu fordern war nicht möglich.

Trotz aller Betonung des rein dienenden Charakters der Kommissionsarbeit und der vollen Entscheidungsfreiheit der Konzilsväter [74] bestand in Detailfragen praktisch keine Möglichkeit
mehr, den Text nach der ersten Lesung entgegen dem Votum der
liturgischen Kommission zu ändern. Eine solche Möglichkeit wäre nur bei Einzelabstimmungen über jeden Verbesserungsvorschlag und jeden Änderungswunsch gegeben gewesen. Das hätte
aber technisch nicht bewältigt werden können [75]. Den Kommissionen kam also tatsächlich eine entscheidende Bedeutung zu [76].

---

74 Vgl. z.B. den Bericht von Kard. G. Lercaro, a.a.O. (Anm. 66), 408 f.;
   vgl. auch H. Jedin, a.a.O. (Anm. 59), 618.
75 Die Abstimmungen (insgesamt 540) wurden mit Hilfe eines Lochkartensy-
   stems durchgeführt. Die Auszählung dauerte jeweils etwa eine halbe
   Stunde: vgl. H. Jedin, a.a.O., 618.
76 Hier legt sich ein Vergleich mit der Arbeitsweise der Gemeinsamen Synode der Bistümer in der Bundesrepublik Deutschland (1971-1975) nahe.
   Dort waren zu jeder Vorlage in der Regel nur zwei Lesungen vorgesehen.
   Nach der 1. Lesung hatten die zuständigen Sachkommissionen jedoch schon
   klarere Weisungen von der Vollversammlung als beim Konzil, weil ihnen
   nicht nur das gesamte Diskussionsmaterial vorlag wie auch beim Konzil,
   sondern darüberhinaus die Vollversammlung auch durch Abstimmung entschieden hatte, welche Zusatz- oder Änderungsvorschläge an die zuständige Kommission zur Würdigung bei der Überarbeitung des Textes überwie-
   sen wurden und welche nicht. Der Vorgang, der beim Konzil die 2. Lesung
   bildete (Kenntnisnahme der von der Kommission vorgelegten Änderungsvorschläge, Abstimmungen darüber und Möglichkeit, Modi einzureichen), wurde bei der Synode auf schriftlichem Weg zwischen 1. und 2. Lesung vorgenommen, nur daß dabei keine Abstimmungen über die einzelnen Änderungen erfolgten. Zusätzlich bestand bei der Synode die Möglichkeit, bei
   der 2. Lesung zu den einzelnen Modi Stellung zu nehmen, und es war dank
   der technischen Hilfsmittel (Abstimmungsmaschine) möglich, über die Modi einzeln abzustimmen. Wenn auch hier der Einfluß der jeweiligen Sach-
   kommission auf die endgültige Textgestalt groß war, so bestand doch die
   reale Möglichkeit, einzelnen Veränderungswünschen auch gegen die Meinung der Kommission Geltung zu verschaffen, was oft tatsächlich erfolgt
   ist. - Vgl. dazu "Ordo Concilii" (s. Anm. 59), 32-36 (Art. 31-39) und
   42-46 (Art. 52-63) mit "Statut der Gemeinsamen Synode der Bistümer in
   der Bundesrepublik Deutschland", Art. 12, in: Gemeinsame Synode ... Offizielle Gesamtausgabe, Freiburg-Basel-Wien [2]1976, 859 f., und Geschäftsordnung § 7, ebd., 866 f.

2.2. Das liturgietheologische Konzept der Liturgiekonstitution

Bevor die konziliare Diskussion über die Texte der Liturgiekonstitution[77], welche sich mit der liturgischen Gegenwart Jesu Christi befassen, im einzelnen erörtert wird, ist es gut,
sich einen Überblick über das liturgietheologische Konzept der
Liturgiekonstitution zu verschaffen. Diese Konzeption bildet
den Interpretationsrahmen für die einzelnen Aussagen. Sie findet sich zusammengefaßt im ersten Kapitel der Konstitution
("Allgemeine Grundsätze zur Erneuerung und Förderung der heiligen Liturgie") und dort im ersten Abschnitt ("Das Wesen der
heiligen Liturgie und ihre Bedeutung für das Leben der Kirche"). Dieser Abschnitt soll zusammen mit dem Vorwort der Konstitution kurz in seinen Hauptinhalten vorgestellt werden.

Artikel 1-4

Im Vorwort der Konstitution (Nr. 1-4) wird das Ziel der liturgischen Erneuerung im Rahmen des Gesamtziels des Konzils (Nr. 1)
umschrieben. Dabei finden sich schon in Artikel 2 Aussagen,
die nach Inhalt und Ausdrucksweise bedeutsam sind. Liturgie
wird als Vollzug des Erlösungswerkes beschrieben[78], womit Ge-
dankengut der Mysterienlehre vorausgesetzt und ins Spiel gebracht wird, indem die Liturgie als Gegenwart des Heilswerks
erscheint. Entsprechend wird im selben Artikel die Wirkung der
Liturgie auf die mitfeiernden Menschen erläutert: "So trägt
sie in höchstem Maße dazu bei, daß das Leben der Gläubigen
Ausdruck und Offenbarung des Mysteriums Christi und des eigentlichen Wesens der wahren Kirche wird"[79]. Dieses Wesen der

---

77 Die Liturgiekonstitution wird nach folgender Ausgabe zitiert: Constitutio de sacra Liturgia – Konstitution über die heilige Liturgie. Lateinischer Text aus "Acta Apostolicae Sedis" 56 (1964) 97-138. Deutsche
   Übersetzung herausgegeben im Auftrag der deutschen, österreichischen
   und schweizerischen Bischöfe von den liturgischen Kommissionen der Bischofskonferenzen Deutschlands, Österreichs und der Schweiz, verbesserte Fassung, in: LThK.E I, 14-109.
78 SC 2: "Opus nostrae redemptionis exercetur"; es handelt sich um ein Zitat aus der Sekret des 9. Sonntags nach Pfingsten nach dem damals gültigen Römischen Meßbuch, vgl. Editio XXIX post typicam, Regensburg
   1953, S. 423 (vgl. jetzt Gabengebet am 2. Sonntag im Jahreskreis).
79 SC 2: "Summe eo confert ut fideles vivendo exprimant et aliis manife-

Kirche wird dann in sakramentaler Terminologie und biblischer Sprache weiter entfaltet. Es fällt auf, daß dabei der soterische Aspekt der Liturgie breit ausgeführt, der kultische dagegen gar nicht genannt wird.

Artikel 5 und 6

Der erste Abschnitt des ersten Kapitels befaßt sich sodann mit Wesen und Bedeutung der Liturgie. Der Text beginnt damit, in heilsgeschichtlicher Sicht das "Werk der Erlösung der Menschen und vollendeten Verherrlichung Gottes" (Nr. 5) [80] durch Christus zu beschreiben, das im Pascha-Mysterium [81] gipfelt, in Leiden, Tod, Auferstehung und Himmelfahrt des Herrn. Das Heilswerk wird hier also in seiner zweifachen Dimension genannt: soterisch und kultisch.

Schon hier folgt nun der Hinweis, daß das Entstehen der Kirche nicht einfach die Folge eines juristisch beschreibbaren Stiftungsaktes ist, sondern innerlich mit dem Pascha-Mysterium des Herrn verbunden ist: "Denn aus der Seite des am Kreuz entschlafenen Christus ist das wunderbare Geheimnis (*mirabile sacramentum*) der ganzen Kirche hervorgegangen" (Nr. 5) [82]. Erstmalig im Konzil wird hier die Kirche als Sakrament bezeichnet.

Wie das Heilswerk sich in der Kirche fortsetzt, beschreibt Artikel 6. Christus sandte die Apostel, um das Evangelium zu verkünden und "das von ihnen verkündete Heilswerk zu vollziehen durch Opfer und Sakrament, um die das ganze liturgische

---

stent mysterium Christi et genuinam verae Ecclesiae naturam".
80 SC 5: "Hoc autem humanae Redemptionis et perfectae Dei glorificationis opus ... adimplevit Christus Dominus".
81 Vgl. zu diesem schon von O. Casel gebrauchten Begriff die S. 43, Anm. 141, angegebene Literatur. Weitere Literatur bei Jungmann, 19, Anm. 2.
82 SC 5: "Nam de latere Christi in cruce dormientis ortum est totius Ecclesiae mirabile sacramentum". Dieser patristische Gedanke wurde von Leo XIII. in der Enzyklika "Divinum illud" (9.5.1897), in: ASS 29 (1896 bis 1897), 644-658, hier 649, gebraucht und von Pius XII. in der Enzyklika "Mystici Corporis" (MC 25/ 204) übernommen, allerdings ohne den Ausdruck *mirabile sacramentum*. Dieser stammt, wie in Anm. 13 der Konstitution angegeben, aus der Oration nach der 2. Les. am Karsamstag (vor der Reform der Karwoche): "... respice propitius ad totius Ecclesiae tuae mirabile sacramentum, et opus Salutis humanae, perpetuae dispositionis effectu, tranquillius operare": vgl. Meßbuch (s. Anm. 78), S. 221.

Leben kreist" (Nr. 6) [83]. Damit ist der Text beim Thema: Wesen
und Bedeutung der Liturgie. Diese wird gleich auf Taufe und
Eucharistie konzentriert; in der Taufe werden die Menschen "in
das Pascha-Mysterium eingefügt", in der Eucharistie verkünden
sie "den Tod des Herrn, bis er wiederkommt" (Nr. 6).
Bemerkenswert ist der Schlußsatz von Artikel 6: "All das aber
geschieht in der Kraft des Heiligen Geistes". Es wird damit
auf eine entscheidende Dimension der Liturgie hingewiesen, die
zwar sehr wohl in den liturgischen Texten selbst, oft aber
nicht genügend in der theologischen Reflexion der westlichen
Kirche präsent war [84].

Artikel 7

Hat Artikel 6 die Fortsetzung des Heilswerks Jesu Christi in
der Kirche beschrieben, so nennt Artikel 7 nun die Bedingung
dafür:
"Um dieses große Werk voll zu verwirklichen, ist Christus seiner Kirche immerdar gegenwärtig, besonders in den liturgischen
Handlungen. Gegenwärtig ist er im Opfer der Messe sowohl in
der Person dessen, der den priesterlichen Dienst vollzieht, -
denn 'derselbe bringt das Opfer jetzt dar durch den Dienst der
Priester, der sich einst am Kreuz selbst dargebracht hat' [85] -
wie vor allem unter den eucharistischen Gestalten. Gegenwärtig
ist er mit seiner Kraft in den Sakramenten, sodaß, wenn immer
einer tauft, Christus selber tauft [86]. Gegenwärtig ist er in
seinem Wort, da er selbst spricht, wenn die heiligen Schriften

---

83 SC 6: "Christus ... Apostolos ... misit ... ut, quod annuntiabant,
opus salutis per sacrificium et sacramenta, circa quae tota vita liturgica vertit, exercerent".
84 Vgl. dazu H. Mühlen, Die Wirksamkeit des Heiligen Geistes als Ermöglichungsgrund jeglichen liturgischen Tuns. Zum dogmatischen Verständnis
der Aussagen der Liturgiekonstitution, in: P. Bormann/ H. J. Degenhardt
(Hg.), Liturgie in der Gemeinde, 2 Bde., Salzkotten 1965, Bd. 2, 40-61;
ders., Dogmatische Überlegungen zur liturgischen Konstitution, in: Cath
19 (1965) 108-135. Die beiden Aufsätze sind im Wesentlichen identisch.
85 Anm. 20 im Konzilstext: "Konzil von Trient, Sess. XXII, 17. Sept. 1562,
Doctr. De ss. Missae sacrif., c. 2: Concilium Tridentinum, Ed. cit.,
Bd. VIII. Actorum pars V (Freiburg i. Br. 1919) 960".
86 Anm. 21 im Konzilstext: "Vgl. Augustinus, In Ioannis Evangelium Tractatus VI, cap. I, n. 7: PL 35, 1428".

in der Kirche gelesen werden. Gegenwärtig ist er schließlich, wenn die Kirche betet und singt, er, der versprochen hat: 'Wo zwei oder drei versammelt sind in meinem Namen, da bin ich mitten unter ihnen' (Mt. 18,20)" [87].

Es werden also sechs Weisen der Gegenwart des Herrn genannt: im Meßopfer, und zwar im Priester und in den eucharistischen Gestalten, in den Sakramenten, im Wort der Schrift und in der betenden und singenden Kirche. Wie diese verschiedenen Gegenwartsweisen sich zueinander verhalten, sagt der Text nicht, wenn er auch Unterschiede andeutet. So wird die Gegenwart unter den eucharistischen Gestalten hervorgehoben (*vor allem*); die Gegenwart in den Sakramenten wird mit dem Ausdruck "mit seiner Kraft" gekennzeichnet. Es besteht der Eindruck, auch durch das "schließlich" beim letzten Glied der Reihe, daß der Text von den spezifischeren Gegenwartsweisen zu den allgemeineren fortschreitet, von den ranghöheren zu denen von geringerer Bedeutung, ohne daß dabei jedoch eine eigentlich Systematisierung erkennbar wäre.

Der zweite Abschnitt des Artikels 7 hat die Beziehung zwischen Christus und der Kirche im Heilswerk zum Thema: "In der Tat gesellt sich Christus in diesem großen Werk, in dem Gott vollkommen verherrlicht und die Menschheit geheiligt werden, immer wieder die Kirche zu, seine geliebte Braut. Sie ruft ihren Herrn an, und durch ihn huldigt sie dem ewigen Vater" [88].

Das Heilswerk wird hier wieder in seinem kultischen und soterischen Aspekt beschrieben, diesmal aber in umgekehrter Rei-

---

87 SC 7,1: "Ad tantum vero opus perficiendum, Christus Ecclesiae suae semper adest, praesertim in actionibus liturgicis. Praesens adest in Missae Sacrificio cum in ministri persona, 'idem nunc offerens sacerdotum ministerio, qui seipsum tunc in cruce obtulit', tum maxime sub speciebus eucharisticis. Praesens adest virtute sua in Sacramentis, ita ut cum aliquis baptizat, Christus ipse baptizet. Praesens adest in verbo suo, siquidem ipse loquitur dum sacrae Scripturae in Ecclesia leguntur. Praesens adest denique dum supplicat et psallit Ecclesia, ipse qui promisit: 'Ubi sunt duo vel tres congregati in nomine meo, ibi sum in medio eorum' (Mt. 18,20)".

88 SC 7,2: "Reapse tanto in opere, quo Deus perfecte glorificatur, et homines sanctificantur, Christus Ecclesiam, sponsam suam dilectissimam, sibi semper consociat, quae Dominum suum invocat et per ipsum Aeterno Patri cultum tribuit".

henfolge wie in Artikel 5. Das läßt darauf schließen, daß die Liturgiekonstitution die beiden Aspekte nicht in einem Verhältnis der Über- und Unterordnung sieht[89]. Subjekt des Heilswerkes ist Christus. Dabei gesellt er sich die Kirche zu, die somit zusammen mit ihm und ihm untergeordnet zum Subjekt des Heilswerks wird, zugleich aber dem Herrn gegenüber bleibt als Braut, die ihn anruft, aber wiederum durch ihn dem Vater huldigt. Die Formulierungen spielen hier bei der Beschreibung der Beziehung Christus-Kirche zwischen dem "Gegenüber" und dem "Zusammen-mit" und halten beide Aspekte offen.

Der dritte Abschnitt umschreibt das Wesen der Liturgie: "Mit Recht gilt also die Liturgie als Vollzug des Priesteramtes Jesu Christi; durch sinnenfällige Zeichen wird in ihr die Heiligung des Menschen bezeichnet und in je eigener Weise bewirkt und vom mystischen Leib Jesu Christi, d.h. dem Haupt und den Gliedern, der gesamte öffentliche Kult vollzogen"[90].

Daß die Liturgie Vollzug des Priesteramtes Christi ist, entspricht der Lehre von "Mediator Dei"[91], ebenso der letzte Satzteil, der die Liturgie als öffentlichen Kult des ganzen mystischen Leibes Jesu Christi bezeichnet[92]. Bemerkenswert ist der mittlere Teil des Satzes, wo von den sinnenfälligen Zeichen der Liturgie die Rede ist, die je nach ihrer Weise die Heiligung des Menschen bezeichnen und bewirken. Wieder ist in die Beschreibung der Liturgie ihre Doppelfunktion aufgenommen, Heiligung der Menschen und Verehrung Gottes.

Der vierte Abschnitt des Artikels 7 zieht schließlich die Konsequenz aus dem Gesagten: "Infolgedessen ist jede liturgische Feier als Werk Christi, des Priesters, und seines Leibes, der die Kirche ist, in vorzüglichem Sinn heilige Handlung, deren Wirksamkeit kein anderes Tun der Kirche an Rang und Maß er-

---

89 Vgl. dazu das in Bezug auf dieses Thema zu MeD Gesagte, oben, S. 82-85.
90 SC 7,3: "Merito igitur Liturgia habetur veluti Iesu Christi sacerdotalis muneris exercitatio, in qua per signa sensibilia significatur et modo singulis proprio efficitur sanctificatio hominis et a mystico Iesu Christi Corpore, Capite nempe eiusque membris, integer cultus publicus exercetur".
91 Vgl. MeD 3/ 522, 22/ 529 u.ö.
92 Vgl. MeD 20/ 528 f.

reicht"[93].

Der Grund für den Rang der Liturgie ist also die Tatsache, daß sie Werk Christi und der Kirche ist. Mit dem Ausdruck "im vorzüglichen Sinn heilige Handlung" wird ein Wort Pius' XI. aus der Apostolischen Konstitution "Divini cultus" (1928) aufgenommen[94].

Artikel 8-13

In den folgenden Artikeln dieses Abschnitts der Liturgiekonstitution werden Wesen und Bedeutung der Liturgie weiter entfaltet und unter verschiedenen Aspekten betrachtet. Artikel 8 beschreibt den Zusammenhang zwischen irdischer und himmlischer Liturgie. Artikel 9 weist darauf hin, daß es auch außerliturgisches Tun der Kirche gibt und geben muß. Dennoch ist nach Artikel 10 die Liturgie Höhepunkt und Quelle allen kirchlichen Tuns. Zu ihr hin führt die apostolische Arbeit der Kirche; von ihr her gewinnen die Gläubigen die Gnade und Kraft für ein christliches Leben. In ihr wird das Ziel der Kirche, Heiligung der Menschen und Verehrung Gottes, in höchstem Maß verwirklicht. Voraussetzung dafür ist die rechte Vorbereitung der Gläubigen auf die Liturgie und ihre tätige Teilnahme daran (Nr. 11).

Neben dem gemeinsamen Gottesdienst braucht der Christ jedoch auch das private Gebet und Opfer (Nr. 12). Deshalb werden Andachtsübungen sehr empfohlen, die freilich immer auf die Liturgie hingeordnet sein müssen (Nr. 13).

Diese zum Teil sehr gewichtigen Aussagen zu Inhalt, Vollzug und Umfeld der Liturgie, sowie die Gemeinsamkeiten und Unterschiede im Hinblick auf die Darlegungen in der Enzyklika "Mediator Dei" brauchen hier nicht weiter diskutiert zu werden. Die verschiedenen Gesichtspunkte, unter denen die Liturgie dargestellt wird, bilden den Kontext, die Abgrenzung und die

---

93 SC 7,4: "Proinde omnis liturgica celebratio, utpote opus Christi sacerdotis, eiusque Corporis, quod est Ecclesia, est actio sacra praecellenter, cuius efficacitatem eodem titulo eodemque gradu nulla alia actio Ecclesiae adaequat".
94 Vgl. oben, S. 83 und Anm. 332.

Konsequenz der Kernaussage dieses ganzen Abschnitts über Wesen und Bedeutung der Liturgie, wie sie in Artikel 7 enthalten ist.

Artikel 14-46

Die weiteren Abschnitte (II-V) des ersten Kapitels der Liturgiekonstitution befassen sich mit Regeln und Grundsätzen für die Liturgiereform. Auch darin findet sich eine Reihe von Einzelaussagen, die für unser Thema wichtig sind. Sie sollen später bei der theologischen Interpretation im einzelnen genannt werden. Zu bemerken ist jedoch, daß die entscheidenden Aussagen über die tätige Teilnahme der Gläubigen nicht in dem Abschnitt über "das Wesen der Liturgie und ihre Bedeutung für das Leben der Kirche" stehen, sondern in dem darauf folgenden Abschnitt: "Liturgische Ausbildung und tätige Teilnahme" zusammengefaßt sind. Diese eigene Behandlung gibt dem genannten Thema zwar besonderes Gewicht, gliedert aber gleichzeitig die tätige Teilnahme der Gläubigen aus der Wesensbeschreibung der Liturgie aus.

2.3. Die Textentwicklung des Artikels 7 der Liturgiekonstitution in der Vorbereitungszeit des Konzils

Der Überblick über den liturgietheologischen Abschnitt des ersten Kapitels der Liturgiekonstitution zeigt, daß die für unser Thema zentralen Aussagen in Artikel 7 der Konstitution zu finden sind. Dieser Artikel gehörte zu den am meisten diskutierten, sowohl im Konzil selbst als auch schon in der vorbereitenden liturgischen Kommission. Wegen seiner speziellen Bedeutung für unsere Fragestellung soll im folgenden versucht werden, die verschiedenen Stadien der Textentwicklung dieses Artikels in der liturgischen Vorbereitungskommission[95] nachzuzeichnen[96]. Dabei können die zwei letzten Abschnitte des

---

95 Vgl. oben, S. 132-134.
96 Diese Aufgabe wird dadurch erschwert, daß die Akten der vorbereitenden Konzilskommissionen nicht veröffentlicht sind. In den veröffentlichten Akten (vgl. AD II/III) sind lediglich die Texte der von den Kommissio-

endgültigen Textes zunächst aus der Erörterung ausgeklammert werden, da sie fast völlig unverändert geblieben sind.

2.3.1. Der erste Entwurf (April 1961)

Im ersten Textentwurf, welcher der vorbereitenden liturgischen Kommission in ihrer zweiten Plenarsitzung (12.-22.4.1961) vorlag, heißt der entsprechende Abschnitt:
"Deshalb ist in jeder liturgischen Handlung Christus gegenwärtig, der zu uns spricht, der ebendasselbe Heilswerk, das er während seines irdischen Lebens vollbracht hat, fortsetzt und Gott, dem Vater, unablässig den Lobgesang darbringt" [97].
Diese Formulierung orientiert sich inhaltlich an "Mediator Dei" [98], weist aber im Vergleich zu dieser Enzyklika auch bemerkenswerte Unterschiede auf:
- Es ist nur von der Gegenwart Christi, nicht von der Gegenwart der Kirche in der Liturgie die Rede.

---

nen verabschiedeten Schemata enthalten, nicht aber die Entwürfe und die Verhandlungen der Kommissionen. Deren Akten sind aber nach den Aussagen Beteiligter (vgl. S. 107, Anm. 455) nicht sehr ergiebig, da sie nur Ergebnisprotokolle der Sitzungen enthalten. Allerdings kann es aufschlußreich sein, die verschiedenen Textentwürfe miteinander zu vergleichen. Dies hat für Artikel 7,1, Artikel 35,2 und Artikel 102,3 A. A. G. Gimeno mit minutiöser Genauigkeit getan (s. S. 128, Anm. 7). Leider ist seine Dissertation nur als Teildruck erschienen: Capítulo Sexto: Los artículos 35.2) y 102.3 de la constitución litúrgica, a.a.O., 13-39. Ihm ist es gelungen, Einblick in die unter Verschluß stehenden Kommissionsakten zu bekommen: vgl. seine Einleitung, ebd., 12, sowie seine Liste der unveröffentlichten Dokumente, ebd., 40 f. Gimeno beschränkt sich in seiner Arbeit nach einem ersten Teil über die Gegenwart Christi nach vorkonziliaren Dokumenten und theologischen Veröffentlichungen auf die Erörterung der Textentwicklung der drei genannten Abschnitte aus der Liturgiekonstitution, in denen von der Gegenwart Jesu Christi bzw. seines Heilswerks die Rede ist. Vgl. unten, Abschnitt 5.3.5. Für Artikel 7 (im Teildruck nicht enthalten) sind die Texte seiner unveröffentlichten maschinenschriftlichen Dissertation, La presencia de Cristo en el Vaticano II, Rom 1976, 273-449, entnommen. Diese Arbeit ist an der Gregoriana in Rom unter Register-Nr. 4847/ 1973 einzusehen.

97 Übersetzung von mir; lat. Wortlaut: "Unde in omni actione liturgica praesens adest Christus qui nobis loquitur et hoc idem opus salutis pergit, quod degens in terra patraverat, atque laudes Deo Patri indesinenter persolvit".
98 Vgl. MeD 20/ 528 f.; vgl. den Text, oben, S. 71 f., Anm. 276.

- Neu ist die Aussage, daß Christus in der Liturgie zu uns spricht. Eine solche Formulierung findet sich bis dahin in keinem lehramtlichen Text, wohl aber in den oben angeführten Veröffentlichungen im Umkreis der Liturgischen Bewegung[99].
- Die Fortsetzung des Heilswerks Christi im Meßopfer und in den Sakramenten, auf die "Mediator Dei" den Hauptakzent gelegt hat, wird hier nur kurz zusammengefaßt. Christus ist dabei das tätige Subjekt, während in der Enzyklika nur von seiner Gegenwart, nicht von seiner Tätigkeit die Rede war.
- Dasselbe gilt vom Lob Gottes: Christus selbst bringt es dar, während "Mediator Dei" davon sprach, daß er im Lob Gottes gegenwärtig sei.

Die Gegenwart des Herrn in der Liturgie wird in diesem Text also als Tätigkeit ausgelegt; er spricht, setzt fort und bringt dar. Von der Vorrangstellung der eucharistischen Gegenwart Jesu Christi ist nicht die Rede. Wortverkündigung, Sakramentenspendung und Gotteslob werden in einem Atemzug genannt, ohne daß dabei Unterschiede in der Art der tätigen Gegenwart des Herrn markiert wären.

2.3.2. Der zweite Entwurf (August 1961)

Die Textentwürfe der einzelnen Subkommissionen, die in der genannten Sitzung diskutiert und daraufhin überarbeitet und zusammengefaßt worden waren, wurden am 10. August 1961 den Kommissionsmitgliedern zugesandt. Unser Text hatte in diesem Entwurf folgende Fassung:
"Zugegen ist er 'nämlich selbst' in der Kirche 'im hochheiligen Opfer des Altars' (Med. Dei 528), denn 'derselbe bringt das Opfer jetzt dar durch den Dienst der Priester, der sich einst am Kreuz selbst dargebracht hat' (Trid.), und bringt zusammen mit sich selbst auch die Kirche dar (Myst. Corp. 233), indem er sie als Gefährtin im Priestertum mit sich verbindet.

---

99 Vgl. die Ausführungen von A. Bea, oben, S. 103 f.; dazu S. 111 f.

Zugegen ist er in den Sakramenten durch seine Kraft, die er in sie als die Werkzeuge der Heiligung strömen läßt ... Zugegen ist er endlich im Lob Gottes und im Bittflehen zu ihm (Med. Dei 528), worin er 'die gesamte Menschheit' und gewissermaßen die gesamte Schöpfung 'mit sich zur Einheit verbindet und so zu Mitwirkenden macht in diesem göttlichen Lobgesang' (Med. Dei) 573.

Erläuterung:
Denn Christus selbst, der verherrlichte Hohepriester, hat uns nicht nur den Geist gesandt und tritt stets beim Vater für uns ein, sondern ist auch seiner Person und seiner Kraft nach stets in der Kirche gegenwärtig und wirkend, besonders in der Liturgie" [100].

Der Gesichtspunkt, unter dem diese Überarbeitung vorgenommen wurde, ist offenkundig: Man griff auf die vorgegebenen lehramtlichen Formulierungen zurück, um die Gegenwart des Herrn in der Liturgie auszusagen. Vermutlich waren in der Diskussion der liturgischen Kommission Einwände gegen den ursprünglichen Text vorgebracht worden, der manchem zu unkonventionell und ungesichert erscheinen mochte. So versuchte man, das Gemeinte durch Zitate aus "Mediator Dei" und "Mystici Corporis" auszudrücken, freilich nicht ohne damit eine erhebliche Veränderung des Aussagesinnes in Kauf zu nehmen. Folgende Bemerkungen sind zu dem neuen Text zu machen:

---

100 Übersetzung von mir unter Berücksichtigung der oben angegebenen Übersetzung von MeD (s. S. 58, Anm. 206); lat. Wortlaut: "Adest 'enim ipse' in Ecclesia, 'augusto altaris sacrificio' (Med. Dei 528) 'idem nunc offerens sacerdotum ministerio qui se ipsum tunc in cruce obtulit' (Trid.) et simul cum seipso offerens Ecclesiam (Myst. Corp. 233) eamque sibi iungens in sacerdotio sociam. 'Adest in sacramentis virtute sua, quam in eadem transfundit, utpote efficiendae sanctitatis instrumenta. Adest denique in Deo admotis laudibus ac supplicationibus' (Med. Dei 528), in quibus 'universam hominum communitatem' et quodammodo universam creaturam 'ipse sibi coagmentat.eandemque in divino hoc concinendo laudis carmine secum consociat' (Med. Dei 573).
Declaratio:
Nam ipse Christus nunc gloriosus Summus Pontifex non solum misit nobis Spiritum et semper intercedit pro nobis apud Patrem, sed etiam, persona et virtute sua, semper praesens est et operans in Ecclesia, praecipue in liturgia".

- Die Tendenz von "Mediator Dei" zur Hypostasierung der Kirche wird im ersten Satz vermieden. Christus ist nicht zusammen mit der Kirche (*una cum Ecclesia*), sondern in der Kirche (*in Ecclesia*) gegenwärtig. Andererseits läßt der Ausdruck "Gefährtin im Priestertum" an eine Gleichordnung von Christus und Kirche denken, die freilich durch den Gedanken aus "Mystici Corporis", daß der Herr in sich auch die Kirche dem Vater darbringt, im Sinn der Unterordnung der Kirche relativiert wird[101]. Man spürt das Ringen um die rechte Formulierung des Verhältnisses Christus-Kirche in der Liturgie.

- Der Entwurf bemüht sich, die Beschreibung der Gegenwart Jesu Christi als Tätigkeit, die in "Mediator Dei" so nicht gegeben war, aufrecht zu erhalten. Dem dienen die Zitate aus dem Tridentinum ("er selbst bringt das Opfer dar")[102] und aus "Mystici Corporis" ("er bringt zusammen mit sich selbst auch die Kirche dar"), sowie auch die aus "Mediator Dei" übernommene Ergänzung, die unter dem Einfluß eines Augustinus-Textes das Stundengebet als Gebet Christi selbst beschreibt[103]. Bei den Sakramenten fehlt ein solcher Hinweis.

- Die Reihenfolge der Aufzählung der Gegenwartsweisen wird von "Mediator Dei" übernommen: Meßopfer, Sakramente, Gotteslob.

- Die Erwähnung der wirksamen Gegenwart des Herrn in der Wortverkündigung ist gestrichen.

- Die Gegenwart in den eucharistischen Gestalten ist, im Unterschied zu "Mediator Dei", nicht erwähnt - wohl ein weiterer Hinweis, daß es den Verfassern auf die Tätigkeit des Herrn mehr ankam als auf seine bloße Gegenwart.

Bemerkenswert ist unter dieser letzten Rücksicht auch die beigefügte Erläuterung. Sie übernimmt die Beschreibung der zweifachen Richtung des hohepriesterlichen Dienstes Jesu Christi

---

101 Der Text aus MC ist hier nicht wörtlich zitiert. In der Enzyklika steht: "Non modo semet ipsum offert, sed in semet ipso mystica etiam sua membra" (MC 82/ 233). Damit wird die Abhängigkeit der Kirche noch deutlicher ausgedrückt als im *simul cum seipso* des Textentwurfs.
102 Dieser Text des Tridentinums wird zitiert in MeD 67/ 548, vgl. oben, S. 74, Anm. 286.
103 Vgl. dazu oben, S. 80 f., Anm. 320.

(Fürsprache beim Vater und Gegenwart in der Kirche) aus "Mediator Dei", bringt aber eine bezeichnende Änderung an. In der Enzyklika hieß es, daß der verherrlichte Christus uns hilft "durch seine Kirche, in der seine göttliche Gegenwart durch die Jahrhunderte fortdauert" [104], hier ist dagegen gesagt, daß Christus selbst in der Kirche seiner Person und seiner Kraft nach gegenwärtig sei. Dieser letzte Ausdruck (*praesens et operans*) stammt aus "Mediator Dei", bezieht sich aber dort auf die Heilsgeheimnisse, die in ihrer Wirkung andauern [105], während er hier auf Jesus Christus selbst bezogen ist. Man wird bei den Formulierungen des Entwurfs und seiner Erläuterung an den Versuch Polycarp Wegenaers erinnert, im Anschluß an Odo Casel die Gegenwart des Herrn in der Liturgie als operative Gegenwart zu bestimmen [106].

2.3.3. Der dritte Entwurf (Oktober 1961)

Im Oktober 1961 wurde von einer Arbeitsgruppe unter Bugninis Leitung das theologische Einleitungskapitel des Schemas neu formuliert, indem dort alle liturgietheologischen Aussagen der übrigen Kapitel zusammengefaßt wurden [107]. Dabei erhielt der Abschnitt über die Gegenwartsweisen des Herrn folgende Fassung:
"Christus aber ist in der heiligen Liturgie gegenwärtig, er, der versprochen hat: 'Wo zwei oder drei versammelt sind in meinem Namen, da bin ich mitten unter ihnen' (Mt 18,20); er selbst ist es, der spricht, wenn die heiligen Schriften in der Kirche gelesen werden; der Gott, dem Vater, unablässig den Lobgesang darbringt und das Heilswerk, das er während seines irdischen Lebens vollbracht hat, in den Sakramenten fortsetzt; er ist schließlich 'derselbe, der jetzt durch den Dienst der

---

104 Vgl. S. 71, Anm. 274.
105 Vgl. MeD 163/ 580; es handelt sich um den gegen die Mysterienlehre gerichteten Text: vgl. oben, S. 67 f.
106 Vgl. S. 49, Anm. 178.
107 Vgl. oben, S. 134.

Priester das Opfer darbringt, der sich einst am Kreuz selbst dargebracht hat' (Trid. sess. 22, c. 2)"[108].

Die unter Verwendung von Zitaten aus lehramtlichen Texten umgearbeitete Fassung wurde also erneut revidiert und der Text weitgehend in der ursprünglichen Form wiederhergestellt, wenn auch mit einigen erläuternden Erweiterungen. Auf folgende Elemente des neuen Textes soll hingewiesen werden:

- Das Zitat Mt 18,20 mit der Verheißung der Gegenwart des Herrn, wo Gläubige beisammen sind, steht jetzt am Anfang des Abschnitts, nicht, wie in "Mediator Dei", am Schluß. Diese scheinbar geringfügige Änderung ist in Wahrheit von großer Tragweite. Es kommt nämlich dadurch die liturgische Versammlung als grundlegende Weise der Gegenwart des Herrn in den Blick [109]. Aus ihr entfalten sich gleichsam die einzelnen Gegenwartsweisen. Damit wird ein Aspekt gewonnen, der geeignet ist, die isolierte Betrachtungsweise der eucharistischen Realpräsenz zu überwinden, aber auch die Frage nach der theologischen Bedeutung der mitfeiernden Gemeinde zu stellen [110].

- Die Aussage, daß Christus in der Liturgie zu uns spricht, wird präzisiert: er spricht zu uns, wenn in der Kirche die heiligen Schriften gelesen werden.

- Ebenso wird die Fortsetzung des Heilswerks erläutert: sie geschieht in den Sakramenten.

- Im Unterschied zum ersten Textentwurf wird das Meßopfer nun eigens erwähnt, aber in der tridentinischen Fomulierung, welche die wirksame Gegenwart des Herrn zum Ausdruck bringt.

- Insgesamt werden in Bezug auf Jesus Christus lauter präsen-

---

108 Übersetzung von mir; lat. Wortlaut: "Christus vero ipse praesens adest in sacra liturgia, qui promisit: 'Ubi sunt duo vel tres congregati in nomine meo, ibi sum in medio eorum' (Mt. 18,20); ipse est qui loquitur, dum verba sacrae Scripturae in Ecclesia leguntur; qui laudes Deo Patri indesinenter persolvit et opus salutis, quod degens in terra patraverat, in sacramentis pergit; ipse est denique 'idem nunc offerens sacerdotum ministerio, qui seipsum in cruce obtulit' (Trid., sess. 22, c. 2)".

109 Vgl. die Anregung von A.-M. Roguet, oben, S. 116 und Anm. 505.

110 Dies gilt besonders im Hinblick auf die von "Mediator Dei" und späteren Dokumenten des Lehramts betonte Lehre, daß den mitfeiernden Gläubigen beim Zustandekommen der eucharistischen Gegenwart Jesu Christi keine konstitutive Bedeutung zukommt, so sehr ihre Anwesenheit aus pastoralen Gründen erwünscht ist: vgl. z.B. oben, S.88-92.

tische Tätigkeitsworte verwendet: er spricht, bringt dar,
setzt fort, opfert.
- Die Reihenfolge der Gegenwartsweisen ist genau umgekehrt wie
in "Mediator Dei". Im Unterschied zum ersten Textentwurf
scheint sie aber bewußt im Sinn einer Rangordnung aufgebaut zu
sein, die der von "Mediator Dei" entspricht. Wurde dort von
den spezifischeren zu den allgemeineren Weisen der Gegenwart
Jesu Christi fortgeschritten, so hier umgekehrt. Das "schließlich" im letzten Glied der Reihe, wo vom Meßopfer die Rede
ist, bekommt hier einen heraushebenden Klang. Damit ist auch
die Wortverkündigung nicht mehr einfach der Fortsetzung des
Heilswerks gleichgeordnet, wie in der ersten Fassung; sie
steht nun vielmehr an unterster Stelle, noch vor dem Gotteslob.

2.3.4. Der vierte Entwurf (November 1961)

Der Textentwurf, der am 15. November 1961 den Kommissionsmitgliedern zugesandt wurde, bringt den Abschnitt über die Gegenwartsweisen des Herrn in derselben Fassung, wie sie soeben
vorgestellt wurde. Man hatte dem Text nur einen neuen Einleitungssatz vorangestellt:
"Um dieses große Werk voll zu verwirklichen, steht Christus
selbst seiner Kirche immerdar bei, besonders in den liturgischen Handlungen. Er selbst ist es, der versprochen hat..."111.

Damit wird der Anschluß an den vorausgehenden Artikel (jetzt
Nr. 6) erreicht, der von der Fortführung des Heilswerks durch
den Dienst der Kirche handelt. Zugleich wird wieder das Verhältnis Christus-Kirche thematisiert, wobei der Ausdruck "er
steht der Kirche bei" (*adsistit*) einerseits mehr als das neu-
tralere "er ist gegenwärtig" (*adest*) eine Tätigkeit des Herrn
ausdrückt, andererseits aber eine größere Eigenständigkeit der
Kirche mithören läßt, die das Heilswerk unter 'Assistenz' des

---

111 Übersetzung von mir; lat. Wortlaut: "Ad tantum vero opus perficiendum
    Christus ipse Ecclesiae suae semper adsistit, praesertim in actionibus
    liturgicis. Ipse est qui promisit ...".

Herrn vollzieht, eine Deutung, die aber dem dann folgenden Text nicht entsprechen würde.

Diese noch unbefriedigende Formulierung mag es gewesen sein, die dazu geführt hat, daß in der Sitzung vom Oktober 1961 folgender Ergänzungsvorschlag gemacht und den Kommissionmitgliedern mit der Zusendung des Schemas am 15. November mitgeteilt wurde:

"Dieses Werk der vollkommenen Verherrlichung Gottes und der Heiligung der Menschen vollzieht Christus zusammen mit der Kirche und durch die Kirche, seine geliebte Braut, die er sich immer im Lob Gottes und im Bittflehen zu ihm und im hochheiligen Opfer zugesellt" [112].

Danach sollte der Text mit dem dritten Abschnitt des jetzigen Artikels 7 fortfahren, der ebenso wie der vierte Abschnitt in der Vorbereitungszeit nicht umstritten war.

Diese Ergänzung läßt die Bemühung erkennen, deutlicher zu bestimmen, wie das Zusammenwirken Jesu Christi und der Kirche in der Liturgie zu denken ist. Jesus Christus wird als Handelnder genannt (er vollzieht). Er gesellt sich dabei die Kirche zu, ein Ausdruck, den "Mediator Dei" in Bezug auf das Gotteslob gebraucht hatte [113], so daß er nun zusammen mit ihr (*una cum*) und durch sie (*per*) handelt, womit die beiden Bilder, das von der Braut, das genannt ist, und das vom Leib, das am Schluß des Artikels 7 steht, miteinander verbunden sind. Allerdings enthält dieser Ergänzungsvorschlag unnötige Wiederholungen, indem er Gotteslob und Meßopfer als Inhalt des liturgischen Tuns noch einmal nennt, Wortverkündigung und Sakramente dagegen nicht.

Interessant ist schließlich der Hinweis aus dem Protokoll dieser Sitzung, daß ein Kommissionsmitglied folgenden Formulierungsvorschlag zur Diskussion stellte, der aber nicht angenommen wurde: "Er vollzieht eine aktuelle Darbringung seiner

---

112 Übersetzung von mir; lat. Wortlaut: "Quod opus perfectae Dei glorificationis et hominum sanctificationis Christus una cum Ecclesia et per Ecclesiam, sponsam sibi dilectissimam, perficit, quam semper in Deo admotis laudibus et supplicationibus et in sacrosancto sacrificio secum consociat".

113 Vgl. MeD 142/ 573 f.

selbst"[114]. Das Protokoll vermerkt dazu: "Man erörterte, ob Christus das Meßopfer aktuell oder nur virtuell darbringt"[115]. Ebenfalls abgelehnt wurde der Vorschlag: "Durch sein aktuelles Einwirken führt er das Heilswerk in den Sakramenten fort"[116]. Man ließ sich also nicht darauf ein, eine unter den Theologen diskutierte Streitfrage, in der beide Alternativen mit der Lehre der Kirche in Einklang zu bringen sind, autoritativ zu entscheiden[117].

2.3.5. Der fünfte Entwurf (Januar 1962)

Aufgrund der Stellungnahmen der Kommissionsmitglieder wurde vom Sekretariat der Kommission der Textentwurf angefertigt, der in der letzten Plenarsitzung der liturgischen Vorbereitungskommission (11.-13.1.1962) diskutiert und angenommen wurde. Der Text über die liturgischen Gegenwartsweisen des Herrn blieb dabei fast unverändert. Lediglich der Ausdruck "er steht bei" im Einleitungssatz wurde wieder durch "er ist gegenwärtig" ersetzt. Der letzte Satz wurde sprachlich etwas geglättet, indem das Zitat aus dem Tridentinum besser in den Text eingefügt wurde[118]. Die vorgeschlagene Ergänzung wurde gestrafft und als zweiter Abschnitt in den Artikel eingefügt. Sie lautete nun: "Um dieses Werk der vollkommenen Verherrlichung Gottes und der Heiligung der Menschen zu vollziehen, gesellt sich Christus die Kirche, seine geliebte Braut, immer zu"[119]. Die Wiederholung von Gotteslob und Meßopfer war also gestrichen, ebenso der Ausdruck "zusammen mit der Kirche und

---

114 "Actualem sui ipsius oblationem facit".
115 "Disputatur an Christus actualiter vel tantum virtualiter offerat sacrificium Missae".
116 "Opus salutis ... actuali sui influxu in sacramentis pergit".
117 Wörtlich dieselben Vorschläge wurden auf dem Konzil von Weihbischof Th. Muldoon (Sydney/ Australien) eingebracht (vgl. AS I/I, 547 f.), der aber nicht Mitglied der Vorbereitungskommission war. Vgl. zur Sache: unten, S. 369 f.
118 Vgl. den Text unten, S. 165.
119 Übersetzung von mir; lat. Wortlaut: "In hoc opere perfectae Dei glorificationis et hominum sanctificationis perficiendo, Christus Ecclesiam, sponsam suam dilectissimam, sibi semper consociat".

durch die Kirche". Dadurch wurde die Verhältnisbestimmung zwischen dem Wirken Jesu Christi und dem der Kirche etwas offener formuliert, ohne daß indessen die Zuordnung der Kirche im Sinn einer eindeutigen Unterordnung aufgegeben wäre.

2.3.6. Die Diskussion in der vorbereitenden Zentralkommission

Der im Januar 1962 von der liturgischen Vorbereitungskommission angenommene Entwurf der Liturgieschemas fand in der Zentralkommission zur Vorbereitung des Konzils [120] weitgehende Zustimmung [121]. Sprache, Aufbau und Reformprogramm des Schemas wurden im ganzen gutgeheißen, freilich nicht ohne entschiedene Kritik einzelner Kommissionmitglieder an gewichtigen Einzelaussagen.

Arcadio Kardinal Larraona, der Präfekt der Ritenkongregation und Präsident der liturgischen Vorbereitungskommission, gab zunächst einen Bericht [122]. Er beschrieb die Arbeit der Vorbereitungskommission, erläuterte die Gliederung des Schemas und kommentierte kurz die Grundprinzipien des Textes [123]. Diese seien in Kapitel I enthalten, das die lehramtlichen Aussagen der Enzyklika "Mediator Dei" und der nachfolgenden Dokumente zusammenfasse.

Die theologische Konzeption des ersten Kapitels wurde in den Diskussionsbeiträgen der Zentralkommission kaum zur Sprache gebracht [124]. Neben häufig vorgebrachter globaler Zustimmung finden sich einzelne kritische Äußerungen zu Detailfragen. So vermißte Giuseppe Kardinal Siri (Kurie) eine klare Definition der Liturgie [125], Jan Kardinal Alfrink (Utrecht/ Niederlande) hob hervor, daß die ganze Konstitution sehr gut von der Tätig-

---

120 Vgl. S. 135, Anm. 34.
121 Vgl. den Wortlaut der Stellungnahmen in: AD II/II/III, 26-144, 275 bis 368, 460-492.
122 Vgl. ebd., 46-63.
123 Vgl. ebd., 50: "Altiora et generaliora principia totius Constitutionis".
124 Vgl. die Debatte zum 1. Kap., ebd., 64-102.
125 Vgl. ebd., 69. Er schlägt vor, die (unzureichende) Definition aus der Instruktion von 1958 zu übernehmen; vgl. oben, S. 83, Anm. 336.

keit der Kirche und der Gläubigen in der Liturgie handle, dieser wichtige Aspekt aber im theologischen Einleitungskapitel zu kurz komme, wo weit mehr die Heiligung der Menschen als die Verehrung Gottes betont sei [126]. Alfredo Kardinal Ottaviani (Kurie) störte sich an dem Ausdruck im jetzigen Artikel 2, daß in der Liturgie das Werk unserer Erlösung vollzogen werde (*exercetur*). Er wollte lieber sagen, daß uns die Verdienste Christi angerechnet werden (*merita Christi applicantur*) [127] - ein Hinweis darauf, daß hier in der Liturgie nicht eine tätige Gegenwart des Herrn gesehen wird. Außerdem, so sagte er, könne in Artikel 5 die Menschheit Christi nicht einfach Ursache unseres Heils (*causa nostrae salutis*) genannt werden, sondern müsse als werkzeugliche Ursache (*causa instrumentalis*) bestimmt werden [128].

Eine sehr kritische Stellungnahme kam von Erzbischof Marcel Lefebvre (Generaloberer der Spiritaner). Er bemängelte, daß die Definition der Liturgie im Schema unvollständig sei und zu wenig die Bedeutung von "cultus" und "actus religionis" als Wesen der Liturgie betont werde [129].

Im Artikel 7 erfuhr das Schema trotz dieser Kritik nur eine einzige Veränderung durch die Verbesserungskommission [130]. Im ersten Absatz wurde formuliert: "Er selbst spricht, wenn in der Kirche die heiligen Schriften gelesen und erklärt (*leguntur et explicantur*) werden". Neu ist der Zusatz "und erklärt". Er geht auf eine Stellungnahme von Bischof Denis E. Hurley (Durban/ Südafrika) zurück, der in der Zentralkommission betont hatte, daß auch die Predigt als Teil der Liturgie (gemäß Artikel 35,2) eine Weise des Sprechens Jesu Christi selbst sei [131].

Im übrigen waren, wie schon erwähnt, die "Declarationes" gestrichen worden. Zu den jetzigen Artikeln 5-8 hatte die Kom-

---

126 Vgl. AD II/II/III, 74 f.
127 Vgl. ebd., 76. Der kritisierte Ausdruck stammt aus dem Römischen Meßbuch: vgl. S. 146, Anm. 78.
128 Vgl. ebd.
129 Vgl. ebd., 98 f.
130 Vgl. oben, S. 135.
131 Vgl. AD II/II/III, 77.

mission eine umfangreiche Erklärung beigefügt [132]. In Bezug auf
die Aussagen von Artikel 7 wurde daran erinnert, daß die Liturgie nach "Mediator Dei" Vollzug des Priesteramtes Jesu
Christi sei. Für diesen Vollzug wurden vier heilsgeschichtliche Verwirklichungsphasen genannt. In der letzten Phase zwischen Himmelfahrt und Wiederkunft des Herrn sei er in seiner
Kirche gegenwärtig und gewähre den Menschen in den Sakramenten
Anteil an seinem Tod und seiner Auferstehung und das Pfand
künftiger Herrlichkeit. Außerdem zeige die Heilsgeschichte,
daß er in der Liturgie bei der Lesung der Heiligen Schrift und
bei der Feier der Sakramente und Sakramentalien gegenwärtig
sei. Gott habe sein Volk nicht nur durch das Erlösungswerk,
sondern auch durch das Wort der Wahrheit befreien und sammeln
wollen. Er selbst spreche zu seinem Volk in der Liturgie [133].

Bemerkenswert ist, daß in dieser Erläuterung nicht mehr ausdrücklich von der wirksamen Gegenwart des Herrn in der Kirche
die Rede ist wie noch in der "Declaratio" des Entwurfs vom 10.
August 1961 [134], dafür aber ausführlich die Gegenwart Jesu
Christi in Wort und Sakrament erläutert wird.

Im schließlich den Konzilsvätern vorgelegten Liturgieschema
hatte unser Text folgenden Wortlaut:
" 3. (*Die Gegenwart Christi in der Liturgie*) [135].
Um dieses große Werk voll zu verwirklichen, ist Christus sei-
ner Kirche immerdar gegenwärtig, besonders in den liturgischen
Handlungen, er, der versprochen hat: 'Wo zwei oder drei ver-
sammelt sind in meinem Namen, da bin ich mitten unter ihnen'
(Mt 18,20). Er selbst ist es, der spricht, wenn die Worte der
Heiligen Schrift in der Kirche gelesen und erklärt werden; der
Gott, dem Vater, unablässig den Lobgesang darbringt und das

---

132 Vgl. AD II/III/II, 12 f.
133 Vgl. den Text der "Declaratio" zu SC 5-8 (1-4) im Anhang I, S. 778 f.
134 Vgl. oben, S. 155.
135 Im Schema der Konstitution hatten die Abschnitte des Vorworts keine
    Nummernzählung. Diese begann erst mit Kap. I. In der verbesserten Fas-
    sung nach der 1. Lesung wurde das Vorwort in die Nummernzählung einbe-
    zogen, so daß der jetzige Artikel 7 vorher Artikel 3 war.

Heilswerk, das er während seines irdischen Lebens vollbracht hat, in den Sakramenten fortführt; er selbst schließlich bringt sich jetzt im Meßopfer 'durch den Dienst der Priester dar, der sich einst am Kreuz selbst dargebracht hat' [136].

Um dieses Werk der vollkommenen Verherrlichung Gottes und der Heiligung der Menschen zu vollziehen, gesellt sich Christus die Kirche, seine gliebte Braut, immer zu [137].

Mit Recht gilt also die Liturgie als 'Vollzug des Priesteramtes' Jesu Christi [138]; unter sinnenfälligen Zeichen, die das, was sie bezeichnen, in je eigener Weise bewirken, wird in ihr der Mensch geheiligt und vom mystischen Leib Jesu Christi, d. h. dem Haupt und den Gliedern, der gesamte öffentliche Kult vollzogen [139].

Infolgedessen ist jede liturgische Feier als Werk Christi, des Priesters, und seines Leibes, der die Kirche ist, 'in vorzüglichem Sinn heilige Handlung' [140], in einem Rang, der im selben Maß keinem anderen Tun in der Kirche zukommt" [141].

---

136 Anm. 11 im Text: "Conc. Trid. Sess. XXII, Doct. De ss. Missae sacrif., c. 2: Denz. 940".
137 Anm. 12 im Text: "Pius XII, Litt. Encycl. Mediator Dei, 20 nov. 1947: AAS 39 (1947) pp. 522, 528, 573".
138 Anm. 13 im Text: "Ibidem, p. 529".
139 Anm. 14 im Text: "Ibidem, pp. 528-529".
140 Anm. 15 im Text: "Pius XI, Const. Apost. Divini Cultus, 20 dec. 1928: AAS 21 (1929) p. 33".
141 Schemata I, 160: " 3. (... *ob praesentiam ipsius Christi in Liturgia,* ...). Ad tantum vero opus perficiendum, Christus Ecclesiae suae semper adest, praesertim in actionibus liturgicis, ipse qui promisit: 'ubi sunt duo vel tres congregati in nomine meo, ibi sum in medio eorum' (Mt. 18,20). Ipse est qui loquitur dum verba sacrae Scripturae in Ecclesia leguntur et explicantur; qui laudes Deo Patri indesinenter persolvit et opus salutis, quod degens in terra patraverat, in Sacramentis pergit; ipse denique nunc in Sacrificio Missae se offert 'sacerdotum ministerio, qui seipsum tunc in Cruce obtulit' (Anm. 11: s. oben, Anm. 136).
In hoc opere perfectae Dei glorificationis et hominum sanctificationis perficiendo, Christus Ecclesiam, Sponsam suam dilectissimam, sibi semper consociat (Anm. 12: s. oben, Anm. 137).
Merito igitur Liturgia habetur uti Iesu Christi 'sacerdotalis muneris exercitatio' (Anm. 13: s. oben, Anm. 138), in qua sub signis sensibilibus, ea quae significant suo cuiusque modo efficientibus, homo sanctificatur et a mystico Iesu Christi Corpore, Capite nempe eiusque membris, integer cultus publicus exercetur (Anm. 14: s. oben, Anm. 139).
Proinde omnis liturgica celebratio, utpote opus Christi sacerdotis eiusque Corporis, quod est Ecclesia, est 'actio sacra praecellenter'

2.3.7. Zur Bewertung der Arbeit der vorbereitenden liturgischen Kommission am Text des Artikels 7

Die Kommissionsakten lassen eine intensive Arbeit am Text des ersten Abschnitts von Artikel 7 erkennen. Es mußte offenbar ein Ausgleich gefunden werden zwischen zwei einander widerstreitenden Positionen. Die eine ist mehr von der theologischen Konzeption und den Formulierungen der Enzyklika "Mediator Dei" geprägt, die andere versucht einen neuen Ansatz zur Darstellung der Gegenwartsweisen, der deutlich den Einfluß der Liturgischen Bewegung und der Mysterienlehre erkennen läßt. Der schließlich vorgelegte Text entspricht in seiner Anlage eher der zweiten Richtung, enthält aber eine Reihe von wörtlichen oder sinngemäßen Zitaten aus "Mediator Dei", die als solche kenntlich gemacht wurden [142], wohl auch, um der im Verlauf der Kommissionsarbeit erfolgten und auch im Konzil zu erwartenden Kritik entgegenzuwirken.
Auffällig ist, daß keiner von den Textentwürfen eine eigene Erwähnung der Gegenwart des Herrn unter den eucharistischen Gestalten enthält, die doch in "Mediator Dei" besonders hervorgehoben war. Da keine Information darüber zugänglich ist, ob diese Tatsache in der Kommission diskutiert und wie sie begründet worden ist, kann nur eine vorsichtige Deutung und Vermutung geäußert werden. Es ging den Verfassern des Schemas hier wohl vor allem um die Betonung des Aspektes der Wirksamkeit bei der Darstellung der Gegenwart des Herrn [143]. Unter diesem Aspekt ist aber die eucharistische Realpräsenz schwer zu fassen. Das Problem ihrer Sonderstellung, das lange Zeit hindurch zu einer exklusiven Überbetonung geführt hatte, kann aber nicht dadurch gelöst werden, daß man unter der Überschrift

---

(Anm. 15: s. oben, Anm. 140), titulo qui eodem gradu nulli alii actioni in Ecclesia factae convenit".

142 Die meisten dieser Hinweise wurden im endgültigen Text wieder gestrichen. Sie finden sich aber noch im Text nach der 1. Lesung. Ein von J. Wagner zusammengestelltes Verzeichnis solcher Quellenhinweise findet sich in der Aschendorff-Ausgabe der Liturgiekonstitution (s. S. 15, Anm. 14), 94-100.

143 Vgl. auch die entsprechende Bemerkung bei Lengeling, 19.

"Gegenwart Christi in der Liturgie" überhaupt nicht von der eucharistischen Realpräsenz spricht. Ein solches Vorgehen mußte Kritik provozieren.

2.4. Das erste Kapitel der Liturgiekonstitution in der ersten Lesung des Konzils

Am 22. Oktober 1962 wurde die Generaldebatte über das Liturgieschema eröffnet. Nach der Einleitung durch den Präsidenten und den Sekretär der liturgischen Kommission[144] wurden zu dem Entwurf im allgemeinen am 22. und 23. Oktober 1962 insgesamt 29 Reden gehalten [145]; dazu kamen noch 11 schriftliche Eingaben [146].

In der Spezialdebatte zu Vorwort und Kapitel I des Schemas, worauf sich die Untersuchung hier zunächst beschränken kann, wurden in fünf Vollversammlungen (Generalkongregationen) des Konzils in der Zeit vom 23. bis zum 29. Oktober 1962 insgesamt 87 Reden gehalten [147]; zu diesem Abschnitt gab es außerdem 48 schriftliche Stellungnahmen [148].

Der theologische Ertrag dieser auf etwa 340 Seiten dokumentierten Voten zum liturgietheologischen Kapitel der Konstitution ist allerdings verhältnismäßig gering. Breiten Raum in der Diskussion nahmen die konkreten Reformvorhaben ein, so insbesondere die Frage der Muttersprache in der Liturgie, der Vereinfachung der Riten, der gesetzgeberischen Kompetenz usw. Auf einige Beiträge zum theologischen Konzept des Schemas soll hier zusammenfassend hingewiesen werden [149].

Schon in der Generaldebatte und gleich zu Anfang der Spezial-

---

144 Vgl. S. 138, Anm. 47.
145 Vgl. AS I/I, 309-363.
146 Vgl. ebd., 383-396.
147 Vgl. ebd., 364-380, 399-594.
148 Vgl. ebd., 607-664.
149 In diesem Abschnitt geht es zunächst nur um die Erhebung des Materials, das zur endgültigen Formulierung der liturgietheologisch bedeutsamen Artikel der Liturgiekonstitution geführt hat. Der Versuch einer theologischen Interpretation soll erst in den beiden folgenden Kapiteln unternommen werden.

debatte zum Vorwort und ersten Kapitel kamen einige recht kritische Stellungnahme von hohen Kuriebeamten, die dem liturgietheologischen Kapitel mangelnde Präzision vorwarfen. So forderten Erzbischof Egidio Vagnozzi[150] und Alfredo Kardinal Ottaviani [151] von der Kurie die Überprüfung des Schemas durch die theologische Kommission des Konzils, der Kardinal Ottaviani als Präfekt des Heiligen Offiziums vorstand. Erzbischof Dino Staffa[152] und Giuseppe Kardinal Siri [153], beide ebenfalls von der Kurie, schlugen die Überweisung des Schemas an eine gemischte Kommission aus Mitgliedern der theologischen, der liturgischen und der Sakramenten-Kommission vor. Einige weitere Redner forderten eine allgemeine theologische Präzisierung durch die liturgische Kommission selbst[154]; manche machten dazu auch konkrete Vorschläge [155].

Diese im ganzen zwar geringe Zahl von Beiträgen, die dem Schema theologische Ungenauigkeit vorwarfen, konnte dennoch den Eindruck erwecken, als fände der Versuch einer mehr biblischen und patristischen Sprache zur theologischen Beschreibung der Liturgie nicht die Zustimmung des Konzils [156]. Die genannten Redner vermißten die gewohnten kultisch-latreutischen und juridischen Definitionen in scholastischer Ausdrucksweise, wie sie etwa in der Instruktion der Ritenkongregation von 1958 oder auch im Kirchlichen Rechtsbuch vorlagen [157]. So hatten schon der irische Kurienkardinal Michael Browne [158] und der Generalobere der Spiritaner, Erzbischof Marcel Lefebvre [159], in der Zentralkommission die Auffassung vertreten, daß die Litur-

---

150 Vgl. ebd., 326.
151 Vgl. ebd., 349 f.
152 Vgl. ebd., 429.
153 Vgl. ebd., 440.
154 So z.B. Bischof D'Agostino (Vallo di Lucania/ Italien): vgl. ebd., 590, und Erzbischof M. Lefebvre (Generaloberer der Spiritaner): vgl. ebd., 633.
155 So z.B. Kard. R. Silva Henriquez (Santiago/ Chile), ebd., 323 f.(mündlich) und 609 (schriftlich); Erzbischof J. D'Avack (Camerino/ Italien), ebd., 359; Bischof J. Enciso Viana (Mallorca/ Spanien), ebd., 479 f.
156 Vgl. dazu Lengeling, 57*.
157 Vgl. oben, S. 83 f.
158 Vgl. AD II/II/III, 77.
159 Vgl. ebd., 98.

gie als Akt der Tugend der Religion der Tugend der Liebe untergeordnet sei und deshalb nicht einen solchen Rang beanspruchen könne, wie ihn das Schema in den jetzigen Artikeln 7 und
10 ausspricht. Erzbischof Lefebvre wiederholte diese Argumente
auf dem Konzil in einer äußerst kritischen schriftlichen Eingabe zum ersten Kapitel der Vorlage [160].

Neben diesen mitunter recht globalen Kritiken erbrachte die
Konzilsdiskussion aber auch eine Reihe von hilfreichen Verbesserungsvorschlägen. So wurde von einigen Konzilsvätern gewünscht, daß die Bedeutung der Trinität und speziell des Heiligen Geistes für die Liturgie besser zum Ausdruck kommen müsse. Tatsächlich kam der Heilige Geist im Text des Schemas nur
an zwei recht verborgenen Stellen vor, in einem Zitat aus dem
Epheserbrief in Artikel 2 und in dem Hinweis in Artikel 6, daß
die Gläubigen nach Röm 8,15 den Geist der Kindschaft[161] empfangen und so zu wahren Anbetern werden, wie der Vater sie
sucht. Diese Hinweise gewannen aber für den Text keinerlei systematische Bedeutung.

Vor allem der Erzbischof von Santiago (Chile), Radolfo Kardinal Silva Henriquez, vertrat das Anliegen, den Heiligen Geist
stärker zu beachten. Außerdem wollte er das gemeinsame Priestertum der Gläubigen mehr betont wissen; er wies auch darauf
hin, daß die sakramentalen Zeichen so verstanden und vollzogen
werden müssen, daß sie das Mysterium nicht verschleiern, sondern offenbaren[162].

Mehrfach wurde die Präzisierung der Aussage über die Heilsursächlichkeit der Menschheit Christi gefordert, wie das vorher
schon Kardinal Ottaviani in der Zentralkommission getan hatte[163], ohne daß daraufhin jedoch eine Veränderung des Textes

---

160 Vgl. AS I/I, 633.
161 Hier ist "spiritus" im Gegensatz zu anderen Stellen mit kleinem An-
    fangsbuchstaben geschrieben, ein Hinweis darauf, daß die Sendung des
    Heiligen Geistes nicht bewußt mit diesem Zitat verbunden wird.
162 Vgl. dieses wichtige Votum: ebd., 323 f. Der Kardinal sagte dabei u.a.,
    der Heilige Geist sei "ipsius Ecclesiae anima ac totius Liturgiae in-
    timus auctor" (324). Eine Aufstellung der Verbesserungsvorschläge, die
    Kardinal Silva Henriquez im Namen der chilenischen Bischofskonferenz
    einbrachte, findet sich ebd., 609.
163 Vgl. oben, S. 163.

vorgenommen worden war.

In Bezug auf die Beziehung zwischen Christus und der Kirche in der Liturgie schlug Bischof Willem Bekkers (s'-Hertogenbosch/ Holland) eine Ergänzung vor, in der Christus als Adressat und zugleich als Mittler des Kultes der Kirche genannt wird [164]. Einen grundsätzlichen Einwand brachte Bischof Jesus Enciso Viana (Mallorca/ Spanien) vor. Man dürfe nicht sagen, daß Christus sich bei seinem Heilswerk die Kirche immer zugeselle (*sibi semper consociat*), da er doch auch außerhalb der Kirche handle [165].

Mehrere Konzilsväter befaßten sich mit der Aufzählung der liturgischen Gegenwartsweisen Jesu Christi. Einige davon plädierten dafür, daß der Text deutlicher zum Ausdruck bringen müsse, daß die genannten Gegenwartsweisen verschiedenen Ranges und deshalb auch von unterschiedlicher Wirksamkeit seien. Ein Konzilsvater schlug deshalb die Formulierung vor, Christus sei immer, aber auf verschiedene Weise, seiner Kirche gegenwärtig [166]; zwei andere wollten die einzelnen Gegenwartsweisen je gesondert definieren: gegenwärtig ist er als Lehrer, als erster und hauptsächlicher Beter, als der, welcher die *potestas excellentiae* innehat, als Opfer und Priester [167] - ein Vorschlag, der die Unterschiede nicht in die Weisen der liturgischen Verwirklichung der Gegenwart des Herrn, sondern in Jesus Christus selbst hineingetragen hätte.

Nur ein Konzilsvater, Erzbischof Adam Koslowiecki (Lusaka/ Nord-Rhodesien), verwies ausdrücklich auf den Text in "Mediator Dei" (Nr. 20), der besser und präziser sei, weil er die verschiedenen Gegenwartsweisen nach ihrer Rangordnung aufzäh-

---

164 Vgl. AS I/I, 441-445, hier 444: Zusatz zum 2. Abschnitt von Artikel 7: "... consociat, quae Dominum invocat et per Ipsum aeterno Patri cultum tribuit".
165 Vgl. ebd., 479.
166 Erzbischof J. Flores Martin (Barbastro/ Spanien): vgl. ebd., 445: "Christus diversimode at semper Ecclesiae suae adest".
167 Erzbischof M. Olaechea Loizaga (Valencia/ Spanien), ebd., 495, und A. Fernandez OP (Generalmagister der Dominikaner), ebd., 512, formulierten: "Adest ut magister ..., adest ut primus et capitalis orans ..., adest ut potestatem excellentiae in sacramentis habens ..., adest insuper ut victima et sacerdos ...".

le [168].

Im einzelnen wurde besonders häufig gefordert, den Zusatz, daß
Jesus Christus auch spreche, wenn die Schrift erklärt wird (*et
explicantur*), zu streichen [169], da sonst die Predigt ebenfalls
als unfehlbares Wort Christi angesehen werden müßte [170], oder
es müsse deutlich werden, daß es sich dabei um verschiedene
Weisen des Sprechens Christi handle [171]. Ein Bischof wollte
außerdem eigens das Sprechen Christi im Evangelium hervorgehoben wissen [172].

Einige Konzilsväter wollten schließlich im letzten Satz des
Artikels 7 einen Hinweis auf die Wirksamkeit der liturgischen
Handlungen einfügen. Es sollte gesagt werden, daß die Liturgie
gerade deshalb "im vorzüglichen Sinn heilige Handlung" sei,
weil ihre Wirksamkeit *ex opere operato* bzw. *ex opere operantis ecclesiae* komme, was in diesem Sinn sonst von keinem Tun
der Kirche gelte [173].

Zuletzt sei noch der Einwand eines Bischofs erwähnt, daß man
nicht sagen könne, der Priester stehe auch bei den Amtsgebeten
in der Rolle Christi an der Spitze der Gemeinde (Nr. 33). Das
gelte nur für die Konsekration [174].

Eine Durchsicht dieser theologischen Einwände und Verbesserungsvorschläge zum Vorwort und zum ersten Kapitel der Litur-
konstitution ergibt, daß sie sich, sofern sie die Spezialde-

---

168 Vgl. ebd., 421: Man solle den Text von "Mediator Dei" nehmen, weil
    dort "sufficienter et secundum ordinem dignitatis indicatur alius et
    alius modus, quo Christus in sacra Liturgia praesens est".
169 So z.B. Bischof A. Del Campo y de la Bárcéna (Calahorra/ Spanien),
    ebd., 483; Weihbischof H. Jenny (Cambrai/ Frankreich), ebd., 513; Bi-
    schof S. Méndez Arceo (Cuernavaca/ Mexiko), ebd., 638.
170 Vgl. Bischof J. Enciso Viana (Mallorca/ Spanien), ebd., 479.
171 So z.B. Weihbischof D. Mansilla Reoyo (Burgos/ Spanien), ebd., 460;
    ähnlich Weihbischof F. Garcia Martinez (Spanien, i.R.), ebd., 580.
172 Bischof F. Chariêrre (Lausanne/ Schweiz), ebd., 615: "... leguntur,
    praesertim cum Evangelium proclamatur".
173 Vgl. z.B. Erzabt B. Reetz OSB (Beuron), ebd., 469; Erzabt J. Prou OSB
    (Frankreich), ebd., 478; Kard. R. Silva Henriquez (Santiago/ Chile),
    ebd., 609; Abt-Primas B. Gut OSB, ebd., 625 f.; Generalabt G. Sortais
    OCR, ebd., 657. Sie alle wollten "efficacitas" eingefügt haben, weil
    gerade in ihrer einzigartigen Wirksamkeit die besondere Bedeutung der
    Liturgie liege, wovon das Schema nirgendwo spreche: vgl. bes. Erzabt
    Prou, a.a.O.
174 Vgl. Bischof J. Enciso Viana (Mallorca/ Spanien), ebd., 480.

batte betreffen, fast durchweg auf Artikel 7 beziehen. Ausnahmen bilden lediglich die Frage nach der Heilsursächlichkeit
der Menschheit Jesu Christi (Nr. 5) und die Frage nach dem Umfang der Christusrepräsentation durch den Priester (Nr. 33).
Mit Recht bemerkt also Emil Joseph Lengeling, daß unter anderem gerade Artikel 7 der Grund dafür war, daß von manchen die
Überprüfung des Schemas durch die theologische Kommission des
Konzils gefordert wurde[175]. Diesem Artikel mußte also die besondere Aufmerksamkeit der liturgischen Konzilskommission gelten.
Daß dennoch die Konstitution als ganze vom Konzil akzeptiert
wurde, zeigt das überraschend gute Ergebnis der Abstimmung zum
Schluß der ersten Lesung am 14. November 1962[176].

2.5. Die Verbesserungsvorschläge der liturgischen Konzils-
kommission zu den Artikeln 5-7 der Liturgiekonstitution

Während das Konzil die Spezialdebatte über die übrigen Kapitel der Liturgiekonstitution fortsetzte, begann die liturgische Kommission schon mit der Ausarbeitung der Verbesserungsvorschläge zum Vorwort und ersten Kapitel[177]. Dabei waren drei
verschiedene Aufgaben zu bewältigen. Einmal mußten die 175
mündlichen und schriftlichen Eingaben zur Generaldebatte und
zum Vorwort und ersten Kapitel gesichtet und die konkreten
Vorschläge den einzelnen Artikeln zugeordnet und entsprechend
formuliert werden. Zum anderen mußte die Kommission die einzelnen Stellungnahmen aber auch bewerten. Aus den Voten war ja
nicht zu entnehmen, ob der jeweilige Redner mit seiner Auffassung allein war, oder ob er die Meinung auch vieler anderer
zum Ausdruck brachte. Ob die Kommission mit ihren Verbesserungsvorschlägen das rechte Gespür für die Meinung der Mehrheit des Konzils hatte, konnte sich erst in den Abstimmungen
erweisen. Und schließlich mußte entschieden werden, welche

---

175 Vgl. S. 138, Anm. 49.
176 Vgl. oben, S. 139 und Anm. 50.
177 Vgl. Lengeling, 63*.

Veränderungen den Konzilsvätern zur Abstimmung vorgelegt werden sollten und bei welchen die Zustimmung des Konzils vorausgesetzt werden konnte, da sie nur stilistischer Art waren. Ihr Einverständnis mit dieser Entscheidung konnten die Konzilsväter erst in der Abstimmung über Vorwort und Kapitel I als ganzes zum Ausdruck bringen.

Ein Überblick über die insgesamt 28 Verbesserungsvorschläge (Emendationes), die zur Abstimmung gestellt wurden[178], ergibt, daß sich die genauere Untersuchung auf die sechs Änderungen zu den jetzigen Artikeln 5-7 beschränken kann[179]; alle anderen sind praktischer und rechtlicher Natur und tragen zu unserer Frage nichts bei[180].

Die liturgische Kommission legte dem Konzil eine Gegenüberstellung von altem und verbessertem Text vor. Darin sind sowohl die wichtigeren Veränderungen kenntlich gemacht (Großbuchstaben), über die abgestimmt werden sollte, wie auch die geringfügigeren oder nur formalen (Kursivschrift), die nicht zur Abstimmung gestellt wurden[181].

Zu den hier untersuchten Verbesserungsvorschlägen gab im Namen der liturgischen Kommission Bischof Joseph Albertus Martin (Nicolet/ Canada) einen Bericht[182], in welchem er Rechenschaft über die Behandlung der Voten der Konzilsväter ablegte und die vorgeschlagenen Änderungen erläuterte.

---

178 Vgl. AS I/III, 114 f. (Vorwort), 693 f. (Nr. 5-13); AS I/IV, 166 (Nr. 14-20), 266-268 (Nr. 21-40).
179 Vgl. den Kommissionsbericht zu den in diesen Artikeln vorgeschlagenen Verbesserungen von Bischof J. A. Martin (Nicolet/ Canada), in: AS I/ III, 702-707.
180 Der wichtige Satz aus Nr. 10, daß die Liturgie Höhepunkt und Quelle (*culmen ... et fons*) des kirchlichen Tuns ist, wurde zwar auch zur Abstimmung gestellt; es handelte sich hier aber nur um eine Umstellung von Nr. 5 des Schemas zu Nr. 10 des verbesserten Textes.
181 Diese Synopse findet sich in: AS I/III, 695-697; vgl. den Wortlaut im Anhang II, S. 782-784.
182 Vgl. AS I/III, 702-707. Bischof Martin wird teils Joseph Martin genannt (vgl. z.B. AS I/III, 119), teils Albert Martin (vgl. z.B. AS II/ V, 510). Es handelt sich um denselben Bischof Joseph Albert Martin (vgl. AD I, Indices, 340).

2.5.1. Artikel 5 und 6

Zu Artikel 5 wurde über zwei Verbesserungsvorschläge abgestimmt. Es sollte hinzugefügt werden, daß Jesus Christus mit
dem Heiligen Geist gesalbt ist [183]. Damit entsprach die Kommission dem Wunsch, die Bedeutung des Heiligen Geistes mehr zu
betonen. Es ist erstaunlich, daß an dieser Stelle trotz des
Verweises auf Jes 61,6 bzw. Lk 4,18 im bisherigen Schema nicht
vom Heiligen Geist die Rede war. Daß die Kommission diese an
sich schon vom angegebenen Schrifttext her vorgegebene Zufügung eigens zur Abstimmung stellte, zeigt wohl, daß sie ihr
grundsätzliche Bedeutung zumaß. In die heilsgeschichtliche
Darstellung des Erlösungswerkes Jesu Christi sollte also ausdrücklich auch seine Geistsalbung aufgenommen werden. Bei 41
Gegenstimmen wurde diese Zufügung angenommen [184].

Die zweite Veränderung in Artikel 5 betrifft die gewünschte
Verdeutlichung, daß die Menschheit Christi nicht einfachhin
Ursache (*causa*), sondern genauer werkzeugliche Ursache (*causa
instrumentalis*) des Heils sei. Die Kommission wählte statt
dieses Fachausdrucks das leichter verständliche Wort "Werkzeug" (*instrumentum*) [185]. Gegen 34 Stimmen wurde das angenommen [186].

Weiterhin wurde ohne Abstimmung der Schlußsatz des Artikels
erweitert, wonach aus dem Pascha-Mysterium die Kirche hervorgeht. Das Zitat "das wunderbare Geheimnis der ganzen Kirche"
wurde aus dem nächsten Artikel vorgezogen [187]. Damit ist nicht
nur formal ein günstigerer Ort für diesen Text gefunden, sondern auch inhaltlich verdeutlicht, daß die Einsetzung der Kirche nicht erst mit der Sendung der Apostel beginnt, wie es die
Formulierung des ersten Satzes von Artikel 6 nahegelegt hatte [188], sondern daß die Kirche im Kreuz des Herrn ihren Ursprung hat.

---

183 "Spiritu Sancto unctum": vgl. die Synopse im Anhang II, S. 782.
184 Vgl. AS I/III, 739.
185 Vgl. Anhang II, S. 782.
186 Vgl. ebd.
187 Vgl. Anhang II, S. 782 f.
188 Vgl. ebd., S. 783.

Zu Artikel 6 gab es ebenfalls zwei Abstimmungen. Vorher hatte
es geheißen, daß die Apostel das Heilswerk, das sie verkündeten, durch die Sakramente bewirken sollten (*efficerent*), wobei
hier wie auch an anderen Stellen im Schema gemäß patristischem
Sprachgebrauch das Meßopfer gewiß mit einbezogen war [189]. Dennoch ergänzte die Kommission auf das Votum eines Konzilsvaters
hin [190]: "durch Opfer und Sakrament" [191]. Diese an sich nicht
nötige Veränderung wurde gegen 150 Stimmen angenommen [192] und
fand somit in der Reihe dieser Abstimmungen die größte Zahl
von Gegnern.

Ohne Abstimmung wurde im selben Zusammenhang "bewirken" (*efficerent*) durch "vollziehen" (*exercerent*) ersetzt [193], womit wohl
eine wirkliche Verbesserung erreicht worden ist, da der Dienst
der Apostel ja nicht ohne weitere Erläuterung als Wirkursache
des Heils bezeichnet werden kann.

Von größerem Gewicht ist der Zusatz am Schluß des Artikels:
"durch die Kraft des Heiligen Geistes" [194]. Wenn dem Text auch
deutlich anzumerken ist, daß es sich hier um eine nachträgliche Ergänzung handelt, so kommt dieser doch durch ihre Stellung am Schluß der Beschreibung des liturgischen Tuns der Kirche erhebliche systematische Bedeutung zu. Diese Verbesserung
wurde gegen 13 Stimmen angenommen [195].

Ein weiterer Zusatz bezüglich der Gegenwart des Heiligen Geistes wurde ohne Abstimmung in den ersten Satz des Artikels
eingefügt, wo es jetzt heißt: "die vom Heiligen Geist erfüllten Apostel" [196].

Damit hatte die Liturgiekommission an drei Stellen zusätzlich
einen Hinweis auf den Heiligen Geist angebracht [197], womit ge-

---

189 Vgl. Jungmann, 20.
190 Vgl. den Bericht von Bischof J. A. Martin, a.a.O., 704.
191 Vgl. Anhang II, S. 783.
192 Vgl. AS I/III, 739.
193 Vgl. Anhang II, S. 783.
194 Vgl. ebd., 784.
195 Vgl. AS I/III, 739.
196 Vgl. Anhang II, S. 783.
197 Die Hinweise auf den Heiligen Geist wurden also nicht erst, wie H.
   Mühlen, Die Wirksamkeit des Heiligen Geistes ..., a.a.O. (S. 148, Anm.
   84), 42, schreibt, in der Endredaktion eingefügt, sondern finden sich
   bereits im verbesserten Text nach der 1. Lesung.

wiß noch keine umfassende Berücksichtigung der Pneumatologie in der Theologie der Liturgie gelungen ist, aber doch Ansätze gezeigt werden, die zur Weiterentwicklung einladen.

2.5.2. Artikel 7,1

Die umfangreichsten und wichtigsten Änderungen wurden in Artikel 7 vorgenommen, und zwar in seinem ersten Abschnitt über die liturgischen Gegenwartsweisen Jesu Christi. Gegen diesen Text waren die meisten Einwände vorgebracht worden. Sie verlangten eine größere Differenzierung und Präzisierung der Aussagen über die Weisen der Gegenwart des Herrn und über das Wesen der Liturgie.

Für den ersten Absatz des Artikels 7 versuchte die Liturgiekommission den Auftrag des Konzils zu erfüllen, indem sie entsprechend dem Vorschlag von Erzbischof Adam Koslowiecki (Lusaka/ Nord-Rhodesien) [198] auf den Text aus der Enzyklika "Mediator Dei" zurückgriff. Es wiederholte sich damit im Grunde der Vorgang, der schon in der vorbereitenden Kommission zu beobachten gewesen war [199]. Während aber damals der erste Textentwurf sehr unvermittelt durch die recht andersartigen Formulierungen von "Mediator Dei" ersetzt und dann ebenso unvermittelt fast genau in seiner ursprünglichen Form wiederhergestellt worden war, bemühte man sich jetzt offensichtlich um eine Vermittlung der beiden Konzeptionen. Das ergibt sich auch aus dem Bericht von Bischof Martin, der darauf hinwies, daß man die Lehre von "Mediator Dei" gemäß dem Gedankengang des vorliegenden Schemas zum Ausdruck gebracht habe [200]. Dies kann verdeutlicht werden, indem man zuerst den neu formulierten Text mit der Textfassung des ursprünglichen Schemas vergleicht und ihn dann der entsprechenden Passage aus "Mediator Dei gegenüberstellt.

---

198 Vgl. S. 171, Anm. 168.
199 Vgl. oben, S. 152-161.
200 Vgl. AS I/III, 705: "Proponitur novus textus in quo secundum indolem praesentis schematis exprimuntur ideae quae in Mediator Dei occurrunt".

Zur leichteren Übersicht seien die entsprechenden Texte hier nebeneinander wiedergegeben [201]:

Schema zur ersten Lesung   *Schema zur zweiten Lesung*

"3. *(Die Gegenwart Christi selbst in der Liturgie).*
Um dieses große Werk voll zu verwirklichen, ist Christus seiner Kirche immerdar gegenwärtig, besonders in den liturgischen Handlungen, er, der versprochen hat: 'Wo zwei oder drei versammelt sind in meinem Namen, da bin ich mitten unter ihnen' (Mt 18,20). *Er selbst ist es, der spricht, wenn die Worte der Heiligen Schrift in der Kirche gelesen und erklärt werden; der Gott, dem Vater, unablässig den Lobgesang darbringt und das Heilswerk, das er während seines irdischen Lebens vollbracht hat, in den Sakramenten fortsetzt; er selbst bringt sich jetzt im Meßopfer durch den Dienst der Priester dar, der sich einst am Kreuz selbst dargebracht hat'* [202].

7. Um dieses große Werk voll zu verwirklichen, ist Christus seiner Kirche immerdar gegenwärtig, besonders in den liturgischen Handlungen. GEGENWÄRTIG IST ER IM OPFER DER MESSE SOWOHL IN DER PERSON DESSEN, DER DEN PRIESTERLICHEN DIENST VOLLZIEHT, WIE VOR ALLEM UNTER DEN EUCHARISTISCHEN GESTALTEN, DENN 'DERSELBE BRINGT DAS OPFER JETZT DAR DURCH DEN DIENST DER PRIESTER, DER SICH EINST AM KREUZ SELBST DARGEBRACHT HAT'. GEGENWÄRTIG IST ER MIT SEINER KRAFT IN DEN SAKRAMENTEN, SODASS, WENN IMMER EINER TAUFT, CHRISTUS SELBER TAUFT. GEGENWÄRTIG IST ER IN SEINEM WORT, DA ER SELBST SPRICHT, WENN DIE HEILIGEN SCHRIFTEN IN DER KIRCHE GELESEN WERDEN. GEGENWÄRTIG IST ER SCHLIESSLICH, WENN DIE KIRCHE BETET UND SINGT, ER, DER VERSPROCHEN HAT: 'Wo zwei oder drei versammelt sind in meinem Namen, da bin ich mitten unter ihnen' (Mt 18, 20)".

---

201 Übersetzung von mir unter Berücksichtigung der deutschen Fassung des endgültigen Textes; lat. Wortlaut: s. Anhang II, S. 784. Die Hervorhebungen entsprechen dem lat. Original: mit Kursivschrift werden Zufügungen oder Verbesserungen formaler Art und von geringerer Bedeutung bezeichnet; mit Großbuchstaben die wichtigeren Verbesserungen, die zur Abstimmung gestellt wurden.

202 In diesem von der Liturgiekommission vorgelegten Abdruck (s. Anhang II, S.784) des ursprünglichen Schemas fehlt ein Satz. Nach "leguntur et explicantur" muß es heißen: "qui laudes Deo Patri indesinenter per-

Folgende Unterschiede fallen bei diesem Vergleich auf:

- Die Reihenfolge, in der die Gegenwartsweisen aufgezählt werden, wird entsprechend "Mediator Dei" umgekehrt. Sie beginnt nun wieder mit der Erwähnung der Messe und endet mit dem Zitat Mt 18,20 [203]. Innerhalb der Aufzählung wurde eine Umstellung der Gegenwart im Wort der Schrift und der Gegenwart im Lob Gottes (*wenn die Kirche betet und singt*) vorgenommen, so daß nun das Lob Gottes an letzter Stelle steht wie in "Mediator Dei". Im Schema stand es nicht umgekehrt an erster Stelle, sondern erst nach dem Wort der Schrift [204].

- Das Zitat Mt 18,20 wird durch die Umstellung nur noch dem letzten Glied der Reihe zugeordnet. Der darin enthaltene Hinweis auf die liturgische Versammlung ist damit nicht mehr den verschiedenen Gegenwartsweisen vorangestellt und verliert somit seine systematische Bedeutung für das Konzept der Liturgie insgesamt.

- Neu ist die aus "Mediator Dei" entnommene hervorhebende Erwähnung der eucharistischen Realpräsenz [205]. Sie war im Schema nicht enthalten [206] und auch nicht in der Fassung des Entwurfs vom August 1961, die sich sonst ganz an "Mediator Dei" angeschlossen hatte. Offenbar wollte man mit dieser Ergänzung den Wünschen der Konzilsväter entgegenkommen, die gefürchtet hat-

---

solvit et opus ...".": vgl. den Text in: AS I/III, 697, mit dem in: AS I/I, 265, und Schemata I, 160. Vermutlich ist er versehentlich entfallen; da der Text ohnehin neu formuliert wurde, fiel das nicht auf. Die angesprochene Sache ist in Artikel 84 enthalten.

203 Darauf wies der Relator ausdrücklich hin: vgl. a.a.O. (Anm. 200): "Et etiam, modo consentaneo Litteris Encyclicis, fit inversio ut primo agatur de Sacrificio Missae, de quo agitur tantum ultimo in textu primitivo".

204 Nach Lengeling, 19, war die Reihenfolge im Schema durch das Alternieren von absteigender und aufsteigender Linie bestimmt. Die Frage, ob dies bewußt geschah, muß offenbleiben; der 1. Entwurf vom April 1961 kennt ein solches Alternieren noch nicht. Zudem wäre erst noch zu fragen, ob man die einzelnen Elemente des Gottesdienstes so eindeutig jeweils einer dieser Linien zuordnen kann, ob nicht vielmehr in jedem beide Linien verwirklicht sein müssen, wenn vielleicht auch mit verschiedenen Akzenten.

205 Mit "eucharistische Realpräsenz" ist hier und im Folgenden dem üblichen Sprachgebrauch gemäß nur die substantiale Gegenwart Jesu Christi unter den eucharistischen Gestalten gemeint, nicht seine Gegenwart in der gesamten Eucharistiefeier.

206 Es trifft nicht zu, daß im Schema die eucharistische Realpräsenz angesprochen war, wie Jungmann, 21, schreibt.

ten, daß der spezifisch katholische Glaube an die eucharistische Realpräsenz durch die Aufzählung der verschiedenen liturgischen Gegenwartsweisen des Herrn beeinträchtigt werden könnte.

- Während im Schema die Gegenwart des Herrn (*adest*) nur als Voraussetzung für die dann beschriebenen Tätigkeiten Jesu Christi in der Liturgie erscheint (er spricht, bringt dar, setzt fort, opfert), ist in dem neuen Text der Bestimmung der Tätigkeit des Herrn (er bringt jetzt dar, er tauft, er spricht) jeweils die Erwähnung seiner Gegenwart vorangestellt (gegenwärtig ist er).

- Im einzelnen ist der kritisierte Ausdruck "und erklärt werden" bei der Gegenwart im Wort der Schrift wieder gestrichen. Die Gegenwart in den Sakramenten ist durch den Zusatz "mit seiner Kraft" spezifiziert [207].

Der so veränderte Text wurde bei 66 Gegenstimmen angenommen [208].

Aufschlußreich für die Aussageabsicht der liturgischen Kommission ist nun der Vergleich des verbesserten Textes mit dem entsprechenden Abschnitt aus der Enzyklika "Mediator Dei", der ja nicht einfachhin, sondern entsprechend dem Charakter des Liturgieschemas übernommen wurde [209]. Eine Gegenüberstellung der beiden Texte kann dies zeigen [210]:

---

207 Auch hier trifft die Bemerkung von Jungmann, ebd., nicht zu, daß schon im Schema gesagt gewesen sei, daß Christus seiner Kraft nach in den Sakramenten gegenwärtig ist.

208 Vgl. AS I/III, 740.

209 Vgl. Anm. 200.

210 Diese Gegenüberstellung wurde von der liturgischen Kommission dem Konzil vorgelegt, um einige Einwände zu entkräften, die auch nach der 2. Lesung noch gegen Artikel 7,1 vorgebracht worden waren (vgl. unten, S. 187). Die Hervorhebungen sind von mir; sie kennzeichnen nur die inhaltlichen, nicht die rein sprachlichen Unterschiede. Der Einleitungssatz, der in der Gegenüberstellung nicht enthalten ist, wird hier auch wiedergegeben, da auch er einen bedeutsamen Unterschied aufweist. Der lateinische Wortlaut findet sich in: AS II/V, 518; er ist wiedergegeben im Anhang II, S. 785. Der lateinische Text des Schemas stellt die Fassung zur 3. Lesung dar; sie unterscheidet sich von der hier heranzuziehenden Fassung zur 2. Lesung nur durch eine grammatikalisch bedingte Umstellung der Passage über das Opfer des Herrn durch den Dienst der Priester. Hier wird die Fassung wiedergegeben, die auch den Konzilsvätern als Entscheidungsgrundlage vorlag.

"Deshalb ist in jeder liturgischen
Handlung *zusammen mit der Kirche*
ihr göttlicher Stifter gegenwärtig.

Gegenwärtig ist Christus im erhabenen Opfer des Altars sowohl in der
Person dessen, der den priesterlichen Dienst vollzieht, wie vor allem unter den eucharistischen Gestalten.

Gegenwärtig ist er in den Sakramenten mit seiner Kraft, *die er in sie*
als die Werkzeuge der Heiligung
strömen läßt.
Gegenwärtig ist er schließlich in
den Gott dargebrachten Lobgesängen
und Gebeten, nach dem Wort: 'Wo
nämlich zwei oder drei versammelt
sind in meinem Namen, da bin ich
mitten unter ihnen'[211].

7. Um dieses große Werk voll zu verwirklichen, ist *Christus seiner Kir-*
che immerdar gegenwärtig, besonders
in den liturgischen Handlungen.
Gegenwärtig ist er im Opfer der Messe sowohl in der Person dessen, der
den priesterlichen Dienst vollzieht,
wie vor allem unter den eucharistischen Gestalten, *denn 'derselbe*
bringt das Opfer jetzt dar durch
den Dienst der Priester, der sich
einst am Kreuz selbst dargebracht
hat'.
Gegenwärtig ist er mit seiner Kraft
in den Sakramenten, *so daß, wenn*
immer einer tauft, Christus selber
tauft.
Gegenwärtig ist er schließlich,
wenn die Kirche betet und singt, er,
der versprochen hat: 'Wo zwei oder
drei versammelt sind in meinem Namen, da bin ich mitten unter ihnen'
(Mt 18,20)".

Der Vergleich zeigt, daß die Inhalte des Textes der Enzyklika
übernommen wurden, mit Ausnahme der Beifügung, daß die Sakramente dadurch Werkzeuge der Heiligung seien, daß Christus ihnen seine Kraft eingießt. Jungmann versteht das Weglassen dieser Bemerkung als ein Zeichen ökumenischer Rücksicht, die auf
eine scholastisch klingende Bestimmung der Sakramente als
Werkzeuge des Heils verzichte[212]. Darüberhinaus läßt sich dar-

---

211 Die Übersetzung des Textes aus "Mediator Dei" habe ich zum besseren
    Vergleich der Übersetzung von SC angeglichen.
212 Vgl. Jungmann, 21. So auch C. Vagaggini, (Kommentar zu SC 5-13), in:
    ELit 78 (1964) 226-246, hier 237: Man habe, auch aus ökumenischer

in aber auch die Absicht erkennen, die ursprüngliche Aussage-
richtung des Textes beizubehalten, daß nämlich Jesus Christus
selbst in den Sakramenten handelt. In diese Richtung weisen
bezeichnenderweise auch alle übrigen Textunterschiede:
- Der Zusammenhang der beiden Texte ist verschieden. "Mediator
Dei" spricht vom Handeln der Kirche, das durch die Gegenwart
Christi ermöglicht wird [213]; das Liturgieschema spricht vom
Handeln Christi, das im Tun der Kirche fortdauert (Nr. 6), so
aber, daß er selbst der eigentlich Handelnde bleibt (Nr. 7).
- Dieser Unterschied zeigt sich im Einleitungssatz: In "Media-
tor Dei" ist das handelnde Subjekt die Kirche und zusammen mit
ihr (*una cum*) Christus. Im Schema der Liturgiekonstitution ist
Christus der Handelnde, der dazu seiner Kirche gegenwärtig ist.
- Das nächste Ziel der liturgischen Feiern ist in "Mediator
Dei" Aufbau und Wachstum der Kirche [214], im Schema das "Werk
der Erlösung der Menschen und der vollendeten Verherrlichung
Gottes" (Nr. 5).
- Verdeutlichend, aber nicht gegen den Sinn von "Mediator Dei"
ist der Zusatz "besonders" im Einleitungssatz, der darauf auf-
merksam macht, daß Jesus Christus nicht nur in der Liturgie
der Kirche gegenwärtig ist, aber in ihr in besonderer Weise.
- Den einzelnen von "Mediator Dei" übernommenen Gegenwartsweisen wird jeweils ein Zusatz beigegeben, der das Handeln Jesu
Christi zum Inhalt hat: die Einfügung des Zitats aus dem Tridentinum ("derselbe bringt das Opfer jetzt dar") zur Gegenwart
im Priester und das Augustinus-Zitat ("er selbst tauft") zur
Gegenwart in den Sakramenten. Christi Gegenwart im Wort der
Schrift war schon entsprechend formuliert ("er selbst spricht)".
Der letzte, unverändert aus "Mediator Dei" übernommene Satz
hatte schon dort einen solchen Sinn, der dann von der Liturgiekonstitution später noch entsprechend verdeutlicht wird [215].
Für die eucharistische Realpräsenz fehlt ein solcher aktivi-

Rücksicht, alles vermeiden wollen, "quidquid sapit theologiam techni-
cam scholasticam".
213 Vgl. oben, S. 72-74.
214 Vgl. ebd.
215 Vgl. unten, S. 204-209.

scher Zusatz. Diese Weise der Gegenwart des Herrn wird zwar
besonders hervorgehoben ("vor allem"), aber auf der Ebene der
Tätigkeit läßt sie sich nicht ohne weiteres beschreiben [216],
sie ist vielmehr deren Voraussetzung.
- Die Aussage der Gegenwart des Herrn im Wort der Schrift wird
in der Formulierung den anderen Sätzen angeglichen ("gegenwärtig ist er in seinem Wort").

Der neue Text stellt also tatsächlich eine Verbindung der beiden zugrundeliegenden Texte her, wobei die Formulierungen von
"Mediator Dei" in die Aussageabsicht des Liturgieschemas eingefügt werden und dadurch einen neuen Sinn erhalten. Damit
entspricht die Neufassung der usprünglichen Absicht schon der
vorbereitenden liturgischen Kommission, die zum Ausdruck bringen wollte, daß Jesus Christus in der Liturgie gegenwärtig und
wirksam ist (*praesens et operans*) [217].

2.5.3. Artikel 7,2-4

Im zweiten Abschnitt des Artikels 7 wurde neben einer sprachlichen Verbesserung des ersten Satzes ein neuer Satz hinzugefügt: "Sie ruft ihren Herrn an, und durch ihn huldigt sie dem
ewigen Vater". Dieser Zusatz, der sinngemäß aus "Mediator Dei"
stammt [218], wurde auf die nicht näher begründete Anregung eines
Konzilsvaters [219] hin angefügt. Man kann darin wieder die Tendenz erkennen, zwischen "Mediator Dei" und dem Schema zu vermitteln. Die ursprüngliche und vorrangige Tätigkeit des Herrn
wird betont, aber ihr zu- und untergeordnet wird auch eine ei-

---

216 Pius XII. sprach in seiner Rede an die Teilnehmer des Kongresses von
   Assisi, a.a.O. (S. 88, Anm. 347) von "la présence et l'action du Christ
   au tabernacle". Im Zusammenhang geht es aber darum, daß es derselbe
   Christus ist, der das Opfer vollzieht (*action*) und der im Tabernakel
   gegenwärtig ist (*présence*), daß man also die beiden Weisen seiner Gegenwart nicht voneinander trennen dürfe.
217 Vgl. oben, S. 155-157.
218 Vgl. MeD 20/ 528: "... quemque (cultum) christifidelium societas conditori suo et per ipsum aeterno Patri tribuit".
219 Vgl. S. 170, Anm. 164.

gene Tätigkeit der Kirche ausgesagt. Zudem sollte wenigstens an einer Stelle gesagt werden, daß das liturgische Beten der Kirche sich auch direkt an Jesus Christus wenden kann[220]. Dieser Zusatz wurde vom Konzil bei 15 Gegenstimmen angenommen[221].

Im dritten Absatz kennzeichnete die Liturgiekommission ihre Verbesserungsvorschläge als nur formaler Art und stellte sie nicht zur Abstimmung. Nicht ganz unbedeutend ist dennoch die Tatsache, daß es nun nicht mehr heißt, daß sich der Priesterliche Dienst Jesu Christi unter sinnenfälligen Zeichen (*sub signis sensibilibus*), sondern durch sinnenfällige Zeichen (*per signa sensibilia*) vollziehe. Darin ist angedeutet, daß die liturgischen Zeichen nicht nur der "Schleier"[222] sind, unter dem sich das Handeln Jesu Christi vollzieht, sondern eben die Mittel, durch welche der Herr handelt[223].

Im letzten Absatz schließlich fügte die Kommission, dem Wunsch mehrerer Konzilsväter entsprechend, den Hinweis ein, daß der Rang der Liturgie sich auf ihre Wirksamkeit (*efficacitas*) bezieht. Jungmann versteht das als Einschränkung[224]; tatsächlich aber ist die Zufügung als Präzisierung zu verstehen, die gerade den Grund für die hervorragende Bedeutung der Liturgie angibt, nämlich ihre Wirksamkeit *ex opere operato* bzw. *ex opere operantis ecclesiae*. In diesem Sinn wurde die Ergänzung gewünscht[225] und vom Relator erläutert[226].

---

220 Diese Erklärung gab Bischof J. A. Martin in seinem Bericht: vgl. AS I/III, 705: Es sei nirgendwo sonst von der Anbetung Christi die Rede (*cultus ad Christum*).
221 Vgl. AS I/III, 740.
222 Vgl. O. Casel, Mysteriengegenwart, a.a.O. (S. 40, Anm. 124).
223 Damit entsprach die Kommission auch der Anregung von Kard. R. Silva Henriquez, s. oben, S. 169.
224 Vgl. Jungmann, 23.
225 Vgl. S. 171, Anm. 173.
226 Vgl. AS I/III, 705: "Sic melius exprimitur radix praeeminentiae actionis liturgicae, cuius efficacitas ex opere operato vel ex opere operantis ecclesiae provenit".

2.6. Die Änderungswünsche der Konzilsväter zu Vorwort und Kapitel I der Liturgiekonstitution nach der zweiten Lesung

Wie schon berichtet, fand nach den Abstimmungen über die einzelnen Verbesserungsvorschläge zu Vorwort und Kapitel I der Liturgiekonstitution am Ende der ersten Sitzungsperiode des Konzils (7.12.1962) eine Gesamtabstimmung über das Vorwort und das erste Kapitel statt, die eine Billigung auch der nicht eigens durch Abstimmung bestätigten Textveränderungen seitens der Liturgiekommission einschloß. Dabei stimmten aber 180 Konzilsväter mit "Ja mit Vorbehalt". Über die Bearbeitung dieser Änderungswünsche (Modi) [227] soll im Folgenden berichtet werden. Sie hatten zwar auf den endgültigen Text fast keinen Einfluß mehr [228], sind aber wegen der Stellungnahmen der Liturgiekommission für die Interpretation der Liturgiekonstitution von großer Bedeutung.

Nur zwei Veränderungswünsche zum Vorwort und ersten Kapitel wurden dem Konzil zur Annahme vorgeschlagen. Am Anfang von Artikel 6 sollte *nam* durch *ideoque* ersetzt werden, weil *nam* schon im Satz davor stand [229]. In Artikel 7 sollte durch eine Umstellung innerhalb des ersten Satzes das Zitat aus dem Tridentinum ("derselbe bringt das Opfer jetzt dar") mit der Erwähnung des Priesters verbunden werden, worauf allein er sich bezieht [230]. Beide Veränderungen waren also rein stilistischer Art.

Unter den von der Kommission nicht übernommenen Veränderungswünschen sind für unseren Zusammenhang die folgenden bedeutsam:

---

227 Die Modi wurden nicht veröffentlicht, wohl aber die z.T. recht ausführlichen Stellungnahmen, die noch nach der 1. Sitzungsperiode schriftlich eingereicht wurden: vgl. AS II/V, 837-873. Davon bezogen sich 16 auf Vorwort und Kap. I: vgl. den Bericht von Bischof J. A. Martin, ebd., 510.
228 S. oben, S. 142 f.
229 Vgl. AS II/V, 513; zugrunde liegt Modus 14, ebd.
230 Vgl. ebd., 518; zugrunde liegt Modus 25 B) d), ebd., 516, sowie ein nur versehentlich nicht schon vorher eingearbeiteter Kommissionsbeschluß: vgl. ebd., 518, Responsio, 2 b.

Artikel 1-6

Zu Artikel 2 wurde gewünscht[231], den ursprünglichen Text wiederherzustellen, wo die Kirche als sichtbar und unsichtbar (*visibilem et invisibilem*) bezeichnet worden war, während es jetzt heißt: "sichtbar und mit unsichtbaren Gütern ausgestattet" (*visibilem invisibilibus praeditam*). Die Kommission lehnte diesen Modus mit der Begründung ab, daß die Kirche ihrer Natur nach wesentlich sichtbar sei, wenn sie auch Unsichtbares enthalte, wie auch der Mensch seiner Natur nach sichtbar sei, wenn er auch einen unsichtbaren Teil habe[232]. Diese doch etwas unbeholfene Erklärung besagt, daß man die Kirche als ganze der sichtbaren Ordnung und als ganze der unsichtbaren Ordnung zurechnen muß. Offensichtlich ist dabei die Kirche allein als irdische Kirche verstanden.

Zu Artikel 6 wurde ein Modus eingebracht, der entsprechend dem Schema auch die Nachfolger der Apostel zu Beginn des Artikels erwähnt wissen wollte. Die Kommission erwiderte, es sei durch die Einfügung, daß die Apostel mit Heiligem Geist erfüllt wurden, bedingt, daß nun ihre Nachfolger nicht erwähnt würden, da deren Sendung und Begnadung von der den Aposteln verliehenen zu unterscheiden sei[233].

Weiter wurde gewünscht, die gesamte Passage zu streichen, die von der Verwirklichung des Heilsgeschehens im Leben der Christen handelt (vom 2. Satz bis zum Schluß des Artikels). Die Kommission antwortete darauf, daß dies alles zur rechten Verständnis des Pascha-Mysteriums notwendig sei[234]. Sie versteht also unter Pascha-Mysterium nicht nur die einmalige Heilstat des Herrn in Leiden, Tod, Auferstehung und Himmelfahrt, sondern auch die den Gläubigen einbeziehende Aktualisierung dieser Heilstat in der Liturgie.

---

231 Die Modi sind nicht veröffentlicht, und der Kommissionsbericht nennt nicht die Namen der einbringenden Konzilsväter, sondern nur die Zahl derer, die den betreffenden Modus unterstützen. Deshalb kann im Folgenden nicht dokumentiert werden, von wem die Modi jeweils stammen.
232 Vgl. Modus 7 und Responsio dazu, in: AS II/V, 511 f.: "Quamvis constet etiam parte invisibili".
233 Vgl. Modus 18 und Responsio dazu, ebd., 514.
234 Vgl. Modus 20 und Responsio dazu, ebd., 515.

Ein Konzilsvater hatte vorgeschlagen, die Zufügung "durch die
Kraft des Heiligen Geistes" so anzuordnen, daß deutlicher würde, daß sie sich nicht nur auf das letzte Glied der aufgezählten Reihe liturgischer Vollzüge, sondern auf diese insgesamt
bezieht. Die Kommission erklärte, daß sie die Stellung dieser
Zufügung am Schluß so verstanden wissen wolle, daß sie sich
auf den ganzen Satz bezieht[235]. Aus dem lateinischen Text geht
das allerdings nicht eindeutig hervor. Die deutsche Übersetzung gibt diese von der Kommission bestätigte Interpretation
richtig wieder, wenn sie formuliert: "All das aber geschieht
in der Kraft des Heiligen Geistes".

Artikel 7

Zu Artikel 7 hatten 16 Konzilsväter Veränderungswünsche eingebracht. 11 davon bezogen sich auf den ersten Satz, wo von der
Gegenwart des Herrn im Meßopfer die Rede ist, und zwar in der
Person des Priesters und vor allem unter den eucharistischen
Gestalten. Eine Reihe von Eingaben forderte die Neufassung
dieses Satzes aus folgenden Gründen: man könne diese beiden
nur analog zusammengehörigen Gegenwartsweisen nicht mit *maximum et minimum* untereinander vergleichen[236]; die Gegenwart
Christi in der Person des Priesters sei nur moralischer Art[237];
die Gegenwart Christi unter den eucharistischen Gestalten sei
anderer Art[238]; der Satz habe die Gestalt einer falschen Lehre
und sei höchst gefährlich für die Lehre von der Realpräsenz[239].

Andere verlangten Präzisierungen: es solle hinzugefügt werden:
"Er ist im Sakrament der Eucharistie gegenwärtig, solange die
heiligen Gestalten erhalten bleiben", damit die bleibende Realpräsenz eindeutig ausgesagt würde[240]; die tridentinische

---

235 Vgl. Modus 24 und Responsio dazu, ebd., 515 f.
236 Vgl. Modus 25 A) a), ebd., 516.
237 Vgl. Modus 25 A) b), ebd.: "Quia praesentia Christi in ministri perso-
    na est solummodo moralis".
238 Vgl. Modus 25 A) c), ebd.: "Quia praesentia Christi sub speciebus eu-
    charisticis est praesentia alterius speciei".
239 Vgl. Modus 25 A) d), ebd.: "Quia verba habent speciem falsae doctrinae
    et videntur periculosissima pro doctrina praesentiae realis".
240 Vgl. Modus 25 B) a), ebd.: "Manentibus sacris speciebus praesens adest

Formel "und zwar der Substanz nach" solle hinzugefügt werden [241]; man solle besser sagen: "Gegenwärtig ist er vor allem, wahrhaft, wirklich und wesentlich unter den eucharistischen Gestalten wie auch in der Person des Priesters" [242].

Ein Konzilsvater schrieb schließlich, der ganze Text solle verbessert werden, da er formal holperig und inhaltlich verbesserungsbedürftig sei [243].

Die liturgische Kommission antwortete auf diese Einwände durch die Gegenüberstellung ihres Textvorschlags mit dem entsprechenden Text aus der Enzyklika "Mediator Dei" [244]. Daraus gehe hervor, daß in dem kritisierten Satz "Mediator Dei" wörtlich zitiert ist, die vorgebrachten Einwände also, wenn sie berechtigt wären, auch gegen den Text Pius' XII. geltend gemacht werden müßten. Im übrigen bestätigte die Kommission ausdrücklich, daß der Text nicht so verstanden werden dürfte, als sei Christus nur im Vollzug der Eucharistiefeier gegenwärtig [245].

Außerdem bestehe tatsächlich ein spezifischer Unterschied zwischen der physischen Gegenwart des Herrn in den eucharistischen Gestalten und seiner moralischen oder virtuellen Gegenwart in der Person des Priesters [246]. Dennoch blieb die Kommission mit Berufung auf Pius XII. bei ihrer Formulierung.

Es ist freilich nicht zu übersehen, daß mit dem Hinweis auf den lehramtlichen Text zwar die Kommission salviert war, der Wunsch nach theologischer Präzisierung der Aussagen über die verschiedenen Gegenwartsweisen, besonders im Hinblick auf die Vorrangstellung der eucharistischen Realpräsenz, jedoch nicht erfüllt wurde.

Ein weiterer Einwand wurde noch zum ersten Absatz des Artikels

---

in sacramento eucharistiae".

241 Vgl. Modus 25 B) b), ebd.: "Et quidem substantialiter"; diesen Wunsch äußerten drei Konzilsväter.

242 Vgl. Modus 25 B) c), ebd.: "Praesens adest cum maxime, vere, realiter et substantialiter, sub speciebus eucharisticis, tum in ministri persona".

243 Vgl. Modus 25 C), ebd.: "Totus textus emendetur, quia est durus sub respectu formae et iterum emendandus videtur sub respectu materiae".

244 Vgl. oben, S. 180; die lat. Texte siehe Anhang II, S. 785.

245 Vgl. Responsio 2) a) zu Modus 25, a.a.O., 517: "Non esse praesentem nisi quando celebratur sacrificium. Error iste vitandus est".

246 Ebd., 517 f., 2) b): "De facto differt specifice praesentia physica in speciebus et praesentia moralis vel virtualis in ministri persona".

7 vorgebracht: es müsse klar gesagt werden, daß nicht Christus
sondern Gott spricht, wenn die Heilige Schrift in der Kirche
gelesen wird. Die Kommission antwortete mit dem Hinweis auf
die liturgische Tradition, die vom Sprechen Christi bei der
Verkündigung wisse, und auf die Feier der Gegenwart Christi im
Evangelium, wie sie besonders in den orientalischen Riten zu
finden sei [247].

Zum zweiten Absatz des Artikels 7 wurden zwei einander wider-
sprechende Modi eingesandt. Einer wollte den Ausdruck "sie
ruft ihren Herrn an" gestrichen haben, weil es nicht wahr sei,
daß die Liturgie Christus anrufe. Der andere wollte dagegen
hinzugefügt haben: "... und betet ihn an" (*et adorat*), damit
ausdrücklich gesagt würde, daß dem im Opfer und Sakrament gegenwärtigen Herrn der Kult der Anbetung gebührt.

Die Kommission antwortete auf den ersten Einwand mit dem Hinweis auf die Liturgiegeschichte, die auch die Tradition des
liturgischen Gebetes zu Jesus Christus kenne, wie sie auch in
"Mystici Corporis" und "Mediator Dei" aufgenommen sei. Die im
zweiten Modus vorgeschlagene Zufügung sei jedoch nicht nötig,
da ohnehin jeder wisse, daß Christus der Kult der Anbetung gebührt [248].

Zum letzten Absatz von Artikel 7 lagen zwei Modi vor, die den
Hinweis auf die höchste Wirksamkeit (*efficacitas*) der Liturgie
wieder gestrichen haben wollten, ebenso die Aussage von ihrem
höchsten Rang (*gradus*), weil es Handlungen der Kirche gebe,
die an Wirksamkeit die Liturgie übertreffen, bzw. weil es
nichtliturgische Akte geben könne, die dem Wirksamkeitsgrad
nach der Liturgie gleich oder überlegen seien, wenn auch nicht
unter derselben Rücksicht.

Die Liturgiekommission schrieb dazu wiederum, daß die Wirksamkeit *ex opere operato* bzw. *ex opere operantis ecclesiae*, die
den liturgischen Handlungen zukomme, vom Lehramt als die höchste bezeichnet werde [249].

---

247 Vgl. Modus 26 und Responsio dazu, ebd., 518.
248 Vgl. Modus 27 und Responsio dazu, ebd., 518 f.
249 Vgl. Modus 28 und Responsio dazu, ebd., 519; so auch schon der Bericht
    von Bischof J. A. Martin im Konzil: vgl. S. 183, Anm. 226.

Artikel 10

Wichtig ist noch die Kommissionsantwort auf die acht Einwände, die sich an der Formulierung des Artikels 10 stießen, daß "die Liturgie Höhepunkt, dem das Tun der Kirche zustrebt, und zugleich die Quelle, aus der all ihre Kraft strömt" sei.

Die Einwände richteten sich gegen beide Aussagen des Textes. Sie stellten dagegen, daß die Liturgie niemals Ziel, sondern nur Mittel des kirchlichen Handelns sei [250], daß die Kraft der Kirche nicht von der Liturgie, sondern direkt von Christus und vom Heiligen Geist komme [251] und auch auf andere Weise als durch die Liturgie vermittelt werde [252], daß die Aussage des Textes allenfalls auf die Eucharistie zutreffe, nicht aber auf die Liturgie insgesamt [253], und daß schließlich nicht die Tugend der Religion die höchste sei, sondern die Tugend der Liebe [254].

Die Kommission antwortete auf diese Einwände damit, daß sie auf den gesamten Inhalt des Artikels 10 verwies, der den ersten Satz präzisiere und interpretiere. Dieser dürfe nicht absolut und für sich gelesen werden [255].

Konkreter und treffender konnte die Kommission auf das den genannten Einwänden zugrundeliegende Liturgieverständnis anworten bei ihrer Stellungnahme zu zwei Einwänden zum selben Artikel, die sich gegen den Satz richteten: "Aus der Liturgie, besonders aus der Eucharistie, fließt uns wie aus einer Quelle die Gnade zu" [256]. Dagegen wurde wiederum eingewandt, daß die Quelle der Gnade Christus sei, die Liturgie aber nicht Quelle, sondern höchstens Kanal (*rivulus*) der Gnade sein könne, und nicht der einzige [257]. Der andere Einwand war nicht so grundsätzlich; er bezweifelte nur, daß alle und jede Gnade aus der

---

250 Vgl. Modus 30 c), e), h), in: AS II/I, 520.
251 Vgl. Modus 30 d), ebd.
252 Vgl. Modus 30 c), f), ebd.
253 Vgl. Modus 30 b), ebd.
254 Vgl. Modus 30 g), ebd.
255 Vgl. Responsio zu Modus 30, ebd., 520 f.
256 Vgl. Nr. 10: "Ex liturgia ergo, praecipue ex eucharistia, ut e fonte, gratia in nos derivatur".
257 Vgl. Modus 32 a), a.a.O., 251.

Liturgie fließe [258].

Die Kommission argumentierte dagegen mit dem von "Mediator Dei" übernommenen Liturgieverständnis, das dem Text zugrundeliegt. Demnach dürfe die Liturgie nicht nur als die rituelle Außenseite des Gottesdienstes verstanden werden, sondern sei der "Vollzug des Priesteramtes Christi". Deshalb sei sie als der gesamte Gottesdienst zu verstehen, den Christus dem Vater, und den die Christen ihrem Herrn und durch ihn dem Vater darbringen [259].

Weiterhin belegte die Kommission mit einer Reihe von Texten aus der Tradition und des Lehramts, daß man die Eucharistie, das Zentrum der Liturgie, als Quelle aller Gnaden bezeichnen könne, was dann entsprechend auch von der Liturgie insgesamt gelte [260]. Liturgie wird also immer in ihrer Gesamtheit betrachtet, als ein organisches Gefüge, das sich um die Eucharistie als Zentrum aufbaut [261]. Die Argumentation richtete sich gegen einen Liturgiebegriff, der einseitig juridisch oder gar nur rubrizistisch ansetzt und deshalb die Liturgie und in ihr die Eucharistiefeier nicht als gegenwärtiges Handeln des Herrn selbst verstehen kann. Einem solchen Liturgieverständnis müs-

---

258 Vgl. Modus 32 b), ebd.
259 Vgl. Responsio a) zu Modus 32, ebd., 521 f.: "Textus clare innuit 'Liturgiam' non esse sumendam 'utpote divini cultus partem ... externam solummodo ac sensibus obiectam, vel quasi decorem quemdam caeremoniarum apparatum' aut 'veluti meram legum praeceptorumque summam ... quibus Ecclesiastica Hierarchia iubeat sacros instrui ordinarique ritus'; sed e contra, esse accipiendam veluti Iesu Christi 'sacerdotalis muneris exercitatio', quo redemptor noster Ecclesiae Caput, aeterno Patri cultum tribuit, atque cultum quem 'christifidelium societas Conditori suo et per ipsum aeterno Patri tribuit ... integrum cultum publicum mystici Iesu Christi Corporis Capitis nempe membrorumque eius' (cf. Pius XII, Litt. Encycl. Mediator Dei: AAS 39 (1947) 528-532)".
260 Vgl. ebd. Die Kommission zitiert hier Thomas v. Aquin, Summa Theol. III, q. 79, a. 1, ad 1, und ders., In IV Sent., d. 8, q. 1, a. 1; Leo XIII., Enzyklika "Mirae Caritatis", in: ASS 34 (1901-02) 642; Pius XII., Enzyklika "Mediator Dei", in: AAS 39 (1947) 548; Römischer Katechismus, Nr. 228.
261 Vgl. Responsio zu Modus 30, a.a.O., 521: "Ergo Liturgiam esse culmen et fontem debet intellegi quidem in textu de Liturgia simpliciter, sive in sua concreta totalitate, sed imprimis quatenus habet centrum Eucharistiam"; dazu Responsio zu Modus 32, ebd., 522: "Praeterea de Eucharistia - et ideo de Liturgia, quae circa sacrificium Missae tota exstruitur - docemur quod est fons vitae Ecclesiae, e quo omnes gratiae derivantur".

sen freilich die Aussagen als übertrieben und falsch erscheinen, in denen die Liturgie als Höhepunkt und Quelle alles
kirchlichen Lebens bezeichnet wird.
Daß ein solcher enger und äußerlicher Liturgiebegriff unter
den Konzilsvätern trotz "Mediator Dei" durchaus noch zu finden
war, zeigen nicht nur die angeführten Einwände gegen die Artikel 7 und 10, sondern auch manche Reden aus der Generaldebatte
zum Liturgieschema [262]. Auch schon in der Zentralkommission sah
sich Kardinal Larraona in seinem Bericht veranlaßt, zu betonen, daß jahrhundertlang und bis in unsere Zeit hinein die von
"Mediator Dei" kritisierte äußerliche Sicht der Liturgie vor-
geherrscht habe [263] und daß erst seit Pius X. die Liturgie wieder als Quelle christlichen Lebens gesehen werde [264].

2.7. Aussagen über die liturgische Gegenwart Jesu Christi in den übrigen Kapiteln der Liturgiekonstitution

Die übrigen Kapitel (II-VII) der Liturgiekonstitution haben
konkrete Reformbestimmungen zum Inhalt. Das theologische Fundament dafür wird jeweils zu Beginn der einzelnen Kapitel in
knapper Form zusammengefaßt. Diese theologischen Einleitungen
waren im Liturgieschema dadurch vom Text abgehoben, daß man
sie nicht in die Nummernzählung einbezog. In der verbesserten
Fassung zur zweiten Lesung wurde die Nummernzählung der Abschnitte dann vollständig durchgeführt.
Die theologischen Einleitungstexte konnten sehr knapp gehalten
werden, da ja die liturgietheologischen Grundsätze der gesamten Konstitution im ersten Kapitel zusammengefaßt worden waren. Gegen die Tendenz mancher Verbesserungsvorschläge, in die
Einführungstexte möglichst eine umfassende theologische Beschreibung der einzelnen Sachgebiete zu drängen, wehrte sich

---

262 Vgl. oben, S. 167-170.
263 Er übernahm damit einen Abschnitt aus den "Declarationes" der vorbereitenden Liturgiekommission: vgl. AD II/III/II, 10; s. den Text im
Anhang I, S. 778.
264 Vgl. den Bericht von Kard. Larraona, in: AD II/II/III, 46-63, hier 50.

die Liturgiekommission mit dem Grundsatz, daß in den Einleitungen immer nur das notwendige theologische Fundament für die dann folgenden Reformbestimmungen gegeben werden sollte [265]. Dennoch sind diese Einleitungen aufschlußreich, insofern gerade in der kurz zusammenfassenden Formulierung die Schwerpunkte des Interesses der Liturgiekommission sichtbar werden. Deshalb sollen die Einleitungstexte daraufhin untersucht werden, ob sie die Aussagen des Artikels 7 über die Gegenwartsweisen des Herrn bestätigen bzw. ergänzen. Dabei geht es jetzt nur darum, die Konzilsdiskussion zu den betreffenden Artikeln und die daraufhin vorgenommenen Textveränderungen zu dokumentieren.

2.7.1. Die Gegenwart des Herrn in der Eucharistie (Kapitel II)

Zum theologischen Vorwort des zweiten Kapitels (Nr. 47-49) gab es in der Konzilsdebatte eine Fülle von Einwänden; dies führte dazu, daß der erste Abschnitt dieses Vorworts (Nr. 47) völlig neu formuliert wurde.
Zunächst soll über die wichtigeren Einwände und Vorschläge der Konzilsväter zu den für unsere Fragestellung interessanten theologischen Aussagen der Artikel 47-49 berichtet werden [266]. Neben allgemeiner Zustimmung [267] kritisierten manche Väter das Kapitel und insbesondere sein Vorwort als theologisch unge-

---

265 Vgl. z.B. aus dem Bericht von Bischof J. Enciso Viana (Mallorca/ Spanien) über die Emendationes zu Kap. II die Ausführungen zu Nr. 47 (Observationes generales), in: AS II/II, 290-308, hier 296, und nochmals dessen Bericht über die Modi zu Nr. 47, in: AS II/V, 580-596, hier 580 f. Jedesmal betonte der Relator, daß man nicht die gesamte Eucharistielehre wiedergeben wollte, sondern nur das theologisch rechtfertigen wollte, was dann zur Meßreform gesagt wird.
266 Die Untersuchung kann sich hier an dem von Bischof J. Enciso Viana vorgelegten Kommissionsbericht orientieren, vgl. AS II/II, 290-308. Dort sind die Konzilsvoten nach den Artikeln, auf die sie sich beziehen, geordnet. Allerdings gibt der Bericht die Namen der betreffenden Konzilsväter nicht an, sondern nur die Fundstelle der Voten in einem nicht veröffentlichten, nur den Kommissionsmitgliedern zugestellten Faszikel. Die einzelnen Voten müssen also aus dem 248 Seiten umfassenden Wortprotokoll der Debatte zum 2. Kap. herausgesucht werden; dieses findet sich in: AS I/I, 598-603; AS I/II, 10-161 (mündl. vorgetragene Voten), 159-287 (schriftl. eingereichte Voten).
267 Vgl. den Bericht von Bischof J. Enciso Viana, a.a.O., 295.

nau[268]. Im einzelnen stießen sich zwei Väter schon am Titel
"das heilige Geheimnis der Eucharistie"[269]. Man müsse bei der
Eucharistie zwischen Opfer und Sakrament unterscheiden[270]. Die
Kommission blieb jedoch bei dem Titel, da der Ausdruck "Mysterium" beide Aspekte umfasse und im Text noch erläutert werde[271].

Ein großer Teil der kritischen Einwände richtete sich gegen
den jetzigen Artikel 47. Eine Reihe von Voten wollte das theologische Vorwort umfassender formuliert wissen. Dagegen wurde
festgestellt, daß darin nicht die gesamte Theologie der Eucharistie angesprochen werden könne, sondern nur die für die folgenden Ausführungen wichtigen Aspekte[272].
Andere wandten sich gegen einzelne Ausdrücke, die ihnen zu un-
präzise oder auch irreführend zu sein schienen. Diese Einwände
im einzelnen aufzuzählen, würde zu weit führen. Sie bezogen
sich auf fast alle in Artikel 47 zur Beschreibung der Eucharistie verwendeten Ausdrücke, vor allem "Ostermahl", "Sakrament
huldvollen Erbarmens" und "Lobopfer". Man wollte an ihre Stelle lieber die vom Tridentinum her geläufigen Formulierungen
setzen[273].
Die 18 vorgebrachten Einwände zu diesem Artikel wurden vom Relator in 8 Punkte zusammengefaßt[274]. Es zeigte sich, daß der
Text grundlegend verändert werden mußte, um den Wünschen des
Konzils zu genügen. Dazu hatten drei Väter auch schon konkrete Formulierungsvorschläge vorgelegt[275].

---

268 Vgl. ebd.; es handelt sich z.B. um die Beiträge von Kard. A. Bea, in:
    AS I/II, 22-26, hier 22: "Textus schematis dogmatice multo minus accu-
    ratus et clarus esse videtur", und von Weihbischof Th. Muldoon (Sid-
    ney/ Australien), ebd., 135 f., der das Vorwort als theologisch unklar
    bezeichnete. Vgl. auch Erzbischof P. Philippe (Kurie), ebd., 264 f.;
    Erzbischof A. G. Vuccino (Kurie), ebd., 285 f.
269 "De sacrosancto Eucharistiae mysterio".
270 Vgl. den Bericht, a.a.O., 296. Die Einwände stammen von Erzbischof E.
    Trindade Salgueiro (Evora/ Portugal), ebd., 39-41, hier 39, und Weih-
    bischof Th. Muldoon (s. Anm. 268).
271 Vgl. den Bericht, a.a.O.
272 Vgl. Anm. 265.
273 Dies forderten ausdrücklich z.B. Erzbischof P. Philippe (s. Anm. 268)
    und Erzbischof A. Fares (Catanzaro/ Italien), in: AS I/II, 116 f.
274 Vgl. den Bericht, a.a.O., 296 f.: "Octo quaestiones".
275 Vgl. ebd., 297: "Tres novae formulae"; sie werden wörtlich zitiert.

Der erste stammt von Kardinal Bea und lautet:

"Unser Erlöser hat beim Letzten Abendmahl in der Nacht, da er überliefert wurde, das am Kreuz zu vollziehende Opfer seines Todes unter den Gestalten von Brot und Wein für die Apostel vergegenwärtigt (*repraesentavit*), es dem Vater sakramental dargebracht und sich selbst als Brot des ewigen Lebens zur Speise gegeben. Das alles zu seinem Gedächtnis zu wiederholen (*iteranda*), trug er den Apsoteln auf. So schenkte er der Kirche, seiner geliebten Braut, die unendlich große Gabe der heiligen Eucharistie, damit sie ein Opfer des Lobes und der Versöhnung sei, Quelle und Symbol der Einheit, Zeichen und Pfand des himmlischen Gastmahls" [276].

Der zweite Textvorschlag wurde von Erzbischof Pietro Parente (Kurie) eingereicht. Er hatte folgenden Wortlaut:

"Unser Erlöser hat beim Letzten Abendmahl in der Nacht, da er überliefert wurde, das eucharistische Opfer seines Leibes und Blutes eingesetzt, um dadurch das Opfer des Kreuzes durch die Zeiten hindurch durch die Apostel und ihre Nachfolger fortdauern zu lassen und der Kirche, seiner geliebten Braut, eine Gedächtnisfeier seines Todes und seiner Auferstehung anzuvertrauen, das große Sakrament huldvollen Erbarmens und der Einheit, das Ostermahl, die Quelle der Gnade und das Unterpfand der künftigen Herrlichkeit" [277].

Schließlich hatte Erzbischof Manuel Trindade Salgueiro (Évora/Portugal) noch vorgeschlagen, die liturgische Antiphon hinzuzufügen: "O heiliges Gastmahl, in dem Christus genossen, das Herz mit Gnade erfüllt und uns das Unterpfand künftiger Herr-

---

276 Vgl. AS I/II, 22: "... Apostolis sub panis et vini specie mortis suae sacrificium in Cruce peragendum repraesentavit, et Patri sacramentaliter obtulit, ac seipsum panem vitae aeternae manducandum praebuit. Quae omnia Apostolis in sui memoriam iteranda praecepit. Ita Ecclesiae dilectissimae suae Sponsae immensum SS. Eucharistiae donum largitus est, ut sit sacrificium laudis et propitiationis, fons et symbolum unitatis, figura et pignus coelestis convivii".

277 Vgl. ebd., 262: "Salvator noster in Cena novissima, qua nocte tradebatur, Sacrificium Eucharisticum Corporis et Sanguinis sui instituit, quo sacrificium crucis in saecula mystice perennaret per Apostolos eorumque successores; et Ecclesiae suae dilectae Sponsae memoriale concrederet mortis ac resurrectionis suae, magnum sacramentum pietatis et unitatis, convivium paschale, fons gratiae ac pignus futurae gloriae".

lichkeit gegeben wird"[278].

Die Kommission entschloß sich, den zweiten Formulierungsvorschlag leicht verändert zu übernehmen und ihn um den Text der
angeführten Antiphon zu erweitern. Sie wollte dabei aber den
Hinweis auf die Wiederkunft des Herrn aus dem Text des Schemas
beibehalten und fügte ihn ein. Die Erwähnung der Apostel und
ihrer Nachfolger wurde ohne Begründung weggelassen und der
Ausdruck "Sakrament des Erbarmens und der Einheit" entsprechend dem zugrundeliegenden Augustinus-Text[279] erweitert[280].
Das Ergebnis war folgender Text, der nun wieder mit der Textfassung des Schemas verglichen werden soll[281]:

Schema zur ersten Lesung	*Schema zur zweiten Lesung*
"Unser Erlöser hat beim Letzten Abendmahl in der Nacht, da er über- liefert wurde, den Aposteln aufge- tragen, das Ostermahl zu seinem Ge- dächtnis bis zu seiner Wiederkunft zu wiederholen, so daß 'der Sieg und Triumph seines Todes' (Conc. Trid.) vergegenwärtigt würde und der Kirche, seiner geliebten Braut, das große Geheimnis huldvollen Er- barmens zuteil würde, die Quelle und das Urbild der Einheit, das Opfer des Lobes, das Unterpfand und Zeichen des himmlischen Gast- mahls".	"47. Unser Erlöser hat beim Letzten Abendmahl in der Nacht, da er über- liefert wurde, DAS EUCHARISTISCHE OPFER SEINES LEIBES UND BLUTES EIN- GESETZT, UM DADURCH DAS OPFER DES KREUZES DURCH DIE ZEIT HINDURCH BIS ZU SEINER WIEDERKUNFT FORTDAUERN ZU LASSEN UND SO DER KIRCHE, SEINER GELIEBTEN BRAUT, EINE GEDÄCHTNIS- FEIER SEINES TODES UND SEINER AUF- ERSTEHUNG ANZUVERTRAUEN: DAS SAKRA- MENT HULDVOLLEN ERBARMENS, DAS ZEI- CHEN DER EINHEIT, DAS BAND DER LIE- BE, DAS OSTERMAHL, IN DEM CHRISTUS GENOSSEN, DAS HERZ MIT GNADE ER- FÜLLT UND UNS DAS UNTERPFAND DER KÜNFTIGEN HERRLICHKEIT GEGEBEN WIRD".

278 Es handelt sich um die Antiphon zum Magnificat in der 2. Vesper des
   Fronleichnamsfestes; vgl. ebd., 39: "Nota antiphona liturgica: 'O sacrum convivium, in quo Christus sumitur', etc.".
279 Vgl. Anm. 36 in der Konstitution.
280 Vgl. den Bericht, a.a.O., 298.
281 Die Gegenüberstellung findet sich in: AS II/II, 283. Übersetzung der
   linken Spalte von mir. Die Hervorhebungen entsprechen den lat. Origi-

Auf drei Momente dieser Neufassung soll eigens hingewiesen
werden:

Das Subjekt der Eucharistie

Es fällt auf, daß in der ersten Fassung Christus das Subjekt
des Auftrags an die Apostel, diese aber kraft dieses Auftrags
Subjekt der Wiederholung der Eucharistie sind, damit so die
Heilstat Christi vergegenwärtigt und der Kirche dieses große
Geheimnis zuteil würde. In der Neufassung ist Christus selbst
bleibend das Subjekt sowohl der Einsetzung der Eucharistie wie
ihres Fortdauernlassens als auch ihrer Übergabe an die Kirche
(er hat eingesetzt ... um fortdauern zu lassen und so der Kirche ... anzuvertrauen).
Wenn diese Veränderung bezüglich des Subjekts der eucharistischen Handlung auch nicht ausdrücklich vom Konzil gefordert
wurde, so entspricht sie doch ganz der an Artikel 7 gemachten
Beobachtung. Im selben Sinn wie dort wird nun auch hier das
Verhältnis Christus-Kirche bestimmt. Jesus Christus ist der
eigentlich Handelnde, der in sein Handeln die Kirche einbezieht.

Der Inhalt der Eucharistie

Der 'Inhalt', den Christus den Aposteln zu wiederholen auftrug, ist nach der ersten Fassung das Ostermahl (*convivium
paschale*), in dem Sieg und Triumph seines Todes vergegenwärtigt wird (*repraesentaretur*) [282]. Nach der Neufassung setzte
Christus das eucharistische Opfer seines Leibes und Blutes
ein, wodurch er sein Kreuzesopfer fortdauern läßt und der Kirche eine Gedächtnisfeier seines Todes und seiner Auferstehung
anvertraut. Hier ist also "Ostermahl" ersetzt durch "eucharistisches Opfer". Damit wurde den Voten entsprochen, die den
Ausdruck des Opfercharakters der Messe vermißten [283], und denen

---

nal, vgl. den Text im Anhang II, S.785. Mit Großbuchstaben wird die
Neufassung gekennzeichnet.
282 Dies ist ein Zitat aus dem Tridentinum: vgl. DS 1644.
283 Vgl. den Bericht zu Nr. 47, a.a.O., 296, zu 1); vgl. z.B. Erzbischof
H. Florit (Florenz/ Italien), in: AS I/II, 28 f., hier 28; Bischof M.
Arattukulam (Allepey/ Indien), ebd., 42 f.; Bischof H. Argaya Goicoe-

der Mahlcharakter zu einseitig betont schien [284]. Außerdem wurde das Kreuzesopfer noch erwähnt, während der Ausdruck "Ostermahl" an den Schluß des Artikels gerückt wurde.

Wichtiger noch ist die Verwendung des Ausdrucks "Gedächtnisfeier" (*memoriale*). Damit ist einerseits die Wendung "zu seinem Gedächtnis" wiedergegeben und andererseits auch das Verbum "vergegenwärtigen" ersetzt. "Memoriale" vermeidet besser den Eindruck einer bloß gedanklichen Erinnerung.

In diesem Abschnitt ist nicht nur, wie in Artikel 7, die Gegenwart des sich selbst opfernden Herrn ausgesagt, sondern auch die Gegenwart seiner Heilstat, Tod und Auferstehung, in der Form der Gedächtnisfeier. In welchem Sinn hier "Gedächtnisfeier" zu verstehen ist, wird freilich nicht erläutert.

Die verwendeten Verben

Schließlich wird in der Neufassung das Verbum "wiederholen" (*iterare*) durch "fortdauern lassen" (*perpetuare*) ersetzt und damit deutlicher zum Ausdruck gebracht, daß es keine Wiederholung des Kreuzesopfers geben kann, dieses vielmehr durch das gegenwärtige Opferhandeln des Herrn [285] als ein und dasselbe fortdauert. Das vom Tridentinum und dann immer wieder verwendete Verbum "vergegenwärtigen" (*repraesentare*) [286] bringt diesen Sachverhalt ebenso zum Ausdruck, wurde aber vielfach im Sinn der Wiederholung mißverstanden. Es wird im neugefaßten Text vermieden.

Dieser verbesserte Text des Artikels 47 wurde gegen 12 Stimmen angenommen [287]. Dennoch wurde dann ein Modus eingereicht, der "fortdauern lassen" (*perpetuaret*) durch "erneuern" (*renovaret*) ersetzen wollte. Die Kommission antwortete darauf, sie habe absichtlich "fortdauern lassen" gesagt, um die Einheit mit dem Kreuzesopfer anzuzeigen und nicht in die theologischen Ausein-

---

chea (Mondoñedo-Ferrol/ Spanien), ebd., 200-203, hier 200 f.; Erzbischof A. G. Vuccino (Kurie), ebd., 285 f., hier 285.
284 Vgl. den Bericht, a.a.O., zu 3).
285 Vgl. Nr. 7: "Er selbst bringt das Opfer jetzt dar".
286 Vgl. DS 1644 und 1740.
287 Vgl. AS II/II, 329.

andersetzungen einzuqreifen. Der Ausdruck sei zudem durch die
Formulierungen Leos XIII. gerechtfertigt [288]. Man blieb also
bei dem vorgeschlagenen Text.

Zu Artikel 48 erbrachte die Konzilsdiskussion nur wenige unser
Thema berührende Beiträge. Einige befaßten sich mit der darin
geforderten tätigen Teilnahme der Gläubigen an der Eucharistie
und speziell mit der Frage, in welchem Sinn die Gläubigen mitopfern. Darüber muß später noch berichtet werden [289]. Hier ist
nur eine Gruppe von Einwänden zu erwähnen [290], nämlich solche,
die den Ausdruck "am Tisch des Wortes und des Herrenleibes
Stärkung finden" [291] kritisierten, da im einen Fall "Tisch" im
metaphorischen, im anderen Fall im wörtlichen Sinn gebraucht
würde. Durch die Gleichstellung könnte der Eindruck entstehen,
daß beide gleichartig seien. Die Kommission verwies zwar auf
die "Nachfolge Christi" des Thomas von Kempen, woraus die Formulierung sinngemäß stammt, änderte aber trotzdem den Text und
führte für die Beiden "Tische" verschiedene Verben ein, um sie
so zu unterscheiden [292].

Zu Artikel 49 gab es keine für unseren Zusammenhang wichtigen
Beiträge und Veränderungen.

Auch die Modi zu Artikel 48 und 49 sowie die Kommissionsant-
worten dazu [293] können hier übergangen werden. Sie geben für
unsere Frage nichts her und erbrachten keine Textveränderung
mehr.

---

288 Vgl. Modus 2 und Responsio dazu, in: AS II/V, 580 f., hier 580: "Commissio consulto dixit 'perpetuaret', ut indicaret unitatem cum Sacrificio Crucis et quaestiones inter theologos disputatas non tangeret".
Der Text Leos XIII. findet sich in: ASS 31 (1898-99) 12.
289 Vgl. unten, Abschnitt 2.8., S. 210-215.
290 Vgl. den Bericht, a.a.O., 298 f. zu 3).
291 "Mensa cum verbi tum corporis Domini reficiantur": vgl. Anhang II, S.786.
292 Vgl. den Bericht, a.a.O.
293 Vgl. den Bericht von Bischof J. Enciso Viana zu den Modi zu Kap. II,
in: AS II/V, 580-596, hier 580 f.

2.7.2. Die Gegenwart des Herrn in den übrigen Sakramenten und Sakramentalien (Kapitel III)

Die liturgietheologische Grundlegung für das dritte Kapitel der Liturgiekonstitution findet sich in den Artikeln 59-61. Die Konzilsdiskussion über diese Texte erbrachte kaum nennenswerte theologische Beiträge. Dies erklärt sich einerseits durch die sehr ausführliche Debatte zum ersten Kapitel, in der schon alle wichtigen Themen angesprochen worden waren, andererseits daraus, daß die Konzilsväter sich vor allem mit den vielen konkreten Reformanliegen im Bereich der Sakramentenpastoral befaßten. Die Durchsicht der Konzilsreden [294] ergibt, daß bezüglich des theologischen Vorworts zum dritten Kapitel mehrfach gefordert wurde, Sakramente und Sakramentalien in getrennten Artikeln zu behandeln, da sonst der wesentliche Unterschied zwischen beiden verdeckt würde [295]. Im übrigen ist nur noch der Beitrag von Bischof Aurelio Del Puio Gomez (Lerida/ Spanien) bemerkenswert. Er wies darauf hin, daß die Sakramente nicht nur zur Unterweisung dienen, wie das Schema nahelegt, sondern vor allem Heiligungskraft besitzen. Außerdem wollte er das Verhältnis von Glaube und Taufe besser ausgedrückt wissen. Der Text des Schemas erwecke den Eindruck, daß nur die Menschen, die die Taufe empfangen, zum Glauben berufen seien, während in Wahrheit doch alle zum Glauben berufen seien, auch wenn sie nicht den Weg zur Taufe fänden [296].
Der Berichterstatter der Liturgiekommission [297] wies darauf hin, daß man den Titel des Kapitels ändern wolle und nun von den "übrigen" Sakramenten spreche, um deutlicher zu machen,

---

294 Vgl. das 109 Seiten umfassende Wortprotokoll in: AS I/II, 161-192, 292 bis 326 (mündl. vorgetragene Voten), 341-385 (schriftl. eingereichte Voten).
295 Diese Trennung forderten Kard. E. Ruffini (Palermo/ Italien), ebd., 161-163, hier 162; Weihbischof H. M. Sansieira (San Juan de Cuyo/ Argentinien), ebd., 301 f., hier 301; Bischof A. Del Puio Gomez (Lerida/ Spanien), ebd., 306-308, hier 306 f.; Erzbischof A. Fares (Catanzaro/ Italien), ebd., 362 f.; Erzbischof P. Parente (Kurie), ebd., 376.
296 Vgl. Bischof A. Del Puio Gomez, a.a.O., 306 f.
297 Vgl. den Bericht von Erzbischof P. J. Hallinan (Atlanta/ USA), in: AS II/II, 560-571, hier 562 f.

daß auch die im zweiten Kapitel behandelte Eucharistie zu den
Sakramenten zählt. Außerdem habe man, dem Wunsch mehrerer Konzilsväter entsprechend, einen neuen Abschnitt über die Sakramentalien verfaßt und ihn von dem über die Sakramente getrennt.
Weiterhin sei ein Satz über die Zeichenhaftigkeit und Wirksamkeit der liturgischen Riten gestrichen worden, da sein Inhalt
schon im ersten Kapitel enthalten sei [298]. Schließlich habe man
noch einen Hinweis auf die soziale und kirchliche Bedeutung
der Sakramente eingefügt.

Alle diese Veränderungen wurden jedoch als nur stilistischer
und formaler Art gekennzeichnet, so daß nur der neue Artikel
über die Sakramentalien (Nr. 60) zur Abstimmung gestellt wurde. Das Konzil stimmte ihm in der zweiten Lesung mit großer
Mehrheit zu [299].

Zur besseren Übersicht sei der Text des Schemas wieder dem
verbesserten Text zur zweiten Lesung gegenübergestellt [300]:

Schema zur ersten Lesung

"Die Sakramente und Sakramentalien
sind hingeordnet auf die Gott
pflichtgemäß geschuldete Verehrung
und auf die Heiligung der Menschen[301]; als Zeichen aber 'haben
sie die Aufgabe der Unterweisung'[302]. Deshalb setzen sie den

Schema zur zweiten Lesung

"59. Die Sakramente sind hingeordnet *auf die Heiligung der Menschen,
den Aufbau des Leibes Christi* und
schließlich auf die Gott geschuldete Verehrung; als Zeichen haben sie
auch die Aufgabe der Unterweisung[303]. Den Glauben setzen sie

---

298 Vgl. Nr. 7,3, Nr. 21 und Nr. 33.
299 Vgl. AS II/II, 598: 2224 Ja-Stimmen, 12 Nein-Stimmen, 3 ungültige
    Stimmen.
300 Die Gegenüberstellung findet sich in: AS II/II, 550 f. Übersetzung der
    linken Spalte von mir unter Berücksichtigung der Übersetzung von SC.
    Die Hervorhebungen entsprechen dem lateinischen Original: vgl. den
    Text im Anhang II, S.786. Mit Kursivschrift werden die Zufügungen und
    Verbesserungen bezeichnet, die hier insgesamt als nur von formaler Art
    und geringerer Bedeutung gekennzeichnet worden sind und deshalb nicht
    zur Abstimmung gestellt wurden.
301 Anm. 1 im Text: "S. Thomas, Summa Theol., III, 62, a. 5 et 63, a. 6".
302 Anm. 2 im Text: "S. Thomas, De veritate, 27, a. 4".
303 Anm. 1 im Text: "S. Thomas, Summa Theol., III, q. 62 a. 5 c.; q. 63 a.
    6 c.; De veritate, q. 27 a. 4 c.".

Glauben nicht nur voraus, sondern nähren ihn 'in Wort und Ding'. Und so befähigt ihre liturgische Feier die Gläubigen zuerst dazu, Gott pflichtgemäß Verehrung zu erweisen und die Gnade mit Frucht zu empfangen. Daher heißen sie 'Sakramente des Glaubens'.

Es ist darum sehr wichtig, daß diejenigen, die zum Glauben berufen sind, zur Taufe als dem wahren Zeichen des Glaubens finden, und daß die Gläubigen zu den Sakramenten voll Hingabe hinzutreten, um das eigentliche christliche Leben zu nähren.

Durch die Liturgie der Sakramente und Sakramentalien wird nämlich, wenn die Gläubigen recht bereitet sind, schon nahezu jedes Ereignis ihres Lebens durch die göttliche Gnade geheiligt, die ausströmt vom Pascha-Mysterium des Leidens, des

nicht nur voraus, sondern durch Wort und Ding nähren sie ihn *auch, stärken ihn und zeigen ihn an; deshalb* heißen sie Sakramente des Glaubens. *Sie verleihen Gnade, aber ih*re Feier befähigt auch die Gläubigen *in hohem Maße, diese* Gnade mit Frucht zu empfangen, *Gott recht zu verehren und die Liebe zu üben.* Es ist darum sehr wichtig, daß *die Gläubigen die sakramentalen Zeichen leicht verstehen* und immer wieder zu jenen Sakramenten voll Hingabe hinzutreten, *die eingesetzt sind, um das christliche Leben zu nähren.*

60. AUSSERDEM HAT DIE HEILIGE MUTTER KIRCHE SAKRAMENTALIEN EINGESETZT. DIESE SIND HEILIGE ZEICHEN, DURCH DIE IN EINER GEWISSEN NACHAHMUNG DER SAKRAMENTE WIRKUNGEN, BESONDERS GEISTLICHER ART, BEZEICHNET UND KRAFT DER FÜRBITTE DER KIRCHE ERLANGT WERDEN. DURCH DIESE ZEICHEN WERDEN DIE MENSCHEN BEREITET, DIE EIGENTLICHE WIRKUNG DER SAKRAMENTE AUFZUNEHMEN; ZUGLEICH WIRD DURCH SOLCHE ZEICHEN DAS LEBEN IN SEINEN VERSCHIEDENEN GEGEBENHEITEN GEHEILIGT.

61. *Die Wirkung der Liturgie der Sakramente und Sakramentalien ist also diese: Wenn die Gläubigen recht bereitet sind, wird ihnen nahezu jedes Ereignis ihres Lebens geheiligt durch die göttliche Gnade, die ausströmt* vom Pascha-Myste-

Todes und der Auferstehung Christi, aus dem alle Sakramente und Sakramentalien ihre Kraft ableiten. Auch bewirken sie, daß es keinen rechten Gebrauch der materiellen Dinge gibt, der nicht auf das Ziel ausgerichtet wird, den Menschen zu heiligen und Gott zu loben.

Das aber gelingt leichter, wenn sie hinsichtlich ihrer liturgischen Gestalt, ihrer Texte und Riten, so geordnet werden, daß sie das Göttliche, das sie bezeichnen und jedes nach seiner eigenen Art bewirken, so zum Ausdruck bringen, daß es von den Gläubigen leicht erfaßt und in tätiger und gemeinschaftlicher Teilnahme mitgefeiert werden kann".

rium des Leidens, des Todes und der Auferstehung Christi, aus dem alle Sakramente und Sakramentalien ihre Kraft ableiten. Auch bewirken sie, daß es *kaum* einen rechten Gebrauch der materiellen Dinge gibt, der nicht auf das Ziel ausgerichtet *werden kann*, den Menschen zu heiligen und Gott zu loben".

Folgendes ist an diesem Text bemerkenswert:
- Weder im Schema noch im verbesserten Text findet sich eine Erwähnung des gegenwärtigen Handelns Jesu Christi, wie sie als Ergänzung in Artikel 7,1 eingefügt worden ist.
- Durch die Streichung des letzten Satzes entfällt im Artikel über die Sakramente jede Erwähnung der spezifischen Verbindung von Zeichenhaftigkeit und Wirksamkeit. Ein Hinweis darauf ist nur noch in dem neu formulierten Artikel über die Sakramentalien enthalten.
- Die Zeichenhaftigkeit der Sakramente wird, mit Berufung auf Thomas von Aquin, im Schema nur hinsichtlich ihrer Unterweisungsfunktion genannt. Damit ist die Lehre des heiligen Thomas über die sakramentalen Zeichen stark verkürzt wiedergegeben. Nach ihm sind ja die Sakramente nicht nur Mittel zur Unterweisung der Gläubigen, sondern bezeichnen die Gnade, die sie be-

wirken[304], sind also "Zeichen einer heiligen Sache, sofern sie den Menschen heilig macht"[305]. Im verbesserten Text wurde die Bemerkung über die Unterweisungsfunktion der Zeichen immerhin durch ein "auch" relativiert und nicht mehr als wörtliches Zitat gekennzeichnet.

- Im ersten Satz von Artikel 59 ist im neuen Text die Reihenfolge der Ziele der Sakramente, Heiligung der Menschen und Verehrung Gottes, umgekehrt wie im ursprünglichen Schema.
- Die als unklar kritisierte Verhältnisbestimmung von Glaube und Taufe ist ganz gestrichen.

Die zweite Lesung erbrachte zu diesem Text eine große Zahl von Änderungswünschen[306], die jedoch von der Liturgiekommission ausnahmslos zurückgewiesen wurden. Auf einige für unser Thema bedeutsame Modi soll wegen der ihre Ablehnung erläuternden Antworten der Kommission hingewiesen werden.

12 Konzilsväter wollten am Anfang von Artikel 59 die Verehrung Gottes wieder vor der Heiligung der Menschen als Ziel der Sakramente genannt wissen. Die Kommission nahm dies zum Anlaß, daran zu erinnern, daß nach Thomas von Aquin das erste Ziel der Sakramente die Heiligung der Menschen ist, ihr letztes Ziel aber die Verehrung Gottes, während es sich beim Meßopfer umgekehrt verhält[307].

Ein Konzilsvater wollte die Wendung "deshalb heißen sie Sakramente des Glaubens" gestrichen haben. Die Kommission erklärte dagegen mit Verweis auf Thomas von Aquin, die Formel stamme aus der Tradition[308].

---

304 Vgl. Summa Theol. III, q. 62, a. 1, ad 1.
305 Ebd., q. 60, a. 2, c.: "Signum rei sacrae in quantum est sanctificans homines".
306 Der Kommissionsbericht von Bischof O. Spülbeck (Meißen), in: AS II/V, 643-660, hier 646-649, führt 29 Modi zu 14 Textstellen an.
307 Vgl. ebd., 646, Responsio zu Modus 15: "Finis Sacramentorum immediatus est sanctificatio hominis. Cultus vero Dei in eis est solus finis mediatus et ultimus. E contra in Sacrificio finis immediatus est cultus Dei, et sanctificatio hominis intenditur solum mediate uti praeparatio ad cultum. Cf. S. Thomas, Summa Theol. III, q. 60, a. 2; prol. ad q. 72".
308 Vgl. ebd., 647, Responsio zu Modus 18: "Formula est traditionalis. Cf. v.g., S. Thomas, Summa Theol., III, q. 49, a. 3 ad 1; q. 62, a. 6; q. 72, a. 5 ad 1".

Schließlich wünschten zu Artikel 61 noch drei Konzilsväter,
man solle die Auferstehung des Herrn aus der Beschreibung des
Pascha-Mysteriums streichen, da die Sakramente ihre Kraft aus
Leiden und Tod des Herrn, nicht aber aus seiner Auferstehung
hätten. Die Kommission antwortete darauf mit mehreren Thomas-
Zitaten, aus denen hervorgeht, daß auch die Auferstehung des
Herrn Ursache der Rechtfertigung sei, und zwar spezifisch als
Exemplarursache des in den Sakramenten geschenkten neuen Le-
bens [309].

2.7.3. Die Gegenwart des Herrn im Stundengebet (Kapitel IV)

Bei der in Artikel 7,1 an letzter Stelle genannten Gegenwart
des Herrn in der betenden und singenden Kirche war aufgefallen, daß dort bei der Verbesserung des Textes kein Hinweis auf
die persönliche Tätigkeit Jesu Christi im Gebet der Kirche angefügt wurde, wie das sonst überall geschah. Ein Vergleich mit
dem theologischen Vorwort zum Kapitel über das Stundengebet
(Nr. 83-87) zeigt aber, daß die liturgische Kommission diese
Weise der Gegenwart des Herrn ebenfalls im Sinne seiner Wirksamkeit verstanden wissen wollte. Deshalb sollen die Diskussion zu diesen Artikeln und die daraufhin erfolgten Veränderungen des Textes nun erörtert werden.
Zum theologischen Vorwort des vierten Kapitels gab es in der
Konzilsdebatte eine große Zahl von Wortmeldungen [310]. Viele davon befaßten sich mit der Frage der Teilnahme der Laien am
Stundengebet und ihrer möglichen Beauftragung zum Gebet im Namen der Kirche. Davon ist an anderer Stelle zu sprechen [311].
Für die hier interessierende Fragestellung ist vor allem der
Beitrag von Joseph Kardinal Lefebvre (Bourges/ Frankreich) be-
merkenswert [312]. Er erklärte die Wirksamkeit des Stundengebetes

---

309 Vgl. ebd., Modus 28 und Responsio dazu.
310 Das Wortprotokoll der Debatte zu Kap. IV umfaßt 176 Seiten. Es findet
    sich in: AS I/II, 327-337, 390-425, 436-474 (mündl. vorgetragene Vo-
    ten), 491-584 (schriftl. eingereichte Voten).
311 Siehe unten, Abschnitt 2.8., S. 210-215.
312 Vgl. AS I/II, 396 f.

daraus, daß es als Fortsetzung des zentralen Mysteriums der Eucharistie zu verstehen sei und von Jesus Christus selbst durch den Priester vollzogen werde; deshalb sei es *ex opere operantis ecclesiae* heilswirksam. Hier wird also genau die Tendenz verfolgt, die in Artikel 7 zu beobachten war: die Tätigkeit Jesu Christi selbst soll betont werden; sie gibt dem liturgischen Vollzug seinen Rang.

Zum selben Ergebnis führten die Einwände einiger anderer Bischöfe, die bemängelten, daß im Schema das Schriftwort "für die Menschen eingesetzt zum Dienst vor Gott" (Hebr 5,1) auf die Kirche bezogen werde, während es tatsächlich von Jesus Christus gelte [313].

Die Liturgiekommission fertigte zu ihren aufgrund der vorgetragenen Voten ausgearbeiteten Verbesserungsvorschlägen einen detaillierten Bericht an, den wiederum Bischof Joseph Albert Martin (Nicolet/ Canada) vortrug [314]. Hier sind vor allem die zu Artikel 83 und 84 gegebenen Stellungnahmen heranzuziehen [315]. Bischof Martin erklärte namens der Kommission, daß der Vorwurf tatsächlich berechtigt sei, daß im Schema die Kirche zu sehr von Jesus Christus getrennt werde, als ob sie ohne ihn begriffen werden könnte. Deshalb habe man den Text entsprechend geändert [316]. Die mit Recht als unangemessen kritisierte Zitation des Hebräerbriefes habe man gestrichen [317] und schließlich entsprechend einem Vorschlag den Satz in Artikel 84 hinzugefügt: "Dann ist dies wahrhaft die Stimme der Braut, die zum Bräutigam spricht, ja es ist das Gebet, das Christus vereint mit seinem Leibe an seinen Vater richtet". So werde das Wesen dieses liturgischen Tuns besser beschrieben [318].

---

313 Vgl. z.B. Bischof Méndez Arceo (Cuernavaca/ Mexiko), ebd., 416-418, hier 416; Erzbischof A. Abed (Tripolis/ Libanon) meinte dazu, ebd., 494: "Verba haec personant tamquam exaggeratum mysticismum circa Ecclesiam".

314 Vgl. AS II/III, 124-146.

315 Vgl. ebd., 125 f.

316 Vgl. ebd., 125, zu A) 1): "Unus enim ex Vobis obiicit: 'Videntur plus aequo dividi Ecclesia a Christo, quasi Ecclesia posset concipi sine Christo ...'. Haec obiectio nobis tam aequa visa est ...".

317 Vgl. ebd., zu A) 2).

318 Vgl. ebd., 126, zu B) 3).

Zu den neugefaßten Artikeln 83 und 84 gab es jeweils mit grosser Mehrheit positive Abstimmungen[319]. Eine Gegenüberstellung des alten und neuen Textes dieser beiden Artikel soll den Sinn der so vom Konzil angenommenen Veränderungen verdeutlichen[320]:

Schema zur ersten Lesung

"Als der Hohepriester des Neuen und ewigen Bundes, Christus Jesus, 'Menschennatur annahm, hat er in die Verbannung dieser Erde jenen Hymnus mitgebracht, der in den himmlischen Wohnungen durch alle Ewigkeit erklingt. Die gesamte Menschengemeinschaft schart er um sich, um gemeinsam mit ihr diesen göttlichen Lobgesang zu singen'[321].
Die Kirche aber, die mit dem staunenswerten Priestertum in ihrem Haupt ausgezeichnet ist und dessen göttliche Sendung auf Erden fortsetzt, 'ist für die Menschen eingesetzt zum Dienst an Gott'[323], damit sie Gott ohne Unterlaß lobt und für die einzelnen eintritt.
Dieses Amt vollzieht sie nicht nur

"83. Als der Hohepriester des Neuen und ewigen Bundes, Christus Jesus, Menschennatur annahm, hat er in die Verbannung dieser Erde jenen Hymnus mitgebracht, der in den himmlischen Wohnungen durch alle Ewigkeit erklingt. Die gesamte Menschengemeinschaft schart er um sich, um gemeinsam mit ihr diesen göttlichen Lobgesang zu singen[322].
DIESE PRIESTERLICHE AUFGABE SETZT ER NÄMLICH DURCH SEINE KIRCHE FORT; sie lobt den *Herrn* ohne Unterlaß und tritt bei ihm *für das Heil der ganzen Welt ein nicht nur in der Feier der Eucharistie,* sondern auch IN ANDEREN FORMEN, BESONDERS *im Vollzug des Stundengebetes.*

---

319 Vgl. AS II/III, 168: 1. Abstimmung: 2151 Ja-Stimmen, 8 Nein-Stimmen, 4 ungültige Stimmen; 2. Abstimmung: 2009 Ja-Stimmen, 12 Nein-Stimmen, 1 ungültige Stimme.
320 Die Gegenüberstellung findet sich in: AS II/III, 117. Übersetzung der linken Spalte von mir unter Berücksichtigung der Übersetzung von SC. Die Hervorhebungen entsprechen dem lat. Original: vgl. den Text im Anhang II, S. 787. Mit Kursivschrift werden Zufügungen und Verbesserungen formaler Art und von geringerer Bedeutung gekennzeichnet, mit Großbuchstaben die wichtigeren Verbesserungen, die zur Abstimmung gestellt wurden.
321 Anm. 1 im Text: "Pius XII, Litt. Encycl. Mediator Dei, 20 nov. 1947: AAS 39 (1947) p. 573".
322 Anm. 1 im Text = Anm. 321.
323 Anm. 2 im Text: "Hebr. 5,1".

durch die Feier der Eucharistie, sondern auch durch das Stundengebet, diesen wunderbaren Lobgesang, den sie im Namen aller Christen und zu ihrem Wohl Gott darbringt, wenn er durch die Priester und andere kraft kirchlicher Ordnung dazu Beauftragte vollzogen wird"[324].

84. *Das Stundengebet ist nach alter christlicher Überlieferung so aufgebaut, daß der gesamte Ablauf des Tages und der Nacht durch Gotteslob geweiht wird.* WENN NUN DIE PRIESTER UND ANDERE KRAFT KIRCHLICHER ORDNUNG BEAUFTRAGTE[325] ODER DIE CHRISTGLÄUBIGEN, DIE ZUSAMMEN MIT DEM PRIESTER IN EINER APPROBIERTEN FORM BETEN, DIESEN WUNDERBAREN LOBGESANG RECHT VOLLZIEHEN, DANN IST DIES WAHRHAFT DIE STIMME DER BRAUT, DIE ZUM BRÄUTIGAM SPRICHT, JA ES IST DAS GEBET, DAS CHRISTUS VEREINT MIT SEINEM LEIBE AN SEINEN VATER RICHTET".

An diesem Text ist folgendes zu bemerken:
- Das Zitat im ersten Teil von Artikel 83 stammt aus "Mediator Dei"; die Beziehung zwischen Jesus Christus und der Kirche ist darin in Formulierungen ausgedrückt, die sinngemäß in Artikel 7,3 aufgenommen wurden[326]. Das Zitat selbst war von der vorbereitenden Liturgiekommission in ihrem zweiten Textentwurf an das Ende von Artikel 7,1 gestellt worden[327]. Auch das zeigt, daß Artikel 83 zur Interpretation von Artikel 7,1 herangezogen werden muß.
- Das tragende Subjekt für die Aussagen des gesamten Artikels 83 ist nun Jesus Christus, der seinen priesterlichen Dienst durch die Kirche fortsetzt. Damit ist der zweite Teil von Ar-

---

324 Anm. 3 im Text: "Cf. Pius XII, Litt. Encycl. Mediator Dei: AAS 39 (1947) p. 573".
325 Anm. 2 im Text: "Cf. Pius XII, Litt. Encycl. Mediator Dei, 20 nov. 1947: AAS 39 (1947) p. 573; S. Rituum C., Instr. de Musica sacra et sacra Liturgia, 3 sept. 1958, nn. 1, 40: AAS 50 (1958) pp. 632, 645; vide etiam Pontificale Romanum, pars prima, editio typica, Typis Polyglottis Vaticanis (1963), pp. 162-163 (In consecratione Virginum, traditio Breviarii); CIC, can. 1256; Acta et Documenta, cit. III, pp. 259-260".
326 Vgl. oben, S. 150.
327 Vgl. oben, S. 155.

tikel 83 im Sinn der verbesserten Fassung von Artikel 7 korrigiert. Die Kirche wird als abhängiges Subjekt erst da genannt,
wo davon die Rede ist, daß sie sich dem Herrn lobend und fürbittend zuwendet.
- Die Zufügung in Artikel 84 ("... dann ist dies wahrhaft die
Stimme der Braut ...") stammt ebenfalls sinngemäß aus "Mediator Dei" und läßt den dort zitierten Augustinus-Text anklingen, nach welchem Jesus Christus selbst für uns und in uns betet und von uns angebetet wird [328]. Die Formulierung entspricht
wiederum ganz der von Artikel 7,2, wo das hier speziell zum
Stundengebet Gesagte auf die Liturgie generell angewandt wurde [329].
- Das Zitat aus dem Hebräerbrief ist gestrichen, obwohl es in
den neuen Text sinnvoll hätte eingefügt werden können.

Zu dem so verbesserten Text brachten nach der zweiten Lesung
noch 21 Konzilsväter zu 14 Textstellen Änderungswünsche ein [330],
die jedoch zu keiner Veränderung mehr führten.
Die Kommission beteuerte, daß sie die Modi sorgfältig erwogen
habe [331]. Dennoch fällt auf, daß sie den Wunsch eines Vaters,
in Artikel 83 statt "Feier der Eucharistie" "Feier des Opfers
der Eucharistie" zu sagen, mit dem Hinweis auf das bessere Latein ihres Textes abwies, während es bei dem Modus offensichtlich um die Erwähnung des Opfercharakters der Messe ging [332].
Zwei Konzilsväter wollten in Artikel 83 wieder "Gott" anstelle
von "der Herr" setzen, da der Kult sich an den Vater richte.
Die Kommission erwiderte [333], daß einerseits der Kult sich auch
an Jesus Christus richte, andererseits mit "der Herr" in der

---

328 Vgl. MeD 142/ 573 f.; siehe oben, S. 80 f., Anm. 320.
329 Vgl. oben, S. 149.
330 Vgl. den Kommissionsbericht von Bischof J. A. Martin (Nicolet/ Canada),
    in: AS II/V, 706-724, hier 707 f.
331 Vgl. ebd., 706: "Commissio ergo nostra modos de Officio divino a Patri-
    bus propositos cum diligentia expendit ...".
332 Vgl. ebd., 707, Modus 3: "... loco 'Eucharistia celebranda' dicatur:
    'in Eucharistiae sacrificio celebrando' (1 Pater)". Die Responsio da-
    zu: "Formula proposita est a Commissione de latinitate ut melior quam
    illa in modo".
333 Vgl. ebd., Modus 4 und Responsio dazu.

Liturgie oft auch Gott gemeint sei.

Auch zu Artikel 84 gab es einen Modus, der in dieselbe Richtung zielt; ein Konzilsvater wollte nicht sagen: "Es ist die Stimme der Braut, die zum Bräutigam spricht", sondern: "Es ist die Stimme der Braut, die zusammen mit dem Bräutigam zum Vater spricht". Die Kommission erinnerte wieder daran, daß die Liturgie gelegentlich auch Christus anrede [334].

Weitere Hinweise zur Frage der Beauftragung von Laien zum Breviergebet sind später zu erwähnen [335].

2.7.4. Die Gegenwart des Herrn im Kirchenjahr (Kapitel V)

In der theologischen Grundlegung des fünften Kapitels (Nr. 102 bis 105) fällt auf, daß die Aussagen über das präsentische Wirken des Herrn in der Feier der Heilsgeheimnisse im Ablauf des Kirchenjahres deutlich hinter den Formulierungen von "Mediator Dei" zurückbleiben [336]. In der Liturgiekonstitution ist das Subjekt der Feier des Kirchenjahres durchweg die Kirche. "Indem sie so die Mysterien der Erlösung feiert, erschließt sie die Reichtümer der Machterweise und der Verdienste ihres Herrn, so daß sie jederzeit gewissermaßen gegenwärtig gemacht werden und die Gläubigen mit ihnen in Berührung kommen (ea attingant) und mit der Gnade des Heils erfüllt werden" [337].
Eine durch die kirchliche Feier der Heilsmysterien bewirkte Gegenwart ihrer Wirkungen wird also vorausgesetzt, und zwar so, daß die Gläubigen sie berühren können, wie es "Mediator Dei" vom Kreuzesopfer gesagt hatte [338]. Vom Wirken Jesu Christi ist hier jedoch nicht die Rede.
In den Emendationen und dem Bericht dazu [339] sowie in den Modi

---

334 Vgl. ebd., 708, Modus 12 und Responsio dazu.
335 Vgl. unten, Abschnitt 2.8., S. 210-215.
336 Vgl. oben, S. 68 und 81 f.
337 SC 102: "Mysteria Redemptionis ita recolens, divitias virtutum atque meritorum Domini sui, adeo ut omni tempore quodammodo praesentia reddantur, fidelibus aperit, qui ea attingant et gratia salutis repleantur".
338 Vgl. S. 68, Anm. 265: "Crucis sacrificium attingant".
339 Vgl. AS II/III, 264-277.

und dem entsprechenden Bericht 340 wird dieses Thema nicht erwähnt.
Die Spezialdebatte des Konzils wurde über die Kapitel V-VII
gemeinsam geführt; die hier untersuchten Fragen kamen dabei
nicht zur Sprache 341.
Kapitel VI (Die Kirchenmusik) und Kapitel VII (Die sakrale
Kunst, Liturgisches Gerät und Gewand) enthalten für unsere Untersuchung keine relevanten Hinweise. Die Verbesserungsvorschläge zu diesen Kapiteln 342 sowie die Modi dazu 343 brauchen
deshalb hier nicht untersucht zu werden.

2.8. Gemeinsames Priestertum und tätige Teilnahme der Gläubigen

Zwar spricht Artikel 7 der Liturgiekonstitution nicht ausdrücklich von der Rolle der Gläubigen in der Liturgie, der Text enthält aber Anspielungen und Hinweise auf dieses Thema, wenn von
der Versammlung der Gläubigen im Namen des Herrn die Rede ist
(vgl. das Zitat Mt 18,20 in Artikel 7,1) und gesagt wird, daß
vom Haupt und den Gliedern des mystischen Leibes Jesu Christi
der Kult vollzogen wird (Nr. 7,3). Zudem kann von der Sache
her über die Gegenwart des Herrn in der Liturgie nicht zurei-
chend gesprochen werden, wenn nicht auch gefragt wird, wem er
denn gegenwärtig ist. Deshalb sollen nun auch die in der Liturgiekonstitution an vielen Stellen auftauchenden Aussagen
über das gemeinsame Priestertum und die tätige Teilnahme der
Gläubigen untersucht werden. Hier soll zunächst nur über die
Konzilsdiskussion zu diesem Thema berichtet werden.
In 13 Artikeln ist ausdrücklich von der tätigen Teilnahme der

---

340 Vgl. AS II/V, 725, 733-735.
341 Vgl. den Wortlaut der Beiträge in: AS I/II, 475-487, 588-673 (mündl.
vorgetragene Voten), 679-769 (schriftl. eingereichte Voten).
342 Vgl. AS II/III, 264-277 (Kap. V), 576-589 (Kap. VII); AS II/IV, 1o-28
(Kap. VI und VIII). Im ursprünglichen Schema waren die sakrale Kunst
(Kap. VI) und das liturgische Gerät und Gewand (Kap. VIII) getrennt
behandelt worden. Die beiden Kapitel wurden schon nach der 1. Lesung
zu einem Kapitel zusammengezogen (Kap. VII), so daß die Kirchenmusik
dann als Kap. VI eingereiht wurde.
343 Vgl. AS II/V, 725-744 (Kap. V-VII insgesamt).

Gläubigen an der Liturgie die Rede [344], der Sache nach noch öfter. Dabei geht es meistens darum, den Gläubigen das Verständnis und den Mitvollzug der Liturgie zu erleichtern, damit sie mit größerem Gewinn daran teilnehmen können [345]. Diese Stellen können hier übergangen werden; sie entsprechen dem pastoralen Anliegen der Liturgischen Bewegung seit Pius X. Einige Texte beschreiben aber die tätige Teilnahme der Gläubigen auch in anderer Hinsicht, nämlich als Element der Liturgie selbst, an deren Vollzug die Gläubigen kraft des gemeinsamen Priestertums aktiven Anteil haben. Diese Aussagen sind deshalb auch unter liturgietheologischem Aspekt zu bedenken.

Der grundlegende Text steht in Artikel 14: "Die Mutter Kirche wünscht sehr, alle Gläubigen möchten zu der vollen, bewußten und tätigen Teilnahme an den liturgischen Feiern geführt werden, wie sie das Wesen der Liturgie (*Liturgiae natura*) selbst verlangt und zu der das christliche Volk 'das auserwählte Geschlecht, das königliche Priestertum, der heilige Stamm, das Eigentumsvolk' (1 Petr 2,9; vgl. 2,4-5) kraft der Taufe berechtigt und verpflichtet ist (*ius habet et officium*)" [346].

In diesem Satz ist nur der Einschub "kraft der Taufe" aufgrund der Konzilsdebatte neu. Er wurde bei 10 Gegenstimmen angenommen [347]. Die beiden Modi zu Artikel 14 richten sich nicht gegen den zitierten Abschnitt [348].

Daß die Liturgie ihrer Natur nach eine hierarchische und gemeinschaftliche Handlung ist, wird in den Artikeln 26-31 erläutert. Subjekt der Liturgie ist "das heilige Volk, geeint

---

344 Vgl. Nr. 11, 14, 19, 21, 27, 30, 41, 48, 50, 79, 114, 121, 124.
345 Dies war schon in dem Motu Proprio Pius' X., "Tra le sollecitudini" (22.11.1903) ausgesprochen, wo gesagt wird, die Gläubigen sollen den christlichen Geist aus seiner ersten und unersetzlichen Quelle schöpfen, nämlich aus der tätigen Teilnahme an den heiligen Mysterien: vgl. oben, S. 34. Dieser Text wird in Nr. 14 fast wörtlich zitiert, ohne daß dies freilich kenntlich gemacht wäre.
346 SC 14: "Valde cupit Mater Ecclesia ut fideles universi ad plenam illam, consciam atque actuosam liturgicarum celebrationum participationem ducantur, quae ab ipsius Liturgiae natura postulatur et ad quam populus christianus 'genus electum, regale sacerdotium, genus sancta, populus adquisitionis'(1 Petr. 2,9; cf. 2,4-5), vi Baptismatis ius habet et officium".
347 Vgl. AS I/IV, 213.
348 Vgl. Modus 34 und 35, in: AS II/V, 523.

211

und geordnet unter den Bischöfen" (Nr. 26), deshalb sind nach
Möglichkeit Feiern in Gemeinschaft den privaten vorzuziehen
(Nr. 27). Liturge und Gläubige sollen je ihre eigene Aufgabe
(*munus*) vollziehen (Nr. 28). "Auch die Ministranten, Lektoren,
Kommentatoren und die Mitglieder der Kirchenchöre vollziehen
einen wahrhaft liturgischen Dienst" (*vero ministerio liturgico
funguntur*) (Nr. 29).

Zu diesen Aussagen wie auch zu den Ausdrücken *officium, munus*
und *ministerium* zur Bezeichnung der Aufgabe der Laien in der
Liturgie gab es weder nach der ersten noch nach der zweiten
Lesung Veränderungswünsche [349].

Die tätige Teilnahme der Gläubigen vor allem an den Gottesdiensten unter Leitung des Bischofs macht auf vorzügliche Weise die Kirche sichtbar (*praecipuam manifestationem ecclesiae
haberi*) (Nr. 41). Auch hierzu gab es keine Einwände [350].

In Artikel 48 wird neben der Betonung der tätigen Teilnahme
der Gläubigen an der Eucharistiefeier auch die Lehre von "Mediator Dei" wiederholt, daß die Gläubigen "nicht nur durch die
Hände des Priesters, sondern auch gemeinsam mit ihm" [351] das
Opfer darbringen. Im Text des Schemas stand hier nur "gemeinsam mit dem Priester" (*una cum sacerdote*) [352]. Dagegen wurde im
Konzil vorgeschlagen, zu sagen: "durch den Priester" (*per sacerdotem*) [353]. Die Kommission wollte aber den Hinweis auf das
eigene Opfer der Gläubigen beibehalten und ergänzte deshalb
den Ausdruck entsprechend dem Text aus "Mediator Dei" [354].

Dagegen wandte ein Modus von zwei Konzilsvätern nach der zweiten Lesung ein, es könne der Eindruck entstehen, daß hier
Priester und Gläubige einander gleichgestellt würden [355]. Die

---

349 Vgl. AS I/IV, 166-172 (Emendationes), und AS II/V, 496-526 (Modi).
350 Vgl. AS I/IV, 322-327 (Emendationes), und AS II/V, 496-526 (Modi).
351 SC 48: "... non tantum per sacerdotis manus, sed etiam una cum ipso
    offerentes".
352 Vgl. den Text im Anhang II, S. 786.
353 Vgl. den Bericht von Bischof J. Enciso Viana (Mallorca/ Spanien) zu
    Nr. 48, Punkt 5), in: AS II/II, 299. Der Einwand stammt von Kard. R.
    Santos (Manila/ Philippinen): vgl. AS I/II, 198 f.
354 Vgl. MeD 91/ 555 f.: "... quia nempe non tantum per sacerdotis manus,
    sed etiam una cum ipso quodammodo Sacrificium offerunt: qua quidem par-
    ticipatione populi quoque oblatio ad ipsum liturgicum refertur cultum".
355 Vgl. Modus 3: "... timendum est ne insinuatur aliqua aequalitas inter

Kommission verwies dagegen auf "Mediator Dei" und verschiedene Formulierungen aus der Meßliturgie, die vom Opfer der Gläubigen sprechen [356].

Schließlich muß hier noch das Vorwort zum vierten Kapitel erwähnt werden, weil darin die Frage angesprochen wird, wer zum Stundengebet im Namen der Kirche beauftragt ist. Der Erzbischof von Bologna, Ernesto Kardinal Ruffini, hatte gegen die im Schema angedeutete Möglichkeit der Delegation von Nicht-Priestern [357] eingewandt, nur der Priester verrichte das öffentliche Gebet der Kirche, da er auch darin die Person Christi vertrete, während die Gebete der Laien, auch der Ordensleute, stets privater Natur seien [358]. Dem widersprach Abt-Präses Benedikt Reetz OSB, indem er, von der Liturgie als öffentlichem Kult der Kirche ausgehend, erklärte, daß wer immer diesen von der Kirche vorgeschriebenen Kult vollziehe, auch Laien und Ordensleute, damit das öffentliche Gebet der Kirche verrichte. Dies zeige sich in Bezug auf die Ordensleute auch beim Ritus der Jungfrauenweihe, wo das Brevier übergeben wird mit dem Auftrag, es in der Kirche als Offizium zu übernehmen [359].

Auch andere Konzilsväter betonten, daß das Stundengebet der Ordensleute im Namen der Kirche verrichtet werde [360] und daß auch die tätige Teilnahme der Laien am Stundengebet zu fördern

---

sacerdotem et fideles", in: AS II/V, 581.

356 Vgl. ebd., Responsio: "At haec verba doctrinam referunt Litt. Encycl. Mediator Dei (AAS 39 -1947- 546) et nituntur verbis quae in Canone Missae leguntur: 'Pro quibus tibi offerimus vel qui tibi offerunt'. 'Hanc igitur oblationem servitutis nostrae sed et cunctae familiae tuae'. '... nos servi tui sed et plebs tua sancta ... offerimus'".

357 Vgl. den Text, oben, S. 207: "... durch die Priester und andere kraft kirchlicher Ordnung dazu Beauftragte ...".

358 Vgl. AS I/II, 328-330, hier 330: "Publica oratio fit a solo sacerdote qui etiam in oratione personam Christi gerit; ... Supplicationes fidelium (Monalium quoque) sunt semper privatae equidem magnopere commendandae".

359 Vgl. AS I/II, 559 f., hier 560: "Liturgia est cultus publicus Ecclesiae. Si laici et religiosi utriusque sexus et sacerdotes hunc cultum publicum ab Ecclesia praescriptum exercent, orationem publicam Ecclesiae agunt". Der ebd. zitierte Text bei der Jungfrauenweihe lautet: "Accipite librum ut ... legatis officium in Ecclesia, in nomine Patris ...".

360 Vgl. z.B. Kard. V. Valeri (Kurie), ebd., 493 f., hier 493; Bischof J. Souto Vizoso (Valencia/ Spanien), ebd., 468 f.

sei [361], da alle Gläubigen Zugang zum Gebet der Kirche haben müssen [362]. Dies umsomehr, da die Kirche ihre priesterliche Aufgabe nicht nur durch die Meßfeier und das Breviergebet der Priester, sondern auch durch das Gebet der Gläubigen erfülle [363].

Die Kommission entsprach diesen Wünschen, indem sie bei dem aus "Mediator Dei" entnommenen Text blieb, der von einer Delegation auch anderer Diener der Kirche und von Ordensleuten spricht [364]. In einer Anmerkung verwies sie als Beleg zusätzlich zu "Mediator Dei" noch auf die Instruktion der Ritenkongregation von 1958 und auf den von Abt Reetz herangezogenen Text aus dem Ritus der Jungfrauenweihe [365]. Außerdem wurde aber noch ein Satz hinzugefügt, der, über "Mediator Dei" hinaus, auch den Laien, "die zusammen mit dem Priester in einer approbierten Form beten", die Befähigung zuspricht, im Namen der Kirche zu beten [366].

Nach der zweiten Lesung wurde dazu ein Modus eingebracht, der die Worte "die zusammen mit dem Priester in einer approbierten Form beten" streichen wollte [367]. Damit wäre das Breviergebet von Laien generell auch als amtliches Gebet der Kirche gekennzeichnet gewesen. Dazu erwiderte die Kommission, daß das Stundengebet als Gebet der Kirche allen Gläubigen zugänglich sein müsse. Die Gläubigen könnten aber nur unter Vorsitz eines Priesters oder Diakons das öffentliche liturgische Gebet vollziehen, es sei denn, sie würden von der Kirche ausdrücklich

---

361 Vgl. z.B. Bischof F. Bonomini (Como/ Italien), ebd., 502.
362 Vgl. Bischof E. Guano (Livorno/ Italien), ebd., 457-459, hier 457: "... oratio Ecclesiae ad quam omnibus Christi fidelibus aditus patere debet".
363 Vgl. Bischof S. Méndez Arceo (Guernavaca/ Mexico), ebd., 416-418, hier 417.
364 Vgl. den Text, oben, S. 207; vgl. MeD 140/ 573: "... cum a sacerdotibus aliisque Ecclesiae ministris et a religiosis sodalibus fiat, in hanc rem ipsius Ecclesiae instituto delegatis".
365 Vgl. S. 207, Anm. 325.
366 SC 84: "Vel Christi fideles una cum sacerdote forma probata orantes"; vgl. den Bericht von Bischof J. A. Martin, a.a.O. (S. 205, Anm.. 314), 126, der die in Anm. 362 angeführte Bemerkung von Bischof E. Guano als Begründung für diese Zufügung zitiert.
367 Vgl. Modus 11, in: AS II/V, 708: "Deleatur 'una cum sacerdote forma probata orantes ...' (1 Pater)".

dazu ermächtigt [368].

Damit ist einerseits gesagt, daß die Laien nicht schon durch
das privat vollzogene Stundengebet als solches ein liturgisches Gebet im Namen der Kirche verrichten, andererseits aber,
daß sie zu diesem offiziellen Gebet von der Kirche beauftragt
werden können, auch wenn sie es nicht unter Vorsitz eines
Priesters oder Diakons beten.

2.9. Ergebnisse und Fragestellung

Der im ersten Kapitel dieser Untersuchung unternommene Versuch, aus einem historischen Rückblick zur Klärung der Frage
nach den liturgischen Gegenwartsweisen Jesu Christi beizutragen, ergab zwei hauptsächlich zu bedenkende Problemkreise:
die Frage, wie überhaupt eine liturgische Gegenwart des Herrn
zu denken ist, und die Frage, welche verschiedenen Weisen einer solchen liturgischen Gegenwart es gibt und wie sie sich
zueinander verhalten. Die erste Frage stellte sich als das
Problem der Vermittlung von Heilsangebot und Heilsempfang dar
und darin nochmals als Frage nach der Rolle der Kirche und ihrer Beziehung zu Jesus Christus in diesem Vorgang [369].
Nach dem Bericht über die Diskussionen des II. Vatikanischen
Konzils im Hinblick auf diese Fragestellung muß nun nach dem
Beitrag des Konzils zur Lösung der genannten Probleme gefragt
werden.

2.9.1. Die Liturgiekonstitution und die Liturgische Bewegung

In den letzten Jahren vor Beginn des II. Vatikanischen Konzils war ein zunehmend gespanntes Verhältnis zwischen dem auf

---

368 Vgl. ebd., Responsio: "Officium divinum est oratio Ecclesiae ad quam
   omnibus christifidelibus aditus patere debet, praesertim ad Vesperas
   dominicales et Officia Hebdomadae sanctae. At fideles nequeunt orationem publicam et liturgicam agere quin praeeat sacerdos vel diaconus,
   nisi expresse eis aliqua concessio ab Ecclesia facta sit".
369 Vgl. oben, S. 118-124.

der theologischen Basis der Enzyklika "Mediator Dei" geplanten
und vorbereiteten liturgischen Reformprogramm der römischen
Kirchenleitung und den die intensive theologische Forschungsarbeit miteinbeziehenden Reformwünschen aus dem Umkreis der
Liturgischen Bewegung zu beobachten [370].

Den Verfassern des Liturgieschemas ist es gelungen, dem Konzil
einen Textentwurf vorzulegen, der geeignet war, die so entstandene Kluft wieder zu schließen. Sie knüpften bewußt an das
Konzept der Enzyklika "Mediator Dei" an und entwickelten es
weiter durch die Berücksichtigung der inzwischen erarbeiteten
liturgietheologischen Ergebnisse. Dazu war in formaler Hinsicht das Konzil die Ebene, auf der sich der weltweite Wunsch
nach einer Liturgiereform artikulieren und mit der im Konzil
gegebenen höchsten Lehr- und Entscheidungsautorität der Kirche
durchsetzen konnte, wodurch die vom Kirchenvolk her gewünschte
Liturgiereform wieder zur Deckung mit der von der Kirchenleitung her beabsichtigten Reform kommen konnte.

Die Arbeit der Vermittlung dieser verschiedenen Kräfte wurde
weitgehend schon in der liturgischen Vorbereitungskommission
des Konzils geleistet, wie exemplarisch an den Entwicklungsstadien des in Artikel 7,1 der Liturgiekonstitution vorgelegten Textes gezeigt werden konnte [371].

Bei einem flüchtigen Vergleich des von der liturgischen Vorbereitungskommission erarbeiteten Textes mit der schließlich vom
Konzil verabschiedeten Konstitution könnte der Eindruck entstehen, als habe das Konzil diesen Entwurf fast unverändert
angenommen und mit seiner Autorität bestätigt. Die Konstitution wäre dann nicht so sehr die Frucht der Arbeit des Konzils
als vielmehr das vom Konzil angenommene Ergebnis der theologischen Vorarbeit der Liturgiewissenschaft. Bis zu einem gewissen Grad trifft dies auch zu, da die Liturgiekonstitution im
Unterschied zu vielen anderen Konzilsdokumenten tatsächlich
nach Anlage, Reformprogramm und prinzipieller theologischer
Ausrichtung fast völlig dem vorbereiteten Entwurf entspricht.

---

370 Vgl. oben, S. 87-118.
371 Vgl. oben, Abschnitt 2.3., S. 152-167.

Bei genauerem Zusehen ergibt sich jedoch, daß gerade in den hier interessierenden Fragen durchaus ein eigener Beitrag der Konzilsdiskussion selbst zu verzeichnen ist, der in die Richtung eines noch ausgewogeneren Ausgleichs zwischen dem in "Mediator Dei" vorgelegten theologischen Konzept und der liturgiewissenschaftlichen Arbeit danach geht. Dies läßt sich gerade an den beiden hier besonders interessierenden Problemfeldern beobachten.

2.9.2. Die Gegenwart Jesu Christi in der Liturgie

Zu dem Problem der Vermittlung von Heilsgabe und Heilsempfang, von heilswirksamer "Mysteriengegenwart" und tätiger Teilnahme der Gläubigen an diesem gegenwärtigen Geschehen hat die Konzilsdiskussion selbst nicht viel beigetragen. Der vorbereitete Entwurf hatte die theologischen Streitfragen um die genauere Bestimmung der "Mysteriengegenwart" ausgeklammert und zur Forderung nach tätiger Teilnahme eine Reihe von gewichtigen, aber in ihrer theologischen Konsequenz nicht weiter entfalteten Aussagen gemacht. Dies wurde vom Konzil fast diskussionslos entgegengenommen und gutgeheißen [372].
Anders verhält es sich bei der damit verbundenen Frage nach der Rolle der Kirche in der Vermittlung von Heilsgabe und Heilsempfang, also bei der Frage nach ihrer spezifischen Beziehung zu Jesus Christus in diesem Vorgang. Hier erbrachte die konziliare Arbeit selbst eine konsequent durchgeführte differenziertere Verhältnisbestimmung. Es wurde verdeutlicht, daß Jesus Christus nicht nur als Stifter der Kirche und als ermöglichende Ursache für ihre Heilsvermittlungsaufgabe an ihrem Anfang steht, sondern daß er darüberhinaus in allen liturgischen Vollzügen selbst das gegenwärtige und aktuell wirkende Subjekt des Heilswerks ist. Er selbst vollzieht das Erlösungswerk und gesellt sich dabei die Kirche zu als von ihm abhängiges und auf ihn wesentlich bezogenes sekundäres Subjekt der

---

372 Vgl. oben, Abschnitt 2.8., S. 210-215.

Liturgie.

Diese theologische Präzisierung muß als eine korrigierende Weiterführung der Lehre von "Mediator Dei" angesehen werden. Dies konnte an der konziliaren Arbeit am liturgietheologischen ersten Kapitel der Liturgiekonstitution, und dort speziell an Artikel 7, gezeigt werden[373] und ließ sich an der Textentwicklung der liturgietheologischen Einleitungsartikel zu den Kapiteln II-IV bestätigen[374].

Hier zeichnet sich ein liturgietheologischer Beitrag des Konzils von großer Tragweite ab. Er hat seine Auswirkungen auf das Verständnis der Kirche und der Sakramente, aber auch, verbunden damit, auf die christologische Frage nach der Art und Weise der bleibenden Gegenwart und Wirksamkeit des Herrn in seiner Kirche. Christologische, ekklesiologische und sakramententheologische Fragen sind dabei in enger Verbindung miteinander angesprochen und bekommen in den Texten der Liturgiekonstitution ein verbindliches Fundament, das zur theologischen Explikation einlädt und drängt. Diese Arbeit konnte das Konzil selbst freilich nicht leisten. Den theologischen Verbindlichkeitsgrad und die inhaltlichen Konsequenzen der einzelnen Aussagen der Liturgiekonstitution zu bestimmen, ist Sache der Theologie[375]. Aber es kann kein Zweifel sein, daß die Fragen nach dem genaueren Sinn der "Mysteriengegenwart" des Herrn und seiner Heilstaten, nach der theologischen Bedeutung der tätigen Teilnahme der Gläubigen am Gottesdienst und nach der in diesem Feld sich darstellenden Funktion der Kirche aufgrund der Texte der Liturgiekonstitution neu gestellt und geklärt werden müssen.

---

373 Vgl. oben, die Abschnitte 2.4.-2.6., S. 167-191.
374 Vgl. oben, Abschnitt 2.7., S. 191-209.
375 Vgl. die Erläuterung der Absicht der Konstitution durch die vorbereitende Liturgiekommission in der "Declaratio" zum Vorwort der Konstitution, in: AD II/III/II, 10 f., hier 10, Nr. 2: "Quid vero in praesenti Constitutione sit de fide tenendum, propter propositiones iam alibi a magisterio Ecclesiae factas, et quid tale non sit, iure consueto labori theologorum determinandum relinquitur". - Vgl. den gesamten Text dieser "Declaratio" im Anhang I, S. 778 f.

2.9.3. Die verschiedenen Weisen der liturgischen Gegenwart des Herrn

Der Versuch einer Verbindung zweier konkurrierender Strömungen läßt sich auch bei der Aufzählung und gegenseitigen Zuordnung der einzelnen liturgischen Gegenwartsweisen des Herrn beobachten. War die Enzyklika "Mediator Dei" von einer sich später noch zuspitzenden Akzentuierung der eucharistischen Realpräsenz als der nahezu exklusiv verstandenen Gegenwart des Herrn gekennzeichnet, so sprach der schließlich dem Konzil vorgelegte Entwurf der Liturgiekonstitution von dieser Gegenwartsweise Jesu Christi überhaupt nicht mehr. Die konziliare Arbeit erbrachte hier wiederum einen Ausgleich. Sie blieb bei der vorgeschlagenen Betonung der Bedeutung des liturgischen Gotteswortes und der darin sich ereignenden Gegenwart und Wirksamkeit Jesu Christi, ergänzte dies aber durch die hervorgehobene Erwähnung der eucharistischen Realpräsenz. Die konziliare Diskussion beschränkte sich jedoch darauf, diese verschiedenen Elemente als unentbehrlich festzuhalten; die theologische Aufgabe der genaueren Bestimmung der Zuordnung der verschiedenen Gegenwartsweisen zueinander leistete das Konzil nicht. Jedoch hat es auch dafür Maßstäbe gesetzt und einen verbindlichen Rahmen abgesteckt, der von der Theologie auszufüllen ist. Auch in diesem Fragekreis bedeutet die konziliare Arbeit eine Ermöglichung und Ermutigung der weiteren theologischen Arbeit.

3. DIE LITURGISCHE GEGENWART JESU CHRISTI NACH DER LITURGIE-KONSTITUTION DES II. VATIKANISCHEN KONZILS

Im vorausgehenden Kapitel wurden die Texte der Liturgiekonstitution und die entsprechende Konzilsdiskussion zum Thema der
liturgischen Gegenwart des Herrn und ihrer verschiedenen Verwirklichungsweisen erörtert. Dabei sollte der verabschiedete
Text der Konstitution in seinem Aussagesinn bezüglich des Themas der vorliegenden Untersuchung verdeutlicht werden. Der so
zusammengestellte Textbefund bedarf nun der theologischen Interpretation, damit der Sinn und die Tragweite der oft sehr
knappen theologischen Aussagen der Liturgiekonstitution richtig eingeschätzt werden können.
In diesem Kapitel soll der erste Fragenkomplex untersucht werden, der sich aus den Überlegungen zur Vorgeschichte und zur
Diskussion der Liturgiekonstitution ergab, nämlich die Frage,
wie überhaupt eine liturgische Gegenwart Jesu Christi zu denken ist.
Ausgangspunkt ist der vorliegende Text der Liturgiekonstitution. Er soll mit vorkonziliaren lehramtlichen und theologischen
Äußerungen zum Thema verglichen und so in seiner eigenen Aussage dargestellt werden.
Da die Tatsache einer liturgischen Gegenwart Jesu Christi im
Konzilstext nicht diskutiert, sondern vorausgesetzt wird, muß
die konziliare Antwort auf die Frage, wie eine solche Gegenwart möglich ist, aus verschiedenen Aussagen der Liturgiekonstitution erschlossen werden.
Dazu ist es zuerst notwendig, den Liturgiebegriff der Liturgiekonstitution darzustellen (Abschnitt 3.1.). Dann soll untersucht werden, welche Inhalte mit diesem Begriff verbunden
werden (Abschnitt 3.2.) und welchem Ziel die Liturgie dient
(Abschnitt 3.3.). Für die Frage nach der Gegenwart Jesu Christi im Gottesdienst ist es besonders aufschlußreich zu sehen,
wer nach der Liturgiekonstitution das Subjekt der Liturgie
ist. Dies wird in Abschnitt 3.4. erörtert. Schließlich können
aus der Gesamtaussage der Liturgiekonstitution einige Grundbe-

stimmungen der liturgischen Gegenwart des Herrn erhoben werden, die in allen liturgischen Feiern gegeben sind. Sie werden in Abschnitt 3.5. zusammengestellt.

Zur Interpretation der Liturgiekonstitution werden in der folgenden Untersuchung vor allem solche Kommentare und theologische Beiträge herangezogen, die schon bald nach der Promulgation der Liturgiekonstitution erschienen sind und sich vorrangig auf diese allein beziehen[1]. Theologische Interpretationen der Aussagen des gesamten Konzils zu der hier untersuchten
Frage sollen erst im fünften Kapitel vorgestellt werden, wo es
um die Geschichte der Rezeption und theologischen Weiterentwicklung der Lehre der Liturgiekonstitution geht.

3.1. Der Begriff der Liturgie

Der Begriff der Liturgie ist in Artikel 7,3 der Liturgiekonstitution mit folgenden Worten zusammengefaßt: "Mit Recht gilt
also die Liturgie als Vollzug des Priesteramtes Jesu Chri-

---

1 Schon 1964 ist eine fast unübersehbare Zahl von Kommentaren zur Liturgiekonstitution des II. Vatikanischen Konzils (SC) erschienen. Einen nach
Sprachgruppen geordneten Überblick bietet R. Kaczynski, in: Ders. (Hg.),
Enchiridion Documentorum Instaurationis liturgicae I (1963-1973), Turin
1976, 1 f. Eine nach den Kapiteln der Konstitution geordnete Übersicht
(etwa 170 Titel) findet sich in: ELit 78 (1964) 562-572; vgl. auch die
etwa 40 Titel bietende Zusammenstellung in: QLP 46 (1965) 54-58; eine
Auswahl der wichtigsten Kommentare bietet: LThK.E III, 728. - In der vorliegenden Untersuchung werden neben Einzelartikeln und den schon vielfach
zitierten Kommentaren von H. Schmidt, E. J. Lengeling und J. A. Jungmann
vor allem folgende Werke berücksichtigt: *La Maison-Dieu*, Commentaire complet de la Constitution conciliaire sur la liturgie, in: MD, Nr. 77 (1964)
8-224; *Ephemerides Liturgicae*, Commentarium, in: ELit 78 (1964) 227-401;
J. D. Crichton, The Church's Worship. Considerations on the Liturgical Constitution of the Second Vatican Council, London 1964; C. Floristán u.a.
(Hg.), Concilio Vaticano II, 1: Comentarios a la constitución sobre la
sagrada liturgia, Madrid 1964; F. Antonelli/ R. Falsini (Hg.), Costituzione Conciliare sulla sacra Liturgia. Introduzione, Testo latino-italiano, Commento, Mailand 1964, [2]1965 (= Sussidi liturgico-pastorali 7); G.
Baraúna (Hg.), A Sagrada Liturgia Renovada pelo Concilio. Estudios e comentários em tôrno da Constituição Litúrgica do Concílio Vaticano Segundo,
Petrópolis (Brasilien) 1964; davon wird die ital. Ausgabe zitiert: G. Baraúna (Hg.), La Sacra Liturgia rinnovata dal Concilio - Studia e commenti
intorno alla Costituzione Liturgica del Concilio Ecumenico Vaticano II,
Torino-Leumann 1964, [2]1965.

sti"[2]. Diese kurze Aussage wird im darauf folgenden Satz erläutert und im gesamten ersten Kapitel der Liturgiekonstitution reich entfaltet[3].
Für unseren Zusammenhang ist zunächst vor allem der Grundbegriff wichtig, den die Liturgiekonstitution zur Beschreibung
der Liturgie verwendet: "Vollzug des Priesteramtes Jesu Christi". Daß es sich um eine betonte und zentrale Aussage handelt, zeigt schon die Einleitung des Satzes: "Mit Recht gilt
also ...". Dabei gibt die Liturgiekonstitution keine wissenschaftliche Definition der Liturgie, wohl aber nennt sie den
zentralen Begriff, den eine Definition zugrundelegen müßte.

Die Feststellung, daß die Liturgie Vollzug des Priesteramtes
Jesu Christi ist, stammt aus der Enzyklika "Mediator Dei"[4].
Neu ist aber der systematische Stellenwert, den die Liturgiekonstitution diesem Begriff gibt, wenn sie ihn zum Hauptwort
der Beschreibung der Liturgie macht. Die Enzyklika "Mediator
Dei" hatte bei ihrer 'Definition' der Liturgie[5] den Ausdruck
"öffentlicher Kult" (*cultus publicus*) als Grundbegriff genommen. Wenn damit auch nicht der gesamte Inhalt des Liturgieverständnisses der Enzyklika ausgesagt ist, so doch der Aspekt,
auf den es dem Papst ankommt[6].
In den wissenschaftlichen Definitionen neuerer Autoren findet
sich eine Reihe verschiedener Oberbegriffe der Liturgie. Es
soll hier nicht die Geschichte dieser Definitionsversuche nachgezeichnet werden[7]; es genügt ein Hinweis auf solche Autoren,

---

2 SC 7,3: "Merito igitur Liturgia habetur veluti Iesu Christi sacerdotalis
  muneris exercitatio".
3 Vgl. Lengeling, 77* f., der die einzelnen Elemente des Liturgieverständnisses in den Texten von SC nachweist.
4 Vgl. MeD 22/529.
5 Vgl. MeD 20/529; dazu oben, S. 83-85. Daß es sich dabei nicht um eine eigentliche Definition handelt, hat E. J. Lengeling mehrfach gezeigt: vgl.
  z.B. Lengeling, 23-26; vgl. auch C. Vagaggini, Theologie der Liturgie,
  28 f., Anm. 2.
6 Das zeigt sich schon im Ansatz des liturgietheologischen Teils von MeD
  bei der Verpflichtung des Menschen zur Gottesverehrung (Nr. 13). Zum Begriff *cultus publicus* vgl. die umfassende Studie von A. Stenzel, Cultus
  Publicus. Ein Beitrag zum Begriff und ekklesiologischen Ort der Liturgie,
  in: ZKTh 75 (1953) 174-214.
7 Vgl. den umfassenden Überblick bei H. A. P. Schmidt, Introductio ...

die bei der Erarbeitung des Liturgieschemas mitgewirkt haben. Cipriano Vagaggini nimmt die "Zeichen" als Grundbegriff der Liturgie[8]; ähnlich auch Irénée-Henri Dalmais "die Gesamtheit der Riten und Formeln"[9]. Interessant ist, daß sich unter den von Emil Joseph Lengeling genannten Liturgikern, welche die Liturgie als Ausübung des Priesteramtes Christi durch die Kirche definieren[10], Mario Righetti befindet[11], der zu den Konsultoren der Liturgiekommission des Konzils gehörte[12], und vor allem auch Annibale Bugnini, der einflußreiche Sekretär der vorbereitenden Liturgiekommission[13].

Emil Joseph Lengeling hat auf der Grundlage der Liturgiekonstitution folgende Definition vorgelegt: "Die Liturgie ist die vom hierarchisch gegliederten Volk Gottes, der Braut und dem Leib Christi, durch den gegenwärtigen Christus im Heiligen Geist unter wirksamen äußeren Zeichen und in rechtmäßiger Ordnung vollzogene Aktuierung des Neuen Bundes zwischen Gott und Mensch in Fortführung des einerseits soterischen, andererseits latreutischen und impetratorischen Priesteramtes Christi zwischen seiner Erhöhung und der in seiner Wiederkunft anbrechenden vollendeten Königsherrschaft Gottes"[14].

(s. S. 4, Anm. 1), 47-87; dazu E. J. Lengeling, Liturgie, in: HThG II, 75-97, hier 78-85; vgl. auch C. Vagaggini, a.a.O., 28-34; A.-G. Martimort, Grundbegriffe, in HLW I, 3-15, hier 5-8.

8 Vgl. C. Vagaggini, a.a.O., 32: "Die Liturgie ist der Inbegriff der sinnfälligen, wirksamen Zeichen der Heiligung und des Gottesdienstes der Kirche".

9 Vgl. I.-H. Dalmais/ A.-M. Henry, Die Liturgie, in: Die katholische Glaubenswelt I, Freiburg 1959, 79-118, hier 84.

10 Vgl. E. J. Lengeling, Liturgie, a.a.O., 84.

11 M. Righetti, Manuale di storia liturgica I, Mailand [2]1950, 6.

12 Vgl. die Liste bei Schmidt, 222.

13 Vgl. A. Bugnini, La liturgia è l'esercizio del sacerdozio di Gesù Cristo per mezzo della Chiesa, in: Asprenas 6 (1959) 4 (zit. nach: A.-G. Martimort, Grundbegriffe, in: HLW I, 8, Anm. 18).

14 E. J. Lengeling, Die Lehre der Liturgiekonstitution vom Gottesdienst, in: LJ 15 (1965) 1-27, hier 26. Er bleibt damit fast wörtlich bei seiner früheren Definition: vgl. ders., Liturgie, a.a.O., 86, nur daß dort die Kennzeichnung "wirksam" bei den äußeren Zeichen fehlt. Diese frühere Definition ist ausdrücklich "aufgrund der Liturgieenzyklika" (ebd.) erarbeitet. Zwar kannte Lengeling das Liturgieschema schon und zitiert es mehrfach in seiner verbesserten Fassung, obwohl es zum Zeitpunkt des Erscheinens des HThG (Jan. 1963) noch nicht promulgiert war; eine eingehende Untersuchung von SC konnte aber noch nicht erfolgt sein. In der aufgrund von SC überarbeiteten Fassung des Artikels "Liturgie" aus dem

Hier ist "Aktuierung des Neuen Bundes" das Hauptwort der Definition, ein Ausdruck, der sich auf Artikel 10 der Liturgiekonstitution berufen kann [15]. Dennoch ist es nicht ohne Bedeutung, daß bei der Beschreibung der Liturgie in Artikel 7,3 "Vollzug des Priesteramtes Jesu Christi" als Grundbegriff verwendet wird. Abgesehen von diesem Unterschied kommt die Definition Lengelings im Vergleich mit den Definitionen anderer Autoren der Gesamtaussage der Liturgiekonstitution wohl am nächsten.

Mit dem Ausdruck "Vollzug des Priesteramtes Jesu Christi" gewinnt die Konstitution einen Liturgiebegriff, der geeignet ist, in seiner Entfaltung den Blick auf Jesus Christus zu lenken, der selbst sein Priesteramt in der Kirche und durch sie vollzieht. Dieser Vorrang des Handelns Gottes in Christus vor dem Handeln des Menschen in der Liturgie kommt auch im Aufbau der entsprechenden Artikel der Liturgiekonstitution zum Ausdruck. Während die Enzyklika "Mediator Dei" von der Pflicht des Menschen zur Gottesverehrung ausgeht (Nr. 13) und von da aus den Begriff der Liturgie entwickelt (Nr. 14-22), setzt die Konstitution mit der Beschreibung des Heilswillens Gottes ein, der in Jesus Christus geoffenbart und verwirklicht worden ist (Nr. 5) [16].
So ist von vornherein das von Pius XII. zurückgewiesene Mißverständnis der Liturgie als rituelle oder juridische Außenseite des kirchlichen Gottesdienstes überwunden [17], von dem Arcadio Kardinal Larraona in der Zentralkommission zur Vorbereitung des Konzils gesagt hatte, daß es bis jetzt vorhanden war [18].

HThG für das holländ. LitW bleibt Lengeling bei der zitierten Definition, nur daß im LitW der Hinweis auf die Kirche als "Braut und Leib Christi" fehlt: vgl. ders., Liturgie, in: LitW II, 1573-1595, hier 1581.

15 Vgl. SC 10: "... wenn der Bund Gottes mit den Menschen in der Feier der Eucharistie neu bekräftigt wird ...".

16 Vgl. zu dieser Gegenüberstellung M. C. Matura, Die Konstitution über die Liturgie und die Mysterienlehre, in: LuM, H. 36 (1965) 7-11.

17 Vgl. MeD 25/532. Die dort zurückgewiesene rituelle Definition wurde von J.-J. Navatal, L'apostolat liturgique et la piété personelle, in: Études 137 (1913) 452, vorgelegt; die juridische von C. Callewaert, De sacra liturgia universim, Brügge 1919, [4]1944, 6. (Hinweise bei A.-G. Martimort, Grundbegriffe, in: HLW I, 3-15, hier 5, Anm. 7 und 8).

18 Vgl. AD II/II/III, 50.

3.2. Der Inhalt der Liturgie

Wenn die Liturgie der Vollzug des Priesteramtes Jesu Christi ist, so muß nun gefragt werden, worin dieses Priesteramt besteht, was also der Inhalt dessen ist, was in der Liturgie vollzogen wird. Die Konstitution gibt darauf folgende Antwort:

"In der Liturgie vollzieht sich nämlich das Werk unserer Erlösung" (Nr. 2) [19].

"Dieses Werk der Erlösung der Menschen und der vollendeten Verherrlichung Gottes ... hat Christus, der Herr, erfüllt, besonders durch das Pascha-Mysterium: sein seliges Leiden, seine Auferstehung von den Toten und seine glorreiche Himmelfahrt" (Nr. 5) [20].

Christus hat die Apostel gesandt, dieses Heilswerk zu verkünden und "auch das von ihnen verkündete Heilswerk zu vollziehen durch Opfer und Sakrament, um die das ganze liturgische Leben kreist. So werden die Menschen durch die Taufe in das Pascha-Mysterium Christi eingefügt" (Nr. 6) [21].

"Seither hat die Kirche niemals aufgehört, sich zur Feier des Pascha-Mysteriums zu versammeln" (Nr. 6) [22].

In diesem Sinn also ist die Liturgie "Vollzug des Priesteramtes Jesu Christi" (Nr. 7).

"In der irdischen Liturgie nehmen wir vorauskostend an jener himmlischen Liturgie teil ..." (Nr. 8) [23].

---

19 SC 2: "Liturgia enim, per quam ... 'opus nostrae redemptionis exercetur' (Secreta dominicae IX post Pentecosten)". Vgl. S. 146, Anm. 78.
20 SC 5: "Hoc autem humanae Redemptionis et perfectae Dei glorificationis opus ... adimplevit Christus Dominus, praecipue per suae beatae Passionis, ab inferis Resurrectionis et gloriosae Ascensionis paschale mysterium".
21 SC 6: "Ideoque, sicut Christus missus est a Patre, ita et ipse Apostolos, repletos Spritu Sacto, misit, non solum ut, praedicantes Evangelium omni creaturae (cf. Mc. 16,15), annuntiarent Filium Dei morte sua et resurrectione nos a potestate satanae (cf. Act. 26,18) et a morte liberasse et in regnum Patris transtulisse, sed etiam ut, quod annuntiabant opus salutis per Sacraficium et Sacramenta, circa quae tota vita liturgica vertit, exercerent. Sic per Baptismum homines paschali Christi mysterio inseruntur".
22 Ebd.: "Numquam exinde omisit Ecclesia quin in unum conveniret ad paschale mysterium celebrandum".
23 SC 8: "In terrena Liturgia caelestem illam praegustando participamus".

Das Mysterium Christi und die Heilsgeschichte stehen im Zusammenhang mit der Liturgie (Nr. 16) [24].

Die Predigt ist "die Botschaft von den Wundertaten Gottes in der Geschichte des Heils, das heißt im Mysterium Christi, das allezeit in uns zugegen und am Werk ist, vor allem bei der liturgischen Feier" (Nr. 35) [25].

Das eucharistische Opfer ist "eine Gedächtnisfeier des Todes und (der) Auferstehung des Herrn" (Nr. 47) [26].

"Im Kreislauf des Jahres entfaltet sie (die Kirche) das ganze Mysterium Christi von der Menschwerdung und Geburt bis zur Himmelfahrt, zum Pfingsttag und zur Erwartung der seligen Hoffnung und der Ankunft des Herrn. Indem sie so die Mysterien der Erlösung feiert, erschließt sie die Reichtümer der Machterweise und Verdienste ihres Herrn, so daß sie jederzeit gewissermaßen gegenwärtig gemacht werden und die Gläubigen mit ihnen in Berührung kommen und mit der Gnade des Heils erfüllt werden" (Nr. 102) [27].

"In den Gedächtnisfeiern der Heiligen verkündet die Kirche das Pascha-Mysterium in den Heiligen, die mit Christus gelitten haben und mit ihm verherrlicht sind" (Nr. 104) [28].

Ordnet man diese Fülle von Aussagen systematisch, so läßt sich folgendes sagen:

Der Inhalt der Liturgie, besonders der Eucharistiefeier (Nr. 2, 10, 41) ist das Mysterium Christi (Nr. 2, 102).

Dieses umfaßt sowohl die Person des Herrn (Nr. 2) wie auch

---

24 SC 16: "Curent ... magistri ... mysterium Christi et historiam salutis excolere, ut exinde earum connexio cum Liturgia et unitas sacerdotalis institutionis aperte clarescant".

25 SC 35,2: "Haec vero imprimis ex fonte sacrae Scripturae et Liturgiae hauriatur, quasi annuntiatio mirabilium Dei in historia salutis seu mysterio Christi, quod in nobis praesens semper adest et operatur, praesertim in celebrationibus liturgicis".

26 SC 47: "Memoriale ... Mortis et Resurrectionis suae".

27 SC 102: "Totum vero Christi mysterium per anni circulum explicat, ab Incarnatione et Nativitate usque ad Ascensionem, ad diem Pentecostes et ad exspectationem beatae spei et adventus Domini. Mysteria Redemptionis ita recolens, divitias virtutum atque meritorum Domini sui, adeo ut omni tempore quodammodo praesentia reddantur, fidelibus aperit, qui ea attingant et gratia salutis repleantur". Vgl. auch SC 107, 108.

28 SC 104: "In Sanctorum enim nataliciis praedicat paschale mysterium in Sanctis cum Christo compassis et conglorificatis".

sein Heilswerk (Nr. 102).

Das Heilswerk ist "Werk der Erlösung der Menschen und der vollkommenen Verherrlichung Gottes" (Nr. 5 u.ö.[29]). Es hat ein
"Vorspiel" in den "göttlichen Machterweisen am Volk des Alten
Bundes" (Nr. 5). Es umfaßt die Gesamtheit des Lebens Jesu Christi von seiner Menschwerdung bis zu seiner Wiederkunft (Nr.
102, 107) und gipfelt im Pascha-Mysterium seines Leidens und
Todes, seiner Auferstehung und Himmelfahrt (Nr. 5 und 61). Es
wird in der Kirche verkündet und vollzogen (Nr. 6), vor allem
in der Liturgie (Nr. 7, 10), besonders in der Eucharistie (Nr.
2, 10, 41). Dadurch wird es gewissermaßen gegenwärtig gemacht
(Nr. 102) und in den Festen der Heiligen verkündet, in deren
Leben es sich abbildet (Nr. 104). Als Vollzug des Christus-Mysteriums ist die irdische Liturgie ein Bild der himmlischen
(Nr. 8).

Bezüglich des Inhalts der Liturgie sollen folgende Aspekte eigens hervorgehoben werden:

3.2.1. Liturgie als Feier der Heilsgeschichte

Das grundlegende Verständnis der Liturgie als Vollzug des
Priesteramtes Jesu Christi gibt den Blick dafür frei, daß die
Heilskraft der Liturgie fundamental in dem darin vollzogenen
Heilswillen Gottes begründet ist. Damit ist, wie es ausdrücklich die Absicht der vorbereitenden Liturgiekommission war[30],
das Wesen der Liturgie aus einer heilsgeschichtlichen Betrachtungsweise des Willens Gottes abgeleitet.

Diese Sicht der Liturgie war von einigen bedeutenden Autoren
vorbereitet[31], hatte aber bis dahin keinen Ausdruck in offizi-

---

29 Eine systematisch geordnete Liste der entsprechenden Formulierungen
   bietet Lengeling, 78*.
30 Vgl. die "Declaratio" zu Nr. 5-8 im Anhang I, S. 779.
31 Die Offenbarung der Heilsgeschichte ist bei C. Vagaggini, Theologie der
   Liturgie, 15-27 (1. Kap.), der Hintergrund der Liturgie. Ebenso beginnt
   A. Verheul, Einführung in die Liturgie. Zur Theologie des Gottesdienstes, Wien 1964, mit der heilsgeschichtlichen Darstellung des Handelns
   Gottes (vgl. Kap. I-III). Dieses Buch ist auch insofern interessant,
   als es in 1. Aufl. 1962, unmittelbar vor dem Konzil erschienen ist:

ellen Texten zur Liturgie gefunden und war keineswegs Allgemeingut der vorkonziliaren Liturgik [32]. Umso bedeutsamer ist
ihre Betonung durch die Liturgiekonstitution.

Die Heilsgeschichte als die Geschichte des Handelns Gottes zu
unserem Heil hat nach der Auffassung der Autoren des Liturgieschemas vier Phasen: die Vorbereitung im Alten Bund, die Verwirklichung im Christusereignis, die Vollendung bei der Wiederkunft des Herrn und die verborgene Gegenwart des Herrn und
seines Heilswerks in der Zeit zwischen Himmelfahrt und Wiederkunft [33]. Dabei muß die letztgenannte Phase, das gegenwärtige
Heilshandeln Jesu Christi, als Vergegenwärtigung der gesamten
Heilsgeschichte und ihrer Vollendung verstanden werden [34]. Sie
wird deshalb nicht, wie man es erwarten könnte, in ihrer zeitlichen Einordnung vor der abschließenden Vollendung bei der
Wiederkunft des Herrn genannt, sondern als gegenwärtiger Vollzug des göttlichen Heilswerks in allen drei Zeitdimensionen an
den Schluß gestellt. In der Liturgie wird demnach das im Alten
Bund vorausverkündete und durch Jesus Christus vollendete
Heilswerk (Nr. 5) durch den Dienst der Kirche verkündet und
vollzogen (Nr. 6) kraft der beständigen wirksamen Gegenwart
des Herrn (Nr. 7) als Vorausverwirklichung der künftigen Vollendung des Heils (Nr. 8).

Für die Liturgie insgesamt gilt also, was Thomas von Aquin in
Bezug auf die Sakramente gesagt hat: sie ist ein Erinnerungszeichen (*signum rememorativum*) der vergangenen Heilstat des

---

A. Verheul, Inleiding tot de Liturgie. Haar theologische achtergrond,
Roermond 1962. Vgl. dazu die im Einzelnen recht kritische Rezension von
A. Dirks, in: ELit 77 (1963) 422-424. Die 2., erw. Aufl. (Antwerpen
1964) berücksichtigt bereits SC. Sie ist beträchtlich erweitert, konnte
aber in ihrem Grundkonzept erhalten bleiben, nämlich Liturgie als Ausdruck der Heilsgeschichte darzustellen; vgl. die positive Rezension von
F. Vandenbroucke, in: QLP 46 (1965) 250. Die deutsche Übersetzung von
M. Lehne entspricht der 2. Aufl. Vorher hatte schon I.-H. Dalmais, Initiation à la Liturgie, Paris 1958, 90, die heilsgeschichtliche Linie im
Christusereignis betont, wenn auch nicht mit einem solchen systematischen Gewicht, wie die soeben genannten Autoren.

32 Vgl. z.B. das fast vollständige Fehlen des heilsgeschichtlichen Aspekts
der Liturgie im HLW.
33 Vgl. die "Declaratio" zu Nr. 5-8 im Anhang I, S. 779.
34 Vgl. vor allem Schmidt, 149-179:"VI. Christus - gestern, heute und in
Ewigkeit".

Herrn, ein Hinweiszeichen (*signum demonstrativum*) für die gegenwärtige Heilsmacht dieser Heilstat und ein Vorzeichen (*signum prognosticum*) für die künftige Heilsvollendung [35].

In der heilsgeschichtlichen Fundierung der Liturgie wird wie von selbst der Akzent auf das zuvorkommende Handeln Gottes in Jesus Christus gelegt. Dies ist die Voraussetzung für die Einsicht in das gegenwärtige Handeln des Herrn in der Liturgie. Daß diese Lehre auch in ökumenischer Hinsicht von Bedeutung ist, zeigt der Hinweis des lutherischen Konzilsbeobachters Kristen E. Skydsgaard, der in der Papstaudienz der Konzilsbeobachter am 17.10.1963 die Hoffnung aussprach, daß die heilsgeschichtliche Sicht der Theologie in den Konzilstexten deutlich werde, ein Wunsch, den Papst Paul VI. zustimmend aufnahm [36].

3.2.2. Liturgie als Feier des Christus-Mysteriums

Im Zentrum der Heilsgeschichte steht die Person und das Heilswerk Jesu Christi, der in der "Fülle der Zeiten" als "Mittler zwischen Gott und den Menschen" "unsere vollendete Versöhnung" ist (Nr. 5). Die Liturgiekonstitution gebraucht zur Beschreibung der Person und des Werkes Jesu Christi in zahlreichen Texten den Begriff "Mysterium" [37]. Sie nimmt damit den patristischen Sprachgebrauch wieder auf und geht dabei in ähnlicher Weise vor wie die Mysterienlehre und die von ihr beeinflußten Theologen [38].

Die Konstitution verwendet das griechische *mysterion* in einem weiten Sinn. Es bezeichnet als "Mysterium Christi" "die Wundertaten Gottes in der Geschichte des Heils" (Nr. 35), kann

---

35 Vgl. Thomas v. Aquin, Summa Theol. III, q. 60, a. 3. Auf diesen Text sowie auf ebd., I,II, q. 101, a. 2, beruft sich auch die zitierte "Declaratio" der liturgischen Vorbereitungskommission, die dann freilich besser von drei Phasen der Heilsgeschichte gesprochen hätte, statt von vier.
36 Vgl. den Hinweis bei Lengeling, 13.
37 Vgl. SC, 5, 6, 16, 17, 35, 48, 61, 102, 103, 104, 106, 107, 108, 109, 111.
38 Vgl. C. Vagaggini, (Kommentar zu SC 5-13), in: ELit 78 (1964) 226-246, hier 234 f.

also mit der Heilsgeschichte gleichgesetzt werden. Es ist aber auch deren Konkretisierung und Vollendung, so daß Heilsgeschichte und Mysterium Christi voneinander unterschieden werden (Nr. 16). Im Singular bezeichnet es die Gesamtheit des Christusereignisses als Inbegriff des Geheimnisses der Person des Herrn (Nr. 2) und der heilshaften Ereignisse seines Lebens (Nr. 102), die für sich genommen im Plural "Mysterien Christi" (Nr. 103), "Mysterien der Erlösung" (Nr. 102) oder "Heilsmysterien" (Nr. 108, 111) genannt werden und den Inhalt der liturgischen Feier bilden (Nr. 17, 107, 108).

Das lateinische Äquivalent *sacramentum* wird dagegen in der Liturgiekonstitution fast durchweg für die Sakramente im spezifischen Sinn reserviert [39]. Eine Ausnahme bildet die zweimalige Verwendung von *sacramentum* für die Kirche, wobei es sich aber jeweils um ein Zitat aus einem liturgischen bzw. patristischen Text handelt [40].

Selbst dieser Sprachgebrauch hatte jedoch schon Kritik unter den Konzilsvätern hervorgerufen; manche befürchteten, daß damit die Lehre von den sieben Sakramenten untergraben werden könnte [41].

Offen bleibt die Bedeutung des Ausdrucks *sacramentis paschalibus* (Nr. 10), der die österlichen Sakramente der Buße und Eucharistie meinen könnte, wahrscheinlicher aber die Osterfeier als ganze bezeichnen soll [42].

Hinsichtlich des Sprachgebrauchs ergibt sich also der Befund, daß "Mysterium" für Person und Heilswerk Jesu Christi verwendet wird, "Sakrament" dagegen mit einer gewissen Zurückhaltung für die Kirche und im übrigen für die sieben Sakramente. Eine Austauschbarkeit der beiden Begriffe läßt sich in der Liturgiekonstitution nicht nachweisen. Daß dennoch mit *Christus-*

---

39 Vgl. SC 6, 7, 9, 27, 36, 39, 47, 59, 60, 61, 62, 63, 71, 72, 73, 75, 77, 78, 113.
40 Vgl. SC 5, 26.
41 Vgl. z.B. Erzbischof A. Abed (Tripolis/ Libanon), in: AS I/I, 612 f., der den Ausdruck *Ecclesia mirabile sacramentum* gestrichen haben wollte, da er theologisch mißverständlich sei.
42 Vgl. zum Inhalt des Ausdrucks im liturgischen Sprachgebrauch A.-M. Roguet, Qu'est-ce que le mystère pascal?, in: MD, Nr. 67 (1961) 5–12.

Mysterium, *Sakrament der Kirche* und liturgische *Feier der Heilsmysterien* nicht disparate Wirklichkeiten gemeint sind, zeigt mit aller wünschenswerten Deutlichkeit Artikel 2 der Liturgiekonstitution. Dort wird erklärt, daß die Liturgie als Vollzug des Erlösungswerkes (= Heilsmysterium) dazu beiträgt, daß das Leben der Gläubigen Ausdruck und Offenbarung (= "Sakrament") des Christus-Mysteriums und der Kirche wird, die dann ganz in sakramentalen Kategorien beschrieben wird [43].

Daß dennoch zwischen "Mysterium" und "Sakrament" terminologisch streng unterschieden wird (die deutsche Übersetzung tut es nicht mit derselben Konsequenz [44]), erklärt sich wohl hinreichend daraus, daß man der üblichen Terminologie der neuzeitlichen Theologie entsprechen wollte. Man kann darüberhinaus hier auch einen Nachklang des patristischen Sprachgebrauchs finden, wo trotz der prinzipiellen Austauschbarkeit der Begriffe "Mysterium" und "Sakrament" darin unterschiedliche Nuancen zum Ausdruck kommen: *sacramentum* betont mehr die sichtbare Seite des Mysteriums, *mysterion* mehr die verborgene Seite des Sakraments [45]. So wird auch in der Liturgiekonstitution

---

43 SC 2: "Liturgia enim, per quam, maxime in divino Eucharistiae Sacrificio, 'opus nostrae Redemptionis exercetur' (Secreta dominicae IX post Pentecosten) summe eo confert ut fideles vivendo exprimant et aliis manifestent mysterium Christi et genuinam verae Ecclesiae naturam, cuius proprium est esse humanam simul ac divinam, visibilem invisibilibus praeditam ...".
44 Meist behält die deutsche Übersetzung die Begriffe der lat. Fassung bei. In Bezug auf die Kirche wird jedoch einmal *sacramentum* mit "Geheimnis" übersetzt (Nr. 5) und einmal mit "Sakrament" (Nr. 26). *Mysteria* wird an 2 Stellen mit "Geheimnisse" übersetzt (Nr. 52, 108). Dabei ist in Nr.108 *mysteria salutis* erst mit "Heilsgeheimnisse", dann mit "Heilsmysterien" übersetzt. Der Begriff "Geheimnis" steht also einmal für *sacramentum* (Nr. 5) und einmal für *mysterium* (Nr. 108).
45 Vgl. H. de Lubac, Corpus Mysticum. Kirche und Eucharistie im Mittelalter. Eine historische Studie (übertr. v. H. U. v. Balthasar), Einsiedeln 1969, 60-65: "*Mysterium* und *Sacramentum*", mit einer Fülle von patrist. Belegen, z.B. S. 63: "Das *sacramentum* spielt also eher die Rolle des In-sich-Bergenden, Einhüllenden, während das Mysterium das ist, was sich in ihm birgt und verhüllt". Vgl. auch die ausführlichen Untersuchungen von L. Boff, Die Kirche als Sakrament im Horizont der Welterfahrung. Versuch einer Legitimation und einer struktur-funktionalistischen Grundlegung der Kirche im Anschluß an das II. Vatikanische Konzil, Paderborn 1972, 49-82: "Was heißt eigentlich Sacramentum?" (Kap. III).

"Sakrament" für die sichtbare Seite der Heilswirklichkeit, für
Kirche und Sakramente gebraucht, während "Mysterium" die unsichtbare Innenseite derselben Heilswirklichkeit bezeichnet,
den Heilsplan Gottes, der sich im Christusereignis bekundet
und verwirklicht.

Das Verständnis der Liturgie als Feier des Christus-Mysteriums
- der Person und der Heilsereignisse des Lebens Jesu Christi -
ist ein weiterer bedeutsamer Beitrag der Liturgiekonstitution
zur Frage nach der liturgischen Gegenwart des Herrn. Seine
Person und sein Werk sind Inhalt der Liturgie. Darauf machen
auch die Kommentatoren aufmerksam [46], wobei manche noch besonders betonen, daß es sich bei diesem göttlichen Mysterium, dem
Heilsplan Gottes für die Welt, welches sich im Christus-Mysterium offenbart, nicht um ein statisches Symbol, sondern um ein
Geschehen handelt: das Ereignis des Heilshandelns Gottes in
Jesus Christus [47].

3.2.3. Liturgie als Feier des Pascha-Mysteriums

Das Christus-Mysterium hat seine Mitte und seinen Höhepunkt im
Pascha-Mysterium. Dieser Ausdruck, der in kirchenamtlichen Dokumenten bis dahin ungebräuchlich war [48], kommt in der Liturgiekonstitution achtmal wörtlich vor [49], dazu öfters noch in
sinngemäß entsprechenden Umschreibungen [50]. Er meint zunächst
Leiden, Tod und Auferstehung des Herrn (Nr. 5, 61, 106), aber

---

46 Vgl. bes. C. Vagaggini, a.a.O. (S. 229, Anm. 38), 234; ders., Idee fondamentale della Costituzione, in: G. Baraúna (Hg.), La Sacra Liturgia ..
   (s. S. 221, Anm. 1), 59-100, hier 66-69; Schmidt, 66-69; H. Volk, Theologische Grundlagen der Liturgie. Erwägungen nach der Constitutio De
   Sacra Liturgia, Mainz 1964, 74-80; ders., Liturgie heute, in: Ders.,
   Gesammelte Schriften II, Mainz 1966, 197-213, hier 200; P. Visentin, Il
   mistero di Cristo nella Liturgia secondo la Costituzione liturgica, in:
   RivLi 51 (1964) 50-52, 293-307; E. J. Lengeling, Die Lehre der Liturgiekonstitution ..., a.a.O. (S. 223, Anm. 14), 17.
47 Vgl. bes. J. D. Crichton, The Church's Worship, 25: Mystery of God, mystery of Christ "is essentially an *event*, something God did".
48 Vgl. H. Volk, Theologische Grundlagen der Liturgie, 81.
49 SC 5, 6 (zweimal), 61, 104, 106, 107, 109.
50 Vgl. z.B. SC 47, 102, 111.

nicht nur in ihrer historischen Vergangenheit, sondern auch in
ihrer liturgischen Feier (Nr. 6, 107, 109). Durch die Sakramente, vor allem Taufe, Firmung und Eucharistie, werden die
Gläubigen in das Pascha-Mysterium Christi eingefügt (Nr. 6),
so daß es in ihnen Gestalt annimmt, wie es die Kirche in den
Heiligenfesten verkündet (Nr. 104).

Das Pascha-Mysterium meint also in einem das Geschehen an Jesus Christus selbst, seinen Übergang vom Tod zum Leben, sowie
den inneren Sinn dieses Geschehens, die stellvertretende Überwindung des Todes als Folge der Sünde und die Wiederherstellung des Lebens mit Einschluß der leiblichen Auferstehung[51];
es umfaßt die sakramentale Mitteilung dieses Geschehens an die
Menschen in der Feier der Liturgie und die Feier desselben
Übergangs vom Tod zum Leben im vollendeten Menschen[52].

Der Ausdruck "Pascha-Mysterium" erweist sich damit als ein
Grundbegriff der Liturgiekonstitution, der den ganzen Umfang
des göttlichen Heilsplans in seinem Zentrum zum Ausdruck
bringt. Der deutsche Text hat den Ausdruck mit gutem Grund unübersetzt gelassen, da jede Übersetzung eine inhaltliche Verengung mit sich gebracht hätte[53].

Der Begriff "Pascha-Mysterium" ist nicht vom Konzil geprägt
worden. In seiner lateinischen Form findet er sich selten im
Singular (*paschale mysterium*), häufiger im Plural (*paschalia
mysteria*) in liturgischen Texten. Ebenso häufig begegnet die
von der Liturgiekonstitution nicht gebrauchte Wendung *sacramen-*

---

51 Vgl. SC 6: "... paschale mysterium, quo 'mortem nostram moriendo destruxit, et vitam resurgendo reparavit' (Praefatio paschalis in Missali
Romano)".
52 Vgl. vor allem C. Vagaggini, (Kommentar zu SC 5-13), in: ELit, a.a.O.,
235 f.; ders., Idee fondamentale ..., a.a.O. (Anm. 46) 81-83: "Paschale
Mysterium"; S. Marsili, La Messa mistero pasquale e mistero della chiesa, in: G. Baraúna (Hg.), La Sacra Liturgia ..., 343-369; H. Volk, Theologische Grundlagen der Liturgie, 81-88; A. Verheul, Liturgie is Paasmysterie, in: TLi 48 (1964) 420-433; J. Gaillard, Chronique de la liturgie. La Constitution conciliaire, in: RThom 64 (1964) 260-279, hier
262-264: "Nature 'pascale' de la liturgie; J. D. Crichton, The Church's
Worship, 30-33; B. Neunheuser, Mysterium Paschale. Das österliche Mysterium in der Konzilskonstitution 'über die heilige Liturgie', in: LuM
H. 36 (1965) 12-33. Vgl. außerdem LebZeug 20 (1965) Heft 3, mit Beiträgen von N. Füglister, O. Schilling, H. Zimmermann, Th. Schneider und
J. Betz (dort, ebd., 101-105, weitere Literatur).
53 Vgl. Jungmann, 18 f.

tum paschale und der nur in Artikel 10 vorkommende Plural *sacramenta paschalia*[54]. Aber auch der deutsche Ausdruck "Pascha-Mysterium" war schon von Odo Casel verwendet, aus der Tradition begründet und in seinem reichen Inhalt erschlossen worden[55]. Kurz vor dem Konzil widmete *La Maison-Dieu* diesem Thema ein 224 Seiten starkes Heft[56] mit einem einführenden Artikel von Aimon-Marie Roguet[57], einer historischen Übersicht von Pierre-Marie Gy[58] und einer systematischen Zusammenfassung von Jean Gaillard[59]. Besonders in diesem zuletzt genannten Aufsatz findet sich die theologische Begründung für die Aussagen der Liturgiekonstitution zum Pascha-Mysterium. Es ist zunächst der Übergang des Herrn vom Tod zum Leben als dynamischer Vorgang (*dynamisme pascal*)[60]. Dieser "Transitus" ist das Zentrum der Heilsgeschichte[61]; es ist der Übergang des Herrn von dieser Welt zum Vater, vom Tod zum glorreichen Leben. Derselbe Übergang vollzieht sich in der Kirche durch die sakramentale Feier und wird so zum Pascha-Mysterium in uns[62]. Die österlichen Sakramente (*les sacrements de Pâques*) Taufe, Firmung, Eucharistie und Buße[63] bilden schließlich zusammen das eine Ostersakrament (*unité du sacrement pascal*)[64], das in der Eucharistie der Osternacht seine liturgische Feier findet[65]. Diese österliche Eucharistie ist das Zentrum des Kirchenjahres, das christliche Hauptfest, das alle liturgischen Feiern prägt und ihre innere Einheit darstellt[66].

---

54 Vgl. A.-M. Roguet, a.a.O. (S. 230, Anm. 42), 6 f., mit Belegen.
55 Vgl. O. Casel, Das christliche Kultmysterium, 96; ders., Art und Sinn der ältesten christlichen Osterfeier, in: JLW 14 (1938) 1-78; weitere Literatur bei V. Warnach, Zur Einführung in die Theologie Odo Casels, a.a.O. (S. 43, Anm. 141), XL, Anm. 46.
56 Vgl. Md, Nr. 67 (1961).
57 A.-M. Roguet, a.a.O (S. 230, Anm. 42), 5-12.
58 P.-M. Gy, Le Mystère pascal dans le renouveau liturgique: Esquisse d'un bilan historique, ebd., 23-32.
59 J. Gaillard, Le Mystère pascal dans le renouveau liturgique: Essai d'un bilan doctrinal, ebd., 33-87.
60 Ebd., 36-59, bes. 40-42.
61 Vgl. ebd., 51-53.
62 Vgl. ebd., 59-73.
63 Vgl. ebd., 63-65.
64 Vgl. ebd., 65 f.
65 Vgl. ebd., 67 f.
66 Vgl. ebd., 73-87.

3.2.4. Zusammenfassung

Zusammenfassend kann man feststellen, daß der Inhalt der liturgischen Feier das Christusereignis ist, durch welches der Heilsplan Gottes erfüllt wird. Dieses Christus-Mysterium hat sein Zentrum und seinen Höhepunkt im Pascha-Mysterium des Todes und der Auferstehung des Herrn in ihrer dynamischen Einheit. Das Pascha-Mysterium wird an den Gläubigen sakramental vollzogen, so daß sie in den Übergang des Herrn vom Tod zum Leben einbezogen werden.
Damit ist gesagt, daß die Liturgie in ihrem Kern nichts anderes ist als die sakramentale Gegenwart des Herrn in seinem Handeln[67] und der sakramentale Mitvollzug dieses Handelns durch die Gläubigen.
So ist der Rahmen für die Beantwortung der Frage nach der Gegenwart Jesu Christi im Gottesdienst abgesteckt.

3.3. Das Ziel der Liturgie

Liturgie als Vollzug des Priesteramtes Jesu Christi hat dessen gesamtes Heilswerk zum Inhalt. Nun ist zu fragen, welchem Ziel das Heilswerk Jesu Christi und damit die Liturgie dient.
Die Liturgiekonstitution nennt dieses Ziel in einer kurzen Formel: "Werk der Erlösung der Menschen und der vollendeten Verherrlichung Gottes" (Nr. 5)[68] oder auch in umgekehrter Reihenfolge: "Werk, in dem Gott vollkommen verherrlicht und die Menschheit geheiligt werden" (Nr. 7)[69]. Diese doppelte Ziel-

---

67 Daß mit "Mysterium" ursprünglich ein Vorgang, etwas Dynamisches, gemeint wird, hat H. de Lubac, Corpus Mysticum, 65-71, nachgewiesen. Es bedeutet "seiner ursprünglichen Verwendung nach mehr eine Handlung als eine Sache" (65). Darüberhinaus bezeichnet es "gerade die Beziehung des sinnlichen Zeichens zur bezeichneten Sache ... die 'ratio mystica', aufgrund derer die Sache im Zeichen ist, und das Zeichen irgendwie (...) an der höheren Wirklichkeit der bezeichneten Sache teilnimmt" (69).
68 SC 5: "Hoc autem humanae Redemptionis et perfectae Dei glorificationis opus ...".
69 SC 7,2: "Reapse tanto in opere, quo Deus perfecte glorificatur, et homines sanctificantur ...".

richtung der Liturgie wird in der Reihenfolge: Heiligung der Menschen - Verehrung Gottes in der Liturgiekonstitution 16 mal genannt, in der umgekehrten Reihenfolge zweimal [70].

Daß die Liturgiekonstitution im Unterschied zu rein kultischen Definitionen der Liturgie gerade ihre soterische Zielrichtung betont, ist die natürliche Folge der heilsgeschichtlichen Fundierung des Liturgieverständnisses. Dies führte dazu, daß im Konzil der Eindruck entstehen konnte, als sei in den ersten Artikeln des liturgietheologischen Kapitels der Liturgiekonstitution der Gottesdienst als menschliche Verpflichtung dem Schöpfer gegenüber, also der Kult als Ausübung der Tugend der Religion, unterbewertet[71]. Das Wort *cultus* kommt relativ selten und nur wenig betont vor [72]. Tatsächlich aber umfaßt der Begriff "Liturgie" in der Liturgiekonstitution eben beide Aspekte, das Heilshandeln Gottes wie auch das kultische Handeln des Menschen. So heißt es in Artikel 7,3: In der Liturgie wird "sowohl die Heiligung des Menschen bezeichnet und ... bewirkt, als auch ... der gesamte öffentlich Kult vollzogen" [73]. Hier wird eindeutig "Liturgie" zum Oberbegriff gemacht, während "Kult" als antwortendes Handeln des Menschen in der Kirche durch Jesus Christus ein Element der Liturgie bezeichnet.

Damit ist eine langwierige Auseinandersetzung um den rechten Gebrauch des Wortes "Liturgie" [74], vor allem aber um die damit

---

70 Vgl. die Nachweise bei Lengeling, 78* f. und 24.

71 Vgl. oben, S. 163 und 168 f. Daß solche Kritik aus ganz unterschiedlichen Motiven kommen konnte, zeigt die Stellungnahme von Kard. J. Alfrink in der Zentralkommission des Konzils, der das Handeln des Menschen, von dem die Konstitution sonst so häufig und richtig spreche, auch im 1. Kap. stärker betont haben wollte: vgl. S. 163, Anm. 126.

72 In Nr. 5 steht, daß uns in Christus "die Fülle des göttlichen Dienstes" geschenkt sei (*divini cultus plenitudo*). In diesem Zitat aus dem *Sacramentarium Veronense* ist offen, ob *cultus divinus* Gottes Dienst an uns oder unser Dienst vor Gott ist. In Nr. 7 kommt *cultus* zweimal vor, wobei es einmal (Nr. 7,2) erst nachträglich eingefügt worden ist (vgl. den Text im Anhang II, S. 784). Insgesamt ist das Wort jedoch 11 mal in SC enthalten (vgl. Schmidt, 144).

73 SC 7,3: Liturgia, "in qua ... significatur et ... efficitur sanctificatio hominis, et ... integer cultus publicus exercetur".

74 In der Frage ob "Kult" oder "Liturgie" als Oberbegriff zu verstehen sei, gibt es eine Auseinandersetzung zwischen E. J. Lengeling und V. Warnach. Warnach, Zur Einführung in die Theologie Odo Casels, a.a.O. (S. 43, Anm. 141), XXXIX, hatte geschrieben: "Kult ist mehr als Liturgie". Er ver-

gemeinte Sache, entschieden. Liturgie hat in allen ihren Erscheinungsformen diese doppelte Zielrichtung: das Heil der
Menschen und die Verherrlichung Gottes [75]. Die einseitig kultische Definition, die in den amtlichen Dokumenten noch bis zur
Instruktion der Ritenkongregation von 1958 [76] vorherrschend
war, ist durch den umfassenden Liturgiebegriff abgelöst, in
dem soterischer und kultischer Aspekt zusammengefaßt sind.

Auf diese wichtige Klärung des Liturgiebegriffs weisen die
meisten Kommentatoren hin[77]. Dabei ist noch zu betonen, daß
mit der Einbeziehung des soterischen Moments in den Liturgiebegriff nicht etwa, wie manche befürchteten[78], die theozentri-
sche Sicht des Kultes durch das anthropozentrische Interesse

---

steht "Kult" im Sinn der Mysterienlehre ("Kultmysterium") zuerst als
göttliches Handeln im Mysterium und "Liturgie" als "Leistung des Menschen" (ebd.). Dies kritisierte Lengeling in seiner Rezension zu diesem
Werk, in: Religion und Theologie, 29. Folge, Düsseldorf 1969, 7. Vgl.
ders., Die Lehre der Liturgiekonstitution ..., a.a.O. (S. 223, Anm. 14),
14 und 21; Lengeling erklärt, daß die Einbeziehung auch des heilshaften
Moments in den Begriff "Kult", wie die Mysterientheologen sie vornehmen,
nur aus der Religionsgeschichte zu erklären, aber gegen den Wortsinn
sei. Warnach blieb jedoch bei seiner Begriffsbestimmung: vgl. ders.,
Mysteriengegenwart in religionsgeschichtlicher und biblischer Sicht, in:
QL(P) 51 (1970) 195-211, hier 196 und Anm. 5.
75 Um die Klärung dieser doppelten Zielrichtung der Liturgie hat sich vor
allem E. J. Lengeling bemüht: vgl. z.B. ders., Kult, in: HThG I, 865 bis
880; ders., Liturgie, ebd., II, 75-97; ders., Kommentar, 77*-81*, 23-28;
ders., Die Liturgiekonstitution des II. Vatikanischen Konzils. I. Grundlinien und kirchengeschichtliche Bedeutung, in: LJ 14 (1964) 107-121,
bes. 115-118; ders., Die Lehre der Liturgiekonstitution ..., a.a.O., 9
bis 27; ders., Liturgie, Dialog zwischen Gott und Mensch, in: Th. Filthaut (Hg.), Umkehr und Erneuerung. Kirche nach dem Konzil, Mainz 1966,
92-135, hier 105-110, 113-118; ders., Liturgie, In: LitW II, 1573-1595;
ders., Liturgie als Grundvollzug christlichen Lebens, in: B. Fischer u.
a. (Hg.), Kult in der säkularisierten Welt, Regensburg 1974, 63-91, hier
68-76. - Vgl. auch C. Vagaggini, Theologie der Liturgie, 92-114: "Die
Liturgie als Welt von Zeichen der Heiligung und des Kultes der Kirche";
A.-G. Martimort, Die Doppelbewegung der Liturgie: Verherrlichung Gottes
und Heiligung der Menschen, in: HLW I, 201-213.
76 Vgl. S. 83, Anm. 336.
77 Vgl. z.B. Schmidt, 131-148, bes. 138 f.; C. Vagaggini, (Kommentar zu SC
5-13), in: F. Antonelli/ R. Falsini (Hg.), Commento ..., 189-202, hier
195; ders., Idee fondamentale della Costituzione, in: G. Baraúna (Hg.),
La Sacra Liturgia ..., 59-100, hier 69, wo Vagaggini diesen erweiterten
Liturgiebegriff als Fortschritt gegenüber MeD bezeichnet; H. Volk, Theologische Grundlagen der Liturgie, 30-32.
78 Vgl. Schmidt, 144.

an der Rettung und Heiligung der Menschen ersetzt wird. Vielmehr besteht umgekehrt, wenn Liturgie nur als kultische Verehrung Gottes gesehen wird, die Gefahr, daß "im Mittelpunkt der Aufmerksamkeit und des Bemühens ... das religiöse Tun des Menschen, aber nicht mehr Gott" [79] steht. Gerade durch die Betonung des heilshaften Charakters der Liturgie wird der Vorrang des göttlichen Handelns gewahrt. Die Heiligung des Menschen und die Verehrung Gottes sind dabei "unvermischt und ungetrennt" [80] miteinander verbunden, denn durch die Heiligung der Menschen nach dem Willen Gottes wird Gott die Ehre gegeben, und in der Verehrung Gottes erlangt der Mensch seine ihn heiligende Vollendung [81]. Die Sorge um das Heil des Menschen findet sich so in der Mitte des theozentrischen Tuns der Kirche [82], und folglich wird gerade der Gottesdienst in seiner Ausrichtung auf Gott zur Quelle und Mitte der christlichen Spiritualität als Bemühen um Heiligkeit [83].

Damit erweist sich die Liturgie nochmals als Vollzug des Priesteramtes Jesu Christi, denn "wie das priesterliche Wirken Christi das Heil des Menschen und darin letztlich die Ehre Gottes zum Ziel hatte, so auch seine wirkende Gegenwart in der Kirche" [84].

Dabei ist zu beachten, daß dieser Doppelaspekt von absteigender und aufsteigender Linie sich in allen liturgischen Vollzügen findet, wenn auch mit verschiedenen Akzenten [85]. Deshalb

---

79 Ebd., 139. Auf die Gefahr, daß der Mensch Gott "unschädlich macht", indem er "sich mit einem Panzer von Dingen, Werken und Einrichtungen umgibt", hatte schon R. Guardini, Liturgische Bildung, in: Ders., Liturgie und liturgische Bildung, Würzburg 1966, 114-126 (Erstveröffentl.: 1923), hier 123, aufmerksam gemacht. Vgl. auch Lengeling, 80*.
80 Vgl. E. J. Lengeling, Die Lehre der Liturgiekonstitution ..., a.a.O., 22.
81 Vgl. ebd., 22-25; vgl. auch M. Schmaus, Die Liturgie als Lebensausdruck der Kirche, a.a.O. (S. 105, Anm. 439), 91: "Indem der Mensch Gott die Ehre gibt, empfängt er sein eigenes Heil".
82 Vgl. A. Decourtray, Esquisse de l'Église d'après la constitution 'De Sacra Liturgia', in: MD, Nr. 78 (1964) 40-62, bes. 49-52, hier 50 f.: "... la préoccupation du salut de l'homme doit être présente au coeur même de l'action ecclésiale la plus théocentrique qui soit".
83 Vgl. E. v. Severus, Die Kultmysterien der Kirche als Mitte der Christus-Spiritualität, in: ALW 7 (1962) 349-359.
84 Lengeling, 23.
85 Vgl. S. 236, Anm. 70.

kann unter soterischem Gesichtspunkt bei jeder liturgischen
Feier von einem gegenwärtigen Handeln Gottes durch Jesus Christus im Heiligen Geist gesprochen werden, unter kultischem Aspekt aber von einem antwortenden Handeln des Menschen durch
Jesus Christus im Heiligen Geist zur Ehre des Vaters. Die gesamte Liturgie ist somit dialogisch geprägt: "Das Mit- und Ineinander des Handelns Gottes am Menschen durch Wort und Sakrament und die Antwort des Menschen an Gott in Gebet und Opfer
ist ein dialogisches Geschehen" [86].
Natürlich ist auch dieser hochbedeutsame liturgietheologische
Beitrag der Liturgiekonstitution nicht einfachhin eine Neuentdeckung. Es ist vielmehr die längst fällig Korrektur einer
lange Zeit hindurch vorherrschenden Einseitigkeit. Mit der
klaren Ausarbeitung der doppelten Zielrichtung der Liturgie
wurde ihre ursprüngliche Theozentrik auch in dem Sinn neu verdeutlicht, daß als Ausgangspunkt das Handeln Gottes in den
Vordergrund gestellt wurde. Damit wird *cultus divinus* als
"göttlicher Dienst" (Nr. 5) wieder in doppeltem Sinn verstehbar: Gottes Dienst an uns und unser Dienst vor Gott. Diesen
Sinn hatte wohl schon der vor allem von der Benediktus-Regel
geprägte Ausdruck *Opus Dei* [87], der in zweifacher Richtung zu
lesen ist [88]. Thomas von Aquin hatte dasselbe im Zusammenhang
der Sakramententheologie betont [89], und auch in offiziellen Dokumenten der Neuzeit ist diese Einsicht in aller Deutlichkeit
formuliert [90]. Dennoch wurde durch die kultische Definition der

---

86 Vgl. E. J. Lengeling, Liturgie, Dialog zwischen Gott und Mensch, a.a.O.,
   92-135, hier 114.
87 Vgl. B. Steidle (Hg.), Die Benediktus-Regel. Lateinisch-deutsch, Beuron
   ³1978, 202: Register: "Gottesdienst Opus Dei". Für Gottes Werk an uns
   vgl. bes. ebd., 57: Prolog, 29 f.
88 Vgl. bes. E. Schlink, Der Kult in der Sicht evangelischer Theologie, in:
   M. Schmaus/ K. Forster (Hg.), Der Kult und der heutige Mensch, München
   1961, 173-183, hier 175-180: "Der Dienst Gottes an der Gemeinde – Der
   Dienst der Gemeinde vor Gott; dazu E. J. Lengeling, Liturgie als Grundvollzug ..., a.a.O. (S. 237, Anm. 75), 74; weitere Belege bietet ders.,
   Liturgie, in: HThG II, 78.
89 Vgl. Summa Theol. III, q. 60, a. 5, c.
90 Vgl. z.B. Pius XI., Apost. Konst. "Divini cultus" (20.12.1928), in: AAS
   21 (1929) 33-43, hier 33: "Hinc intima quaedam necessitudo inter dogma
   et liturgiam sacram, itemque inter cultum christianum et populi sanctificationem". Auf die entsprechenden Belege in MeD wurde schon hingewiesen: vgl. oben, S. 83 f.

Liturgie die Ausgewogenheit und innere Einheit der beiden
Zielrichtungen überdeckt. Die Ausrichtung auf Gott erschien
als das allein konstitutive Element der Liturgie [91].

Es gehört mit zum Verdienst Odo Casels, in der Orientierung an
den Vätertexten die Einheit von latreutischem und soterischem
Aspekt in der Liturgie neu betont zu haben. Im Kultmysterium
sieht er die aufsteigende Linie der Verehrung Gottes und die
absteigende Linie der Begnadigung der Menschen vereint [92]. In
der Erforschung der Wort- und Bedeutungsgeschichte von "Liturgie" und "Kult", wie sie ebenfalls von Casel betrieben [93] und
von vielen anderen Theologen, vor allem im Einflußbereich der
Liturgischen Bewegung, fortgesetzt wurde [94], konnten die Voraussetzungen für den Liturgiebegriff der konziliaren Konstitution geschaffen werden.

Trotz dieser vielfältigen Vorbereitung war es keineswegs
selbstverständlich und wurde nicht kritiklos hingenommen, daß
das Konzil sich zu diesem weiten Liturgiebegriff bekannte [95].
Es ist eines der bedeutsamsten Ergebnisse der Liturgiekonstitution [96].

3.4. Das Subjekt der Liturgie

Die Frage nach der Gegenwart Jesu Christi im Gottesdienst der
Kirche führt notwendig zu der Frage, wer der Träger der Liturgie ist.

Diese Frage ist durch die bisher erörterten Gesichtspunkte im
Prinzip beantwortet: Die Liturgie als Vollzug des Priesteram-

---

91 Vgl. oben, S. 82–85.
92 Vgl. z.B. O. Casel, Das christliche Kultmysterium, 73: "Haupt und Glieder sind eins in dem Opfer an den Vater, zu dem im Heiligen Geist alle
   Ehre emporsteigt und von dem durch den Logos und das Pneuma auf die Kirche alle Gnade und Segnung herabsteigt"; vgl. auch ebd., 127.
93 Vgl. dazu die zusammenfassende Darstellung bei J. Plooij, a.a.O. (S. 38,
   Anm. 115), 69.
94 Die entsprechenden Belege finden sich bei E. J. Lengeling, Kult, und
   ders., Liturgie, in: HThG, a.a.O. Eine kurze Übersicht bietet ders.,
   Liturgie als Grundvollzug ..., a.a.O., 72–75.
95 Vgl. Lengeling, 27; Schmidt, 144.
96 Vgl. Lengeling, 26–28.

tes Jesu Christi hat Person und Heilswerk des Herrn zum Inhalt
und wird also von ihm als dem Priester vollzogen. Als der zum
Vater Erhöhte bedient er sich dabei der Kirche, die so auch
ihrerseits zum Subjekt der Liturgie wird.
Die Frage heißt also, wie Jesus Christus als Subjekt der Liturgie und die Kirche als Subjekt der Liturgie sich zueinander
verhalten. Dabei ist zunächst die Beziehung zwischen Jesus
Christus und der Kirche als ganzer zu behandeln. Dann muß eigens die Struktur der Kirche als gegliederter Gemeinschaft bedacht werden, und schließlich ist die gottesdienstliche Versammlung als konkrete Erscheinungsform der Kirche zu untersuchen.

3.4.1. Jesus Christus und die Kirche als Subjekt der Liturgie

Auf die Frage nach der Beziehung zwischen Jesus Christus und
der Kirche im Hinblick auf die Trägerschaft der Liturgie gibt
die Liturgiekonstitution eine formal und inhaltlich sorgfältig
ausgearbeitete Antwort. Sie beschreibt zunächst die deszendente Richtung des Heilswillens Gottes für die Menschen: Gott
will das Heil aller Menschen; deshalb sandte er seinen Sohn
als Mittler des Heils. Er hat im Pascha-Mysterium das Heilswerk vollbracht (Nr. 5) und die Apostel gesandt, das Heilswerk
zu verkünden und zu vollziehen. Dies geschieht, indem die Kirche das Pascha-Mysterium feiert (Nr. 6).
Nun darf aber diese Kette der Sendungen nicht als eine sich
vom Ursprung immer weiter entfernende Vermittlungsreihe verstanden werden, in welcher der ursprüngliche Inhalt der Sendung schließlich in mehrfach depotenzierter Form beim Empfänger ankäme. Vielmehr ist der unverminderte Gehalt durch die
Gegenwart des Sendenden im Gesendeten gewährleistet. Dies wird
in Bezug auf das Verhältnis zwischen Jesus Christus und der
Kirche in Artikel 7 der Liturgiekonstitution folgendermaßen
beschrieben:
"Um dieses große Werk voll zu verwirklichen, ist Christus seiner Kirche immerdar gegenwärtig ... In der Tat gesellt sich

Christus in diesem großen Werk ... immer wieder die Kirche zu,
seine geliebte Braut. Sie ruft ihren Herrn an, und durch ihn
huldigt sie dem ewigen Vater. ... vom mystischen Leib Jesu
Christi, das heißt dem Haupt und den Gliedern, (wird) der gesamte öffentliche Kult vollzogen. Infolgedessen ist jede liturgische Feier als Werk Christi, des Priesters, und seines
Leibes, der die Kirche ist, in vorzüglichem Sinn heilige Handlung ..." 97.
Diese Beschreibung der Beziehung zwischen Jesus Christus und
der Kirche läßt sich in folgende Sätze zusammenfassen:

Jesus Christus ist der Herr der Kirche;
die Kirche ist Braut und Leib Jesu Christi;
Jesus Christus handelt durch die Kirche, seinen Leib, und mit
der Kirche, seiner Braut;
die Kirche handelt durch Jesus Christus, ihr Haupt, und in Bezug auf Jesus Christus, ihren Herrn.

Die Liturgiekonstitution macht also zur Beschreibung des Wesens der Liturgie bedeutsame christologische und ekklesiologische Aussagen. Sie sollen hier nur im Hinblick auf die Frage
nach der liturgischen Gegenwart des Herrn untersucht werden.

Die Kirche als Braut und Leib Jesu Christi

Die Frage, wie sich das Tun Jesu Christi und das Tun der Kirche in der Liturgie zueinander verhalten, kann nur geklärt
werden, wenn nach der seinshaften Beziehung der Kirche zu Jesus Christus gefragt wird. Die Liturgiekonstitution tut das
mit Hilfe der neutestamentlichen Bilder von Haupt und Leib,
Bräutigam und Braut und vom Volk Gottes 98.

---

97 SC 7: "Ad tantum vero opus perficiendum, Christus Ecclesiae suae semper
    adest ... Reapse tanto in opere ... Christus Ecclesiam, sponsam suam
    dilectissimam, sibi semper consociat, quae Dominum suum invocat et per
    ipsum Aeterno Patri cultum tribuit. ... a mystico Iesu Christi Corpore,
    Capite nempe eiusque membris, integer cultus publicus exercetur. Proin-
    de omnis liturgiae celebratio, utpote opus Christi sacerdotis, eiusque
    Corporis, quod est Ecclesia, est actio sacra praecellenter ...".
98 Vgl. J. Pascher, Ekklesiologie in der Konstitution des Vaticanum II
    über die Heilige Liturgie, in: LJ 14 (1964) 229-237.

Das Bild vom Gottesvolk kann hier zunächst ausgeklammert werden, da es vor allem darauf zielt, die Würde aller Getauften
auszudrücken (Nr. 14), die unter den Bischöfen eine Gemeinschaft bilden, deren Glieder verschiedene Aufgaben haben (Nr.
26), eine Gemeinschaft, die insbesondere in der Eucharistiefeier unter dem Vorsitz des Bischofs zur Darstellung kommt
(Nr. 41). Dieses Bild sagt also vor allem etwas über die innere Struktur der Kirche aus. Die Bilder vom Leib und von der
Braut dagegen sind direkt auf die Beziehung zu Jesus Christus
anzuwenden.

Beide Bilder drücken eine innige Zusammengehörigkeit in einer
Zuordnung aus, die den Charakter der Unterordnung hat. Das
wird schon in Artikel 5 deutlich, wo von der Entstehung der
Kirche die Rede ist: "Denn aus der Seite des am Kreuz entschlafenen Christus ist das wunderbare Geheimnis der ganzen Kirche
hervorgegangen" [99]. Hier wird die Beziehung Christus-Kirche nach
dem Typus Adam-Eva dargestellt, wie es patristischer Tradition
entspricht [100]. Wie Eva dem Adam als ihrem Haupt untergeordnet
ist, so ist sie ihm als Gehilfin zugeordnet. In der Anwendung
dieses Bildes auf Jesus Christus und die Kirche wird von der
Kirche bei aller Unterordnung unter Jesus Christus auch eine
relative Eigenständigkeit ausgesagt [101].

Damit ergibt sich das Bild von Bräutigam und Braut, in welchem
eine Gegenüberstellung der beiden Partner Christus-Kirche zum
Ausdruck kommt. So sehr sie geeint sind, bleiben sie doch
zwei; sie sind nicht miteinander identisch. Die Kirche ist

---

99 SC 5: "Nam de latere Christi in cruce dormientis ortum est totius Ec-
    clesiae mirabile sacramentum".
100 Vgl. aus der reichen Literatur zu diesem Thema die Belege für die Vä-
    terzeit bei O. Casel, Das christliche Kultmysterium, 41 f., 196 und
    Anm. 2; S. Tromp, De nativitate Ecclesiae e Corde Iesu in Cruce, in:
    Greg. 13 (1932) 489-527; für das Mittelalter: R. Schulte, Die Messe
    als Opfer der Kirche. Die Lehre frühmittelalterlicher Autoren über das
    eucharistische Opfer, Münster 1959 (= LWQF 35); vgl. die Fundstellen
    im Register, ebd., 196, unter den Stichworten "Kirche, ex latere Chri-
    sti" und "Kirche, Eva (zweite)"; ders., Kirche und Kult, in: F. Hol-
    böck/ Th. Sartory (Hg.), Mysterium Kirche in der Sicht der theologi-
    schen Disziplinen, 2 Bde., Salzburg 1962, II, 713-813, gibt eine sy-
    stematische Darstellung der Bedeutung dieses Bildes für die Theologie
    des Kultes, vgl. bes. ebd., 767-772.
101 Vgl. R. Schulte, Kirche und Kult, 767-772.

auch das Gegenüber des Herrn, die Empfängerin seiner Heilstat, aus der sie geboren ist (Nr. 5), und sie wendet sich im Gebet an Christus, ihren Herrn (Nr. 7), sie spricht im Stundengebet als die Braut zu ihrem Bräutigam (Nr. 84).

Dabei ist zu beachten, daß das Bild von Braut und Bräutigam im biblischen und patristischen Sinn nicht so sehr auf die Partnerschaft zielt als vielmehr auf die schöpferische Liebestat Gottes, der sich mit seinem treulosen Volk dennoch vermählt hat. Dies wird im Neuen Bund überboten, indem Jesus Christus durch seine Liebe bis zum Tod das "ehebrecherische Geschlecht" allererst reinigt und zur makellosen, geliebten Braut macht, die folglich ihre Existenz und ihre Brautschaft völlig ihrem Bräutigam verdankt. Diese die Adam-Eva-Typologie überbietend erfüllende Entstehung der Kirche aus der Seite Jesu Christi wird in Artikel 5 nur angedeutet, muß aber als Verständnishintergrund gesehen werden [102].

Im Bild von Bräutigam und Braut wird aber nicht nur das Gegenüber, sondern auch das Miteinander von Jesus Christus und Kirche ausgesprochen. Er gesellt sich als Gehilfin in seinem Werk die Kirche zu (*consociat*), so daß nun das Bild von der Braut in das Bild vom Leib übergeht, von dem in Artikel 7,3 die Rede ist. Hier steht die Kirche nicht mehr Jesus Christus gegenüber, sondern sie steht auf seiner Seite als Organ seines priesterlichen Wirkens [103].

Dabei ist zu bemerken, daß dieser Gedankengang, der Übergang vom Braut- zum Leib-Bild, im ursprünglichen Schema deutlicher war. Er ist jetzt noch einmal unterbrochen durch die Einfügung: "Sie ruft ihren Herrn an ...", die das Gegenüber von Jesus

---

102 Vgl. A. Verheul, Einführung in die Liturgie, 107–111: "Das Thema der Braut", bes. 110 (zur Liturgiekonstitution), wo die Unterordnung und zugleich die Würde der Braut dargestellt werden. Eine umfassende Erörterung dieses Themas aus patristischer Sicht bietet H. U. v. Balthasar, Wer ist die Kirche?, in: Ders., Sponsa Verbi. Skizzen zur Theologie II, Einsiedeln 1961, 148–202; ders., Casta Meretrix, ebd., 203–305; vgl. die etwas gekürzte und mit einigen zusätzlichen Anmerkungen versehene Fassung dieser Aufsätze in: Ders., Wer ist die Kirche? Vier Skizzen, Freiburg–Basel–Wien 1965 (= HerBü 239), 11–136.

103 Vgl. zu diesem Thema das umfassende Werk von S. Tromp, Corpus Christi quod est Ecclesia. I. Introductio generalis, Rom 1937; II. De Christo Capite Mystici Corporis, Rom 1960; III. De Spiritu Christi anima, Rom 1960.

Christus und der Kirche erneut ins Spiel bringt [104].

Das Bild vom Leib führt also die Gegenüberstellung von Jesus Christus und der Kirche als Bräutigam und Braut fort, wobei aber der Akzent nun stärker auf der Einheit als auf der Unterschiedenheit liegt. Mit Joseph Pascher kann man sagen: "Beide Bilder betonen die überaus enge Verbindung Christi mit der Kirche. Das von der Braut eignet sich mehr, um die Begegnung zwischen den Partnern auszudrücken, das andere wird noch mehr der Innigkeit der Verbindung gerecht" [105].

Das Bild des Leibes wird in zweifachem Sinn verwendet: einmal meint es die Kirche im Unterschied zu Jesus Christus, wenn vom "Werk Christi, des Priesters, und seines Leibes, der die Kirche ist" (Nr. 7,4), gesprochen wird [106]. Es kann aber auch Jesus Christus und die Kirche in ihrer Einheit meinen, wenn vom "mystischen Leib Jesu Christi, das heißt dem Haupt und den Gliedern" (Nr. 7,3), die Rede ist [107].

Mit dem Ausdruck "mystischer Leib" übernimmt die Liturgiekonstitution die Lehre der Enzyklika "Mystici Corporis" Pius' XII., die ihrerseits eine lange Vorgeschichte in der theologischen Diskussion zwischen dem I. und dem II. Vaticanum hat [108] und auch in der Kontroverse um die Liturgische Bewegung in den Jahren vor und im 2. Weltkrieg eine Rolle spielte [109].

---

104 Vgl. oben, S. 182.
105 J. Pascher, a.a.O. (Anm. 98), 231.
106 Vgl. dazu die patristischen Belege bei H. de Lubac, a.a.O., 38.
107 Vgl. J. Pascher, a.a.O., 230 f.
108 Einen Überblick aus evangelischer Sicht bietet F. Viering, Christus und die Kirche in römisch-katholischer Sicht. Ekklesiologische Probleme zwischen dem ersten und dem zweiten vatikanischen Konzil, Göttingen 1962 (= Kirche und Konfession, Veröffentlichungen des Konfessionskundlichen Instituts des Evangelischen Bundes, Bd. 1), vor allem im 1. Kap. (11-32). Von kath. Seite vgl. das informative Kapitel: "Die theologische Situation in den letzten Dezennien vor der Enzyklika "Mystici Corporis", in: F. Malmberg, Ein Leib - ein Geist. Vom Mysterium der Kirche, Utrecht-Antwerpen 1958, 24-38; vgl. auch F. Holböck, Das Mysterium der Kirche in dogmatischer Sicht, in: Ders./ Th. Sartory (Hg.), Mysterium Kirche I, 201-346, hier 201-210 ("Die Entfaltung der Lehre von der Kirche in der Zeit vom 1. zum 2. vatikanischen Konzil"). Über die Geschichte des Begriffs *Corpus mysticum* als Bezeichnung für die Kirche informiert H. de Lubac, Corpus Mysticum, bes. 127-150.
109 In seinem Memorandum vom 18.1.1943 hatte der Freiburger Erzbischof C. Gröber auch die Leib-Christi-Lehre als gefährlich bezeichnet; vgl. oben, S. 29. Zur Sache vgl. F. Viering, a.a.O., 30.

Gegen eine weitgehende Juridifizierung des Kirchenbegriffs
hatte die Leib-Christi-Theologie zwischen den beiden Weltkriegen den biblischen Gedanken von der Kirche als Mysterium, als
mystischem Leib Jesu Christi [110], neu betont und dabei das
hierarchische Element der Kirche etwas in den Hintergrund gerückt [111]. Die Mysterienlehre Odo Casels hatte dazu die Anregung und theologische Begründung geliefert. Das "Mysterium der
Ekklesia" ist nach Casel die gegenwärtige Gestalt des Christus-
Mysteriums. Die Ekklesia ist die Trägerin des Kultmysteriums,
in dem sie zusammen mit Christus das Opfer darbringt. Dem hierarchischen Amt kommt dabei die instrumentale Bedeutung zu, die
gegenwärtige Heilstat Christi in der Kirche zu vollziehen [112].
Diese Gedanken wurden dann bald auch pastoraltheologisch
fruchtbar und prägten das Verständnis der Pfarrseelsorge, indem in der Pfarrgemeinde das Mysterium der Ekklesia erkannt
wurde [113]. Die hier angedeutete Sicht der Kirche war mit einem
ganz vom hierarchischen Amt her entwickelten Kirchenbegriff
kaum zu verbinden und stieß auf heftige Kritik [114].
Die Enzyklika "Mystici Corporis" [115] nahm diese theologische

---

110 Daß der Ausdruck "mystischer Leib" in der Patristik vor allem die Eucharistie und erst vom 11./12. Jahrhundert an immer eindeutiger und zuletzt ausschließlich die Kirche meint, zeigt H. de Lubac, a.a.O.
111 Vgl. z.B. C. Feckes, Das Mysterium der heiligen Kirche. Dogmatische Untersuchungen zum Wesen der Kirche, Paderborn 1934 ([3]1951 mit dem Untertitel: "Ihr Sein und Wirken im Organismus der Übernatur").
112 Vgl. neben vielen Hinweisen in O. Casel, Das christliche Kultmysterium, vor allem den von Th. Schneider hg. Sammelband aus dem Nachlaß Casels, Mysterium und Ekklesia. Von der Gemeinschaft der Erlösten in Christus Jesus. Aus Schriften und Vorträgen, Mainz 1961, und, in derselben Richtung, A. Vonier, Das Mysterium der Kirche, Salzburg 1934. Vgl. auch den Sammelband mit Beiträgen zur Präzisierung der Mysterienlehre von B. Neunheuser (Hg.), Opfer Christi und Opfer der Kirche (s. S. 50, Anm. 180); vgl. dazu den Literaturbericht zu diesem Thema von B. Neunheuser, in: ALW 3/1 (1954) 171-174, und ALW 4/2 (1956) 397.
113 Vor allem unter dem Einfluß der Schrift des damaligen Maria Laacher Mönchs A. Wintersig, Pfarrei und Mysterium, in: JLW 5 (1925) 136-143. Vgl. dazu Th. Maas-Ewerd, Liturgie und Pfarrei (s. S. 10, Anm. 1), 164 bis 174; einen Überblick über die Entwicklung des Pfarrgedankens bietet J. Homeyer, Die Erneuerung des Pfarrgedankens. Eine bibliographische Übersicht, in: H. Rahner (Hg.), Die Pfarre. Von der Theologie zur Praxis, Freiburg 1956, 125-158, hier bes. 132-146.
114 Vgl. vor allem M. D. Koster, Ekklesiologie im Werden, Paderborn 1940, bes. 37 f. und 62 f.
115 Unter den Kommentaren zur Enzyklika nehmen die Werke von S. Tromp wegen

Arbeit auf und verband sie mit der Betonung der hierarchischen
Führung der Kirche[116]. Damit setzte sie die Lehre Leos XIII.
fort, der 1896 in seiner Enzyklika "Satis cognitum"[117] vor allem von der hierarchischen Leitung der Kirche unter dem Papst
gehandelt hatte; dadurch sei die von Jesus Christus gewollte
und gestiftete Einheit der Kirche durch die Zeit hindurch in
der Einheit der Lehre und Leitung gewährleistet.
Derselbe Papst hat in der Enzyklika "Divinum illud" (1897)[118]
die Gabe des Heiligen Geistes behandelt und betont, daß durch
den Heiligen Geist einerseits die wahre Lehre und rechte Leitung der Kirche gesichert ist und daß der Heilige Geist andererseits als Prinzip des Gnadenlebens in den Gläubigen wirkt.

Pius XII. verband die Anliegen dieser beiden Enzykliken und
vertiefte ihre Lehre in der Enzyklika "Mystici Corporis" durch
die Beschreibung der Kirche als mystischen Leib des Herrn[119].

---

seines Einflusses auf die Enzyklika (vgl. F. Malmberg, a.a.O., 30 f.)
einen besonderen Rang ein, vor allem ders., Annotationes ad Enc. 'Mystici Corporis', in: PRMCL 32 (1943) 377-401; ders. (Hg.), Pius XII,
Mystici Corporis. De novo edidit uberrimisque documentis illustravit
S. Tromp, Pont. Univ. Gregoriana, Rom 1948 (= Textus et documenta, series theologica 26). Vgl. außerdem F. Malmberg, a.a.O.; H. Mühlen, Una
mystica persona. Die Kirche als das Mysterium der Identität des Heiligen Geistes in Christus und den Christen: Eine Person in vielen Personen, München-Paderborn-Wien 1964, ³1966, erw. durch ein umfangreiches
4. Kap.:"Die Aussagen des Vaticanum II über den Geist Christi als 'unus
et idem in capite et in membris existens': 'Eine Person in vielen Personen'", S. 359-598; die drei ersten Kapitel blieben unverändert. Hier
bes. 44-73.
116 Vgl. z.B. MC 16 f./200, 39-42/210-212, 53/218.
117 Leo XIII., Enzyklika "Satis cognitum" ("De unitate Ecclesiae") (29.6.
1896), in: ASS 28/2 (1896) 708-739; deutsch:"Über die Einheit der Kirche" (offizielle deutsche Übersetzung), Freiburg 1896 (= Rundschreiben, erlassen von Unserem heiligsten Vater Leo XIII., durch göttliche
Vorsehung Papst. Vierte Sammlung, Freiburg o.J.), 228-309.
118 Leo XIII., Enzyklika "Divinum illud" ("De praesentia et virtute mirifica Spiritus Sancti") (9.5.1897), in: ASS 29 (1896/1897) 644-658;
deutsch: "Über den Heiligen Geist" (=Rundschreiben ... Fünfte Sammlung,
Freiburg o.J.), 77-117.
119 Zu den Zielen der Enzyklika vgl. S. Tromp, Annotationes ad Enc. 'Mystici Corporis', a.a.O., 381: Die Enzyklika wolle den Weg Leos XIII.
in den genannten Enzykliken fortsetzen und erklären, was es bedeute,
"illud Paulinum, 'nos esse in Christo Christumque esse in nobis', sicut et illud tradititonale 'nos in Christo et cum Christo constituere
unam mysticam personam'". Vgl. H. Mühlen, Una mystica persona, 44 f.

Als solcher ist sie mit Jesus Christus gleichsam "eine einzige
mystische Person" [120]. Mit dieser Formel soll, wie Heribert Mühlen in einer eingehenden Untersuchung gezeigt hat [121], einerseits ein ekklesiologischer Naturalismus abgewehrt werden, der
die Kirche nur "als ein rechtliches und gesellschaftliches
Band" sieht, andererseits ein "falscher Mystizismus", der die
Kirche mit Christus identifiziert [122]. Da die Kirche mit Christus ein Ganzes ist (*Christus totus*), kann sie nicht nur so-
ziologisch begriffen werden. Sie kann aber auch nicht in dem
Sinn mit Jesus Christus gleichgesetzt werden, daß sie einfachhin als Fortsetzung seiner Inkarnation verstanden würde und
damit ihre eigene (auch sündige) Selbständigkeit verlöre. Sie
ist mit Jesus Christus eine mystische Person in dem Sinn, daß
das Prinzip der Einheit nicht die göttliche Person des Herrn
ist, denn damit wäre die Kirche in die hypostatische Union des
Logos mit seiner menschlichen Natur aufgenommen. Vielmehr ist
das Prinzip der Einheit der Heilige Geist, der als derselbe in
Jesus Christus und in den Gliedern seines Leibes lebt [123]. Deshalb erläutert Mühlen im Sinn der Enzyklika die Deutung der
Kirche als "eine mystische Person" durch die Formel: "Eine
Person (ein Geist) in vielen Personen (in Christus und in
uns)" [124]. Auf diese Weise ist die Eigenständigkeit und zugleich auch die Einheit der verschiedenen Personen gewahrt,
in denen der Geist in jeweils verschiedener Weise lebt. Dabei

---

120 Vgl. MC 67/226: "Sed etiam tam intima exhibetur, ut - secundum illud
    Apostoli: 'Ipse (Christus) est Caput Corporis Ecclesiae' (Col. I,18) -
    perantiqua perpetuoque a Patribus tradita documenta doceant, divinum
    Redemptorem cum suo sociali Corpore unam dumtaxat constituere mysticam
    personam, seu ut Augustinus ait: Christum totum (cf. Enarr. in Ps.
    XVII, 51 et XC, II,1)".
121 Vgl. a.a.O., 44-73; zum Ganzen vgl. vor allem F. Malmberg, a.a.O.
122 Vgl. MC 9/197: "... *naturalismum vulgarem*, quem vocant, qui in Eccle-
    sia Christi nihil aliud nisi vincula mere iuridica et socialia nec vi-
    det, nec cernere vult; ex altera parte falsus subrepit *mysticismus*, qui
    immobiles limites removere conatus inter creatas res earumque Creato-
    rem, Sacras Litteras adulterat".
123 Vgl. MC 54/218 und bes. 55/219: "Hinc autem Christi Spiritui tamquam
    non adspectabili principio id quoque attribuendum est, ut omnes Corpo-
    ris partes tam inter sese, quam cum excelso Capite suo coniungantur,
    totus in Capite cum sit, totus in Corpore, totus in singulis membris".
124 Vgl. H. Mühlen, a.a.O., 59-73, hier 72.

weist das Wort "mystisch" nach Mühlen auf das Mysterium "der numerischen Identität des Hl. Geistes in Christus und in uns" hin [125].

Trotz dieser bemerkenswerten Konzeption der Enzyklika, in welcher die Kirche ganz aus ihrer im Geist gewährten Einheit mit Jesus Christus verstanden wird, ohne daß damit ihre Eigenständigkeit preisgegeben wäre, entsteht bei der konkreten Durchführung der Enzyklika der Eindruck einer Überbewertung der Eigenständigkeit der Kirche [126]. Christus hat "wunderbar für seinen mystischen Leib vorgesorgt" [127], indem er die Kirche mit allem ausstattete, was sie zu ihrer Tätigkeit braucht, von der dann die Rede ist. Ebenso darf zwar die Bezeichnung der Kirche als "zweiter Christus" [128] im Sinn der Enzyklika nicht als Identifizierung mit dem Herrn verstanden werden [129]; sie kann aber in Verbindung mit der Betonung des Primates des Papstes als des sichtbaren Hauptes der Kirche (Nr. 39) dazu führen, daß die Kirche in Gestalt der Hierarchie als eigentliches Subjekt des gegenwärtigen Heilswerks erscheint [130].

Diese in "Mystici Corporis" sich andeutende Tendenz verstärkt sich in "Mediator Dei" in Bezug auf die Liturgie [131]. Sie tritt

---

125 H. Mühlen, ebd., 65, widerspricht hier F. Malmberg, der, a.a.O., 109, "mystisch" vom Zusammenhang der Kirche mit der Eucharistie her deutet. Malmberg vertritt jedoch an anderer Stelle (ebd., 69) ebenfalls die Deutung Mühlens, ergänzt sie aber durch den Hinweis auf die Eucharistie (vgl. MC 58), die das Zeichen der Einheit der Kirche ist; vgl. auch MC 83/233.
126 Vgl. oben, S. 66 f.
127 MC 18/201: "Sic humani generis Servator ex infinita bonitate sua Corpori suo mystico mirum in modum prospexit ...".
128 MC 52/218: "... quod (Christus) ita Ecclesiam sustinet, et ita in Ecclesia quodammodo vivit, ut ipsa quasi altera Christi persona exsistat".
129 Vgl. MC 53/218; dazu H. Mühlen, a.a.O., 66 f.
130 Hierzu formuliert F. Viering, a.a.O. (S. 245, Anm. 108), 47: "Aus der causa instrumentalis wird die Kirche zur causa secunda", und wendet sich dann gegen den von "Mystici Corporis" nahegelegten Gedanken der "aktiven Mitwirkung der Kirche als causa secunda im Erlösungswerk Christi" (52). In den dann teilweise recht polemisch vorgetragenen Folgerungen (vor allem im 6. Kap. gegen H. Schlier) ist das Unbehagen an der Vorrangstellung der Kirche zu spüren, das bei aller Überspitzung in der Darstellung durch Viering (Vorordnung der Kirche gegenüber den Sakramenten: ebd., 65; gegenüber dem Wort Gottes: ebd., 66; gegenüber dem Glauben: ebd., 70) doch auf die Gefahr einer tatsächlichen Überbewertung der kirchlichen Eigenständigkeit hinweist.
131 Vgl. oben, S. 72-74.

in der Entwicklung der kirchenamtlichen Lehre über die Liturgie in der Zeit zwischen "Mediator Dei" und dem II. Vatikanischen Konzil immer deutlicher hervor[132].

Bei der Übernahme des Bildes vom Leib Christi in der Liturgiekonstitution[133] wird also darauf zu achten sein, wie hier näherhin die Beziehung zwischen Jesus Christus und der Kirche verstanden ist. Das zeigt sich erst bei der Untersuchung der Formulierungen, welche die Tätigkeit des Herrn und der Kirche in der Liturgie zum Inhalt haben.

Jesus Christus handelt durch die Kirche, seinen Leib

Bei der Darstellung der Textentwicklung der Artikel 7, 47, 83 und 84 in der Konzilsdiskussion konnte festgestellt werden, daß das Konzil ein ausdrückliches[134] und gegenüber dem vorgelegten Schema an mehreren Stellen deutlicher formuliertes[135] Interesse daran hat, Jesus Christus als den ursprünglichen und eigentlichen Träger aller Liturgie darzustellen. Er ist der Kirche gegenwärtig als der Haupthandelnde, indem er im liturgischen Tun der Kirche selbst opfert, tauft, spricht (Nr. 7) und betet (Nr. 83 f.). Er hat das eucharistische Opfer nicht nur eingesetzt, sondern läßt es selbst fortdauern (Nr. 47). Wenn die Liturgie Vollzug seines priesterlichen Wirkens ist (Nr. 7,3), so ist er es, der diese priesterliche Aufgabe durch die Kirche fortsetzt (Nr. 83).

Obwohl fast alle diese Formulierungen sich in ganz ähnlicher Form auch in "Mystici Corporis"[136] und "Mediator Dei"[137] nach-

---

132 Vgl. oben, S. 87-94.

133 Vgl. A. Verheul, Einführung in die Liturgie, 116-119, bes. 119.

134 Vgl. S. 205, Anm. 316.

135 Vgl. die oben besprochenen Veränderungen in Nr. 7, 47, 83 und 84: oben, S. 176-182, 192-198, 204-209.

136 Vgl. MC 53/218: "Zufolge der rechtlichen Sendung ... ist Er (Christus) es, der durch die Kirche tauft, lehrt und regiert, löst und bindet, darbringt und opfert". Das gegenwärtige Handeln des Herrn wird also mit der vergangenen Sendung der Apostel begründet; vgl. MC 92/238:"Denn Christus ist es, der in seiner Kirche lebt, der durch sie Lehre, Leitung und Heiligung spendet". Dieser Abschnitt steht unter dem Leitgedanken der Ermahnung zur Liebe gegen die Kirche; vgl. MC 90/237.

137 Aufschlußreich ist z.B. der Vergleich zwischen MeD 3/522: "Die Kirche führt das Priesteramt Jesu Christi fort" (*"Ecclesia ... sacerdotale Iesu Christi munus ... pergit"*) und SC 83: "Diese priesterliche Aufgabe

weisen lassen, bringt eine genauere Analyse doch eine unver-
kennbare Korrektur ans Licht, die sich oft nur in Nuancen äus-
sert, aber in ihrer konsequenten Durchführung eine Umorientierung im grundsätzlichen theologischen Ansatz erkennen läßt. Es
wird nicht mehr im Blick auf die Kirche von Christus gesprochen, sondern im Blick auf Jesus Christus von der Kirche[138].
"Demnach ist also Christus nicht nur *auch* wirksam, wenn die
Kirche die Liturgie vollzieht, Christus betet nicht nur *auch*,
sondern Christus wird mehr und mehr Subjekt dieses Handelns"[139].
Diese Akzentverlagerung läßt sich schon eindeutig in den liturgiewissenschaftlichen Werken zwischen "Mediator Dei" und
dem II. Vatikanischen Konzil nachweisen. Cipriano Vagaggini
beispielsweise spricht ausführlich über "die christologisch-
trinitarische Struktur der Liturgie"[140] und fährt dann fort:
"Christus nimmt in der Liturgie eine so überragende Stellung
ein, daß es im Grunde nur *einen* Liturgen gibt: Christus, und
nur *eine* Liturgie: die Christi"[141]. Dann erst folgen seine
Ausführungen über die Kirchlichkeit und Gemeinschaftlichkeit
der Liturgie[142].
Dasselbe Schema findet sich noch deutlicher bei Ambrosius Verheul. Er spricht zuerst von der Liturgie als "Begegnung mit
Gott" (Kap. I), von der "Stellung Christi in der Liturgie"
(Kap. II) und von der "Bedeutung des Heiligen Geistes für die
Liturgie" (Kap. III), um dann über "die Liturgie als Gottesdienst der Kirche" zu handeln (Kap. IV)[143].
Es zeigt sich hier die Auswirkung der heilsgeschichtlichen Be-
trachtungsweise, die wie von selbst die Gewichte richtig ver-
teilt, indem sie vom Heilsplan Gottes und seiner Verwirkli-

---

   setzt er nämlich durch seine Kirche fort" (*"illud enim sacerdotale munus per ipsam suam Eccesiam pergit"*).
138 Vgl. MeD 20/528: "Deshalb ist in jeder liturgischen Handlung zugleich
   mit der Kirche ihr göttlicher Stifter zugegen" mit SC 7: "Um dieses
   große Werk voll zu verwirklichen, ist Christus seiner Kirche immerdar
   gegenwärtig".
139 H. Volk, Theologische Grundlagen der Liturgie, 80.
140 Vgl. C. Vagaggini, Theologie der Liturgie, 139-171.
141 Vgl. ebd., 172, und das ganze Kap. VIII ("Der eine Liturge und die eine Liturgie"), ebd., 172-181.
142 Vgl. ebd., 182-198.
143 Vgl. A. Verheul, Einführung in die Liturgie, 18-133.

chung in Jesus Christus aus den Gottesdienst als durch Jesus
Christus bewirkte Aktualisation dieses Heilsplans deutet [144].
Die Liturgiekonstitution hat dieses Konzept nicht nur im Aufbau ihres liturgietheologischen Kapitels durchgeführt, sondern
es auch bis in Nuancen der Formulierung hinein konsequent durch-
gehalten, indem sie regelmäßig vom Handeln Jesu Christi durch
die Kirche spricht.

Dies wird von den Kommentatoren erstaunlich wenig beachtet [145].
Zwar betonen die meisten Kommentare die heilsgeschichtliche
Darstellung des Erlösungswerkes in der Liturgiekonstitution;
nur wenige aber kommen dabei auf den Vorrang des Handelns Jesu
Christi vor dem Handeln der Kirche zu sprechen [146], und fast
keiner der untersuchten Kommentare bemerkt die auffallende
Sorgfalt in den entsprechenden Formulierungen - zumal aufgrund
der Verbesserungen - in der Liturgiekonstitution [147]. Im Gegen-

---

144 Vgl. F. Hofmann, Glaubensgrundlagen der liturgischen Erneuerung, in:
    J. Feiner/ J. Trütsch/ F. Böckle (Hg.), Fragen der Theologie heute,
    485-517, wo zuerst vom Christusglauben der Liturgie (486-496) die Rede
    ist und dann vom Mysterium der Kirche (496-508). Auch R. Schulte, Kir-
    che und Kult, a.a.O. (S. 243, Anm. 100), geht konsequent nach demsel-
    ben Schema vor.

145 Eine Ausnahme bildet Schmidt, 149-167 (Kap. VI: "Christus - gestern,
    heute und in Ewigkeit"), der ausführlich von der Heilsgeschichte her
    die liturgische Gegenwart des Herrn begründet, durch welche das gesam-
    te Heilsgeschehen in Vergangenheit und Zukunft gegenwärtig wird: vgl.
    bes. 155 f.

146 M. Garrido, (Kommentar zu SC 1-8), in: C. Floristán u.a. (Hg.), Comen-
    tarios ..., 112-194, hier 181, betont stark den Vorrang Christi: "...
    acción litúrgica, que es acción del mismo Cristo ... que no hay más
    que una liturgia: la liturgia de Cristo, y un solo liturgo: Cristo ...
    il culto de la Iglesia no es otra cosa que la participación de la Ig-
    lesia en el culto de Cristo". Hier handelt es sich im ersten Satzteil
    um ein fast wörtliches Zitat (ohne Hinweis) aus C. Vagaggini, Theolo-
    gie der Liturgie, 172. Deutlicher ist A.-M. Roguet, (Kommentar zu SC
    5-12), in: MD, Nr. 77 (1964) 20-31, hier 26: "Mais, comme on pourrait
    s'imaginer que c'est l'Église qui, en agissant liturgiquement, con-
    traint en quelque sorte le Christ à intervenir (le Curé d'Ars ne s'
    émerveillait-il pas de voir le Christ lui obéir dans la consécration!)
    le deuxième alinéa de notre article rétablit l'ordre des choses. C'est
    le Christ qui agit le premier, et *s'associe toujours l'Église*. Nous
    retrouvons ce principe très important et très fécond à propos de l'of-
    fice (art. 83)". Vgl. auch H. Volk, Theologische Grundlagen der Litur-
    gie, 80; ders., Liturgie heute, a.a.O. (S. 232, Anm. 46), 201: "Der
    christliche Gottesdienst ist mehr als das Tun der Christen, in ihm ist
    auch das Tun Christi aktuell".

147 Nur Lengeling, 170, macht an einer Stelle auf diesen Sinn der Textver-

teil, mehrere Kommentatoren lassen in ihrer Darstellung des Verhältnisses Christus-Kirche die Genauigkeit der Liturgiekonstitution vermissen. Manche sprechen undifferenziert vom Handeln der Kirche durch Christus oder von der Fortsetzung des Heilswerks Christi durch die Kirche und bleiben damit in der Linie von "Mediator Dei", ohne die Korrektur durch die Liturgiekonstitution zu beachten [148]. Dabei dürfte gerade hier ein wichtiger Beitrag der Konstitution zur Klärung der Beziehung zwischen Jesus Christus und der Kirche und damit zur Frage nach der liturgischen Gegenwart des Herrn liegen [149].

Jesus Christus handelt mit der Kirche, seiner Braut

Erst nachdem eindeutig die Priorität des Heilshandelns Gottes

---

änderung aufmerksam, wenn er zu Nr. 83 schreibt: "Im zweiten Abschnitt des ursprünglichen Textes war nicht Christus Subjekt, der *sein priesterliches Wirken durch die Kirche fortführt*, sondern die Kirche (vgl. Art. 84), 'die in ihrem Haupt mit einem wunderbaren Priestertum ausgezeichnet ist und seinen göttlichen Auftrag auf Erden fortführt'. Durch die Änderung wird deutlicher ausgesprochen, daß der eigentliche priesterliche Träger des Stundengebetes Christus ist (vgl. Art. 7)".

148 Vgl. z.B. P. Salmon, (Kommentar zu SC 83), in: F. Antonelli/ R. Falsini (Hg.), Commento ..., 315 f., der schreibt, die Kirche setze das Priesteramt Christi im Stundengebet fort; es handle sich hier nur um eine Wiederholung von "Mediator Dei"; J. D. Crichton, The Church's Worship, überschreibt einen Abschnitt: "The Liturgy, the action of the priestly Church (Art. 7)" (ebd., 41–49) und formuliert: "... liturgy as the public worship done by the Church in and through Jesus Christ" (48), womit er die durchgängige Ausdrucksweise von SC gerade umkehrt und im Sinn von MeD und dem Text des Schemas (vgl. oben, S. 206 f.) spricht. Auch A. Verheul, Einführung in die Liturgie, 119, zitiert zunächst MeD 3 (vgl. ebd., Anm. 272), dann SC 7 und stellt fest: "Kraft ihrer Verbundenheit mit Christus, als sein mystischer Leib, setzt die Kirche diese priesterliche Funktion ihres Hauptes sichtbar in der Liturgie fort". Ähnlich auch J. Pascher, (Kommentar zu SC 83–84), in: ELit 78 (1964) 338–341, hier 338: "Insuper Ecclesia instituta est ad pergendum officium Mediatoris" und "Ecclesia ...opus capitis pergens".

149 Diese Akzentverlagerung hat nicht nur für die Ekklesiologie, sondern in ihrer Konsequenz für das christliche Leben tiefgehende Folgen. Nur so kann ein ekklesiologischer "Deismus" überwunden werden, der Jesus Christus als in die Gottesherrlichkeit entrückten Stifter der Kirche betrachtet, die nun sich selbst überlassen und selbständig ihren Auftrag erfüllen muß. Auf spiritueller Ebene setzt sich dasselbe Mißverständnis fort, wenn "geistliches Leben" als Summe menschlicher Aktivitäten betrachtet wird, die im göttlichen Auftrag, aber ganz aus menschlicher Kraft vollzogen werden. Die Einsicht in das gegenwärtige Wirken des Herrn in seiner Kirche und in den Gläubigen kann solche Einseitigkeiten überwinden helfen.

in Jesus Christus ausgesagt ist, nachdem erklärt ist, daß Jesus Christus zunächst an der Kirche handelt, indem er sie ins Leben ruft und zu seinem Leib macht, um dann durch sie als seinen Leib zu handeln, erst dann kann nun in einem neuen Schritt gesagt werden, daß er auch mit der Kirche handelt, so daß sie selbst zum Subjekt wird: "In der Tat gesellt sich Christus ... immer wieder die Kirche zu, seine geliebte Braut" (Nr. 7,2).

Nochmals klingt hier das Adam-Eva-Motiv an. Wie Eva dem Adam zur Gefährtin (Gen 3,12: *socia*) gegeben wurde, so nimmt sich Christus die Kirche zur Gefährtin (*sibi consociat*), wobei gleich auch die korrigierende Vollendung des Typus mit ins Spiel gebracht ist: Eva war Gehilfin zur Sünde geworden (Gen 3,12: "Die Frau, die du mir beigesellt hast, sie hat mir von dem Baum gegeben"), während die Kirche Gehilfin zum Heil wird, dem Herrn zugesellt "in diesem großen Werk" (Nr. 7,2) der Gottesverehrung und Heiligung der Menschen.

Diese von Jesus Christus gestiftete Verbindung muß im Zusammenhang mit dem Bild vom Leib gesehen werden, wodurch ihre unauflösliche Beständigkeit in Entsprechung zur ehelichen Treue und in Überbietung dieses Bildes bekräftigt wird. In diesem Sinn muß es verstanden werden, wenn es heißt, Christus geselle sich die Kirche immer zu (*sibi semper consociat*). Ständig und für immer ist die Kirche als der Leib des Herrn seine Gehilfin im Heilsdienst [150], so daß im dritten Abschnitt von Artikel 7 dann von der Tätigkeit des mystischen Leibes Jesu Christi gesprochen werden kann, der Haupt und Glieder umfaßt [151]. Dabei kommt aber dem Leib eine eigene Subjekthaftigkeit zu, ein eigenes Tun in Abhängigkeit von Jesus Christus, was wiederum in dem ergänzenden Bild von der Kirche als Braut zum Ausdruck ge-

---

150 Die deutsche Übersetzung: "... gesellt sich Christus ... immer wieder die Kirche zu" ist mißverständlich. Sie erweckt den Eindruck einer nur intermittierenden Inanspruchnahme der Kirche zum jeweils aktuellen Vollzug der Liturgie.
151 Vgl. dazu die von H. de Lubac, Corpus Mysticum, 36-42, angeführten Belege für die theologische Auseinandersetzung um die Frage von Einheit des mystischen Leibes mit Haupt und Gliedern und Unterschiedenheit des Hauptes von den Gliedern.

bracht wird.

Es erweist sich, daß die Beziehung zwischen Jesus Christus und der Kirche nicht in einem einzigen Modell hinreichend beschrieben werden kann. Die Einheit von beiden, wie sie im Bild vom Leib erscheint, muß ergänzt werden durch das Bild von der Braut, das die Unterschiedenheit beider zeigt, wobei beide Bilder gemeinsam die Unterordnung der Kirche unter Jesus Christus darstellen. Hier liegt die Analogie zur Inkarnation, von der dann die Kirchenkonstitution sprechen wird [152] und die in Artikel 2 der Liturgiekonstitution in weniger begrifflicher aber nicht minder deutlicher Form ausgesprochen wird: der Kirche ist es eigen, "zugleich göttlich und menschlich zu sein, ... und zwar so, daß dabei das Menschliche auf das Göttliche hingeordnet und ihm untergeordnet ist" [153].

Bei dieser "theandrischen" Struktur der Kirche [154] darf jedoch nicht übersehen werden, daß die Analogie zur gott-menschlichen Person Jesu Christi bald an ihre Grenzen kommt [155]. Während bei der Inkarnation das Prinzip der Einheit die eine Person ist, die in hypostatischer Union Gottheit und Menschheit verbindet, ist bei der Kirche eine Vielheit von Personen, und dies wiederum in analogem Sinn, gegeben [156]. Sie besteht in einer Vielheit von menschlichen Personen, die aber dennoch zu einer Einheit von quasi-personaler Eigenständigkeit und eigener Aktivität verbunden sind, so daß sie selbst Subjekt ist und mit Je-

---

152 Vgl. LG 8: "Deshalb ist sie (die Kirche) in einer nicht unbedeutenden Analogie (*ob non mediocrem analogiam*) dem Mysterium des fleischgewordenen Wortes ähnlich".
153 SC 2: "... cuius proprium est esse humanam simul ac divinam ...; et ita quidem ut in ea quod humanum est ordinetur ad divinum eique subordinetur".
154 C. Vagaggini, (Kommentar zu SC 5-13), in: ELit 78 (1964), 228, spricht vom "*theandrismus* Ecclesiae" in Bezug auf die gesamte Reihe von polaren Aussagen über die Kirche in diesem Abschnitt von SC 2. Dabei muß aber gesehen werden, daß hier keineswegs nur theandrische Ausdrücke, sondern auch einfach verschiedene Aspekte der menschlichen Seite der Kirche, z.B. Aktivität und Kontemplation, angeführt werden. Es handelt sich eben nicht um eine dogmatische Beschreibung der Kirche, wie sie dann in LG 8 gegeben wird.
155 Vgl. H. Mühlen, Una mystica persona, 173-216 (§ 7: "Die Differenz und der Zusammenhang zwischen Inkarnation und Kirche").
156 Vgl. H. U. v. Balthasar, Wer ist die Kirche? (HerBü 239), 48-54.

sus Christus ein "Doppelsubjekt" bildet [157]. Diese Polarität
aber ist wiederum umgriffen von der Einheit des *Christus totus*,
der mit Haupt und Gliedern "eine Person" ist [158]. Das Prinzip
der Einheit kann hier also nur in dem einen Geist gefunden
werden, der die Vielen zu einem Leib macht [159].

Diese Frage wird aber in der Liturgiekonstitution nicht behandelt. Diese begnügt sich mit der Umschreibung von Einheit und
Verschiedenheit in der Beziehung zwischen Jesus Christus und
der Kirche, ohne die Beziehung selbst systematisch zu erläutern.

Auch diese subtile Zuordnung der Kirche zu Jesus Christus in
Einheit und Unterordnung hat Odo Casel schon früh formuliert.
Er schrieb: "Haupt und Glieder sind eins in dem Opfer an den
Vater, zu dem im heiligen Mysterium durch den Sohn im Heiligen
Geist alle Ehre emporsteigt und von dem durch den Logos und
das Pneuma auf die Kirche alle Gnade und Segnung herabsteigt"
[160]. Hier wird sowohl die Einheit von Jesus Christus und der
Kirche ausgesagt wie auch ihre Unterschiedenheit: Das gemeinsame Opfer wird durch Christus im Heiligen Geist dem Vater
dargebracht; die Gnade kommt durch Christus im Heiligen Geist
auf die Kirche als Empfängerin herab. Trotz dieser differenzierten Formulierung besteht aber der Eindruck, daß im Gesamt-
verständnis Casels die Einheit von Christus und Kirche im Vergleich zu ihrer Unterschiedenheit überbetont ist [161].

Die Kirche handelt durch Jesus Christus, ihr Haupt

Infolge ihrer von Jesus Christus gewährten relativen Eigenständigkeit kann die Kirche nun auch selbst zum Subjekt des

157 Vgl. ebd., 54.
158 Ebd., 51, mit Hinweis auf Gal 3,28.
159 Zu diesem Fragekreis, der hier nicht weiter verfolgt werden kann, vgl.
    ebd., 54; dazu ausführlicher H. Mühlen, Una mystica persona; ders.,
    Das Verhältnis zwischen Inkarnation und Kirche in den Aussagen des Va-
    ticanum II, in: ThGl 55 (1965) 171-190; ders., Die Kirche als geschicht-
    liche Erscheinung des übergeschichtlichen Geistes Christi, ebd., 270
    bis 289; A. Grillmeier, (Kommentar zu LG, 1. Kap.), in: LThK.E I, 156
    bis 175, hier 170-174.
160 O. Casel, Das christliche Kultmysterium, 73.
161 Darauf weist vor allem H. U. v. Balthasar, Die Messe ein Opfer der
    Kirche?, a.a.O. (S. 53, Anm. 191), hin.

256

liturgischen Tuns werden. Entsprechend nennt die Liturgiekonstitution in Artikel 9 jeweils die Kirche als Subjekt der Liturgie, der dieser vorausgehenden Glaubensverkündigung und der Ermunterung zur Nächstenliebe.

Diese eigenständige Tätigkeit der Kirche wird in der Konstitution noch mehrfach ausgesagt. Die Kirche versammelt sich zur Feier des Pascha-Mysteriums; sie liest das Wort Gottes, feiert die Eucharistie und dankt Gott (Nr. 6) [162]. Die Liturgie ist der Höhepunkt ihres Tuns (Nr. 10) [163]. Das Stundengebet ist ihre Stimme (Nr. 99) [164]. Sie feiert das Heilswerk Jesu Christi, entfaltet sein Mysterium und erschließt seine Reichtümer (Nr. 102) [165]. Sie verehrt Maria und bewundert und preist in ihr die Frucht der Erlösung (Nr. 103) [166].

Alle diese Tätigkeitswörter lassen erkennen, daß die Liturgiekonstitution mit der Betonung der primären Aktivität Jesu Christi keineswegs eine bloße Passivität der Kirche verbindet. Indem Jesus Christus die Kirche zur Gehilfin im Heilswerk nimmt, verleiht er ihr vielmehr die Möglichkeit heilswirksamer Tätigkeit, die grundsätzlich unbegrenzt ist, solange sie nur in ihrer Abhängigkeit vom Tun des Herrn begründet bleibt. Gegen einen "liturgischen Quietismus", der die Bedeutung menschlicher Mitwirkung umso geringer einschätzt, je höher die göttliche Aktivität gesehen wird [167], zeigt die Konstitution, daß im Gegenteil die menschliche Beteiligung gerade in den höchsten Formen göttlicher Heilswirksamkeit voll beansprucht wird. Damit korrigiert sie einerseits die Meinung, daß die Mitwir-

---

162 SC 6: "Numquam exinde omisit Ecclesia quin in unum conveniret ad paschale mysterium celebrandum: legendo ... celebrando ... gratias agendo".
163 SC 10: "Attamen Liturgia est culmen ad quod actio Ecclesiae tendit ..".
164 SC 99: "Cum Officium divinum sit vox Ecclesiae ...".
165 SC 102: "Pia Mater Ecclesia suum esse ducit ... opus salutiferum celebrare. ... Totum vero Christi Mysterium per anni circulum explicat ... divitias virtutum atque meritorum Domini sui ... fidelibus aperit ...".
166 SC 103: "... Sancta Ecclesia Beatam Mariam ... veneratur ... in qua praecellentem Redemptionis fructum miratur et exaltat ...".
167 Vgl. A. Decourtray, a.a.O. (S. 238, Anm. 82), hier 54. Allerdings betont Decourtray nur die Tätigkeit der Kirche in der Liturgie, ohne im selben Maß ihre Abhängigkeit vom Handeln Jesu Christi zu sehen. Genauer formuliert hier MC 86/234 f., wo der Heilige Geist als einzige Quelle des christlichen Lebens bezeichnet und dennoch die unabdingbare persönliche Mitwirkung der Christen im geistlichen Leben betont wird.

kung der Gläubigen nur auf die Außenseite der Liturgie bezogen
sei, andererseits aber auch die einseitige Betonung der Rolle
des hierarchischen Amtes der Kirche in der Liturgie. Beide
Einseitigkeiten waren, zumindest der Tendenz nach, im Gefolge
der Enzyklika "Mediator Dei" in den amtlichen Dokumenten aufgetaucht[168], so daß der Eindruck einer Selbständigkeit der
Kirche in Bezug auf die Liturgie entstehen konnte. Diese Tendenz korrigiert die Liturgiekonstitution behutsam aber eindeutig. Sie bringt deutlich zum Ausdruck, daß "die Kirche überhaupt nicht selbständig (ist); die Kirche ist vielmehr in allem ihrem eigentlichen Tun völlig abhängig von Christus"[169].

Für diese Verdeutlichung der Beziehung zwischen Jesus Christus
und der Kirche konnte sich die Liturgiekonstitution auf die
Ergebnisse der jüngsten theologischen Arbeit am Kirchenbegriff
stützen. Vor allem in der Leib-Christi-Theologie war die Eigenständigkeit und die Abhängigkeit der Kirche präziser herausgearbeitet worden. Die Kirche kann durchaus als Subjekt der
Liturgie bezeichnet werden, aber sie ist Subjekt in einem relativen, von Jesus Christus abhängigen Sinn. Entsprechend formulierte Raphael Schulte kurz vor dem Konzil: "Der Satz z.B.:
Die Kirche feiert die Eucharistie, oder: Die Kirche tauft, und
dgl., kann nur das *inadäquate Subjekt der Handlung* meinen ...
*stets ist Christus und die Kirche das eigentliche Subjekt der
Kulthandlung*; Christus ist da als Haupt, die Kirche als Corpus"[170]. Oder dasselbe nochmals mit den Worten Odo Casels:
"Was wir tun, tut in Wirklichkeit Christus. Wir handeln mit
ihm, so wie der Leib mit dem Haupt ganz selbstverständlich ein
und dieselbe Tat ausführt. ... So kann Christi Tat unsere Tat
werden. Christus handelt beim heiligen Mysterium zusammen mit
seinem Leib, der Ekklesia"[171].

---

168 Vgl. oben, S. 86-93.
169 H. Volk, Theologische Grundlagen der Liturgie, 69.
170 R. Schulte, Kirche und Kult, a.a.O. (S. 243, Anm. 100), 776.
171 O. Casel, Das christliche Kultmysterium, 189.

Die Kirche wendet sich an Jesus Christus, ihren Herrn

Eine letzte Bestimmung des Verhältnisses zwischen Jesus Christus und der Kirche ergibt sich noch aus dem Bild der Braut: Die Kirche wird nicht nur von Jesus Christus zur Gehilfin in seinem Heilswerk gemacht, sondern sie wendet sich als solche auch ihm als ihrem Bräutigam zu. "Sie ruft ihren Herrn an und durch ihn huldigt sie dem ewigen Vater" (Nr. 7,2) [172]. Das Stundengebet ist "die Stimme der Braut, die zum Bräutigam spricht, ja es ist das Gebet, das Christus vereint mit seinem Leibe an seinen Vater richtet" (Nr. 84) [173].

Wenn die Kirche sich betend ihrem Herrn zuwendet, erreicht ihre Eigenständigkeit als Subjekt des liturgischen Handelns ihr höchstes Maß. Jesus ist dabei nicht mehr das tragende Subjekt des kirchlichen Tuns, sondern das Ziel, worauf dieses sich richtet.

Bemerkenswert ist, daß beide Texte im ursprünglichen Schema der Liturgiekonstitution nicht enthalten waren, sondern erst nachträglich eingefügt worden sind[174]. Beide sind sinngemäß der Enzyklika "Mediator Dei" entnommen [175] und werden in der Liturgiekonstitution deutlicher als in der Enzyklika in einen umfassenderen Zusammenhang gestellt, indem dieses Tun der Kirche in Bezug auf Jesus Christus sofort wieder umgewendet wird in ein Tun Jesu Christi zusammen mit der Kirche in Bezug auf Gott. Damit soll bei aller Anerkennung der Tatsache, daß es ein liturgisches Beten der Kirche zu Jesus Christus gibt, doch die eigentliche Sinnrichtung des kirchlichen Betens gewahrt werden, das sich durch Jesus Christus an den Vater wendet. Damit wird selbst noch die weitestgehende Eigenständigkeit der Kirche als Subjekt dieses Betens in ihre Abhängigkeit von Jesus Christus eingebunden.

---

172 SC 7,2: "Quae Dominum suum invocat et per ipsum Aeterno Patri cultum tribuit".
173 SC 84: "... tum vox est ipsius Sponsae, quae Sponsum alloquitur, immo etiam oratio Christi cum ipsius Corpore ad Patrem".
174 Vgl. oben, S. 182 und 207 f.
175 Vgl. MeD 20/528 (s. S. 182, Anm. 218) und MeD 142/573 f. (s. S. 208, Anm. 328).

3.4.2. Das gegliederte Gottesvolk als Subjekt der Liturgie

War bisher immer die Rede von der Kirche als dem in Abhängigkeit von Jesus Christus tätigen Subjekt der Liturgie, so muß
nun noch genauer die Struktur der Kirche unter dem Aspekt ihrer Tätigkeit in der Liturgie untersucht werden. Denn als gegliederte Gemeinschaft, als Volk Gottes, wirkt sie in der Tätigkeit ihrer Glieder. Es ist also zu fragen, was in diesem
Zusammenhang die von der Liturgiekonstitution so häufig betonte tätige Teilnahme der Gläubigen an der Liturgie bedeutet.
Es wurde schon erwähnt, daß in der Liturgiekonstitution in 13
Artikeln von tätiger Teilnahme gesprochen wird[176], wobei zehn-
mal die Wendung substantivisch gebraucht wird (*actuosa participatio*)[177], dreimal verbal (*actuose participent*[178], bzw. *actuosa celebratione participare*[179]). Es handelt sich also offensichtlich um einen schon fest geprägten Begriff, wie es ja
auch aus der langen Vorgeschichte dieses Themas ersichtlich
ist[180].

In Artikel 26 ist noch von einer aktuellen Teilnahme (*actualis
participationis*) die Rede, wobei vielleicht ein gewisser Unterschied zu der sonst gebrauchten Wendung anklingt, indem
hier die tatsächliche Anwesenheit bei den liturgischen Feiern
im Unterschied zur tätigen Mitwirkung gemeint sein könnte[181].
Wichtig ist noch Artikel 28, wo zwar nicht von tätiger Teilnahme gesprochen wird, umso deutlicher aber betont ist, daß
Liturgen und Mitfeiernde in der Liturgie jeweils "nur das und
all das tun" sollen, was ihnen zukommt[182]. Damit ist eine ech-

---

176 Vgl. S. 211, Anm. 344; vgl. dazu Schmidt, 202-206; Lengeling, 82* und
   60 f.
177 Vgl. SC 14, 19, 27, 30, 41, 50, 79, 114, 121, 124.
178 Vgl. SC 11, 48.
179 Vgl. SC 21.
180 Vgl. oben, S. 33-36.
181 Die deutsche Übersetzung macht hier allerdings keinen Unterschied; vgl.
   aber die Ausführungen von S. Famoso, (Kommentar zu SC 21-36), in: ELit
   78 (1964) 251-266, hier 258, über die verschiedenen Formen der Teilnahme der Gläubigen.
182 SC 28: "In celebrationibus liturgicis quisque, sive minister sive fidelis, munere suo fungens, solum et totum id agat, quod ad ipsum ex
   rei natura et normis liturgicis pertinet".

te Aufgabenverteilung gefordert, die den Laien eigene, nicht
nur delegierte Zuständigkeit zuweist.

In diesem Zusammenhang ist auch die Lehre vom gemeinsamen
Priestertum der Gläubigen zu erörtern, die allerdings in der
Liturgiekonstitution wenig entfaltet ist. In Artikel 14 ist
vom königlichen Priestertum des christlichen Volkes die Rede;
in Artikel 48 wird mit den Worten der Enzyklika "Mediator Dei"
von den Gläubigen gesagt: "Sie sollen Gott danksagen und die
unbefleckte Opfergabe darbringen nicht nur durch die Hände des
Priesters, sondern auch gemeinsam mit ihm und dadurch sich
selber darbringen lernen" [183].

Zu all diesen Texten, die von der tätigen Teilnahme der Gläubigen an der Liturgie handeln, gab es keine Einwände auf dem
Konzil [184]; lediglich der letztgenannte Text gab Anlaß zu der
Frage, ob nicht gesagt werden müsse, daß die Gläubigen nur
durch den Priester am Opfer teilhaben und ob die vorgelegte
Formulierung nicht den Unterschied zwischen gemeinsamem und
amtlichem Priestertum zu sehr abschwäche. Die liturgische Kommission blieb jedoch mit Hinweis auf "Mediator Dei" bei ihrem
Text [185].

Im Hinblick auf unsere Fragestellung ist nun zu untersuchen,
was die Liturgiekonstitution über das Volk Gottes als Subjekt
der Liturgie sagt, welche Bedeutung dabei das gemeinsame Priestertum der Gläubigen hat und wie sich das spezifische Tun der
Laien zum amtlichen Dienst in der Kirche und zum Handeln Jesu
Christi selbst verhält.

Die Liturgie als Feier des ganzen Volkes Gottes

Das Volk Gottes [186], das christliche Volk [187], das heilige Volk
[188] oder einfach das Volk [189] wird in der Liturgiekonstitution

---

183 SC 48: "... gratias Deo agant, immaculatam hostiam, non tantum per sa-
    cerdotis manus, sed etiam una cum ipso offerentes, seipsos offere dis-
    cant ...".
184 Vgl. oben, S. 211-215.
185 Vgl. oben, S. 212 f.
186 "Populus Dei": SC 29, 33.
187 "Populus christianus": SC 13, 14, 21 (zweimal), 125.
188 "Plebs sancta (Dei)": SC 26, 33, 41.
189 "Populus": SC 13, 14, 30, 33, 36, 49, 51, 52, 53, 54, 63, 113.

22 mal erwähnt. Dazu kommen noch über 40 Stellen, wo von den "Gläubigen" die Rede ist [190], was bedeutungsgleich mit "Volk" im allgemeinen christlichen Sinn ist.

Dabei werden diese Ausdrücke in unterschiedlichen Bedeutungen verwendet. Nur an wenigen Stellen ist mit Volk Gottes die Gesamtheit der Kirche gemeint, so in Artikel 26, wo die liturgischen Handlungen als "Feiern der Kirche" bezeichnet werden, die "das heilige Volk, geeint und geordnet unter den Bischöfen" ist [191].

In Artikel 33 wird das Volk als Adressat des Wortes Gottes eingeführt; vom Priester heißt es im selben Artikel, daß er seine Amtsgebete "im Namen des ganzen heiligen Volkes und aller Umstehenden" [192] spricht.

Schließlich steht in Artikel 41, "daß die Kirche auf eine vorzügliche Weise dann sichtbar wird, wenn das ganze heilige Gottesvolk voll und tätig an denselben liturgischen Feiern, besonders an derselben Eucharistiefeier, teilnimmt" [193].

In diesen Texten dient der Ausdruck "Volk Gottes" dazu, die Gesamtheit der an Christus Glaubenden ohne Unterscheidung der verschiedenen Stände und Funktionen innerhalb der Kirche zu beschreiben. Dabei ist dieser Ausdruck eher geeignet, die Kirche als Jesus Christus bzw. Gott gegenüberstehende gegliederte Gemeinschaft zu bezeichnen. Die Einheit mit Jesus Christus dem Vater gegenüber, wie sie im Bild vom mystischen Leib betont ist, wird hier nicht ausgeschlossen [194], aber tritt im Bild vom

---

190 "Fideles": vgl. die Angaben zu "Fidelis" im Index terminologicus, in: LThK.E III, 738.

191 SC 26: "Actiones liturgicae non sunt actiones privatae, sed celebrationes Ecclesiae, quae est 'unitatis sacramentum', scilicet plebs sancta sub Episcopis adunata et ordinata".

192 SC 33: "In Liturgia enim Deus ad populum suum loquitur; Christus adhuc Evangelium annuntiat. Populus vero Deo respondet tum cantibus tum oratione. Immo preces a sacerdote, qui coetui in persona Christi praeest, ad Deum directae, nomine totius plebis sanctae et omnium circumstantium dicuntur".

193 SC 41: "... praecipuam manifestationem Ecclesiae haberi in plenaria et actuosa participatione totius plebis sanctae Dei in iisdem celebrationibus liturgicis, praesertim in eadem Eucharistia ...".

194 Daß die beiden Aspekte: Christus mit der Kirche und die Kirche Christus gegenüber, nicht voneinander getrennt werden dürfen, zeigen die Ausführungen über das Stundengebet. Hier ist in SC 84 das Stundengebet

Volk etwas zurück. Dafür wird umso deutlicher die Gemeinschaft der Glaubenden als ein in sich geeintes Subjekt vorgestellt, welches als ganzes handelt.

Dabei kommt die Gemeinsamkeit des Handelns nicht primär dadurch zustande, daß viele Einzelne sich zu gemeinsamer Aktivität zusammenschließen, sondern umgekehrt besteht die Kirche als eine den einzelnen Christen vorgegebene Gemeinschaft, als das von Jesus Christus her geeinte Volk derer, die durch Taufe und Eucharistie in das Christus-Mysterium einbezogen sind[195]. Hier zeigt sich, daß der Ausdruck "Volk" als Metapher zu verstehen ist[196]; nicht die natürliche Zusammengehörigkeit, die sonst ein Volk ausmacht, sondern die gnadenhafte Zugehörigkeit zu Jesus Christus ist das zusammenschließende Moment, wodurch das ganze Volk zu einem einzigen Subjekt werden kann[197].

Insoweit entspricht das Bild vom Volk Gottes dem Bild von der Braut Christi. In beiden Bildern ist die Kirche in ihrer relativen Eigenständigkeit und doch Abhängigkeit von Jesus Christus bzw. von Gott gezeigt.

Was jedoch das Besondere des Bildes vom Volk ausmacht, ist die Darstellung der Kirche als gegliederte Gemeinschaft, als Sozialkörper mit verschiedenen Funktionen. Darin gibt es privates Handeln des Einzelnen und gemeinschaftliches Handeln des Ganzen. Diesem letzteren wird die Liturgie zugeordnet, die "nicht privater Natur" (Nr. 26) ist, ohne daß damit private Frömmigkeitsübungen abgewertet werden sollen[198]. Sie sind aber nicht das Thema der Konstitution über die Liturgie.

Innerhalb der Liturgie als Handlung des ganzen Gottesvolkes

---

die "Stimme der Braut, die zum Bräutigam spricht, ja es ist das Gebet, das Christus vereint mit seinem Leibe an seinen Vater richtet". In SC 99 wird nochmals zusammenfassend das Stundengebet als "Stimme der Kirche", "des ganzen mystischen Leibes", bezeichnet.
195 Vgl. SC 6.
196 Vgl. H. Mühlen, Una mystica persona, 12 f.
197 Vgl. ebd., 102-115: "Das Volk als Groß-Ich".
198 Vgl. bes. SC 12 und 13, wo das private Gebet und die Andachtsübungen empfohlen werden, dann aber gleich wieder der Liturgie zugeordnet werden, die "von Natur aus weit über ihnen steht" (SC 13). Die Enzyklika "Mediator Dei" hatte, auch in Abwehr mancher Einseitigkeiten innerhalb der Liturgischen Bewegung, die private Frömmigkeit viel stärker betont: vgl. MeD 32-37/534-537.

gibt es verschiedene Funktionen und Ämter, die erst in ihrem
Zusammenwirken die Tätigkeit des Gottesvolkes als solchen ausmachen. "Daher gehen diese Feiern den ganzen mystischen Leib
der Kirche an, machen ihn sichtbar und wirken auf ihn ein;
seine einzelnen Glieder aber kommen mit ihnen in verschiedener
Weise in Berührung je nach der Verschiedenheit von Stand, Aufgabe und tätiger Teilnahme" (Nr. 26) [199].

Der Ausdruck "in Berührung kommen" (*attingunt*), der in Artikel
102 wiederkehrt, nimmt in vorsichtiger Weise das Anliegen der
Mysterienlehre auf, nämlich die Gegenwart der Heilstat Jesu
Christi in den liturgischen Feiern [200]. Dabei ist der lateinische Ausdruck aktivisch; er drückt eine Tätigkeit aus, was in
der deutschen Fassung nicht wiedergegeben ist. Dieses aktive
Mitwirken ist dann die Entsprechung zu der Einwirkung der Feiern auf die ganze Kirche; es ist die aktive Annahme des Heilswerkes Jesu Christi, welches in der Liturgie gefeiert wird.

Die Konstitution zieht aus diesen Feststellungen die Konsequenz, daß die liturgischen Feiern vorzugsweise in Gemeinschaft zu vollziehen sind, wenn das ihrem Charakter entspricht
(Nr. 27) und daß dabei "jeder, sei er Liturge oder Gläubiger,
in der Ausübung seiner Aufgabe nur das und all das tun (soll),
was ihm aus der Natur der Sache und gemäß den liturgischen Regeln zukommt" (Nr. 28) [201].

Mit diesem bemerkenswerten Satz ist eindeutig gesagt, daß die
Liturgie als gemeinschaftlicher Vollzug von allen Gliedern der
Kirche in je eigener Zuständigkeit getragen wird.

Damit ist die bis dahin vorherrschende Überzeugung überwunden,
wonach der eigentliche Träger der Liturgie der Klerus ist, die
Laien dagegen nicht Subjekt der Liturgie sind, wenn auch ihre
Anwesenheit bei der ihnen geltenden Sakramentenspendung erforderlich und beim Meßopfer im Interesse ihres Heils wünschens-

---

199 SC 26: "Quare ad universum Corpus Ecclesiae pertinent illudque manife-
     stant et afficiunt; singula vero membra ipsius diverso modo, pro diver-
     sitate ordinum, munerum et actualis participationis attingunt".
200 Vgl. oben, S. 55 und 120.
201 SC 28: "In celebrationibus liturgicis quisque, sive minister sive fide-
     lis, munere suo fungens, solum et totum id agat, quod ad ipsum ex rei
     natura et normis liturgicis pertinet".

wert ist [202]. Dem entspricht auch die Formulierung des CIC, der
in c. 1256 zur Definition des öffentlichen Kultes der Kirche
den Vollzug durch amtlich beauftragte Personen hinzunimmt [203].
Eine offenere Position nimmt hier Pius XII. ein, der in "Mediator Dei" die Liturgie als "gesamten öffentlichen Kult des Mystischen Leibes Jesu Christi ..., seines Hauptes und seiner
Glieder" bezeichnet [204] und später betont, "daß die Liturgie
wirklich das Werk der ganzen Kirche ist" [205], wobei die "lehrende und die hörende Kirche ... zusammen nichts anderes als den
einen und einzigen Leib Christi (bilden)" [206]. Die Zuordnung
der verschiedenen Aufgaben zueinander kann dann freilich noch
auf verschiedene Weise gesehen werden [207].
Strikter im Sinn einer primär klerikalen Liturgie ist die Li-
turgie-Instruktion der Ritenkongregation von 1958, die sich in
ihrer Definition der Liturgie am CIC orientiert und dann zwar
einen direkten liturgischen Dienst auch von Laien kennt, der
aber nur aufgrund einer Delegation möglich ist [208].
Die Liturgiekonstitution hat hier die Lehre Pius' XII. aufgenommen, wenn sie als Subjekt der Liturgie die ganze Kirche als
mystischen Leib Jesu Christi mit Haupt und Gliedern nennt [209],

---

202 Vgl. dazu das jahrzehntelang einflußreichste Handbuch der katholischen
   Liturgik, das von V. Thalhofer begründet (Freiburg [1]1883), von L. Eisenhofer bearbeitet (Freiburg [2]1912) und schließlich unter seinem Namen
   neu veröffentlicht wurde (Freiburg 1932), hier neue Ausgabe, 11-23
   ("Subjekt der Liturgie. - Kultzweck."). Vgl. dazu kritisch W. Birnbaum,
   a.a.O. (S. 10, Anm. 1), 20 f.
203 CIC, c. 1256: "Cultus si deferatur nomine Ecclesiae a personis legitime ad hoc deputatis et per actus ex Ecclesiae institutione Deo, Sanctis ac Beatis tantum exhibendos, dicitur 'publicus'; sin minus, 'privatus'".
204 Vgl. MeD 20/528 f.
205 Vgl. Pius XII., Ansprache an die Teilnehmer des Kongresses von Assisi
   (1956), a.a.O. (S. 88, Anm. 347), 714; deutsch: a.a.O. (ebd.), 237.
206 Ebd.
207 Vgl. zu der stark betonten Rolle der Hierarchie bei Pius XII. oben, S.
   87-92.
208 Vgl. Ritenkongregation, Instruktion vom 3.9.1958, a.a.O. (S. 83, Anm.
   336), Nr. 1 und 93; vgl. dazu Lengeling, 82*; Schmidt, 201 f.; P. Jounel, (Kommentar zu SC 21-36), in: MD, Nr. 77 (1964) 43-73, hier 52-54,
   interpretiert dagegen die Liturgiekonstitution ganz im Sinn der genannten Instruktion von 1958.
209 Vgl. SC 7,3: "... a mystico Iesu Christi Corpore, Capite nempe eiusque
   membris, integer cultus publicus exercetur".

wobei allerdings die Konstitution in der aus diesem Grundsatz folgenden Bewertung des Anteils der Laien an der Liturgie wesentlich weiter geht als Pius XII. Schon die mit "Mediator Dei" festgehaltene Überwindung der Auffassung, daß primär allein der Klerus Subjekt der Liturgie sei, bedeutet für das Liturgieverständnis eine wichtige Einsicht, die auch von den Kommentatoren entsprechend gewürdigt wurde [210].

Damit ist auch die Basis für eine Verständigung mit der orthodoxen Theologie gegeben, für die es undenkbar ist, daß der Priester ein Mysterium allein vollzieht. "Er bedarf hierzu des Auftrags des Gottesvolkes, der Gemeinde, der 'Laien', und deren betender Unterstützung, in welcher diese ihr königliches Priestertum aktivieren" [211].

Die Kirche als gegliederte Gemeinschaft

Die Einheit des Gottesvolkes, die dennoch eine innere Differenzierung kennt, spiegelt sich in der Terminologie der Liturgiekonstitution wieder. Dieselben Ausdrücke können die Gesamtheit des Gottesvolkes meinen, sie können auch für einen spezifischen Teil desselben stehen. So bedeutet "Volk", wie gesagt, nur an wenigen Stellen die Gesamtheit der Kirche, während es meistens die Laien im Unterschied zu den Amtsträgern meint [212]. Umgekehrt bezeichnet das Wort "Kirche" oft die Gesamtheit des Gottesvolkes [213], es kann aber auch die Amtsträger meinen, die dem Volk gegenüberstehen; in diesem Sinn wird es fast ebenso

---

210 Vgl. vor allem Schmidt, 192-211, bes. 196 f.; Lengeling, 81*-84*, 60 f.; H. Volk, Theologische Grundlagen der Liturgie, 39-44; J. D. Crichton, The Church's Worship, 63-75. – Y. Congar, L'*Ecclesia* ou communauté chrétienne, sujet intégral de l'action liturgique, in: J.-P. Jossua/ Y. Congar (Hg.), La Liturgie après Vatican II. Bilans, Etudes, Prospective, Paris 1967, 241-282, hier 268-271, konstatiert einen Fortschritt von MeD zu SC, wo die Kirche nicht mehr zuerst als Hierarchie, sondern als Volk Gottes gesehen wird.
211 R. Hotz, Geist und Sakrament, in: Orientierung 43 (1979) 107-110, hier 109; es handelt sich um einen Vorabdruck aus ders., Sakramente im Wechselspiel zwischen Ost und West, Gütersloh-Zürich 1979 (= Ökumenische Theologie, Bd. 2).
212 Von den 23 Stellen, wo von *populus* oder *plebs* im spezifischen Sinn die Rede ist, ist nur in drei Texten die Gesamtheit der Kirche gemeint (SC 26, 33, 41).
213 Schmidt, 200 f., nennt dafür 25 Artikel.

häufig gebraucht [214]. Eindeutig unterschieden werden dagegen die Funktionen in der Kirche mit den Ausdrücken "Liturge" (*minister*) [215] und "Gläubige" (*fideles*) [216].

Schließlich kennt die Liturgiekonstitution auch noch den Begriff der bischöflichen Teilkirche, in der sich die Gesamtkirche darstellt und in der Eucharistiefeier, die der Bischof, umgeben von seinem Presbyterium, zusammen mit dem ganzen heiligen Gottesvolk feiert, "auf eine vorzügliche Weise ...sichtbar wird" (Nr. 41) [217]. Diese Manifestation der Kirche setzt sich in den Pfarreien fort, "die räumlich verfaßt sind unter einem Seelsorger, der den Bischof vertritt; denn sie stellen auf eine gewisse Weise die über den ganzen Erdkreis hin verbreitete Kirche dar" (Nr. 42) [218].

Hier zeichnen sich andeutungsweise zwei unterschiedliche Strukturformen ab, in denen sich die Kirche darstellt. Einmal ist sie durchgängig in die beiden Grundfunktionen Amt und Gemeinde gegliedert, worin sich das Gegenüber von Jesus Christus und Kirche und zugleich die Einheit beider abbildet. Die Tätigkeit Jesu Christi an den Gläubigen vollzieht sich im Tun der amtlichen Kirche, die das Wort Gottes verkündet (Nr. 9), die Liturgie ordnet (Nr. 13, 22, 33), die Gläubigen unterweist und sie für ihre Aufgabe fähig macht [219], die also dafür zu sorgen hat, daß die gesamte Kirche, nämlich Amtsträger und Gläubige zusammen, vor allem in den liturgischen Feiern auf anschauliche Weise dargestellt wird (Nr. 41).

Zum anderen findet diese durchgängige Struktur der Einheit und des Gegenüber von Hierarchie und Gläubigen verschiedene Ver-

---

214 Etwa 20 mal: vgl. ebd., 197.
215 Dieser schwer übersetzbare Ausdruck kommt fünfmal vor (SC 7, 28, 35, 41, 113), dazu einmal für Jesus Christus selbst.
216 Vgl. S. 262, Anm. 190.
217 SC 41: "Praecipuam manifestationem Ecclesiae haberi"; vgl. dazu H. Schmitz, Nachkonziliare Rechtsprobleme um Pfarrei, Pfarrer und pastoralen Dienst, in: TThZ 88 (1979) 91-113, hier 95; weitere Literatur: ebd., Anm. 19.
218 SC 42: "Inter quos paroeciae, localiter sub pastore vices gerente Episcopi ordinatae, eminent: nam quodammodo repraesentant Ecclesiam visibilem per orbem terrarum constitutam"; vgl. dazu H. Schmitz, a.a.O., 102-109; weitere Literatur: ebd., Anm. 56.
219 Vgl. die Texte bei Schmidt, 198.

wirklichungsebenen, in denen jeweils auf eigene Weise die Kirche als ganze zur Erscheinung kommt, indem ihr Haupt Jesus Christus personal repräsentiert wird in und gegenüber einem Teil der Kirche. So wie Jesus Christus zusammen mit der Kirche den ganzen mystischen Leib darstellt, als dessen Haupt er zugleich der Kirche gegenübersteht, so stellt der Bischof zusammen mit dem ihm zugeordneten Gottesvolk die Teilkirche dar, welcher er zugleich als Hoherpriester vorsteht, "von dem das Leben seiner Gläubigen in Christus gewissermaßen entspringt und abhängt" (Nr. 41). Entsprechendes gilt für den Pfarrseelsorger, der den Bischof vertritt, so daß die Pfarrei die Kirche darstellt (Nr. 42).

Hier zeigt sich wieder die Zusammengehörigkeit der verschiedenen Bilder der Kirche. Sie ist ein Volk, das in einer personalen Spitze repräsentiert ist, welche als Teil des Volkes diesem gegenübersteht, wie im Bild vom Leib das Haupt als Teil des Leibes zugleich den ganzen Leib darstellt. In beiden Fällen dürfen die Bilder nicht überzogen werden; nicht im organischen Sinn, als wäre das Haupt für sich nichts und der Leib für sich ohne jede Eigenständigkeit, aber auch nicht im sozialen Sinn, als wären die einzelnen Glieder untereinander und mit ihrem Haupt nachträglich zu einer Einheit zusammengefügt, ohne innerlich zueinander zu gehören.

Diese komplexe Struktur der Einheit und Verschiedenheit in der Kirche [220] ist in der Liturgiekonstitution nur angedeutet. Es ist aber unübersehbar, daß darin die ekklesiologischen Untersuchungen der vorausgehenden Jahrzehnte zur Auswirkung gekommen sind. Dies zeigt sich schon im Vergleich zur Enzyklika "Mediator Dei", in welcher trotz der weitgefaßten Definition der Liturgie als Kult des gesamten Gottesvolkes dann in der Durchführung dieses Ansatzes die Liturgie eben doch eine Sache der Hierarchie ist [221]. Die Liturgie wird "an erster Stelle von

---

220 H. Mühlen versucht zu zeigen, daß die verschiedenen Bilder auf ein einheitliches Grundmodell rückführbar sind, nämlich das der "korporativen Persönlichkeit" oder des "Groß-Ich", wie er es lieber nennen will: vgl. ders., Una mystica persona, 74-172.
221 Vgl. MeD 38-43/538 f.

den Priestern im Namen der Kirche vollzogen"[222].

Nach der Liturgiekonstitution ist die Liturgie zuerst eine Feier der ganzen Kirche. Die Kirche als Gemeinschaft[223] ist in Abhängigkeit von Jesus Christus das Subjekt der Liturgie; innerhalb dieser Gemeinschaft werden die Träger der verschiedenen liturgischen Funktionen entsprechend ihrer jeweiligen Aufgabe Subjekt der Liturgie. Die sich daraus ergebenden Konsequenzen für die Ekklesiologie sind in der Liturgiekonstitution nicht weiter entfaltet[224].

Das gemeinsame Priestertum der Gläubigen

Die Liturgiekonstitution behandelt weder das Amtspriestertum noch das gemeinsame Priestertum der Gläubigen in ausdrücklicher Form. Das ist verwunderlich, da die Enzyklika "Mediator Dei" diese Themen ausführlich erörtert hatte, und zwar sowohl in ihrem grundsätzlichen liturgietheologischen Teil[225] wie auch erst recht in ihrem Eucharistiekapitel[226]. Die Liturgiekonstitution begnügt sich dagegen mit wenigen kurzen Hinweisen, bei denen aber nicht versucht wird, das Amtspriestertum gegenüber dem gemeinsamen Priestertum abzugrenzen.

Da über die Gegenwart Jesu Christi im amtlichen Dienst des Priesters noch eigens zu sprechen ist[227], genügt es hier, die wenigen Texte zu erörtern, die sich auf das gemeinsame Priestertum der Gläubigen beziehen.

In Artikel 14 wird mit einem Zitat aus dem Ersten Petrusbrief das "königliche Priestertum" des christlichen Volkes als Grundlage für die tätige Teilnahme der Gläubigen an der Liturgie genannt. Hier bezieht sich jedoch der Ausdruck primär auf die ganze Kirche, ohne daß damit die spezifische Aufgabe der Laien

---

222 MeD 43/539.
223 Diesen Aspekt betont F. Holböck, Das Mysterium der Kirche in dogmatischer Sicht, a.a.O. (S. 245, Anm. 108), 201-346; vgl. auch F. Hofmann, Glaubensgrundlagen der liturgischen Erneuerung, a.a.O. (S. 252, Anm. 144), 485-517, bes. 496-508 ("Das Mysterium der Kirche und die Liturgie").
224 Vgl. dazu J. Pascher, Ekklesiologie in der Konstitution ..., a.a.O. (S. 242, Anm. 98).
225 Vgl. den in Anm. 221 angegebenen Abschnitt.
226 Vgl. MeD 79-112/552-562.
227 Vgl. unten, Abschnitt 4.2., S. 400-441.

angesprochen wird.

Deutlicher ist Artikel 48, wo die tätige Teilnahme der Gläubigen an der Eucharistiefeier in zweifacher Hinsicht inhaltlich
gefüllt wird. Einmal in der soterischen Linie: sie sollen
"sich durch das Wort Gottes formen lassen, am Tisch des Herrenleibes Stärkung finden" [228]; zum anderen in der kultischen
Richtung: "sie sollen Gott danksagen und die unbefleckte Opfergabe darbringen, nicht nur durch die Hände des Priesters,
sondern auch gemeinsam mit ihm und dadurch sich selber darbringen lernen [229].

Der erste Aspekt, die tätige Teilnahme im Sinn der bereitwil-
ligen und aktiven Aufnahme der angebotenen Heilswirklichkeit,
ist die Weiterführung des seit Pius X. immer wieder betonten
Anliegens der liturgischen Erneuerung.

Der zweite Aspekt ist nicht so selbstverständlich. Er enthält
drei Aussagen: die Gläubigen sollen durch die Hände des Priesters das Opfer darbringen, sie sollen es gemeinsam mit ihm
darbringen und sie sollen sich selbst als Opfer darbringen.
Dieser Text war Gegenstand der Diskussion auf dem Konzil [230].
Manche Väter wollten nur gelten lassen, daß die Gläubigen
durch die Hände des Priesters das Opfer darbringen. Mit Hinweis auf "Mediator Dei" wurde der Text jedoch beibehalten. Er
stellt tatsächlich ein fast wörtliches Zitat dar.

In der Enzyklika ist zunächst von einer Opferdarbringung in
weiterem Sinn die Rede, nämlich durch das Mitbeten und durch
die Spende von Brot und Wein und von Almosen; danach ist vom
eigentlichen Opfer die Rede. In seinem Zustandekommen, nämlich
als Vergegenwärtigung Christi im Zustand des Opfers durch die
Wandlungsworte, ist es "das Werk des Priesters allein, insofern er die Person Christi vertritt, nicht aber, insofern er
die Person der Gläubigen darstellt" [231]. An seiner Darbringung

---

228 SC 48 "Verbo Dei instituantur, mensa Corporis Domini reficiantur".
229 SC 48: "Gratias Deo agant, immaculatam hostiam non tantum per sacerdotis manus, sed etiam una cum ipso offerentes, seipsos offerre discant".
230 Vgl. oben, S. 212 f.
231 MeD 91/555: "Incruenta enim illa immolatio, qua consecrationis verbis
prolatis Christus in statu victimae super altare praesens redditur, ab
ipso solo sacerdote perficitur, prout Christi personam sustinet, non

als Opfergabe zur Ehre der Dreifaltigkeit und zum Wohl der
Kirche sind die Gläubigen in zweifacher Hinsicht beteiligt:
"Sie bringen das Opfer dar nicht nur durch die Hände des Prie-
sters, sondern gewissermaßen zusammen mit ihm; durch diese
Teilnahme wird auch die Darbringung des Volkes in den liturgi-
schen Kult selbst einbezogen" [232].

Im letzten Satz wird in vorsichtiger Formulierung wenigstens
ein Bezug des Opfers der Gläubigen zur eigentlichen Liturgie
ausgesagt, die im übrigen ja primär Sache des Priesters ist [233].
Dieses Mitopfern der Gläubigen ist aber durch das "gewissermaßen" nochmals relativiert [234]. In der folgenden ausführlichen
Erläuterung wird präzisiert, daß das Mitopfern sich keineswegs
auf den Mitvollzug der liturgischen Handlung beziehe, sondern
allein auf die gesinnungsmäßige Vereinigung der Gläubigen mit
der Gesinnung des Priesters und schließlich Jesu Christi
selbst [235].

Dieser recht komplizierte und gewundene Gedankengang, der immer wieder den Vorrang des priesterlichen Dienstes betont und
von der tätigen Teilnahme der Gläubigen im aktiven Sinn nichts
übrigläßt, als den gesinnungsmäßigen, inneren Mitvollzug [236],
wird von der Liturgiekonstitution bemerkenswert unkompliziert
und ohne Absicherungen zusammengefaßt. Der endgültige Text
verzichtet auch auf den im Entwurf und in der Konzilsdebatte
gegebenen Hinweis auf "Mediator Dei". Dies legt die Vermutung

---

vero prout christifidelium personam gerit".
232 MeD 91/555 f.: "Hanc autem restricti nominis oblationem christifideles
   suo modo duplicique ratione participant: quia nempe non tantum per sacerdotis manus, sed etiam una cum ipso quodammodo Sacrificium offerunt:
   qua quidem participatione, populi quoque oblatio ad ipsum liturgicum
   refertur cultum".
233 Vgl. dazu oben, S. 268 f., Anm. 221 f.
234 In der deutschen Übersetzung scheint das "gewissermaßen" zu Unrecht
   auf die Gemeinsamkeit mit dem Priester bezogen; es bezieht sich auf
   das Opfern.
235 Vgl. MeD 92/556.
236 Vgl. H. Mühlen, Entsakralisierung. Ein epochales Schlagwort in seiner
   Bedeutung für die Zukunft der christlichen Kirchen, Paderborn 1971, 376
   bis 381. Mühlen faßt hier eine Reihe entsprechender Texte aus "Mediator Dei" zusammen und behauptet, daß das Vaticanum II in diesem Punkt
   nicht wesentlich über die Enzyklika hinausgehe. Er bezieht sich dabei
   aber nur auf LG, nicht auf SC.

nahe, daß die Verfasser, obwohl sie die Formulierung aus der
Enzyklika übernahmen, deren Begründung doch nicht ohne weiteres zustimmten. Ein solcher Schluß läßt sich jedoch aus dem
knappen Text des Artikels 48 nicht mit Eindeutigkeit ziehen.
Die Intention dieser Formulierung muß daraus erschlossen werden, welchen Sinn die tätige Teilnahme der Gläubigen im aktiven Sinn in der Liturgiekonstitution überhaupt hat.
Immerhin kann jetzt schon festgestellt werden, daß die Konstitution schon von ihrem Ausgangspunkt her die Enzyklika modifiziert. Sie sieht die Liturgie als Feier der ganzen Kirche; die
Eucharistie ist der Kirche anvertraut[237], so daß der liturgische Vollzug auch des Meßopfers zunächst Sache der Kirche als
ganzer ist, zu der Priester und Laien ihren jeweils noch zu
spezifizierenden Anteil beizutragen haben. Die Enzyklika
stellt dagegen in der Liturgie als ganzer und speziell in der
Eucharistiefeier die Funktion des amtlichen Priestertums in
den Vordergrund[238]. Der Priester vertritt Christus als Haupt
und nur insofern vollzieht die gesamte Kirche die Opferdarbringung[239]. Die Laien nehmen daran teil, was um ihrer selbst
willen sehr wünschenswert, aber für das Wesen des Meßopfers
keineswegs erforderlich ist[240]. Die Argumentation verläuft also gerade umgekehrt[241].
Hier muß noch ergänzt werden, daß die Liturgiekonstitution an
anderer Stelle die gemeinschaftliche Feier vor allem bei der
heiligen Messe nachdrücklich der gleichsam privaten vorzieht,
"wobei bestehen bleibt, daß die Messe in jedem Fall öffentlichen und sozialen Charakter hat"[242]. Diese Klausel gibt wiederum fast wörtlich einen Text aus "Mediator Dei" wieder[243],

---

237 Vgl. SC 47.
238 Vgl. MeD 68/548, 79-83/552-554.
239 Vgl. MeD 92/556.
240 Vgl. MeD 95 f./557.
241 Vgl. Y. Congar, L'*Ecclesia* ..., a.a.O. (S. 266, Anm. 210), 272 f., der
    von "nuances importantes" (272) spricht, indem MeD von den Aposteln zur
    Hierarchie weitergeht, während SC die Sendung der ganzen Kirche als
    Fortsetzung der Sendung der Apostel versteht. Vgl. noch deutlicher die
    S. 266, Anm. 211, angegebene Untersuchung von R. Hotz.
242 Vgl. SC 27; Zitat ebd.: "... salva semper natura publica et sociali
    cuiusvis Missae ...".
243 Vgl. MeD 95/557.

dient aber dort zum Nachweis der Nichtnotwendigkeit der Teilnahme der Gläubigen, während er in der Liturgiekonstitution
als Begrenzung der überaus stark betonten Angemessenheit dieser Teilnahme erscheint.
Schließlich ist noch auf das Kapitel über das Stundengebet
hinzuweisen. Wenn dort auch nicht ausdrücklich vom gemeinsamen
Priestertum der Gläubigen gesprochen wird, so kann dieses doch
aus der Gesamtdarstellung eindeutig erschlossen werden. Im
Stundengebet setzt nämlich Jesus Christus seine priesterliche
Aufgabe durch die Kirche fort (Nr. 83) [244]. Dies geschieht,
"wenn nun die Priester und andere kraft kirchlicher Ordnung
Beauftragte oder die Christgläubigen, die zusammen mit dem
Priester in einer approbierten Form beten, diesen wunderbaren
Lobgesang recht vollziehen" (Nr. 84) [245].
Der Hinweis auf das Mitbeten der Gläubigen wurde nachträglich
eingefügt [246]. Zusammenfassend stellt Artikel 85 fest: "Alle,
die das vollbringen, erfüllen eine der Kirche obliegende
Pflicht ... sie stehen im Namen der Mutter Kirche vor dem
Throne Gottes" [247]. Hier sind also die Laien beim offiziellen
Beten der Kirche zumindest mit eingeschlossen. Schließlich
sagt Artikel 100: "Auch den Laien wird empfohlen, das Stundengebet zu verrichten, sei es mit den Priestern, sei es unter
sich oder auch jeder einzelne allein" [248].
Über die Frage, ob ein solches Breviergebet von Laien auch Gebet im Namen der Kirche sei, hat es kurz vor dem Konzil eine
Auseinandersetzung zwischen Karl Rahner und Joseph Pascher gegeben. Rahner hatte die These vertreten, daß jedes im Gnadenstand verrichtete Gebet eines Christen und umso mehr das gemeinsame Gebet der Gläubigen auch ohne ausdrücklichen Auftrag

---

244 SC 83: "Sacerdotale munus per ipsam suam Ecclesiam pergit".
245 SC 84: "Cum vero mirabile illud laudis canticum rite peragunt sacerdo-
    tes aliique ad hanc rem Ecclesiae instituto deputati vel christifide-
    les una cum sacerdote forma probata orantes".
246 Vgl. oben, S. 208, 213-215.
247 SC 85: "Omnes proinde qui haec praestant, tum Ecclesiae officium ex-
    plent ... stant ante thronum Dei nomine Matris Ecclesiae".
248 SC 100: "Commendatur ut et ipsi laici recitent Officium divinum, vel
    cum sacerdotibus, vel inter se congregati, quin immo unusquisque solus".

der Kirche ein Akt der Kirche sei [249]. Pascher hatte entgegnet, daß zu einem Beten im Namen der Kirche ein ausdrücklicher Auftrag der gesamtkirchlichen Autorität erforderlich wäre [250]. Einen solchen Auftrag sieht Pascher nun durch das Konzil in Artikel 100 der Liturgiekonstitution zwar nicht ausdrücklich ausgesprochen, aber doch im Sinn der Konstitution implizit enthalten. Die Laien werden zwar nicht verpflichtet, aber doch aufgerufen zum Stundengebet und vollziehen also wirklich Liturgie, auch wenn sie ohne Priester das Stundengebet beten [251]. Demzufolge sind in diesem Fall auch Laien Subjekt der Liturgie, die allgemein und ausdrücklich auch beim Stundengebet als priesterlicher Dienst bezeichnet wird. Sie vollziehen also aktiv und nicht nur gesinnungsmäßig teilnehmend einen priesterlichen Dienst.

Joseph Pascher geht hier weiter als andere Kommentatoren der Liturgiekonstitution. So sieht Emil Joseph Lengeling zwar die Möglichkeit einer Beauftragung von Laien zum liturgischen Gebet ausgesprochen, nicht aber eine tatsächlich, wenn auch nur implizit erfolgte Beauftragung [252]. Dieser Auffassung Lengelings entspricht auch die Antwort der Konzilskommission auf einen Modus zu Artikel 84, der die Einschränkung streichen wollte, daß Laien dann das liturgische Gebet verrichten, wenn sie es "zusammen mit dem Priester in einer approbierten Form beten". Die Kommission schrieb: "Die Gläubigen können kein öffentliches liturgisches Gebet verrichten, ohne daß ihnen ein Priester oder Diakon vorsteht, es sei denn, es würde ihnen ausdrücklich von der Kirche gewährt" [253].

Damit ist freilich die Folgerung Paschers nicht widerlegt, der

---

249 Vgl. K. Rahner, Thesen über das Gebet 'im Namen der Kirche', in: ZkTh 83 (1961) 307-324, bes. 315-317 und 321 f.
250 Vgl. J. Pascher, Thesen über das Gebet im Namen der Kirche. Ergänzungen zu dem gleichnamigen Aufsatz von Karl Rahner, in: LJ 12 (1962) 58 bis 62, bes. 60 (7. These).
251 Vgl. J. Pascher, (Kommentar zu SC 83-84), in: ELit 78 (1964) 338-341, hier 339: "Ergo respondendum est ex mente Concilii laicos dignitate et honore s. Liturgiae etiam tunc gaudere, si soli vel inter se congregati recitant Officium divinum".
252 Vgl. Lengeling, 172-174.
253 Vgl. Modus 11 zu Nr. 84 und Responsio dazu: s. S. 215, Anm. 368.

eine implizite Beauftragung als dem Sinn der Konstitution entsprechend annimmt. In jedem Fall ist aber schon die tatsächliche Einbeziehung von Laien in das von Amtsträgern geleitete Stundengebet und ihre mögliche Beauftragung zu einem kirchlichen Stundengebet ohne Amtsträger eine erhebliche Erweiterung gegenüber "Mediator Dei"[254], wonach das Stundengebet als Gebet der Kirche dann vollzogen wird, "wenn es gebetet wird von den Priestern und von anderen Dienern der Kirche, sowie von Ordensleuten, und zwar im ausdrücklichen Auftrag der Kirche"[255]. Die Teilnahme der Laien am Stundengebet wird hier wiederum als höchst wünschenswert bezeichnet, ohne aber liturgischen Charakter im strikten Sinn zu haben[256].

Insgesamt muß festgestellt werden, daß die Liturgiekonstitution wenig von einer Aufnahme der intensiven Diskussion der vorausgehenden Jahre um das gemeinsame Priestertum der Gläubigen erkennen läßt[257]. Diese Diskussion war trotz einiger liturgietheologischer Beiträge[258] auch in den liturgiewissenschaftlichen Handbüchern wenig wirksam geworden. Cipriano Vagaggini beschränkt sich auf eine Interpretation der Lehre von "Mediator Dei"[259] und versteht zudem das Priestertum ganz vom Opfer her[260], was es schwer macht, beispielsweise auch das Stundengebet als priesterliches Wirken zu deuten. Immerhin lehnt er ein nur metaphorisches Verständnis des Priestertums der Gläu-

---

254 Dies betonen auch G. Michiels, Vers une redécouverte de l'office divin, in: QLP 45 (1964) 228-240, hier 229, und P.-M. Gy, (Kommentar zu SC, Kap. IV), in: MD, Nr. 77 (1964) 159-176, hier 162. Beide stellen jedoch nicht die Frage nach einer kirchlichen Beauftragung von Laien zum Stundengebet.
255 MeD 140/573: "Est igitur 'Divinum Officium', quod vocamus, Mystici Iesu Christi Corporis precatio, quae christianorum omnium nomine eorumque in beneficium adhibetur Deo, cum a sacerdotibus aliisque Ecclesiae ministris et a religiosis sodalibus fiat, in hanc rem ipsius Ecclesiae instituto delegatis".
256 Vgl. MeD 148/575.
257 Vgl. z.B. die Literaturangaben bei E. Niermann, Priester, Priestertum, in: SM III, 1273-1281, hier 1279 f.
258 Vgl. die Angaben bei A. Verheul, Einführung in die Liturgie, 263, Anm. 37.
259 Vgl. C. Vagaggini, Theologie der Liturgie, 104-114.
260 Er stützt sich dabei vor allem auf Y. Congar (s. S. 229, Anm. 38), was auch A. Verheul tut (vgl. a.a.O., 101-106). Kritisch zu diesem Ansatz P. J. Cordes, Sendung zum Dienst (s. S. 76, Anm. 297), 103-110.

bigen ab [261].

In dem von Aimé-Georges Martimort herausgegebenen Handbuch ist
die Lehre vom gemeinsamen Priestertum fast gar nicht zu finden,
allenfalls noch bei der Erörterung der "Bedeutung der Gabenbereitung" [262]. Ambrosius Verheul hat einen eigenen Abschnitt über
das priesterliche Gottesvolk, der ganz an Yves Congar orientiert ist [263]. Er unterscheidet bei der absteigenden Linie der
Liturgie einen inneren Mitvollzug des Volkes *in voto* und bei
der aufsteigenden Linie ein aktives Mittun [264]. Bei ihm ist
deutlich die Vorordnung der Kirche als priesterliches Gottesvolk vor der Differenzierung der verschiedenen Funktionen des
amtlichen und gemeinsamen Priestertums durchgeführt. Hierin
entspricht seine Position völlig der Lehre der Liturgiekonstitution. Allerdings bezieht sich Verheul an keiner Stelle seiner Darlegungen auf den Text der Konstitution.

In den Kommentaren nimmt das Thema vom gemeinsamen Priestertum
auch keinen großen Raum ein. Eine Ausnahme bildet der von Guilelmo Baraúna herausgegebene Kommentarband, in dem Giovanni de
Castro Engler einen Beitrag zum gemeinsamen Priestertum vorgelegt hat [265]. Nach einer Darstellung des Schriftbefundes und des
Priestertums Jesu Christi [266] behandelt er das Priestertum der
Kirche als Teilnahme am Priestertum Jesu Christi [267]. Dieses
kirchliche Priestertum gliedert er dann in das hierarchische
Amtspriestertum und das gemeinsame Priestertum der Gläubigen,
das innerlich-geistig sein kann, das aber auch kraft der Taufe
als Priestertum im liturgischen Opfer besteht, wobei es aktiv
und in äußerem Vollzug in Erscheinung tritt [268]. Nach diesen
systematischen Überlegungen prüft de Castro Engler den Text

---

261 Vgl. C. Vagaggini, a.a.O., 106, Anm. 43.
262 Vgl. N. Maurice-Denis-Boulet, Bedeutung der Gabenbereitung, in: HLW I,
     390-393.
263 Vgl. A. Verheul, a.a.O., 97-106.
264 Vgl. ebd., 104 f.
265 G. de Castro Engler, Il sacerdozio regale dei fedeli e la sua attuali-
     zzazione, in: G. Baraúna (Hg.), La Sacra Liturgia ..., 201-228.
266 Vgl. ebd., 203-209.
267 Vgl. ebd., 209-218.
268 Vgl. ebd., 210-217: "2. Sacerdozio commune dei cristiani; a) Sacerdo-
     zio e sacrificio spirituale; b) Sacerdozio in virtù del carattere bat-

der Liturgiekonstitution, besonders die Aussagen über die Eucharistie, die Sakramente und Sakramentalien und über das Stundengebet [269]. Dabei stellt er fest, daß die Texte seinem systematischen Aufriß entsprechen, wenn auch aus ihnen selbst eine systematische Darstellung des gemeinsamen Priestertums kaum abgeleitet werden kann.

J. D. Crichton bespricht in seinem Kommentar zu Artikel 14 die Beteiligung des Volkes am Priestertum Christi [270], ohne allerdings die Frage nach dem eigenen Beitrag der Liturgiekonstitution zu diesem Thema zu stellen. Er begnügt sich mit einer kurzen Darstellung der bekannten Äußerungen in "Mediator Dei" und anderen Dokumenten des Lehramts.

Die tätige Teilnahme der Gläubigen an der Liturgie

Ob die Liturgiekonstitution das gemeinsame Priestertum der Gläubigen nur im Sinne einer Befähigung zur Annahme der durch die Hierarchie im Auftrag Jesu Christi vermittelten Heilsgabe bzw. einer inneren, gesinnungsmäßigen Anteilnahme an der Intention des amtlichen Priesters sieht, oder ob sie darüberhinaus auch eine aktive Trägerschaft liturgischer Vollzüge durch Laien kennt, kann aus den wenigen Texten zum gemeinsamen Priestertum nicht eindeutig erschlossen werden. Es ist also noch zu untersuchen, in welchem Sinn die Konstitution die tätige Teilnahme der Gläubigen an der Liturgie versteht.

Die meisten diesbezüglichen Texte sprechen von der Forderung, die liturgischen Riten zu vereinfachen, um so die tätige Teilnahme der Gläubigen zu erleichtern. Was der Sinn dieser Teilnahme ist, wird dann meist nicht näher präzisiert [271]. An anderen Stellen hat die tätige Teilnahme ausdrücklich rezeptiven Charakter [272]; gelegentlich wird sie aktivisch aufgefaßt, ohne daß aber eindeutig ist, ob die Aktivität in einer Trägerschaft der liturgischen Akte durch Laien oder nur in einem gesinnungs-

---

tesimale; sacerdozio e sacrificio liturgico".
269 Vgl. ebd., 218-228.
270 Vgl. J. D. Crichton, The Church's Worship, 63-75 ("The People's share in Christ's Priesthood").
271 Vgl. SC 19, 30, 50, 55, 79, 114, 121, 124.
272 Vgl. SC 11, 21.

mäßigen Mitvollzug der Aktivität der Amtsträger besteht[273]. Es bleiben noch einige Texte, die von einer aktiven Trägerschaft liturgischer Vollzüge durch Laien sprechen[274].

Hier interessiert vor allem die Frage, ob die rezipierende Aktivität der Laien für das Wesen der Liturgie konstitutive Bedeutung hat, so daß die Laien auch in ihrer Rezeptivität wirklich Träger der Liturgie sind, und die Frage, ob Laien auch aktive Träger liturgischer Handlungen sein können.

Ausgangspunkt ist Artikel 14: "Die Mutter Kirche wünscht sehr, alle Gläubigen möchten zu der vollen, bewußten und tätigen Teilnahme an den liturgischen Feiern geführt werden, wie sie das Wesen der Liturgie verlangt und zu der das christliche Volk, 'das auserwählte Geschlecht, das königliche Priestertum, der heilige Stamm, das Eigentumsvolk' (1 Petr 2,9; vgl. 2,4-5) kraft der Taufe berechtigt und verpflichtet ist"[275].

An diesem Text sind für unsere Fragestellung zwei Aussagen wichtig: Die tätige Teilnahme der Gläubigen ist vom Wesen der Liturgie selbst verlangt, und die Gläubigen sind zu dieser Teilnahme berechtigt und verpflichtet. Die zweite Feststellung folgt aus der ersten.

Als Wesen der Liturgie bezeichnet die Liturgiekonstitution den Vollzug des Priesteramtes Jesu Christi, welches vom ganzen mystischen Leib, dem Haupt und den Gliedern, in sichtbaren Zeichen zur Heiligung der Menschen und zur Verehrung Gottes ausgeübt wird (Nr. 7,3). Die Teilnahme der Laien hat dabei einen zweifachen Sinn: Sie sind als Glieder des mystischen Leibes beteiligt an der Verehrung Gottes, die vom ganzen mystischen Leib vollzogen wird, und sie sind an der Heiligungsfunktion der Liturgie beteiligt.

Im ersten Sinn, der *aufsteigenden Linie der Liturgie*, kann man

---

273 Vgl. SC 14, 48, 53.
274 Vgl. SC 27, 28, 29, 41.
275 SC 14: "Valde cupit Mater Ecclesia ut fideles universi ad plenam illam, consciam atque actuosam liturgicarum celebrationum participationem ducantur, quae ab ipsius Liturgiae natura postulatur et ad quam populus christianus 'gens electum, regale sacerdotium, gens sancta, populus adquisitionis' (1 Petr. 2,9; cf. 2,4-5), vi Baptismatis ius habet et officium".

wiederum verschiedene Weisen der Beteiligung unterscheiden: eine bloße Mitwirkung an einer liturgischen Feier, die auch ohne diese Mitwirkung ungeschmälert zustande käme, und eine konstitutive Mitwirkung in dem Sinn, daß die entsprechende liturgische Handlung ohne diese Mitwirkung nicht möglich wäre. Dazwischen gibt es noch die Möglichkeit, die Mitwirkung der Laien so zu verstehen, daß ohne sie die liturgische Feier zwar möglich aber nicht sinnvoll wäre.

Zunächst muß festgestellt werden, daß die traditionellen Texte bis hin zu "Mediator Dei" die Mitwirkung der Laien unter kultischem Aspekt so verstehen, daß sie gewiß wünschenswert, aber keineswegs notwendig ist. Die entscheidenden liturgischen Funktionen sind, wie gesagt, entweder ausschließlich Sache der Priester oder in dem Sinn Sache der Priester, daß die Beteiligung der Laien dazu nichts Wesentliches beiträgt.

Anders die Liturgiekonstitution, wenn nach ihr das Wesen der Liturgie die Teilnahme der Laien verlangt (Nr. 14) und in der Liturgie jeder, "Liturge oder Gläubiger", "nur das und all das" tun soll, was ihm zukommt (Nr. 28). Erst durch die Teilnahme der Laien ist es möglich, "daß die Kirche auf eine vorzügliche Weise ... sichtbar wird", indem das ganze Gottesvolk die Liturgie feiert (Nr. 41). Wenn es schließlich zum Inhalt des eucharistischen Opfers gehört, daß die Laien darin nicht nur durch den Priester, "sondern auch gemeinsam mit ihm" das eucharistische Opfer darbringen "und dadurch sich selber darbringen lernen" (Nr. 48), so setzt dies ebenfalls die Teilnahme der Laien voraus.

Insgesamt ergibt sich aus diesen Texten, daß unter latreutischem Aspekt keine liturgische Handlung strikt auf die Teilnahme von Laien angewiesen ist; ebenso aber gilt, daß jede liturgische Feier erst durch die Teilnahme der Laien wirklich ihren ganzen Sinn erfüllt. Deshalb fordert die Liturgiekonstitution an keiner Stelle die Teilnahme von Laien als Möglichkeitsbedingung einer liturgischen Handlung unter latreutischem Aspekt, empfiehlt sie aber mit höchstem Nachdruck nicht nur um der beteiligten Laien willen, sondern um der Liturgie selbst zu genügen.

Unter *soterischem Aspekt* ist hinzuzufügen, daß normalerweise selbstverständlich der Mensch, der in der Liturgie das Heil empfangen soll, an der liturgischen Feier teilnehmen muß. Davon spricht die Liturgiekonstitution nicht eigens [276]. Umso mehr betont sie aber, daß eine passive Anwesenheit "wie Außenstehende und stumme Zuschauer" (Nr. 48) dem Sinn der Liturgie nicht gerecht wird. Vielmehr müssen die Gläubigen "mit der himmlischen Gnade zusammenwirken, um sie nicht vergeblich zu empfangen"; nur so wird das "Vollmaß der Verwirklichung" (Nr. 11) [277] der Liturgie erreicht. Mit anderen Worten: Ohne diese Mitwirkung der Laien kommt die liturgische Feier als Vermittlung der himmlischen Gnade nicht an ihr Ziel. Dieses Ziel wird "mit größerer Sicherheit" erreicht, wenn durch eine verdeutlichende Reform der liturgischen Zeichen "das christliche Volk sie möglichst leicht zu erfassen und in voller, tätiger und gemeinschaftlicher Teilnahme mitfeiern kann" (Nr. 21).

Auch unter soterischem Aspekt ist also zu sagen, daß die tätige Teilnahme der Gläubigen im Sinne eines aktiven, bewußten Empfangens der Heilsgabe nicht nur um der Empfänger willen gefordert ist, sondern auch um der Liturgie willen, die anders nicht ihren heiligenden Sinn erfüllen kann.

Diese Einsicht bezeichnet Emil Joseph Lengeling als "kopernikanische Wende" im Liturgieverständnis [278]. Aus einer Klerikerliturgie wird die Feier des ganzen Gottesvolkes. Damit sind die Laien in das liturgische Geschehen selbst miteinbezogen, so daß nun auch sie im Auftrag der Kirche Liturgie feiern kön-

---

276 Allerdings war auch das schon Diskussionsgegenstand, etwa bei der Frage, ob eine Mitfeier der Messe am Fernsehschirm möglich sei. J. Pascher, Thesen über das Gebet im Namen der Kirche, a.a.O., 60 (These 4), betont deshalb ausdrücklich die Notwendigkeit des Beisammenseins im selben Raum; vgl. auch A.-G. Martimort, Précisions sur l'Assemblée, in: MD, Nr. 60 (1959) 7-34, hier 10 f.

277 SC 11: "Ut haec tamen plena efficacitas habeatur, necessarium est ut fideles cum recti animi dispositionibus ad sacram Liturgiam accedant, mentem suam voci accomodent, et supernae gratiae cooperentur, ne eam in vacuum recipiant". Die deutsche Übersetzung gibt hier *efficacitas* mit "Verwirklichung" wieder. Deutlicher wäre "Wirksamkeit", entsprechend SC 7, wo der Liturgie unter allem kirchlichen Tun die höchste Wirksamkeit (*efficacitas*) zugeschrieben wird.

278 Vgl. E. J. Lengeling, Die Liturgiekonstitution, Grundlinien ..., a.a. O. (S. 35, Anm. 111), 112.

nen. Deshalb kann die Konstitution sagen: "Auch die Ministranten, Lektoren, Kommentatoren und die Mitglieder der Kirchenchöre vollziehen einen wahrhaft liturgischen Dienst" (Nr. 29) [279], zu dem sie nicht erst delegiert zu werden brauchen [280]. Darüberhinaus können Laien auch zu eigenen liturgischen Handlungen ohne Mitwirkung eines Amtsträgers beauftragt werden, so zum Stundengebet und zur Leitung von Wortgottesdiensten (Nr. 25,4) [281].

Ein weiterer Gesichtspunkt hinsichtlich der Bedeutung der tätigen Teilnahme der Laien am Gottesdienst kommt noch aus der *Zeichenhaftigkeit der Liturgie* [282]. Dieser lange vernachlässigte Aspekt wird von der Liturgiekonstitution in die Wesensbeschreibung der Liturgie aufgenommen (Nr. 7,3). Dabei steht die Zeichenhaftigkeit aber nicht nur im Dienst der Wirksamkeit der Liturgie; sie hat ihren eigenen Sinn als Ausdruck der Heilswirklichkeit. Die liturgische Versammlung als ganze ist die vorzügliche Darstellung der Kirche (Nr. 41), welche ihrerseits das gegenwärtige Bild des Christus-Mysteriums als Zentrum des göttlichen Heilsmysteriums ist. So wird die liturgische Versammlung als solche zu einem wirklichkeitserfüllten Zeichen der Gegenwart des Herrn; als Versammlung des ganzen Gottesvolkes kommt sie aber nur durch die tätige Teilnahme der Laien zustande, welcher damit unter dem Aspekt der Zeichenhaftigkeit konstitutive Bedeutung zukommt [283]. Als Mindestvoraussetzung

---

279 SC 29: "Vero ministerio liturgico funguntur".
280 So hatte es auch die Instruktion von 1958 formuliert, vgl. Lengeling, 64, und ders., Die Liturgiekonstitution, Grundlinien ..., 112. Unzutreffend ist demnach die Feststellung von S. Famoso, (Kommentar zu SC 21-36), in: ELit 78 (1964) 251-266, hier 260, der von einem "ministerium directum quidem sed delegatum" spricht; vgl. auch Jungmann, 37; Schmidt, 207: Eine Delegation ist nicht erforderlich. Vgl. zum Ganzen H. Brakmann, Der Laie als Liturge. Möglichkeiten und Probleme der erneuerten Römischen Messe, in: LJ 21 (1971) 214-231, hier 221: "Die Befähigung zum besonderen liturgischen Dienst erwirbt der christliche Laie demnach nicht erst durch eine eigene Ermächtigung, sondern bereits durch Taufe und Firmung".
281 Vgl. E. J. Lengeling, Die Liturgiekonstitution, Grundlinien ..., 113.
282 Vgl. unten, Abschnitt 3.5.2., S. 305-316.
283 Vgl. Th. Maertens, Où en est le Concile sur le plan liturgique?, in: ParLi 45 (1963) 261-272, hier 265: "Si la participation liturgique est nécessaire, c'est parce que l'assemblée liturgique est un signe de la présence du Seigneur et un signe doit signifier ce qu'il porte"; vgl.

zum legitimen und wirksamen Zustandekommen eines liturgischen Aktes genügt die rechtmäßige Tätigkeit des Amtsträgers, der als Repräsentant Jesu Christi auch dessen mystischen Leib repräsentiert [284]. Damit aber der mystische Leib als solcher in seiner Tätigkeit in Erscheinung treten kann, ist die Teilnahme der Gläubigen erfordert und vom Konzil mit Nachdruck gewünscht [285].

Insgesamt ergibt sich, daß die Liturgie ihren vollen Sinn nur dann erreicht, wenn die Gläubigen bewußt und aktiv daran beteiligt sind. Nur so wird sie als Feier der Kirche (Nr. 26) und als Darstellung der Kirche (Nr. 41) auch in der für die Liturgie wesentlichen Dimension der Zeichenhaftigkeit sichtbar.

Es verwundert nicht, daß die Kommentatoren dieses in der Liturgiekonstitution so stark betonte Thema der tätigen Teilnahme der Gläubigen entsprechend hervorheben. Dabei begnügen sich die meisten aber mit dem Hinweis, daß die Liturgiekonstitution die Vorarbeiten aus der Zeit der Liturgischen Bewegung aufnimmt, bestätigt und Bestimmungen zu ihrer praktischen Verwirklichung erläßt [286]. Die in der Konstitution zumindest angedeuteten Ansätze zu einer theologischen Weiterführung dieses Themas werden kaum untersucht [287]. Daß eine solche Weiterführung im Sinne eines konstitutiven Anteils der Laien an der Liturgie versucht wurde, zeigen neben den schon angeführten Tex-

---

dazu H. Brakmann, a.a.O., 217: "So darf man mit der Liturgiekonstitution folgern, daß erst in der vollen und tätigen Teilnahme des ganzen Volkes Gottes die Kirche in ihrem Gottesdienst die vollkommenste Manifestation erlangt".

284 Vgl. SC 27; dazu oben, S. 272, Anm. 242 und 243.
285 Vgl. J. Pascher, Das Wesen der tätigen Teilnahme, in: Miscellanea Liturgica in onore di sua Eminenza il Cardinale Giacomo Lercaro, Rom-Paris-Tournai-New-York 1966, 211-229, der den konstitutiven Charakter der tätigen Teilnahme der Gläubigen betont, insofern sie *in persona mystici corporis* handeln.
286 Vgl. am ausführlichsten G. Baraúna, La partecipazione attiva, principio inspiratore e direttivo della Costituzione, in: Ders. (Hg.), La Sacra Liturgia ..., 135-199.
287 Eine Ausnahme bildet H. Volk, Theologische Grundlagen der Liturgie, 51 bis 60, bes. 52, der die konstitutive Bedeutung der tätigen Teilnahme der Laien erwähnt. Vgl. auch J. Gaillard, Chronique de la liturgie. La Constitution conciliaire, in: RThom 64 (1964) 260-279, hier 268 f.: "Necessité de la participation active des fidèles".

ten auch die Begriffe, die zur Beschreibung der Tätigkeit der Laien verwendet werden. Die Gläubigen haben das Recht und die Pflicht (*ius et officium*) zur tätigen Teilnahme (Nr. 14), wobei diese Pflicht in die Nähe eines 'Amtes' rückt, das durch die Taufe verliehen wird[288]; es ist eine 'offizielle' Pflicht. Im übrigen gebraucht die Liturgiekonstitution für die liturgischen Funktionen der Laien auch Ausdrücke, die sonst mehr den Funktionen der Amtsträger vorbehalten sind, wie "Dienst" (*munus*: Nr. 28) und "Amt" (*ministerium*: Nr. 29)[289]. Durch diese unspezifische Verwendung von Begriffen, die auch eine spezifisch amtliche Bedeutung haben können, wird nochmals spürbar, daß in der Konstitution die Aufgabe des gesamten gegliederten Gottesvolkes im Vordergrund steht, während die spezifischen Amtsfunktionen nicht ausgearbeitet werden.

3.4.3. Die liturgische Versammlung als Subjekt der Liturgie

Das Subjekt der Liturgie ist nach der Lehre der Liturgiekonstitution Jesus Christus, der sich im Vollzug seines priesterlichen Dienstes die Kirche zugesellt. Diese ist eine gegliederte Gemeinschaft und als solche mit Jesus Christus und ihm untergeordnet Subjekt der Liturgie.
Das liturgische Tun der Kirche konkretisiert sich aber in der liturgischen Versammlung. Diese ist als Manifestation der Kirche ihrerseits Subjekt der Liturgie.

---

288 In der ersten deutschen Übersetzung war *officium* mit "Amt" wiedergegeben: vgl. Aschendorff-Ausgabe. In einem nicht spezifischen Sinn ist dieses Wort durchaus zutreffend und deutlicher als das etwas blasse "berechtigt und verpflichtet" der endgültigen deutschen Übersetzung. *Officium* wird in SC noch mehrfach für Pflichten verwandt, die sich aus einer bestimmten Stellung oder aus einem Stand ergeben, z.B. die Pflichten aller Eltern und Paten (SC 67), die Treuepflicht der Eheleute (SC 78), die Pflicht des Stundengebetes (SC 83-101) und des Gottesdienstes (SC 113-116). Es sind jedesmal 'offizielle' Pflichten. - Vgl. zu dem Ausdruck *ius et officium* E. J. Lengeling, Die Lehre der Liturgiekonstitution ..., a.a.O., 7 und Anm. 6; J. Pascher, Ekklesiologie in der Konstitution, a.a.O., 234.
289 Vgl. zum Bedeutungsgehalt von *munus* P. J. Cordes, Sendung zum Dienst (s. S. 76, Anm. 297), 118-121.

Dieser Sachverhalt ist in der Liturgiekonstitution zwar enthalten, aber nicht thematisch ausgeführt. Die diesbezügliche Lehre muß aus mehreren Stellen der Konstitution erschlossen werden.

Der grundlegende Text steht in Artikel 41: "Daher sollen alle das liturgische Leben des Bistums, in dessen Mittelpunkt der Bischof steht, besonders in der Kathedralkirche, aufs höchste wertschätzen; sie sollen überzeugt sein, daß die Kirche auf eine vorzügliche Weise dann sichtbar wird, wenn das ganze heilige Gottesvolk voll und tätig an derselben liturgischen Feier, besonders an derselben Eucharistiefeier, teilnimmt: in der Einheit des Gebets und an dem einen Altar und unter dem Vorsitz des Bischofs, der umgeben ist von seinem Presbyterium und den Dienern des Altars"[290].

Wenn hier die liturgische Feier unter Vorsitz des Bischofs als hervorgehobene Manifestation der Kirche bezeichnet wird, so muß dies im Zusammenhang mit Artikel 2 interpretiert werden. Dort wurde das "eigentliche Wesen der wahren Kirche" in enge Verbindung mit dem "Mysterium Christi" gebracht[291], woraus sich ergibt, daß die Liturgie auch Manifestation des Christus-Mysteriums ist, wie oben schon dargelegt. Dies ist sie jedoch nicht nur wegen ihres Inhalts, welcher nichts anderes als dieses Mysterium ist[292], sondern auch wegen der Weise ihres Vollzugs in der liturgischen Versammlung der Kirche. Diese Versammlung selbst ist als gegliederte Gemeinschaft deutlichste Manifestation der Kirche und damit des Mysteriums Jesu Christi, insofern sie selbst zum Ausdruck wird für das, was sich in ihr und an ihr vollzieht. In diesem Sinn muß die Aussage

---

290 SC 41: "Quare omnes vitam liturgicam dioeceseos circa Episcopum, praesertim in ecclesia cathedrali, maximi faciant oportet: sibi persuasum habentes praecipuam manifestationem Ecclesiae haberi in plenaria et actuosa participatione totius plebis sanctae Dei in iisdem celebrationibus liturgicis, praesertim in eadem Eucharistia, in una oratione, ad unum altare cui praeest Episcopus a suo presbyterio et ministris circumdatus".

291 Vgl. SC 2: "Liturgia enim ... summe eo confert ut fideles vivendo exprimant et aliis manifestent mysterium Christi et genuinam verae Ecclesiae naturam".

292 Vgl. oben, Abschnitt 3.2., S. 225-235, über den Inhalt der Liturgie.

von Artikel 2 ergänzt werden: Nicht nur das Leben der Gläubigen je für sich, sondern grundlegender ihre Gemeinschaft, wie sie sich vor allem in der liturgischen Versammlung darstellt, ist Manifestation des Mysteriums Christi und des Wesens der Kirche.

Diese Konsequenz wird in der Liturgiekonstitution nicht ausgeführt, wohl aber angedeutet. In Artikel 6 wird am Schluß der Darstellung der heilsgeschichtlichen Verwirklichung des Erlösungswerkes die Versammlung der Kirche beschrieben, in welcher sich dieses Erlösungswerk nun vollzieht [293]. Dazu "ist Christus seiner Kirche immerdar gegenwärtig, besonders in den liturgischen Handlungen" (Nr. 7).

An dieser Stelle war im Schema der Konstitution das Zitat Mt 18,20 eingefügt: "... er, der versprochen hat: 'Wo zwei oder drei versammelt sind in meinem Namen, da bin ich mitten unter ihnen'". Dieser Schrifttext steht in "Mediator Dei" am Ende des Abschnitts über die liturgischen Gegenwartsweisen des Herrn [294]. Er war im ersten Entwurf der entsprechenden Passage des Liturgieschemas noch nicht enthalten [295]. In dem an "Mediator Dei" orientierten zweiten Entwurf wurde bei der Zitation der Enzyklika dieses Zitat weggelassen [296], im dritten Entwurf dagegen, der den ersten wieder aufnimmt, an den Anfang des betreffenden Textes gestellt [297] und dort belassen.

Ohne daß dies beweisbar wäre, läßt dieses Vorgehen doch den Schluß zu, daß die Verfasser des Liturgieschemas diese Verheißung des Herrn nicht nur auf die in "Mediator Dei" an letzter Stelle genannte Zusammenkunft der Kirche zum Beten und Singen anwenden wollten, sondern auf die liturgische Versammlung als solche. Diese Absicht wurde jedoch in der konziliaren Überarbeitung des Textes ohne weitere Begründung aufgegeben. Das Zitat steht nun wieder, wie in "Mediator Dei", am Schluß und bezieht sich nur auf die letztgenannte Gegenwartsweise des

---

293 Vgl. SC 6: "Numquam exinde omisit Ecclesia quin in unum conveniret ad paschale mysterium celebrandum".
294 Vgl. den Text, oben, S. 71.
295 Vgl. oben, S. 153.
296 Vgl. oben, S. 155.
297 Vgl. oben, S. 157.

Herrn, "wenn die Kirche betet und singt".

Diese Frage spielte in der Konzilsdiskussion keine Rolle; eine ausdrückliche Absicht ist also in der jetzigen Anordnung des Textes nicht festzustellen. Es dürfte aber dem Gesamtsinn der Konstitution, speziell der soeben angeführten Texte in Artikel 2 und 41, entsprechen, wenn man die Gegenwart des Herrn in der zum Gottesdienst versammelten Gemeinde nicht als eine - und zwar die letzte - unter verschiedenen Gegenwartsweisen versteht, sondern sie als die grundlegende Weise seiner Gegenwart ansieht, aus der die übrigen sich entfalten. Deshalb ist die Gegenwart des Herrn in der liturgischen Versammlung noch in diesem Kapitel über die Grundlegung der liturgischen Gegenwart des Herrn zu erörtern und nicht erst bei der Behandlung der einzelnen spezifischen Gegenwartsweisen.

Das damit angesprochene Thema spielte in der vorkonziliaren und nachkonziliaren theologischen Diskussion, die zu dieser Sache vor allem von französischen und italienischen Liturgikern geführt wurde [298], eine wichtige Rolle. Auf einige Aspekte dieser Diskussion soll deshalb hier noch hingewiesen werden.

Die liturgische Versammlung als Manifestation der Kirche

In Artikel 41 der Liturgiekonstitution wird gesagt, daß in der liturgischen Feier unter Vorsitz des Bischofs inmitten seines Presbyteriums, unter Mitwirkung der übrigen Diener der Kirche und unter tätiger Teilnahme der Laien die Kirche auf vorzügliche Weise sichtbar werde. Diese Aussage entspricht der Väter-

---

298 Vgl. vor allem A.-M. Roguet, Gottesdienstliche Versammlung und tätige Teilnahme, a.a.O. (S. 34, Anm. 105); A. Rose, La présence du Christ dans l'assemblée liturgique, in: VS 85 (1951) 78-85; A.-G. Martimort, L'Assemblée liturgique, in: MD, Nr. 20 (1949) 153-175; ders., L'Assemblée liturgique, mystère du Christ, in: MD, Nr. 40 (1954) 5-29; ders., Dimanche, assemblée et paroisse, in: MD, Nr. 57 (1959) 56-84; ders., Précisions sur l'Assemblée, in: MD, Nr. 60 (1959) 7-34; ders., Die Versammlung, in: HLW I, 87-120; P. Visentin, L'Assemblea liturgica, manifestazione del mistero della chiesa, in: RivPaLi 2 (1964) 175-188; S. Rinaudo, L'Assemblea liturgica, in: RivLi 51 (1964) 179-192; P. Massi, L'Assemblea del popolo di Dio. Vol. I: Nella storia della salvezza, Ascoli Piceno 1962 (= Principi di teologia Biblica); ders., Il segno dell' Assemblea, in: RivLi 51 (1964) 149-178, 52 (1965) 86-119.

theologie[299], die ursprünglich zwischen konkreter Versammlung
und Kirche überhaupt weder begrifflich noch der Sache nach unterschied. Die Kirche war gerade durch die von Gott bewirkte
Sammlung der Zerstreuten in die neue, endgültige gottesdienstliche Versammlung als hierarchisch gegliederte Gemeinschaft
gekennzeichnet. Diese Versammlung wurde wesentlich als liturgische Versammlung verstanden. Gott sammelt sein Volk, damit
es sein Wort hört und das von Gott geschenkte Heil feiert und
empfängt[300], so daß liturgische Versammlung und Kirche ursprünglich dasselbe sind[301]. Erst spätere Differenzierungen
der kirchlichen Wirklichkeit und des Liturgiebegriffs hatten
zur Folge, daß die Liturgie nur als eine der Weisen kirchlicher Tätigkeit erscheint[302] und umgekehrt Liturgie als kirch-
liches Tun auch ohne die Versammlung von Gläubigen gedacht
werden kann[303]. Das ändert jedoch nichts daran, daß die liturgische Feier zum gemeinschaftlichen Vollzug drängt, auch
wenn er zu ihrer Gültigkeit nicht erforderlich ist[304]. Das Wesen der Kirche als von Gott einberufener Versammlung kommt
erst in solcher gemeinschaftlicher Feier sichtbar zum Ausdruck.

---

299 Vgl. einige Texte bei A.-G. Martimort, Précisions sur l'Assemblée, a.
a.O., 20-23.
300 Vgl. ebd., 22-24; Martimort nennt als Strukturgesetze der liturgischen
Versammlung die Sammlung des zerstreuten Gottesvolkes durch Gott selber; die gegliederte, um den Bischof versammelte Gemeinde; die Verbindung zur Gesamtkirche; die Verkündigung des Heilsmysteriums.
301 Vgl. ebd., 8-15.
302 Hier ist vor allem der vom CIC, c. 1256, und von "Mediator Dei" 20/528
grundgelegte und in der Instruktion der Ritenkongregation von 1958 zu-
sammengefaßte Liturgiebegriff bedeutsam, wonach nur dann von Liturgie
gesprochen werden kann, wenn ein öffentlicher Gottesdienst entsprechend den vom Hl. Stuhl approbierten Texten durch rechtmäßig beauftragte Personen vollzogen wird, während andere Gottesdienste - selbst unter
Vorsitz des Bischofs - nicht "Liturgie", sondern "pia exercitia" sind;
vgl. dazu J. A. Jungmann, Was ist Liturgie?, in: ZkTh 55 (1931) 83-102;
ders., Liturgie und "pia exercitia", in: LJ 9 (1959) 79-86. Jungmann
möchte den Begriff der Liturgie auch auf Gottesdienste bischöflichen
Rechts ausweiten. Dazu kritisch A.-G. Martimort, Précisions ..., 13.
303 Hier geht es vor allem um die von "Mediator Dei" betonte Lehre, daß
der Priester in der Liturgie im Namen Chrsti und der Kirche handelt und
so sein liturgisches Tun auch dann öffentlichen und sozialen Charakter
hat, wenn er es allein vollzieht; vgl. vor allem MeD 95/557 (Meßopfer)
und 140/573 (Stundengebet).
304 Vgl. A.-G. Martimort, Die Versammlung, a.a.O., 89 f.

Dieser Aspekt wurde vom Konzil neu betont[305]. Dies ist wohl eine der Grundlagen für die nach dem Konzil neu aufgenommene "Theologie der Gemeinde"[306], in der ein Anliegen der Liturgischen Bewegung[307] theologisch weiterentwickelt wurde. Denn wenn auch der Gottesdienst unter Leitung des Bischofs die eigentliche Vollform der Liturgie darstellt, so findet er doch seine in unseren Verhältnissen reguläre Verwirklichung im Gottesdienst einer konkreten Gemeinde, wie die Liturgiekonstitution in Artikel 42 weiter ausführt: "Da der Bischof nicht immer und nicht überall in eigener Person den Vorsitz über das gesamte Volk seiner Kirche führen kann, so muß er diese notwendig in Einzelgemeinden aufgliedern. Unter ihnen ragen die Pfarreien hervor, die räumlich verfaßt sind unter einem Seelsorger, der den Bischof vertritt; denn sie stellen auf eine gewisse Weise die über den ganzen Erdkreis hin verbreitete sichtbare Kirche dar"[308].

Dieser primär von der konkreten liturgischen Versammlung her gewonnene Gemeindebegriff kann zu der Konsequenz führen, daß

---

305 Vgl. oben, S. 281 f.

306 Vgl. zu dieser hier nicht weiter zu erörternden Thematik vor allem F. Klostermann, Allgemeine Pastoraltheologie der Gemeinde, in: HPTh III, 17-58; ders., Gemeinde - Kirche der Zukunft, 2 Bde., Freiburg-Basel-Wien 1974; ders., Kirche - Ereignis und Institution, Freiburg-Basel-Wien 1976; K. Lehmann, Was ist eine christliche Gemeinde? Theologische Grundstrukturen, in: IKaZ 2 (1972) 481-497; ders., Chancen und Grenzen der neuen Gemeindetheologie, in: IKaZ 6 (1977) 111-127; W. Kasper, Elemente einer Theologie der Gemeinde, in: J. Möller (Hg.), Virtus politica (FS Hufnagel), Stuttgart 1974, 33-50 (= LS 27 (1976) 289-298); dort jeweils umfangreiche Literaturangaben.

307 Vgl. Th. Maas-Ewerd, Liturgie und Pfarrei (s. S. 10, Anm. 1), der dieses Thema breit entfaltet und gründlich dokumentiert hat; vgl. auch die S. 246, Anm. 113, angegebene Literatur.

308 SC 42: "Cum Episcopus in Ecclesia sua ipsemet nec semper nec ubique universo gregi praeesse possit, necessario constituere debet fidelium coetus, inter quos paroeciae eminent: nam quodammodo repraesentant Ecclesiam visibilem per orbem terrarum constitutam". - Bemerkenswert ist hier auch, daß das Konzil die Pfarrei zwar als hervorragende, aber nicht als einzige Form der Gemeinde nennt; vgl. dazu Th. Maertens, La Constitution 'de la Sainte Liturgie' du Concile de Vatican II, in: ParLi 46 (1964) 81-102, hier 92: Im Unterschied zum Tridentinum habe das II. Vaticanum keine Festlegung auf die Pfarrei vorgenommen; vgl. zum Ganzen auch H. Wieh, Konzil und Gemeinde. Eine systematisch-theologische Untersuchung zum Gemeindeverständnis des Zweiten Vatikanischen Konzils in pastoraler Absicht, Frankfurt/ M. 1978 (= FTS 25).

in der Ortsgemeinde nicht nur die reguläre, sondern sogar die primäre Manifestation der Kirche gesehen wird, was im Widerspruch zu der bischöflichen Verfassung der Kirche stünde. Ein solcher überzogener Gemeindebegriff war im Schema der Liturgiekonstitution angedeutet, wenn es dort hieß: "Sie (die örtlichen Gemeinden) stellen in sich auf vollkommenere Weise die ... Kirche dar" [309]. Diese im endgültigen Text korrigierte Formulierung ("auf eine gewisse Weise") nimmt eine später viel diskutierte und gelegentlich als "Gemeinde-Ideologie" apostrophierte einseitige Position vorweg [310].

Aber auch in der jetzt vorliegenden Formulierung bietet dieser Gemeindebegriff die Grundlage für eine Entwicklung der gesamten Ekklesiologie von dieser untersten, aber alles Wesentliche umfassenden Einheit der dem Bischof zugeordneten und in seinem Auftrag von einem Priester geleiteten Ortsgemeinde her. Doch kann dieser schon von Odo Casel angeregte Gedanke [311] hier nicht ausgeführt werden [312].

Für unseren Zusammenhang genügt die Feststellung, daß die liturgische Versammlung als Manifestation der Kirche die konkrete Form ist, in der sich das über die Kirche als Subjekt der Liturgie Gesagte verwirklicht [313]. "Die Gemeinde als solche ist

---

309 "Nam in se perfectius repraesentant Ecclesiam visibilem per orbem terrarum constitutam": vgl. AS I/IV, 323. - H. Schmitz, Nachkonziliare Rechtsprobleme ..., a.a.O. (S. 267, Anm. 217), hier 95, hat darauf hingewiesen, daß das Konzil zwar erklärt, daß die Gesamtkirche "in und aus" den Teilkirchen besteht (vgl. LG 23), daß dieses Modell jedoch nicht auf die Einzelgemeinden übertragbar sei, "denn die Teilkirche besteht nicht in gleichem Sinn in und aus Gemeinden"; vgl. auch H. Wieh, a.a.O., 123 f.

310 Diese auch in der Gemeinsamen Synode der Bistümer in der Bundesrepublik Deutschland diskutierte Frage kann hier nicht weiter verfolgt werden; vgl. die Hinweise in der S. 288, Anm. 306, angegebenen Literatur.

311 Vgl. O. Casel, Das christliche Kultmysterium, 107: "Es ist eine Eigentümlichkeit der Kirche, daß jede einzelne, festgefügte, unter einem Haupt geordnete Gruppe in ihr die ganze Kirche abspiegelt, ja an dem betreffenden Orte die Kirche ist".

312 Vgl. dazu die nicht im einzelnen durchgeführte Anregung von K. Rahner, Über die Gegenwart Christi in der Diasporagemeinde nach der Lehre des Zweiten Vatikanischen Konzils, in: Ders., Schriften VIII (1967), 409 bis 425, bes., 422-425.

313 Vgl. auch A. Verheul, Einführung in die Liturgie, 127: "So ist jede liturgische 'Synaxis' (...) Zeichen der Universalkirche, und für sie muß gelten, was auf die Kirche als solche anwendbar ist"; vgl. dazu J.

also eigentlicher Träger der Liturgie"[314], da sie, so klein sie sein mag, das Geheimnis der ganzen Kirche verwirklicht[315] und deshalb selbst 'Sakrament' des Heils ist[316].

Die Gottesdienstgemeinde als liturgisches Zeichen

Die liturgische Versammlung hat als Manifestation der Kirche auch an ihrer sakramentalen Struktur teil; sie ist selbst ein liturgisches Zeichen, durch welches "die Heiligung des Menschen bezeichnet und in je eigener Weise bewirkt" wird[317]. Diese Auffassung wurde von Aimé-Georges Martimort schon vor dem Konzil vertreten und in enger Analogie zur Struktur der Sakramente erläutert[318]. Die liturgische Versammlung ist nach seiner Darstellung ein Zeichen der Kirche[319] und als solches eine Quelle der Gnade, da sie die Gläubigen am Leben der Kirche beteiligt, an der von Gott gnädig gewährten Einheit der Menschen mit Gott und untereinander, die durch die Kirche bezeichnet und in ihr an den Gläubigen verwirklicht und vollendet werden soll[320].

Etwas zurückhaltender argumentiert Cipriano Vagaggini. Nach seiner Auffassung ist das entscheidende Merkmal der Liturgie ihre Zeichenhaftigkeit[321]: "Das ganze liturgische Geschehen spielt sich vermittels wahrnehmbarer Zeichen, unter ihrem Schleier und mit ihrer Hilfe ab. ... Schon lediglich der Anwesenheit einer Gemeinschaft von Gläubigen in der Kirche zur liturgischen Feier kommt Zeichenwert zu ... Es handelt sich ... um eine Gemeinde Gottes in Christus, um eine Versammlung 'im

---

Pascher, Ekklesiologie in der Konstitution ..., a.a.O (S. 242, Anm. 98), bes. 235 f.

314 O. Casel, a.a.O. (S. 289, Anm. 311).

315 Vgl. S. Rinaudo, a.a.O. (S. 286, Anm. 298), 180: "L'Assemblea liturgica, per quanto piccola, realizza e manifesta il mistero della chiesa universale".

316 Vgl. P. Massi, Il segno dell'Assemblea, in: RivLi 51 (1964) 169: "Le communità locali meritano tale nome, se rappresentano veramente la chiesa totale, il sacramento totale della salvezza".

317 Vgl. SC 7,3.

318 Vgl. A.-G. Martimort, Précisions sur l'Assemblée, a.a.O., 15-27.

319 Vgl. ebd., 15-25.

320 Vgl. ebd., 25 f.: "L'Assemblée liturgique est source de grâce".

321 Vgl. oben, S. 223.

Namen' Christi"[322].

Dieser Gedanke wurde in einigen Texten der Liturgiekonstitution aufgenommen und verdeutlicht. In Artikel 26 werden die liturgischen Handlungen als "Feiern der Kirche" beschrieben,
"die das 'Sakrament der Einheit' ist"[323]. Daraus folgert die
Konstitution, daß die liturgischen Feiern in Gemeinschaft den
privaten Feiern vorzuziehen sind[324]. Die gemeinschaftliche
Feier ist als solche Manifestation der Kirche (Nr. 41).
Dies wurde im Anschluß an die Liturgiekonstitution von einigen
Autoren weiter entfaltet. Da die Kirche "in ihrem Wesen wirksames, verwirklichendes Zeichen des Heils in Christus Jesus"[325]
ist und dieses ihr Wesen vor allem in der Liturgie erfüllt[326],
kann die liturgische Versammlung als das "elementare hör- und
sichtbare Zeichen"[327] erkannt werden, welches die Basis darstellt, auf welcher sich die spezifischen sakramentalen Zeichen als Höhepunkte erheben[328]. Innerhalb dieses grundlegenden
Zeichens der Gegenwart des Herrn verwirklichen sich seine einzelnen liturgischen Gegenwartsweisen[329].

Die Gegenwart des Herrn in der Gottesdienstgemeinde

Die Bedeutung der liturgischen Versammlung liegt letztlich
darin, daß sie als Zeichen für die Kirche "eine eigene Art der
Gegenwart Christi, dessen Leib sie ist"[330] verwirklicht.

---

322 Vgl. C. Vagaggini, Theologie der Liturgie, 43.
323 Vgl. SC 26: "Actiones liturgicae non sunt actiones privatae, sed celebrationes Ecclesiae, quae est 'unitatis sacramentum', scilicet plebs
sancta sub Episcopis adunata et ordinata. Quare ad universum Corpus
Ecclesiae pertinent illudque manifestant et afficiunt".
324 Vgl. SC 27: "Quoties ritus ... secum ferunt celebrationem communem ...
inculcetur hanc ... esse praeferendam celebrationi eorundem singulari
et quasi privatae".
325 Vgl. H. Volk, Theologische Grundlagen der Liturgie, 35.
326 Vgl. ebd., 35 f.
327 E. J. Lengeling, Liturgie als Grundvollzug ... a.a.O.(S. 237, Anm. 75),76.
328 Vgl. P. Massi, Il segno dell'Assemblea, in: RivLi 52 (1965) 118 f.:
"Dopo i 7 sacramenti che sono le cime più alte in un sistema di mon-
tagne, quello dell'Assemblea si può considerare la base sulla quale si
innalza la catena degli altri principali segni liturgici".
329 Vgl. A. Cuva, a.a.O. (S. 52, Anm. 189), 196: "Il segno liturgico basi-
co in cui si realizza la presenza di Cristo è l'assemblea".
330 I.-H. Dalmais, Liturgie und Heilsmysterium, a.a.O. (S. 43, Anm. 141),
222.

Diese Gegenwart des Herrn in der liturgischen Versammlung hat ihr Vorbild in der Gegenwart Gottes in der von ihm einberufenen Versammlung (*qahal*) des Volkes Israel. In dieser Versammlung, deren erste, urbildhafte Verwirklichung die Versammlung des Volkes am Berg Sinai ist, spricht Gott zu seinem Volk, und das Volk hört sein Wort, das Antwort erwartet[331]. Die späteren großen Versammlungen des Volkes Israel wiederholen und vertiefen in einschneidenden Situationen der Geschichte Israels diese ursprüngliche Versammlung zum Bundesschluß. Sie sind kultische Begegnungen mit Gott, deren jährliche Feier das Ereignis der Bundesstiftung durch Gott und der Annahme des Bundes durch das Volk jeweils neu repräsentieren und verwirklichen[332], bis hin zu "der Feier des letzten qahal des alten Israel, beim Letzten Abendmahl mit seinen (Jesu Christi) Jüngern"[333]. Aber nicht nur bei den außerordentlichen Versammlungen der Bundesstiftung und -erneuerung, auch nicht nur bei ihrer jährlichen kultischen Feier, sondern immer, wo das Volk zum Gottesdienst zusammenkommt, erlebt es die gnädige Gegenwart Gottes in seiner Mitte. "Wo zehn Israeliten versammelt sind, um die Torah zu hören, dort, sagen die Rabbinen, ist die Schekinah mitten unter ihnen"[334].

Unverkennbar ist die Parallele zu Mt 18,20: "Wo zwei oder drei versammelt sind in meinem Namen, da bin ich mitten unter ihnen". Dieses Wort ist nach Edward Schillebeeckx die "sauberste, adäquate Wiedergabe der Ostererfahrung"[335], der im Glauben erfahrenen Gegenwart des verherrlichten Herrn bei den Seinen.

---

331 Vgl. A.-G. Martimort, Précisions sur l'Assemblée ..., a.a.O., 19: "Il (Yahveh) est présent, mais aussi il parle, le peuple entend sa parole, qui attend réponse".
332 Vgl. ebd., 19 f.; dazu bes. L. Bouyer, Die Kirche, 2 Bde., Einsiedeln 1977, hier Bd. II: Theologie der Kirche, bes. 31 f., 44 f., 51 f., 78.
333 L. Bouyer, a.a.O., 78. Bouyer zeigt hier die Kontinuität von atl. und ntl. Versammlung des Gottesvolkes.
334 Ebd., 72; vgl. auch J. Schmid, Das Evangelium nach Matthäus, Regensburg ³1956 (= RNT, Bd. 1), 273: "Das Wort (Mt 18,20) hat eine Parallele in dem rabbinischen Spruch: 'Wo zwei (beieinander) sitzen und Worte der Thora sind zwischen ihnen, da weilt die Schechina (= Gott) unter ihnen' (Mischna, Sprüche der Väter III,2)".
335 E. Schillebeeckx, Jesus. Die Geschichte von einem Lebenden, Freiburg-Basel-Wien 1975, 573.

"Dieses Wort Jesu beziehen die Väter, besonders Johannes Chrysostomus, auf die liturgische Versammlung, um zu beweisen, daß der Herr in ihr anwesend ist"[336].

Entsprechend dieser Tradition hatte Aimon-Marie Roguet schon 1953 beim liturgischen Kongreß in Lugano[337] eine Theologie der liturgischen Versammlung gefordert. Ausgehend von Mt 18,20 müßte die reale Gegenwart des Herrn in der Gottesdienstgemeinde dargestellt werden, die sich von der eucharistischen Realpräsenz unterscheidet, aber ihre Vorbedingung ist[338].

Diesen Gedanken hat Aimé-Georges Martimort weitergeführt. Er fragt, ob es in der liturgischen Versammlung auch, analog zu den Sakramenten, eine Wirklichkeit gebe, die von dem Zeichen, nämlich der versammelten Gemeinde, angezeigt wird und selbst Zeichen für die darin gegebene Gnade ist, ob es also in der liturgischen Versammlung etwas zu *res et sacramentum* Analoges gebe. Er findet diese Wirklichkeit unter Berücksichtigung der entsprechenden Unterschiede in der Gegenwart des Herrn, wie sie in Mt 18,20 verheißen ist. Diese Gegenwart ist an die Tatsache der liturgischen Versammlung gebunden und wird von ihr bezeichnet. Sie ist zu unterscheiden von der Gnade der Einheit, die in der liturgischen Versammlung angezeigt und kraft der Gegenwart des Herrn in seiner Kirche bewirkt wird[339]. Diese Gegenwart des Herrn erfüllt aber noch nicht den vollen Sinn der liturgischen Versammlung. Diese ist nämlich auf das Hören des Gotteswortes und vor allem auf die Feier der Eucharistie hingeordnet. Die darin gewährte substantiale Gegenwart des Herrn ist nach Martimort eigentlich *res et sacramentum* der liturgischen Versammlung[340].

Diese spezifische Verwendung des Schriftwortes Mt 18,20 zur Be-

---

336 A.-G. Martimort, Die Versammlung, a.a.O., 95; vgl. die Belege, ebd., Anm. 34. Weitere Vätertexte bietet A. Cuva, a.a.O., 46-49; vgl. auch Ch. Lubich, Mitten unter ihnen, München-Zürich-Wien 1976, 11-20, wo Texte von Origenes, Eusebius und Joh. Chrysostomus angeführt sind.
337 Vgl. oben, S. 100.
338 Vgl. oben, S. 116; vgl. auch die Hinweise auf die orthodoxe Theologie bei R. Hotz, a.a.O.(S. 266, Anm. 211), 109: Die Versammlung im Namen des Herrn (Mt 18,20) ist Voraussetzung jeder liturgischen Handlung.
339 Vgl. A.-G. Martimort, Précisions sur l'Assemblée ..., a.a.O., 26-28.
340 Vgl. ebd., 27.

gründung der fundamentalen Gegenwart Jesu Christi in der liturgischen Versammlung, aus der die spezifischen Gegenwartsweisen sich entfalten, war im Liturgieschema vorgesehen, wurde aber im endgültigen Text der Konstitution nicht beibehalten[341]. Dort ist vielmehr das Zitat Mt 18,20 nur der an letzter Stelle genannten Gegenwartsweise des Herrn, "wenn die Kirche betet und singt", zugeordnet. Dieser Ausdruck muß wohl primär als Umschreibung des liturgischen Betens im Stundengebet der Kirche verstanden werden. So jedenfalls scheint die vorbereitende Liturgiekommission es gewollt zu haben, indem sie zunächst die entsprechenden Aussagen von "Mediator Dei" (Nr. 20) mit einem Text derselben Enzyklika über das Stundengebet zusammenstellte [342]. Bedenkt man aber, daß, wie gesagt, in der Vorbereitungskommission die Verheißung Mt 18,20 gerade dort nicht erwähnt, sondern an den Anfang der Aufzählung der Gegenwartsweisen gestellt wurde, und nimmt man die jetzt besprochene Tradition der liturgischen Deutung dieses Schriftwortes hinzu, so dürfte es im Sinn der Konstitution liegen, wenn man die Stellung des Zitats am Schluß von Artikel 7,1 entsprechend deutet. Die Verheißung der Gegenwart des Herrn wäre dann nicht nur dem letzten Glied der Reihe der liturgischen Gegenwartsweisen zuzuordnen, sondern müßte als Zusammenfassung des ganzen Abschnitts verstanden werden; alle vorher genannten Gegenwartsweisen setzen die Erfüllung seiner Verheißung voraus: "Wo zwei oder drei versammelt sind in meinem Namen, da bin ich mitten unter ihnen".

Eine solche spezifische Deutung des genannten Schriftwortes kann aus seiner Verwendung in anderen Konzilstexten nicht gestützt werden. Im Dekret über den Ökumenismus wird es im Zusammenhang des gemeinsamen Betens mit Nichtkatholiken als Fundament der Gemeinsamkeit genannt [343]; im Dekret über die zeitgemäße Erneuerung des Ordenslebens dient es zur Bekräftigung der Aussage, daß das gemeinsame Leben der Ordensleute unter

---

341 Vgl. oben, S. 285.
342 Vgl. den zweiten Entwurf, oben, S. 155.
343 Vgl. UR 8; s. auch unten, S. 295, Anm. 347.

der Verheißung der Gegenwart des Herrn stehe[344]; im Dekret
über das Apostolat der Laien wird diese Verheißung schon mit
dem "in Gemeinschaft geübten Apostolat der Gläubigen" verbunden, welches "ein Zeichen der Gemeinschaft und der Einheit der
Kirche in Christus" ist[345].

Dennoch verstehen manche Kommentatoren der Liturgiekonstitution das Schriftwort als Qualifikation der liturgischen Versammlung als solcher und berufen sich dabei auf Artikel 7[346]. In
der liturgischen Versammlung finde diese Verheißung ihre vollste Verwirklichung[347].

Diese Deutung, die von Artikel 7 selbst zwar nicht gefordert,
aber von der Gesamtaussage der Konstitution doch nahegelegt
wird, modifiziert die Interpretation von Artikel 7,1 ein wenig. Das Schriftwort Mt 18,20 ist dann nicht dem letzten Glied
der Aufzählung insofern zuzuordnen als darin speziell das
Stundengebet angesprochen wird, sondern nur insofern als die
Versammlung der Kirche, die betet und singt, die Voraussetzung
aller liturgischen Gegenwartsweisen des Herrn ist. Dann müßte
der letzte Satz von Artikel 7,1 sinngemäß mit dem ersten Satz
verbunden werden, nämlich so: "Um dieses große Werk voll zu
verwirklichen, ist Christus seiner Kirche immerdar gegenwärtig, besonders in den liturgischen Handlungen ... er, der versprochen hat: 'Wo zwei oder drei versammelt sind in meinem Namen, da bin ich mitten unter ihnen'". Innerhalb dieses Rahmens
wären dann die übrigen Gegenwartsweisen zu lesen. Die so kon-
struierte Textgestalt entspricht aber exakt dem Text des Liturgieschemas[348], wie ihn die liturgische Vorbereitungskommis-

---

344 Vgl. PC 15; s. auch Anm. 347.
345 Vgl. AA 18; s. auch Anm. 347.
346 Vgl. z.B. S. Rinaudo, a.a.O. (S. 286, Anm. 298), 179; A. Cuva, a.a.O.,
    40, 196.
347 Vgl. A. Cuva, ebd., 40: "Le parole di Gesú: '... dove sono due o tre
    ...' trovano dunque la loro più piena applicazione nell'assemblea li-
    turgica". - Einen interessanten Hinweis auf die chronologisch im Kon-
    zil sich ausweitende Anwendung von Mt 18,20 gibt A. A. G. Gimeno (Diss.
    masch.), a.a.O. (S. 152 f., Anm. 96), 664 f.: In SC betrifft es den
    inneren Bereich der Liturgie, in UR das gemeinsame Gebet auch mit An-
    dersgläubigen, in PC das Leben in christlicher Gemeinschaft und in AA
    die missionarische Bewegung der Kirche nach außen.
348 Vgl. oben, S. 164 f.

sion vorgelegt hatte. Die Veränderungen, die an diesem Text vorgenommen wurden, sollten die Aussagen über die einzelnen Gegenwartsweisen mit Hilfe der Formulierungen von "Mediator Dei" verdeutlichen, ohne aber den Sinn des Abschnitts zu verändern [349]. Alles spricht deshalb dafür, daß die Verheißung Mt 18,20 auf alle genannten Gegenwartsweisen angewendet werden soll und ihre allgemeine Vorbedingung darstellt. Dies wäre deutlicher zum Ausdruck gekommen, wenn die im Schema vorgesehene und später ohne Begründung und wohl versehentlich [350] ausgelassene Formulierung: "der Gott, dem Vater, unablässig den Lobgesang darbringt" [351] erhalten geblieben und mit dem Satz: "gegenwärtig ist er schließlich, wenn die Kirche betet und singt" verbunden worden wäre. Dann hätte auch dieses letzte Glied der Reihe, wie alle anderen, einen Zusatz erhalten, der das Handeln Jesu Christi selbst im Tun der Kirche aussagt, und wäre eindeutig auf das liturgische Stundengebet zu beziehen gewesen.

Nach allem Gesagten ist die Folgerung wohl gerechtfertigt, daß nur diese Deutung des genannten Schriftwortes der Absicht der liturgischen Konzilskommission gerecht wird. Dies bedeutet, daß die Verheißung der Gegenwart des Herrn nach Mt 18,20 primär der liturgischen Versammlung als solcher gilt. Sie ist als deutlichste Manifestation der Kirche die konkrete Gestalt, in der Jesus Christus selbst gegenwärtig ist und handelt. Die Gegenwart des Herrn, "wenn die Kirche betet und singt", ist dagegen als eine spezifische Gegenwartsweise zu verstehen, die sich vor allem im liturgischen Stundengebet verwirklicht. Darüber wird später noch zu sprechen sein [352].

3.4.4. Zusammenfassung

Zusammenfassend läßt sich sagen, daß das Subjekt der Liturgie nach der Lehre der Liturgiekonstitution Jesus Christus zusam-

---

349 Vgl. die Erklärung des Relators, oben, S. 176, Anm. 200.
350 Vgl. oben, S. 178, Anm. 202.
351 Vgl. den Text, oben, S. 164 f.
352 Vgl. unten, Abschnitt 4.6., S. 558-574.

men mit seiner Kirche ist [353]. Dabei wird eindeutig und konsequent die Priorität des Herrn gewahrt, der in allen liturgischen Vollzügen der eigentlich Handelnde ist [354], sich dabei jedoch die Kirche zur Gehilfin nimmt, so daß sie mit ihm und abhängig von ihm zum Subjekt der Liturgie wird. Ihre relative Eigenständigkeit ist dabei stets nur die vom Herrn gewährte Möglichkeit zu eigenem Tun, das immer an ihn rückgebunden bleibt. Deshalb geschieht alle liturgische Tätigkeit der Kirche primär durch Jesus Christus und wendet sich erst dann, in zweiter Linie, an Jesus Christus, um aber von ihm gleich wieder umgewendet zu werden mit ihm zum Vater und zu den Menschen [355].

Dies gilt nicht nur für die Meßfeier und die Sakramente, sondern ebenso für das Stundengebet und, ohne daß dies in der Liturgiekonstitution ausdrücklich gesagt wird, folgerichtig auch für die Sakramentalien und alle übrigen Bereiche liturgischen Tuns.

Damit wird die von "Mediator Dei" so deutlich betonte Unterscheidung zwischen liturgischen Handlungen göttlicher Stiftung und solchen, die von der Kirche eingeführt worden sind, relativiert [356]. Ebenso spielt auch die in der Enzyklika entsprechend herausgestellte Unterscheidung zwischen der Wirksamkeit liturgischer Feiern *ex opere operato* und *ex opere operantis*

---

353 In einer ausführlichen bibeltheologischen Untersuchung zeigt H. Mühlen, daß die Vorstellung eines "Groß-Ich" dem Bild vom Leib Christi wie dem von der Braut Christi zugrundeliegt: vgl. ders., Una mystica persona, 115-136.

354 Daß dies der Lehre der Kirchenväter entspricht, betont C. Vagaggini, Theologie der Liturgie, 176.

355 Vgl. B. Fischer, Der verherrlichte Mensch Christus und die Liturgie, in: LJ 8 (1958) 205-217, wo diese dreifache Richtung gezeigt wird: Begegnung mit Christus (*ad Christum*: 206-210); Weg zum Vater (*per Christum*: 211-214); Wirken an uns (215-217); vgl. auch A. Verheul, Einführung in die Liturgie, 51-60: Christus als Ziel und Mittler unseres Kultes; J. A. Jungmann, Die Stellung Christi im liturgischen Gebet, Münster 1925, hat nachgewiesen, daß in der römischen Liturgie ursprünglich alle Amtsgebete an den Vater gerichtet waren und erst in späterer Zeit auch Orationen an Christus gerichtet wurden.

356 Vgl. SC 33: "Die sichtbaren Zeichen ... sind von Christus und der Kirche ausgewählt". Im lateinischen Text steht hier *vel*, wodurch doch noch eine gewisse Unterscheidung zwischen von Christus und von der Kirche eingesetzten Zeichen mitklingt, ohne aber thematisch zu werden.

ecclesiae [357] in der Liturgiekonstitution keine große Rolle [358].
In jedem Fall ist es der Herr selbst, der in der Liturgie das
Heil wirkt [359], wenn auch in verschiedener Weise.

Dennoch muß unter Wahrung der Priorität Jesu Christi im liturgischen Tun auch die eigene Subjekthaftigkeit der Kirche gesehen werden. Sie ist das sekundäre Subjekt der Liturgie. Ihr
liturgisches Tun vollzieht sie als gegliederte Gemeinschaft,
die vor allem im Gegenüber von Amtsträger und Gemeinde die Beziehung zwischen Jesus Christus und der Kirche darstellt. Als
prinzipiell gemeinschaftliches Handeln wird das liturgische
Tun der Kirche in seinem Sinn erst dann deutlich, wenn alle
Glieder des Gottesvolkes darin die ihnen zukommende Aufgabe
erfüllen. Damit gehört auch das gemeinsame Priestertum der
Gläubigen und ihre tätige Teilnahme an der Liturgie als konstitutives Element zum Wesen der Liturgie, selbst wenn - unter
dem Aspekt der bloßen Gültigkeit - auch liturgische Handlungen
möglich sind, die vom Amtsträger allein vollzogen werden.

Aus diesen Überlegungen zur tätigen Teilnahme der Gläubigen am
Gottesdienst ergibt sich, daß das Gegenüber des Gottesvolkes
zu Jesus Christus nicht nur den Sinn des passiven Geheiligt-

---

357 Vgl. MeD 27/532.
358 Daß diese Unterscheidung nicht mehr ausdrücklich im Text steht, bezeichnet C. Vagaggini als einen der Mängel des Textes der Konstitution. In übertriebener Furcht vor scholastisch klingenden Ausdrücken habe
man damit eine durch "Mediator Dei" erreichte wertvolle Klärung außer
acht gelassen: vgl. ders., Lo spirito della Costituzione sulla Liturgia, in: RivLi 51 (1964) 5-47, hier 45: "Alcune collaboratori alla ste-
sura dei testi, sotto l'influsso di un non ben conscio nominalismo e
anticoncettualismo, oggi assai diffuso in alcuni paesi, erano presi
come da sacro orrore dinanzi ad ogni formula d'apparenza scolastica,
bollata, a causa dalla sua stessa chiarezza, di 'teologia concettuale'
e di 'cartesianismo'. E ciò anche là ove solo la formula 'scolastica'
diceva chiaramente e brevemente tutto ciò che era necessario dire". Als
Beispiele nennt er SC 5, wo statt *causa instrumentalis* nur *instrumentum* gesagt wird, und SC 7, wo bei der Beschreibung der Wirksamkeit der
Liturgie die Unterscheidung von *ex opere operato* und *ex opere operantis ecclesiae* wirksamen Feiern fehlt. Vor der hier beklagten Tendenz
hatte Vagaggini schon in dem von ihm verfaßten liturgietheologischen
Votum der Eingabe der Hochschule San Anselmo zur Vorbereitung auf das
Konzil eindringlich gewarnt: vgl. AD I/IV/I/2, 31-50, hier 33-43, bes.
34 f.
359 Diesen Aspekt hebt unter ökumenischer Rücksicht mit Recht H. Goltzen,
Verständigung über den Gottesdienst (s. unten, S. 327, A. 494), hervor.

werdens hat, daß vielmehr das latreutische Tun des Herrn nicht
mehr ohne seinen mystischen Leib denkbar ist. Aber auch sein
soterisches Wirken bezieht die Kirche gnadenhaft in die Heilswirksamkeit Gottes ein und macht sie zugleich zum Objekt dieses Heilswirkens, wobei das Tun des Herrn erst im aktiven Empfangen als dem der Kirche als Braut gemäßen Tun zu seinem Ziel
kommt.

Die Struktur der Kirche und die Eigenart ihres liturgischen
Handelns findet ihre konkrete Darstellung in der liturgischen
Versammlung der Gläubigen, die unter der Leitung des Bischofs
oder des von ihm beauftragten Priesters oder Diakons stattfin-
det. Die liturgische Versammlung ist als deutlichste Manifestation der Kirche und als jeweilige Verwirklichungsweise ihres liturgischen Tuns selbst das Subjekt der Liturgie. Dabei
gilt ihr nochmals ausdrücklich die Verheißung der Gegenwart
des Herrn, der in ihr seinen priesterlichen Dienst gegenwärtig
vollzieht.

Bei der Frage nach dem Subjekt der Liturgie zeigt es sich, daß
es sich hier nicht einfach um eine Subjekt-Objekt-Beziehung
handeln kann, sondern daß darüberhinaus eine Subjekt-Subjekt-
Beziehung vorliegt, ein dialogisches Handeln, das erst in seinem gebenden und empfangenden Zusammenwirken zu dem in der Liturgie gemeinten Sinn kommt. Diese dialogische Struktur der
Liturgie muß unter dem Aspekt der allgemeinen Bestimmungen der
Art und Weise der liturgischen Gegenwart des Herrn noch eigens
herausgestellt werden [360]. Hier sollte zunächst gezeigt werden,
daß auch unter dem Aspekt der Trägerschaft der Liturgie keine
liturgische Handlung gedacht werden kann, die nicht ihre Möglichkeit und Wirksamkeit dem darin gegenwärtigen Handeln Jesu
Christi verdankt. Damit wird nochmals deutlich, was sich schon
bei der Untersuchung des Begriffs der Liturgie, ihres Inhalts
und ihrer Zielrichtung zeigte.

---

360 Vgl. unten, Abschnitt 3.5.4., S. 322-327.

3.5. Die Grundbestimmungen der liturgischen Gegenwart des Herrn

Alle bisher untersuchten Aspekte der Lehre der Liturgiekonstitution über das Wesen der Liturgie wiesen darauf hin, daß christliche Liturgie als Vollzug des Priesteramtes Jesu Christi nur unter der Voraussetzung seiner Gegenwart recht verstanden werden kann. Wenn die Liturgie das sein soll, als was sie christlich verstanden wird, so ergibt sich das Postulat der Gegenwart des Herrn. Damit erhebt sich aber die Frage, wie denn eine solche Gegenwart zu denken ist, welcher Art sie ist, wie sie zustande kommt und wie sie den Gläubigen erkennbar wird.
Diese Fragen werden in der Liturgiekonstitution nicht ausdrücklich behandelt. Die Konstitution stellt lediglich fest, daß "Christus seiner Kirche immerdar gegenwärtig (ist), besonders in den liturgischen Handlungen" (Nr. 7), um dann gleich die verschiedenen Weisen seiner Gegenwart aufzuzählen. Dennoch läßt sich aus dem Gesamtinhalt der Konstitution erkennen, welche Grundbestimmungen für die Art und Weise der Gegenwart des Herrn in der Liturgie anzunehmen sind.

3.5.1. Die Gegenwart des Herrn im Mysterium

Die Liturgie ist nach der Lehre der Liturgiekonstitution die Feier des Christus-Mysteriums in Form eines liturgischen Mysteriums. Damit ist eine erste Bestimmung der Art der liturgischen Gegenwart des Herrn gegeben: Es handelt sich um eine Gegenwart im Mysterium, um eine Gegenwart des Mysteriums Christi im liturgischen Mysterium.
Damit ist die am heftigsten diskutierte Frage der Mysterienlehre angeschnitten, wie diese Mysteriengegenwart des Herrn und seines Heilswerks zu verstehen sei. Die Verfasser des Liturgieschemas waren sich dieser Frage offensichtlich bewußt; sie vermieden es aber absichtlich, in die diesbezügliche theologische Diskussion einzugreifen. Entsprechende Versuche, Formulierungen in den Text zu bringen, welche die Meßfeier als

aktuelles Opferhandeln Christi bezeichnen oder die Wirksamkeit
der Sakramente mit einem aktuellen Einfluß des Herrn begründen
wollten, wurden nicht aufgenommen[361].

Aber nicht nur die Weise des gegenwärtigen Handelns des Herrn
wird offengelassen, sondern auch die Weise der Gegenwart seiner Heilstaten. In Artikel 102 heißt es: "Indem sie (die Kirche) so die Mysterien der Erlösung feiert, erschließt sie die
Reichtümer der Machterweise und der Verdienste ihres Herrn, so
daß sie jederzeit gewissermaßen gegenwärtig gemacht werden und
die Gläubigen mit ihnen in Berührung kommen und mit der Gnade
des Heils erfüllt werden"[362]. Dieser Text war in der Vorbereitungszeit des Konzils im Wesentlichen unverändert geblieben[363].
In der Konzilsdebatte wurde er nicht diskutiert; lediglich
drei schriftliche Eingaben bezogen sich auf diesen Abschnitt
und betonten, daß die Feier der Heilsgeheimnisse des Herrn im
Kirchenjahr diese Geheimnisse vergegenwärtige[364] und so für
die Gläubigen wirksam mache. Bemerkenswert ist die Formulierung von Weihbischof Marcos McGrath (Panamà/ Panamà), der
feststellte, daß die Feier des Kirchenjahres nicht nur ein
lehrhaftes Handeln sei, sondern vor allem ein heilshaftes
Tun, in welchem Christus selbst an den Gläubigen wirkt[365].
Diese Äußerung hatte jedoch auf den Text keinen Einfluß. Die
Kirche wird nach wie vor als Subjekt der liturgischen Feier
genannt; von einem Handeln Jesu Christi ist nicht die Rede[366].
Interessant ist die Frage, was nach der Aussage von Artikel

---

361 Vgl. oben, S. 161.
362 SC 102,3: "Mysteria Redemptionis ita recolens, divitias virtutum atque
    meritorum Domini sui, adeo ut omni tempore quodammodo praesentia red-
    dantur, fidelibus aperit, qui ea attingant et gratia salutis replean-
    tur".
363 Vgl. A. A. G. Gimeno (Auszug), a.a.O. (S. 128, Anm. 7), 28-31.
364 Es handelt sich um den Apost. Vikar M. Kien Samophithale (Tharé und
    Nonseng/ Thailand), in: AS I/II, 722; Weihbischof M. McGrath (Panamà/
    Panamà), ebd., 734 f., hier 734; Bischof C. Rossi (Biella/ Italien),
    ebd., 752-754, hier 752 f.
365 Vgl. Weihbischof McGrath, a.a.O.: "Veritates fidei non solum voce ma-
    gistri recipiuntur, sed in celebratione tamquam praesentia sentiuntur
    ... Celebratio anni liturgici non solum est actus doctrinalis sed eti-
    am et praesertim actus salutis et gratiae, qua Christus ipse in fide-
    libus agit".
366 Vgl. oben, S. 209.

102 gegenwärtig ist, "die Mysterien der Erlösung" oder "die
Reichtümer der Machterweise und der Verdienste des Herrn" [367].
In dem zugrundeliegenden Text aus der Enzyklika "Mediator Dei"
war gesagt worden, daß die "Geheimnisse ... dauernd gegenwärtig sind und wirken"; sie sind aber nach der Enzyklika nicht
in sich selbst gegenwärtig, wie die Mysterienlehre es annimmt,
sondern "in ihrer Wirkung dauern sie in uns" [368].
Im Konzilstext wird diese Aussage sachlich genau wiedergegeben,
aber noch präziser formuliert: Der Text muß so verstanden werden, daß nicht die Heilsgeheimnisse selbst vergegenwärtigt
werden, sondern die Reichtümer der Machterweise und Verdienste
des Herrn, also die Wirkung der Heilsgeheimnisse. Entsprechend
ist die deutsche Übersetzung formuliert und wird der Text von
Josef Andreas Jungmann erläutert [369]. Auch Bischof Franz Zauner
(Linz/ Österreich), der Berichterstatter der liturgischen Kommission zu diesem Thema, schrieb in seinem Kommentar zu Artikel 102: "Die Kirche erschließt den Gläubigen die Reichtümer
der Machterweise und Verdienste des Herrn, die so überall auf
der Welt gegenwärtig gemacht werden" [370]. Von einer Gegenwart
der Heilsgeheimnisse selbst spricht er nicht.
Andere Kommentatoren formulierten anders, so vor allem Pierre
Jounel im Kommentar von *La Maison-Dieu* [371]. Auch nach seiner
Darstellung erschließt die Feier des Kirchenjahres den Gläubigen die Reichtümer der Machterweise und der Verdienste des

---

367 Vgl. die Diskussion dieser Frage bei A. A. G. Gimeno (Auszug), a.a.O.,
34-39.
368 Vgl. oben, S. 82, Anm. 325 und 326, sowie S. 157, Anm. 105.
369 Vgl. Jungmann, 89: "Außerdem ist ja auch als Gegenstand der Vergegenwärtigung durch den wenig bestimmten Ausdruck 'Reichtümer der Machterweise und Verdienste' schon mehr die Wirkung des Erlösungsgeschehens
als dieses Geschehen selbst bezeichnet".
370 F. Zauner, (Kommentar zu SC 102-105), in: ELit 78 (1964) 357-360, hier
358: "In tertio inciso finis pastoralis celebrationis operis salutife-
ri Christi recensetur: Ecclesia aperit fidelibus divitias virtutum et
meritorum Domini, quae sic ubique in toto mundo praesentes redduntur.
Gratia salutis uberrime replentur, qui eam attingere per cultum liturgicum satagunt".
371 Vgl. P. Jounel, (Kommentar zu SC 102-111), in: MD, Nr. 77 (1964) 177
bis 191; Jounel zitiert dabei die autorisierte französische Übersetzung von SC aus: MD, Nr. 76 (1963) 33-144.

Herrn [372], aber so, daß in der Feier der Eucharistie diese Geheimnisse nicht nur betrachtet werden und sich so auf das Leben der Gläubigen auswirken, sondern selbst gewissermaßen gegenwärtig gemacht werden [373].

Diese Übersetzungsweise, die sich entsprechend auch in anderen Kommentaren findet [374], stellt nach Gimeno nicht mehr wirklich eine Übersetzung, sondern eine Interpretation oder Korrektur des Textes dar [375].

Selbst wenn zugestanden werden muß, daß dem Text entsprechend nur von einer Gegenwart der Wirkungen der Heilsgeheimnisse gesprochen werden kann, so ist doch zu fragen, ob nicht auch die Übersetzung Jounels der Intention des Textes entspricht. Denn wenn er eine Gegenwart der Heilsgeheimnisse selbst voraussetzt, so ist damit noch nicht entschieden, in welcher Weise sie gegenwärtig sind, ob in sich selbst (objektiv) oder in ihrer Wirkung (effektiv) [376], wie Jounel ausdrücklich feststellt [377]. Der fragliche Übersetzungsunterschied ist schließlich nicht so bedeutend, da die Gegenwart der Wirkung der Heilsgeheimnisse doch nichts anderes meint, als ihre Gegenwart der Wirkung nach. In jedem Fall wird die Weise dieser Gegenwart durch das "gewissermaßen" (*quodammodo*) ausdrücklich offengelassen [378].

---

372 Vgl. ebd., 178: "Les fêtes ... comportent une évocation de l'évènement historique, et cette méditation 'ouvre aux fidèles les richesses des vertus et des mérites du Seigneur'".

373 Vgl. ebd., 179: "Mais quel que soit l'évènement sauveur que nous fêtions, nous le faisons en célébrant l'Eucharistie, et, par elle plus encore que par la méditation, 'ces mystères sont en quelque manière rendus présents tout au long du temps. Les fidèles sont mis en contact avec eux et remplis par la grâce du salut'".

374 Vgl. z.B. R. Falsini, in: F. Antonelli/ R. Falsini (Hg.), Costituzione conciliare sulla sacra liturgia (s. S. 221, Anm. 1), 336; P. Visentin, a.a.O. (S. 232, Anm. 46), 302; vgl. dazu A. A. G. Gimeno (Auszug), a. a.O., 37 f.

375 Vgl. A. A. G. Gimeno, ebd., 39: "La version francesa, más que traducción es interpretación o corrección del texto original".

376 Vgl. die entsprechende Auseinandersetzung zwischen O. Casel und G. Söhngen, s. oben, S. 46 f.

377 Vgl. P. Jounel, a.a.O., 179: "Sans s'arrêter aux controverses sur le mode de reviviscence des mystères du Christ dans leur célébration liturgique (*quodammodo*), le Concile affirme avec vigueur l'efficacité de la grâce qui en découle".

378 Dieses *quodammodo*, dem in diesem Satz entscheidende Bedeutung zukommt, wurde in der ersten deutschen Übersetzung, welche in der Aschendorff-

Immerhin ist aber das, was gegenwärtig gemacht wird, so wirk-
lichkeitserfüllt, daß die Gläubigen es berühren können[379], ein
Ausdruck, den die Enzyklika "Mediator Dei" im Hinblick auf das
Kreuzesopfer gebraucht hatte[380].

Man wird also feststellen können, daß zumindest eine *virtuelle*
Gegenwart der Heilstaten des Herrn mit Sicherheit im Text der
Liturgiekonstitution ausgesagt ist. Eine *aktuelle* Gegenwart
dieser Heilstaten läßt sich aus dem Text nicht entnehmen, wird
aber auch nicht ausgeschlossen[381].

Die Frage nach dem präzisen Sinn der Mysteriengegenwart wird
also von der Liturgiekonstitution nicht beantwortet. Sie soll
deshalb an dieser Stelle nicht weiter erörtert werden[382].

Hier ist dazu nur zu sagen, daß die Aufnahme von Gedanken der
Mysterienlehre durch die Konzilskonstitution deutliche Grenzen
hat. Wenn auch bei der Bestimmung des Wesens der Liturgie und
insbesondere bei der Wahl der Terminologie der Einfluß der Mysterienlehre auf Schritt und Tritt begegnet, so muß doch betont werden, daß die Liturgiekonstitution nur das aufnimmt,
was mit dem Konsens auch derer rechnen konnte, die der Mysterienlehre distanziert gegenüberstehen und sie in einem entscheidenden Punkt, nämlich der Erklärung der Art und Weise der
Mysteriengegenwart, ablehnen[383]. Man wird deshalb nicht ohne

---

Ausgabe (s. S. 15, Anm. 14) vorliegt, unübersetzt gelassen. In der Neufassung in: LThK.E I, 89, wird es mit "gewissermaßen" übersetzt.
379 Vgl. den Text, S. 301, Anm. 362.
380 Vgl. oben, S. 209 und Anm. 338.
381 Zu diesem Ergebnis kommt auch R. Lachenschmidt, Heilswerk Christi und
Liturgie. Verständnis der Fortdauer des Heilswerkes Christi in der Liturgie aus der Überzeitlichkeit des Christusgeheimnisses, in: ThPh 41
(1966) 211-227, hier 219. Lachenschmidt selbst vertritt dann die über
SC hinausgehende These einer aktuellen Gegenwart der Heilstaten Jesu
Christi, die als Äußerungen seiner Person an deren Überzeitlichkeit
teilnehmen und so mit der Person des Herrn in der Liturgie "im dauernden Vollzug" (224) fortbestehen.
382 Vgl. dazu auch unten, die abschließende Zusammenfassung, 766-769.
383 Vgl. die sehr kritische Darstellung und im Wesentlichen ablehnende Beurteilung der Lehre O. Casels durch C. Vagaggini, Theologie der Liturgie, 81 ff. Weitgehende Übereinstimmung mit Casel bekundet I.-H. Dalmais, Initiation à la Liturgie, 79 f.; vgl. auch ders., Die Mysterienlehre Odo Casels. Darlegung und Auseinandersetzung, in: HLW I, 227-231.
Keine eigentliche Auseinandersetzung mit Casel, aber eine grundsätzliche Übereinstimmung mit seiner Lehre findet sich bei A. Verheul, Einführung in die Liturgie, 50 u.ö.

weiteres die Liturgiekonstitution des II. Vatikanischen Konzils einfach als eine Bestätigung der Mysterienlehre ansehen können, wie das gelegentlich geschehen ist [384]. Ebensowenig aber trifft es zu, daß die Mysterienlehre vom Konzil abgelehnt worden sei [385]. Vielmehr ist den Kommentatoren zuzustimmen, die bemerken, daß die Liturgiekonstitution die Theorie Odo Casels weder übernimmt noch ablehnt [386].

3.5.2. Die Gegenwart des Herrn in sinnenfälligen Zeichen

Bei der Beschreibung der Liturgie durch die Konzilskonstitution fällt auf, daß im Unterschied zu "Mediator Dei" und dem dort zusammengefaßten Liturgieverständnis jetzt die Zeichenhaftigkeit der Liturgie an entscheidender Stelle erwähnt wird: "... durch sinnenfällige Zeichen wird in ihr die Heiligung des Menschen bezeichnet und in je eigener Weise bewirkt und ... der gesamte öffentliche Kult vollzogen" (Nr. 7) [387].
Auf die Zeichenhaftigkeit der Liturgie kommt die Konstitution noch mehrfach zu sprechen. "Die sichtbaren Zeichen endlich, welche die heilige Liturgie gebraucht, um die unsichtbaren göttlichen Dinge zu bezeichnen, sind von Christus und der Kirche ausgewählt" (Nr. 33) [388]. Aus der Heiligen Schrift "empfangen Handlungen und Zeichen ihren Sinn" (Nr. 24) [389]. Im Einlei-

---

384 Vgl. z.B. C. Matura, Die Konstitution über die Liturgie und die Mysterienlehre, a.a.O. (S. 224, Anm. 16).

385 So schließt W. Birnbaum, Das Kultusproblem ... (s. S. 1 , Anm.), 147, aus dem Fehlen des Ausdrucks *repraesentatio* in SC 102.

386 Vgl. z.B. J. D. Crichton, The Church's Worship, 37: Die Liturgiekonstitution "is not endorsing any particular theology of 'mystery-presence', such as that of the late Dom Odo Casel".

387 SC 7,3: "... in qua per signa sensibilia significatur et modo singulis proprio efficitur sanctificatio hominis, et ... integer cultus publicus exercetur". Die erste deutsche Übersetzung (vgl. Aschendorff-Ausgabe) hatte hier ein "sowohl - als auch" in Bezug auf die beiden Glieder des Satzes, die Heiligung und den Kult. In dem überarbeiteten Text sind sie, entsprechend dem Lateinischen, durch "und" verbunden, was ihrer inneren Zusammengehörigkeit besser entspricht.

388 SC 33: "Signa tandem visibilia, quibus utitur sacra Liturgia ad res divinas invisibiles significandas, a Christo vel Ecclesia delecta sunt".

389 SC 24: "... ex ea (sacra Scriptura) significationem suam actiones et signa accipiunt".

tungsartikel zum Sakramentenkapitel (Nr. 59) klingt es so, als wäre die Zeichenhaftigkeit der Sakramente nur auf die Unterweisung der Gläubigen bezogen: "... als Zeichen haben sie auch die Aufgabe der Unterweisung"[390]. Daß dies jedoch nicht im ausschließlichen Sinn zu verstehen ist, zeigt Artikel 60 über die Sakramentalien, von denen gesagt wird, daß durch sie "in einer gewissen Nachahmung der Sakramente Wirkungen, besonders geistlicher Art, bezeichnet und kraft der Fürbitte der Kirche erlangt werden"[391]. Daß gerade im Sakramentenkapitel die Zeichenhaftigkeit nur so dürftig enthalten ist, erklärt sich aus einer etwas ungeschickten Neugliederung des ursprünglichen Textes, der reichhaltiger war[392].

Die Zeichenhaftigkeit der Liturgie bezieht sich auch auf das liturgische Gerät, das selbst zu "Zeichen und Symbol überirdischer Wirklichkeit" werden soll (Nr. 122)[393]. Schließlich gehört es in denselben Zusammenhang, wenn die Kirche insgesamt in ihrer Sichtbarkeit das "Zeichen, das aufgerichtet ist unter den Völkern", genannt wird (Nr. 2)[394].

Diese Betonung des Zeichencharakters der Liturgie ist im Vergleich zu früheren amtlichen Liturgie-Dokumenten neu. Zwar war auch in der Enzyklika "Mediator Dei" betont worden, daß der Kult sinnenfällig (*externus*) und innerlich (*internus*) zugleich sein muß[395], aber weder bei der Beschreibung des Wesens der Liturgie, noch bei der Darstellung ihrer wichtigsten Formen wird von ihrer Zeichenhaftigkeit gesprochen. Dieses geringe Interesse für die sinnenhaft wahrnehmbare Seite der Liturgie ist wohl verständlich, wenn man bedenkt, daß in den vergangenen Jahrhunderten einerseits die Liturgie vorwiegend als ein in fremder Sprache und unverständlichen Riten geheimnisvoll in unveränderlicher Form vollzogenes heiliges Geschehen erlebt

---

390 SC 59: "Ut signa vero etiam ad instructionem pertinent".
391 SC 60: "Quae sacra sunt signa quibus, in aliquam Sacramentorum imitationem, effectus praesertim spirituales significantur et ex Ecclesiae impetratione obtinentur".
392 Vgl. oben, S. 199-204.
393 SC 122: "... ut res ad sacrum cultum pertinentes vere essent dignae, decorae ac pulchrae, rerum supernarum signa et symbola".
394 SC 2: "Signum levatum in nationes".
395 Vgl. MeD 23/530 f.

wurde, andererseits der Akzent weit mehr auf der Wirksamkeit
als auf der Zeichenhaftigkeit der Liturgie lag, wobei auch die
kontroverstheologische Betonung des kraft göttlicher Einsetzung aus sich heilswirksamen Vollzugs der Eucharistiefeier und
der Sakramente eine wichtige Rolle spielte.

Daß die Zeichen in der Liturgie, auch in den Sakramenten, nicht
nur aus einer positiven aber keineswegs innerlich notwendigen
Setzung Gottes gebraucht werden [396], sondern zur inneren Struktur der christlichen Heilsvermittlung gehören, wurde erst in
der Liturgischen Bewegung dieses Jahrhunderts neu verstanden
und theologisch begründet [397]. Unter den neueren Liturgiewissen-
schaftlern hat besonders Cipriano Vagaggini die Zeichenhaftigkeit aller liturgischen Vollzüge betont. Für ihn liegt gerade
darin das wesentliche Proprium zur Definition der Liturgie [398].

Die Zeichenhaftigkeit der Heilswirklichkeit

Daß die Liturgiekonstitution diesen Aspekt hervorhebt, ist gewiß den Arbeiten Vagagginis [399], Martimorts [400] und anderer ähnlich orientierter Liturgiewissenschaftler [401] zu verdanken. Für
unseren Zusammenhang ist hervorzuheben, daß das Verständnis
der Liturgie als des Inbegriffs wirksamer Zeichen des Heils
eine Kategorie ins Spiel bringt, die es erlaubt, das Christus-
Mysterium, die Kirche und die Liturgie unter einem einheitlichen Gesichtspunkt zu betrachten, nämlich als verschiedene
Ausformungen der sakramentalen Struktur der Heilswirklichkeit.
Dies wird in der Liturgiekonstitution zwar nicht systematisch
dargestellt, läßt sich aber aus ihrem Gesamtkonzept entnehmen.

---

396 So auch noch G. Van Roo, De Sacramentis in Genere, Rom [2]1960, 330 f.
397 Vgl. z.B. R. Guardini, Von heiligen Zeichen, Mainz [1]1923.
398 Vgl. C. Vagaggini, Theologie der Liturgie, 32: "Die Liturgie ist der
    Inbegriff der sinnenfälligen, wirksamen Zeichen der Heiligung und des
    Gottesdienstes der Kirche".
399 Vgl. die umfangreichen Kapitel II-IV, ebd., 28-114, die vom Zeichen-
    charakter der Liturgie handeln.
400 Vgl. z.B. A.-G. Martimort, Die Zeichen, in: HLW I, 163-200; eine Lite-
    raturübersicht ebd., 163.
401 Vgl. z.B. I.-H. Dalmais, Initiation à la liturgie, 17-25, 133-142; L.
    Bouyer, Le rite et l'homme. Sacralité naturelle et liturgie, Paris
    1962 (= LO 32); A. Verheul, Einführung in die Liturgie, 134-177, 265,
    Anm. 58: Literaturübersicht.

Zunächst ist Jesus Christus selbst in seiner gott-menschlichen
Person das grundlegende Sakrament des Heils, "denn seine
Menschheit war in der Einheit mit der Person des Wortes Werkzeug unseres Heils" (Nr. 5) [402]. Auch seine Bezeichnung als
"Arzt für Leib und Seele" (ebd.), ein Zitat aus dem Epheserbrief des heiligen Ignatius von Antiochien [403], weist auf dieses sakramentale Verständnis Jesu Christi hin, der in menschlicher, sichtbarer und göttlicher, unsichtbarer Natur das Heil
für Leib und Seele bringt. Damit nimmt das Konzil eine Lehre
der Kirchenväter bis hin zu Thomas von Aquin wieder auf [404],
die in der neueren Theologie verstärkt beachtet worden ist [405].

Diesem sakramentalen Verständnis der Person und des Heilswerks
Jesu Christi entspricht die Bezeichnung der aus ihm hervorgegangenen Kirche als Sakrament (Nr. 5, 26). Sie wird in Artikel
2 ausführlich in sakramentaler Terminologie beschrieben: Ihr
ist es eigen, "zugleich göttlich und menschlich zu sein, sichtbar und mit unsichtbaren Gütern ausgestattet ... und zwar so,
daß dabei das Menschliche auf das Göttliche hingeordnet und
ihm untergeordnet ist, das Sichtbare auf das Unsichtbare" [406].

Die gesamte Liturgie als Werk Jesu Christi und der Kirche hat
folgerichtig dieselbe Struktur. Das Sichtbare an ihr, die Wor-

---

402 SC 5: "Ipsius namque humanitas, in unitate personae Verbi, fuit instru-
    mentum nostrae salutis".
403 "Medicum carnalem et spiritualem"; vgl. Anm. 9 im Text: "Ignatius von
    Antiochien, Ad Ephesios, 7,2".Ob die lateinische und die entsprechende
    deutsche Übersetzung den Sinn des Ignatius-Textes treffen, ist frag-
    lich. Wörtlich heißt es: "Einer ist Arzt, aus Fleisch zugleich und aus
    Geist" (εἷς ἰατρός ἐστιν, σαρκικός τε καὶ πνευματικός): vgl. J. A. Fi-
    scher (Hg.), Die Apostolischen Väter. Griechisch und deutsch, München
    [7]1976, 146 f.; doch braucht diese Frage hier nicht entschieden zu wer-
    den.
404 Vgl. C. Vagaggini, (Kommentar zu SC 5-13), in: ELit 78 (1964) 234 f.
405 Vgl. vor allem E. Schillebeeckx, De Christusontmoeting als sacrament
    van de Godsontmoeting, Bilthoven [2]1957, deutsch: Christus, Sakrament
    der Gottesbegegnung, Mainz 1963. Eine Literaturübersicht bietet L.
    Boff, Die Kirche als Sakrament (s. S. 231, Anm. 45), 73.
406 SC 2: "... genuinam verae Ecclesiae naturam, cuius proprium est esse
    humanam simul ac divinam, visibilem invisibilibus praeditam ... et ita
    quidem ut in ea quod humanum est ordinetur ad divinum eique subordine-
    tur, quod visibile ad invisibile".

te, Zeichen und Handlungen, ist Ausdruck der "unsichtbaren
göttlichen Dinge" (Nr. 33; vgl. Nr. 21). Diese in einem weiten
Verständnis des Wortes 'sakramentale' Gestalt der Liturgie als
ganzer findet ihre deutlichste Verwirklichung in "Opfer und
Sakrament, um die das ganze liturgische Leben kreist" (Nr. 6),
und ihre höchste Form in der Feier der Eucharistie (vgl. z.B.
Nr. 2).

Aus diesem einheitlichen sakramentalen Grundverständnis des
Christus-Mysteriums, der Kirche und der Liturgie ergibt sich
auch, daß die Liturgie nicht nur Ausdruck des göttlichen Heilswerkes ist, sondern ebenso auch Darstellung der aus diesem
hervorgegangenen Kirche, so "daß die Kirche auf eine vorzügliche Weise dann sichtbar wird, wenn das ganze heilige Gottesvolk voll und tätig an denselben liturgischen Feiern, besonders an derselben Eucharistiefeier, teilnimmt" (Nr. 41)[407].

Zur Deutung der Zeichenhaftigkeit der Liturgie

Die sakramentale Struktur der gesamten Heilswirklichkeit, wie
sie in der Menschwerdung Jesu Christi ihren Höhepunkt erreicht,
sich in der Kirche abbildet und in der Liturgie zum Ausdruck
kommt, hat unter den Kommentatoren der Liturgiekonstitution
besonders Cipriano Vagaggini immer wieder betont. Die Liturgie
ist, wie er sagt, offensichtlich vor dem Hintergrund eines
weit gefaßten Sakramentsbegriffs verstanden[408]. "Die Struktur
der Kirche ist genau dieselbe wie die des Sakramentes oder Mysteriums, nämlich etwas Sinnenhaftes und Sichtbares, das eine
unsichtbare, heilige und göttliche Heilswirklichkeit irgendwie
enthält und den in rechter Weise disponierten Menschen vermittelt, eine Wirklichkeit, die sich gleichzeitig den Gläubigen
zeigt und den Ungläubigen verbirgt. Das gilt für Christus, dasselbe für die Kirche, dasselbe auch für die Liturgie. Christus
ist das erste und ursprüngliche Sakrament, von dem das allge-

---

407 SC 41: "... praecipuam manifestationem Ecclesiae haberi in plenaria et
    actuosa participatione totius plebis sanctae Dei in iisdem celebratio-
    nibus liturgicis, praesertim in eadem Eucharistia ...".
408 Vgl. C. Vagaggini, (Kommentar zu SC 5-13), in: F. Antonelli/ R. Falsi-
    ni (Hg.), Commento ..., 194 f.: "... la liturgia è chiaramente conce-
    pita sullo sfondo del concetto di sacramentum sopra spiegato".

meine Sakrament, die Kirche in ihrer Gesamtheit, herkommt,'das wunderbare Geheimnis der ganzen Kirche'. Und die Kirche ihrerseits bringt ihr Wesen am deutlichsten im Sakrament im engeren Sinn zum Ausdruck, nämlich in der gesamten Liturgie und besonders in ihren sieben Hauptriten, welche wir in der heutigen Terminologie gewöhnlich als die sieben Sakramente bezeichnen" [409].

Neben dieser theologischen Erklärung des Zusammenhangs zwischen Jesus Christus, der Kirche und der Liturgie in der sakramentalen Struktur betonen andere Kommentatoren [410] besonders die sich daraus ergebenden Konsequenzen für das Reformprogramm der Liturgie: "Bei dieser Erneuerung sollen Texte und Riten so geordnet werden, daß sie das Heilige, dem sie als Zeichen dienen, deutlicher zum Ausdruck bringen, und so, daß das christliche Volk sie möglichst leicht erfassen und in voller, tätiger und gemeinschaftlicher Teilnahme mitfeiern kann" (Nr. 21) [411]. Auf diese Forderung, daß die Zeichen deutlicher und leichter verständlich werden müssen, kommt die Konstitution mehrfach zurück [412]. Da es sich dabei mehr um pastoral-praktische Folgerungen handelt, braucht diesem wichtigen Anliegen der Konstitution in unserem Zusammenhang nicht weiter nachgegangen zu werden. Hier geht es vielmehr um die grundsätzliche Frage, wel-

---

409 C. Vagaggini, Idee fondamentale della Costituzione, in: G. Baraúna (Hg.), La Sacra Liturgia ..., 66 f.: "Così è strutturato la chiesa, e così lo è la liturgia. Cristo è il primo e primordiale 'sacramentum', dal quale deriva il 'sacramentum' generale che è la chiesa nel suo insieme, 'totius Ecclesiae mirabile sacramentum', che si esprime, a sua volta, massimamente nel sacramentum più ristretto che è tutta la liturgia, e particolarmente nei suoi sette riti maggiori, che, nella terminologia odierna, chiamo appunto i sette sacramenti". Eine ähnliche Erläuterung gibt ders., (Kommentar zu SC 5-13), in: ELit 78 (1964) 238 f., wo er noch betont, daß die wesentliche Bedeutung der Zeichenhaftigkeit der Liturgie im Vergleich zu "Mediator Dei" eine neue Erkenntnis der Liturgiekonstitution darstelle; vgl. auch ders., Lo spirito della Costituzione sulla Liturgia, in: RivLi 51 (1964) 5-47, hier 12-16; L. Boff, Die Kirche als Sakrament, 232-237.
410 So z.B. Lengeling, 84* f., Schmidt, 168-179.
411 SC 21: "Qua quidem instauratione, textus et ritus ita ordinari oportet, ut sancta, quae significant, clarius exprimant, eaque populus christianus, in quantum fieri potest, facile percipere atque plena, actuosa et communitatis propria celebratione participare possit".
412 Vgl. die Texte bei Schmidt, 176 f.

che Konsequenzen sich für das Verständnis der liturgischen Gegenwart des Herrn aus der neuen Betonung der liturgischen Zeichen ergeben.

Zunächst ist es offenkundig, daß in einem sakramentalen Konzept der Liturgie die heiligen Zeichen nicht mehr als unerhebliche Außenseite des davon letztlich unabhängigen Heilshandelns Gottes betrachtet werden können. Sie sind vielmehr Ausdruck dieser göttlichen Heilswirklichkeit, die ja, wie gesagt, nichts anderes ist als das gegenwärtige Christus-Mysterium, die Gegenwart des Herrn und seines Heilswerks.

Liturgie als Realsymbol

Nun kann aber die Beziehung zwischen den Zeichen und dem darin Bezeichneten auf sehr verschiedene Weise gedeutet werden. Vielfach geht man davon aus, daß Zeichen und Bezeichnetes zwei verschiedene Wirklichkeiten sind, die aufgrund einer Beziehung zueinander geeignet sind, aufeinander zu verweisen, wobei vom Zeichen als dem Bekannteren auf die bezeichnete Wirklichkeit geschlossen wird, welche verborgen ist. Sobald aber diese verborgene Wirklichkeit vermittels des Zeichens erkannt ist, hat das Zeichen seinen Dienst getan und damit seinen Zeichenwert verloren.

Diese "dualistische Auffassung von Zeichen und Bezeichnetem"[413] findet sich beispielsweise bei Cipriano Vagaggini[414] und Ambrosius Verheul[415]. Obwohl beide Autoren größten Wert auf die Zeichenhaftigkeit der Liturgie legen[416], erschweren sie sich

---

413 Vgl. A. Wucherer-Huldenfeld, Theologie des Symbols, in: E. Hesse/ H. Erharter (Hg.), Liturgie der Gemeinde (Weihnachts-Seelsorgetagung 1965 des Wiener Seelsorgeinstituts), Wien 1966, 93-106, hier 105, Anm. 2: Kritik an A. Verheul.

414 Vgl. C. Vagaggini, Theologie der Liturgie, 35: "Sobald das Bezeichnete selber unmittelbar, also ohne Schleier, vor das Erkenntnisvermögen tritt, hat das Zeichen keinen Zeichenwert mehr. Es dient nur so lange, als das Bezeichnete verborgen ist".

415 Vgl. A. Verheul, Einführung in die Liturgie, 138: "Ein Zeichen hat also nur dann Daseinsberechtigung, wenn die zu erkennende Wirklichkeit uns verborgen und nicht präsent ist. Sobald das Bezeichnete sichtbar wird, ist das Zeichen nicht mehr notwendig".

416 C. Vagaggini widmet diesem Thema 2 umfangreiche Kapitel: Theologie der Liturgie, 28-91; A. Verheul hat dazu 1 Kapitel: Einführung in die Liturgie, 134-156, worin er sich weithin an Vagaggini anschließt.

den Zugang zur Bedeutung der liturgischen Zeichen durch den
Ausgangspunkt von diesem allgemeinen Begriff des Zeichens. Er
wird von beiden in der theologischen Durchführung nicht durch-
gehalten, zumindest dort nicht, wo von Jesus Christus als dem
Bild des Vaters die Rede ist[417], welches gerade nicht über-
flüssig wird, nachdem es zum Bezeichneten hingeführt hat.
Hier zeigt sich, daß das liturgische Zeichen nicht hinreichend
als Sonderfall eines allgemeinen Zeichenbegriffs verstanden
werden kann. Vielmehr kann es nur aus einem genuin christlichen Symbol-Verständnis abgeleitet werden[418]. Diesen Weg hat
vor allem Karl Rahner in einer grundlegenden Überlegung zur
Theologie des Symbols[419] gewiesen, die eine nachhaltige Wirkung auf die neueren Untersuchungen zu dieser Frage ausgeübt
hat[420]. Rahner legt zunächst einen ontologischen Gedankengang
vor, den er in die hier nicht näher zu erläuternden Thesen zusammenfaßt: "Das Seiende ist von sich selbst her notwendig
symbolisch, weil es sich notwendig 'ausdrückt', um sein eigenes Wesen zu finden"[421], und: "Das eigentliche Symbol (Realsymbol) ist der zur Wesenskonstitution gehörende Selbstvollzug
eines Seienden im anderen"[422].
Dieser Symbolbegriff ist bei Rahner immer schon im Blick auf
das geoffenbarte Mysterium des dreifaltigen Gottes entwickelt,
in dem die absolut höchste Einheit nicht im Widerspruch zu einer diese Einheit konstituierenden Pluralität der drei Personen steht, in welcher der Vater sich im Sohn als seinem Bild
ausdrückt und - sich so entäußernd - Vater ist, und der Sohn

---

417 Vgl. C. Vagaggini, a.a.O., 53; A. Verheul, a.a.O., 144-146.
418 Diesen Weg verstellt sich A. Verheul, wenn er, a.a.O., 144-146,
    schreibt: "Je mehr man nun stilisiert, um so mehr geht man vom Zeichen
    zum Symbol über". Ähnlich auch A. Menne, Zeichen. I. Philosophisch,
    in: LThK[2] X, 1321 f.: "Weist das Zeichen auf eine ideale Vorstellung
    hin, nennt man es Symbol".
419 K. Rahner, Zur Theologie des Symbols, in: Ders., Schriften IV (1960),
    275-311 (Erstveröffentlichung: 1959).
420 Vgl. z.B. A. Wucherer-Huldenfeld, a.a.O., und die zusammenfassenden
    Darstellungen von F. Herrmann, Symbol I. Philosophisch, in: LThK[2] IX,
    1205 ff.; F. Mayr, Symbol II. Theologisch, ebd., 1207 f.; J. Splett,
    Symbol, in: SM III, 784-789, jeweils mit weiteren Literaturangaben.
421 K. Rahner, a.a.O., 278.
422 Ebd., 290.

den Vater gegenwärtig macht als sein 'Symbol'. Diese innergött-
liche Beziehung setzt sich in der Inkarnation fort, indem der
Sohn als Ausdruck seiner selbst die menschliche Natur annimmt,
die so zum Realsymbol des Logos wird und damit "das offenbarende, weil das Geoffenbarte selbst gegenwärtig setzende Symbol ist, in dem der Vater sich in diesem Sohn selbst der Welt
sagt" [423]. Die Kirche als "Gegenwärtigbleiben des menschgewordenen Wortes in Raum und Zeit" [424] ist das von Jesus Christus
erwirkte Symbol seiner selbst, welches die Symbolfunktion des
Logos in der Welt fortsetzt und sich ihrerseits in den Sakramenten ausdrückt und so vollzieht. Dabei ist stets das Symbol
als Ausdruck des sich darin Symbolisierenden das Zeichen seiner Gegenwart und zugleich das Mittel seiner Wirksamkeit, da
das Symbolisierte sich im Symbol nicht eine Vertretung schafft,
sondern sich selbst darin ausdrückt. So erklärt es sich nach
Rahner, "daß die Funktion der Ursache und die Funktion des
Zeichens bei den Sakramenten nicht nur faktisch durch ein äus-
serliches Dekret Gottes miteinander verknüpft sind, sondern
einen innerlichen Zusammenhang aus dem Wesen der Sache (eben
des richtig verstandenen Symbols) haben" [425].
Dieser Gedankengang, der eine der entscheidenden Grundpositio-
nen der Rahner'schen Theologie enthält [426], sollte hier in aller Knappheit wiedergegeben werden, weil es nun leicht zu sehen ist, daß ein solcher Symbolbegriff in enger Entsprechung
zu dem oben erörterten Begriff des Mysteriums in der Liturgiekonstitution steht. Auch dort setzt sich das Mysterium des
Heilsplans Gottes im Mysterium der Menschwerdung des Sohnes
fort und macht sich darin präsent. Dieses wiederum gipfelt im
Pascha-Mysterium und bleibt gegenwärtig im Mysterium der Kirche, welches sich in der Feier der liturgischen Mysterien dar-

---

423 Ebd., 296.
424 Ebd., 297.
425 Ebd., 299.
426 Dies hat kein Geringerer festgestellt als H. Rahner, Eucharisticon
   fraternitatis, in: J. B. Metz u.a. (Hg.), Gott in Welt. Festgabe für
   K. Rahner, 2 Bde., Freiburg-Basel-Wien 1964, II, 895-899, hier 897, wo
   H. Rahner den genannten Aufsatz von K. Rahner als "Abhandlung, die ich
   persönlich für den Inbegriff Deiner theologischen Grundrichtung hal-
   te", bezeichnet.

stellt.

Es ist im Zusammenhang dieser Überlegung nicht nötig, die ver-
wickelte Diskussion um den Begriff des Symbols und seine Abgrenzung vom Zeichen und vom Bild wiederzugeben [427]. Schon nach
dem bisher Gesagten dürfte der Schluß berechtigt sein, daß die
Liturgiekonstitution der Sache nach den skizzierten Symbolbegriff zugrundelegt, wenn sie sagt: "Durch sinnenfällige Zeichen wird in ihr (der Liturgie) die Heiligung der Menschen bezeichnet und in je eigener Weise bewirkt" (Nr. 7) [428].

Dabei ist bemerkenswert, daß das ursprüngliche Schema die Formulierung hatte: "unter sinnenfälligen Zeichen" [429]. Die Änderung in die jetzige Formulierung "durch sinnenfällige Zeichen"
wurde von der liturgischen Kommission des Konzils als rein formaler Art gekennzeichnet und nicht zur Abstimmung gestellt [430].
Vor dem Hintergrund der jetzt dargestellten Überlegungen erweist sie sich als höchst bedeutsam, denn die liturgischen Zeichen bekommen dadurch einen völlig neuen Stellenwert. Bei Cipriano Vagaggini und Ambrosius Verheul sind sie der "Schleier",
unter dem sich das Gnadengeschehen ereignet [431] und von dem man
nur hoffen kann, daß er bald weggenommen wird, denn "die Begegnung mit Gott unter dem Schleier der Zeichen weckt spontan
das Verlangen, Gott dereinst unmittelbar von Angesicht zu Angesicht zu schauen" [432]. Dabei entsteht aber die Frage, wie bei
aller Vergänglichkeit der liturgischen Zeichen der jetzigen

---

427 Vgl. außer den S. 312, Anm. 418 und 420 genannten Arbeiten und der
dort angeführten Literatur noch: L. Boff, Die Kirche als Sakrament,
163-166, wo Boff wenig überzeugend das Zeichen als "reines Verweisen"
auf das Bezeichnete erklärt, woran das Zeichen keinen Anteil hat (165),
Symbol dagegen als "reines Vertreten" des Symbolisierten, woran das
Symbol jedoch Anteil hat. Dabei meint Boff im Gegensatz zu H. G. Gadamer, Wahrheit und Methode, 145-147: "Vertreten aber heißt etwas gegenwärtig sein lassen, was nicht anwesend ist" (165). Damit ist der von
Rahner entwickelte Symbolbegriff ebensowenig erreicht wie der patristische Teilhabegedanke.
428 SC 7,3: "... in qua per signa sensibilia significatur et modo singulis
proprio efficitur sanctificatio hominis ...".
429 "Sub signis sensibilibus": vgl. oben, S. 183.
430 Vgl. ebd.
431 Vgl. C. Vagaggini, Theologie der Liturgie, 43 u.ö.; A. Verheul, Einführung in die Liturgie, 151 u.ö.
432 A. Verheul, a.a.O.

Ordnung doch die Überzeugung bewahrt bleibt, daß auch im End-
stand die Begegnung des Menschen mit Gott als eine Begegnung
des leibhaftigen Menschen durch die Vermittlung des menschgewordenen und -gebliebenen Herrn mit Gott zu denken ist [433].
Hier sind die liturgischen Zeichen nicht wirklich als Ausdruck
des gegenwärtigen Herrn ernstgenommen. Darin gibt es eine eigenartige Parallele zu der von Vagaggini sonst im Wesentlichen
zurückgewiesenen Position Casels [434]. Denn in einer gewissen
Inkonsequenz zu seinem eigenen Konzept formuliert auch Casel
immer wieder, daß im Kultmysterium die göttliche Heilstat "unter dem Schleier" der Symbole gegenwärtig sei. Die diesbezügliche Kritik von Johannes Betz und Alexander Gerken [435] muß in
diesem Punkt auch gegen Vagaggini [436] und Verheul geltend gemacht werden.

Die Formulierung des Konzils dagegen legt durch die Verwendung
des instrumentalen "durch" (*per*) zumindest den Gedanken nahe,
daß hier die liturgischen Zeichen in weit engerer Beziehung zu
dem darin bezeichneten und sich darin ausdrückenden Handeln
des gerade so gegenwärtigen Herrn gesehen werden. Dabei ist
noch zu beachten, daß diese Instrumentalität, die vom Trienter
Konzil für die Taufe ausdrücklich [437] und für die anderen Sakramente implizit zweifellos ebenso [438] festgelegt wurde, hier
generell von allen liturgischen Zeichen, freilich "in je eigener Weise" (Nr. 7,3) ausgesagt wird. Dabei wird die Wirksamkeit der Liturgie im Unterschied zur Enzyklika "Mediator Dei"
[439] eng mit ihrer Zeichenhaftigkeit verbunden, ohne daß allerdings die genauere Art dieser Verknüpfung erklärt würde.

---

433 Vgl. K. Rahner, Zur Theologie des Symbols, 302 f.; ders., Die ewige
    Bedeutung der Menschheit Jesu für unser Gottesverhältnis, in: Ders.,
    Schriften III ([2]1957), 47-60, bes. 57 f.
434 Vgl. C. Vagaggini, a.a.O., 81-86.
435 Vgl. oben, S. 54 und Anm. 193 f.
436 C. Vagaggini bleibt trotz des *per* der Liturgiekonstitution bei der
    Formulierung "sotto il velo dei segni sacri": vgl. ders., Idee fonda-
    mentale della Costituzione, a.a.O. (S. 237, Anm. 77), 49.
437 Vgl. DS 1529: "Instrumentalis (causa iustificationis) item sacramentum
    baptismi".
438 Vgl. DS 1607: "Si quis dixerit, non dari gratiam per huiusmodi sacra-
    menta ...".
439 Vgl. MeD 26 f./532.

Dennoch dürfte es keine Überinterpretation des Textes sein,
wenn man hier eine innere Verbindung von Zeichenhaftigkeit und
Wirksamkeit ausgesagt findet, die nach Analogie der Sakramente
zu verstehen ist. Dieser Frage braucht hier nicht weiter nachgegangen zu werden. Sie ist bei der Erörterung der Gegenwart
des Herrn in den Sakramenten nochmals aufzunehmen.
Hier genügt die Feststellung, daß der Gesamtzusammenhang der
Liturgiekonstitution eindeutig für die Vermutung spricht, daß
die Zeichenhaftigkeit der Liturgie als Ausdruck des darin gegenwärtigen und handelnden Herrn verstanden wird. Damit ist
der nächste, hier zu erörternde Gesichtspunkt erreicht.

3.5.3. Die tätige Gegenwart des Herrn

Im Zusammenhang mit der Zeichenhaftigkeit der Liturgie war
schon die Rede davon, daß ihre Wirksamkeit letztlich darin begründet ist, daß sie Zeichen des sich in den liturgischen Zeichenhandlungen selbst ausdrückenden Herrn ist. Bei der Frage
nach dem Subjekt der Liturgie hatte sich von einer anderen
Seite her ergeben, daß der eigentlich Handelnde im liturgischen Tun der Kirche Jesus Christus ist.
Dieser Aspekt, die tätige Gegenwart des Herrn, soll jetzt eigens herausgestellt werden. Dabei genügt es, die Ergebnisse
früherer Untersuchungen zusammenzufassen.
Die wichtigsten Formulierungen finden sich in den Artikeln 7,
47 und 83, wo immer von Tätigkeiten des Herrn die Rede ist [440].
Für alle diese Texte konnte nachgewiesen werden, daß sie aufgrund der Konzilsdiskussion in dem Sinn verbessert wurden, daß
in ihnen die Aussage, daß Jesus Christus selbst im liturgischen
Tun der Kirche handelt, entweder auch in veränderter Formulierung erhalten blieb (Nr. 7,1) [441] oder verdeutlicht wurde (Nr.
47 und 83) [442]. Dadurch wurde erreicht, daß durchweg Jesus
Christus als das eigentliche Subjekt des liturgischen Tuns er-

---

440 Vgl. die Texte, oben, S. 250.
441 Vgl. oben, S. 176-182, bes. 181.
442 Vgl. oben, S. 192-198, bes. 196, und 204-209, bes. 207 f.

scheint[443]. Seine Gegenwart wird gerade in diesem Tun, welches Ausdruck seiner eigenen Tätigkeit ist, erkannt[444].

Zu ergänzen ist noch ein Text aus Artikel 35,2. Vom Inhalt der Predigt wird dort gesagt: "Schöpfen soll sie vor allem aus dem Quell der Heiligen Schrift und der Liturgie, ist sie doch die Botschaft von den Wundertaten Gottes in der Geschichte des Heils, das heißt im Mysterium Christi, das allezeit in uns zugegen und am Werk ist, vor allem bei der liturgischen Feier"[445].

Objektive oder effektive Gegenwart des Heilsmysteriums

Dieser Text war bei der Arbeit der liturgischen Vorbereitungskommission in den verschiedenen Entwürfen fast unverändert geblieben[446]. Er hatte lediglich in der letzten Fassung vom Januar 1962 eine sprachliche Veränderung erfahren. Während es bis dahin hieß: "... im Mysterium Christi, das allezeit unter uns und in uns wirksam ist, vor allem bei der liturgischen Feier"[447], wird jetzt formuliert: "... das allezeit in uns zugegen und am Werk ist".

Die frühere Wendung ist deutlich von Cipriano Vagaggini beeinflußt. Er schreibt der Predigt einen "tiefen Mysteriencharakter" zu, der sie zu einer "heiligen Handlung" macht, "zu etwas, worin sich das Christusmysterium und die Heilsgeschichte stets von neuem auswirken"[448]. "Gott hat jedoch alles in einer bestimmten Sicht geoffenbart, welche die einzelnen Punkte in ein großes Ganzes einordnet, in die Heilsgeschichte, in das Mysterium Christi, die nicht bloß Sache der Vergangenheit und der Zukunft, sondern auch der lebendigen Gegenwart sind"[449]. Um das in der Predigt aufzuzeigen, muß man nicht "jedesmal die

---

443 Vgl. oben, S. 241-259, bes. 250-253.
444 Vgl. oben, S. 305-316.
445 SC 35,2: "Haec vero imprimis ex fonte sacrae Scripturae et Liturgiae hauriatur, quasi annuntiatio mirabilium Dei in historia salutis seu mysterio Christi, quod in nobis praesens semper adest et operatur, praesertim in celebrationibus liturgicis".
446 Vgl. A. A. G. Gimeno (Auszug), a.a.O., 14-20.
447 Vgl. den Text, ebd., 19: "... mysterio Christi, semper inter nos et in nobis, praesertim in celebrationibus liturgicis, in actu".
448 C. Vagaggini, Theologie der Liturgie, 423.
449 Ebd., 424.

ganze Heilsgeschichte aufrollen" [450], aber doch die einzelnen Aspekte im Zusammenhang mit dem Christusmysterium sehen. Deshalb gilt: "Was den wesentlichen Inhalt der Predigt bilden soll, die Heilsgeschichte, das stets lebendige Mysterium Christi, bildet auch den wesentlichen Inhalt der Liturgie" [451].

Daß die liturgische Vorbereitungskommission bei der Abfassung von Artikel 35,2 diese Texte vor Augen hatte, zeigt auch die Erklärung, die sie zu diesem Artikel gab [452]; sie ist eine Zusammenfassung des entsprechenden Abschnitts bei Vagaggini. Die angeführte sprachliche Veränderung besteht darin, daß derselbe Sachverhalt nun in einer Formulierung ausgedrückt wird, die stärker an den Text der Enzyklika "Mediator Dei" angeglichen ist [453]. Daß damit keine Änderung des Sinnes dieser Aussage beabsichtigt war, zeigt sich darin, daß die Erklärung der Kommission unverändert blieb [454]; sie behielt nach wie vor die Wendungen *in actu* und *pro nobis in actu* bei, die den Formulierungen Vagagginis entspricht.

Wenn man fragt, was nun gegenwärtig und am Werk ist, so muß mit "Mediator Dei" gesagt werden: Christus selbst in den Geheimnissen seines Lebens, die in ihrer Wirkung fortdauern [455]. Nach Vagaggini ist es die Heilsgeschichte im Christusmysterium, welche sich an uns auswirkt [456]. Die Liturgiekonstitution übernimmt diese Aussage.

Immerhin ist es bemerkenswert, daß hier nicht nur von einer Gegenwart der Wirkungen der Heilsgeheimnisse die Rede ist, wie in Artikel 102 [457], sondern von der wirksamen Gegenwart des Christus-Mysteriums selbst [458]. Nimmt man noch die Erklärung der liturgischen Vorbereitungskommission zum zweiten Entwurf

---

450 Ebd.
451 Ebd., 429.
452 Vgl. die Erklärung zu SC 35,2 im Anhang I, S. 780.
453 Vgl. oben, S. 82 und Anm. 324-326. Im Text des Schemas wurde ein entsprechender Hinweis angebracht: vgl. Schemata I, 173, Anm. 47: "Cf. Pius XII, Litt. Encycl. Mediator Dei: AAS 39 (1947) p. 580".
454 Vgl. A. A. G. Gimeno (Auszug), a.a.O., 24 f.
455 Vgl. die Texte, S. 82, Anm. 324-326.
456 Vgl. oben, S. 317.
457 Vgl. oben, S. 301.
458 Damit relativiert sich nochmals die Kritik von A. A. G. Gimeno an der französischen Übersetzung des Artikels 102: vgl. oben, S. 303.

des Artikels 7 hinzu [459], so muß man sagen: Jesus Christus
selbst ist in der liturgischen Feier der Heilsgeheimnisse gegenwärtig und wirksam, und zwar "seiner Person und seiner
Kraft nach" [460].

Auch hier wird die Frage nicht entschieden, ob damit eine Gegenwart der Heilstaten des Herrn in sich oder nur in ihrer
Wirkung gemeint ist. Der Text von Artikel 35,2 legt wegen seiner Herkunft von den Formulierungen der Enzyklika "Mediator
Dei" und wegen des darin festzustellenden Einflusses von Vagaggini das zweite nahe [461]. Allerdings ist nicht zu übersehen,
daß die Formulierung Vagagginis, die die Terminologie der Mysterienlehre bewußt vermeidet und nur von der Wirksamkeit,
nicht aber von der Gegenwart der Heilsmysterien spricht, nicht
beibehalten wurde. An ihre Stelle setzte man die Formulierung
von "Mediator Dei", wo von Gegenwart und Wirksamkeit die Rede
ist, ließ aber die erläuternde Bemerkung der Enzyklika weg,
wonach diese Gegenwart lediglich als Gegenwart der Wirkung
nach zu verstehen ist.

In diesem Vorgehen wird man zumindest das Bestreben erkennen
dürfen, keine der verschiedenen Positionen auszuschließen,
auch nicht die der Mysterienlehre [462].

In diesem Sinn muß auch die Folgerung Gimenos in Frage gestellt werden. Er geht davon aus, daß das Thema des Artikels
35,2 die Predigt sei, nicht primär die Frage nach der Gegenwart der Heilsereignisse. Dieser Punkt werde nur nebenbei behandelt und habe deshalb die Aufmerksamkeit der Konzilsväter
nicht auf sich gezogen, zumal die Formulierung von "Mediator
Dei" geläufig war. Der vorliegende Text dürfe deshalb nicht in
einem Sinn interpretiert werden, der über "Mediator Dei" hinausgeht [463]. Dies werde auch dadurch bestätigt, daß Bischof En-

---

459 Vgl. den Text, oben, S. 155.
460 Ebd.
461 Dies betont A. A. G. Gimeno immer wieder: vgl. a.a.O. (Auszug), 23-27.
462 Hier scheint A. A. G. Gimeno, ebd., 25, etwas einseitig zu interpre-
    tieren, wenn er sich ausdrücklich auf den Tadel der Enzyklika "Media-
    tor Dei" beruft (vgl. oben, S. 67) und damit die Liturgiekonstitution
    gegen die Mysterienlehre ins Feld führt. Dies läßt sich dem Text nicht
    entnehmen.
463 Vgl. ebd., 25-27, bes. 26.

rique Rau (Mar del Plata/ Argentinien), ein guter Kenner der deutschen Liturgischen Bewegung, in einer Konzilsrede immer wieder von der sakramentalen Gegenwart des Christus-Mysteriums gesprochen habe [464], ohne damit Widerspruch unter den Konzilsvätern zu erregen [465].

Der Schluß Gimenos wäre berechtigt, wenn die Liturgiekonstitution in der Frage nach der Gegenwart und Wirksamkeit des Herrn auch sonst nicht über "Mediator Dei" hinausginge. Da sie aber, wie gezeigt, gerade in diesem Punkt die Enzyklika korrigierend weiterführt, kann auch die Folgerung gezogen werden, daß die Formulierung des Artikels 35,2 durchaus dieser Weiterentwicklung Rechnung tragen will, die vom Konzil besonders in der Debatte um die Artikel 7, 47 und 83 bestätigt worden ist. Die Tatsache, daß die Formulierungen von Bischof Rau unwidersprochen blieben, könnte auch so gedeutet werden, daß die Tendenz, unbefangen von einer wirksamen Gegenwart des Herrn und seiner Heilstaten zu sprechen, inzwischen von den Konzilsvätern akzeptiert worden ist [466].

Gegenwart und Wirksamkeit des Heilsmysteriums

Unabhängig von dieser nicht eindeutig zu entscheidenden Frage kann man sagen, daß die Wendung "gegenwärtig und wirksam" treffend die von der gesamten Konstitution gemeinte Weise der Gegenwart des Herrn zum Ausdruck bringt: es ist eine tätige, wirksame Gegenwart oder gegenwärtige Wirksamkeit. In diesem

---

464 Vgl. Bischof E. Rau (Mar del Plata/ Argentinien), in: AS I/I, 481-483, bes. 482: "... in hoc casu, mysterium Christi sacramentaliter praesens ... Vult quidem ut aeternum illud Christi Mysterium ... praesens fiat".
465 Vgl. A. A. G. Gimeno, a.a.O., 25 f.
466 Gimeno betont mehrfach, daß die der Terminologie der Mysterienlehre nahekommende Formulierung von SC 35,2 keine inhaltlichen Schlüsse zulasse, da hier das Thema der Gegenwart des Christus-Mysteriums nur nebenbei behandelt werde, nicht aber die Aussageabsicht des Artikels sei: vgl. ebd., 25-27. Dieses Argument kann jedoch nicht überzeugen, zumal die Formulierung des fraglichen Satzes in der Vorbereitungskommission verändert wurde und deshalb zumindest die Aufmerksamkeit der Kommissionsmitglieder hätte finden müssen. Zumindest ebenso berechtigt scheint der Schluß, daß hier, wie auch in Artikel 7,1, mit den Formulierungen aus "Mediator Dei" ein über diese Enzyklika hinausgehender Sinn verbunden wurde. - Gimenos Interpretation scheint hier, wie auch an anderen Stellen, von einer Ablehnung der Mysterienlehre auszugehen.

Sinn wird die genannte Wendung auch von den Kommentatoren gebraucht. So spricht Cipriano Vagaggini wiederholt vom Fortbe-
stand der Person und des Heilswerkes Christi, von seiner Gegenwart und Tätigkeit in der Liturgie [467]. Emil Joseph Lengeling gebraucht die Ausdrücke "wirksame Gegenwart" und "wirkende Gegenwart" [468].

Dieser dynamische Charakter der Gegenwart Jesu Christi wird
auch schon durch die in Artikel 7 viermal wiederkehrende Wendung "gegenwärtig ist er" (*praesens adest*) angedeutet. Während
das Wort *praesens* mehr den statischen Sinn von dabeisein hat,
klingt in *adest* auch die Vorstellung einer helfenden Tätigkeit
mit [469]. Auch das deutsche "gegenwärtig sein" kann den Bereich
der Wirksamkeit einer Person kennzeichnen [470].

Darüberhinaus sind aber zur Beschreibung der wirksamen Gegenwart des Herrn auch alle Texte der Liturgiekonstitution heranzuziehen, die von einer Tätigkeit der Kirche zum Heil der Menschen und zur Verehrung Gottes sprechen [471], denn es wurde ja
festgestellt, daß dieses kirchliche Tun nichts anderes ist als
der Ausdruck der Tätigkeit Jesu Christi selbst.

Zusammenfassend kann damit als eine weitere Grundbestimmung
der liturgischen Gegenwart des Herrn festgehalten werden, daß
damit nicht nur die gegenwärtige Wirksamkeit seiner einstigen
Handlungen gemeint ist, sondern seine Gegenwart als eines Handelnden. Daraus ergibt sich, daß, wenn auch die Liturgiekonstitution es vermeidet, von einem aktuellen Wirken Jesu Chri-

---

467 Vgl. C. Vagaggini, (Kommentar zu SC 5-13), in: ELit 78 (1964) 236:
"Continuatio in terra personae et operis Christi"; ebd., 237: "Specia-
lis praesentia et operatio Christi in actionibus liturgicis Ecclesiae".
468 Vgl. z.B. Lengeling, 19, 23 u.ö.; ders., Die Liturgiekonstitution,
Grundlinien ..., a.a.O. (S. 35, Anm. 111), 117; ders., Die Lehre der
Liturgiekonstitution ..., a.a.O. (S. 223, Anm. 14), 4 u.ö.; vgl. auch
Jungmann, 20: "Denn er ist in ihr (der Liturgie) auf mehrfache Weise
gegenwärtig und tätig"; A.-M. Roguet, (Kommentar zu SC 5-12), in: MD,
Nr. 77 (1964) 25, spricht im Zusammenhang mit den Sakramenten von einer "présence active, dynamique" Christi.
469 Vgl. Mittellateinisches Wörterbuch, München 1967, Bd. I, 1089-1092,
hier 1091: "beistehen, zu Hilfe kommen, helfen".
470 Vgl. Trübners Deutsches Wörterbuch, Berlin 1939, Bd. III, 58: "Doch
besagt das Wort mehr als ein bloßes Dabeisein, es meint den Bereich
der lebendigen Wirkung einer Person und Gewalt".
471 Vgl. die Texte, oben, S. 257.

sti zu sprechen [472], doch ihre Gesamtaussage eine andere Deutung kaum zuläßt. Die Konstitution nimmt damit der Sache nach das Anliegen der theologischen Untersuchungen auf, die unter dem Stichwort 'Aktualpräsenz' ein gegenwärtiges Handeln Jesu Christi in der Eucharistiefeier und den übrigen Sakramenten annehmen [473].

Da diese Frage vor allem im Zusammenhang der Eucharistie- und Sakramentenlehre diskutiert wird, soll sie hier, wo es um die Grundbestimmungen jeglicher liturgischer Gegenwart des Herrn geht, nur kurz erwähnt werden. Immerhin ist jetzt schon zu sagen, daß ein gegenwärtiges Handeln Jesu Christi, wie es für die Eucharistiefeier und die übrigen Sakramente angenommen wird, nach der Lehre der Liturgiekonstitution grundsätzlich für alle liturgischen Feiern gilt [474]. Mit Johannes Betz kann dabei zwischen einer "einfachen Aktualpräsenz" unterschieden werden, die das gegenwärtige Heilshandeln des Herrn in allen liturgischen Vollzügen meint, und einer "kommemorativen Aktualpräsenz", bei der im gegenwärtigen Heilstun Jesu Christi sein einstiges Heilstun zur Gegenwart kommt [475]. Dies gilt in spezifischem Sinn für die Eucharistiefeier und die Sakramente, die das Gedächtnis des Pascha-Mysteriums zum Inhalt haben.

3.5.4. Der dialogische Charakter der Gegenwart des Herrn

Aus den Überlegungen zu Begriff, Inhalt, Ziel und Subjekt der Liturgie ergibt sich eine weitere Grundbestimmung der liturgischen Gegenwart Jesu Christi: seine Gegenwart ist als persönliche Gegenwart dialogisch geprägt. Dieser Aspekt ist schon

---

472 Vgl. oben, S. 161.
473 Vgl. vor allem J. Betz, Die Eucharistie in der Zeit der griechischen Väter, Bd. I/1: Die Aktualpräsenz der Person und des Heilswerkes Jesu im Abendmahl nach der vorephesinischen griechischen Patristik, Freiburg 1955; M. Thurian, Eucharistie. Einheit am Tisch des Herrn?, Mainz-Stuttgart 1963 (Originalausgabe: L'Eucharistie. Mémorial du Seigneur, Sacrifice d'action de grâce et d'intercession, Neuchâtel-Paris 1959).
474 So wird 'Aktualpräsenz' auch von C. Vagaggini, Theologie der Liturgie, 179-181, und A. Verheul, Einführung in die Liturgie, 49 f., verstanden.
475 Vgl. J. Betz, a.a.O., XXIV.

mehrfach angeklungen und soll nun zusammenfassend dargestellt
werden.

Schon der Begriff der Liturgie[476] enthält ein dialogisches Moment. Als Vollzug des Priestertums Jesu Christi in seiner heiligenden und kultischen Richtung ist die Liturgie das durch
das zuvorkommende Tun Gottes ermöglichte und erforderte anwor-
tende Tun des Menschen, der als Geheiligter in die kultische
Hinwendung zu Gott mit einbezogen wird. Sie ist der Vollzug
des Neuen Bundes, "der in der Feier der Eucharistie neu bekräftigt wird" (Nr. 10)[477], was entsprechend für jede liturgische Feier gilt. Deshalb kann die Liturgie mit Emil Joseph
Lengeling insgesamt als "Aktuierung des Neuen Bundes" bezeichnet werden[478]. Folgerichtig fordert die Konstitution in Artikel 11 eine antwortende Aktivität der Gläubigen zur Verwirklichung des Sinnes der Liturgie. "Damit aber dieses Vollmaß der
Verwirklichung erreicht wird, ist es notwendig, daß die Gläubigen ... mit der himmlischen Gnade zusammenwirken, um sie
nicht vergeblich zu empfangen"[479].

Dieses dialogische Element zeigt sich ebenfalls bei der Frage
nach dem Ziel der Liturgie[480]. Verehrung Gottes und Heiligung
der Menschen sind jeweils intersubjektive Vorgänge. Der heiligende Gott bietet dem heilssuchenden Menschen das Heil an, und
die Heiligungskraft der Liturgie kommt nur an ihr Ziel, wenn
Menschen sich durch sie heiligen lassen. Die Verehrung Gottes
durch die Menschen hat antwortenden Charakter; sie ist der
dankbare Lobpreis der Güte Gottes, die sich in seinem Heilshandeln erweist.

Es sind also nicht nur die beiden Grundrichtungen der Liturgie,
die absteigende, soterische und die aufsteigende, latreutische,
die den dialogischen Charakter des Gottesdienstes ausmachen,
sondern beide Vollzüge sind in sich nochmals dialogisch struk-

---

476 Vgl. oben, S. 222-224.
477 SC 10: "Renovatio vero foederis Domini cum hominibus in Eucharistia".
478 E. J. Lengeling, Die Lehre der Liturgiekonstitution ..., 26 u.ö.
479 SC 11: "Ut haec tamen plena efficacitas habeatur, necessarium est ut
    fideles ... supernae gratiae cooperentur, ne eam in vacuum recipiant
    (cf. 2 Cor. 6,1)".
480 Vgl. oben, S. 235-240, bes. 238 f.

turiert, indem sie jeweils ein partnerschaftliches Zusammenwirken von Gott und Mensch beinhalten, welches trotz der unendlichen Verschiedenheit des Ranges der beiden Partner eben
doch das Mitwirken beider erfordert, um sein Ziel zu erreichen.
Dies wurde auch am Inhalt der Liturgie deutlich. Die Feier des
Heilswillens Gottes, der im Pascha-Mysterium zu seinem Höhepunkt kommt, zielt auf die Einbeziehung der Menschen in dieses
Pascha-Mysterium [481].

Schließlich hat auch die Untersuchung des Subjekts der Liturgie zu dem Ergebnis geführt, daß liturgisches Handeln nicht
eigentlich als Subjekt-Objekt-Beziehung beschrieben werden
kann, sondern vielmehr ein intersubjektives Verhalten personaler Partner meint. Dies zeigt sich im Zusammenwirken Jesu
Christi mit der Kirche, welches ein Gegenüber und ein Zusammen
gleichzeitig beinhaltet [482]. Noch deutlicher wird es bei der
Beschreibung der liturgischen Tätigkeit der Laien, deren aktive Teilnahme an der Liturgie in mehrfacher Beziehung vom Wesen
der Liturgie selbst erfordert ist [483].

Die Art und Weise der liturgischen Gegenwart des Herrn muß also als eine gegenseitige Gegenwart personaler Partner fürein-
ander gesehen werden. Liturgie ist nicht nur ein Handeln Gottes am Menschen, auch nicht nur ein Handeln des Menschen vor
Gott, sondern wesentlich beides in einem.

Deshalb trifft es die Gesamtaussage der Liturgiekonstitution,
wenn mehrere Kommentatoren die Liturgie als eine Begegnung
zwischen Gott und Mensch beschreiben [484], die von Gott gewährt
wird und vom Menschen angenommen werden muß. Dabei ist festzuhalten, daß erst mit der Einbeziehung des soterischen Aspektes
in den Liturgiebegriff die Priorität der göttlichen Initiative
bei der Heilsbegegnung im liturgischen Vollzug gesehen wird.

---

481 Vgl. oben, S. 225-235, bes. 232-235.
482 Vgl. oben, S. 240-259, bes. 259.
483 Vgl. oben, S. 260-283, bes. 277-283.
484 Vgl. Schmidt, 150-152; G. Baraúna, La partecipazione attiva, in: Ders.
(Hg.), La Sacra Liturgia ..., 135-199, hier 143: "La sacra liturgia è
pertanto il luogo privilegiato dell'incontro tra Dio e gli uomini per
mezzo di Gesù Cristo Capo e attraverso i segni sensibili"; J. D. Crichton, The Church's Worship, 48, bezeichnet die Liturgie als "place of
encounter between God and man".

Das gegenwärtige Handeln Gottes in Jesus Christus liegt allem menschlichen Tun voraus; die menschliche Antwort darauf ist dann freilich innerlich notwendig. Sie macht die Würde des Menschen aus und bedeutet zugleich Verpflichtung für ihn[485]; sie gehört als zweites konstituierendes Moment zur vollen Wirklichkeit der Liturgie[486].

Diese dialogische Sicht der Liturgie, die in die Kategorie der personalen Begegnung gefaßt werden kann, läßt sich in den vorausgehenden amtlichen Dokumenten kaum nachweisen[487]. Sie wird auch in der Liturgiekonstitution nicht ausdrücklich artikuliert, außer in Artikel 33, wo es heißt: "Denn in der Liturgie spricht Gott zu seinem Volk; in ihr verkündet Christus noch immer die Frohe Botschaft. Das Volk aber antwortet mit Gesang und Gebet". Der Sache nach ist diese dialogische Struktur jedoch überall zu finden.

Damit nimmt die Konstitution in vorsichtiger Weise eine in den vorausgehenden Jahren intensiv diskutierte philosophische und theologische Strömung auf. Im Gefolge einer zu Anfang dieses Jahrhunderts entwickelten "Philosophie des Dialogs"[488] hatte das dialogische Denken auch nachhaltige Anregungen für die Theologie erbracht[489]. Dies zeigte sich in einer katholischerseits erst neu zu erarbeitenden Theologie des Wortes[490], er-

---

485 Vgl. z.B. H. Volk, Theologische Grundlagen der Liturgie, 57 f., 111 bis 113 ("Gottesdienst als Glaubensvollzug"); ders., Theologische Grundlagen für die Neuordnung des Gottesdienstes, in: Ders., Gesammelte Schriften II, Mainz 1966, 179-196, bes. 182-187 ("der geistliche Rang der Gläubigen") und 192-196 ("die Teilnahme am Gottesdienst als Ganzhingabe"); ders., Liturgie heute, ebd., 197-213, hier 203.
486 Vgl. E. J. Lengeling, Die Lehre der Liturgiekonstitution ..., 9-20 ("Liturgie als heiligendes Wirken Gottes und als gottesdienstliche Antwort des Menschen").
487 Vgl. die Aussagen von "Mediator Dei" zum gemeinsamen Priestertum: s. oben, S. 76 f.
488 Vgl. dazu. M. Theunissen, Der Andere. Studien zur Sozialontolgie der Gegenwart, Berlin 1965, 241-482 ("die Philosophie des Dialogs als Gegenentwurf zur Transzendentalphilosophie"); J. Böckenhoff, Die Begegnungsphilosophie. Ihre Geschichte – ihre Aspekte, Freiburg-München 1970.
489 Vgl. B. Langemeyer, Der dialogische Personalismus in der evangelischen und katholischen Theologie, Paderborn 1963; ders., Das dialogische Denken und seine Bedeutung für die Theologie, in Cath 17 (1963) 308 bis 328.
490 Vgl. unten, Abschnitt 4.5.2., S. 502-520.

wies sich aber auch als befruchtender Gedanke für die gesamte
Theologie, wie besonders Otto Semmelroth immer wieder gezeigt
hat[491]. Die Kategorie der Begegnung wurde dann auch in der Liturgiewissenschaft aufgenommen und diente dazu, gerade das Ineinander von göttlichem und menschlichem Tun in der Liturgie
zu beschreiben[492].

Daß dabei nochmals zwischen "Begegnung mit Gott" und "Begegnung mit Jesus Christus" differenziert werden muß, hat Joseph
Pascher deutlich gemacht. Die unmittelbare Sinnrichtung der
liturgischen Begegnung gilt dem Vater, während die Beziehung
zu Jesus Christus nicht primär der Kategorie der Begegnung,
sondern der des Gedächtnisses zuzuordnen ist. Innerhalb dieser
Memoria und ihrer Vertiefung dienend, gibt es sekundär auch
Formen der Begegnung mit Jesus Christus. Diese sind eingebunden in die *Memoria* und stehen so letztlich im Dienst der Begegnung mit dem Vater [493]. Diese subtile Unterscheidung wird in
der Liturgiekonstitution kurz und prägnant in die Worte gefaßt:
"Sie (die Kirche) ruft ihren Herrn an, und durch ihn huldigt
sie dem ewigen Vater" (Nr. 7,2).

Mit der Aufnahme des Gedankens des dialogischen Geschehens in
der Liturgie unter Wahrung der göttlichen Priorität leistet
die Liturgiekonstitution auch einen ökumenisch wichtigen Bei-

---

491 Vgl. z.B. O. Semmelroth, Gott und Mensch in Begegnung. Ein Durchblick
durch die katholische Glaubenslehre, Frankfurt/ M. 1956; ders., Wortverkündigung und Sakramentenspendung als dialogisches Zueinander, in:
Cath 15 (1961) 43-60.
492 Vgl. ders., Um die Einheit des Kirchenbegriffs, in: J. Feiner/ J.
Trütsch/ F. Böckle (Hg.), Fragen der Theologie heute, Einsiedeln 1957,
319-335, bes. 333, wo das sakramentale Zeichen als Ausdruck der Begegnung zwischen Gott und Mensch beschrieben wird; vgl. auch I.-H. Dalmais, La liturgie, acte de l'Eglise (s. S. 108, Anm. 460); B. Fischer,
Der verherrlichte Mensch Christus und die Liturgie (s. S. 109, Anm.
465); C. Vagaggini, Theologie der Liturgie, 32: "Die Liturgie bildet
... einen Ort der Begegnung zwischen Gott und Kirche"; vgl. auch ebd.,
92-114; A.-G. Martimort, Gott im Dialog mit seinem Volk, in: HLW I,
121-162; A. Verheul, Einführung in die Liturgie, 18: "Die Liturgie als
persönliche Begegnung mit Gott".
493 Vgl. J. Pascher, Eucharistia (s. S. 115, Anm. 504), 316-346, bes. 341
f.; vgl. auch im selben Sinn B. Welte, Zum Vortrag von A. Winklhofer,
in: M. Schmaus (Hg.), Aktuelle Fragen zur Eucharistie, München 1960,
189 f., hier 190: "Das Verhältnis zu Jesus im sakramentalen Mahl ist
also de ratione sacramenti primär nicht ein solches der Be-gegnung,
sondern ein Verhältnis des Mitvollzugs".

trag, indem so das Mißverständnis der Liturgie als menschlicher Leistung und damit als "Werkgerechtigkeit" leichter überwunden werden kann[494].

3.5.5. Die Gegenwart des Herrn im Heiligen Geist

Eine letzte Grundbestimmung der Weise, wie Jesus Christus in der Liturgie gegenwärtig ist, muß noch erörtert werden: seine Gegenwart in der Kraft des Heiligen Geistes.

Der Textbefund

Die Liturgiekonstitution erwähnt den Heiligen Geist an fünf Stellen. Sie sollen hier vollzählig angeführt werden.
In der ersten Umschreibung des Wesens der Liturgie im Vorwort der Konstitution heißt es: "Dabei baut die Liturgie täglich die, welche drinnen sind, zum heiligen Tempel im Herrn auf, zur Wohnung Gottes im Geist (vgl. Eph 2,21-22)" (Nr. 2) [495].
Bei der heilsgeschichtlichen Darstellung des Erlösungswerkes in Artikel 5 und 6 finden sich vier weitere Texte:
"Als aber die Fülle der Zeiten kam, sandte er (Gott) seinen Sohn, das Wort, das Fleisch angenommen hat und mit dem Heiligen Geist gesalbt worden ist, den Armen das Evangelium zu predigen und zu heilen, die zerschlagenen Herzens sind (vgl. Is 61,1; Lk 4,18)" (Nr. 5) [496].
"Wie daher Christus vom Vater gesandt ist, so hat er selbst die vom Heiligen Geist erfüllten Apostel gesandt, nicht nur das Evangelium aller Kreatur zu verkünden ..., sondern auch

---

494 Vgl. Lengeling, 26 f. Daß sich die dialogische Liturgie-Auffassung Vagagginis in der Liturgiekonstitution durchgesetzt habe, bemerkt der evangelisch-lutherische Kirchenrat H. Goltzen, Verständigung über den Gottesdienst, in: J. Chr. Hampe (Hg.), Die Autorität der Freiheit. Gegenwart des Konzils und Zukunft der Kirche im ökumenischen Disput, 3 Bde., München 1967, I, 552-574, hier 554.
495 SC 2: "Unde cum Liturgia eos qui intus sunt cotidie aedificet in templum sanctum in Domino, in habitaculum Dei in Spiritu (cf. Eph. 2,21 bis 22) ...".
496 SC 5: "Ubi venit plenitudo temporis, misit Filium suum, Verbum carnem factum, Spiritu Sancto unctum, ad evangelizandum pauperibus, ad sanandos contritos corde (cf. Is. 61,1; Lc. 4,18)".

das von ihnen verkündete Heilswerk zu vollziehen durch Opfer
und Sakrament, um die das ganze liturgische Leben kreist. So
werden die Menschen durch die Taufe in das Pascha-Myterium
Christi eingefügt. ... Sie empfangen den Geist der Kindschaft,
'in dem wir Abba, Vater, rufen' (Röm 8,15) und werden so zu
wahren Anbetern, wie der Vater sie sucht (vgl. Jo 4,23)" (Nr.
6) [497].

Schließlich wird am Ende des Artikels 6 von der Versammlung
zur Feier des Pascha-Mysteriums und der dabei erfolgenden
Schriftlesung, Eucharistiefeier und Danksagung zusammenfassend
gesagt: "All das aber geschieht in der Kraft des Heiligen Geistes" [498].

Es wurde schon darauf hingewiesen, daß von diesen fünf Stellen,
in denen vom Heiligen Geist die Rede ist, drei erst nachträglich auf Wunsch mehrerer Konzilsväter eingefügt wurden [499]. Ursprünglich standen nur die beiden ganz unbetonten biblischen
Zitate im Schema: "Wohnung Gottes im Geist" (Nr. 2) und "Geist
der Kindschaft" (Nr. 6). Wenn auch durch die Hinzufügung der
weiteren angeführten Texte gewiß noch nicht erreicht wurde,
daß das liturgietheologische Konzept der Konstitution in ange-
messener Weise pneumatologisch bestimmt ist, so sind doch
auch diese wenigen Texte ein Hinweis darauf, daß die Konzilsväter dem Anliegen zustimmten, die Bedeutung des Heiligen Geistes für die Liturgie besser zum Ausdruck zu bringen [500]. Die
dafür vorhandenen recht spärlichen Textbelege dürfen deshalb

---

497 SC 6: "Ideoque, sicut Christus missus est a Patre, ita et ipse Apostolos, repletos Spiritu Sancto, misit, non solum ut, praedicantes Evangelium omni creaturae (cf. Mc. 16,15), annuntiarent ..., sed etiam ut,
   quod annuntiabant, opus salutis per Sacrificium et Sacramenta, circa
   quae tota vita liturgica vertit, exercerent. Sic per Baptismum homines
   paschali Christi mysterio inseruntur: ... spiritum accipiunt adoptionis filiorum, 'in quo clamamus: Abba, Pater' (Rom. 8,15), et ita fiunt
   veri adoratores, quos Pater quaerit (cf. Jo. 4,23)".
498 SC 6: "Per virtutem Spiritus Sancti". Zur Übersetzung, die diesen Zusatz ausdrücklich auf den gesamten vorausgehenden Satz bezieht, vgl.
   oben, S. 186.
499 Vgl. oben, S. 174 f.
500 Vgl. dazu bes. H. Mühlen, Die Wirksamkeit des Heiligen Geistes als Ermöglichung jeglichen liturgischen Tuns, a.a.O. (S. 148, Anm. 84);
   ders., Dogmatische Überlegungen zur liturgischen Konstitution, a.a.O.
   (S. 148, Anm. 84).

trotz ihrer meist unbetonten Stellung als ausdrückliche Aussageabsicht des Konzils interpretiert werden, zumal zwei davon durch Abstimmung bestätigt wurden[501].

Da es sich bei vier von den fünf Texten um wörtliche oder sinngemäße Schriftzitate handelt, muß zu ihrer Deutung auch der exegetische Befund herangezogen werden, wobei es hier genügt, die Aussagen neuerer Kommentare zu referieren.

Wohnung Gottes im Geist (Eph 2,21-22)

Der erste Text (Nr. 2) ist für unseren Zusammenhang nur indirekt heranzuziehen. Die "Wohnung Gottes im Geist", zu der die Gläubigen durch die Liturgie erbaut werden, ist nach dem zugrundeliegenden Text aus dem Epheserbrief nach der Meinung bedeutender Exegeten[502] nicht die Weise, sondern das Ergebnis der Wirksamkeit des Herrn. Die Wendung "im Geist" gehört als nähere Bestimmung allein zur "Wohnung Gottes", so daß der Ausdruck so viel bedeutet wie "Haus Gottes ..., das kraft des Pneumas und im Pneuma existiert. Es könnte dafür κατοικητήριον πνευματικόν heißen"[503]. Der Kontext läßt dennoch auch eine weitere Deutung zu. In dem ganz parallel aufgebauten vorausgehenden Vers, wo gesagt ist, daß dieser Bau "in ihm" (Christus Jesus) "zu einem heiligen Tempel im Herrn" (Eph 2,21) wächst, ist nämlich der Herr nicht nur die bestimmende Dimension, der Schlußstein des fertigen Baues, sondern zugleich das Prinzip seines Wachstums[504]. Entsprechend ist nachher der Geist als Charakterisierung dieser Gotteswohnung auch verstehbar als das "Prinzip der Bewegung, die Quelle, aus der die Lebendigkeit strömt"[505]. Dem würde die Formulierung der deutschen "Einheitsübersetzung" entsprechen[506]: "Durch ihn werdet auch ihr im

501 Vgl. oben, S. 174 f.
502 Vgl. H. Schlier, Der Brief an die Epheser. Ein Kommentar, Düsseldorf
    [6]1968, 145; J. Gnilka, Der Epheserbrief, Freiburg-Basel-Wien 1971
    (= HThK X,2), 159 f.
503 H. Schlier, a.a.O.
504 Vgl. J. Gnilka, a.a.O., 158.
505 Ebd., 160.
506 Einheitsübersetzung der Heiligen Schrift. Das Neue Testament, Stuttgart 1979, 444. Ebenso auch schon in der vorausgehenden Fassung von
    1972.

Geist zu einer Wohnung Gottes erbaut". Hier ist (gegen Schlier und Gnilka) "im Geist" auf das Verb "erbaut werden" bezogen und kennzeichnet somit die Weise der Wirksamkeit Jesu Christi. Falls eine solche Deutung haltbar ist, könnte auch dieser Text in Artikel 2 herangezogen werden, um zu belegen, daß die Wirksamkeit des Herrn "im Geist" geschieht"[507].

Aber auch abgesehen von der Frage, wie an dieser Stelle das "im Geist" zu verstehen ist, als Wirkprinzip oder als Charakterisierung des Ergebnisses des Wirkens des Herrn: Nach dem Kirchenverständnis des Epheserbriefes insgesamt ist, so Heinrich Schlier[508], der Geist das Prinzip, das den am Kreuz im Leib Christi gegründeten Bau der Kirche in der Zeit erschließt, so daß er "als offenbarer und gegenwärtiger Leib Christi auf Erden"[509] erkannt werden kann, wobei die Befähigung zu dieser Erkenntnis vom selben Geist gegeben wird[510]; ja, dieser ist selbst das Wirkprinzip, durch welches der Herr die Kirche baut[511].

Bemerkenswert an dem zitierten Text aus Artikel 2 der Liturgiekonstitution ist noch, daß hier als Subjekt dieses Aufbauens der Kirche die Liturgie genannt wird, wo im Epheserbrief Jesus Christus steht. Dies ist ein weiterer Hinweis darauf, daß der Vollzug der Liturgie nichts anderes ist als die gegenwärtige Wirksamkeit des Herrn.

Der mit Geist gesalbte Christus (Lk 4,18)

Die zweite Stelle, in der vom Heiligen Geist die Rede ist (Nr. 5), stellt ebenfalls die Paraphrase eines biblischen Textes dar: "Der Geist des Herrn ruht auf mir; denn er hat mich ge-

---

507 H. Mühlen, Die Wirksamkeit des Heiligen Geistes ..., 43, Anm. 7, will aus den genannten Gründen diesen Text "für unsere Frage nach dem Wesen der Liturgie nicht heranziehen".

508 Vgl. H. Schlier, Die Kirche nach dem Brief an die Epheser, in: Ders., Die Zeit der Kirche. Exegetische Aufsätze und Vorträge, Freiburg 1956, 159-186.

509 Ebd., 168; vgl. auch ebd., 178, 186 u.ö.

510 Vgl. ebd., 178-186.

511 Vgl. R. Schnackenburg, Die Kirche im Neuen Testament. Ihre Wirklichkeit und theologische Deutung. Ihr Wesen und Geheimnis, Freiburg-Basel-Wien 1961 (= QD 14), 141 f.

salbt. Er hat mich gesandt, um den Armen die Heilsbotschaft zu bringen, um den Gefangenen die Befreiung und den Blinden das Augenlicht zu verkünden, um die Zerschlagenen in Freiheit zu setzen und ein Gnadenjahr des Herrn auszurufen" (Lk 4,18 f.; vgl. Jes 61,1).

Die im lukanischen Text unentschiedene Frage, ob der Geist oder der Herr der salbende und sendende ist, muß wohl entsprechend dem jesajanischen Grundtext so entschieden werden, daß Gott, der Herr, der mit Geist salbende und sendende ist[512]. In welchem Verhältnis dabei Salbung und Sendung zueinander stehen, ob die Salbung die Ausrüstung für eine vorausliegende Sendung ist[513] oder ob die Sendung in der Geistsalbung liegt[514], ist für unseren Zusammenhang unerheblich. Der Konzilstext legt durch seine grammatikalische Konstruktion[515] den Akzent auf die Sendung, die durch die Menschwerdung und die Geistsalbung ermöglicht und zugleich vollzogen wird.

Wichtig ist dabei, daß das Konzil durch die nachträgliche Einfügung der dem Schrifttext entsprechenden Erwähnung der Geistsalbung[516] ausdrücklich lehrt, daß für die Heilssendung Jesu Christi als Vollzug des Heilswillens des Vaters der Heilige Geist von Bedeutung ist.

"Die vom Heiligen Geist erfüllten Apostel"

Die dritte Erwähnung des Heiligen Geistes findet sich am Anfang des Artikels 6: Christus hat "die vom Heiligen Geist erfüllten Apostel gesandt ...". Auch hier handelt es sich um eine nachträgliche Einfügung. Vorher lautete der Text: Christus hat "die Apostel und ihre Nachfolger gesandt..."[517].

---

512 Vgl. Jes 61,1: "Der Geist Gottes, des Herrn, ruht auf mir, denn der Herr hat mich gesalbt. Er hat mich gesandt ..."; zit. nach: Einheitsübersetzung der Heiligen Schrift. Das Alte Testament, Stuttgart 1974.
513 So H. Schürmann, Das Lukasevangelium. Erster Teil, Freiburg-Basel-Wien 1969 (= HThK III,1), 230.
514 So J. Schmid, Das Evangelium nach Lukas, Regensburg ²1951, 92.
515 Vgl. S. 327, Anm. 496.
516 Literatur zum Verständnis dieses Ausdrucks bei H. Schürmann, a.a.O., 229, Anm. 59. Zur Deutung dieser Schriftstelle vgl. U. Busse, Das Nazareth-Manifest Jesu. Eine Einführung in das lukanische Jesusbild nach Lk 4,16-30 (= SBS 91).
517 Vgl. den Text im Anhang II, S. 783.

Auffällig ist die weitgehende Parallelität zu dem gerade zitierten Text: Gott sandte seinen Sohn, das Fleisch gewordene und mit Heiligem Geist gesalbte Wort, um zu predigen und das Heilswerk zu vollenden. Ebenso (*sicut missus est, ita misit*) hat Christus die vom Heiligen Geist erfüllten Apostel gesandt, um zu predigen und das Heilswerk in der Liturgie zu vollziehen. Beidemale ist die Ausrüstung zur Erfüllung der Sendung der Heilige Geist als derselbe [518], mit dem Christus gesalbt ist und der die Apostel erfüllt.

Bedauerlich ist es, daß die ursprünglich vorgesehene Erwähnung auch der Nachfolger der Apostel gestrichen wurde, als man den Hinweis auf die Geisterfülltheit einfügte. Die dafür gegebene Begründung, daß zwischen der Sendung und Gnade der Apostel und der ihrer Nachfolger unterschieden werden müsse [519], trifft für den Text des Schemas durchaus zu. Es wäre hier jedoch sinnvoll gewesen, eine Formulierung zu suchen, die auch die Ausrüstung der Nachfolger der Apostel mit Heiligem Geist erwähnt hätte. Es geht ja in diesem Abschnitt gerade um die durch die Zeit hin fortgesetzte Heilssendung der Kirche, die nur kraft der Weitergabe des apostolischen Amtes und seiner Gnade an die Nachfolger der Apostel möglich ist.

Der Geist der Gotteskindschaft

Der nächste Text über den Heiligen Geist findet sich in der Mitte des Artikels 6. Er war schon im Entwurf enthalten und stellt ebenfalls die Paraphrase eines Schriftwortes dar: "Denn ihr habt nicht den Geist empfangen, der euch wieder zu Knechten macht, so daß ihr euch fürchten müßtet, sondern ihr habt den Geist empfangen, der euch zu Söhnen macht, den Geist, in dem wir rufen: Abba, Vater!" (Röm 8,15).

Im Konzilstext wird der Geistempfang der Gläubigen als Folge des Vollzugs des Heilswerkes in Opfer und Sakrament gesehen, wodurch die Gläubigen in das Pascha-Mysterium eingegliedert werden.

---

518 Vgl. H. Mühlen, Die Wirksamkeit des Heiligen Geistes ..., 43.
519 Vgl. oben, S. 185; dazu H. Mühlen, a.a.O., 46.

Auffällig ist, daß im lateinischen Text *spiritus* mit kleinem
Anfangsbuchstaben geschrieben ist und so der Eindruck entsteht,
daß es sich hier nicht um den Heiligen Geist, sondern um
'Geist' in der Bedeutung von 'Gesinnung' handelt. Dies entspricht auch der Schreibweise der Vulgata, die "Sklavengeist"
(*spiritus servitutis*) und "Geist der Kindschaft" (*spiritus ad-*
optionis filiorum) durch die Schreibweise einander parallel
setzt. Daß es sich beim "Geist der Kindschaft" dennoch nicht
nur um die Gesinnung der Gotteskindschaft, sondern um den
Geist Gottes handelt, der den Menschen zum Kind Gottes macht,
ergibt sich aus Röm 8,14, wo ausdrücklich vom Geist Gottes
die Rede ist[520], und aus Röm 8,16, wo es heißt: "Der Geist
selber bezeugt unserem Geist, daß wir Kinder Gottes sind"[521].
Entsprechend muß dann in Vers 15 der "Geist der Kindschaft"
verstanden werden[522]. Er ist der Geist Gottes, der den Menschen, der ihn empfängt, zum Sohn Gottes macht, was nach Paulus durch die Taufe im Glauben geschieht; und es ist der Geist
Gottes, der ihn diese Sohnschaft im Abba-Ruf realisieren läßt
[523]. Die Frage, ob es sich hier um den Heiligen Geist als die
dritte göttliche Person handelt, muß offenbleiben. Dies ist
für den Paulus-Text kaum zu entscheiden[524] und auch im Konzilstext nicht entschieden.
Wie wenig die Verfasser des Liturgieschemas an dieser Stelle
daran interessiert waren, theologische Aussagen über die Be-

---

520 Die Vulgata schreibt *spiritus* auch hier mit kleinem Anfangsbuchstaben.
521 Hier hat die Vulgata *Spiritus*.
522 Vgl. O. Kuss, Der Römerbrief I, Regensburg [2]1963, 600-604; H. Schlier,
   Der Römerbrief, Freiburg-Basel-Wien 1977 (= HThK VI), 252-254.
523 Vgl. H. Schlier, a.a.O., 252.
524 O. Kuss, a.a.O., 575-595, diskutiert die Frage nach dem Geist-Ver-
   ständnis der paulinischen Hauptbriefe ausführlich, auch im Blick auf
   die spätere kirchliche Glaubensentwicklung, ein Aspekt, auf den H.
   Schlier in seinem Römerbrief-Kommentar nicht eingeht. Im Rahmen dieser
   Arbeit kann die Frage nicht weiter verfolgt werden. Vgl. zum Ganzen H.
   Mühlen, Der Geist als Person. Beitrag zur Frage nach der dem Hl. Geist
   eigentümlichen Funktion in der Trinität, bei der Inkarnation und im
   Gnadenbund (Diss. Münster 1961), Münster 1963; 2., erw. Auflage 1967:
   Der Heilige Geist als Person in der Trinität, bei der Inkarnation und
   im Gnadenbund: Ich – Du – Wir, bes. § 8, S. 241-260: "Aussagen der Hl.
   Schrift über den Gnadenbund als Verhältnis von Person zu Person". –
   Der in biblischer und patristischer Terminologie abgefaßte Konzilstext
   vermeidet hier wie auch sonst dogmatische Formulierungen.

deutung des Heiligen Geistes in der Liturgie zu machen, ergibt
sich auch aus der Fortsetzung des Satzes, wo mit Hinweis auf
Joh 4,23 gesagt wird: Sie werden so (durch den Geist der Kindschaft) "zu wahren Anbetern, wie der Vater sie sucht". Es hätte nahegelegen, hier noch entsprechend dem Johannes-Text fort-
zufahren und hinzuzufügen, daß diese Anbetung "im Geist und in
der Wahrheit" (Joh 4,23 f.) geschieht. Ohne auf die Deutung
dieses Wortes im Einzelnen einzugehen [525], kann man doch sagen,
daß die "wahren Anbeter, wie der Vater sie sucht", zu diesem
Gebet durch den Geist befähigt werden, wobei freilich auch
hier nicht an ein im Sinn der späteren Trinitätstheologie ent-
wickeltes Verständnis des Geistes zu denken ist [526], wohl aber
eindeutig der göttliche Geist gemeint ist, nicht nur menschliche Innerlichkeit [527].

"All das aber geschieht in der Kraft des Heiligen Geistes"

Überblickt man die bisher erörterten Texte zur Wirksamkeit des
Heiligen Geistes im Heilsmysterium, so muß gesagt werden, daß
sie völlig unbetont und dazu noch durchweg eingekleidet in
Schriftzitate in den Text eingestreut sind. Eine eigentlich
dogmatische Aussage im Sinn der Trinitätslehre über die Wirklichkeit und Wirksamkeit des Heiligen Geistes ist daraus allenfalls indirekt zu erschließen, sie ist aber nicht direkt
ausgesprochen. Daß es sich im Sinn der Konzilsväter um mehr
als nur zufällige Erwähnungen des Heiligen Geistes handelt,
ergibt sich erst aus der letzten Stelle, wo von ihm die Rede
ist, am Schluß des Artikels 6.
Die nachträglich zugefügte, auch textlich etwas unvermittelt
angehängte Erklärung: "All das aber geschieht in der Kraft des
Heiligen Geistes" ist der wichtigste hier zu besprechende Text.

---

525 Vgl. die Ausführungen von R. Schnackenburg, Das Johannesevangelium I,
    Freiburg-Basel-Wien 1965 (= HThK IV,1) 471-474; R. Bultmann, Das Evan-
    gelium nach Johannes, Göttingen [19]1968 (= Meyers Kommentar, II. Abtlg.),
    139-141; dazu die ausführliche Diskussion des Textes bei F. Porsch,
    Pneuma und Wort. Ein exegetischer Beitrag zur Pneumatologie des Johan-
    nesevangeliums, Frankfurt/ M. 1974 (= FTS 16), 145-160.
526 R. Bultmann, ebd., 140, spricht vom Pneuma als "Gottes Wunderwirkungen
    an den Menschen".
527 Vgl. R. Bultmann, ebd.; R. Schnackenburg, a.a.O., 471.

In seinem Zusammenhang hat er folgenden Wortlaut: "Seither hat
die Kirche niemals aufgehört, sich zur Feier des Pascha-Mysteriums zu versammeln, dabei zu lesen 'was in allen Schriften
von ihm geschrieben steht' (Lk 24,27), die Eucharistie zu feiern, in der 'Sieg und Triumph seines Todes dargestellt werden'
(Konzil von Trient), und zugleich 'Gott für die unsagbar große
Gabe dankzusagen' (2 Kor 9,15), in Christus Jesus 'zum Lob
seiner Herrlichkeit' (Eph 1,12). All das aber geschieht in der
Kraft des Heiligen Geistes" [528].

Dies ist die einzige Stelle in der Konstitution, wo eine liturgietheologisch relevante pneumatologische Aussage ausdrücklich gemacht wird. Dabei ist noch zu sagen, daß dies im lateinischen Text weniger deutlich ausgedrückt ist [529].

Dennoch kommt diesem Text erhebliche systematische Bedeutung
zu. Das Konzil lehrt darin, daß die Feier des Pascha-Mysteriums, welches der Inbegriff des gesamten Heilsmysteriums ist,
sich "in der Kraft des Heiligen Geistes" vollzieht. Zugleich
ist diese Feier das Zentrum der gesamten Liturgie, so daß sich
ergibt, daß diese insgesamt "in der Kraft des Heiligen Geistes"
gefeiert wird. Damit ist aber implizit eine Antwort auf die
Frage gegeben, wie es denn möglich ist, daß die Feier der Liturgie die gegenwärtige Weise des Heilshandelns Jesu Christi
ist: Es ist derselbe Heilige Geist, in dem er das Heilswerk in
seinem Leben, Sterben und Auferstehen vollendete, derselbe,
von dem erfüllt die Apostel dieses Heilswerk verkündeten und
liturgisch vollzogen, derselbe, in dessen Kraft die Kirche immerfort dieses Heilswerk weiter verkündet und liturgisch feiert, so daß die Menschen, dieses Mysterium mitfeiernd, daran
Anteil gewinnen, in der Kraft des Geistes zur heiligen Kirche
aufgebaut werden (Nr. 2) und im selben Geist dem Vater die

---

528 SC 6: "Numquam exinde omisit Ecclesia quin in unum conveniret ad paschale mysterium celebrandum: legendo ea 'in omnibus Scripturis quae de
   eo erant' (Lc. 24,27), Eucharistiam celebrando in qua 'mortis eius
   victoria et triumphus repraesentatur' (Conc. Trid., Sess. XIII ..., c.
   5: ...), et simul gratias agendo 'Deo super inennarrabili dono' (2 Cor.
   1,12), per virtutem Spiritus Sancti".
529 Daß die deutsche Fassung der Aussageabsicht des Konzils entspricht, ergibt sich aus der Erklärung der Konzilskommission zu einem entsprechenden Modus: vgl. oben, S. 186.

wahre Anbetung darbringen.

So ergibt sich eine bemerkenswerte Parallele zu dem oben über den Inhalt der Liturgie Gesagten[530]. Dort hatte sich gezeigt, daß im Begriff des Mysteriums der mehrschichtige und doch einheitliche Inhalt der liturgischen Feier zum Ausdruck gebracht wird. Das Mysterium des göttlichen Heilsplans verwirklicht sich im Christus-Mysterium, wird im Pascha-Mysterium vollendet und bleibt im Mysterium der Kirche gegenwärtig. Es wird im liturgischen Mysterium feiernd repraesentiert, so daß die Gläubigen daran Anteil gewinnen und ihr Leben dadurch "Ausdruck und Offenbarung" (Nr 2) dieses Mysteriums wird.

Sendung und Salbung

Hier wird nun deutlich, wie diese verschiedenen Schichten als Verwirklichungsformen des einen Mysteriums untereinander verbunden sind, wodurch also die Einheit und damit die überzeitliche Gegenwart des Heilsmysteriums gewährleistet ist. Zwei Prinzipien werden genannt: die Sendung und Ausrüstung ("Salbung") mit Heiligem Geist. Dabei stellt die Sendung mehr die äußerlich greifbare und auch in gewissem Sinn rechtlich faßbare Seite dar, die Salbung mit Heiligem Geist mehr das innere Einheitsprinzip.

Der Sendung des Sohnes durch den Vater entspricht die Sendung der Apostel durch den Sohn, die sich in der Sendung der Bischöfe fortsetzt. Dieses letzte Glied der Kette der Sendungen ist, wie gesagt, im Text nicht mehr ausdrücklich enthalten, wird aber einschlußweise ausgesagt, wenn nach Artikel 6 die Kirche das Pascha-Mysterium feiert und so das Heilswerk verkündet und vollzieht, wozu die Apostel gesandt sind. Daß dabei den Bischöfen die entscheidende Funktion zukommt, wird bedauerlicherweise nicht im Abschnitt I über "das Wesen der heiligen Liturgie und ihre Bedeutung für das Leben der Kirche" (Nr. 5-13) gesagt, sondern erst in dem kurzen Abschnitt IV: "Förderung des liturgischen Lebens in Bistum und Pfarrei" (Nr. 41 f.). Diese Sendungsreihe setzt sich schließlich noch in einer zwar

---

530 S. oben, S. 225-235.

nicht 'amtlichen' aber doch 'offiziellen' Sendung der Laien
fort, die "kraft der Taufe berechtigt und verpflichtet" sind
zu einer für die Liturgie wesentlichen "tätigen Teilnahme" an
den liturgischen Feiern (Nr. 14) [531].

Der Kette der Sendungen entspricht die Ausrüstung mit Heiligem
Geist. Auch dies wird im Text nicht ausgeführt, wohl aber angedeutet, wenn von der Geistsalbung Christi (Nr. 5) und der
Geisterfülltheit der Apostel (Nr. 6) die Rede ist und dann gesagt wird, daß die Kirche "in der Kraft des Heiligen Geistes"
das Pascha-Mysterium feiert (Nr. 6) und darin die Gläubigen
geheiligt (Nr. 2) [532] und zur Gottesverehrung befähigt werden
(Nr. 6).

Dabei darf diese innere Wirkkraft nicht von der äußeren Sendung getrennt werden, wie auch bei Jesus Christus Sendung und
Geistsalbung miteinander verbunden sind und die Apostel zu ihrer Sendung mit dem Geist erfüllt werden. Analog der sakramentalen Struktur der gesamten Heilswirklichkeit ist auch hier
die äußere und die innere Seite der Weise der Vergegenwärtigung des Heilsmysteriums als Einheit zu sehen, in der das Äus-
sere auf das Innere hingeordnet ist.

Sendung und Salbung nach "Mystici Corporis"

Damit nimmt die Liturgiekonstitution zwar ohne direkten Bezug
aber doch der Sache nach eine Lehre der Enzyklika "Mystici
Corporis" auf. Dort hatte Pius XII. gelehrt, daß die Kirche
neben anderen Gründen auch deshalb "Leib Christi" genannt werde, weil "unser Erlöser selbst die von ihm gestiftete Kirche
mit göttlicher Kraft erhält" [533]. Dies geschieht nach der Enzyklika auf zweifache Weise, nämlich durch "rechtliche Sendung" und durch den "Geist Jesu Christi". "Denn zufolge der
rechtlichen Sendung, womit der göttliche Erlöser die Apostel
in die Welt sandte, wie er selbst vom Vater gesandt war (cf.

---

531 Zur Bedeutung der "tätigen Teilnahme" vgl. oben, S. 210-215.
532 Sie werden geheiligt, indem sie "zur Wohnung Gottes im Geist" aufge-
    baut werden (Nr. 2).
533 MC 51/217: "... quod Servator noster ab se conditam societatem ipse
    divinitus sustentat".

Joann., XVII,18 et XX,21) ist Er es, der durch die Kirche
tauft, lehrt und regiert, löst und bindet, darbringt und opfert" [534]. Christus durchdringt, nährt und erhält seinen Leib,
die Kirche, aber auch von innen her durch seinen Geist als
"Lebens- und Kraftprinzip" [535], das als "Prinzip jeder wirklich
zum Heil ersprießlichen Tätigkeit angesehen werden muß" [536] und
infolge seiner "Gegenwart und Wirksamkeit" als Seele der Kirche bezeichnet werden kann [537].

Es wurde schon erwähnt, daß die Enzyklika aus diesen Aussagen
nicht ausdrücklich die Folgerung einer unmittelbaren gegenwärtigen Wirksamkeit des Herrn selbst zieht [538]. Jesus Christus
lenkt die Kirche "von außen" durch rechtlich gesendete Stellvertreter und "von innen" durch den gesendeten Heiligen Geist.
Diesen hat er gesandt, "damit Er an seiner Statt (cf. Joann.,
XIV,16 et 26) die unsichtbare Leitung der Kirche übernehme";
dem Petrus und seinen Nachfolgern hat er aufgetragen, "Ihn auf
Erden zu vertreten und die sichtbare Leitung der christlichen
Gemeinschaft zu übernehmen" [539].

Von einer direkten Gegenwart des Herrn spricht die Enzyklika
ausdrücklich nur im Zusammenhang mit der Meßfeier [540], sonst
aber von einer Gegenwart durch Sendung [541]. Die Frage ist nun,

---

534 MC 53/218: "Nam per iuridicam, ut aiunt, missionem qua Divinus Redemptor Apostolos in mundum misit, sicut ipse missus erat a Patre (cf. Joann., XVII,18 et XX,21), ipse est, qui per Ecclesiam baptizat, docet,
regit, solvit, ligat, offert, sacrificat"; vgl. auch ebd., 30/207.
535 MC 54/218: "Vitae virtutisque principium".
536 MC 55/219: "Ille est, qui caelesti vitae halitu in omnibus corporis
partibus cuiusvis est habendus actionis vitalis ac reapse salutaris
principium".
537 MC 55/220: "Quam quidem Iesu Christi Spiritus praesentiam operationem-
que sapientissimus Decessor Noster imm. mem. Leo XIII Encyclicis Litteris 'Divinum illud' per haec verba presse nervoseque significavit:
'Hoc affirmare sufficiat, quod cum Christus Caput sit Ecclesiae, Spiritus Sanctus sit eius anima (ASS XXIX, p. 650)".
538 Vgl. oben, S. 65-67.
539 MC 69/227: "Quemadmodum enim divinus Redemptor Paraclitum misit veritatis Spiritum, qui suas partes agens (cf. Joann., XIV,16 et 26), arcanum sumeret Ecclesiae gubernationem, ita Petro eiusque Successoribus
mandavit, ut suam in terris gerentes personam perspicibilem quoque
christianae reipublicae moderationem agerent".
540 Vgl. oben, S. 67, Anm. 257 f.
541 Vgl. K. Peters, Repräsentation nach der Lehre des II. Vatikanischen
Konzils (Diss. masch.), Trier 1976, 71 f.

wie die Enzyklika diese beiden verschiedenen Sendungen, die
Sendung des Geistes und die Sendung der Apostel, in ihrer Beziehung zueinander und in ihrer jeweiligen Beziehung zum Sendenden sieht, mit anderen Worten, ob Jesus Christus sich als
Abwesenden vertreten läßt oder als Gegenwärtigen erkennbar
macht, und wie sich die unsichtbare Leitung der Kirche zu ihrer sichtbaren verhält.

Die Enzyklika erweckt in manchen Passagen ihres zweiten Teils
den Eindruck, als sehe sie die Verbindung der Gläubigen mit
Jesus Christus in der Weise einer unmittelbaren Gegenwart und
Wirksamkeit des Heiligen Geistes [542], der die Stelle des abwesenden Herrn vertritt [543]. Nimmt man aber dazu die Aussage von
Nr. 38 [544], daß Jesus Christus selbst unmittelbar die Kirche
leitet, so ergibt sich als Gesamtbefund, daß die Enzyklika von
einer gegenwärtigen Wirksamkeit des Herrn spricht, die im Wirken des Geistes zur Erscheinung kommt, so daß der Papst sagen
kann: "Nach unseren Ausführungen lebt Christus in uns durch
seinen Geist, den Er uns mitteilt, und durch den Er so in uns
tätig ist, daß alle übernatürlichen Wirkungen des Heiligen
Geistes in den Seelen auch Christus zugeschrieben werden müssen [545].

---

542 Vgl. vor allem den oben zitierten Text (s. S. 338, Anm. 539) und die
 daraus gezogenen Folgerungen für die göttlichen Tugenden: MC 69-75/227
 bis 230. Hier nimmt Pius XII. die Lehre Leos XIII. auf, der in der Enzyklika "Divinum illud" (s. S. 147, Anm. 82) nur kurz vom Heiligen
 Geist als dem Prinzip der kirchlichen Amtsvollmacht spricht (vgl. a.a.
 O., 649 f.) und dann ausführlich von seinen Wirkungen in den Seelen
 der Menschen (vgl. ebd., 650-658).
543 C. Feckes, Die Kirche als Herrenleib, Köln 1949, 131, deutet die Enzyklika "Mystici Corporis" in dieser Linie: Zwar "lebt durch und in
 diesem Heiligen Geist auch der verherrlichte Kyrios in den Christen,
 darum ist auch dieser in uns tätig, wenn das Heilige Pneuma in ihnen
 weht und wirkt. Christi Verbindung mit den Gläubigen, sein Einwohnen
 und Wirken ist demnach nach der Lehre der Enzyklika nur mittelbarer
 und indirekter Art". Feckes betont dann, daß der Papst sich bemühe,
 "jeden Gedanken an eine stete somatische Gegenwart des erhöhten Christus in der Kirche oder in der Seele bei Seite zu drücken" (ebd.).
544 Vgl. MC 38/209 f.: "Sed directo etiam per se divinus Servator noster
 conditam ab se societatem moderatur ac dirigit".
545 MC 77/230: "Est nempe Christus in nobis, ut supra enucleate satis ex-
 posuimus, per Spiritum suum, quem nobiscum communicat, et per quem ita
 in nobis operatur, ut quaecumque divina a Spiritu Sancto in animis
 peraguntur, etiam a Christo ibi peracta dicantur oportet (cf. S. Thom.,

Ähnlich verhält es sich auch bei der Stellvertretung Christi durch das kirchliche Amt, insbesondere durch den Papst. Die Enzyklika lehrt, daß der Herr bei seiner Rückkehr zum Vater die sichtbare Leitung der Kirche dem Petrus übertragen habe, der sein Stellvertreter auf Erden ist [546]. Sie präzisiert aber gleich, daß damit die Kirche nicht etwa zwei Häupter habe, sondern Christus ihr einziges Haupt sei; "auf sichtbare Weise jedoch leitet Er sie durch den, der auf Erden seine Stelle vertritt" [547]. Daraus ergibt sich, daß auch die "rechtliche Sendung" der Apostel und ihrer Nachfolger nicht eine Stellvertretung des abwesenden Herrn zum Inhalt hat, sondern dazu dient, sichtbares Zeichen des unsichtbar gegenwärtigen Herrn zu sein, und dies nicht nur im Meßopfer, sondern auch in der Leitung der Kirche [548].

Nach "Mystici Corporis" ist also Jesus Christus selbst der Grund der Einheit der Kirche; er selbst leitet sie, indem er sie durch den Heiligen Geist von innen her und durch die Apostel und ihre Nachfolger in sichtbarer Weise führt. "Es kann also kein wirklicher Gegensatz oder Widerspruch bestehen zwischen der unsichtbaren Sendung des Heiligen Geistes und dem rechtlich von Christus empfangenen Amt der Hirten und Lehrer. Beide ergänzen und vervollkommnen einander wie in uns Leib und Seele und gehen von Einem und demselben aus, unserem Erlöser: Er hat gewiß seinen Aposteln den göttlichen Odem eingehaucht mit den Worten: 'Empfanget den Heiligen Geist' (Joann., XX, 22), aber Er hat ihnen auch den klaren Auftrag erteilt: 'Wie mich der Vater gesandt hat, so sende ich euch' (Joann., XX,21)

Comm. in Ep. ad Eph., cap. II, lect. 5)".

546 Hier knüpft Pius XII. wiederum an Leo XIII. an, der in der Enzyklika "Satis cognitum" (s. S. 247, Anm. 117) vor allem die hierarchische Kirchenleitung und insbesondere den Jurisdiktionsprimat des Papstes als Einheitsprinzip der Kirche betont hatte.

547 MC 39/211: "Est enim Petrus, vi primatus, nonnisi Christi vicarius, atque adeo unum tantum primarium habetur huius Corporis Caput, nempe Christus: qui quidem arcana ratione Ecclesiam per sese gubernare non desinens, adspectabili tamen modo per eum, qui suam in terris personam gerit, eandem regit Ecclesiam".

548 Gegen K. Peters, a.a.O., 71 f., der zwar sagt, die Grundaussage von "Mystici Corporis" sei die sakramentale Gegenwart des Herrn. Eine direkte Gegenwart werde aber nur im speziell sakramentalen Bereich gelehrt, sonst nur eine Gegenwart durch rechtliche Sendung.

und in gleichem Sinn gesagt: 'Wer euch hört, hört mich' (Lc.,
X,16) " [549].

Mit Felix Malmberg kann gesagt werden: "Diese beiden Sendungen
sind so innig miteinander verbunden, und das Band zwischen
diesen beiden Stellvertretern ist durch Christus so fest geknüpft, daß wir in gewissem Sinne von einer einzigen Aktivität
der Stellvertretung sprechen können, die vom Heiligen Geist
und von Petrus gemeinsam ausgeübt wird" [550].

In diesem Sinn muß sowohl die Enzyklika Leos XIII. "Satis cognitum" (1896) ergänzt werden [551], die einseitig im hierarchischen Amt das Einheitsprinzip der Kirche sieht, wie auch die
Interpretation, die Heribert Mühlen der Enzyklika "Mystici
Corporis" gibt [552]. Er betont mit Recht, daß nach der Enzyklika
der eine Geist als derselbe in Jesus Christus und den Gliedern
seines Leibes das Einheitsprinzip der Kirche ist, spricht aber
dabei nicht von der speziellen Funktion des Amtes und der Bedeutung der Sendung der Apostel und ihrer Nachfolger zur sichtbaren Darstellung der Einheit der Kirche [553]. Die Enzyklika

---

549 MC 63/224: "Nulla igitur veri nominis oppositio vel repugnantia haberi
    potest inter invisibilem, quam vocant, Spiritus Sancti missionem, ac
    iuridicam Pastorum Doctorumque a Christo acceptum munus; quippe quae,
    - ut in nobis corpus animusque - se invicem compleant ac perficiant,
    et ab uno eodemque Servatore nostro procedant, qui non modo divinum
    afflando halitum dixit: 'Accipite Spiritum Sanctum' (Joann., XX,22),
    sed etiam clara voce imperavit: 'Sicut misit me Pater, et ego mitto
    vos' (Joann., XX,21); itemque: 'Qui vos audit, me audit' (Lc., X,16)".
    Hier wird man an die zentrale 13. Regel des hl. Ignatius von Loyola
    über die kirchliche Gesinnung erinnert, wo er die Forderung, der hier-
    archischen Kirche zu gehorchen, begründet: "Denn wir glauben, daß zwi-
    schen Christus, Unserem Herrn, dem Bräutigam, und der Braut, der Kir-
    che, der gleiche Geist waltet, der uns zum Heil unserer Seelen leitet
    und lenkt": vgl. Ignatius v. Loyola, Die Exerzitien, Einsiedeln ⁵1965;
    vgl. dazu H. Rahner, Geist und Kirche, in: Ders., Ignatius v. Loyola
    als Mensch und Theologe, Freiburg-Basel-Wien 1964, 370-386; R. Schwa-
    ger, Das dramatische Kirchenverständnis bei Igantius von Loyola, Zü-
    rich-Einsiedeln-Köln 1970, 127-152 (4. Kap.: "Es ist der gleiche Geist,
    der in der Kirche und im einzelnen wirkt").
550 F. Malmberg, a.a.O. (S. 245, Anm. 108), 189; vgl. den ganzen Abschnitt:
    "Der Heilige Geist und die Hierarchie als Christi Stellvertreter",
    ebd., 185-199.
551 Vgl. S. 340, Anm. 546.
552 Vgl. H. Mühlen, Una mystica persona (s. S. 246, Anm. 115), 44-73.
553 An anderer Stelle, ebd., 287-291, erwähnt Mühlen, daß die Enzyklika
    selbst diesen Aspekt im Anschluß an Bellarmin entfaltet, indem sie von
    Christus als dem "Träger" oder "Erhalter" der Kirche spricht (MC 51/

selbst aber macht nicht genügend deutlich, wie sich diese beiden von ihr hervorgehobenen 'Einheitsprinzipien' zueinander verhalten. Sie deutet dies im soeben zitierten Text mit dem Vergleich von Leib und Seele lediglich an. Immerhin führt sie noch aus, daß der Heilige Geist in den Amtsträgern in besonderer Weise wirkt[554], was aber nicht so sehr zur Begründung der Amtsvollmacht dient als vielmehr gegen ein die Hierarchie ausklammerndes Verständndis der Leib-Christi-Theologie gerichtet ist[555].

"Geistvergessenheit" in der Theologie der Westkirche und Ansätze zu ihrer Überwindung

Für die Frage nach der Gegenwart Jesu Christi in der Kirche ist die Enzyklika "Mystici Corporis" zweifellos von fundamentaler Bedeutung. Umso erstaunlicher ist es, daß sich von ihrer pneumatologischen Ekklesiologie in der Enzyklika "Mediator Dei" in Bezug auf die Gegenwart des Herrn in der Liturgie fast keine Spur findet[556]. Im liturgietheologischen Teil dieser Enzyklika kommt der Heilige Geist nicht vor[557]. Umso mehr ist dafür von der rechtlichen Sendung des hierarchischen Amtes die Rede, wobei nun freilich die Kirche als Subjekt der Liturgie so im Vordergrund steht, daß sie eher als Repräsentantin des abwesenden Herrn, denn als Erscheinungsweise seiner Gegenwart dar-

---

217: "sustentat"; MC 52/218: "sustinet"), der selbst durch sie als der eigentliche Amtsträger handelt.
554 Vgl. MC 55/219 f.
555 Vgl. oben, S. 246 f.
556 Die Kritik, die F. Viering, a.a.O. (S. 245, Anm. 108), gegen "Mystici Corporis" vorbringt, hätte in Bezug auf "Mediator Dei" mehr Berechtigung. Auch die sonst ökumenisch aufgeschlossene Arbeit des reformierten Theologen H. Berkhof, Theologie des Heiligen Geistes, Neukirchen-Vluyn 1968 (Original: The doctrine auf the Holy Spirit, Richmond/ USA, o.J. (1964)), wird der Enzyklika "Mystici Corporis" nicht gerecht, wenn es, S. 51, in Bezug auf römische Verlautbarungen heißt: "Aber selbst in Verbindung mit der Kirche wird der Geist nicht zu oft erwähnt. Der Grund dafür dürfte darin liegen, daß die Vermittlung des Werkes Christi an die späteren Generationen vornehmlich der Jungfrau Maria zugeschrieben wird. Die Enzyklika "Mystici Corporis" endet mit einem Lobpreis auf Maria".
557 Mit Ausnahme der auch in SC zitierten Textstelle Eph 2,19-22 (vgl. MeD 20/528), wo die Erwähnung des Geistes aber für den Gedankengang der Enzyklika keine Bedeutung hat.

gestelltist[558]. Das ist wohl auch einer der Gründe für das fast völlige Fehlen des pneumatologischen Aspekts im Entwurf der Liturgiekonstitution des II. Vatikanischen Konzils.

Hier wirkt sich das aus, was mit "Geistvergessenheit in Theologie und Kirche" bezeichnet wurde und vielfältige Gründe in der Geschichte der westlichen Kirche hat[559]. Daß in der Vätertheologie dagegen die Bedeutung des Heiligen Geistes stark betont wurde, läßt sich leicht feststellen[560]. Dasselbe gilt für die Theologie der Ostkirche[561]. In den liturgischen Texten der Westkirche ist diese Tradition erhalten geblieben[562], sie wurde aber in der Neuzeit nicht mehr hinreichend theologisch reflektiert. Auch in der Liturgischen Bewegung unseres Jahrhunderts spielte die Pneumatologie eigentlich keine Rolle, obwohl Odo Casel von seinen patristischen Forschungen her auch dieses Thema immer wieder bedacht hat[563].

Zwar gab es dann in den Jahren vor dem II. Vatikanischen Konzil nicht nur dogmatische Untersuchungen, die im Gefolge von "Mystici Corporis" eine pneumatologisch orientierte Ekklesiologie vorlegten[564], sondern auch einzelne liturgietheologische

---

558 Vgl. oben, S. 69-82.

559 Vgl. W. Kasper, Die Kirche als Sakrament des Geistes, in: Ders./ G. Sauter, Kirche - Ort des Geistes, Freiburg-Basel-Wien 1976, 13-55, hier 14. Zu den Gründen der "Geistvergessenheit" vgl. ebd., 15-25.

560 Vgl. z.B. die Belege bei J. Betz, Die Eucharistie in der Zeit der griechischen Väter I/1, 205, 240, 189 ff. u.ö.; G. Kretschmar, Der Heilige Geist in der Geschichte. Grundzüge frühchristlicher Pneumatologie, in: W. Kasper (Hg.), Gegenwart des Geistes. Aspekte der Pneumatologie, Freiburg-Basel-Wien 1979 (= QD 85), 92-130, mit weiterer Literatur.

561 Vgl. z.B. die Hinweise bei G. Sauter, Die Kirche in der Krisis des Geistes, in: W. Kasper/ G. Sauter, Kirche - Ort des Geistes, 59-106, hier 91 f.; dazu N. A. Nissiotis, Die Theologie der Ostkirche im ökumenischen Dialog, Stuttgart 1968; P. Evdokimov, L'Esprit Saint dans la tradition orthodoxe, Paris 1969; ders., L'orthodoxie, Paris ²1979 (= Théophanie), bes. 111 ff.: "La Théosis et l'Esprit Saint"; 144 ff.: "L'aspect pneumatologique dans l'ecclesiologie"; 249 ff.: "L'Epiclèse"; 343 ff.: "La dimension charismatique de l'église"; außerdem die ökumenische Studie der Académie Internationale des Sciences Religieuses, L'Esprit Saint et l'Église, Paris 1969, und die S. 266, Anm. 211, angegebene Arbeit von R. Hotz.

562 Vgl. die Belege bei A. Verheul, Einführung in die Liturgie, 77-91.

563 Vgl. z.B. O. Casel, Das christliche Kultmysterium, 176 ff.

564 Vgl. vor allem F. Malmberg, Ein Leib - ein Geist, und H. Mühlen, Una mystica persona.

Arbeiten über die Bedeutung des Heiligen Geistes[565]; diese fanden aber in den maßgeblichen Werken der Liturgik kaum Beachtung. Weder bei Irénée-Henri Dalmais[566] noch bei Cipriano Vagaggini[567] oder in dem von Aimé-Georges Martimort herausgegebenen Handbuch der Liturgiewissenschaft finden sich systematische Überlegungen zur Pneumatologie in der Liturgie[568]. Die einzige Ausnahme bildet Ambrosius Verheul, der aber seine "Einführung in die Liturgie" schon in Kenntnis der Diskussion des II. Vatikanischen Konzils geschrieben hat[569].

So wird es verständlich, daß trotz des im Konzil mehrfach geäußerten Wunsches, mehr über die Bedeutung des Heiligen Geistes zu sagen[570], der pneumatologische Aspekt in der Liturgiekonstitution nicht wirklich entfaltet ist. Immerhin stellen die oben diskutierten Einfügungen eine wichtige Ergänzung in dieser Hinsicht dar. Sie lassen die von "Mediator Dei" nicht geleistete Anwendung des in "Mystici Corporis" enthaltenen pneumatologischen Verständnisses der Kirche auf die Liturgie erkennen. Daß eine solche Interpretation der Liturgiekonstitution, welche die im Text selbst enthaltenen Andeutungen mehr betont als dies die Konstitution selbst tut, zumindest der Tendenz des Konzils entspricht, zeigt die weit stärker ausgeführte Pneumatologie in der Kirchenkonstitution, über die hier allerdings nicht referiert werden kann[571].

---

565 Vgl. z.B. J. Pascher, Eucharistia, 176-185; B. Neunheuser, Der Heilige Geist in der Liturgie, in: LuM 20 (1957) 11-23; weitere Literatur bei A. Verheul, a.a.O., 262, Anm. 26.
566 I.-H. Dalmais, Initiation à la Liturgie, Paris 1958.
567 C. Vagaggini, Theologie der Liturgie, 139-171 (Kap. VII), bietet allerdings eine Fülle von Texten mit Hinweisen auf den Heiligen Geist, ohne dessen Bedeutung jedoch systematisch zu fassen. Im Sachregister der deutschen Ausgabe, ebd., 458-461, findet sich nur ein einziger Hinweis auf den Hl. Geist, ebd., 459; in der ital. Originalausgabe (Rom ²1958) enthält der viel ausführlichere "Indice Analitico", a.a.O., 735-766, eine Reihe von entsprechenden Hinweisen, ebd., 763, die der Übersetzer aber offensichtlich nicht für wesentlich hält.
568 Einzelne Texte ohne systematischen Anspruch finden sich bei I.-H. Dalmais, Liturgie und Heilsmysterium, in: HLW I, 214-238.
569 Dies trifft zumindest für die 2. Aufl. (1964) zu, die der deutschen Übersetzung zugrundeliegt (vgl. S. 227 f., Anm. 31).
570 Vgl. oben, S. 169.
571 Vgl. dazu die ausführlichen Darlegungen von H. Mühlen, Una mystica persona (s. S. 247, Anm. 115), 359-598.

Zusammenfassend läßt sich sagen, daß nach der Liturgiekonstitution die bleibende Gegenwart und Wirksamkeit des Herrn in der Liturgie dadurch gewährleistet wird, daß er seine eigene Sendung und Geistsalbung an die Apostel und damit an die Kirche weitergibt. Der gesendete Heilige Geist, in dessen Kraft die Liturgie gefeiert wird, ist als derselbe in Jesus Christus und in der Kirche die Gewähr dafür, daß der Herr selbst in der liturgischen Feier handelnd gegenwärtig ist und somit seine Gesandten nicht Repräsentanten des abwesenden Herrn, sondern personale Zeichen seiner Gegenwart sind. In diesem Sinn kann "die Kirche als heilsgeschichtliche Fortdauer der Salbung Jesu mit dem Hl. Geiste"[572] verstanden werden und vollzieht dieses ihr Wesen in der Liturgie, wobei Jesus Christus durch die Sendung seiner Jünger der bleibende Ursprung der Kirche und ihres Heilstuns ist[573] und durch die Salbung mit seinem Geist selbst in ihr tätig und gegenwärtig bleibt. Die Vermittlung durch den Heiligen Geist muß also als Vermittlung zur Unmittelbarkeit der Gegenwart Jesu Christi verstanden werden[574].

---

572 So eine der Grundthesen von H. Mühlen, ebd., 216-286; vgl. auch H. Volk, Das Wirken des Heiligen Geistes in den Gläubigen, in: Ders., Gesammelte Schriften I, Mainz [2]1967, 81-105; vgl. dazu M. Thurian, Feuer für die Erde. Vom Wirken des Geistes in der Gemeinschaft der Christen, Freiburg-Basel-Wien 1979, bes. 57-60: "Die Tradition des Geistes".

573 Der Aspekt der Sendung durch Jesus Christus ist bei H. Mühlen nicht so deutlich herausgearbeitet; er wird aber ebenfalls erörtert, wenn "die personale Kausalität Jesu bei der Fortsetzung seiner Salbung" dargestellt wird: vgl. ebd., 286-310. Mühlen selbst erwähnt als gegen sein Buch vorgebrachte Kritik, daß in seiner Konzeption "die Funktion Christi in der Kirche nicht oder nur beiläufig zur Aussage" komme (ebd., 573) und argumentiert dagegen: "Der menschgewordene Logos als der sendende *Ursprung* seines Heiligen Geistes ist und bleibt ja in einer gänzlich einzigartigen Weise in dem von ihm gesendeten und aus ihm entsprungenen Heiligen Geist *gegenwärtig*" (ebd., 574). Daß Mühlen dies auch in der spezifischen Amtsgnade verwirklicht sieht, hat er, ebd., 342-353, bes. 345 f., ausgeführt; vgl. dazu auch ders., Das Pneuma Jesu und die Zeit. Zur Theologie des Amtes, in: Cath 17 (1963) 249-276, bes. 268-270, wo Mühlen ausführt, daß Jesus sein messianisches Amt an die Apostel übertragen habe, indem er ihnen das Pneuma gab. Dieses Pneuma wird dann durch Handauflegung weitergegeben.

574 Diese 'Vermittlung zur Unmittelbarkeit' der Christusbegegnung wurde vor allem in der Mysterienlehre immer wieder diskutiert: vgl. z.B. Th. Filthaut, Die Kontroverse ... (s. S. 39, Anm. 116), 43 f.; P. Wegenaer, Heilsgegenwart (s. S. 49, Anm. 178), 107 und Anm. 530; J. Betz, Die Eucharistie in der Zeit der griechischen Väter I/1 (s. S. 48, Anm. 170), 249, in Auseinandersetzung mit O. Casel; A. Gerken, Theologie der Eu-

Ist schon in der Liturgiekonstitution die pneumatologische Dimension der Kirche wenig entwickelt, so muß man sagen, daß die Kommentare dazu zum großen Teil auch noch das in der Konstitution Enthaltene übergehen. In den umfangreichen fortlaufenden Kommentaren der *Ephemerides Liturgicae* und von *La Maison-Dieu* ist der wichtige Einschub am Schluß von Artikel 6 ("all das aber geschieht in der Kraft des Heiligen Geistes") überhaupt nicht erwähnt[575]. Auch in den Kommentaren, die eine systematische Darstellung der liturgietheologischen Konzeption der Liturgiekonstitution bieten, wird, von wenigen Ausnahmen abgesehen, nicht über die Bedeutung des Heiligen Geistes in der Liturgie gesprochen. In den drei umfangreichsten kommt das Stichwort 'Heiliger Geist' in den zum Teil recht ausführlichen Sachregistern überhaupt nicht vor [576].

Ausnahmen bilden, abgesehen von den Arbeiten von Heribert Mühlen[577], lediglich der Kommentar der *Tijdschrift voor Liturgie,* wo festgestellt wird, daß die Pneumatologie der Liturgiekonstitution unterentwickelt sei[578], und vor allem Hermann Volk, der in seinen "Erwägungen" zur Theologie der Liturgiekonstitution einen eigenen Abschnitt hat mit dem Thema: "Der Heilige Geist in der Liturgie" [579]. Dort betont er die Notwendigkeit, die Bedeutung des Heiligen Geistes für die Liturgie mehr als in der westlichen Theologie bislang üblich hervorzuheben; das

---

charistie (s. S. 50, Anm. 183), 200. Daß darin kein prinzipieller Widerspruch liegt, zeigt in Bezug auf die vermittelte Unmittelbarkeit des Verhältnisses zu Gott K. Rahner, Grundkurs des Glaubens. Einführung in den Begriff des Christentums, Freiburg-Basel-Wien 1976, 90 ff., 300 f.; vgl. E. Schillebeeckx, Jesus. Die Geschichte von einem Lebenden, 561. Zu der unmittelbaren personalen Begegnung in der Vermittlung der Sprache vgl. B. Welte, Heilsverständnis. Philosophische Untersuchung einiger Voraussetzungen zum Verständnis des Christentums, Freiburg-Basel-Wien 1966, 204 f., 211.

575 Vgl. C. Vagaggini, (Kommentar zu SC 5-13), in: ELit 78 (1964) 236 f.; A.-M. Roguet, (Kommentar zu SC 5-12), in: MD, Nr. 77 (1964) 24 f.

576 Vgl. F. Antonelli/ R. Falsini (Hg.), Costituzione ..., 403-406; G. Baraúna (Hg.), La Sacra Liturgia ..., 731-745: Indice analitico; C. Floristán u.a. (Hg.), Comentarios ..., 572-583: Indice de materias.

577 Vgl. vor allem die S. 148, Anm. 84, angeführten Aufsätze.

578 Vgl. C. F. Pauwels, De theologie van de Constitutie over de Liturgie, in: TLi 48 (1964) 104-110, hier 105.

579 Vgl. H. Volk, Theologische Grundlagen der Liturgie (s. S. 232, Anm. 46), 95-100.

entspreche der Heiligen Schrift und erleichtere das Verständnis der theologischen Sachverhalte. Nach Volk bezieht sich die Wirksamkeit des Heiligen Geistes auf beide 'Richtungen' der Liturgie: "Ob also in der Liturgie die Gläubigen sich als geistliche Menschen geistig an Christus wenden oder ob Christus selbst in der Liturgie gnadenhaft präsent ist und handelt, es geschieht nur in der Kraft des Heiligen Geistes" [580].

Ein eigenes Kapitel widmet Ambrosius Verheul in seiner "Einführung in die Liturgie" der liturgietheologischen Bedeutung des Heiligen Geistes [581]. Er stellt zunächst fest, daß die maßgeblichen liturgischen Zeitschriften bis zum II. Vatikanischen Konzil dieses Thema niemals behandelt haben und auch das Schema der Liturgiekonstitution nichts davon enthält [582]. Dann bietet er eine bibeltheologische Grundlegung: "Der Heilige Geist als Geist Christi" [583] und darauf aufbauend einen systematischen Gedankengang über "die Stellung des Heiligen Geistes in der Liturgie" [584]. Darin erklärt er, daß die Liturgie sowohl in ihrer absteigenden wie in ihrer aufsteigenden Linie "nicht von der Wirkung des Heiligen Geistes zu trennen" ist [585]. Es muß allerdings bezweifelt werden, ob die Funktion des Heiligen Geistes richtig gesehen ist, wenn Verheul schreibt: "Beide Bewegungen vollziehen sich durch Christus, aber beide haben den gleichen Anfangs- und Endpunkt, den Heiligen Geist" [586]. Anfangs- und Endpunkt der beiden Bewegungen der Liturgie sind vielmehr Gott, der Vater, der die Menschen heiligt und von ihnen verehrt wird, und der Mensch, der von Gott geheiligt wird und ihn verehrt.

Schließlich bietet Verheul noch einen informativen Abschnitt über die faktische Bedeutung des Heiligen Geistes in den Texten der römischen Liturgie [587].

---

580 Ebd., 95 f.
581 Vgl. A. Verheul, a.a.O. (S. 227, Anm. 31), 61–91.
582 Ebd., 61 f.
583 Vgl. ebd., 62–72.
584 Vgl. ebd., 72–77.
585 Ebd., 72.
586 Ebd., 73.
587 Ebd., 77–91.

So verdienstvoll dieser Versuch einer liturgietheologischen
Aufarbeitung der pneumatologischen Dimension der Kirche und
der Liturgie ist, so ist es doch auch hier noch keineswegs gelungen, die vorliegenden dogmatischen Arbeiten zum Thema wirklich aufzunehmen [588].

3.5.6. Zusammenfassung

Zur Beantwortung der Frage nach der Art und Weise der Gegenwart Jesu Christi in der Liturgie wurden aus den Texten der
Liturgiekonstitution des II. Vatikanischen Konzils fünf Grundbestimmungen herausgearbeitet. Die Gegenwart des Herrn ist
durch den Begriff des Mysteriums gekennzeichnet, wobei dieser
Begriff in der Liturgiekonstitution nicht definiert, sondern
durch seine Anwendung inhaltlich gefüllt wird. Das Mysterium
des Heilsplans Gottes wird im Christus-Mysterium als der Gesamtheit von Person und Heilswerk Jesu Christi geoffenbart und
verwirklicht. Es findet seinen Höhepunkt im Pascha-Mysterium
des Todes und der Auferstehung des Herrn und wird im liturgischen Mysterium, der Feier dieses Heilswerks, dargestellt und
vollzogen. So werden die Gläubigen in das Mysterium einbezogen, bekommen Anteil daran und stellen es in ihrem christlichen Leben dar. Dadurch wird ihr Leben zur dankenden Anerkennung der Gnade Gottes, zur Gottesverehrung.
Auf allen diesen Ebenen ist das Mysterium die untrennbare und
doch unvermischte Einheit einer Außen- und einer Innenseite:
Es ist das Offenbarwerden des verborgenen göttlichen Heilsplans und damit Gottes selbst, der das Heil der Menschen will
und sich selbst diesen Ausdruck seiner gnädigen Zuwendung zum
Menschen schafft. So ist das Mysterium auf all seinen Verwirk-
lichungsebenen der Vollzug des Bundeswillens Gottes mit den
Menschen, die sich verwirklichende Gnade Gottes.
Aus dieser Struktur der christlichen Heilswirklichkeit folgt
eine zweite Bestimmung der liturgischen Gegenwart des Herrn:

---

588 Vgl. zu dieser Aufgabe die Hinweise, unten, Abschnitt 6.3.4., S. 773.

sie vollzieht sich in sinnenfälligen Zeichen. Damit ist nicht ein neuer Gesichtspunkt genannt, sondern nur der Begriff des Mysteriums nochmals präzisiert. Die Offenbarung des göttlichen Heilswillens geschieht auf eine für die Menschen wahrnehmbare Weise. Dabei ist die der menschlichen Wahrnehmung zugewandte Außenseite des Mysteriums nicht nur der verhüllende Schleier, der auf eine unter ihm verborgene, ihn selbst aber nicht eigentlich betreffende Wirklichkeit hinwiese. Die sinnenfälligen Zeichen sind vielmehr der Ausdruck des Mysteriums selbst, sie sind das sich ausdrückende und so präsentierende Mysterium. Damit ist gesagt, daß auf jeder Ebene des Mysteriums die sichtbare Gestalt nicht nur Hinweiszeichen auf das darin Verborgene ist, sondern 'Realsymbol', in dem die Wirklichkeit des verborgenen Bezeichneten sich selbst zur Erscheinung bringt. In diesem Sinn ist Jesus Christus in seiner Menschheit Realsymbol des gnädigen Gottes und die Kirche in ihrer sichtbaren Gestalt Realsymbol dieser bleibend gegenwärtigen Gnade, welche sich in den liturgischen Zeichenhandlungen vollzieht und dem Menschen wahrnehmbar macht, von ihm angenommen werden soll und ihn so in den Bund einbezieht. Dadurch wird der begnadete Mensch dazu fähig, in denselben Zeichenhandlungen, die ihn heiligen, Gott zu verehren.

Indem der Bund Gottes, seine Gnade, sich im Vollzug der Begnadung und ihrer Annahme verwirklicht, ergibt sich eine dritte Bestimmung der liturgischen Gegenwart des Herrn: es ist eine tätige Gegenwart bzw. eine gegenwärtige Tätigkeit. Sie schafft sich ihren Ausdruck in der Kirche, die in ihrem Tun zum Zeichen für das Wirken des Herrn wird, so daß in allem kirchlichen Tun der eigentlich Handelnde Jesus Christus selber ist.

Diese wirksame Gegenwart bzw. das gegenwärtige Wirken des Herrn ist aber ein Wirken im Hinblick auf Gott und auf den Menschen, eine Tätigkeit, die nur in personaler Begegnung ihren Sinn erfüllt und deshalb die Mitwirkung der Menschen erfordert. Sie sollen in der Liturgie ihr Heil erlangen und so fähig werden, an der Heiligungsaufgabe und an der Gottesverehrung teilzunehmen, die Jesus Christus durch die Kirche und mit

ihr in der Liturgie vollzieht.
Daraus folgt als viertes Charakteristikum der liturgischen Gegenwart des Herrn ihr dialogischer Charakter. In Wort und Antwort, Angebot und Annahme, Handeln und Mitwirken kommt das priesterliche Wirken des Herrn in der Liturgie zu seinem Ziel.

Diese vier Grundbestimmungen der Art und Weise der liturgischen Gegenwart Jesu Christi provozieren schließlich die Frage, wie denn überhaupt die Gegenwart eines Vergangenen und die Anerkennung dieser Gegenwart durch die Menschen gedacht werden soll. Darauf antwortet die fünfte Bestimmung der liturgischen Gegenwart des Herrn: beides kommt in der Kraft des Heiligen Geistes zustande, der das göttliche Wirkprinzip des Heilshandelns Jesu Christi ist und als dasselbe Prinzip in den von ihm Gesendeten die bleibende Gegenwart dieses Heilshandelns im Vollzug der Liturgie gewährleistet. In der Eingliederung in das in der Liturgie gegenwärtige Christusgeheimnis empfangen die Gläubigen denselben Heiligen Geist, der sie die Gegenwart des Herrn erkennen läßt und zu der ihnen gemäßen Mitwirkung an seinem priesterlichen Dienst fähig macht.

3.6. Ergebnis

Im vorliegenden Kapitel sollte untersucht werden, welchen Beitrag die Liturgiekonstitution zur Beantwortung der Frage leistet, wie überhaupt eine Gegenwart Jesu Christi in der Liturgie zu denken ist. Da die Liturgiekonstitution auf diese Frage keine zusammenfassende Antwort gibt, mußten die Elemente zu einer Antwort gesammelt werden.
Dabei ergab sich, daß die Liturgiekonstitution den Begriff der Liturgie, ihren Inhalt und ihr Ziel in einer Weise beschreibt, die eine Gegenwart Jesu Christi und seines Heilswerks voraussetzt. Liturgie ist der Vollzug des priesterlichen Dienstes des Herrn, dessen Inhalt sein Erlösungswerk und dessen Ziel die Rettung und Heiligung der Menschen und die Verehrung Gottes ist. Da die so verstandene Liturgie letztlich nur von Je-

sus Christus selbst vollzogen werden kann, ergibt sich folgerichtig, daß er das Subjekt der Liturgie ist. Er vollzieht die
Liturgie jedoch nicht allein, sondern zusammen mit seinem Leib
und durch seinen Leib, die Kirche, die so zum sekundären Subjekt der Liturgie wird. Liturgie ist demnach stets auch Gottesdienst der Kirche, aber nicht in dem Sinn, daß die Kirche an
die Stelle des abwesenden Herrn träte, sondern so, daß Jesus
Christus die Kirche zur sichtbaren Gestalt seiner persönlichen
Gegenwart macht und in all ihrem Tun als ihr Haupt der eigentlich Handelnde bleibt.

Die Kirche selbst ist als gegliederte Gemeinschaft Subjekt der
Liturgie. Nur wenn in ihr jeder einzelnen all das und nur das
tut, was seiner Funktion im Leib des Herrn entspricht, verwirklicht und offenbart sich das Wesen der Kirche. Deshalb erfordert das Wesen der Liturgie die tätige Teilnahme der Gläubigen, zu der sie durch ihr gemeinsames Priestertum befähigt
sind.

Das Wesen der Kirche und ihr Tun ist Ausdruck des gegenwärtigen Herrn. Am deutlichsten kommt dies in der liturgischen Versammlung zur Erscheinung. Sie ist die konkrete Weise, wie Jesus Christus sich selbst und sein priesterliches Wirken in der
Kirche, durch sie und mit ihr offenbart und verwirklicht. Damit erweist sich die liturgische Versammlung als der bevorzug-
te Ort der Gegenwart des Herrn und seines Erlösungswerkes.
Liturgie setzt also in allen ihren Formen eine Gegenwart Jesu
Christi im Vollzug seines priesterlichen Dienstes voraus.
Welcher Art diese Gegenwart näherhin ist, muß aus verschiedenen Grundbestimmungen erschlossen werden, durch welche nach
der Lehre der Liturgiekonstitution alle liturgischen Vollzüge
gekennzeichnet sind.

Es handelt sich, generell gesprochen, um eine *sakramentale* Gegenwart, um eine Gegenwart im Mysterium. Damit ist gesagt, daß
Jesus Christus und sein Heilswerk nicht einfachhin in ihrer
historischen Gestalt, sondern in neuer Weise, nämlich in Gestalt einer liturgischen Feier gegenwärtig sind. Diese Feier
ist jedoch nicht nur Erinnerung an das historische Heilswerk
und den Herrn, der es vollbracht hat, sondern Vollzug dieses

Heilswerkes durch ihn, der es vollbringt.

Damit dies den Menschen erkennbar wird, vollzieht der Herr seinen priesterlichen Dienst in menschlich wahrnehmbaren *Zeichen*, die er zu Symbolen seiner selbst und seiner Tätigkeit macht. Sie sind nicht Hinweis auf ihn als Abwesenden, sondern Ausdruck seiner Gegenwart.

Diese Gegenwart erweist sich in der *Tätigkeit*. Liturgie ist nicht statisches, sondern dynamisches Zeichen. Sie ist Zeichenhandlung, in deren Vollzug Jesus Christus sich einen Ausdruck seiner persönlichen, wirksamen Gegenwart schafft.

Da diese Tätigkeit des gegenwärtigen Herrn ihren Sinn aber in der Heiligung der Menschen und in der mit den Menschen vollzogenen Verehrung Gottes hat, bedarf sie, um diesen Sinn zu erfüllen, der Mitwirkung der Menschen, die durch dieses Tun Jesu Christi ermöglicht und erfordert wird. Die *dialogische Struktur* der Liturgie gehört deshalb zu ihrem Wesen selbst und erweist sie als einen intersubjektiven Vorgang, der wiederum die wirksame, persönliche Gegenwart des Herrn zur Voraussetzung hat.

Wie das möglich ist, daß die gottmenschliche Person Jesus Christus und sein Heilswerk stets gegenwärtig bleiben, wird mit dem Hinweis auf die *Sendung der Apostel und ihrer Nachfolger* und die *Sendung des Heiligen Geistes* beantwortet. In seinen persönlichen Repräsentanten schafft Jesus Christus sich personale Zeichen seiner immerwährenden Gegenwart und Wirksamkeit. Sie vertreten nicht den abwesenden Herrn, sondern stellen den gegenwärtigen dar. Dazu werden sie durch den Geist Gottes befähigt, der als der Geist Jesu Christi die Weise seiner bleibenden Gegenwart in denen und durch die ist, die, von diesem Geist erfüllt, den gegenwärtigen Herrn repräsentieren. Daß in ihrem Dienst Jesus Christus selbst erkannt werden kann, bewirkt derselbe Geist, der in den Gläubigen die Bedingung zur Erkenntnis dieser personalen Gegenwart und Wirksamkeit Jesu Christi ist.

Aus diesen Elementen muß die Antwort auf die Frage erschlossen werden, wie nach der Liturgiekonstitution die liturgische Gegenwart des Herrn zu denken ist, wie also die Frage nach der

Art und Weise der 'Mysteriengegenwart' des Herrn vom Konzil beantwortet wird. Bevor jedoch diese Antwort zusammenfassend formuliert werden kann, müssen noch die verschiedenen Weisen der liturgischen Gegenwart des Herrn untersucht werden. In ihnen muß sich im konkreten Vollzug der präzise Sinn der allgemeinen Grundbestimmungen der liturgischen Gegenwart Jesu Christi entfalten und verdeutlichen.

4. Die Verwirklichungsweisen der liturgischen Gegenwart Jesu
   Christi nach der Liturgiekonstitution des II. Vatikanischen
   Konzils

Im vorausgehenden Kapitel wurde die Frage behandelt, wie überhaupt eine liturgische Gegenwart Jesu Christi zu denken ist
und von welchen Grundbestimmungen sie in allen ihren Verwirklichungsweisen gekennzeichnet sein muß. Auf dieser Grundlage
kann nun nach den einzelnen Gegenwartsweisen des Herrn in der
Liturgie gefragt werden. In ihnen müssen sich die generellen
Ergebnisse des vorigen Kapitels konkretisieren und entfalten.
Die Untersuchung orientiert sich nun wieder an dem Text von
Artikel 7,1 der Liturgiekonstitution, wo folgende Gegenwartsweisen des Herrn aufgezählt sind[1]:

1. Gegenwärtig ist er im Opfer der Messe;
2. gegenwärtig ist er im Opfer der Messe in der Person dessen,
   der den priesterlichen Dienst vollzieht;
3. gegenwärtig ist er im Opfer der Messe vor allem unter den
   eucharistischen Gestalten;
4. gegenwärtig ist er mit seiner Kraft in den Sakramenten;
5. gegenwärtig ist er in seinem Wort;
6. gegenwärtig ist er, wenn die Kirche betet und singt.

Gewöhnlich wird im Unterschied zu der hier vorgelegten Aufzählung die Zahl der liturgischen Gegenwartsweisen Jesu Christi
mit fünf angegeben[2], wobei die Gegenwart des Herrn im Opfer
der Messe nicht gesondert aufgeführt wird, sondern nur in den
von der Konstitution genannten Konkretisierungen in der Person
des Priesters und in den eucharistischen Gestalten erscheint.
Damit wird der Eindruck erweckt, als beschränke sich die Ge-

---

1 Vgl. den Wortlaut, oben, S. 148 f.
2 Vgl. z.B. W. Dürig, Die theologische Bedeutung der Liturgiekonstitution.
  Zum 1. Jahrestag der Veröffentlichung, in: MThZ 15 (1964) 251-258, hier
  253; H. Volk, Theologische Grundlagen der Liturgie (s. S. 232, Anm. 46),
  78.

genwart des Herrn in der Eucharistiefeier auf diese beiden konkreten Gegenwartsweisen. Dies würde aber der Gesamtaussage der Konstitution nicht entsprechen, wie gleich gezeigt werden soll. So ergibt sich die Zahl von sechs Gegenwartsweisen, von denen die drei ersten sich auf die Eucharistiefeier beziehen.

Die Reihenfolge der aufgezählten Gegenwartsweisen war in den ersten Entwürfen zum Liturgieschema nicht einheitlich [3]. Im Schema selbst wurden sie in umgekehrter Reihenfolge vorgelegt und erst nach der ersten Lesung in die jetzt vorliegende Reihenfolge gebracht, die der Anordnung der Enzyklika "Mediator Dei" entspricht [4]. Die Frage nach der Reihenfolge und gegenseitigen Zuordnung der Gegenwartsweisen soll jedoch zunächst ausgeklammert werden; sie werden erst jeweils für sich untersucht.

Zur rechten Interpretation der einzelnen knappen Aussagen des Artikels 7,1 zu den verschiedenen Gegenwartsweisen ist jeweils der gesamte Text der Konstitution und speziell das dem jeweiligen Thema zugeordnete Kapitel heranzuziehen. Die Gesamtaussage der Konstitution über die liturgische Gegenwart des Herrn, wie sie im vorausgehenden Kapitel erarbeitet wurde, dient nun zur Interpretation der einzelnen Gegenwartsweisen.

4.1. Die Gegenwart des Herrn in der Feier der Eucharistie

4.1.1. Der Textbefund

Die Gegenwart des Herrn im Opfer der Messe, von der Artikel 7,1 der Liturgiekonstitution in äußerster Knappheit spricht, muß im Sinn der theologischen Einleitung in das Eucharistiekapitel der Liturgiekonstitution interpretiert werden, die im Artikel 47 vorliegt. Dieser Abschnitt wurde im Konzil intensiv diskutiert und grundlegend verändert [5]. Nach der ausdrücklichen

---

3 Vgl. oben, S. 153-165.
4 Vgl. oben, S. 176-182.
5 Vgl. oben, S. 192-198. Über die Arbeit der vorbereitenden liturgischen

Erklärung der federführenden Kommission soll er nicht die gesamte Eucharistielehre zusammenfassen, sondern lediglich das theologische Fundament für die liturgische Reform der Messe darstellen [6].

Trotz dieser Beschränkung ist es dem Konzil gelungen, in einem einzigen Satz die wesentlichen Themen der Eucharistielehre anklingen zu lassen und zugleich das theologische Konzept, das diese Darstellung leitet, hinreichend deutlich zu machen.

Die Interpretation des Artikels 47 muß sich einerseits hüten, zu viel aus diesem kurzen Text herauslesen zu wollen. Andererseits ist aber aus dem Gesamtinhalt der Konstitution eine reichere Entfaltung der eucharistischen Aussagen möglich, als dieser eine Artikel es vermuten läßt. Dies ist für das Konzil insgesamt auch insofern von besonderer Bedeutung, als es in keinem anderen Dokument eine ausdrückliche Eucharistielehre vorgelegt hat.

Folgende Aussagen macht die Konstitution im ersten, liturgietheologischen Kapitel über die Feier der Eucharistie:

"In der Liturgie, besonders im heiligen Opfer der Eucharistie, 'vollzieht sich' 'das Werk unserer Erlösung' (Sekret des 9. Sonntags nach Pfingsten)" (Nr. 2) [7].

Die Kirche versammelt sich, um "die Eucharistie zu feiern, in der 'Sieg und Triumph seines Todes dargestellt werden' (Konzil von Trient)" (Nr. 6) [8].

Um das Heilswerk "voll zu verwirklichen, ist Christus seiner Kirche immerdar gegenwärtig, besonders in den liturgischen Handlungen. Gegenwärtig ist er im Opfer der Messe ..." (Nr. 7) [9].

Kommission und der liturgischen Konzilskommission zu diesem Artikel informiert sehr eingehend: Jungmann, 50 f. Ein umfassender theologischer Kommentar dazu findet sich bei S. Marsili, La Messa mistero pasquale e mistero della Chiesa, a.a.O. (S. 233, Anm. 52).

6 Vgl. die entsprechende Erklärung des Relators, s. S. 192, Anm. 265.

7 SC 2: "Liturgia enim, per quam, maxime in divino Eucharistiae Sacrificio, 'opus nostrae Redemptionis exercetur' (Secreta dominicae IX post Pentecosten)".

8 SC 6: "... Eucharistiam celebrando in qua 'mortis eius victoria et triumphus repraesentatur' (Conc. Trid. Sess. XII, 11. Oct. 1551, Decr. De ss. Eucharistia, c. 5: ...)".

9 SC 7,1: "Ad tantum vero opus perficiendum, Christus Ecclesiae suae sem-

"Der Bund Gottes mit den Menschen (wird) in der Feier der Eucharistie neu bekräftigt. ... Aus der Liturgie, besonders aus der Eucharistie, fließt uns wie aus einer Quelle die Gnade zu" (Nr. 10) [10].

Wir flehen "beim Opfer der Messe zum Herrn, daß er 'die geistliche Gabe annehme und sich uns selbst zu einem ewigen Opfer' vollende (Sekret am Pfingstmontag)" (Nr. 12) [11].

Die gemeinschaftliche Feier der Liturgie ist der gleichsam privaten vorzuziehen. "Das gilt vor allem für die Feier der Messe - wobei bestehen bleibt, daß die Messe in jedem Fall öffentlichen und sozialen Charakter hat - ..." (Nr. 27) [12].

Die Kirche wird "auf eine vorzügliche Weise dann sichtbar ..., wenn das ganze heilige Gottesvolk voll und tätig an denselben liturgischen Feiern, besonders an derselben Eucharistiefeier, teilnimmt" (Nr. 41) [13].

Die wichtigsten Texte finden sich in den Artikeln 47-49, der theologischen Einleitung zum Eucharistiekapitel der Liturgiekonstitution. Sie haben folgenden Wortlaut:

"47. Unser Erlöser hat beim Letzten Abendmahl in der Nacht, da er überliefert wurde, das eucharistische Opfer seines Leibes und Blutes eingesetzt, um dadurch das Opfer des Kreuzes durch die Zeiten hindurch bis zu seiner Wiederkunft fortdauern zu lassen und so der Kirche, seiner geliebten Braut, eine Gedächtnisfeier seines Todes und seiner Auferstehung anzuvertrauen: das Sakrament huldvollen Erbarmens, das Zeichen der Einheit, das Band der Liebe, das Ostermahl, in dem Christus genossen,

---

per adest, praesertim in actionibus liturgicis. Praesens adest in Missae Sacrificio ...".

10 SC 10: "Renovatio vero foederis Domini cum hominibus in Eucharistia fideles in urgentem caritatem Christi trahit et accendit. Ex Liturgia ergo, praecipue ex Eucharistia, ut e fonte, gratia in nos derivatur ...".

11 SC 12 "Quapropter Dominum in Missae Sacrificio precamur ut, 'hostiae spiritualis oblatione suscepta, nosmetipsos' sibi perficiat 'munus aeternum' (Secreta feriae II infra octavam Pentecostes)".

12 SC 27: "Quod valet praesertim pro Missae celebratione, salva semper natura publica et sociali cuiusvis Missae ...".

13 SC 41: "... praecipuam manifestationem Ecclesiae haberi in plenaria et actuosa participatione totius plebis sanctae Dei in iisdem celebrationibus liturgicis, praesertim in eadem Eucharistia".

das Herz mit Gnade erfüllt und uns das Unterpfand der künftigen Herrlichkeit gegeben wird.

48. So richtet die Kirche ihre ganze Sorge darauf, daß die Christen diesem Geheimnis des Glaubens nicht wie Außenstehende und stumme Zuschauer beiwohnen; sie sollen vielmehr durch die Riten und Gebete dieses Mysterium wohl verstehen lernen und so die heilige Handlung bewußt, fromm und tätig mitfeiern, sich durch das Wort Gottes formen lassen, am Tisch des Herrenleibes Stärkung finden. Sie sollen Gott danksagen und die unbefleckte Opfergabe darbringen nicht nur durch die Hände des Priesters, sondern auch gemeinsam mit ihm und dadurch sich selber darbringen lernen. So sollen sie durch Christus, den Mittler, von Tag zu Tag zu immer vollerer Einheit mit Gott und untereinander gelangen, damit schließlich Gott alles in allem sei.

49. Damit also das Opfer der Messe auch in der Gestalt seiner Riten seelsorglich voll wirksam werde, trifft das Heilige Konzil im Hinblick auf die mit dem Volk gefeierten Messen, besonders jene an Sonntagen und gebotenen Feiertagen, folgende Anordnungen" [14].

Außerdem sind noch folgende Texte aus dem Eucharistiekapitel von Bedeutung:

"Mit Nachdruck wird jene vollkommenere Teilnahme an der Messe empfohlen, bei der die Gläubigen nach der Kommunion des Priesters aus derselben Opferfeier den Herrenleib entgegennehmen" (Nr. 55) [15].

"Die beiden Teile, aus denen die Messe gewissermaßen besteht, nämlich Wortgottesdienst und Eucharistiefeier, sind so eng miteinander verbunden, daß sie einen einzigen Kultakt ausmachen" (Nr. 56)" [16].

Aus diesen Texten sollen nun die entscheidenden Aspekte der

---

14 Vgl. den Text im Anhang II, S. 785 f.
15 SC 55: "Valde commendatur illa perfectior Missae participatio qua fideles post Communionem sacerdotis ex eodem Sacrificio Corpus Dominicum sumunt".
16 SC 56: "Duae partes e quibus Missa quodammodo constat, liturgia nempe verbi et eucharistia, tam arcte inter se coniunguntur, ut unum actum cultus efficiant".

Eucharistielehre der Liturgiekonstitution herausgearbeitet und dargestellt werden.

4.1.2. Das Mysterium der Eucharistie als Zentrum der Liturgie

Schon der Titel des eucharistischen Kapitels der Liturgiekonstitution ("vom heiligen Geheimnis der Eucharistie" [17]) enthält eine Grundentscheidung, die nicht unwidersprochen blieb: er unterscheidet nicht zwischen Eucharistie als Opfer und als Sakrament, sondern will, wie der Relator der Kommission ausdrücklich erklärte, beide Aspekte umfassen. Deshalb hielt die liturgische Kommission gegen die Einwände zweier Konzilsväter an der Formulierung des Titels fest [18].

Damit ist zugleich erreicht, daß die Eucharistie im Zusammenhang mit der Entfaltung des Mysterium-Begriffs der Liturgiekonstitution ihren Platz erhält; sie ist das Zentrum der liturgischen Feier des Pascha-Mysteriums.

Dabei bemüht sich der Text, der Eucharistie nicht einen so exklusiven Rang zuzuschreiben, daß daneben die übrigen liturgischen Feiern abgewertet würden; vielmehr wird die Eucharistie durchweg als höchster Spezialfall des allgemeinen Liturgiebegriffs dargestellt. Dies zeigt sich in Artikel 6 bei der grundsätzlichen Erörterung der Feier des Pascha-Mysteriums; es meint nicht nur die Eucharistiefeier, führt aber deutlich auf sie als den entscheidenden Vollzug hin [19]. Entsprechend wird die Eucharistiefeier wiederholt in den Gesamtzusammenhang der Liturgie eingeordnet und darin besonders hervorgehoben [20]. Sie erfordert besondere Ehrfurcht und Sorgfalt [21]. Der Vollzug des

---

17 "Caput II: De sacrosancto Eucharistiae mysterio".
18 Vgl. die Erklärung des Relators Bischof J. Enciso Viana (Mallorca/ Spanien), in: AS II/II, 296. Vgl. dazu Jungmann, 50.
19 Vgl. dazu oben, S. 232-235.
20 Vgl. SC 2: "Liturgia enim, per quam, maxime in divino Eucharistiae Sacrificio, 'opus nostrae Redemptionis exercetur' ..."; SC 10: "Ex Liturgia ergo, praecipue ex Eucharistia, ut e fonte, gratia in nos derivatur ..."; SC 41: "... in iisdem celebrationibus liturgicis, praesertim in eadem Eucharistia, ...".
21 Dies wird in SC 20 für Übertragungen in Rundfunk und Fernsehen gesagt.

Priesteramtes Jesu Christi beschränkt sich jedoch nicht auf
sie, sondern geschieht "auch in anderen Formen, besonders im
Vollzug des Stundengebetes" [22].
Mit dieser Einordnung und Hervorhebung der Eucharistie ist erreicht, daß einerseits das allgemeine Liturgieverständnis in
der Eucharistie in seiner höchsten Verwirklichung gesehen werden kann, so daß alles, was über Begriff, Inhalt, Ziel und
Subjekt der Liturgie, sowie über die Grundbestimmungen der liturgischen Gegenwart des Herrn gesagt wurde, für die Eucharistie in besonderer Weise gelten muß. Andererseits können aber
auch von der Eucharistie her die übrigen liturgischen Feiern
als weniger deutliche, weniger umfassende, aber dennoch grundsätzlich analoge Weisen der Verwirklichung der Liturgie gedeutet werden.
Damit sind endgültig die Weichen in einer schon in der Enzyklika "Mediator Dei" grundgelegten Richtung gestellt, die es
erlaubt, die Eucharistie aus der Isolation einer einseitigen
und exklusiven Betonung zu befreien und ihren Vorrang innerhalb der anderen liturgischen Feiern so darzustellen, daß diese in ihrer eigenen Bedeutung als je verschiedene Weisen der
liturgischen Gegenwart des Herrn gesehen werden können.
Daß die Eucharistie Höhepunkt und Inbegriff der gesamten Liturgie ist, wurde in der Kirche von jeher gewußt und gelehrt.
Thomas von Aquin hat ihren Vorrang auch dadurch aufgewiesen,
daß er alle anderen Sakramente in ihrer Hinordnung auf die Eucharistie dargestellt hat [23]. Die Enzyklika "Mediator Dei" bezeichnet die Eucharistie als "Höhe- und in gewissem Sinn Mittelpunkt der christlichen Religion" [24]. Unter den neueren Li-
turgiewissenschaftlern hat besonders Cipriano Vagaggini ihre

---

22 SC 83: "Illud enim sacerdotale munus per ipsam suam Ecclesiam pergit,
   quae non tantum Eucharistia celebranda, sed etiam aliis modis, praesertim officio divino persolvendo, Dominum sine intermissione laudat et
   pro totius mundi salute interpellat".
23 Vgl. Thomas v. Aquin, Summa Theol. III, q. 65, a. 3. Vgl. dazu auch die
   Fülle von Belegen aus der Väterzeit bei H. de Lubac, Corpus Mysticum,
   237-241.
24 Vgl. MeD 65/547: "Christianae religionis caput ac veluti centrum Sanctissimae Eucharistiae Mysterium est".

zentrale Stellung herausgearbeitet [25]. Er zeigt, daß der vorher
von ihm ausführlich dargestellte Begriff der Liturgie in der
Messe voll verwirklicht wird, da die liturgischen Zeichen in
ihr den höchsten Ausdrucks- und Wirksamkeitsgrad erreichen und
die gesamte Liturgie auf die Messe hingeordnet ist. Von da aus
erschließt Vagaggini den Sinn der Sakramente sowie der liturgischen Feste und Festkreise.

Für diese Sicht lassen sich auch durchgängig Belege aus den
dogmatischen Lehrbüchern nachweisen. Michael Schmaus hat wenige Jahre vor dem Konzil einen zusammenfassenden Vortrag gehalten ("das eucharistische Opfer im Kosmos der Sakramente" [26]),
in dem er im Anschluß an die Mysterienlehre die zentrale Stellung der Eucharistie erläuterte.

Unterschiedlich sind jedoch die Folgerungen, die aus diesem
Sachverhalt gezogen werden. So findet sich in der Enzyklika
"Mediator Dei" ein umfangreiches Kapitel über die Eucharistie
und ein knapperes über Stundengebet, Kirchenjahr und Heiligenfeste, während zu den Sakramenten nur kurze Andeutungen gemacht werden und eine Erwähnung eigenständiger Wortgottesdienste ganz fehlt. Es ist ein Verdienst der Liturgiekonstitution
des II. Vatikanischen Konzils, daß sie den Vorrang der Eucharistiefeier mit einer Aufwertung der Theologie und Feier des
Wortes Gottes und einer Betonung der liturgischen Feier der
Sakramente verbunden hat.

4.1.3. Die Einheit und Ganzheit der Eucharistiefeier

Ein weiterer Vorzug, der die Liturgiekonstitution von früheren
amtlichen Dokumenten, auch von der Enzyklika "Mediator Dei",
unterscheidet, liegt darin, daß sie im Hinblick auf ihre stets
betonte pastorale Zielsetzung [27] darauf verzichtet, autoritativ

---

25 Vgl. C. Vagaggini, Theologie der Liturgie, 115-131 (Kap. V: "Die Messe
   als Inbegriff der ganzen Liturgie").
26 Vgl. M. Schmaus, Das eucharistische Opfer im Kosmos der Sakramente, in:
   B. Neunheuser (Hg.), Opfer Christi und Opfer der Kirche (s. S. 50, Anm.
   180), 13-27, bes. 26 f.
27 Vgl. außer der schon mehrfach zitierten Erklärung des Relators zum Eu-

in kontroverse theologische Positionen einzugreifen. Damit
vermeidet sie die sonst fast unausweichliche Einseitigkeit,
die entsteht, wenn aktuelle Streitfragen zum Leitfaden der Erörterung werden. Dies läßt sich an der genannten Enzyklika
deutlich beobachten; ihre Zielsetzung ist von der gegenwärtigen Diskussion und den bestehenden Reformplänen bestimmt. Lobend und tadelnd greift sie autoritativ in die beobachtete
Entwicklung ein [28]. Dies hat zur Folge, daß sie in ihrem eucharistischen Kapitel in breiter Erörterung auf einige Themen
wie gemeinsames und amtliches Priestertum, Opfer, Kommunion
und eucharistische Anbetung eingeht, während anderes kaum gestreift wird oder gar nicht vorkommt, wie zum Beispiel die
Zeichenhaftigkeit der gesamten Feier, der Wortgottesdienst mit
Predigt und anderes.

Die Liturgiekonstitution des II. Vatikanischen Konzils befaßt
sich dagegen breit mit einzelnen Reformen und faßt die dafür
nötige theologische Grundlage in knappen Sätzen zusammen. So
gelingt es ihr leichter, die Meßfeier als ganze im Blick zu
behalten und ihre wesentlichen Elemente in ausgewogenem Gleich-
gewicht zu nennen. Dabei werden dann durchaus auch theologische Akzente gesetzt.

Das Konzil konnte sich hier nicht nur auf die in der Enzyklika
"Mediator Dei" geleistete Vorarbeit stützen, sondern auch auf
eine intensive Diskussion über die Eucharistie innerhalb der
Liturgiewissenschaft [29], der Dogmatik [30] und der biblischen

---

charistiekapitel auch SC 1, 3, 49, 62, wo jeweils eine seelsorgliche
Begründung für die Notwendigkeit der Reform gegeben wird.

28 Vgl. MeD 9/524: "Nobis igitur officium est, quod recte sit factum di-
laudare ac commendare, quod vero e iusto itinere deflectat, continere
vel reprobare"; MeD 11/524: "... ex peculiaribus potius Occidentalis
Ecclesiae condicionibus oritur, quae quidem eius modi sunt, ut interpo-
nendam hac in causa auctoritatem Nostram postulare videantur".

29 Unter den vielen Arbeiten sind besonders hervorzuheben: J. A. Jungmann,
Missarum Sollemnia (s. S. 15, Anm. 12); J. Pascher, Eucharistia (s. S.
115, Anm. 504).

30 Vgl. vor allem M. Schmaus, Katholische Dogmatik IV/1, München [6]1964; F.
Diekamp/ K. Jüssen, Katholische Dogmatik nach den Grundsätzen des heiligen Thomas, Münster [1o-12]1949-54; J. Betz, Die Eucharistie in der
Zeit der griechischen Väter (s. S. 48, Anm. 170). - Einen Überblick
über den Fragestand vor dem Konzil geben die Referate der Tagung
deutschsprachiger Dogmatiker (7.-10.10.1959) in Passau, veröffentlicht

Theologie [31], welche auch zu einem fruchtbaren Gespräch zwischen diesen Disziplinen geführt hatte [32]. Es kann kein Zweifel bestehen, daß die Verfasser des Liturgieschemas mit dieser theologischen Arbeit vertraut waren; man findet in der Liturgiekonstitution die entscheidenden Themen der theologischen Diskussion zumindest angedeutet.

Gehalt und Gestalt der Messe

Auf zwei Gesichtspunkte soll hier nur eingegangen werden: die Frage nach der 'Sinngestalt' der Eucharistiefeier und die Frage nach dem umgreifenden dogmatischen Gehalt derselben.
Die erste Frage hatte nach Romano Guardini [33] vor allem Joseph Pascher aufgegriffen. War es die seelsorgliche Forderung der Liturgischen Bewegung, "daß die Christenheit sich sinngemäß in den objektiven Gottesdienst der Kirche einfügt, so erhebt sich notwendig die Forderung, daß die Sinngestalt der liturgischen Feier untersucht und dargestellt werde" [34]. Dem diente die Arbeit Paschers.
Dieses Anliegen nimmt das Konzil auf, wenn es die Erneuerung der Meßordnung mit dem Ziel verbindet, "daß der eigentliche Sinn der einzelnen Teile und ihr wechselseitiger Zusammenhang deutlicher hervortreten" [35], "damit also das Opfer der Messe auch in der Gestalt seiner Riten seelsorglich voll wirksam

---

in: M. Schmaus (Hg.), Aktuelle Fragen zur Eucharistie, München 1960.
31 Vgl. z.B. die Arbeiten aus dieser Zeit von J. Jeremias, Die Abendmahlsworte Jesu, Göttingen [2]1949, und von H. Schürmann, Der Abendmahlsbericht Lk 22,(7-14). 15-18, Münster 1953 (= NTA XIX,5); ders., Der Einsetzungsbericht Lk 22,19-20, Münster 1955 (NTA XX,4); vgl. auch die umfangreichen exegetischen Arbeiten von J. Betz, a.a.O.
32 Ein Beweis dafür ist die Jahrestagung des Abt Herwegen-Instituts 1958, wo Liturgiker, Dogmatiker und Exegeten referierten: vgl. die veröffentlichten Referate in: B. Neunheuser (Hg.), Opfer Christi und Opfer der Kirche, sowie den Überblick über den Forschungsstand von dems., Vorwort, ebd., 7-12.
33 Vgl. vor allem R. Guardini, Besinnung vor der Feier der hl. Messe, 2 Bde., Mainz 1939.
34 Vgl. J. Pascher, Eucharistia, 14 (Vorwort zur 2. Aufl.). Vgl. dazu B. Neunheuser, Eucharistie in Mittelalter und Neuzeit, Freiburg 1963 (= HDG IV/4b), 66 f., mit weiterer Literatur.
35 SC 50: "Ordo Missae ita recognoscatur, ut singularum partium propria ratio necnon mutua connexio clarius pateant ...".

werde" [36]. Dazu gehört auch die in amtlichen Dokumenten bisher
vernachlässigte Einsicht: "Die beiden Teile, aus denen die
Messe gewissermaßen besteht, nämlich Wortgottesdienst und Eucharistiefeier, sind so eng miteinander verbunden, daß sie einen einzigen Kultakt ausmachen" [37]. Das hat natürlich nicht nur
die daran anschließende Ermahnung zur Folge, daß die Gläubigen
an der ganzen Messe teilnehmen sollen, sondern bedeutet auch
eine entschiedene Aufwertung des Wortgottesdienstes, der eben
zur Gesamtgestalt der Eucharistiefeier hinzugehört [38] und damit an deren Sinn partizipiert.

Das Konzil legt sich nicht auf eine bestimmte Definition dieser Sinngestalt der Eucharistiefeier fest [39]. Aber schon die
Aufmerksamkeit für diese Gesamtgestalt ist bedeutsam. Sie gehört ja in den Bereich der Zeichenhaftigkeit der Liturgie, in
welcher ihr Gehalt sich Ausdruck verschafft. Dieser Gehalt,
der entscheidend mit dem Ausdruck "Opfer der Messe" (Nr. 49)
beschrieben wird, kann deshalb nicht unabhängig von seiner liturgischen Gestalt sein. Diese läßt Schlüsse auf jenen zu, was
in der dogmatischen Diskussion über den wesentlichen Gehalt
der Eucharistiefeier wohl nicht immer gebührend berücksichtigt
worden ist [40].

Was dieser wesentliche Gehalt ist, entscheidet die Konstitution ebensowenig. Sie greift nicht in die Diskussion ein, ob der
übergeordnete Begriff das Opfer oder das Sakrament sei. Vielmehr versucht sie, in einem 'neutralen' Begriff beide Aspekte
zusammenzufassen, indem sie die Eucharistie als Mysterium bezeichnet [41].

---

36 SC 49: "Quapropter, ut Sacrificium Missae, etiam rituum forma, plenam
   pastoralem efficacitatem assequatur ...".
37 SC 56: "Duae partes e quibus Missa quodammodo constat, liturgia nempe
   verbi et eucharistia, tam arcte inter se coniunguntur, ut unum actum
   cultus efficiant".
38 Vgl. dazu O. Nußbaum, Die Messe als Einheit von Wortgottesdienst und
   Eucharistiefeier, in: LJ 27 (1977) 136-171.
39 Es übernimmt also, zumindest in der Endfassung, nicht die These von J.
   Pascher, der in der Gestalt des Mahles die umfassende Sinngestalt der
   Messe sah: vgl. a.a.O., 18-40 (Einleitung).
40 Vgl. J. Ratzinger, Gestalt und Gehalt der eucharistischen Feier, in:
   IKaZ 6 (1977) 385-396.
41 Vgl. oben, S. 359 und Anm. 18.

Die Messe als Einheit

Bei der inhaltlichen Beschreibung des eucharistischen Mysteriums werden sorgfältig die verschiedenen Gesichtspunkte einander zugeordnet. Das eucharistische Opfer ist die Fortdauer des Kreuzesopfers in Gestalt einer der Kirche anvertrauten Gedächtnisfeier des Todes und der Auferstehung des Herrn und als solche insgesamt ein Sakrament [42].

Die Geschichte der Auseinanderentwicklung dieser Aspekte seit dem Tridentinum in getrennte Traktate über die Messe als Opfer, als Sakrament und die eucharistische Realpräsenz, sowie die theologischen Bemühungen der letzten Jahrzehnte zur Integration dieser Teile braucht hier nicht dargestellt zu werden [43].

Wichtig ist, daß die Konstitution diese theologische Arbeit insofern aufnimmt, als sie die verschiedenen Aspekte unter den Begriff des eucharistischen Mysteriums subsumiert und einander zuordnet, ohne einen davon zu verabsolutieren [44].

Eine solche Zurückhaltung in der Verwendung eines Begriffes, der die komplexe Vielfalt der Eucharistie auf einen Nenner zu bringen versuchte, läßt sich schon sehr früh beobachten [45]. Während in der ersten Zeit der Kirche Ausdrücke wie 'Herrenmahl', 'Brotbrechen', 'Eucharistie' und 'Opfer' im Vordergrund standen, die jeweils nur einen Aspekt hervorhoben, setzte sich schon seit dem vierten Jahrhundert der in sich neutrale und

---

42 Vgl. SC 47; den Text vgl. oben, S.357 f.
43 Vgl. die neueren dogmengeschichtlichen Überblicke vor allem von B. Neunheuser, Eucharistie in Mittelalter und Neuzeit, a.a.O., bes. 51-62 ("Epoche der Reformation und des Konzils von Trient") und 62-69 ("Nachtridentinische Theologie und Gegenwart"); A. Gerken, Theologie der Eucharistie, 141-156; J. Betz, Eucharistie als zentrales Mysterium, in: MySal IV/2, 185-313, hier 251-262.
44 Vgl. E. J. Lengeling, Die Meßfeier als Eucharistie, in: P. Bormann/ H. J. Degenhardt (Hg.), Liturgie in der Gemeinde I, 57-68, bes. 67 f., wo Lengeling die verschiedenen Gesichtspunkte nennt, die im Wort 'Eucharistie' zusammengefaßt sind.
45 Vgl. H. Schürmann, Die Gestalt der urchristlichen Eucharistiefeier, in: P. Bormann/ H. J. Degenhardt (Hg.), a.a.O., 69-93. Schürmann betont (ebd., 92), daß die historische Untersuchung als Grundgestalt der urchristlichen Eucharistiefeier eine durch Opferelemente durchbrochene Mahlgestalt darstelle, daß damit aber keineswegs entschieden sei, was die Grundgestalt der kirchlichen Eucharistie generell sei. Dies sei vielmehr nur aus dem im Glauben erkannten Inhalt zu entnehmen (vgl. ebd., Anm. 94).

wenigsagende Begriff 'Messe' durch[46].

Auch die Liturgiekonstitution bevorzugt die Bezeichnung 'Messe'[47] oder 'Eucharistie'[48], die keinem der genannten Aspekte den Vorrang geben. Eine gewisse Prävalenz hat allenfalls der Opfercharakter, indem mehrfach vom "Opfer der Messe" bzw. vom "Opfer der Eucharistie" die Rede ist[49]. Diesem Ausdruck kommt vor allem im Artikel 47 eine besondere Bedeutung zu. Im Text des Schemas war der entscheidende Begriff das "Opfermahl" gewesen, das der Herr den Aposteln zu wiederholen auftrug[50]. Mehrere Väter wandten dagegen ein, daß so der Mahlcharakter überbetont und der Opfercharakter zu wenig berücksichtigt werde[51]. Die zuständige Kommission trug dem Rechnung, indem sie in Artikel 47 den Ausdruck "Opfermahl" durch den Begriff "eucharistisches Opfer" ersetzte[52].

Mit dieser Bemühung, die Eucharistiefeier insgesamt in ihrer liturgischen Gestalt zu beschreiben und die entscheidenden dogmatischen Inhalte als eine komplexe Einheit darzustellen[53], unterscheidet sich die Liturgiekonstitution deutlich von der Enzyklika "Mediator Dei". Dort war der liturgischen Gestalt

---

46 Vgl. N. Maurice-Denis-Boulet, Allgemeine Einführung in die Liturgie der Messe, in: HLW I, 272-346, hier 272-277 ("die Namen der Messe"); - K. Gamber vertritt allerdings die Meinung, daß *Messe* doch inhaltlich gefüllt sei; *Missa* sei die vulgarisierte Übersetzung von *Prosphora*: das Dargebrachte = Opfer: vgl. ders., Missa, in: ELit 74 (1960) 48-52; ders., Nochmals zur Bedeutung von *missa* als Opfer, in: ELit 81 (1967) 70-73.
47 Der Ausdruck 'Messe' wird etwa 35 mal verwendet, vor allem dann, wenn keine inhaltliche Aussage darüber gemacht wird, sondern die Messe im Zusammenhang mit anderen Themen erwähnt wird.
48 "Eucharistie" bzw. "Eucharistiefeier" kommt 6 mal vor (SC 6, 10, 41, 56, 83, 106).
49 "Opfer der Messe": SC 7, 12, 49; "Opfer der Eucharistie": SC 2; "eucharistisches Opfer": SC 47.
50 Vgl. den Text, oben, S. 195.
51 Vgl. den Bericht des Relators über die Stellungnahmen der Väter (s. S. 192, Anm. 265).
52 Vgl. oben, S. 196.
53 Vgl. zu diesem Fragekomplex die zusammenfassende Untersuchung von L. Lies, Eulogia. Überlegungen zur formalen Sinngestalt der Eucharistie, in: ZKTh 100 (1978) 69-121. Lies bezeichnet die von Pascher u.a. gesuchte "Sinngestalt" der Eucharistie als "Materialgestalt" und fragt darüberhinaus nach einer "Formalgestalt" als der "theologischen Sinngestalt" (ebd., 69), die alle wesentlichen Aspekte der Eucharistie unter einem einheitlichen Gesichtspunkt erfaßt. Diese Formalgestalt findet er in der "Eulogia" (vgl. bes. ebd., 94-97).

der Messe wenig Aufmerksamkeit geschenkt worden, wie ja generell die Zeichenhaftigkeit der Liturgie und deren theologische Bedeutsamkeit in der Enzyklika kaum gesehen wird[54]. Umso deutlicher ist darin die dogmatische Einteilung des Eucharistietraktates in Opfer, Sakrament und Realpräsenz zu finden. Dabei nimmt das Opfer die entscheidende Stelle ein (Nr. 65-110) [55], während das Sakrament nur im Sinn der Kommunionspendung verstanden und relativ knapp erörtert wird (Nr. 111-120) [56]; die Realpräsenz wird einerseits in der Lehre vom Meßopfer (Nr. 69) [57], andererseits im Blick auf den Anbetungskult (Nr. 127 bis 135) [58] dargestellt.

Unter der Voraussetzung, daß die Eucharistiefeier primär als eine ihre verschiedenen Elemente integrierende Ganzheit gesehen wird, kann nun nach diesen einzelnen Elementen gefragt werden. Dabei sind hier jetzt nicht die verschiedenen Teile der Eucharistiefeier zu behandeln; die Bedeutung des Wortgottesdienstes soll im Zusammenhang mit der Frage nach der Gegenwart des Herrn in der Verkündigung des Wortes dargestellt werden. Hier geht es zunächst um die wichtigsten theologischen Gehalte der Eucharistie, die nun entsprechend der Reihenfolge ihrer Erwähnung in Artikel 47 erörtert werden sollen.

4.1.4. Die Messe als Opfer

Die Formulierung des Artikels 47 sollte einerseits die traditionelle Meßopferlehre des Trienter Konzils, wie sie in der Enzyklika "Mediator Dei" zuletzt offiziell wiederholt worden war[59], wiedergeben. Andererseits konnte das nicht ohne Berücksichtigung der neueren theologischen Diskussion geschehen,

---

54 Vgl. oben, S. 80.
55 Vgl. MeD 65-110/547-562.
56 Vgl. MeD 111-120/562-566.
57 Vgl. MeD 69/548 f.
58 Vgl. MeD 127-135/568-572.
59 Vgl. MeD 66 f./547 f.; die Enzyklika leitet ihre Lehre vom Meßopfer durch zwei grundsätzliche Abschnitte ein, die wörtliche Zitate aus der Meßopferlehre des Tridentinums darstellen.

die sich besonders intensiv gerade um das Verständnis der Messe als Opfer bemüht hatte [60], nicht zuletzt im Hinblick auf die
ökumenische Verständigung über dieses zentrale kontroverstheologische Thema [61]. Dabei ging es in der katholischen Theologie
nicht um die vom Tridentinum entschiedene Frage, ob die Messe
ein Opfer sei; daß sie im Wesen mit dem Kreuzesopfer identisch
ist und sich nur in der Weise des Vollzugs von ihm unterscheidet, stand fest. Gefragt wurde aber, wie diese Identität zu
verstehen sei, ob sie in der Identität der Opfergabe bestehe,
die jedesmal Jesus Christus selbst ist, und in der Identität
des Priesters, der wiederum Jesus Christus selbst ist, der
sich am Kreuz hingab und als derselbe sich durch die Hände des
Priesters in der Meßfeier hingibt [62], oder ob es darüberhinaus
auch eine Identität des Opferaktes selbst gebe. Wenn nicht, so
müßte von vielen Opferakten des Herrn gesprochen werden, was
die Einmaligkeit des Kreuzesopfers in Frage stellen würde;
wenn ja, so wäre schwer zu erklären, wie dann noch die Messe
selbst ein Opfer und nicht nur die Erinnerung an ein Opfer

60 Vgl. die über den Stand der Diskussion vor dem Konzil informierenden
   Aufsätze von M. Schmaus, Das eucharistische Opfer im Kosmos der Sakramente (s. S. 361, Anm. 26); ders., Christus, Kirche und Eucharistie, in:
   Ders. (Hg.), Aktuelle Fragen zur Eucharistie (s. S. 362 f., Anm. 30),
   53-71 (die beiden Aufsätze sind im Wesentlichen identisch; der erste
   wurde 1958 bei der Jahrestagung des Abt Herwegen-Instituts gehalten,
   der andere 1959 bei der Tagung deutschsprachiger Dogmatiker); B. Neunheuser, Die numerische Identität von Kreuzesopfer und Meßopfer, in:
   Ders. (Hg.), Opfer Christi und Opfer der Kirche (s. S. 50, Anm. 180),
   139-151; A. Winklhofer, Eucharistie als Opfer, Speise und Anbetung, in:
   M. Schmaus (Hg.), Aktuelle Fragen zur Eucharistie, 92-109.
61 Mit dem kontroverstheologischen Aspekt befassen sich ausdrücklich: V.
   Warnach, Das Meßopfer als ökumenisches Anliegen, in: LuM 17 (1955) 65
   bis 90; ders., Abendmahl und Opfer, in: ThRv 58 (1962) 74-82; O. Karrer,
   Die Eucharistie im Gespräch der Konfessionen, in: Th. Sartory (Hg.), Die
   Eucharistie im Verständnis der Konfessionen, Recklinghausen 1961, 355
   bis 388. – Einen umfassenden Überblick über die diesbezügliche deutschsprachige Theologie der evangelisch-lutherischen Kirche von 1917-1958
   gibt W. Averbeck, Der Opfercharakter des Abendmahls in der neueren evangelischen Theologie, Paderborn 1967. – Vgl. neuerdings auch E. Iserloh,
   Abendmahl III.3.2. Reformationszeit – Römisch-katholische Kirche, in:
   TRE I (1976) 122-131; ders., Das tridentinische Meßopferdekret in seinen Beziehungen zu der Kontroverstheologie der Zeit, in: R. Bäumer (Hg.),
   Concilium Tridentinum, Darmstadt 1979 (= WdF 313), 341-381, bes. 372 bis
   381: "Der Opfercharakter des Abendmahls".
62 Vgl. das *idem nunc offerens* des Konzils von Trient, welches sowohl von
   MeD 67/548, wie von SC 7 zitiert wird.

sein sollte.

Diesen Fragestand faßt Michael Schmaus so zusammen:
"Es scheint, daß sich das gläubige Denken in einem ausweglosen
Dilemma befindet. Entweder ist die heilige Messe ein wirkliches Opfer, dann aber scheint die Einzigkeit des neutestamentlichen Opfers preisgegeben zu sein, oder es wird die Einzigkeit des Opfers des Neuen Bundes behauptet, dann aber scheint
die heilige Messe nicht als Opfer bezeichnet werden zu können" [63].

Die Frage wird noch verschärft, wenn es um die Rolle der Kirche im Meßopfer geht, um die Frage also, ob die Kirche das Opfer Jesu Christi lediglich als seines feiert, oder ob sie damit auch in dem Sinn ein Opfer darbringt, daß die Messe Opfer
der Kirche genannt werden kann.

Die Einheit des Opfers

Die erste Frage, die auf die Behauptung oder Bestreitung der
numerischen Einheit des Opferaktes Jesu Christi am Kreuz und
im Meßopfer hinausläuft, hat in der Zeit vor dem Konzil zu der
von einem breiten Konsens der Theologen getragenen Antwort geführt, daß es sich nur um einen einzigen Opferakt Jesu Christi
damals und heute handeln könne, wenn wirklich die tridentinische Lehre von der Einheit der Opfergabe und des Opferpriesters gewahrt werden soll [64]. Diese Einheit des Opferaktes kann
dann aber noch auf zwei verschiedene Weisen gedeutet werden.
Einmal als ewig aktuelle Fortdauer des Opferaktes Jesu Christi
in seiner Verklärung, wodurch dieser Opferakt sich dann in jedem Meßopfer als aktuelles Opfern des Herrn (oblatio actualis)
verwirklicht; oder man deutet die Einheit des Opferaktes so,
daß das Tun Jesu Christi am Kreuz sich virtuell im Tun des in
seiner Person handelnden Priesters als dasselbe verwirklicht
(oblatio virtualis).

Für die zweite Position, für die Annahme einer virtuellen

---

63 M. Schmaus, Das eucharistische Opfer im Kosmos der Sakramente, a.a.O.,
   19. Ähnlich kennzeichnet den Fragestand B. Neunheuser, Die numerische
   Identität ..., 144–150.
64 Vgl. B. Neunheuser, ebd., 144 f.

Selbstopferung des Herrn durch den Dienst des zelebrierenden Priesters, entscheiden sich mit guten Gründen Karl Rahner[65] und Burkhard Neunheuser[66]. Diese erstmals von Duns Scotus formulierte Theorie darf dann aber nicht in dem Sinn verstanden werden, den er selbst ihr gegeben hat, daß Jesus Christus lediglich als der aufgrund der Einsetzung des Meßopfers darin moralisch selbst Tätige angesehen wird[67]; vielmehr muß er als der im Tun des Priesters jetzt als der Haupthandelnde gegenwärtig Wirksame verstanden werden[68].

Diese These von der numerischen Einheit des Opferaktes am Kreuz und bei der Messe bestreitet also nicht die kirchliche Lehre, daß jedes Meßopfer ein Tun Jesu Christi ist und folglich so viele Opferakte Jesu Christi stattfinden als Messen gefeiert werden[69], sie versteht aber diese Vielzahl der Opferakte Jesu Christi nicht als je neue physische Akte des erhöhten Herrn - womit die Einmaligkeit des Kreuzesopfers aufgegeben wäre -, sondern als durch den Priester je neu in der Person Jesu Christi vollzogene Aktualisierung des einen Opferaktes. Daraus folgt dann, daß im Hinblick auf die Natur des Aktes des eucharistischen Opfers jede Messe ein eigenes, wirkliches Opfer ist und es deshalb trotz des unbegrenzten Wertes des einen Opfers Jesu Christi, welches als solches in der Messe gefeiert wird, nicht dasselbe ist, ob eine Messe oder hun-

---

65 Vgl. K. Rahner/ A. Häußling, Die vielen Messen und das eine Opfer. Eine Untersuchung über die rechte Norm der Meßhäufigkeit, Freiburg ²1966 (= QD 31), bes. 34-40 (Erstveröffentlichung von K. Rahner, in: ZKTh 71 (1949) 275-317); K. Rahner, Die vielen Messen als die vielen Opfer Christi, in: ZKTh 77 (1955) 94-101, hier 100.
66 Vgl. B. Neunheuser, a.a.O., 146-150.
67 Vgl. die Hinweise bei K. Rahner/ A. Häußling, Die vielen Messen ..., 33 bis 38, und B. Neunheuser, a.a.O., 146 f. Ausführlicher: E. Iserloh, Der Wert der Messe in der Diskussion der Theologen vom Mittelalter bis zum 16. Jahrhundert, in: ZKTh 83 (1961) 44-79, hier 55-58.
68 Vgl. B. Neunheuser, a.a.O., 146: Als "principalis offerens" wirkt Jesus Christus "in der je neuen Handlung des Priesters wie die causa principalis in der causa instrumentalis". Daß allein dieses Verständnis der Zuordnung des Handelns Christi und des Handelns der Kirche der Gesamtaussage der Liturgiekonstitution entspricht, wurde oben, S. 241-259, bes. 250 f., nachgewiesen.
69 Vgl. Pius XII., Ansprache vom 2.11.1954 (s. S. 58, Anm. 206), 669: "Quoad sacrificii Eucharistici oblationem tot sunt actiones Christi Summi Sacerdotis, quot sunt sacerdotes celebrantes".

dert Messen zelebriert werden[70].

Opfer der Kirche

Damit kommt die Frage ins Spiel, in welchem Sinn die Messe ein
Opfer der Kirche ist, ob nur in dem Sinn, daß die Kirche das
Opfer Jesu Christi feiert oder auch in dem Sinn, daß sie selbst
sich mit dem Herrn dem Vater darbringt; ob sie also nur das den
Herrn repräsentierende Subjekt seiner Opferdarbringung ist,
oder ob sie auch selbst Opfergabe ist. Weiter kann noch gefragt werden, ob die Messe in sich schon ein Opferritus ist
oder nur die selbst nicht opferhafte rituelle Darstellung eines Opfers. Daran knüpft sich die Frage, worin letztlich der
Opfercharakter der Messe begründet ist.
Zu dieser differenzierten Frage nach der Messe als Opfer der
Kirche liegen verschiedene dogmengeschichtliche Untersuchungen
vor, die hier nicht im Detail referiert zu werden brauchen[71].
Johannes Betz kommt für die Zeit der griechischen Patristik
bis zum Konzil von Ephesus zu dem Ergebnis, daß die Eucharistie

---

70 Zu dieser Frage hatte es eine Auseinandersetzung um K. Rahner gegeben.
Dieser hatte 1949 geschrieben, daß eine Messe und hundert Messen u.U.
in Bezug auf ihre Fruchtbarkeit für einen Mitfeiernden gleichviel bedeuten könnten, vgl. den Text jetzt in: QD 31, 133 f. (s. S. 370, Anm.
65). Pius XII erklärte es 1954 (s. S. 370, Anm. 69) als Irrtum, daß es
dasselbe sei, ob ein Priester zelebriere und hundert andere mitfeiern
oder ob hundert Priester zelebrieren. Diese Aussage war gegen K. Rahner
gerichtet, ohne daß dieser genannt worden wäre und ohne daß der Papst
davon wußte: vgl. dazu den Hinweis von K. Lehmann, Karl Rahner. Ein Por-
trait, in: Ders./ A. Raffelt (Hg.), Rechenschaft des Glaubens. Karl Rahner-Lesebuch, Zürich-Köln-Freiburg-Basel-Wien 1979, 13*-53*, hier 17*.
In Wahrheit hatte Rahner niemals die Identität von einer und hundert
Messen im Hinblick auf die Opferakte Christi behauptet. Dies erklärt er
eindeutig und überzeugend in dem Aufsatz: "Die vielen Messen als die
vielen Opfer Christi", a.a.O. (S. 370, Anm. 65); vgl. dazu auch ders.,
Dogmatische Bemerkungen über die Frage der Konzelebration, in: MThZ 6
(1955) 81-106. Dennoch wiederholte Pius XII. seine Mahnung im selben
Wortlaut 1956 vor den Teilnehmern des Kongresses von Assisi, a.a.O. (s.
S. 58, Anm. 206), 716. Rahner stellte in anderem Zusammenhang seine Auffassung nochmals dar: vgl. ders., Thesen über das Gebet 'im Namen der
Kirche', a.a.O. (S. 274, Anm. 249), 322-324 (11. These: "Über die im
Namen der ganzen Kirche gefeierte Messe"). Zu der darin angeschnittenen
Frage, in welchem Sinn die Kirche selbst das Subjekt der in ihrem Namen
gefeierten Messe ist, vgl. Y.Congar, L'*Ecclesia* ... (s. S. 266, Anm. 210).
71 Vgl. den umfassenden dogmengeschichtlichen Überblick von J. Betz, Eucharistie als zentrales Mysterium, in: MySal IV/2, 210-262.

nach Auffassung der Väter auch ein Opfer der Kirche sei, indem
sie das Opfer Jesu Christi in einer Gedächtnisfeier begeht,
welche selbst Opfercharakter hat. "Im jetzigen Opfer der Kirche kommt das einstige Opfer Christi zum Vorschein. Das Opfergedächtnis Christi ist Gedächtnisopfer der Kirche" [72].

Der zentrale Gedanke der Anamnesis, über den noch zu sprechen
sein wird, läßt hier als Inhalt des Opfers der Kirche allein
das Opfer Jesu Christi erscheinen, welches aber von der Kirche
opfernd vollzogen wird, so daß die Kirche selbst "in einem aktiven Mitvollzug" [73] Subjekt des Opfers ist, dessen Inhalt freilich nicht sie selbst ist.

Zu wesentlich demselben Ergebnis kommt Raphael Schulte für die
Zeit des Frühmittelalters [74]. Jesus Christus übergibt sein end-
gültiges Opfer an die Kirche, so daß sie aktiv daran Teil hat
und so als ganze selbst zum Subjekt des Opfers Christi wird.
Darüberhinaus ist die Kirche insgesamt als Leib Christi aber
auch mit Jesus Christus die Opfergabe, die in der Eucharistie
dargebracht wird. "Christus und die Kirche (und die Glieder in
ihr) sind der eine Priester und die eine Opfergabe" [75].

Für das Mittelalter und die Neuzeit hat Burkhard Neunheuser
eine zusammenfassende Darstellung vorgelegt [76], in welcher allerdings die Frage nach der Eucharistie als Opfer der Kirche
nicht eigens herausgearbeitet wird. Dieses Thema tritt schon
in der Scholastik und später nochmals in den Auseinandersetzungen der Reformationszeit zurück zugunsten des Interesses an
der eucharistischen Realpräsenz und der diese begründenden Wesensverwandlung. Immerhin bleibt die einhellige Überzeugung
der katholischen Theologie gewahrt, daß Jesus Christus seiner

---

72 Vgl. J. Betz, Die Eucharistie in der Zeit der griechischen Väter I/1,
   bes. 197-242, hier 216. Die hier interessierende Lehre vom Opfer der
   Kirche faßt J. Betz kurz zusammen in: Ders., Eucharistie als zentrales
   Mysterium (s. S. 371, Anm. 71), 283 f., ohne allerdings, mit Ausnahme
   des auch in MeD 102/559 zitierten Augustinus-Textes, auf die Frage der
   Kirche als Opfer einzugehen.
73 J. Betz, Die Eucharistie in der Zeit der griechischen Väter I/1, 211.
74 Vgl. R. Schulte, Die Messe als Opfer der Kirche (s. S. 243, Anm. 100).
   Er behandelt die Zeit von Isidor v. Sevilla (560-633) bis Remigius v.
   Auxerre (841-908).
75 Vgl. ebd., 185-190 ("Gesamtergebnis und Ausblick"), hier 188.
76 Vgl. B. Neunheuser, Eucharistie in Mittelalter und Neuzeit (S.363,Anm.34).

Kirche ein sichtbares Opfer hinterlassen hat, wodurch sein
Kreuzesopfer dargestellt wird[77].

Die Frage nach der Funktion der Kirche im Meßopfer wurde erst
in der Liturgischen Bewegung und besonders in der Mysterienlehre wieder eigens aufgenommen. Für Casel ist es selbstverständlich, daß Christus und die Kirche so eng miteinander verbunden sind, daß "die Ekklesia tut, was der Herr getan" hat
und Christus gerade so gegenwärtig ist. Er "handelt durch die
Ekklesia und sie handelt mit ihm"[78]. Indem Jesus Christus sein
Kreuzesopfer sakramental gegenwärtig setzt, wird es zum Opfer
der Kirche, oder besser: indem der Herr das Kreuzesopfer nun
als Opfer der Kirche vollzieht, setzt er es sakramental gegenwärtig[79].

Die Enzyklika "Mediator Dei" hat diese Frage eingehend erörtert. Ausgehend von der Idee der Kirche als des mystischen
Leibes Christi stellt Pius XII. fest, daß die Liturgie und
speziell die Eucharistie Werk Christi und der Kirche, des ganzen mystischen Leibes mit Haupt und Gliedern, ist[80]. Ausdrücklich lehrt er, daß die Eucharistie nicht nur von der gesamten
Kirche dargebracht wird[81], sondern darin auch sie selbst geopfert wird[82]. Dabei ist freilich nicht zu übersehen, daß für
den Papst das Subjekt der kirchlichen Opferdarbringung nicht

---

77 Vgl. DS 1740; dazu E. Iserloh, Das tridentinische Meßopferdekret in
   seinen Beziehungen zu der Kontroverstheologie der Zeit, in: R. Bäumer
   (Hg.), Concilium Tridentinum, Darmstadt 1979 (= WdF 313), 341-381.
78 O. Casel, Das christliche Kultmysterium, 172.
79 Vgl. G. Söhngen, Symbol und Wirklichkeit im Kultmysterium (s. S. 46,
   Anm. 163), 139. Die angeführte Präzisierung zeigt nochmals den Unterschied zwischen der Casel'schen Lehre von der objektiven Gegenwart der
   Heilstat, logisch vorgängig zu ihrer kirchlichen Darstellung, und Söhngens Auffassung von der Gegenwart der Heilstat im kirchlichen Vollzug.
   Söhngen formuliert: "Casels Ansicht lautet: Indem der ewige Hohepriester Christus sein einmaliges Opfer am Kreuz sakramental gegenwärtig
   setzt, wird dieses sakramentale Opfer Christi auch sakramentales Opfer
   der Kirche. Meine Ansicht lautet umgekehrt: Der ewige Hohepriester
   setzt sein einmaliges Opfer am Kreuz sakramental gegenwärtig, indem er
   es als Opfer seiner Kirche vollzieht" (ebd.). Vgl. auch ebd., 147-157,
   in Auseinandersetzung mit V. Warnach.
80 Vgl. MeD 20/528 f.: vgl. oben, S. 71.
81 Vgl. MeD 92/556: "Quo quidem fit, ut universa Ecclesia iure dicatur per
   Christum victimae oblationem deferre".
82 Vgl. MeD 65/547 u.ö.

primär die Kirche als ganze ist, sondern die amtlichen Diener der Kirche, durch welche sie repräsentiert wird. Ebenso ist die kirchliche Opfergabe bei ihm primär das Selbstopfer der Gläubigen als der Mitfeiernden; die Kirche selbst als Opfergabe wird nur mit Berufung auf Augustinus und Robert Bellarmin erwähnt [83] und spielt in den eigenen Darlegungen des Papstes keine Rolle.

Daß die Lehre von der Kirche als Opfergabe in der Messe auch weiterhin umstritten war, zeigen die entgegengesetzten Äußerungen von Alois Winklhofer und Michael Schmaus bei derselben Dogmatikertagung 1959. Winklhofer verneint ausdrücklich, daß die Kirche mit Christus auch Opfergabe sei [84], Schmaus behauptet es und begründet es ebenso ausdrücklich [85]. Das Opfer der Kirche gehört nach seiner Auffassung formal oder quasiformal zum Opfer Christi hinzu [86].

Hier wirkt sich bei Schmaus die vertiefte Einsicht in die Zusammengehörigkeit von Christus und Kirche aus, wie sie in der Leib-Christi-Theologie der vorangegangenen Jahre neu erarbeitet worden war [87]. Die Kirche erscheint in Anknüpfung an die patristische und noch von Thomas von Aquin gelehrte Sicht als der zur Ganzheit des *Christus totus* und damit zur Ganzheit der eucharistischen Opfergabe konstitutiv hinzugehörende Leib Christi [88].

Auch über die Kirche als Subjekt des Meßopfers gibt es divergierende Meinungen. Während Michael Schmaus in Übereinstimmung mit der von Raphael Schulte dargestellten frühmittelalterlichen Tradition [89] primär die Kirche als ganze mit Christus als

---

83 Vgl. MeD 102/559.
84 Vgl. A. Winklhofer, a.a.O. (S. 368, Anm. 60), 102: "Gleichwohl ist die Kirche nicht in gleicher Weise, wie sie Opfermysterium ist, mit Christus auch Opfergabe, wie es scheint; Opfergabe ist allein Christus ...".
85 Vgl. M. Schmaus, Christus, Kirche und Eucharistie, a.a.O. (S. 368, Anm. 60), 66 f.: "Sie (die Kirche) ist vielmehr auch ihrerseits Opfergabe. Sie ist in der Eucharistie Opfernde und Geopferte zugleich".
86 Vgl. ders., Katholische Dogmatik IV/1 ([6]1964), 416 f.; ders., Der Glaube der Kirche (s. S. 52, Anm. 188) II, 368.
87 Vgl. oben, S. 245-250.
88 Vgl. a.a.O., 64-71; Schmaus beruft sich dort ebenfalls auf Augustinus.
89 Vgl. R. Schulte, a.a.O., 187-190. Schulte betont eindringlich, daß die Kirche als Leib und Braut Christi nach und in Christus das eigentliche

Subjekt des Opfers sieht, so daß sie mit ihm "zu einem totus offerens vereinigt" ist[90], betont Karl Rahner, daß dieses kirchliche Subjekt primär die beim Meßopfer aktuell anwesende Gemeinde ist, welche freilich die gesamte Kirche repräsentiert[91].

Dieser Unterschied scheint für unsere Frage nicht von großer Bedeutung zu sein. Wichtiger ist die Unterscheidung, ob man als Subjekt des kirchlichen Opfers primär die ganze Kirche oder mit der Enzyklika "Mediator Dei" primär die diese repräsentierenden Amtsträger sieht. Im zweiten Fall erscheint der Priester als eigentliches und letztlich allein notwendiges Subjekt des Opfers, wobei er sowohl Christus wie die Kirche darstellt[92]. Das Mitopfern der Gläubigen ist dann eine nachträgliche, nicht konstitutive, wenn auch um ihretwillen höchst erwünschte Ergänzung des priesterlichen Tuns[93].

Im ersten Fall ist das Subjekt der Feier zunächst die Kirche, die sich auf der Ebene des Zeichens in der konkreten, hierarchisch strukturierten feiernden Gemeinde darstellt. Hier läßt sich der aktive Anteil der Gläubigen viel leichter als konstitutives Element zum Zustandekommen dieses wirklichkeitserfüllten Zeichens erkennen[94].

Subjekt der Eucharistie ist, während die einzelnen Glieder als solche erst Subjekt des Opfers sind. "Die Befähigung und Kraft, Opferpriester und Opfergabe innerhalb der oblatio, die Christus ist, zu sein, kommt dem einzelnen Glied, Priester wie Laien, also aus dem Corpus, der Kirche" (ebd., 188).

90 Vgl. M. Schmaus, a.a.O., 67.

91 Vgl. K. Rahner, Thesen über das Gebet 'im Namen der Kirche', a.a.O. (S. 274, Anm. 249), 323: "Man darf nämlich nicht meinen, daß jede Messe in diesem Sinn 'im Namen der ganzen Kirche' dargebracht wird, als ob die ganze Kirche das unmittelbare Subjekt wäre, das durch den Akt opfert oder die Früchte der Messe empfängt". Vgl. dazu aber Y. Congar, L'Ecclesia ..., a.a.O., 282, Anm. 157: Congar sieht als primäres Subjekt die ganze Kirche, die sich aber in einer konkreten eucharistischen Versammlung konkretisiert und repräsentiert.

92 Vgl. oben, S. 270 f. Aus dieser Blickrichtung argumentiert auch K. Mörsdorf, Der Träger der eucharistischen Feier, in: M. Schmaus (Hg.), Aktuelle Fragen zur Eucharistie, 72-91, hier 77: Der Priester ist der "Hauptträger der eucharistischen Feier".

93 Vgl. oben, S. 271 f., wo die Überwindung dieser Sicht durch SC dargestellt ist.

94 In diese Richtung zielt die Argumentation von J. Pascher, Eucharistia, 270-283 ("das Mysterium der Gläubigen").

Die Messe als Opfer

Schließlich ist noch zu fragen, worin in der theologischen Diskussion am Vorabend des II. Vatikanischen Konzils der Opfercharakter der Messe gesehen wurde. Hier geht es vor allem um die Frage, wie die vom Konzil von Trient definierte[95] und von den nachtridentinischen Meßopfertheorien immer differenzierter entfaltete[96] Lehre zu verstehen ist, daß die Messe selbst ein Opfer und nicht nur die Darstellung eines Opfers sei. Allgemeine Zustimmung fand die im Begriff der 'Anamnesis', der Gedächtnisfeier, angedeutete Lösung[97], über die gleich noch zu sprechen ist.

Der Ritus der Messe ist ein Opferritus und deshalb selbst ein Opfer, aber nicht im Sinn eines selbständigen, vom Kreuzesopfer unabhängigen Opfers, sondern als Darstellung eben dieses Opfers. Diese sakramentale Gestalt des Kreuzesopfers muß aber, um dieses darstellen zu können, selbst opferhaft sein. Dies läßt sich auf zweifache Weise denken: einmal könnte der Ritus der Messe in sich selbst schon als Opferritus verstanden werden und gerade so geeignet sein, das Kreuzesopfer darzustellen. Der formale Opfercharakter der Messe läge damit sowohl in ihrem eigenen Opferritus wie auch in der dadurch ermöglichten Repräsentation des Kreuzesopfers. Damit wäre aber die Messe schon logisch vorgängig zu ihrer Repräsentationsfunktion selbst ein Opfer und würde das nicht erst durch ihre Beziehung zum Kreuzesopfer[98].

Man könnte aber auch umgekehrt den Opfercharakter der Messe

---

95 Vgl. DS 1751: "Verum et proprium sacrificium".
96 Vgl. dazu B. Neunheuser, Eucharistie in Mittelalter und Neuzeit, 63 f.; J. Betz, Eucharistie als zentrales Mysterium, in: MySal IV/2, 254-256; A. Gerken, a.a.O., 149-151.
97 Vgl. M. Schmaus, a.a.O., 61-63; B. Neunheuser, Die numerische Identität ..., a.a.O. (S. 368, Anm. 60), 65, spricht "von einem Konvergieren aller Theologen der Gegenwart in dieser Richtung".
98 Vgl. K. Rahner/ A. Häußling, Die vielen Messen und das eine Opfer, 28 f.: nur so sei die Lehre des Tridentinums vom *sacrificium visibile* (DS 1740) zu wahren. "Damit ist offenbar gesagt und gemeint, daß der kultische Vorgang der Messe in seiner Sichtbarkeit selbst und durch diese ein Opfer sei". Kritisch dazu A. Gerken, a.a.O., 143 ff. Gerken sieht die vom Tridentinum gemeinte Wirklichkeit auch gewahrt, wenn "der Opfercharakter der Eucharistie allein in der sakramentalen Vergegenwärtigung der Hingabe Jesu am Kreuz" gesehen wird (ebd., 151).

allein darin sehen, daß sie eine Repräsentation des Kreuzesopfers ist, die selbst nicht auch noch vorgängig opferhaft zu sein braucht, sondern gerade als Repräsentation erst opferhaft wird [99].

Vor dem Hintergrund dieser sehr differenzierten Diskussion um den Opfercharakter der Messe müssen nun die knappen Aussagen der Liturgiekonstitution zu diesem Thema gesehen werden. Dabei kann wieder die hinter den Formulierungen des Artikels 47 stehende Theologie nur aus dem Gesamttext der Konstitution erschlossen werden.

Der Beitrag der Liturgiekonstitution

Es kann kein Zweifel sein, daß die Verfasser des Liturgieschemas die hier angedeutete Problematik vor Augen hatten [100], wie auch, daß sie vielen Konzilsvätern präsent war und bei der Endformulierung des Artikels genau bedacht wurde [101].

Zunächst wird, wie schon in der Enzyklika "Mediator Dei" [102], unbefangen der Ausdruck "eucharistisches Opfer" für Abendmahl und Meßfeier verwendet. Das Tridentinum hatte diesen Ausdruck vermieden, um nicht der reformatorischen Position Vorschub zu leisten, die in der Eucharistie nur ein Lob- und Dankopfer, aber kein Versöhnungsopfer sah [103]. Daß auch das II. Vatikanische Konzil sich noch gegen ein solches Mißverständnis sichern wollte, zeigt die Veränderung des Textes nach der ersten Lesung. Im Schema war der Begriff "Opfer" nur in der Verbindung "Opfer des Lobes" vorgekommen [104]. Dies kritisierten drei Kon-

---

99 Diese Meinung vertreten außer A. Gerken (s. S. 376, Anm. 98) auch M. Schmaus, a.a.O., 63: Die Eucharistie ist "Opfer und Gedächtnis eines Opfers zugleich. Sie ist das erste, indem sie das zweite ist", und J. Betz, Eucharistie als zentrales Mysterium, in: MySal IV/2, 285: "Das Verhältnis der beiden Aspekte (Opfergedächtnis und Gedächtnisopfer) ist aber nicht ein Nacheinander (...), sondern das Ineinander".

100 So wurde z.B. in der vorbereitenden Liturgiekommission des Konzils über die Frage des aktuellen oder virtuellen Opferns Jesu Christi diskutiert und eine Entscheidung vermieden: siehe oben, S. 161.

101 Das zeigt sich an den vielen neuen Formulierungsvorschlägen, die nach der 1. Lesung von SC 47 eingebracht wurden: vgl. oben, S. 192-197.

102 Vgl. z.B. MeD 74/500 und 77/551.

103 Vgl. S. Marsili, La Messa ..., a.a.O. (S. 233, Anm. 52), 346, wo die reformatorische Ansicht mit der katholischen verglichen wird.

104 "Sacrificium laudis": vgl. den Text, oben, S. 195.

zilsväter als unzureichend, was die Kommission in ihrer Neufassung des Textes berücksichtigte[105], indem sie vom eucharistischen Opfer als Fortdauer des Kreuzesopfers sprach.

Die inhaltliche Füllung des Begriffs "eucharistisches Opfer"
wird durch seinen Bezug zum Abendmahl und zum Kreuzesopfer gewonnen. Jesus Christus "hat beim Letzten Abendmahl ... das eucharistische Opfer seines Leibes und Blutes eingesetzt" (Nr.
47). Damit ist das Abendmahl selbst als eucharistisches Opfer
gekennzeichnet. Das eucharistische Opfer hat er gestiftet, "um
dadurch das Opfer des Kreuzes ... fortdauern zu lassen" (ebd.).
Damit ist die Einheit von Kreuzesopfer und Meßopfer sowohl
hinsichtlich des Opferpriesters, wie auch hinsichtlich der Opfergabe ausgesagt, was in Artikel 7,1 noch ausdrüclicher betont wird [106]. Die umstrittene Frage nach der Einheit des Opferaktes, die in Artikel 7 absichtlich offengelassen wurde,
wird auch hier nicht behandelt.

Daß dieses eine und durch die Zeit fortdauernde Opfer des Herrn
dennoch ein Opfer der Kirche ist, wird damit erklärt, daß der
Erlöser "der Kirche, seiner geliebten Braut, eine Gedächtnisfeier seines Todes und seiner Auferstehung" anvertraut hat
(Nr. 47). In diesem Gedächtnis begeht demnach die Kirche die
Feier seines Opfers; sie opfert ihn in ihrer Feier. Daß die
Kirche darin auch sich selbst dem Vater als Opfergabe darbringt, wird in Artikel 47 nicht gesagt. Wohl aber betont Artikel 48, daß die Gläubigen durch den Priester und mit ihm die
Opfergabe, nämlich den Herrn, darbringen "und dadurch sich
selber darbringen lernen" sollen.

Liest man dies vor dem Hintergrund der Gesamtaussage der Konstitution über die Beziehung zwischen Jesus Christus und der
Kirche in der Liturgie [107], so wird klar, daß Jesus Christus

---

105 Vgl. Punkt 8 im Bericht des Relators (s. S. 193, Anm. 274). Die von
   der Kommission vorgeschlagene Fassung vermied so die ökumenisch besonders belastete Bezeichnung der Messe als Versöhnungsopfer, die von
   manchen Vätern als notwendige Ergänzung zu "Lobopfer" gefordert wurde;
   vgl. dazu Jungmann, 50 f.
106 Vgl. den tridentinischen Ausdruck "idem nunc offerens sacerdotum ministerio, qui seipsum tunc in cruce obtulit": DS 1743.
107 Vgl. oben, S. 240-258.

378

der Kirche als seiner Braut das Opfer übergibt, welches er selbst zusammen mit der Kirche als seinem Leib ist und als solcher *Christus totus*, mit Haupt und Gliedern, dem Vater darbringt. In ihrer Verbindung mit ihrem Haupt ist demnach auch die Kirche Subjekt und Inhalt der Opferdarbringung. Daß dabei der Herr selbst der hauptsächlich Handelnde bleibt, wird, entsprechend der Gesamttendenz der Konstitution [108], stärker als im Tridentinum und in der Enzyklika "Mediator Dei" durch die aktivischen Verbformen betont. Er hat das eucharistische Opfer eingesetzt, läßt darin das Kreuzesopfer fortdauern und vertraut es seiner Kirche in Gestalt einer Gedächtnisfeier an [109].

4.1.5. Die Messe als Gedächtnisfeier

Mit der Feststellung, daß die Eucharistie ein Opfer ist, in welchem Jesus Christus sein Kreuzesopfer in der Kirche, durch sie und mit ihr fortdauern läßt, ist noch nichts über die Weise des Fortdauerns, also über die Gegenwartsweise des Kreuzesopfers im Meßopfer gesagt. In welcher Weise die Liturgiekonstitution diese Fortdauer versteht, ist in Artikel 47 mit den Ausdrücken "fortdauern lassen" (*perpetuare*) und "Gedächtnisfeier" (*memoriale*) angedeutet. Hinter beiden Ausdrücken steht wiederum eine intensive und umfangreiche theologische Diskussion, über die hier nicht im einzelnen referiert werden kann. Nur die für das Verständnis des Konzilstextes entscheidenden

---

108 Vgl. oben, S. 316-322.
109 Vgl. zu den aktivischen Verbformen das oben, S. 196-198, Gesagte. Im Tridentinum waren die Kirche bzw. die Apostel und ihre Nachfolger das Subjekt des Opfers (vgl. DS 1740); von Christus wurde passivisch gesagt, er sei im Opfer enthalten und werde geopfert (vgl. DS 1743: "continetur et incruente immolatur"), er sei im Sakrament enthalten (vgl. DS 1636, 1651: "contineri"). Daß diese den reformatorischen Protest hervorrufende Sprechweise in der Liturgiekonstitution überwunden sei, anerkennt H. Goltzen, a.a.O. (S. 298, Anm. 359), 562 f. – Interessant ist aber, daß J. Laynez im Tridentinum ausdrücklich betonte, daß Jesus Christus selbst Subjekt der eucharistischen Repräsentation sei: "Passio (Christi) per ipsummet repraesentatur" (zit. nach H. Hofmann, Repräsentation. Studien zur Wort- und Begriffsgeschichte von der Antike bis ins 19. Jahrhundert, Berlin 1974, 78); vgl. auch das "idem nunc offerens" des Tridentinums: DS 1743.

Ergebnisse der theologischen Arbeit sollen genannt werden.

Repräsentation

Die Grundfrage wurde, wie schon erwähnt, von Michael Schmaus als das Dilemma formuliert, wie die Einzigartigkeit und Einmaligkeit des Opfers Jesu Christi mit der Lehre vom Meßopfer als einem eigenen Opfer vereinbart werden kann [110]. Das Tridentinum hatte dazu erklärt, die Messe sei Repräsentation und Gedächtnis des Kreuzesopfers und so Applikation seiner Heilskraft zur Vergebung unserer Sünden [111]. Die Frage war dann, was mit Repräsentation gemeint ist. Verstünde man darunter die Vergegenwärtigung des damaligen Opfers durch ein neues Opfer, so träfe der protestantische Vorwurf zu, daß die Messe das ein für allemal genügende Kreuzesopfer entwerte [112]. Dieses Mißverständnis wurde katholischerseits immer wieder durch mißverständliche Formulierungen wie 'Erneuerung' oder 'Wiederholung' des Kreuzesopfers genährt [113]. Beide Ausdrücke tauchen auch noch in der Enzyklika "Mediator Dei" [114], in späteren amtlichen Dokumenten [115] und in entsprechenden Stellungnahmen der Konzilsväter nach der ersten Lesung zu Artikel 47 der Liturgiekonstitu-

---

110 Vgl. oben, S. 369.
111 Vgl. DS 1740: "... ut dilectae sponsae Ecclesiae visibile (sicut hominum natura exigit) relinqueret sacrificium, quo cruentum illud semel in cruce peragendum repraesentaretur eiusque memoria in finem usque saeculi permaneret, atque illius salutaris virtus in remissionem eorum, quae a nobis quotidie committuntur, peccatorum applicaretur ...".
112 Vgl. z.B. die scharfe Verurteilung der Messe als "vermaledeite Abgötterey" im 'Heidelberger Katechismus'; dazu K. Beyer, Abendmahl und Messe. Sinn und Recht der 80. Frage des Heidelberger Katechismus, Neunkirchen-Vluyn 1965; W. Averbeck, Der Opfercharakter des Abendmahls (s. S. 368, Anm. 61), 45–47; zu den Angriffen speziell von Luther gegen den Opfercharakter der Messe vgl. E. Iserloh, Der Kampf um die Messe in den ersten Jahrzehnten der Auseinandersetzung mit Luther, in: KLK 10 (1952).
113 Vgl. A. Gerken, Theologie der Eucharistie, 146. Zum Ursprung dieser Vorstellung eines neuen Opfers schon in der lateinischen Patristik (bei Gregor d. Gr.) vgl. ebd., 94.
114 Vgl. MeD 65/547: "... Eucharistia Mysterium est, quam olim Summus Sacerdos Christus instituit, quamque per suos administros perpetuo in Ecclesia renovari iubet"; und MeD 69/549: "Itaque memorialis demonstratio eius mortis, quae reapse in Calvariae loco accidit, in singulis altaris sacrificiis iteratur".
115 Vgl. Pius XII., Apost. Konst. "Christus Dominus" (1953), in: AAS 45 (1953) 15–24, hier 15: "renovando"; ders., Ansprache an Kardinäle und Bischöfe (1954), a.a.O. (S. 58, Anm. 206): "iterare voluit". Der Papst

tion auf[116]. Selbst nach der zweiten Lesung wollte ein Bischof noch den Ausdruck "fortdauern lassen" durch "erneuern" ersetzen, was die Kommission mit dem Hinweis ablehnte, daß durch das Wort "fortdauern lassen" die Einheit von Kreuzesopfer und Meßopfer angezeigt werde [117].

Aber auch der Begriff der Repräsentation in der recht verstandenen Lehre des Tridentinums wird von der Liturgiekonstitution an dieser Stelle vermieden. Emil Joseph Lengeling vermutet, daß man keine lehrmäßige Vorentscheidung über die Begründung des Opfercharakters treffen wollte[118]. Tatsächlich wird im Tridentinum der Begriff *repraesentare* in einem ebenfalls mißverständlichen Sinn gebraucht. Der Opfercharakter der Messe wird nämlich nicht damit begründet, daß sie eine Repräsentation des Kreuzesopfers ist; vielmehr ist die Messe nach dem Tridentinum selbst schon ein sichtbares Opfer und dadurch geeignet, das Kreuzesopfer zu repräsentieren[119]. Damit ist aber wiederum die Einzigkeit des Opfers Jesu Christi gefährdet, was deutlich in den nachtridentinischen Meßopfertheorien zum Ausdruck kommt, die ja gerade erklären wollten, wie die Messe selbst schon ein sichtbares Opfer sei, um so das Opfer Jesu Christi vergegenwärtigen zu können[120].

In dem vom Tridentinum gebrauchten Verständnis ist also *repraesentare* tatsächlich ähnlich zu verstehen wie *renovare* und *iterare*; der ursprüngliche Sinn der Repräsentation, nämlich das Gegenwärtigeinlassen des Repräsentierten im Repräsentie-

---

beruft sich hier auf das Tridentinum, wo aber an der angegebenen Stelle (vgl. DS 1743) die genannten Ausdrücke nicht vorkommen.

116 Vgl. Punkt 5 im Bericht zu SC 47, a.a.O. (S. 193, Anm. 274); hier sollte nach "repraesentaretur" im Text des Schemas ergänzt werden: "mirabili modo praesentatur seu renovatur". Der Ausdruck "wiederholen" (*iterare*) war im Text des Schemas enthalten (vgl. den Text, oben, S. 195) und fand sich auch im ersten, nicht übernommenen Neuformulierungsvorschlag zu SC 47: vgl. den Bericht, ebd., 297: "Quae omnia Apostolis in sui memoriam iteranda praecepit", war aber in beiden Fällen nicht auf das Kreuzesopfer, sondern auf das Abendmahl bezogen.

117 Vgl. oben, S. 198 und Anm. 288.

118 Vgl. Lengeling, 106.

119 Vgl. dazu die Analyse des tridentinischen Textes (s. S. 380, Anm. 111) bei A. Gerken, Theologie der Eucharistie, 142 f.

120 Vgl. u.a. J. Betz, Eucharistie als zentrales Mysterium, in MySal IV/2, 254-256.

renden [121] wurde nicht mehr verstanden. Erst das vor allem im
Umkreis der Mysterienlehre wieder neu entdeckte Verständnis
dieses Repräsentationsbegriffs konnte verständlich machen, wie
das Meßopfer die Gegenwart des Kreuzesopfers und damit selbst
ein Opfer sein kann, ohne jedoch ein selbständiges Opfer zu
sein.

Gedächtnisfeier

Wenn also die Liturgiekonstitution hier das Wort *repraesentare*
vermeidet, so ist damit die vom tridentinischen Verständnis
dieses Wortes implizierte Mißverständlichkeit umgangen, die
nach wie vor die reformatorische Kritik hervorgerufen hatte [122].
Es ist aber damit keineswegs die Mysterienlehre abgelehnt, wie
das Walter Birnbaum folgert [123]; gerade ihr Anliegen wird vielmehr gewahrt, wenn auch in dem anderen, weniger belasteten Begriff der "Gedächtnisfeier" (*memoriale*). Daß das II. Vatikanische Konzil die tridentinische Formel von der Repräsentation

---

121 Vgl. dazu P. J. Cordes, Sendung zum Dienst, 182 f., der im Gefolge von
H. G. Gadamer das sakralrechtliche Verständnis der Repräsentation bei
den das griechische Bilddenken aufnehmenden lateinischen Vätern darstellt. Vgl. dazu H. Hofmann, Repräsentation (s. S. 379, Anm. 109), bes.
58-80. Das zugrundeliegende Verständnis der Anamnesis in der griechischen Patristik hat besonders J. Betz, Die Eucharistie in der Zeit der
griechischen Väter I/1, herausgearbeitet. Zu der so verstandenen real-
symbolischen Gegenwart der repräsentierten Heilstat im repräsentierenden liturgischen Akt und zum Verfall dieser Idee in der späteren lateinischen Tradition bis hin zum Tridentinum vgl. A. Gerken, a.a.O.,
61-141. Die Denkbarkeit der inneren Gegenwart des Heils vor allem in
der Eucharistie im nachapostolischen Parusiebegriff zeigt J. Timmermann, Nachapostolisches Parusiedenken, untersucht im Hinblick auf seine Bedeutung für einen Parusiebegriff christlichen Philosophierens,
München 1968 (= Münchener Universitätsschriften, Reihe der phil. Fak.,
Bd. 4), bes. 111 f. Zur Repräsentation von Vorgängen im sakralen Bereich nach den Texten des II. Vaticanums vgl. K. Peters, a.a.O. (S.
338, Anm. 541), 87.
122 Ein Beispiel für radikale protestantische Kritik am katholischen Repräsentationsbegriff ist O. Koch, Gegenwart oder Vergegenwärtigung
Christi im Abendmahl? Zum Problem der Repraesentatio in der Theologie
der Gegenwart, München 1965. Viel zurückhaltender und kritisch gegen
Kochs Verkennung des katholischen Verständnisses kritisiert den Repräsentationsbegriff K. Beyer, a.a.O. (S. 380, Anm. 112), 167-173. Positiv sagt H. Goltzen, Verständigung über den Gottesdienst, 563: "Trotz
der Anklänge an das Tridentinum sind Aussagen über ein sacrificium propitiatorium (Sühneopfer) und eine repraesentatio vermieden".
123 Vgl. S. 305, Anm. 385.

des Kreuzesopfers im Meßopfer durchaus beibehält, zeigt schon ihre Zitation in Artikel 6 [124].

In der Verwendung des Ausdrucks *memoriale* kann man aber den Versuch einer Neuformulierung des Meßopferverständnisses sehen, welcher die theologische Arbeit der vorausgegangenen Jahrzehnte aufnimmt. Der Ausdruck selbst findet sich in einem amtlichen Dokument hier erstmals; er kommt auch in den übrigen Texten des II. Vatikanischen Konzils nur noch an einer Stelle vor [125], die deutlich von Artikel 47 der Liturgiekonstitution beeinflußt ist. In der jüngsten theologischen Diskussion wurde das Wort vor allem durch das Eucharistiebuch von Max Thurian bekannt [126], ist aber keineswegs von ihm geprägt [127]; vor ihm gebrauchten es schon Henri de Lubac [128] und Aimé-Georges Martimort [129]. Auch im offiziellen französischen Meßdirektorium von 1956 findet es sich [130]. Viel früher taucht der Ausdruck schon bei Odo Casel auf [131]. Der Sache nach meint er nichts anderes als das Gedächtnis des Kreuzesopfers, von dem das Tridentinum sagt, es dürfe nicht als eine bloße Erinnerung (im subjektiven Sinn) verstanden werden [132], was die Enzyklika "Mediator Dei"

---

124 Vgl. den Text im Anhang II, S. 783. Allerdings ist das dort verwendete Zitat ("Eucharistiam celebrando, in qua 'mortis eius victoria et triumphus repraesentatur'") dem Kap. V des tridentinischen Eucharistiedekrets entnommen, das hier vom eucharistischen Anbetungskult handelt: vgl. DS 1643.
125 Vgl. AG 14: "... memoriale mortis et resurrectionis Domini cum cuncto Populo Dei celebrant".
126 Vgl. den frz. Originaltitel: "L'Eucharistie. Mémorial du Seigneur. Sacrifice d'action de grâce et d'intercession" (1959).
127 So meint H. Goltzen, a.a.O., 564; vgl. auch E. Walter, Eucharistie. Bleibende Wahrheit und heutige Fragen, Freiburg-Basel-Wien 1974 (= Buchreihe Theologie im Fernkurs, Domschule Würzburg, Bd. 2), 54.
128 Vgl. H. de Lubac, Corpus Mysticum, 73-96 (3. Kap.: "Memoriale, Vorwegnahme, Gegenwart"). Dieses Buch war allerdings lange wegen der Ordenszensur nicht erhältlich; M. Thurian scheint es nicht zu kennen.
129 A.-G. Martimort, Précisions sur l'Assemblée, a.a.O. (S. 280, Anm. 276), 24: "... l'eucharistie qui en est le mémorial efficace".
130 Vgl. Richtlinien für die seelsorgliche Gestaltung der Meßfeier in den Bistümern Frankreichs, angenommen von der Versammlung der Kardinäle und Erzbischöfe 1956, in: LJ 7 (1957) 163-192, Nr. 4.
131 Vgl. Th. Filthaut, Die Kontroverse ... (s. S. 39, Anm. 116), 69 f.
132 Vgl. DS 1740; dazu Can. 3, DS 1753: "Si quis dixerit, Missae sacrificium tantum esse laudis et gratiarum actionis, aut nudam commemorationem sacrificii in cruce peracti, non autem propitiatorium ... an. s.".
E. Iserloh, Messe als repraesentatio passionis in der Diskussion des

mit ähnlichen Worten wiederholt[133].

Mit dem Ausdruck *memoriale* ist deutlich der objektive Charakter dieser Gedächtnisfeier betont, die freilich ihre subjektive Annahme fordert und einschließt. Das so verstandene Gedächtnis ist nach Hans Urs von Balthasar "Neuvergegenwärtigung objektiv der Sache nach, subjektiv der Realisierung der Sache, Memoriale, Gedenkmal als Hinstellung der Sache, und Memoria, anamnesis, als Hinstellen des gedenkenden Menschen vor die Sache"[134].

Anamnesis

Damit erweist sich *memoriale* als sachlich identisch mit *anamnesis*[135], dem Schlüsselbegriff der patristischen Eucharistielehre, wie ihn Johannes Betz in Übereinstimmung mit Casel[136]

Konzils von Trient während der Sitzungsperiode in Bologna 1547, in: W. Dürig (Hg.), Liturgie. Gestalt und Vollzug (FS J. Pascher), München 1963, 138-146, hat gezeigt, daß in der tridentinischen Konzilsdiskussion neben Beiträgen, die das eucharistische Gedächtnis nur als Bewußtseinsgegebenheit betrachteten, auch solche zu finden sind, die in der sakramentalen Handlung selbst das Gedächtnis sehen und damit *memoria* als objektives Gedächtnis verstehen. Allerdings vermochte das Konzil diese Frage nicht zu entscheiden. Seine Texte sind aber offen für ein Verständnis der "Eucharistie als sakramentale Gegenwärtigsetzung des Kreuzesopfers" (ebd., 146); vgl. auch ders., Das tridentinische Meßopferdekret ..., a.a.O. (S. 368, Anm. 61), 356-367: "Die Messe ist repraesentatio passionis und nicht bloße commemoratio".

133 Vgl. MeD 67/548: "Augustum igitur altaris Sacrificium non mera est ac simplex Iesu Christi cruciatuum ac mortis commemoratio, sed vera ac propria sacrificatio ...".

134 Vgl. H. U. v. Balthasar, Die Messe, ein Opfer der Kirche?, a.a.O. (S. 53, Anm. 191), 207. Weniger deutlich wird der objektive Charakter in der Umschreibung von J.-M. R. Tillard, L'Eucharistie, Pâque de l'Eglise, Paris 1964, 248: "Le mémorial liturgique est un acte cultuel dans lequel on fait rappel d'un événement passé de salut mais pour en revivre 'hic et nunc' la grâce ..."; vgl. auch ebd., 109-113, 176-179, den Vergleich mit dem jüdischen Pascha. Deutlicher bei L. Bouyer, Eucharistie. Théologie et spiritualité de la prière eucharistique, Tournai 1966, 434: "Le mémorial est un gage symbolique, donné par la Parole divine qui accomplit dans l'histoire les *mirabilia Dei*, gage de leur présence continuée, toujours active en nous et pour nous qui nous en saisissons par la foi". Vgl. auch ders., Die Kirche (s. S. 292, Anm. 332) II, 58 und 76.

135 Vgl. A. Darlapp, Anamnese, in: LThK[2] I, 483-486.

136 Es handelt sich hier um einen der entscheidenden Punkte der Casel'schen Lehre, das "objektive Gedächtnis durch die Tat": vgl. ders., Das Mysteriengedächtnis ..., a.a.O. (S. 45, Anm. 157), 114, den er in allen seinen Schriften erläutert hat. Vgl. ders., Das christliche Kultmysterium,

und mit Söhngen[137] herausgearbeitet und mit dem Begriff der
"kommemorativen Aktualpräsenz" beschrieben hat[138]. Dieser Begriff meint "in materialer Hinsicht ... das Heilswerk Jesu, in
funktionaler Hinsicht spricht er dessen Vergegenwärtigung, und
zwar durch das kultische Tun der Feiernden, aus. In der Sprechweise der modernen Mysterientheologie ausgedrückt: Als Anamnesis ist das Abendmahl mysterium repraesentatum et repraesen-

bes. 79, 141, 172-175; dazu die Erläuterung von V. Warnach, Zur Einführung ..., a.a.O. (S. 43, Anm. 141), XLI, mit weiterer Lit., und J.
Plooij, Die Mysterienlehre Odo Casels (s. S. 38, Anm. 115), 62.
137 Vgl. die S. 46, Anm. 163, und S. 51, Anm. 185, angegebenen Arbeiten
von G. Söhngen und deren Besprechung bei J. Betz, Die Eucharistie in
der Zeit der griechischen Väter I/1, 251-257.
138 Vgl. J. Betz, ebd., bes. 140-259. Diese "kommemorative Aktualpräsenz"
ist der zweite Bestandteil der Gesamtthese von Betz, die in der "prinzipalen Aktualpräsenz" des erhöhten Herrn und der "kommemorativen Aktualpräsenz" seiner Heilstat als dem Grund seiner "somatischen Realpräsenz" zusammengefaßt ist. Diese These hat Betz in den beiden bisher
erschienenen Bänden I/1 (1955) und II/1 (1961) seines Werkes "Die Eucharistie in der Zeit der griechischen Väter" entwickelt und dann immer wieder systematisch zusammengefaßt: vgl. ders., Eucharistie I-VI,
in: LThK² III (1959), 1142-1157, hier VI. Systematik, 1153-1157; ders.,
Eucharistie, in: HThG I (1962), 336-355, bes. 348-355 ("systematische
Vertiefung"); ders., Eucharistie, in: SM I (1967), 1214-1233, bes.
1226-1233 ("Theologische Verdeutlichung"). Vgl. auch die ausführliche
Gesamtdarstellung in: Ders., Eucharistie als zentrales Mysterium, in:
MySal IV/2 (1963), 185-311, bes. 263-311 ("systematische Einsichtnahme").- Die These von Betz hat z.T. auch massive Kritik erfahren: vgl.
z.B. die Ablehnung der Grundthese von Betz bei J. Barbel, (Rezension
zu Bd. I/1), in: ThRv 53 (1957) 61-71, sowie die Kritik von J. Auer,
(Rezension zu Bd. I/1), in: ZfKg 68 (1957) 163-168, und H. Lais, Gedanken zu den Meßopfertheorien, in: J. Auer/ H. Volk (Hg.), Theologie
in Geschichte und Gegenwart (FS M. Schmaus), München 1957, 80. Vgl. zu
den beiden letzten die Entgegnung von J. Betz, Die Prosphora in der
patristischen Theologie, in: B. Neunheuser (Hg.), Opfer Christi und
Opfer der Kirche (s. S. 50, Anm. 180), 116 und Anm. 45. Trotz dieser
Kritik ist der Entwurf von Betz inzwischen allgemein anerkannt. Er
wird in der Sache, ohne direkte Abhängigkeit, von M. Thurian und vielen anderen bestätigt. - Wichtige bibeltheologische Grundlagen bietet
neben J. Jeremias (s. S. 363, Anm. 31) W. Marxsen, Repräsentation im
Abendmahl, in: MPTh 41 (1952) 69-78 = Auszug aus ders., Die Einsetzungsberichte zum Abendmahl (Diss. masch.), Kiel 1949 (Mikroskopie, Göttingen 1952). Die seither erschienene umfangreiche systematische und exegetische Literatur zu diesem Thema braucht hier nicht im einzelnen aufgeführt zu werden. Vgl. W. Schottroff, zkr-gedenken, in: THAT I, 507
bis 518; H. Eising, zākar, in: ThWAT II, 571-593, bes. 589-593; J.
Behm, ἀνάμνησις, in: ThWNT I, 351 f.; O. Michel, μιμνήσκομαι, in:
ThWNT IV, 678-687; vgl. dazu F. Porsch, Pneuma und Wort (s. S. 334,
Anm. 525), 261, Anm. 230 f. Über die dogmatischen Forschungen hierzu
berichtet A. Gerken, Theologie der Eucharistie, 65-84.

tans [139]. Hier wird der oben schon in der Formulierung von Hans
Urs von Balthasar gezeigte personale, dialogische Charakter
der Anamnesis angedeutet, den Raphael Schulte ausdrücklich
hervorhebt [140] und den Alexander Gerken in der griechischen Patristik nicht hinreichend entwickelt findet und als das heutige Problem der Eucharistielehre kennzeichnet [141].

Der Ausdruck *memoriale* erweist sich damit als geeignet, sowohl
das mit der tridentinischen *repraesentatio* Gemeinte, die objektive Gegenwart des Kreuzesopfers im Meßopfer, auszudrücken,
wie auch, deutlicher als die tridentinische *memoria*, die objektive und die subjektive Seite der einen Gedächtnisfeier zu
umfassen. Es ist die dem feiernden Gedenken der Kirche gegebene gegenwärtige Wirklichkeit der Heilstat des Herrn, die in
Kreuz und Auferstehung gipfelt. Dabei ist, wenn man *memoriale*
in dem Sinn nimmt, wie es von den oben genannten Autoren gebraucht wird, nicht nur an eine Gegenwart der Heilswirksamkeit [142], sondern auch der Heilswirklichkeit selbst zu denken.

Applikation

Liest man den Ausdruck zudem vor dem Hintergrund der Gesamtaussage der Liturgiekonstitution über die tätige Teilnahme der
Gläubigen als konstitutives Element des liturgischen Mysteriums selbst [143], so zeigt sich, daß auch die dritte tridentini-

---

139 Vgl. J. Betz, Die Eucharistie in der Zeit der griechischen Väter I/1,
    150 f.; vgl. Th. Filthaut, Die Kontroverse ..., 24 f.
140 Vgl. R. Schulte, Die Einzelsakramente als Ausgliederung des Wurzelsa-
    kramentes, in MySal IV/2, 46-155, hier 143 f.
141 Vgl. A. Gerken, a.a.O., 78-82, 199-228; vgl. H. Schillebeeckx, Sakra-
    mente als Organe der Gottbegegnung, a.a.O. (S. 53, Anm. 191), 392.
142 So versteht jedoch A. Darlapp, Anamnese, in: LThK² I, 483-486, hier
    484, die Anamnesis: "Die genauere begriffliche Bestimmung der Weise
    solcher Vergegenwärtigung durch A. muß diese 'Gegenwart' als Gegenwart
    'in effectu' kennzeichnen (vgl. D 2297)". Der letzte Hinweis meint MeD
    20/528, wie die Sakramente "utpote efficiendae sanctitatis instrumenta"
    verstanden sind; vgl. dazu unten, Abschn. 4.4. Zur Sache vgl. den Be-
    richt über die entspr. Kontroverse zw. Casel und Söhngen bei Th. Filt-
    haut, a.a.O., 26-32, und die Kritik an Söhngen von J. Betz, Die Eucha-
    ristie in der Zeit ... I/1, 254-256. Vgl. außerdem im Hinblick auf die
    konziliare Aufnahme des Anamnesis-Gedankens: Y. Congar, Das Verhältnis
    zwischen Kult oder Sakrament und Verkündigung des Wortes, in: Conc 4
    (1968) 176-181, hier 177 f.
143 Vgl. oben, S. 277-283.

sche Bestimmung des Meßopfers darin enthalten ist, die Zuwendung seiner Heilskraft zur Vergebung unserer täglichen Sünden[144]. Denn das feiernde Gedenken der Heilstat des Herrn durch die Kirche (*memoria*), der kraft seiner wirksamen Gegenwart die Gedächtnisfeier dieser Heilswirklichkeit anvertraut ist (*repraesentatio*), ist gerade die Weise, wie dieses Heilswerk sich vollzieht (Nr. 2), indem die Gläubigen in das Pascha-Mysterium eingefügt werden (Nr. 6) und so seine Heilswirksamkeit erfahren (*applicatio*). Dieser letzte Aspekt wird in Artikel 48 entfaltet, wo davon die Rede ist, daß die Gläubigen das Heil als "Einheit mit Gott und untereinander" erlangen, indem sie das eucharistische Mysterium in tätiger Mitfeier als ihr eigenes Opfer vollziehen und sich so "durch das Wort Gottes formen lassen, am Tisch des Herrenleibes Stärkung finden" (ebd.).

'Mysteriengegenwart' des Kreuzesopfers im Meßopfer der Kirche

Diesen das ganze Geheimnis der Eucharistie umfassenden Inhalt der "Gedächtnisfeier" beschreibt Michael Schmaus als Lösungsmöglichkeit des Problems sowohl der Einheit von Kreuzesopfer und Meßopfer, wie auch der Einheit von Opfer Christi und Opfer der Kirche[145]. Die erste Frage ist vor allem unter dem Stichwort 'Mysteriengegenwart' diskutiert worden. Sie steht bei dem an dieser Diskussion besonders beteiligten Theologen im Vordergrund[146]. Die zweite Frage, das Mitopfern der Gläubigen, welches in vollem Ernst als eigenes Opfer verstanden werden soll und dennoch die Einheit des in Kreuz und Messe einen Opfers Jesu Christi nicht gefährden darf, nimmt stärker als die Mysterienlehre das tut, den inneren Sinn der 'tätigen Teilnahme' der Gläubigen, das Anliegen der pastoralliturgischen Bewegung, auf[147].

144 Vgl. DS 1740 (s. S. 380, Anm. 111).
145 Vgl. M. Schmaus, Das eucharistische Opfer ..., a.a.O. (S. 361, Anm. 26), 19 ff.
146 So vor allem bei O. Casel, V. Warnach, G. Söhngen, J. Betz. Die innerlich notwendig hinzugehörende tätige Teilnahme der Gläubigen und damit das dialogische Element in der Mysterienfeier findet sich bei diesen Theologen auch, wird aber nicht eigentlich thematisiert.
147 Dies zeigt sich deutlich z.B. bei O. Semmelroth, Gott und Mensch in Be-

Der oben erläuterte Sinn der tätigen Teilnahme der Gläubigen
nach der Liturgiekonstitution trifft sich mit dem Ergebnis von
Michael Schmaus. Nach seiner Darstellung "gehört die Teilnahme
der Kirche am Kreuzesopfer formal in das Meßopfer hinein" [148].
"Es gibt keine Eucharistie ohne Golgotha. Es gibt aber auch
keine Eucharistie ohne die Kirche, und zwar nicht bloß derart,
daß die Kirche die unentbehrliche Trägerin der eucharistischen
Feier ist, daß das Sakrament ohne ihr Wort und ihr Tun nicht
zustande kommen würde, sondern vor allem derart, daß das eucharistische Opfersakrament ohne die Kirche wesenlos und sinn-
los wäre. Diese Zusammenhänge lassen sich in die Form bringen,
daß die Repräsentation, also die Gegenwärtigsetzung von Golgotha, und die Applikation gegenüber der Kirche sich gegenseitig
bedingen" [149].

Dabei behält das Tun Christi vor dem darin immer schon mitge-
wollten Tun der Kirche den absoluten, souveränen Vorrang, denn
es bleibt ja sein Tun, das er der Kirche zur Teilnahme übergibt: Er vertraut ihr die Gedächtnisfeier an (Nr. 42) und gesellt sie sich dabei als seine Braut zu (Nr. 7) [150].

4.1.6. Die Messe als Sakrament

Nicht als einen weiteren Inhalt des eucharistischen Mysteriums,
sondern als Explikation dessen, was mit Gedächtnisfeier gemeint ist, bezeichnet die Liturgiekonstitution das eucharisti-

---

gegnung (s. S. 326, Anm. 491); B. Neunheuser, Die numerische Identiät
... (s. S. 368, Anm. 60). - Die beiden genannten Fragestellungen hat
am deutlichsten differenziert: H. U. v. Balthasar, Die Messe, ein Opfer der Kirche?, a.a.O. (S. 53, Anm. 191), 166-173.
148 M. Schmaus, a.a.O., 22; vgl. auch die S. 374, Anm. 86, angegebenen Belege bei Schmaus.
149 Ebd., 23.
150 Innerhalb der Einheit von Opfer Christi und Opfer der Kirche bleibt
eine wesentliche Unterschiedenheit von beiden; dies betont überzeugend
H. U. v. Balthasar, a.a.O., und kritisiert dabei eine zu starke Identifizierung sowohl bei O. Casel (ebd., 174-182) wie auch bei M. Thurian und L. Bouyer (ebd., 183-192). Sein eigener Lösungsversuch differenziert stärker zwischen der gebenden Rolle Christi und der empfangenden der Kirche (ebd., 192-217).

sche Opfer als Sakrament [151]. Damit ist schon gesagt, daß die Feier als ganze ein Sakrament ist. Dies ergibt sich als positive Aussage des Konzils auch aus der Diskussion über die Titel des zweiten und des dritten Kapitels der Liturgiekonstitution. Das Mysterium der Eucharistie, womit die eucharistische Feier als ganze gemeint ist, umfaßt den Aspekt des Opfers, wie den des Sakramentes [152]. Deshalb und mit Berufung auf diesen Tatbestand wurde der Titel des dritten Kapitels geändert. Er spricht nicht einfachhin von den Sakramenten, sondern von den "übrigen" Sakramenten [153].

Mit dieser Kennzeichnung des eucharistischen Mysteriums als Sakrament ist im Grunde nichts Neues gesagt, da der Begriff 'Mysterium' in der Liturgiekonstitution sich inhaltlich allenfalls in Nuancen vom Begriff 'Sakrament' unterscheidet [154].

Dennoch dient die ausdrückliche Einführung des Wortes 'Sakrament' dazu, die herkömmliche, vom Tridentinum eingeführte Aufspaltung des Eucharistietraktates in Opfer und Sakrament, wie sie auch in der Enzyklika "Mediator Dei" noch nachwirkt [155], zu überwinden. Das eucharistische Sakrament ist nicht mehr eingeschränkt auf die Realpräsenz, welche dann nur im Hinblick auf die substantiale Gegenwart des Herrn in den eucharistischen Gestalten gesehen wurde, die zur sakramentalen Kommunion und zur eucharistischen Anbetung gegeben war und von dem gesamten eucharistischen Geschehen isoliert wurde [156].

Die Überwindung dieser Trennung bedeutet einerseits eine Aufwertung der gesamten Feier mit ihren einzelnen Elementen, andererseits eine Einordnung der substantialen Realpräsenz, wo-

---

151 Diese innere Einheit von Opfer und Sakrament wird durch den Doppelpunkt im Text deutlich gemacht: das Opfer ist Sakrament (vgl. den Text, oben, S. 195).
152 Vgl. oben, S. 359.
153 Vgl. oben, S. 199; dazu die Erklärung des Relators, Erzbischof P. J. Hallinan (Atlanta/ USA), a.a.O. (S. 199, Anm. 297), 562.
154 Vgl. dazu oben, S. 305-315.
155 Vgl. oben, S. 365-367.
156 So wird in den entsprechenden Canones des Tridentinums (DS 1651-1661) über das Sakrament der Eucharistie nur von der Realpräsenz (Can. 1-4) im Hinblick auf die eucharistische Anbetung (Can. 6-7) und Kommunion (Can. 8-11) gehandelt. Vgl. auch die entsprechenden Lehrkapitel: DS 1636-1650. Ganz ähnlich geht MeD vor: vgl. oben, S. 367.

durch ihre Deutung erleichtert wird [157].

Wie sehr hier in der Liturgiekonstitution eine Umorientierung
der Aufmerksamkeit vorliegt, zeigt sich schon daran, daß die
im Zusammenhang des Eucharistiesakramentes bislang fast ausschließlich behandelten Themen, nämlich sakramentale Kommunion
und eucharistische Anbetung, in der Liturgiekonstitution überhaupt nicht erwähnt werden. Dies ist allerdings auch bedauerlich, da so der Zusammenhang dieser Aspekte mit dem grundlegenden Mysterium der Eucharistie nicht thematisiert wird.
Positiv aber ist zu sagen, daß mit der Einführung des Sakra-
mentsbegriffes auch die Zeichenhaftigkeit der eucharistischen
Handlung in den Blick kommt. Wenn dies in Artikel 47 auch
nicht ausdrücklich erwähnt wird, dann doch umso deutlicher in
den beiden folgenden Artikeln. Die Christen sollen "durch die
Riten und Gebete dieses Mysterium wohl verstehen lernen und so
die heilige Handlung bewußt, fromm und tätig mitfeiern" (Nr.
48). Die Reformbestimmungen des Konzils haben zum Ziel, daß
"das Opfer der Messe auch in der Gestalt seiner Riten seelsorglich voll wirksam werde" (Nr. 49).

Diese dem menschlichen Verständnis und Vollzug zugewandte Seite der Heilswirklichkeit klingt im *Sakrament* deutlicher an als
im *Mysterium*, das eher die dem Menschen verborgene, göttliche
Seite derselben Wirklichkeit ausspricht, ohne daß jedoch diese
beiden Seiten derselben Sache voneinander getrennt werden dürf-
ten [158]. Versteht man die Riten in dem oben entwickelten Sinn
von liturgischen Zeichen, die symbolischer Ausdruck der sich
in ihnen ausdrückenden Sache (bzw. Person) sind [159], und versteht man die durch sie erleichterte, bzw. erst ermöglichte
tätige Teilnahme der Gläubigen in ihrem vollen Sinn [160], so ergibt sich, daß tatsächlich mit dem Sakramentsbegriff nochmals
die ganze Wirklichkeit der Eucharistie zur Sprache gebracht

---

157 Siehe Abschnitt 4.3. über die somatische Realpräsenz, S. 441-454.
158 Vgl. oben, S. 231 f. und Anm. 45.
159 Vgl. oben, S. 312-315.
160 Vgl. dazu S. Marsili, La Messa mistero pasquale e mistero della Chiesa,
    a.a.O. (S. 233, Anm. 52), 361-364: Als Kultmysterium erfordert die
    Messe die tätige Teilnahme der Gläubigen als Mitgehen mit der Bewegung
    Christi zum Vater.

wird, diesmal freilich stärker im Blick auf den Menschen, während die Gedächtnisfeier des Kreuzesopfers den Blick mehr zu Gott wendet. Aber wiederum können beide Blickrichtungen nur methodisch und sekundär unterschieden werden. Ebenso wie die Messe ein Opfer ist, weil sie die Gedächtnisfeier des Opfers Jesu Christi ist, so gilt, daß sie ein Opfer ist, weil sie das sakramentale, das heißt wirklichkeitserfüllte und wirksame, sinnenfällige Zeichen seines Opfers ist [161].

Die inhaltliche Füllung des Sakramentsbegriffs hinsichtlich der Eucharistie wird in Artikel 47 mit einem Augustinus-Text vorgenommen. Er war schon im Schema angeklungen [162], dort aber auf Kritik gestoßen [163] und durch das wörtliche Augustinus-Zitat ersetzt worden: "Das Sakrament huldvollen Erbarmens, das Zeichen der Einheit, das Band der Liebe" [164].

Damit wurde ein Text gewählt, der hinter spätere Verengungen zurückgeht auf die von Augustinus gesammelte Fülle des patristischen Eucharistieverständnisses, was gewiß nicht ohne Absicht geschah, wenn auch die einzelnen Aspekte dieser Lehre nicht eigens reflektiert sein mögen. Sie hier zu entfalten, würde zu weit führen [165]. Immerhin ist es interessant, auf folgende, im Zusammenhang der Liturgiekonstitution auch anderwei-

---

161 Vgl. ebd., 348: "La Messa è un *sacrificio*, è tale perché è un *sacramento*". Marsili bezieht sich dabei auf Augustinus, Civ. Dei X,5, in: PL 41,282; deutsch: BKV II (1914), 78: "Das sichtbare Opfer ist also das Sakrament, d.i. das heilige Zeichen eines unsichtbaren Opfers". Hier handelt Augustinus freilich von den alttestamentlichen Opfern, bezieht aber diesen Gedanken in X,6 (ebd., 82) auch auf das Opfer der Kirche.
162 Vgl. den Text, oben, S. 195.
163 Vgl. die Punkte 6 und 7 im Bericht des Relators, a.a.O. (S. 193, Anm. 274): Ein Konzilsvater stieß sich an dem Ausdruck *sacramentum pietatis*, da er in 1 Tim 3,16 das Mysterium der Inkarnation meine. Die Kommission wies auf denselben Wortlaut bei Augustinus in Bezug auf die Eucharistie hin. Interessant ist, daß dem betreffenden Einwand die Verbindung von Inkarnation und Eucharistie suspekt ist. Zu ihrer inneren Beziehung in der griechischen Patristik vgl. J. Betz, Die Eucharistie in der Zeit der griechischen Väter I/1, 206-342 ("die kommemorative Aktualpräsenz der Inkarnation Jesu im Abendmahl der Kirche"). - Zwei weiteren Konzilsvätern mißfiel die Wendung "fons et exemplar unitatis". Die Kommission zog sich auf den Wortlaut des Augustinus-Textes zurück, ohne dazu inhaltlich Stellung zu nehmen.
164 "Sacramentum pietatis, signum unitatis, vinculum caritatis". Bei Augustinus steht der Text im Vocativ.
165 Vgl. dazu H. de Lubac, Corpus Mysticum, bes. 216-222.

tig betonte Elemente hinzuweisen.

"Das Sakrament huldvollen Erbarmens" (*sacramentum pietatis*) erinnert deutlich an 1 Tim 3,16, wo mit diesem Ausdruck (μυστήριον εὐσεβείας) nichts anderes als das Christus-Mysterium in seinem ganzen Umfang beschrieben wird[166]. Augustinus stellt dieses Wort in seine Deutung des johanneischen Brotes vom Himmel:
Christus gibt das Brot, welches sein Fleisch für das Leben der
Welt ist[167]. Hier wird also das Christus-Mysterium mit dem eucharistischen Mysterium zusammengebracht. Jenes wirkt sich in
diesem aus[168].

"Das Zeichen der Einheit" (*signum unitatis*) spielt auf den im
selben Abschnitt von Augustinus erklärten Zusammenhang der
Glieder des Leibes Christi untereinander und den Zusammenhang
dieses ganzen Leibes mit seinem Haupt an. Hier sind die beiden,
später oft nicht mehr in ihrer Einheit gesehenen Wirkungen der
Eucharistie, die Bindung an Jesus Christus und die Einheit der
Kirche, zusammengesehen[169]. In der Enzyklika "Mediator Dei"
ist fast ausschließlich von der individuellen Christusbezie-
hung als Frucht der Eucharistie die Rede[170], während die Liturgiekonstitution als Wirkung der Eucharistie erhofft, daß die
Christen "durch Christus, den Mittler, von Tag zu Tag zu immer
vollerer Einheit mit Gott und untereinander gelangen, damit
schließlich Gott alles in allem sei" (Nr. 48).

Mit dem "Band der Liebe" (*vinculum caritatis*) schließlich nimmt
Augustinus den Gedanken auf, daß der Leib Christi, den die
Gläubigen empfangen und der sie sind, vom Geist Christi lebt

---

166 Vgl. 1 Tim 3,16: "Wahrhaftig, das Geheimnis der Religion ist groß: Er
   wurde offenbar im Fleisch, gerechtfertigt im Geist, geschaut von den
   Engeln, verkündet unter den Heiden, geglaubt in der Welt, aufgenommen
   in die Herrlichkeit".
167 Vgl. Augustinus, In Ioann. Ev. Tract. XXVI, cap. VI, n. 13, in: PL 35,
   1613, deutsch in: BKV V (1913), 39 f., wo Jo 6,51 erklärt wird: "Ich
   bin das lebendige Brot, das vom Himmel herabgekommen ist. Wer von diesem Brot ißt, wird leben in Ewigkeit. Und das Brot, das ich geben werde, ist mein Fleisch für das Leben der Welt".
168 Vgl. dazu S. Marsili, a.a.O. (S. 233, Anm. 52), 361 f.
169 Vgl. H. de Lubac, a.a.O., 207-228, bes. 207-211 ("res et virtus sacramenti").
170 Vgl. vor allem den Abschnitt über die Danksagung, MeD 121-126/566-568,
   und über die Wirkung des Meßopfers, MeD 74-78/550-552.

und deshalb, wer Leben empfangen will, diesem Leib einverleibt werden muß. Der Geist ist es, der den Leib zusammenhält und lebendig macht, indem er als die Liebe Gottes Gott mit den Menschen und diese untereinander verbindet. Auch dies geschieht und wird angezeigt in der Eucharistie als "Band der Liebe". So kommt, zumindest auf diesem Weg des Augustinus-Zitats, die pneumatologische Dimension der Eucharistie, die im Text sonst fast vollständig fehlt, verborgen mit ins Spiel.

4.1.7. Die Messe als Mahl

Als letzte Bestimmung der Eucharistie nennt die Liturgiekonstitution ihren Mahlcharakter. Das "österliche Mahl" als "Sieg und Triumph über den Tod" und "Pfand und Bild des himmlischen Gastmahls" war im Text des Schemas der führende Begriff gewesen[171]. Mehrere Väter hatten das kritisiert, weil der Mahlcharakter überbetont sei[172] und weil 'Pascha' von den Gläubigen leichter im Sinn von Auferstehung des Herrn als im Sinn seines Opfers verstanden werde. Diesem zweiten Einwand widersprach die Kommission mit Hinweis auf viele klassische Texte und behielt deshalb den Ausdruck bei[173], freilich nicht mehr an so hervorgehobener Stelle. Allerdings ist die deutsche Übersetzung mit "Ostermahl" mißverständlich. Hier klingt, anders als in 'Pascha', tatsächlich das Kreuz kaum noch an, weshalb ja auch 'Pascha-Mysterium' unübersetzt gelassen wurde[174].
Der Ausdruck 'Pascha-Mahl' muß, ebenso wie das Sakrament, als Charakterisierung der gesamten eucharistischen Feier verstanden werden. Sie ist Gedächtnisfeier und Sakrament in Gestalt eines Mahles und entspricht damit dem Letzten Abendmahl, dessen Wiederholung sie genannt werden kann[175].

---

171 Vgl. den Text, oben, S. 195; dazu Jungmann, 50.
172 Vgl. oben, S. 366, Anm. 51.
173 Vgl. den Bericht (s. S. 192, Anm. 265); darin werden die synopt. Evangelien, der Hymnus "Lauda Sion" des hl. Thomas v. Aquin und vor allem das Tridentinum (DS 1741) als Belege für diesen Pascha-Begriff genannt.
174 Vgl. S. 233, Anm. 53.
175 So im Schema, s. oben, S. 19 . Daß die Messe nicht Wiederholung des

Gestalt und Gehalt

Allerdings kann die Mahlgestalt weder im Abendmahl noch bei der Meßfeier den gesamten Gehalt dieses Geschehens zum Ausdruck bringen. Vielmehr hat Jesus selbst in das Pascha-Mahl die symbolische Vorwegnahme seines Opfers eingetragen und es so zu einem Mahl mit Opfersymbolik gemacht, einem Mahlopfer bzw. einem Opfer in Mahlgestalt, einem Opfermahl[176]. Dabei ist nach Joseph Pascher auf der Ebene der liturgischen Gestalt das Mahl das Primäre, in welches Opfersymbole eingetragen wurden, während auf der Ebene des in dieser Gestalt gegebenen Gehaltes das Opfer das Primäre ist. Der Gehalt aber ist der Gestalt gegenüber primär; diese dient jenem[177]. Im Lauf der Entwicklung hat sich dieser entscheidende Gehalt immer stärker auf die liturgische Gestalt ausgewirkt, vor allem auf die Bereitung der Gaben, in der selbst ein Opfer gesehen wurde[178].

Daraus entsteht die Frage, ob das Abendmahl überhaupt als liturgische Gestalt oder nur seinem inneren Gehalt nach bleibende Norm für die Messe ist. Joseph Ratzinger entscheidet die Frage dahin, daß der Wiederholungsbefehl des Herrn sich nicht auf das Abendmahl als solches, sondern auf die darin vollzogene eucharistische Handlung beziehe, die sich mehr und mehr von der Gestalt des Mahles gelöst habe und zu einer eigenen liturgischen Feier geworden sei. Diese Eucharistiefeier, die wohl Mahlelemente enthält, ist nach ihm die Grundgestalt der Meßfeier[179].

Kreuzesopfers, wohl aber des Abendmahls ist, betont J. M. Reuß, Opfermahl - Mitte des Christseins. Eine pastoraltheologische Untersuchung zur Meßfeier, Mainz 1960, bes. 45-48.

176 Vgl. dazu J. Pascher, Eucharistia (s. S. 115, Anm. 504), 18-25; J. A. Jungmann, Um die Grundgestalt der Meßfeier, in: StZ 143 (1948/1949) 310-312, meint zu Paschers Entwurf, daß die Opfersymbolik gleichrangig mit der Mahlsymbolik die Grundgestalt der Eucharistiefeier bestimme. J. Pascher, Um die Grundgestalt der Eucharistie, in: MThZ 1 (1950) 64 bis 75, präzisierte daraufhin nochmals seinen Standpunkt. Vgl. auch J. M. Reuß, a.a.O., 34-44.

177 Vgl. J. Pascher, Eucharistia, 31 f.

178 Vgl. ebd., 30, 80-89; dazu N. Maurice-Denis-Boulet, Bedeutung der Gabenbereitung, a.a.O. (S. 276, Anm. 262).

179 Vgl. J. Ratzinger, Gestalt und Gehalt ..., a.a.O. (S. 364, Anm. 40). Ratzinger schließt sich damit J. A. Jungmann, Missarum Sollemnia I, 327 ff., an und kritisiert die These Paschers.

Eine solche Deutung entspricht wohl eher der tatsächlichen definitiven Form der Meßfeier, die ja in ihrem ersten Teil überhaupt keine Mahlelemente enthält, im zweiten, eucharistischen Teil das Bereitstellen der Gaben wenig betont und die Bereitung dieses Mahls in den Rahmen des eucharistischen Hochgebetes stellt, das als solches wiederum nicht Mahlcharakter hat. Erst der Mahlempfang hat einen ausgeprägten Mahlcharakter, der aber nicht hinreicht, um die ganze Feier primär als Mahl zu bezeichnen.

Diese Kritik an der Mahlgestalt der Eucharistie muß allerdings insoweit relativiert werden, als sowohl Joseph Pascher wie später Bernhard Welte[180] das Mahl keineswegs ausschließlich vom Essen her verstehen, sondern es als einen Gesamtvorgang deuten, der die "Speisen, die Tischgemeinschaft, das Tischgebet, die Lieder, die Tischreden und anderes" umfaßt[181]. Die dennoch bleibende Frage, ob die Messe primär eucharistisches Opfer ist, in dem ein Mahl bereitet und genossen wird, oder primär Mahl, das vom eucharistischen Opfer spezifiziert wird, braucht hier nicht entschieden zu werden[182]. Die Liturgiekonstitution hatte in ihrem Entwurf den zweiten Aspekt bevorzugt, hat sich aber in ihrem definitiven Text für die erste Lösung entschieden.

Wichtig ist, daß der Mahlcharakter zu den konstitutiven Elementen der Eucharistie gehört, was im Grunde selbstverständlich ist, wenn der Herr die Gabe, die den Inhalt des eucharistischen Opfers bildet, Tod und Auferstehung als sein Heilswerk, in Form einer Speise zum Genuß, also als Mahl präsentiert.

Pascha-Mahl

Das Pascha-Mahl, das in Form eines Mahlopfers vom Herrn selbst

---

180 Vgl. B. Welte, Zum Vortrag von A. Winklhofer, in: M. Schmaus (Hg.), Aktuelle Fragen zur Eucharistie (s. S. 362, Anm. 30), 184-194, hier 185.
181 J. Pascher, a.a.O., 28.
182 Diese Frage wird von A. Winklhofer, Eucharistie als Osterfeier, Frankfurt/ M. 1964, 86-90, offengelassen. Er schließt sich bei der Frage nach der "Grundgestalt" weitgehend an J. M. Reuß an; die Grundgestalt wird vom Abendmahl bestimmt. In dieser Gestalt zeigt sich aber eine immer stärkere Prävalenz des Opferaspektes: vgl. ebd., 88.

bereitet wird - und zwar sowohl beim Letzten Abendmahl wie
entsprechend auch bei jeder Meßfeier -, damit es in Form eines
Opfermahles genossen wird [183], umfaßt den gesamten Inhalt der
Eucharistie, also die Gegenwart des Heilswerks Jesu Christi
für uns. Es beinhaltet damit sowohl den soterischen wie den
latreutischen Aspekt des Opfers Jesu Christi und der Kirche.
Dieser umfassende Inhalt des Pascha-Mahles war im Text des
Schemas dadurch zum Ausdruck gebracht worden, daß die Repräsentation des Kreuzesopfers als Inhalt des Pascha-Mahles genannt war. In der Neufassung rückte die Erwähnung des Mahles
an den Schluß des Artikels und wurde nur noch mit dem auf den
Mahlgenuß allein verweisenden Text aus der Magnificat-Antiphon
des Fronleichnamsfestes verbunden [184], wobei noch der dort an
das Opfer des Herrn erinnernde Hinweis auf das "Gedächtnis
seines Leidens" [185] weggelassen wurde, wohl um eine Wiederholung zu vermeiden. So entsteht nun der Eindruck, als meine das
"österliche Mahl" nur den Mahlgenuß, nur den soterischen Aspekt der Eucharistie.

Opfer und Mahl

Wenn dagegen trotz der jetzt weniger deutlichen Formulierung
daran festgehalten werden muß, daß das Konzil mit dem Pascha-
Mahl den Gesamtvorgang der Eucharistie meint, so stellt sich
damit die Frage nach der Beziehung von Opfer und Mahl. Diese
Frage enthält zwei Aspekte, nämlich erstens, ob man auch unter
dem Begriff 'Opfer' Wandlung und Kommunion, Opferbereitung und
Opfergenuß, zusammen sehen kann, und zweitens, ob man auch unter dem Begriff 'Mahl' beides zusammen sehen kann. Daraus folgt
die Frage, ob die Kommunion - nochmals zu differenzieren in
Kommunion des Priesters und der Laien - formeller oder integrierender Bestandteil der Eucharistie ist. Je nach der Ant-

---

183 Vgl. J. M. Reuß, a.a.O., bes. 34-44.
184 Vgl. SC 47, Anm. 37 im Text: "Breviarium Romanum, In festo Sanctissimi
     Corporis Christi. Ad II Vesperas, antiphona ad Magnificat".
185 Der Text lautet: "O sacrum convivium, in quo Christus sumitur: recoli-
     tur memoria passionis eius, mens impletur gratia et futurae gloriae
     nobis pignus datur, alleluja": vgl. Liturgia Horarum iuxta ritum Roma-
     num (1972), Bd. III, 502.

wort auf diese Frage wäre die Messe ohne Kommunion entweder unmöglich oder möglich, aber nicht sinnvoll.

Im Gefolge der hochmittelalterlichen, besonders von Thomas von Aquin vertretenen Lehre [186] sieht die Enzyklika "Mediator Dei" die entscheidende Opfersymbolik der Messe in der Doppelkonsekration der getrennten Gestalten Brot und Wein, wodurch die opferhafte Trennung von Fleisch und Blut Jesu Christi dargestellt werde [187]. Dies entsprach nicht mehr dem patristischen Verständnis der Anamnese, die als solche das Opfer vergegenwärtigt, ohne dazu das ohnehin diesem Denken fremde Symbol der Trennung von Fleisch und Blut zu brauchen [188], diente aber dazu, den anders nicht mehr verständlich zu machenden Opfercharakter der Messe zu erklären. Unter dieser Voraussetzung ist die Messe ein Opfer, das "mit der Wandlung wesentlich abgeschlossen, in der Kommunion sinnvoll weitergeführt und vollendet, aber damit im eigentlichen Sinn nicht konstitutiert, sondern nur integriert wird" [189].

Diese Formulierung Alois Winklhofers entspricht der Position von "Mediator Dei" [190], die auch von Joseph Pascher übernommen wird [191], daß die Kommunion, und zwar nur die des Priesters, notwendig ist, um die Ganzheit der Messe zu gewährleisten, deren Opfersymbolik als Mahlbereitung ohne Mahlgenuß nicht sinnvoll, aber möglich wäre. Die Kommunion als der eigentlich das eucharistische Sakrament enthaltende Mahlempfang ist dann lediglich die Zuwendung des schon in sich bestehenden eucharistischen Opfers an die Teilnehmer der Feier, was in der Kommunion des Priesters schon hinreichend zum Ausdruck kommt.

Diese Position hat Bernhard Welte aufgebrochen, indem er das Mahl als den Mahlbereitung und Mahlgenuß umfassenden Vorgang darstellte, wobei dann "Wandlung und Kommunion, oder ... Opfer

---

186 Vgl. zum geschichtlichen Hintergrund A. Gerken, a.a.O., 144 f.
187 Vgl. MeD 114/563: "... Eucharisticum Sacrificium suapte natura incruentum esse divinae victimae immolationem, quae quidem mystico modo ex sacrarum specierum separatione patet ...".
188 Vgl. dazu J. Betz, Die Eucharistie in der Zeit der griechischen Väter I/1, 145 f.
189 A. Winklhofer, Eucharistie als Opfer, Speise und Anbetung, 100.
190 Vgl. MeD 111/562.
191 Vgl. J. Pascher, Eucharistia, 32 f.

und Speise nur Momente des einen zeichenhaften Geschehens sind"[192]. Damit gehört die Kommunion formell zum Gesamtvorgang der Eucharistie hinzu[193]. Diesen Gedanken nahm Alois Winklhofer später gewissermaßen von der anderen Seite her auf, indem er die Kommunion als formelle Vollendung des Opfers bezeichnete[194].

Wenn diese über "Mediator Dei" hinausgehende Meinung gültig ist, dann umfaßt sowohl der Mahlcharakter wie auch der Opfercharakter der Messe Wandlung und Kommunion und bindet sie zu formeller Einheit zusammen. Dabei bleibt bestehen, daß entsprechend der Definition von Trient[195] die Kommunion des Priesters ausreicht, um die Messe vollständig und legitim zu feiern. Dennoch ist auf der Ebene des Zeichens die Kommunion der Gläubigen, die die Eucharistie mitfeiern, mehr als nur eine pastoral sehr zu empfehlende Praxis[196]. Sie kann nicht formell als konstitutiver Bestandteil der Messe gesehen werden, wohl aber als integrierendes Moment. Denn auch das Mitopfern der Gläubigen bedarf seiner Vollendung im Mahl, zumindest der Absicht nach[197], sinnvollerweise aber auch im sinnenfälligen, sakramentalen Vollzug[198].

---

192 B. Welte, Zum Vortrag von A. Winklhofer, a.a.O., 186.
193 Letztlich ist dies nur eine von Pascher selbst nicht gezogene Konsequenz aus der Einsicht in den umfassenden Sinn des Mahles, wie ihn Pascher lehrte.
194 Vgl. A. Winklhofer, Eucharistie als Osterfeier, 99: "Wer Christus, den vom Tod Auferweckten, dem Vater in der Eucharistie darbringt ..., muß dies Opfer formell damit vollenden, daß er Christus den Weg der Hingabe an den Vater gehen läßt, wie er in der Struktur dieses Opfers vorgezeichnet ist, dadurch nämlich, daß er ihn ißt und trinkt". Den Gedanken, daß zum Opfer des Herrn formell auch das Verzehren der Opfergabe hinzugehört, hat H. U. v. Balthasar, Die Messe, ein Opfer der Kirche?, a.a.O. (S. 53, Anm. 191), 208-212, entfaltet und dabei nochmals den Unterschied zwischen dem Opfer Christi und dem Opfer der Kirche innerhalb des einen Opfers verdeutlicht.
195 Vgl. DS 1747 und 1758. Ebenso MeD 111-117/562-564.
196 So wird sie von MeD 111, 116-120/562-566, gesehen.
197 Zur Möglichkeit und Bedeutung der 'geistlichen Kommunion' vgl. H. R. Schlette, Kommunikation und Sakrament. Theologische Deutung der geistlichen Kommunion, Freiburg-Basel-Wien 1959 (= QD 8).
198 Dies wird auf der Ebene des Zeichens noch verdeutlicht, wenn die Gläubigen "aus derselben Opferfeier den Herrenleib entgegennehmen" (SC 55), wie es die Liturgiekonstitution in Übereinstimmung mit MeD 117/564 mit Nachdruck empfiehlt.

So kommt auch in dem als untrennbare Einheit zu betrachtenden
Gesamtvorgang des eucharistischen Opfermahls die dialogische
Struktur der Eucharistie zum Vorschein: sie ist das Opfer, das
der Herr zusammen mit der Kirche dem Vater darbringt, und sie
ist göttliche Gabe für den Menschen, die als solche nur ihren
Sinn erreicht, wenn sie auch angenommen wird.

4.1.8. Zusammenfassung

Aus der Zusammenfassung der nun im einzelnen erläuterten Elemente der Eucharistielehre der Liturgiekonstitution ergibt
sich ihr Ertrag für die Frage nach der Gegenwart des Herrn in
der Eucharistiefeier.
Da die Eucharistie im Zentrum des gesamten Gottesdienstes
steht und seine höchste Verwirklichung ist, gilt alles, was
generell über die Gegenwart des Herrn in der Liturgie gesagt
wurde, im höchsten Maß für die Eucharistie. Das Christus-Mysterium als Einheit von Person und Heilswerk des Herrn gewinnt
im eucharistischen Mysterium sakramentale Gegenwart. Es stellt
sich dar in der sinnenfälligen Gestalt der kirchlichen Eucharistiefeier, die ein wirklichkeitserfülltes Bild des Pascha-
Mysteriums als Zentrum des Christus-Mysteriums ist. Darin ist
der Herr selbst der ursprünglich Wirkende, der sich bei seinem
Tun die Kirche zugesellt, um so durch sie und mit ihr die Eucharistie zu vollziehen. Dieses Zusammenwirken Jesu Christi
mit der Kirche ist in sich dialogisch als Geben und Empfangen
strukturiert. Es ist als ganzes in die dialogische Bewegung
von Gott durch Christus zu den Menschen und von den Menschen
mit Christus zu Gott eingebettet [199].
In dieser Bewegung kommt dem Heiligen Geist entscheidende Bedeutung zu. Hier muß allerdings festgestellt werden, daß die

---

199 Diese grundsätzlich dialogische Form der Liturgie wird im Eucharistie-
    kapitel der Liturgiekonstitution allerdings nur knapp angedeutet, wenn
    am Schluß von SC 48 Gott als Ziel des eucharistischen Mysterium ge-
    nannt wird: "So sollen sie (die Christen) durch Christus, den Mittler,
    von Tag zu Tag zu immerer vollerer Einheit mit Gott und untereinander
    gelangen, damit schließlich Gott alles in allem sei".

pneumatologische Dimension der Liturgie, die in der ganzen Konstitution wenig entwickelt ist, im Eucharistiekapitel fast gar-
nicht anklingt.

Diese höchste Verwirklichung der liturgischen Gegenwart des
Herrn ereignet sich in der Eucharistiefeier als einem ganzheit-
lichen Vorgang, der aus verschiedenen, aber untrennbar zusammengehörigen Elementen besteht. Als solche Elemente nennt die
Konstitution das eucharistische Opfer, die Gedächtnisfeier von
Tod und Auferstehung des Herrn, das Sakrament und das Pascha-
Mahl. Jedes dieser Elemente ist ein Aspekt des Ganzen, der jeweils das Ganze auch in sich enthält. Dennoch läßt sich aus
dem Text eine gewisse Rangordnung dieser Aspekte entnehmen.
Der führende Begriff ist das eucharistische Opfer als Fortdauer des Kreuzesopfers. Es ist der Kirche in Form einer Gedächtnisfeier anvertraut, welche als ganze ein Sakrament in Gestalt
eines Mahles ist.

In Artikel 47 ist dem Konzil eine Formulierung der Eucharistielehre gelungen, die trotz äußerster Knappheit die wesentlichen
Elemente zum Ausdruck bringt und einander zuordnet. Es hat damit die theologische Diskussion der vorausgehenden Jahre positiv aufgenommen und insoweit auch vorsichtig weitergeführt,
als es eine Sprache gebraucht, die weniger die tridentinischen,
kontroverstheologisch belasteten Begriffe verwendet, sondern
den in einer Erneuerung patristischer Denkweise geformten Ausdrücken den Vorzug gibt. Damit ist einerseits eine Ermutigung
einer bestimmten theologischen Richtung, nämlich dem von der
Mysterienlehre und ihrer Weiterbildung geprägten Eucharistieverständnis gegeben, andererseits auch eine Erleichterung des
ökumenischen Gesprächs erreicht.

4.2. Die Gegenwart des Herrn im Dienst des Priesters

4.2.1. Der Textbefund

Bei der Erörterung der Gegenwart des Herrn im Dienst des Priesters ergibt sich eine Gliederungsschwierigkeit: In Artikel 7,1

der Liturgiekonstitution, dem die hier vorgelegte Darstellung folgt, ist vom priesterlichen Dienst ausdrücklich nur im Zusammenhang mit der Eucharistie die Rede. Er müßte aber auch bei der Feier der Sakramente, der Wortverkündigung und der Konstituierung der gottesdienstlichen Gemeinde behandelt werden. Deshalb soll dieses Thema jetzt in einem eigenen Abschnitt dargestellt werden, wobei in Kauf zu nehmen ist, daß es damit zwischen der Erörterung der Gegenwart des Herrn in der Eucharistiefeier und seiner speziellen Gegenwart in den eucharistischen Gestalten zu stehen kommt. Aber so ist die Reihenfolge im Text vorgegeben.

Eine Durchsicht der Liturgiekonstitution zeigt zunächst, daß vom priesterlichen Dienst sehr wenig die Rede ist. Seine spezifische Funktion in der Liturgie wird lediglich an folgenden Stellen erwähnt:

In Artikel 7 heißt es: "Gegenwärtig ist er (Christus) im Opfer der Messe, sowohl in der Person dessen, der den priesterlichen Dienst vollzieht - denn 'derselbe bringt das Opfer jetzt dar durch den Dienst der Priester, der sich einst am Kreuz selbst dargebracht hat' -, wie vor allem unter den eucharistischen Gestalten" [200].

In Artikel 33 wird unter dem Gesichtspunkt des "belehrenden und seelsorglichen Charakters der Liturgie" [201] gesagt: "Überdies werden die Gebete, die der Priester in der Rolle Christi an der Spitze der Gemeinde stehend, an Gott richtet, im Namen des ganzen heiligen Volkes und aller Umstehenden gesprochen" [202]. Die Formulierung, daß der Priester in der Rolle Christi der Gemeinde vorsteht, ist hier nicht Aussageziel. Sie wird nur eingeführt, um dann unter richtigen Voraussetzungen sagen zu können, daß der Priester im Namen der Gläubigen betet und deshalb - so die daraus gezogene Folgerung - die Riten vereinfacht werden sollen (Nr. 34), ihre Verbindung mit der Wortver-

---

200 Vgl. den lat. Text im Anhang II, S. 784; vgl. dazu S. 179, Anm. 210.
201 Vgl. die Überschrift von Abschnitt C des 1. Kap. (vor SC 33): "Normae ex indole didactica et pastorali Liturgiae".
202 SC 33: "Immo, preces a sacerdote, qui coetui in persona Christi praeest, ad Deum directae, nomine totius plebis sanctae et omnium circumstantium dicuntur".

kündigung deutlicher werden soll (Nr. 35) und die Möglichkeiten zum Gebrauch der Muttersprache erweitert werden sollen (Nr. 36).

In Artikel 42 ist von den Pfarreien die Rede, "die räumlich verfaßt sind unter einem Seelsorger, der den Bischof vertritt" [203]. Dieser Text ist hier zumindest indirekt heranzuziehen, da der Bischof seinerseits in Artikel 41 als Repräsentant Christi bezeichnet wird.

In Artikel 48 steht die oben schon erwähnte Formulierung[204], daß die Gläubigen "nicht nur durch die Hände des Priesters, sondern auch gemeinsam mit ihm" das eucharistische Opfer darbringen sollen. Wieder geht es nicht um die priesterliche Funktion, sondern um die Aufgabe der mitfeiernden Gläubigen.

Artikel 84 schließlich beschreibt das Stundengebet im Namen der Kirche als Aufgabe, die dem Priester speziell, aber keineswegs exklusiv zukommt. Dabei ist dieses Beten sowohl als Gebet der Kirche wie auch als Gebet Christi verstanden[205].

Von diesen Texten thematisiert lediglich Artikel 7,1 die liturgische Funktion des Priesters, und auch dazu ist noch zu bemerken, daß die entsprechende Formulierung im Schema der Konstitution zurückhaltender war[206].

Dieses fast vollständige Fehlen der Beschreibung des priesterlichen Dienstes in der Liturgie ist umso erstaunlicher, als die Enzyklika "Mediator Dei" gerade auf dieses Thema einen starken Akzent gesetzt hatte[207]. So bedeutet schon die diesbezügliche Zurückhaltung des Konzilstextes eine Aussage über die Bedeutung des priesterlichen Dienstes.

Zu ihrer Interpretation muß vor allem die Bemerkung in Artikel 7,1 herangezogen werden. Sie setzt sich aus einem fast wörtli-

---

203 SC 42: "... inter quos paroeciae, localiter sub pastore vices gerente Episcopi ordinatae, eminent".
204 Vgl. oben, S. 271 f.
205 Vgl. den Text, oben, S. 207.
206 Vgl. den Text, oben, S. 177.
207 Vgl. MeD 38–42/538 f., wo ausführlich von der Liturgie als Aufgabe des Priesters die Rede ist, und MeD 79–96/552-557, wo im Zusammenhang mit der tätigen Teilnahme der Gläubigen am Meßopfer immer wieder die spezifische Funktion des Priesters betont wird.

chen Zitat aus der Enzyklika "Mediator Dei"[208] und einem wörtlichen Zitat aus dem Konzil von Trient zusammen [209]. Die aus
diesen beiden Texten geformte Aussage muß gewiß von diesen
Quellen her, vor allem aber innerhalb der Gesamtaussage der
Liturgiekonstitution gedeutet werden.

4.2.2. Die Person und Funktion des Priesters als liturgisches
       Zeichen

In der vorausgehenden Erörterung der Gegenwart des Herrn in
der Eucharistiefeier wurde gezeigt, daß diese Feier als ganze
das repräsentierende Zeichen des darin präsenten, besser: sich
selbst repräsentierenden Christus-Mysteriums, speziell seines
Zentrums, des Pascha-Mysteriums, ist. Diese von Jesus Christus
und seiner Kirche gemeinsam vollzogene Zeichenhandlung ist der
Rahmen, innerhalb dessen nach der Funktion der einzelnen Elemente dieser Handlung gefragt werden muß. Eines dieser Elemente ist der Dienst des die liturgische Feier leitenden Priesters. Seine Funktion in der Liturgie, speziell in der Eucharistie, wird hier also nicht im Zusammenhang der Frage nach
dem priesterlichen Dienstamt überhaupt, zu dem auch sein liturgischer Dienst gehört, erörtert; vielmehr wird nur dieser liturgische Dienst als Bestandteil der liturgischen Feier betrachtet.
War bisher vom Inhalt der liturgischen, besonders der eucharistischen Feier die Rede, so muß jetzt von ihrem Subjekt gesprochen werden. Dieses Subjekt ist nach der Lehre der Liturgiekonstitution Jesus Christus und die Kirche [210]. Dabei verlangt sowohl das Handeln Jesu Christi an seiner Kirche und
durch sie, als auch das Handeln der Kirche durch Jesus Christus und vor ihm, wie schließlich das Handeln Jesu Christi zusammen mit seiner Kirche vor Gott und an den Menschen seine

---

208 Vgl. MeD 20/528: "Praesens adest Christus in augusto altaris Sacrifi-
    cio, cum in administri sui persona, tum maxime sub Eucharisticis spe-
    ciebus".
209 Vgl. Anm. 20 im Konzilstext: Hinweis auf DS 1743.
210 Vgl. oben, S. 241-259.

liturgische Darstellung. Dieses komplexe Beziehungsgefüge zwischen Jesus Christus und der Kirche als Subjekt der Liturgie tritt in den liturgischen Rollen des Priesters und der gottesdienstlichen Gemeinde in Erscheinung. Die Funktion des Priesters muß nach ihren verschiedenen Gesichtspunkten aus diesem Gefüge entwickelt werden.

Ein solcher Ausgangspunkt vom liturgischen Zeichen her vermeidet eine zu starke Akzentuierung der Person des Priesters in ihrer seinsmäßigen Auszeichnung und Zurüstung für den so ermöglichten liturgischen Dienst, wie sie in der Enzyklika "Mediator Dei" noch zu beobachten ist[211]. Gefragt wird nach dem liturgischen Tun des Priesters, woraus dann erst die Frage nach dem dieses Tun tragenden Sein folgt.

Diesen Ansatz zur Bestimmung des liturgischen Dienstes des Priesters hat bereits Odo Casel durchgeführt, wenn er schreibt: Beim Meßopfer "kann eine gemeinsame Handlung von Gott und menschlicher Gemeinde nur durch eine symbolische Handlung ausgedrückt werden, bei der die Priesterschaft (als Mittlerin) zugleich Gott und die Gemeinde vertritt und beider Willen durch Worte und Gebärden zur äußeren Erscheinung bringt, wobei das unsichtbare Wirken Gottes am Menschen durch die symbolische Handlung der Priester, das Tun der Gemeinde durch ihre, von der Priesterschaft geführten Worte und Gebärden erkennbar wird"[212]. Diese Sicht, die ganz aus dem Zeichencharakter der Liturgie gewonnen ist, findet sich in den kirchlichen Dokumenten vor dem II. Vatikanischen Konzil nicht. Sie wird aber von Cipriano Vagaggini, für den die Liturgie eine Welt sinnenfälliger Zeichen ist, bestätigt. Er behandelt die priesterliche Funktion zunächst unter den hauptsächlichen liturgischen Zeichen. Eines dieser Zeichen sind die "hierarchischen Liturgen ..., da sie Stellvertreter und Bevollmächtigte Christi sind"[213].

---

211 Vgl. unten, S. 411 f.
212 Vgl. O. Casel, Die Stellung des Kultmysteriums im Christentum, in: LiZs 3 (1930/31) 39-53, 72-83, 103-115, hier 49.
213 C. Vagaggini, Theologie der Liturgie, 51.

4.2.3. Der Priester als Repräsentant Jesu Christi

Entsprechend der Vorrangstellung Jesu Christi als des primären
Subjekts der Liturgie ist es der erste Sinn der liturgischen
Funktion des Priesters, Jesus Christus darzustellen. In seiner
Person ist Jesus Christus gegenwärtig, um durch seinen Dienst
das Meßopfer darzubringen (Nr. 7). An diese zweifache Bestim-
mung läßt sich die Frage stellen, ob der Priester seinshaft
als Repräsentant Jesu Christi gedacht ist und folglich an sei-
ner Stelle handeln kann, oder ob er Jesus Christus in seinem
Handeln darstellt, was dann in zweiter Linie auch das Sein des
Priesters affiziert.

Den Unterschied zwischen diesen beiden Akzentuierungen der
Christus-Repräsentation des Priesters hat Paul Josef Cordes
herausgearbeitet [214]. Am Beispiel der Lehre des Augustinus zeigt
er, daß in frühchristlicher Zeit die Christozentrik des priesterlichen Dienstes betont war. Im amtlichen Tun des Priesters
ist Christus "selbst am Werk; er bleibt auch im individuellen
Heilsprozeß Mitte und Grund der Hoffnung"; er gibt die amtliche Vollmacht, die nur in personaler Christus-Relation ausgeübt werden kann, wodurch der Amtsträger total von Christus abhängig bleibt [215].

Diese Auffassung wird durch eine Reihe von Vätertexten bestätigt, die Johannes Betz vor allem aus den Schriften von Theodor von Mopsuestia zusammengetragen hat. Dort wird der Priester als Bild (εἰκών) Jesu Christi gesehen, der in einem Bild
(εἰκών) die Liturgie vollzieht [216].

Dabei ist zu beachten, daß die bildhafte Darstellung Christi
durch den Priester nicht etwa aus einer darstellenden Aktivität des Priesters kommt, sondern auf der intransitiven, sich

---

214 Vgl. P. J. Cordes, Sendung zum Dienst (s. S. 76, Anm. 297), 176-208.
215 Vgl. ebd., 179-182, Zitat: 180.
216 Vgl. J. Betz, Die Eucharistie in der Zeit der griechischen Väter I/1,
227-239, hier 231. Vgl. auch die Darstellung des Hohepriesterbegriffs
bei Johannes Chrysostomus und Theodor v. Mopsuestia, ebd., 128-137, wo
die Gegenwart Christi im Priester als seinem Bild zur Anschauung kommt.
"Dessen Tun vermittelt und vergegenwärtigt Christi Tun" (ebd., 136).
Zu Johannes Chrysostomus vgl. G. Fittkau, Der Begriff des Mysteriums
bei Johannes Chrysostomus (s. S. 49, Anm. 177), 202.

selbst darstellenden Tätigkeit des Herrn beruht, der sich im Priester ein Bild schafft.

Personale Repräsentation

Hasso Hofmann hat gezeigt, daß dieses Bild-Denken, in welchem das Urbild sich ein Abbild schafft, in dem es gegenwärtig ist, bis ins Hochmittelalter gültig blieb [217]. Der im Berengar'schen Abendmahlsstreit entwickelte Repräsentationsbegriff meint noch im augustinischen Sinn das "Gegenwärtigseinlassen" [218] des Abgebildeten im Abbildenden [219], wobei das Urbild als das Mächtigere das Subjekt der Repräsentation bleibt [220]. Diesen Repräsentationsbegriff weist Hasso Hofmann auch bei Thomas von Aquin nach, wobei dieser allerdings auch ein transitives Repräsentieren kennt, welches seine Repräsentationsfähigkeit nicht mehr aus seinem Abbildcharakter nimmt, sondern die Bedeutung eines konventionellen Hinweiszeichens bekommt [221].

Für die Christus-Repräsentation durch den priesterlichen Dienst verwenden Thomas und seine Zeitgenossen jedoch nicht nur den Ausdruck *repraesentare*, sondern bezeichnen ihn als Tätigkeit *in persona Christi* [222]. Diese Wendung steht neben den "geläufigen, traditionellen Formeln *vicem alicuius gerere* oder *personam alicuius agere, gerere, suscipere, sustinere*" [223] und meint

---

217 Vgl. H. Hofmann, a.a.O. (S. 379, Anm. 109), 65-73.
218 Dieser Ausdruck von H. G. Gadamer, Wahrheit und Methode, 134, bringt den intransitiven Charakter der Repräsentation zum Ausdruck; vgl. dazu P. J. Cordes, a.a.O., 182; H. Hofmann, a.a.O., 68.
219 Vgl. W. Dürig, Imago, München 1952 (= MThS.S 5), 14 ff.
220 Vgl. dazu das oben, S. 379-388, zur eucharistischen Repräsentation des Kreuzesopfers Gesagte.
221 Vgl. H. Hofmann, a.a.O., 73-80.
222 B.-D. Marliangeas, *In persona Christi - In persona Ecclesiae*. Note sur les origines et le développement de l'usage de ces expressions dans la théologie latine, in: J.-P. Jossua/ Y. Congar (Hg.), La Liturgie après Vatican II (s. S. 266, Anm. 210), 282-288, hier 284 f., hat gezeigt, daß der Ausdruck *in persona Christi* von 2 Kor 10 hergeleitet werden muß, wo das griechische ἐν προσώπῳ übertragen wird und dabei einen völlig anderen Sinn erhält, den dann Thomas v. Aquin in der Sakramententheologie verwendet, um das Handeln des priesterlichen Amtsträgers als Instrument Christi zu umschreiben. Vgl. zu diesem Begriff bei Thomas auch H. Hofmann, a.a.O., 158 f.
223 H. Hofmann, a.a.O., 158.

nichts anderes [224]. Es wird jeweils festgehalten, daß im Tun des Darstellenden in Wahrheit der Dargestellte tätig ist. Was dies für die Person des Darstellenden bedeutet, bleibt dabei offen. Vom Ursprung der genannten Wendungen her legt sich die Vermutung nahe, daß mit solchen Ausdrücken zunächst nichts über eine seinsmäßige Auszeichnung der darstellenden Person gesagt wird. Diese spielt vielmehr eine bestimmte Rolle [225]. Von daher muß die Schlußfolgerung von Paul Josef Cordes kritisiert werden, daß schon die Ausdrücke *personam repraesentare, gerere* etc. "eine permanente, die Tätigkeit selbst überdauernde Vergegenwärtigung" meinen, "die als 'Quasi-Identität' verstanden werden könnte" [226]. Diese Ausdrücke zielen nicht als solche schon, wie Cordes meint, auf das Sein des Rollenträgers, sondern sind durchaus auch geeignet, eine "intermittierende Präsenz des Fernen im Anwesenden" [227] in einer bestimmten Funktion auszusagen. Allerdings trifft es zu, daß sie einen "wesentlichen Bildcharakter" des Priesters in Bezug auf Christus beinhalten [228] und damit ganz in der Tradition des patristischen Repräsentationsbegriffs stehen. Dieser aber hat seinen Ursprung im platonischen Bilddenken insofern überboten, als er dort nur auf statische Wirklichkeiten, in der Patristik aber auf geschichtliche Vorgänge angewandt wurde und so geeignet war, das Heilshandeln des Herrn im jetzigen Tun des Priesters zur Erscheinung zu bringen [229].

So liegt es ganz auf derselben Linie, wenn Hasso Hofmann für das 14. Jahrhundert feststellt, "daß der Ausdruck *repraesentare* in dem Sinn von *alicuius personam repraesentare* in einer mehr vom statischen Bilddenken fortführenden und durchaus dem modernen Begriff der sozialen Rolle entsprechenden Weise dyna-

---

224 Vgl. ebd., 167, Anm. 2: Thomas verwendet ebenso auch *personam Christi gerere* oder *repraesentare*.
225 Vgl. ebd., 157 f.
226 P. J. Cordes, a.a.O., 185.
227 Ebd.
228 Vgl. J. Pascher, Die Hierarchie in sakramentaler Symbolik, in: Episcopus. Studien über das Bischofsamt (FS Kard. M. Faulhaber), Regensburg 1949, 278-295, hier 283.
229 Vgl. dazu A. Gerken, a.a.O., 65-74; L. Boff, Die Kirche als Sakrament ... (s. S. 231, Anm. 45), 93.

misiert und funktionalisiert ist"[230].

Allerdings ist dieser Repräsentationsbegriff, zumal wenn er
aus dem ursprünglichen liturgischen Kontext gelöst ist, auch
offen für ein statisch-ontologisches Verständnis, wie es später, im 15. und 16. Jahrhundert, zur Beschreibung der Christus-
Repräsentation durch den Papst gebraucht wurde[231] und in der
Formel *vicarius Christi* ihren Ausdruck fand[232].

Es muß also im Einzelfall geprüft werden, in welchem Zusammenhang und mit welcher Absicht von einer Christus-Repräsentation
des Priesters gesprochen wird[233].

Für unseren Zusammenhang ist festzustellen, daß der Verlust
des ursprünglich christlich verstandenen Bilddenkens, von dem
bei der eucharistischen Repräsentation die Rede war[234], auch
hier seine Auswirkungen hat. Wurde bei der Eucharistie die
Notwendigkeit empfunden, im Meßopfer mit Hilfe von Opfertheo-
rien ein eigenes Opfer zu entdecken, welches dann geeignet wäre, das Kreuzesopfer zu repräsentieren, so sucht man beim
Priester nach einer seinsmäßigen Qualifikation, die ihn befähigt, Christus darzustellen. Beidemale wird nun ein transitives
Verständnis von Repräsentation zugrundegelegt, also eine Tätigkeit oder Qualifikation des Menschen, welcher dadurch die
göttliche Wirklichkeit darstellt.

Dabei ist jedoch ein wesentlicher Unterschied zu beachten: Die
Eucharistiefeier als Vorgang bedarf keiner seinsmäßigen Grund-

---

230 H. Hofmann, a.a.O., 169.

231 Vgl. ebd., 169 f.; dazu J. Pascher, a.a.O., 290-294.

232 Vgl. dazu Y. Congar, Heilige Kirche, Stuttgart 1966, 141, und besonders
M. Maccarone, Vicarius Christi. Storia del titolo papale, Rom 1952
(= Lateranum XVIII /1953/, Nr. 1-4); speziell zum liturgischen Kontext
dieses Titels vgl. ders., Il titolo papale di *vicarius Christi* nella
liturgia, in: Notitiae 15 (1979) 177-182.

233 Insofern trifft die Kritik von K. Peters, a.a.O. (S. 338, Anm. 541),
139 mit Anm. 229, zu. Peters stellt fest, daß der von P. J. Cordes betonte Unterschied zwischen *agere in persona Christi* einerseits und
Christum repraesentare bzw. *personam Christi gerere* andererseits aus
dem Konzilstext nicht zu erheben sei. Die Kritik ist jedoch überzogen,
wenn er meint, Cordes lehne den Repräsentationsbegriff überhaupt ab.
Er verlangt nur seine Korrektur und Ergänzung: Repräsentation als Aktualisation (vgl. a.a.O., 191 f.). Man muß jedoch sehen, daß der Repräsentationsbegriff in sich schon zumindest offen ist für diesen dynamischen Sinn.

234 Vgl. oben, S. 381 f.

legung, um zum Bild für den darin dargestellten Vorgang des
Pascha-Mysteriums werden zu können; sie wird es durch die Deutung, die ihr von den handelnden Subjekten gegeben wird. Der
Priester als Person jedoch bedarf einer solchen seinsmäßig
grundgelegten Potenz zu seinem Christus repräsentierenden Tun,
wenn dieses Tun ihm nicht äußerlich bleiben soll. Deshalb bedeutet es mehr, wenn gesagt wird, daß der Priester das Bild
Jesu Christi sei, als wenn festgestellt wird, daß die Eucharistiefeier das Bild des Pascha-Mysteriums ist. Soll der Priester als Person das Handeln Jesu Christi darstellen, so verlangt dies nicht nur seine freie Zustimmung zur Übernahme dieser Rolle, sondern auch seine Befähigung dazu, die ihn als
Person, also in seinem Sein, nicht nur in seinem Tun betrifft
[235], da nämlich beides im personalen Bereich nicht voneinander
getrennt werden kann.

Seinshafte Qualifikation zum priesterlichen Dienst

Aus dieser Einsicht erklärt sich die immer deutlicher hervor-
tretende Bemühung der Theologie, das Tun des Priesters in der
Liturgie in einer seinsmäßigen Qualifikation zu diesem Dienst
zu begründen. Die Entwicklung der Lehre vom Weihesakrament und
speziell vom *character indelebilis* dient zur Bewältigung dieser Aufgabe. Diese Lehre braucht hier nicht nachgezeichnet zu
werden [236]; nur so viel ist zu sagen, daß je nach dem Aspekt,
unter dem diese seinsmäßige Qualifikation des Priesters gesehen wird, recht verschiedene Konsequenzen daraus gezogen wer-

---

235 Vgl. J. Pascher, Der Priester in der Eucharistiefeier, Stellvertreter
des Herrn und Vorsteher der Gemeinde, in: Eucharistiefeier in der
Pfarrgemeinde. Vorträge der pastoralliturgischen Werkwoche (27.-30.11.
1960), Trier 1961, 219-230, hier 223.
236 Vgl. die zusammenfassenden Darstellungen von N. M. Häring, Charakter,
Signum und Signaculum, in: Schol. 30 (1955) 481-512 ("die Entwicklung
bis nach der karolingischen Renaissance"); Schol. 31 (1956) 41-69 ("der
Weg von Petrus Damiani bis zur eigentlichen Aufnahme in die Sakramentenlehre im 12. Jahrhundert"); ebd., 181-212 ("die Einführung in die
Sakramententheologie des 12. Jahrhunderts"); J. Galot, La nature du
caractère sacramentel. Etude de théologie médiévale, Paris-Louvain
[2]1958; dazu P. J. Cordes, a.a.O., 251-257; neuerdings noch: J. Villalon,
Sacrements dans l'Esprit. Existence humaine et théologie sacramentelle,
Paris 1977; dazu die kritische Rezension von A. Ganoczy, in: ThRv 75
(1979) 308 f.

den können.

Bei Augustinus dient die Lehre vom sakramentalen Prägemal vor allem dazu, die Wirksamkeit des priesterlichen Tuns unabhängig von der subjektiven Heiligkeit des Priesters darin zu begründen, daß durch die Weihe eine bleibende Relation zu Jesus Christus entsteht, kraft derer im priesterlichen Tun letztlich Jesus Christus selbst handelt [237].

Bei Thomas von Aquin wird, nach mehreren Zwischenstationen, diese Auffassung weiterentwickelt. Das sakramentale Prägemal bedeutet eine Angleichung (*configuratio*) an den Priester Christus, die seinen Empfänger zu priesterlichem Tun, zum Gottesdienst, befähigt und beauftragt (*deputatio ad cultum*). Der Sinn der seinshaften Angleichung liegt also in der Befähigung zum Tun.

Dennoch wird nun auch nach der ontologischen Wirklichkeit des *character indelebilis* gefragt. Dies führt in der Folge dazu, daß man ihn losgelöst von der Hinordnung auf das gottesdienstliche Tun schließlich als eine dingliche Qualität betrachtete. So kann diese ursprünglich handlungsbezogene Qualifikation dann vorwiegend als seinsmäßige, ihren Träger unabhängig von seinem Dienst auszeichnende Qualität mißdeutet werden [238]. Trotz dieses möglichen und immer wieder auftretenden Mißverständnisses muß man daran festhalten, daß bei aller Betonung des Weihecharakters als Befähigung zum gottesdienstlichen Handeln er eben auch eine die Person betreffende Weihe und Verähnlichung mit Christus ist, die ihren Empfänger zu einer spezifischen Christus-Repräsentation befähigt [239].

Bei der Anwendung dieser Lehre wird man sich also um den stets neu zu gewinnenden Ausgleich zwischen einer nur die Funktion des Priesters betrachtenden aktualistischen Verkürzung seines

---

237 Vgl. J. Galot, a.a.O., 36-40; P. J. Cordes, a.a.O., 251-254.
238 Vgl. J. Galot, a.a.O., 171-224; P. J. Cordes, a.a.O., 254-257; vgl. dazu auch P. Wegenaer, Heilsgegenwart ... (s. S. 49, Anm. 178), 32 ff.
239 Vgl. die Zusammenfassung bei J. Galot, a.a.O., 231, der als Ergebnis der Lehrentwicklung festhält: "En affirmant que le caractère est pouvoir cultuel, il faut retenir, suivant la progression des diverses théories que nous avons examinées, qu'il est aussi consécration et appropriation à Dieu, disposition à la grâce, configuration à la Trinité et au Christ Redempteur".

Amtes und einer an seiner persönlichen Auszeichnung und Würde interessierten Verkennung seines Dienstes bemühen müssen [240]. Die ontische und funktionale Bestimmung des priesterlichen Dienstes müssen stets zusammen gesehen werden.

Liest man unter diesen Voraussetzungen die Enzyklika "Mediator Dei", so wird man wohl im Aufbau und Gedankengang dieser Enzyklika eine starke "Ekklesiozentrik" [241] und speziell die Neigung zu einer "Amtsekklesiologie" [242] feststellen können, was zu einer betonten Gegenüberstellung von hierarchischem Amt und Gemeinde führt [243]. Dennoch muß gesagt werden, daß gerade im Zusammenhang der hier interessierenden Frage nach der liturgischen Funktion des Priesters, insbesondere bei der Feier der Eucharistie, die Christusbezogenheit seines Dienstes gewahrt bleibt. Ausdrücke wie *personam Christi gerere* oder *personam Christi sustinere* werden stets handlungsbezogen gebraucht; sie dienen dazu, das Handeln Jesu Christi im Tun des Priesters zu betonen. Entsprechend kommen ebenso häufig Wendungen vor, die die Tätigkeit des Priesters *in persona Christi* meinen [244]. Es

---

240 Bei aller Betonung der seinsmäßigen Fundierung des priesterlichen Handelns bei P. J. Cordes (vgl. a.a.O., 178 f., 189, 263-266) gebraucht er bei seiner berechtigten Warnung vor einer "statisch-objektivistischen Repräsentationsauffassung" (ebd., 195) gelegentlich Formulierungen, die das von ihm abgelehnte funktionalistische Mißverständnis (vgl. ebd., 245-250) dennoch wieder heraufbeschwören, z.B. ebd., 191: "Will man diese Fehldeutung (einer 'Quasi-Identität' des Amtsträgers mit Christus) abwehren, so bedarf der christlich interpretierte Ausdruck der *repraesentatio* einer ständigen Korrektur. Diese muß formulieren, daß die angesetzte Gegenwart Christi ausschließlich handlungsbezogen ist".

241 Vgl. ebd., 186.

242 Vgl. L. Boff, Die Kirche als Sakrament ... (s. S. 231, Anm. 45), 354 bis 356, mit Verweis auf MeD 38-43/538 f.

243 Vgl. oben, S. 271, und die Kritik von H. Mühlen: vgl. ebd., Anm. 236.

244 Vgl. MeD 68/548: "Idem itaque sacerdos, Christus Iesus, cuius quidem sacram personam eius administer gerit. Hic siquidem, ob consecrationem quam accepit sacerdotalem, Summo Sacerdoti assimulatur, ac potestate fruitur operandi virtute ac persona ipsius Christi (cf. S. Thom., Summa Theol. 3, q. 22, a. 4)"; MeD 83/553: "... quia personam gerit Domini nostri Iesu Christi, quatenus membrorum omnium Caput est, pro iisdem semet ipsum offert ..."; MeD 85/554: "Sacrificium, inquit (Rob. Bellarmin), in persona Christi principaliter offertur"; MeD 91/555: "Incruenta enim illa immolatio ... ab ipso solo sacerdote perficitur, prout Christi personam sustinet"; MeD 92/556: "... quod altaris administer personam Christi utpote Capitis gerit, membrorum omnium nomine offerentis"; vgl. auch die Zusammenstellung und Deutung entsprechender

scheint also, daß gerade die Darstellung des priesterlichen Dienstes in der Eucharistiefeier korrigierend auf das sonst vorgetragene Amtsverständnis wirkt[245].

Dennoch ist nicht zu übersehen, daß aus der Vorstellung, daß der Priester aktiv, wenn freilich auch kraft einer ihm dazu verliehenen Qualifikation, Christus darstelle, stark überzogene Formulierungen über Würde und Macht des Priesters resultieren können. So spricht zum Beispiel Pius XI. von der "unaussprechlichen Größe des menschlichen Priesters, der Gewalt selbst über den Leib Jesu Christi hat"[246].

Die im Vergleich dazu viel ausgewogenere, weil in den liturgischen Dienst eingebundene Darstellung der priesterlichen Funktion und der ihr zugrunde liegenden Qualifikation in der Enzyklika "Mediator Dei" hält sich durch. Sie wird mehrfach wiederholt[247] und hat nochmals kurz vor dem Konzil eine prägnante Darstellung in einer Ansprache Johannes' XXIII. vor Priestern gefunden[248].

Vor diesem Hintergrund muß der Text der Liturgiekonstitution in Artikel 7,1 gelesen werden. Er nimmt die Formulierung von "Mediator Dei" auf, indem er von der Gegenwart Christi in der Person des Priesters spricht. Diese Gegenwart muß entsprechend der Enzyklika als eine handlungsbezogene und dazu das Sein des

---

Texte aus "Mediator Dei" bei J. Pascher, Die Hierarchie ..., a.a.O. (S. 407, Anm. 228), 278-282; ders., Der Priester in der Eucharistiefeier, a.a.O. (S. 409, Anm. 235).

245 Ähnlich stellt auch Pius XI. in der Enzyklika "Ad catholici sacerdotii" (20.12.1935), in: AAS 28 (1936) 5-35, hier 10 (deutsch: Rundschreiben Papst Pius' XI. über das katholische Priestertum, Innsbruck-Wien-München, o.J., 6), die generelle Aussage, der Priester sei ein "zweiter Christus", ganz in den Kontext der liturgischen Funktion des Priesters, in der er das Handeln Christi präsent macht. Die berechtigte Kritik von P. J. Cordes, a.a.O., 186-188, an diesen beiden Enzykliken müßte also, besonders für MeD, insoweit modifiziert werden, als die Ekklesiozentrik nicht bis in den Zentralbereich des liturgischen Dienstes vordringt. Vgl. dazu auch oben, S. 75-77, und Anm. 297, 298 und 301, wo die entsprechenden Belege angegeben sind.

246 Vgl. Pius XI., a.a.O., 7 (lat.: 12).

247 Vgl. die S. 90 f., Anm. 358-361, angegebenen Texte.

248 Vgl. Johannes XXIII., a.a.O. (S. 96, Anm. 387). In diesem Text, der direkt das Priestertum zum Thema hat, zeigt sich wiederum die Neigung, zuerst das Sein des Priesters zu erörtern, ehe sein Tun besprochen wird: "Il sacerdote è innanzitutto e sopratutto uomo di Dio, *vir Dei*" (ebd., 199).

Priesters qualifizierende verstanden werden. Der Priester ist
mit seiner ganzen Person Diener (*minister*) und bringt diese
Qualifikation in seinem Dienst (*ministerium*) zum Vollzug [249],
ohne außerhalb seines aktuellen Dienstes aufzuhören, Diener zu
sein [250]. Er ist aber Diener um des erforderten Dienstes willen; dies wird nochmals durch den Zusatz aus dem Tridentinum
unterstrichen, der das Handeln Christi im Dienst des Priesters
betont. Sein Dienst und folglich seine Qualifikation dazu hat
keinen anderen Sinn als den, daß darin das Tun des Herrn präsent wird [251].

4.2.4. Die Aktualpräsenz Jesu Christi im liturgischen Dienst
       des Priesters

Aus der bisherigen Erörterung ergibt sich, daß die liturgische
Repräsentation Jesu Christi durch den Priester intransitiv
verstanden werden muß: Jesus Christus bedient sich des ihm zu
diesem Zweck verähnlichten Priesters, um sich selbst als Handelnden in Erscheinung zu bringen. Um seine Gegenwart geht es,
nicht um den Priester, der sie darstellt, so unentbehrlich
diese Funktion ist. So erklärt sich die Tatsache, daß die Liturgiekonstitution des II. Vatikanischen Konzils in ihrem liturgietheologischen Ansatz fast ganz ohne die Beschreibung des
priesterlichen Dienstes auskommt. Sie gibt lediglich die Stelle an, von wo aus der Sinn seines Dienstes zu entwickeln wäre:
Er soll den an seinem Volk und mit ihm vor Gott handelnden
Herrn darstellen.
So erweist sich die Aktualpräsenz des Herrn als Sinn der Christusrepräsentation durch den Priester. Diese "aktuale Gegen-

---

249 Vgl. dazu H. U. v. Balthasar, Priesterliche Existenz, in: Ders., Spon-
    sa Verbi. Skizzen zur Theologie II, Einsiedeln 1961, 388-433.
250 Die deutsche Übersetzung sagt für *minister*: "der, der den priesterli-
    chen Dienst vollzieht", eine Wendung, die sich aus dem Fehlen eines
    deutschen Äquivalents für den spezifischen Gebrauch von *minister* er-
    klärt, aber nicht allein funktional verstanden werden darf.
251 Damit scheint das berechtigte Anliegen von P. J. Cordes gewahrt, ohne
    jedoch das ontische Moment zugunsten des funktionalen unterzubewerten.
    Vgl. auch K. Peters, Repräsentation ..., 14-16.

wart der Person des pneumatischen Christus", seine "pneumatisch-dynamische Wirksamkeit"[252], ist zu unterscheiden, aber nicht zu trennen von der oben erörterten "kommemorativen Aktualpräsenz" seines Heilswerks in der eucharistischen Feier. Sie wurde von den Kirchenvätern sehr realistisch ausgedrückt. So schreibt Johannes Chrysostomus: "Wenn du aber siehst, wie der Priester dir (die Kommunion) reicht, dann meine nicht, der Priester sei es, der dies tut; sondern Christi Hand ist es, die sich dir entgegenstreckt"[253]. Die Überzeugung von der wirklichen Gegenwart der Person des Herrn führte bei einigen Vätern sogar zu der befremdlichen Vorstellung, daß Jesus Christus selbst mit uns sein Fleisch und Blut ißt und trinkt[254], ein Gedanke, der die Einheit Jesu Christi mit den Gliedern seines Leibes so betont, daß die ebenso fundamentale Unterscheidung zwischen dem sich hingebenden Herrn und den ihn empfangenden Gläubigen zu wenig gesehen wird[255].

Auch mußte im eucharistischen Kontext vermieden werden, daß die Aktualpräsenz des Herrn zur Vorstellung eines je neuen sich Opferns und damit zur Gefährdung der Einmaligkeit des Kreuzesopfers wurde. Johannes Betz hat gezeigt, wie Johannes Chrysostomus in seinen frühen Schriften unbedenklich und ohne Einschränkung von der Gegenwart Jesu Christi als des Mahlherrn spricht, später jedoch diese Gegenwart Jesu Christi als des Hohenpriesters des eucharistischen Opfers als eine "relative Gegenwart des Erhöhten im sichtbaren Priester der Kirche" versteht[256].

Hier zeigt sich schon früh dasselbe Dilemma wie beim Opfercharakter der Eucharistie. Eine absolute Gegenwart des Herrn würde ein von ihm vollzogenes neues Handeln in der Eucharistie

---

252 J. Betz, Die Eucharistie in der Zeit der griechischen Väter I/1, 65; dazu das ganze II. Kap., ebd., 65-139 ("die Aktualpräsenz der Person Christi als des Kyrios und Hohenpriesters beim Abendmahl").
253 Joh. Chrysostomus, In Mt. hom. 50,3 (PG 58,507), zit. nach J. Betz, a. a.O., 103.
254 Vgl. das entsprechende Zitat bei J. Betz, a.a.O., 94 f.; weitere Belege bei H. U. v. Balthasar, Die Messe, ein Opfer der Kirche?, a.a.O. (S. 53, Anm. 191), 210.
255 Vgl. H. U. v. Balthasar, a.a.O., 210-215.
256 Vgl. J. Betz, a.a.O., 131.

bedeuten; seine relative Gegenwart im Priester enthält die Gefahr, nicht mehr ihn, sondern in seinem Auftrag den Priester als Subjekt der eucharistischen Feier zu betrachten. Diese Mißdeutung wird so lange vermieden, als die Blickrichtung von dem sich in der Funktion des Priesters zur Erscheinung bringenden Herrn ausgeht. Sie zeigt sich dagegen deutlich, wenn losgelöst von seiner Funktion über die Person des Priesters gesprochen wird. Dann erscheint sein werkzeuglicher Dienst als Macht sogar über den Leib des Herrn [257].

Den ursprünglichen Sinn der Aktualpräsenz des Herrn im Tun des Priesters hatte man dabei nie völlig vergessen; in scholastischer Sprechweise war er im Begriff des *minister principalis* der Sache nach ausgesagt. Er wurde in der Wiederbelebung des alten Bilddenkens durch die Mysterienlehre neu bedacht. Odo Casel sprach immer wieder vom Priester als "Bild und Stellvertreter Christi" [258].

Der Umfang der Aktualpräsenz des Herrn im priesterlichen Dienst

Mit dieser Einsicht ist aber noch nicht die Frage beantwortet, in welchem Umfang der Priester den Herrn vertritt, ob in der gesamten Liturgie oder eventuell nur bei der Konsekration, noch ist gesagt, welcher Art diese Gegenwart des Herrn im Priester ist.

Es wurde schon darauf hingewiesen, daß in den letzten kirchenamtlichen Texten vor dem II. Vatikanischen Konzil mehrfach das Tun Christi in der Eucharistie so sehr auf die Konsekration konzentriert wurde, daß es sich darin zu erschöpfen schien. Mit der vollzogenen Konsekration sah man die *actio Christi* abgeschlossen [259]. Dem entsprach die isolierte Betonung der Wandlungsworte durch den Priester. Hier und eigentlich nur hier spricht der Priester wirklich an Stelle des Herrn, was man daran erkannte, daß er in der ersten Person spricht und damit

---

257 Vgl. oben, S. 412.
258 Besonders viele Belege finden sich in dem nachgelassenen Werk von O. Casel, Das christliche Opfermysterium (s. S. 43, Anm. 141), z.B. 94, 324, 510, 520, 544 u.ö.
259 Vgl. oben, S. 90-92.

seinen Worten das Ich Jesu Christi unterstellt wird [260].

Diese Deutung hat eine lange Tradition. Ambrosius unterscheidet beim Einsetzungsbericht die Worte des Evangelisten, der vom damaligen Geschehen berichtet, von den Worten Jesu Christi selbst, die der Evangelist zitiert und die die Wandlung bewirken [261].

Tatsächlich wird in der liturgischen Feier beides in dramatischer Darstellung durch den Priester verbunden. Er vollzieht das Tun Jesu Christi, wovon berichtet wird, und spricht die Worte, die zitiert werden [262]. So zeigt er, daß Jesus Christus selbst handelt und spricht, nicht nur in den eigentlichen Konsekrationsworten, sondern im ganzen Einsetzungsbericht. Dieser aber ist eingebettet in das gesamte eucharistische Dankgebet mit seinen verschiedenen Elementen der Epiklese und Anamnese; als ganzes richtet es der Priester als Vorsteher der Gemeinde und insofern in der Rolle Jesu Christi als des Hauptes seines Leibes an den Vater [263]. So muß dann auch hier von einer Aktualpräsenz des Herrn im Tun des Priesters gesprochen werden, wenn auch in einem etwas anderen Sinn, wie gleich noch zu erläutern ist. Entsprechendes läßt sich schließlich von den übrigen Teilen der Messe [264] sowie von allen anderen Gottesdienstformen zeigen. Dies kann hier nicht im einzelnen ausgeführt werden [265].

---

260 So formuliert entsprechend den üblichen Meßerklärungen auch J. Ratzinger, Liturgie – wandelbar oder unwandelbar. Fragen an Joseph Kardinal Ratzinger, in: IKaZ 6 (1977) 417-427, hier 427.
261 Vgl. Ambrosius, De sacramentis IV,5, zit. bei J. Pascher, Eucharistia, 142.
262 Vgl. A.-M. Roguet, La présence active du Christ dans la Parole de Dieu, in: MD, Nr. 82 (1965) 8-28, hier 13 f.: Die Konsekrationsworte sind *materialiter* ein Bericht, *formaliter* und *significative* Worte Christi.
263 Vgl. dazu bes. J. Pascher, a.a.O., 98-224.
264 Dies entspricht schon der Sicht von MeD, wie K. Peters, Repräsentation ..., 72-75, gezeigt hat. Vgl. dazu auch J. Pascher, Die Hierarchie in sakramentaler Symbolik, a.a.O. (S. 407, Anm. 228), 278-282.
265 Vgl. für die Zeit vor dem Konzil: J. A. Jungmann, Missarum Sollemnia; J. Pascher, Eucharistia; für die nachkonziliare erneuerte Liturgie: G. Duffrer, Gottesdienst. Besinnung und Praxis. Ein geistliches Werkbuch, München 1975; Th. Schnitzler, Was die Messe bedeutet. Hilfen zur Mitfeier, Freiburg-Basel-Wien 1976; J. H. Emminghaus, Die Messe. Wesen – gestalt – Vollzug, Klosterneuburg 1976; für die übrigen Gottesdienstformen: A. Adam, Erneuerte Liturgie. Eine Orientierung über den Got-

Die Liturgiekonstitution enthält zwar keine ausgeführte Lehre über den Umfang der Gegenwart des Herrn im priesterlichen Tun, wohl aber gibt sie einzelne Hinweise, die ein den gesamten Gottesdienst umfassendes Verständnis dieser Aktualpräsenz anzeigen. So wird ausdrücklich gesagt und gegen Einwände auf dem Konzil festgehalten [266], daß der Priester in der gesamten Liturgie "in der Rolle Christi an der Spitze der Gemeinde" [267] steht und das von ihm geleitete und vollzogene Stundengebet nicht nur die Stimme der Kirche ist, sondern sogar das Gebet Christi an seinen Vater [268].

Die Art der Aktualpräsenz des Herrn im priesterlichen Dienst

Welcher Art die Gegenwart des Herrn im liturgischen Dienst des Priesters ist, sagt die Liturgiekonstitution nicht. Man wird aber nicht fehlgehen, wenn man hier unterstellt, daß sie die Weise seiner Gegenwart entsprechend den zugrundeliegenden Texten aus dem Tridentinum bzw. den Enzykliken "Mediator Dei" und "Mystici Corporis" versteht.

Hier ist mit Thomas von Aquin von einer Gegenwart des Herrn seiner göttlichen Kraft nach (*virtute sua*) zu sprechen [269]. Damit nimmt Thomas eine alte Tradition auf, die sich besonders deutlich bei Johannes Chrysostomus nachweisen läßt. Nach ihm ist Jesus Christus im Priester durch die diesem verliehene göttliche Kraft wirksam, womit eine nicht absolute, sondern relative, durch den sichtbaren Priester vermittelte, virtuelle Gegenwart gemeint ist [270]. Diese kommt einerseits durch die

---

tesdienst heute, Freiburg-Basel-Wien 1972; ders., Sinn und Gestalt der Sakramente, Würzburg 1975 (= Pastorale Handreichungen, Bd. 16); ders., Das Kirchenjahr mitfeiern. Seine Geschichte und seine Bedeutung nach der Liturgieerneuerung, Freiburg-Basel-Wien 1979; vgl. neuerdings auch die zusammenfassenden Werke von H. Reifenberg, Fundamentalliturgie. Grundelemente christlichen Gottesdienstes, 2 Bde., Klosterneuburg 1978 (= Schriften des Pius Parsch-Instituts 3); H. Rennings, Die gottesdienstlichen Versammlungen. Einführung in die römisch-deutsche Liturgie (angekündigt).
266 Vgl. oben, S. 171, Anm. 174.
267 SC 33: vgl. den Text, oben, S. 401, Anm. 202.
268 Vgl. SC 84: vgl. den Text, oben, S. 207.
269 Vgl. bes. P. Wegenaer, Heilsgegenwart ... (s. S. 49, Anm. 178).
270 Vgl. G. Fittkau, Der Begriff des Mysteriums bei Johannes Chrysostomus (s. S. 49, Anm. 177), 202; J. Betz, Die Eucharistie in der Zeit der

rechtliche Sendung zustande, die von Jesus Christus über die
Apostel auf ihre Nachfolger übergeht und kraft deren "gewisse
priesterliche Handlungen die gleiche Rechtskraft besitzen, wie
die Jesu Christi, insofern der Priester Christi Stelle vertritt"[271].

Diese rechtserhebliche Stellvertretung wird aber andererseits
durch die sakramentale Geistmitteilung überboten, kraft deren
der Priester Repräsentant des erhöhten Herrn ist, der sich
selbst in ihm handelnd gegenwärtig macht. Beide Linien lassen
sich bis in die Anfänge der Kirche zurückverfolgen [272] und werden schon früh in ihrer notwendigen Zusammengehörigkeit gesehen. Schon bei Cyprian erscheint diese Repräsentation "als sa-
kramental-rechtliche Gegebenheit, indem die sakramental-pneu-
matische Linie zum erhöhten Herrn und die rechtlich-historische
Linie zum geschichtlichen Christus miteinander verbunden sind"
[273] . Beide Linien sind in der Enzyklika "Mystici Corporis"
deutlich ausgezogen; sie werden von der Liturgiekonstitution
vor allem in Artikel 6 aufgenommen [274].

Die Gegenwart des Herrn seiner göttlichen Kraft nach darf,
wenn sie als 'virtuelle' Gegenwart gesehen wird, nicht in Gegensatz zu einer realen und persönlichen Gegenwart gebracht
werden. Die Realität der hier gemeinten Gegenwart braucht nicht
weiter diskutiert zu werden; sie ergibt sich aus der bisher
durchgängig zu beobachtenden Überzeugung, daß der primär Handelnde in der Liturgie der lebendige, erhöhte Herr selbst ist,
der als ihr unsichtbares Subjekt nicht minder gegenwärtig ist
als das sichtbare Subjekt, der Priester, in dem er sein Tun
zur Erscheinung bringt. Bei aller Anerkennung von Analogien
aus dem juristischen und generell zwischenmenschlichen Ver-

---

griechischen Väter I/1, 131.

271 J. Pascher, Die Hierarchie ..., 280. Pascher interpretiert hier MeD.
Zur Entwicklung dieses juristischen Repräsentationsbegriffs und seinem
Zusammenhang mit der liturgischen Repräsentation vgl. H. Hofmann, a.a.
O. (S. 379, Anm. 109), 148-166.

272 K. Peters, Repräsentation ..., 23, nennt für die sakramentale Repräsentationsauffassung Ignatius von Antiochien, für die rechtliche Cle-
mens von Rom.

273 Vgl. J. Pascher, a.a.O., 281 f.

274 Vgl. oben, S. 336-342.

ständnis von Stellvertretung, wo ein Abwesender durch einen anderen als gegenwärtig angenommen wird, darf hier der entscheidende Unterschied nicht übersehen werden, der darin liegt, daß der erhöhte Herr nicht abwesend ist, sondern sich als Gegenwärtiger in seinem Abbild sichtbar macht. Er selbst bleibt ständig die Norm, an der sein Stellvertreter sich messen lassen muß; er behält die souveräne Spontaneität des Handelns, wo scheinbar ein anderer an seiner Stelle handelt, und bindet sich dennoch so sehr an seinen Stellvertreter, daß dieser wirklich selbst und verantwortlich, wenn auch nicht selbständig handeln muß.

Hier wiederholt sich das letztlich unbegreifliche Geheimnis der göttlichen Souveränität in Knechtsgestalt, dem auf der Seite des stellvertretenden Menschen die Notwendigkeit entspricht, im Bewußtsein, nur Werkzeug in der Hand des Größeren zu sein, dennoch mit dem ganzen Einsatz der eigenen Person den Herrn darzustellen[275].

Daß die Gegenwart des Herrn in der Person des Priesters als eine personale Gegenwart verstanden werden muß, ergibt sich ebenso. Soll er im realen, wenn auch vermittelten Sinn als Subjekt der Liturgie verstanden werden, so muß er seiner Person nach gegenwärtig sein. Hier ist allerdings zu beachten, daß mit dieser personalen Gegenwart nicht eine 'substantiale' gemeint ist, wie sie in den eucharistischen Gestalten gegeben ist. Daß und wie eine Person in einer anderen real gegenwärtig sein kann, ist wiederum eine letztlich analogielose Offenbarungsgegebenheit. Sie wird vor allem im Johannes-Evangelium als Mitsein und Insein des verheißenen Geistes in den Glaubenden dargestellt, wodurch die wirksame Gegenwart des verherrlichten Jesus Christus ermöglicht wird[276].

---

275 Zu den darin liegenden Implikationen für die priesterliche Spiritualität vgl. P. J. Cordes, a.a.O., 200-203, mit weiterer Literatur; vgl. auch K. Peters, a.a.O., 103-106.
276 Vgl. dazu F. Porsch, Pneuma und Wort (s. S. 334, Anm. 525), bes. 240 bis 252: § 2. "Erster Parakletspruch. Die Verheißung des 'anderen Parakleten', seines Mit- und Inseins (14,16 f.)", und 397 f.: "Der Geist-Paraklet und das Amt", und 399-404: "Der Geist und die Vergegenwärtigung Christi im Kult".

Daß diese im Geist gewährte personale Gegenwart des Herrn ebenso wirklich und eigentlich ist wie die in der Theologie oft
mehr oder gar ausschließlich betonte leib- und wesenhafte Gegenwart des Herrn, hat Gottlieb Söhngen dargelegt[277]. Was er
für die Gegenwart des Herrn in den Herzen der Gläubigen (vgl.
Eph 3,17) ausführt, kann entsprechend auf seine spezifische
Gegenwart im Dienst des Priesters angewandt werden: Es ist eine geistig-reale und in diesem prägnanten Sinn virtuelle Gegenwart (*praesentia spiritualis realis*)[278]. Die Gegenwart des
Herrn in der Person und im Dienst des Priesters muß demnach
als eine reale, personale Aktualpräsenz bezeichnet werden[279].

4.2.5. Der Priester als Repräsentant der Gemeinde

Die Durchsicht der Liturgiekonstitution hat ergeben, daß von
den wenigen Texten, die überhaupt von der liturgischen Funktion des Priesters sprechen[280], die Mehrzahl nicht die Christus-
Repräsentation des Priesters zum Thema hat, sondern seine Vor-
steheraufgabe in der Gemeinde. Er betet "in der Rolle Christi
an der Spitze der Gemeinde stehend" in ihrem Namen (Nr. 33);
er hat als Vertreter des Bischofs den Vorsitz in der Pfarrei
(Nr. 42); durch seine Hände und gemeinsam mit ihm sollen die
Gläubigen das eucharistische Opfer darbringen; unter seiner
Führung ist das Stundengebet die Stimme der Braut (Nr. 84).

In all diesen Texten zeigt sich aber, daß die Stellung des

---

277 Vgl. G. Söhngen, Christi Gegenwart in uns durch den Glauben (Eph 3,17),
a.a.O. (S. 51, Anm. 185), 23.
278 Ebd., 43.
279 Hier muß C. Vagaggini, Theologie der Liturgie, 85, widersprochen werden. Er schreibt: "In der Eucharistie ist nicht allein die übernatürliche Kraft, sondern die Person Christi selbst zugegen in seiner Gottheit
und verklärten Menschheit. ... Wir nennen sie darum persönliche Gegenwart. In den anderen Sakramenten ist Christus der Kraft und nicht der
Person nach zugegen, und der Gläubige tritt mit der dauernden Seelenhaltung Christi der Kraft nach in realen Kontakt". Vagaggini kennt also eine persönliche Gegenwart nur als substantiale und beschränkt sie
konsequent auf die eucharistischen Gestalten: vgl. ebd., 179.
280 Siehe oben, S. 401 f.

Priesters als Repräsentanten der Gemeinde nicht aufgrund einer Beauftragung oder Wahl durch die Gemeinde zustande kommt, also nicht 'von unten', sondern mit seiner amtlichen Funktion als Vertreter Jesu Christi, bzw. des diesen repräsentierenden Bischofs, also 'von oben' her, begründet wird [281].

Den entsprechenden Irrtum, daß das amtliche Priestertum sich dem Auftrag der Gemeinde verdanke, hatte das Konzil von Trient gegen Luthers Amtsverständnis [282] zurückgewiesen [283]. Pius XII. hatte in der Enzyklika "Mediator Dei" die tridentinische Lehre wiederholt [284] und insbesondere betont: "Der Priester handelt nur deshalb an Stelle des Volkes, weil er die Person unseres Herrn Jesus Christus vertritt, insofern dieser das Haupt aller Glieder ist" [285].

Ist aber die Herkunft der priesterlichen Vollmacht geklärt, so kann man durchaus von einer Repräsentation der Kirche durch den Priester sprechen, die nicht als solche schon Repräsentation Jesu Christi ist, obwohl sie mit dieser stets zusammenhängt.

B.-D. Marliangeas weist darauf hin, daß Thomas von Aquin als erster systematisch über das Handeln des Priesters als Repräsentanten der Kirche spricht. Er ist im Kult, sofern er als menschlicher Akt Bekenntnis des Glaubens und Gebet ist, Organ der glaubenden und betenden Kirche und handelt dann *in persona Ecclesiae* [286]. Dabei ist aber nicht, wie im Fall der Christus-

---

281 Vgl. Y. Congar, L'*Ecclesia* ..., a.a.O. (S. 266, Anm. 210), 282: "Il (le prêtre) est ministre de l'*ecclesia*, sans être pour autant son délégué: il a été voulu et institué tel par le Seigneur"; vgl. dazu H. Schmitz, Nachkonziliare Rechtsprobleme, a.a.O. (S. 267, Anm. 217), 98; grundsätzlich außerdem: R. A. Strigl, Grundfragen der kirchlichen Ämterorganisation, München 1960 (= MThS.K 13).

282 Daß das Amtsverständnis Luthers in Wirklichkeit viel differenzierter ist als die von Trient verurteilte Lehre einer einfachen Beauftragung durch das Volk, hat P. J. Cordes, a.a.O., 43-52, aufgezeigt. Allerdings wurde evangelischerseits die lutherische Ordination lange so verstanden, während sie in Wirklichkeit dem katholischen Sakramentsverständnis nicht sehr fern steht: vgl. ebd., 210-213 mit weiterer Literatur.

283 Vgl. DS 1763-1778, bes. 1767, 1769, 1771.

284 Vgl. MeD 82/553.

285 MeD 83/553: "... sacerdotem nempe idcirco tantum populi vices agere, quia personam gerit Domini nostri Iesu Christi, quatenus membrorum omnium Caput est".

286 Vgl. B.-D. Marliangeas, a.a.O. (S. 406, Anm. 222), 286. Dort in Anm. 9

Repräsentation, an eine reale Gegenwart der Kirche im Priester
zu denken, sondern an eine moralische, die vorwiegend juristisch bestimmt ist. Dies zeigt sich im späteren Sprachgebrauch, wenn seit dem 16. Jahrhundert für die Repräsentation
der Kirche durch den Priester mehr und mehr der Ausdruck 'im
Namen der Kirche' (*nomine ecclesiae)* bevorzugt wird [287], der
sich dann freilich nicht nur auf den Priester, sondern auch
auf andere Personen und Personengruppen anwenden läßt.
Dies läßt sich vor allem beim 'Gebet im Namen der Kirche' beobachten [288]. In diesem Sinn sagt die Enzyklika "Mediator Dei",
daß das Stundengebet "im Namen der Kirche" gebetet wird, wenn
es von Priestern und Ordensleuten "im ausdrücklichen Auftrag
der Kirche" verrichtet wird [289]. Die Liturgiekonstitution weitet das aus, wenn sie sagt, daß alle, die das Stundengebet beten, "im Namen der Mutter Kirche vor dem Throne Gottes" stehen [290].
Diese Form der Repräsentation der Kirche braucht hier nicht
weiter untersucht zu werden, wo es um die Frage nach der Gegenwart Jesu Christi im Dienst des Priesters geht.

4.2.6. Die Repräsentation des ganzen mystischen Leibes durch
       den Priester

Die bisherigen Überlegungen haben ergeben, daß die Christus-
Repräsentation des Priesters als eine zugleich sakramentale
und rechtliche Stellvertretung verstanden werden muß, während
seine Funktion, die Kirche zu repräsentieren, vorwiegend oder
ausschließlich rechtlichen Charakter zu haben scheint [291]. Daß
diese verschiedenen Formen der Repräsentation dennoch zusam-
mengehören, ja letztlich eine Einheit bilden, ergibt sich erst

---

   eine Liste der Fundstellen, wo Thomas *in persona ecclesiae* schreibt.
287 Vgl. ebd., 287.
288 Vgl. oben, S. 273-275.
289 Vgl. MeD 140/573.
290 SC 85: "Omnes proinde qui haec praestant ... laudes Deo persolventes
    stant ante thronum Dei nomine Matris Ecclesiae".
291 Vgl. K. Peters, a.a.O., 193.

aus der Einheit Jesu Christi mit der Kirche, die zusammen den
ganzen mystischen Leib als Subjekt des Gottesdienstes darstellen.

Der Sinn der liturgischen Gegenwart des Herrn in der Person
und im Dienst des Priesters muß deshalb aus der Grundbestim-
mung der Liturgie als "Werk Christi, des Priesters, und seines
Leibes, der die Kirche ist" (Nr. 7,4), gewonnen werden. Ihr
Subjekt ist der "mystische Leib Jesu Christi", der aus "dem
Haupt und den Gliedern" besteht (Nr. 7,3).

Es wurde schon darauf hingewiesen, daß dieses Subjekt in mehr-
fachen, verschiedenen und dennoch miteinander zusammenhängenden Verwendungen gebraucht wird [292]. Es gelten die Gleichungen:
"corpus (ecclesia) = Christus, caput = Christus und corpus +
caput = Christus" [293]. Infolgedessen vertritt der Priester, in
dessen Tun sich der Herr zur Erscheinung bringt, in derselben
differenzierten Weise die Person Jesu Christi. Die Liturgiekonstitution bietet dafür Beispiele:

Der Priester handelt an der Stelle Christi, des Hauptes, wenn
durch seinen Dienst der Herr sein Opfer darbringt (Nr. 7,1),
wenn er "in der Rolle Christi an der Spitze der Gemeinde"
steht (Nr. 33) und wenn er als Vertreter des Bischofs den Vorsitz über seine Pfarrei führt (Nr. 42).

Er steht für den Leib Christi, wenn er im Namen des ganzen
Volkes betet (Nr. 33 und 84) und wenn die Gläubigen durch seine Hände das eucharistische Opfer darbringen (Nr. 48).

Er steht dabei aber auch für Haupt und Glieder in ihrer Gesamtheit, wenn er in der Rolle Christi im Namen der Gemeinde betet
(Nr. 33), so daß sein Beten die Stimme der Braut und zugleich
das Gebet Christi vereint mit seinem Leib ist (Nr. 84) und
wenn er im Namen der Gemeinde das Opfer darbringt, welches das
Opfer des Herrn ist (Nr. 7,1 und 48).

Diese verschiedenen Weisen der Christus-Repräsentation kommen
in der Liturgie jeweils an ihrer Stelle und mit ihrer je verschiedenen Sinnrichtung zum Vollzug [294].

---

292 Vgl. oben, S. 245.
293 H. Schlier, Corpus Christi, in: RAC III, 439-444, hier 445.
294 Dabei darf bei aller Betonung der Grundform der Amtsgebete an den Va-

Von hier aus läßt sich dann auch die Frage beantworten, ob der
Priester primär Repräsentant Jesu Christi ist und als solcher
auch Repräsentant der Gemeinde oder umgekehrt.

Doppelte Repräsentation

Diese Frage hat ein wichtiges theologiegeschichtliches Vorspiel in den konziliaristischen Streitigkeiten des 14. und 15.
Jahrhunderts. Dort stellte sie sich allerdings vorwiegend aus-
serhalb des liturgischen Zusammenhangs im Hinblick auf die
Lehr- und Leitungsgewalt in der Kirche. Die für unser Thema
bedeutungsvolle Frage ist, ob der Papst Repräsentant der Kirche ist, wenn und weil seine Entscheidungen vom Konsens der im
Konzil repräsentierten Kirche getragen ist und er somit unter
dem Konzil steht, oder ob er Repräsentant der Kirche ist, weil
ihm diese Funktion als dem Repräsentanten Jesu Christi zukommt
und er somit über dem Konzil steht.
Hasso Hofmann hat gezeigt, daß Nikolaus von Cues anfänglich
die erste Meinung verfocht und später die zweite vertrat[295].
Interessant ist dabei, daß er die innere Zusammengehörigkeit
beider Aspekte nicht aus dem Blick verloren hat. Dies zeigt
sich in den früheren Schriften "in dem cusanischen 'Modell der
wechselseitigen Repräsentation', wonach die Amtsträger für das
zu leitende Volk Gottes Christus repräsentieren und gleichzeitig als Gewählte in der Synode die Glaubensüberzeugung ihres
Volkes vertreten"[296], ohne daß klar wäre, ob ihr Repräsenta-
tionscharakter aus dem gottgegebenen Amt oder aus dem volksge-
gebenen Mandat resultiert[297]. Dies galt bei Nikolaus von Cues
zunächst auch für den Papst, wurde bei ihm jedoch später durch
den Gedanken entschieden, daß die priesterliche Gewalt unmit-

---

ter durch Christus im Heiligen Geist (vgl. J. A. Jungmann, Die Stellung
Christi im liturgischen Gebet, Münster ²1963 (= LQ 19); C. Vagaggini,
Theologie der Liturgie, 139–171) nicht vergessen werden, daß gleichur-
sprünglich die Volksgesänge sich an Christus wenden: vgl. B. Fischer,
Der verherrlichte Mensch Christus und die Liturgie, a.a.O. (S. 109,
Anm. 465), 207–211.
295 Vgl. H. Hofmann, Repräsentation (s. S. 379, Anm. 109), 286–321.
296 Ebd., 307.
297 Vgl. ebd., 306 f.

telbar von Gott sei[298], aber dennoch die menschliche Bevoll-
mächtigung als vermittelndes Moment hinzukomme [299]. Damit ist
die Doppelbezüglichkeit der Repräsentation auf Christus und
die Kirche gewahrt, aber der Christus-Repräsentation der Vorrang gegeben [300].
Diese Lehre hielt sich mit je unterschiedlichen Akzentuierungen im I. und II. Vatikanischen Konzil durch. Sie hat ihre
Entsprechung in der doppelten Repräsentation des Priesters,
der, weil er Jesus Christus als Haupt darstellt, auch die Kirche als seinen Leib vertritt. Dies lehrte Pius XI. in poin-
tierter Entschiedenheit: "Der Priester ist Diener Jesu Christi
... ja ... 'ein zweiter Christus'"[301]. Er ist "der öffentliche
und amtliche Fürsprecher der Menschheit bei Gott: auch darin
setzt er die Sendung Christi fort ...: darum hat er die Aufgabe und den Auftrag, Gott im Namen der Kirche nicht allein das
eigentliche Opfer, sondern mit dem öffentlichen und amtlichen
Gebet auch das 'Opfer des Lobes' darzubringen"[302]. Und im selben Sinn Pius XII.: "Der Priester handelt nur deshalb an Stelle des Volkes, weil er die Person unseres Herrn Jesus Christus
vertritt, insofern dieser das Haupt aller Glieder ist"[303].
Im Zusammenhang mit der Forderung nach einer durchsichtigeren
und verständlicheren Form der Liturgie wiederholt die Liturgiekonstitution in Artikel 33 diese Lehre von der doppelten
Repräsentation: "Überdies werden die Gebete, die der Priester,
in der Rolle Christi an der Spitze der Gemeinde stehend, an
Gott richtet, im Namen des ganzen heiligen Volkes und aller
Umstehenden gesprochen"[304].

---

298 Vgl. ebd., 314.
299 Vgl. ebd., 315.
300 Vgl. ebd., 316-320.
301 Pius XI., Enzyklika "Ad catholici sacerdotii", a.a.O. (S. 412, Anm.
   245), 66; lat.: a.a.O., 10: "Minister Christi sacerdos ... Quin immo
   ipse ... 'alter est Christus'".
302 Ebd., 11; lat.: a.a.O., 18 f.: "Sacerdos denique, hac etiam in re Iesu
   Christi munus persequens ... publicus ex officio exstat ad Deum pro
   omnibus deprecator: eidem in mandatis est non modo proprium verumque
   altaris sacrificium Ecclesiae nomine caelesti Numini offere, sed etiam
   'sacrificium laudis' communesque preces".
303 Vgl. S. 421, Anm. 285.
304 Vgl. den Text, S. 401, Anm. 202.

In diesem Sinne einer doppelten Repräsentation als der Repräsentation Jesu Christi als des Hauptes und, verschieden davon, der Repräsentation seines Leibes, der Kirche, wird dann auch die strenge Unterscheidung dieser beiden Aspekte bei Odo Casel verständlich. In Bezug auf den Dienst der Priester lehrte er: "Ihre spezielle Vollmacht besteht darin, daß sie konsekrieren und damit die Vorbedingung schaffen für die Gegenwärtigsetzung des Opfers. Das Opfer aber bringt die ganze Kirche dar" [305]. Hier ist der Priester "als Stellvertreter und Werkzeug Christi" [306] im eigentlichen Sinn nur bei der Konsekration gesehen, in welcher er den Herrn "als Priester mit seinem Opfer" gegenwärtig macht, dessen Opfer sich dann die Kirche, vertreten durch den Priester, anschließt [307]. Als Repräsentant Jesu Christi konsekriert der Priester; als Repräsentant der Kirche opfert er, aber nicht das Opfer Jesu Christi, sondern das Opfer der Kirche, die sich mit ihrem Opfer dem Opfer Jesu Christi anschließt.

Bei Odo Casel haben so die Repräsentation Christi und die Repräsentation der Kirche einen je verschiedenen Sinn, so sehr, daß fraglich wird, ob sich nach ihm das Opfer Christi wirklich im äußeren Zeichen, dem kirchlichen Opferritus, vollzieht, oder nur unter dem Schleier dieses Zeichens als etwas von ihm Verschiedenes [308].

Daß Casel trotz solcher Formulierungen dennoch an der Einheit des Opfers Jesu Christi und des Opfers der Kirche festhält, zeigt folgender Text: "Diese beiden Opfer fließen ineinander über und sind im Grunde eins, da die Kirche ... als Braut Christi in der Kraft ihres Bräutigams wirkt und opfert" [309]. Die Unbestimmtheit Casels in dieser Frage [310] scheint darin be-

---

305 O. Casel, Das christliche Opfermysterium (s. S. 43, Anm. 141), 94.
306 Ebd., 544; vgl. auch ebd., 324, 510, 520 u.ö.
307 Ders., Die Meßopferlehre der Tradition, in: ThGl 23 (1931) 351-367, hier 359.
308 Vgl. die entsprechende Kritik von J. Betz und A. Gerken, oben, S. 54, und Anm. 194.
309 O. Casel, Das christliche Kultmysterium, 30.
310 Vgl. Th. Filthaut, Die Kontroverse ..., 110, und Anm. 248. Zu dem ganzen Fragekomplex vgl. die vorzügliche Analyse der Casel'schen Schriften von J. Plooij, Die Mysterienlehre Odo Casels, 173-181.

gründet, daß bei ihm zu wenig die oben erörterten Unterscheidungen in der Einheit des Subjekts der Liturgie bedacht sind. Wenn man den ganzen mystischen Leib als Subjekt sieht, in dem sich dann das Haupt und der Leib zwar je verschieden äußern können, ohne jedoch ihre Gemeinsamkeit zu verlieren, dann wird deutlicher, daß auch das durch den Priester repräsentierte Opfern der Kirche letztlich ein Tun Jesu Christi ist und sich damit die stellvertretende Funktion des Priesters in Bezug auf Jesus Christus nicht auf die Konsekration beschränkt, wenn sie auch dabei im speziellen Sinn den Herrn als Haupt vergegenwärtigt.

Die wirksame Gegenwart Jesu Christi in der Person und im liturgischen Dienst des Priesters muß also als eine einzige, wenn auch in sich differenzierte Weise seiner Gegenwart gesehen werden. Infolge der Einheit Jesu Christi mit seiner Kirche ist auch eine Einheit von Repräsentation des Herrn und ekklesialer Repräsentation gegeben [311]. Wenn Jesus Christus nicht nur im exklusiven Bereich des Handelns speziell als des Hauptes, sondern auch im Tun der Kirche als der Haupthandelnde gesehen wird, so ist in der Repräsentation des ganzen mystischen Leibes die doppelte Repräsentation des Herrn und der Kirche zusammengefaßt und insgesamt als eine Weise der Gegenwart des Herrn gekennzeichnet [312]. "Weihe und Sendung zusammen bewirken die Legitimation zur Repräsentation Christi, des Hauptes, in einer bestimmten kirchlichen Gemeinschaft; sie begründen keine zwei verschiedenen Repräsentationen, von denen die eine sakramental-rechtlich, die andere rein rechtlich geprägt wäre" [313].

---

311 Vgl. K. Peters, a.a.O., 198.
312 Vgl. Y. Congar, L'*Ecclesia* ..., a.a.O. (S. 266, Anm. 210), 282: "Le 'sujet' intégral (*plérôme*) de l'action liturgique est l'ecclesia ... Mais le sujet dernier et transcendant de l'action liturgique est le Christ qui, par son Saint-Esprit, donne l'unité et la vie à son Corps qu'il fait tout entier sacerdotal et qu'il a structuré, en cette qualité sacerdotale même, en troupeau et pasteur, peuple et chef, communauté et présidence".
313 K. Peters, a.a.O., 213.

4.2.7. Die Repräsentation des Herrn durch das hierarchische Presbyterium

Bisher war immer nur von der Gegenwart des Herrn im liturgischen Dienst des Priesters im allgemeinen die Rede. Konkret aber ist jeder Priester Mitglied des Presbyteriums eines Bischofs und der Bischof wiederum Mitglied des unter dem Papst geeinten Bischofskollegiums [314]. Diese Kollegialität ist von je verschiedener Art. Der einzelne Bischof leitet seine Teilkirche in der hierarchischen Gemeinschaft des unter dem Primat des Papstes geeinten Bischofskollegiums in eigener Vollmacht [315], während der Priester seine Gemeinde als Vertreter des Bischofs leitet [316].

Hier braucht nicht die Frage untersucht zu werden, in welchem Verhältnis dabei Weihe und kanonische Sendung zueinander stehen [317]; es ist nur festzuhalten, daß das neutestamentliche Priesteramt seine Vollform im Bischofsamt hat. Dies betont die Liturgiekonstitution in Artikel 41: "Im Bischof sehe man den Hohenpriester seiner Herde, von dem das Leben seiner Gläubigen in Christus gewissermaßen entspringt und abhängt" [318]. Die Eucharistiefeier, der "der Bischof vorsteht, umgeben von seinem Presbyterium und den Dienern des Altars" [319] ist deshalb die Vollform des christlichen Gottesdienstes, in der "die Kirche auf eine vorzügliche Weise sichtbar wird" [320]; "sie ist nämlich

---

314 Vgl. O. Saier, *Communio* in der Lehre des Zweiten Vatikanischen Konzils. Eine rechtsbegriffliche Untersuchung, München 1973 (= MThS.K 32), 182 bis 296.
315 Vgl. ebd., 152-155, 202-222.
316 Vgl. ebd., 255.
317 Vgl. für den Bischof ebd., 215-222, für den Priester ebd., 251-257. Vgl. auch P. J. Cordes, a.a.O., 219-228, und O. Semmelroth, Das geistliche Amt. Theologische Sinndeutung, Frankfurt/ M. 1958, 299-329.
318 SC 41: "Episcopus ut sacerdos magnus sui gregis habendus est, a quo vita suorum fidelium in Christo quodammodo derivatur et pendet". – Vgl. dazu C. Vagaggini, Der Bischof und die Liturgie, in: Conc 1 (1965) 75-82; J. Pascher, Bischof und Presbyterium, ebd., 83-85; F. R. McManus, Die Rechtsvollmacht des Bischofs in der Konstitution über die heilige Liturgie, ebd., 86-93.
319 SC 41: "... Eucharistia, ... cui praeest Episcopus a suo presbyterio et ministris circumdatus".
320 Ebd.: "... praecipuam manifestationem Ecclesiae haberi ...".

das heilige Volk, geeint und geordnet unter den Bischöfen" [321].

Das Amt innerhalb der Kirche

In diesen Texten wird mehr angedeutet als ausgeführt, daß sich
die grundlegende Struktur des mystischen Leibes, nämlich seine
Differenzierung in Haupt und Leib, Jesus Christus und Kirche,
innerhalb der Kirche vielfältig abbildet. Dabei steht zunächst
das geistliche Amt als ganzes innerhalb der Kirche und wird
erst sekundär der Gemeinde zur Repräsentation Jesu Christi als
des Hauptes gegenübergestellt [322].
Dies bedeutet eine *erste Relativierung des Amtes auf die Kirche hin.* Nur innerhalb des umfassenden, dem Herrn als sein
Leib gegenüberstehenden Volkes gibt es die spezifische Funktion des Amtes. So wird es auch verständlich, daß die Liturgiekonstitution in der Wesensbeschreibung der Liturgie fast
ohne Amtstheologie auskommt. Sie nennt gewiß die Sendung der
Apostel als der Vollzugsorgane des Heilswerks (Nr. 6), spricht
aber primär von der Kirche als dem Jesus Christus zugeordneten
Subjekt der Liturgie.
Wenn nun die Träger des geistlichen Amtes durch Weihe und Sendung in der Funktion des Hauptes der Gemeinde gegenübergestellt werden, so immer in einer *zweiten grundsätzlichen Rela-
tivierung auf Jesus Christus* hin. Daß er als das Haupt seines
Leibes sichtbar wird und im personalen Zeichen des ihn dar-
stellenden Amtsträgers selbst als gegenwärtig Handelnder in
Erscheinung tritt, ist der Sinn des priesterlichen Dienstes.
Die Funktion Jesu Christi als des Hauptes wird aber in der
Kirche stets gemeinschaftlich dargestellt, wodurch nochmals
die Rückbindung des Amtes an die Kirche zum Ausdruck kommt.
Diese gemeinschaftliche Repräsentation Jesu Christi als des
Hauptes ist aber hierarchisch strukturiert: Das Bischofskolle-

---

321 SC 26: (Ecclesia), "quae est 'unitatis sacramentum', scilicet plebs
sancta sub Episcopis adunata et ordinata".
322 Vgl. O. Semmelroth, Das geistliche Amt, 36-57 ("Amt und Kirche"); Y.
Congar, L'*Ecclesia* ..., a.a.O. (S. 266, Anm. 210), 280: "Mais cela même situe le sacerdoce hiérarchique *dans* l'Église, non au-dessus d'elle:
l'Église célébrera par la main des prêtres ... Le sacerdoce est donc un
service de *l'ecclesia* dans laquelle et pour laquelle il exercice un

429

gium besteht als solches nur in der Gemeinschaft mit dem Papst und unter ihm als Haupt. Das Presbyterium ist als solches durch das Amt des Bischofs konstituiert, welches sich im Presbyterium entfaltet und dieses in sich zusammenfaßt. In beiden Fällen, wenn auch je verschieden, ist die hierarchische Gemeinschaft Strukturprinzip der gemeinschaftlichen Christus-Repräsentation [323]. Darin liegt eine *dritte Relativierung des einzelnen Amtsträgers auf die Gemeinschaft der Amtsträger*, innerhalb derer allein er sein Amt hat [324].

Eine *vierte grundsätzliche Relativierung des Dienstamtes des Priesters* besteht darin, daß er es nicht in eigener Vollmacht ausüben kann, sondern nur in *Abhängigkeit von seinem* [325] *Bischof*, dessen Stelle er vertritt [326]. Dabei muß allerdings die Repräsentation des Bischofs durch den Priester als eine vor allem juristisch bestimmte und auf kanonischer Sendung beruhende Stellvertretung [327] stets ergänzt werden durch die unmittelbare Christus-Repräsentation, zu welcher der Priester durch die sakramentale Weihe befähigt ist. Wenn er auch nur der zweiten Weihestufe angehört, die durch ihre Abhängigkeit vom Bischof gekennzeichnet ist, so hat er doch nicht nur Anteil am vollen Priestertum des Bischofs, sondern grundlegender mit dem Bischof zusammen Anteil am Priestertum Jesu Christi [328]. Wenn al-

---

ministère".

323 Dies ist das Ergebnis der Untersuchung von O. Saier, *Communio* in der Lehre des Zweiten Vatikanischen Konzils. Vgl. auch K. Hemmerle, Zwischen Bistum und Gesamtkirche. Ekklesiologische Vorbemerkungen zu Fragen kirchlicher Strukturen, in: IKaZ 3 (1974) 22-41, hier 28-32.

324 Vgl. B. Botte, Der Kollegialcharakter des Priester- und Bischofsamtes, in: J. Guyot (Hg.), Das apostolische Amt, Mainz 1961, 68-91.

325 O. Saier, a.a.O., 258-265, hebt hervor, daß das Presbyterium nicht in der Zuordnung zu irgendeinem, sondern stets zu einem bestimmten Bischof besteht.

326 Vgl. B. Botte, a.a.O., 76.

327 SC 42 gebraucht hier den Ausdruck der vielfach auch für die Christus-Repräsentation verwendet wird: "pastore vices gerente Episcopi".

328 Vgl. dazu die Auseinandersetzung von P. J. Cordes, a.a.O., 299 f., mit O. Saier, Die hierarchische Struktur des Presbyteriums, in AKathKR 136 (1967) 341-391; Cordes wirft Saier vor, daß dieser die Rechtsabhängigkeit des Priesters vom Bischof auf eine generelle Abhängigkeit des Priesteramtes vom Bischofsamt ausdehne, wenn er schreibt: "Der Episkopat stellt die erste und ursprüngliche Stufe des Presbyteriums dar, der Presbyterat ist eine davon abgeleitete und abhängige Teilhabe; bischöfliche und priesterliche Gewalt verhalten sich zueinander

so der Priester den Bischof vertritt als den eigentlichen "Hohenpriester seiner Herde" (Nr. 41), so vertritt er doch auch
Jesus Christus selbst, vor allem in der Liturgie, wo der Herr
durch den Dienst des einzelnen Priesters handelt (Nr. 7,1) [329].

Christus-Repräsentation in hierarchischer Gemeinschaft

Die Repräsentation Jesu Christi durch den in hierarchischer
Gemeinschaft strukturierten priesterlichen Dienst hat für den
liturgischen Bereich zwei in der Liturgiekonstitution erörterte Konsequenzen: die Konzelebration und die Ausweitung liturgischer Leitungsaufgaben auf Laien.

Das Konzil hat zur Konzelebration lediglich eine Rahmenbestim-
mung gegeben: Die Vollmacht zur Konzelebration soll auf eine
Reihe einzeln angeführter Gelegenheiten ausgedehnt werden (Nr.
57), und es soll ein neuer Konzelebrationsritus geschaffen werden (Nr. 58). Dabei wird nicht ausgeführt, was unter Konzelebration zu verstehen ist. Der Sache nach beschrieben wird lediglich das Grundmodell der Konzelebration, nämlich die Eucharistiefeier, welcher "der Bischof vorsteht, umgeben von seinem
Presbyterium und den Dienern des Altars" (Nr. 41); dabei wird
jedoch das Wort 'Konzelebration' nicht gebraucht.

Anscheinend konnte und wollte das Konzil die Diskussion über
den Sinn der Konzelebration [330], die noch in vollem Gang war,
nicht abschließen und begnügte sich deshalb mit allgemeinen
Hinweisen. Daß auch diese reichlich Diskussionsstoff boten,
zeigt die Textentwicklung auf dem Konzil [331].

---

wie volle Gewalt zu einer an dieser teilhabenden Gewalt" (a.a.O., 350
f.; ebenso ders., *Communio* ..., a.a.O., 256). Entsprechend scheint O.
Saier, *Communio* ..., 251, LG 28 zu interpretieren.

329 Vgl. die K. Peters, Repräsentation ..., 184 f., wo eine Entwicklung von SC
zu LG festgestellt wird. Zunächst sei der Priester als Stellvertreter
des Bischofs gesehen worden (SC 42,1), dann als Repräsentant Christi
unter der Autorität des Bischofs (LG 28,1). – Diese zweite Bestimmung
läßt sich freilich auch schon aus SC erheben, insbesondere wenn vom
Priester als dem Leiter des Gottesdienstes die Rede ist: vgl. SC 7,1
und 33,2.

330 Vgl. die ausführliche Bibliographie bei H. A. P. Schmidt, Introductio
... (s. S. 10, Anm. 1), 406-410; dazu A. Nuij, Die Konzelebration der
Eucharistiefeier, Münster 1965 (= LebGo 11); H. Manders, Die Konzelebration, in Conc 1 (1965) 136-144 mit weiterer Literatur.

331 Vgl. dazu Lengeling, 126-129.

Das von der Vorbereitungskommission vorgelegte Schema hatte eine Reihe von Fällen aufgezählt, in denen die Konzelebration erlaubt sein sollte[332]. Der durch die Zentralkommission revidierte und dem Konzil vorgelegte Entwurf sah eine Erweiterung der Konzelebrationsmöglichkeit nur für die Chrisam-Messe am Gründonnerstag und für Zusammenkünfte von Priestern vor, "wenn nach dem Urteil des Ordinarius anders nicht für die Einzelzelebration gesorgt werden könne"[333]. Das Konzil stellte aufgrund zahlreicher Stellungnahmen[334] den ursprünglichen Text weitgehend wieder her und erweiterte ihn noch um die Erwähnung der Abendmahlsmesse am Gründonnerstag und der Messen bei der Altarweihe, bei Konzilien und Bischofszusammenkünften[335].

Zu diesem Text gab es nach der zweiten Lesung noch eine Fülle von Änderungswünschen, die teils darauf zielten, die Fälle möglicher Konzelebration strikt zu beschränken, teils schon einzelne Ausführungsbestimmungen vorschlugen, teils forderten, die Regelung des gesamten Konzelebrationswesens, auch für Ordensleute, dem Bischof für sein Bistum vorzubehalten[336]. Diesem letzten Wunsch entsprach die Kommission mit dem Zusatz: "Dem Bischof steht es zu, im Bereich seines Bistums das Konzelebrationswesen zu leiten"[337]. Auch dieser neugefaßte Text erhielt noch relativ viele Nein-Stimmen[338].

Diese Auseinandersetzungen erklären sich durch die Tatsache, daß entgegen dem altkirchlichen Brauch und der beständigen Übung der Ostkirche die Konzelebration in der Römischen Liturgie seit dem Hochmittelalter auf die Bischofs- und Priester-

---

332 Vgl. den Text, in: AD II/II/III, 33-37.

333 Vgl. den Text, in: Schemata I, 176 f.: Nr. 44 b: "ad conventus sacerdotum, si ad singulares celebrationes aliter provideri non possit et de iudicio Ordinarii".

334 Vgl. den Bericht von Bischof J. Enciso Viana (Mallorca/ Spanien) zu den Emendationen, in: AS II/II, 305 f.

335 Vgl. den Text, in: AS II/II, 286. Dabei wurden die einzelnen Bestimmungen bezüglich des Ritus der Konzelebration, die im Schema vorgesehen waren, weggelassen.

336 Vgl. den Bericht von Bischof Enciso Viana, in: AS II/V, 590-593.

337 SC 57, § 2.1.: "Ad Episcopum vero pertinet concelebrationis disciplinam in dioecesi moderari". Vgl. dazu den Bericht, a.a.O., 595 f.

338 Vgl. das Abstimmungsergebnis zu Modus I, in: AS II/V, 621: 123 Nein-Stimmen.

weihe eingeschränkt worden war [339]. Innerhalb der Liturgischen Bewegung dieses Jahrhunderts wurde die Frage neu diskutiert[340]. Jean Michel Hanssens führte die Unterscheidung von 'sakramentaler' Konzelebration, bei der alle Priester die Konsekrationsworte laut sprechen, und 'zeremonieller' Konzelebration, bei der nur der Hauptzelebrant sie spricht, ein [341]. Diese 'zeremonielle' Konzelebration wurde gelegentlich (gegen die Absicht Hanssens') so verstanden, daß alle Teilnehmer der Eucharistiefeier zusammen mit den anwesenden Priestern konzelebrieren. Dieses Verständnis wurde von Pius XII. in der Enzyklika "Mediator Dei" scharf zurückgewiesen [342]. Später präzisierte der Papst, daß nur dann von wirklicher Konzelebration die Rede sein könne, wenn jeder Konzelebrant die Konsekrationsworte ausspricht. Andernfalls handle es sich "um eine bloße Zeremonie, die ebensogut die Handlung eines Laien sein könnte" [343].

Daß die alte Kirche als Regelfall die Konzelebration unter dem Vorsitz des Bischofs kannte, der allein die Konsekrationsworte sprach [344], war nicht mehr bewußt. Mit der scholastischen Entwicklung des Sakramentenverständnisses ergab sich die These, daß zum Zustandekommen des Sakramentes die wesentlichen Worte

---

339 Vgl. zur Geschichte der Konzelebration außer den S. 431, Anm. 330, angegebenen Arbeiten den Kommentar zu SC 57 und 58 von A. Franquesa, in: ELit 78 (1964) 296-308, hier 297-300. Außerdem J. A. Jungmann, Missarum Sollemnia I, 257-262; N. Maurice-Denis-Boulet, Allgemeine Einführung in die Liturgie der Messe, a.a.O. (S. 366, Anm. 46), 343-346 (§ 4. "Eucharistische Konzelebration"), jeweils mit weiterer Literatur; außerdem MD, Nr. 35 (1953) mit Beiträgen von B. Botte (alte Kirche); A. Raes (orientalische Riten) und A. Honore (lateinischer Ritus).
340 Vgl. H. Manders, a.a.O., 136-138.
341 Vgl. J. M. Hanssens, De concelebratione eucharistica, in: PRMCL 16 (1927) 143-154, 181-210; 17 (1928) 93-127; 21 (1932) 193-219, hier 16 (1927) 143 f. und 21 (1932) 219.
342 Vgl. MeD 82/553.
343 Pius XII., Ansprache an die Teilnehmer des Kongresses von Assisi (22. 9.1956), a.a.O. (S. 58, Anm. 206), deutsch: 240; lat.: 718; vorher schon entsprechend: Ansprache vom 2.11.1954, a.a.O. (S. 58, Anm. 206). Ein Reskript des Hl. Offiziums von 1957 bekräftigte nochmals, daß zur gültigen Konzelebration das Aussprechen der Konsekrationsworte gehöre, in: AAS 49 (1957) 320. - Vgl. dazu auch die oben erwähnte Kontroverse um K. Rahner (s. S. 371, Anm. 70), außerdem ders., Dogmatische Bemerkungen über die Frage der Konzelebration, in: MThZ 6 (1955) 81-106.
344 Vgl. A. Nuij, a.a.O., 7 f.

als *forma sacramenti* erforderlich sind und folglich nur der Priester, der die Konsekrationsworte ausspricht, wirklich konsekriert. Es handelt sich dann nicht mehr eigentlich um eine gemeinschaftliche Handlung, sondern um die simultane Zelebration mehrerer Priester, die vor allem aus praktischen Gründen die von jedem einzelnen vollzogene Konsekration in einer gemeinschaftlichen Feier zusammenfassen [345].

Vor dem Konzil standen zwei Meinungen einander gegenüber: die eine wollte die Konzelebration auf Ausnahmefälle beschränken und schlug für den Regelfall das einfache Mitfeiern der anwesenden Priester vor. Die andere Richtung betonte, daß die Priester auch als solche in Erscheinung treten sollten und waren deshalb für die Einführung der Konzelebration als Normalfall, wenn die Umstände dies nahelegten [346].

Das Konzil nahm in diesen Fragen eine vermittelnde Position ein. Einerseits legte es nichts fest in Bezug auf die Frage, unter welchen Bedingungen von einer wirklichen Konzelebration gesprochen werden kann; andererseits bedeutet die Ausweitung der Konzelebrationsmöglichkeiten in Artikel 57 nicht nur eine Wiederherstellung der alten Praxis der Konzelebration mit dem Bischof, sondern eine wirkliche Neuerung, indem auch als Regelfall unter entsprechenden Umständen die Konzelebration mehrerer ranggleicher Priester vorgesehen wird [347]. Dies wird vom Konzil aber nicht nur aus praktischen Gründen eingeführt, sondern weil so "passend die Einheit des Priestertums in Erscheinung (tritt)" [348].

Für die Erneuerung des Konzelebrationsritus mußten also nach

---

345 H. Manders, a.a.O., 138, spricht hier mit anderen Autoren (vgl. die dort in Anm. 23 angegebene Literatur) von "einer getarnten synchronisierten Messe"; vgl. auch A. Nuij, a.a.O., 13.

346 A. Franquesa, a.a.O., 304, führt aus, daß die erste Position mehr von Liturgikern des Trierer Instituts vertreten worden sei, während die dem Pariser Institut verbundenen Theologen die zweite Richtung vertraten. Jungmann, 60, Anm. 22, stimmt dieser Einordnung zu.

347 Auf diesen Punkt wies der Relator beim Bericht über die Verbesserungen des Textes nach der 1. Lesung ausdrücklich hin: a.a.O. (S. 432, Anm. 334): "Agimus de concelebratione etiam absque praesentia personali Episcopi". A. Franquesa, a.a.O., 300: das ist eine "revera innovatio".

348 SC 57, §1: "Concelebratio, qua unitas sacerdotii opportune manifestatur".

der Liturgiekonstitution folgende Gesichtspunkte maßgeblich
sein: Da liturgische Feiern nicht privater Natur sind, sind
Feiern in Gemeinschaft privaten vorzuziehen; dies gilt vor allem für die Meßfeier [349]; die Kirche wird auf vorzügliche Weise
dann sichtbar, wenn der Bischof inmitten seines Presbyteriums
die Eucharistie feiert und das ganze Volk sie mitfeiert [350];
die Einheit des Priestertums soll unter entsprechenden Bedingungen auch in Konzelebrationen, die nicht vom Bischof geleitet
werden, sichtbar werden [351]; sie ist als eine deutliche Manifestation der eigentliche Grund der Konzelebration [352]. Dabei muß
aber sinngemäß die hierarchische Struktur dieser Gemeinschaft
sichtbar bleiben. Wenn der Bischof nicht selbst den Vorsitz
führt, muß er, so ist entsprechend den Bestimmungen des Artikels 42 zu folgern, in dieser Funktion vertreten werden. Deshalb muß auch in einer Konzelebration ranggleicher Priester
einer als Hauptzelebrant den liturgischen Vorsitz führen [353].

Aus diesen Überlegungen ergibt sich, daß nicht die gleichzeitige Zelebration vieler Einzelzelebranten der Sinn der Konzelebration ist [354], sondern die gemeinschaftliche Handlung aller

349 Vgl. SC 26: "Actiones liturgicae non sunt actiones privatae, sed celebrationes ecclesiae"; SC 27: "Quoties ritus ... secum ferunt celebrationem communem ... inculcetur hanc ... esse praeferendam celebrationi
eorundem singulari et quasi privatae. Quod valet praesertim pro Missae
celebratione ...".
350 Vgl. SC 41; s. den Text, S. 428, Anm. 319 f.
351 Dies gilt vor allem für Konventmessen und Messen bei Zusammenkünften
von Priestern: vgl. SC 57, § 1.2. a) und b).
352 Die im von der Zentralkommission redigierten Text eingefügte Erklärung,
daß Konzelebrationen dann gestattet sein sollten, wenn anders nicht
für die Einzelzelebration gesorgt werden könnte, wurde vom Relator ausdrücklich zurückgewiesen: vgl. die Relatio von Bischof J. Enciso Viana
zu den Emendationen, a.a.O., 306: "Ratio concelebrationis non est im-
possibilitas celebrandi singulariter, sed manifestatio unitatis sacerdotii".
353 Vgl. dazu die Beschreibung der Bedingungen einer echten Konzelebration
bei H. Manders, a.a.O., 138: "Das Vorhandensein eines Haupt-Zelebranten, einer Gruppe oder eines 'Kollegiums' von Priestern, die als solche
fungieren und unter der hierarchischen Führung des Haupt-Zelebranten
die Eucharistie mit ihm zusammen inmitten der teilnehmenden Gemeinde
feiern".
354 Auf die damit zusammenhängenden Fragen der Meßopferfrüchte-Lehre, insbesondere des *fructus specialissimus* für den zelebrierenden Priester,
sowie die Frage nach den Meßstipendien im Fall der Konzelebration

Mitfeiernden entsprechend ihrer hierarchischen Stellung. Dies
würde zweifellos bei der sogenannten 'stillen' Konzelebration,
in der nur der Hauptzelebrant die Konsekrationsworte spricht,
deutlicher [355]. Dieser Gedanke folgt zwanglos aus der Einsicht,
daß Jesus Christus selbst der eigentliche Zelebrant der Eucharistie ist, der sich sowohl in einer Einzelperson wie auch in
einem hierarchisch gegliederten Kollegium in seiner Funktion
als Haupt der Kirche repräsentieren kann [356].
Entsprechend begründet das 1965 erlassene Dekret zur Einführung des neuen Konzelebrationsritus [357] den Sinn der Konzelebration mit der Einheit des Kreuzesopfers, welches durch die
vielen Meßopfer repräsentiert werde [358], mit der Einheit des
Priestertums [359] und mit dem darin hervorragend deutlich wer-

---

braucht hier nicht eingegangen zu werden; vgl. dazu K. Rahner, a.a.O.
(S. 433, Anm. 343), H. Manders, a.a.O., und A. Nuij, a.a.O.

355 Der Ausdruck 'stille Konzelebration' wurde von H. Manders, a.a.O., 139,
vorgeschlagen. Er soll den mißverständlichen Ausdruck von J. M. Hanssens, 'zeremonielle Konzelebration', ersetzen. Eine solche stille Konzelebration bedeutet nach den geltenden Bestimmungen, daß nur der
Hauptzelebrant konsekriert. Im Gegensatz dazu sprechen in der 'gesprochenen' Konzelebration alle Zelebranten wenigstens die Konsekrationsworte und erfüllen damit die geltenden Bedingungen einer Mit-Konsekra-
tion. Daß diese disziplinäre Entscheidung (s. S. 433, Anm. 343) prinzipiell auch anders getroffen werden könnte, nämlich in dem Sinn, daß
auch in der stillen Konzelebration ein wirkliches Mitkonsekrieren der
anwesenden Priester möglich wäre, deuten F. Vandenbroucke, La Communione sotto le due specie e la concelebrazione, in: G. Baraúna (Hg.), La
Sacra Liturgia ..., 463-475, hier 473, Anm. 31, und, ihm folgend,
Jungmann, 60 f., Anm. 22, an.
356 Vgl. zum Ganzen auch C. Vagaggini, Il valore teologico e spirituale
della Messa concelebrata, in: RivLi 52 (1965) 189-219; weitere Literatur ist angegeben in: ELit 79 (1965) 475 f.
357 Vgl. Dekret der Ritenkongregation vom 7.3.1965, in: AAS 57 (1965) 410
bis 412.
358 Ebd., 410: "Imprimis quidem unitas Sacrificii Crucis, quatenus multae
Missae nonnisi unicum Sacrificium Christi repraesentant". In dieser
Formulierung darf man wohl eine stillschweigende Rehabilitierung K.
Rahners sehen (vgl. S. 371, Anm. 70).
359 Vgl. ebd.: "Proinde etiam cum singuli Sacrificium offerunt, omnes tamen id virtute eiusdem Sacerdotii faciunt et in persona Summi Sacerdotis agunt, cui integrum est sive per unum sive per multos simul sacramentum sui Corporis et Sanguinis consecrare"; vgl. dazu den grundlegenden Text bei Thomas v. Aquin, S. Theol. III, 82, a. 2, ad 2 (in Anm.
2 des Dekrets fälschlich mit III, 82, a. 3, ad 2 et ad 3 angegeben):
"Sed quia sacerdos non consecrat nisi in persona Christi, multi autem
sunt 'unum in Christo', ideo non refert, utrum per unum aut per multos
hoc sacramentum consecretur". Vgl. dazu H. Manders, a.a.O., 136.

denden Charakter der Messe als Feier des ganzen Gottesvolkes[360].
Die konkrete Gestalt des Konzelebrationsritus stellt freilich
einen Kompromiß zwischen 'stiller' und 'gesprochener' Konzelebration dar. Der Hauptzelebrant wird angewiesen, die Konsekrationsworte laut zu sprechen; die Konzelebranten sollen sie
leise, aber vernehmlich mitsprechen[361].
In diesem Kompromiß sind beide Anliegen gewahrt: die Repräsentation des Herrn im gemeinschaftlichen, hierarchisch geordneten Handeln des Priesterkollegiums und die Repräsentation des
Herrn durch jeden einzelnen Zelebranten[362].

Christus-Repräsentation durch Laien

Mit dem gemeinschaftlichen, hierarchisch geordneten Handeln in
der Funktion des Hauptes der Kirche verbindet sich schließlich
noch die Frage, ob und in welchem Sinn diese Funktion auch von
Nichtpriestern wahrgenommen werden kann. Die Liturgiekonstitution deutet diese Frage an, wenn in Artikel 41 davon die Rede
ist, daß der Bischof, "umgeben von seinem Presbyterium und den
Dienern des Altars" die Eucharistie feiert. In Artikel 29 heißt
es: "Auch die Ministranten, Lektoren, Kommentatoren und die
Mitglieder der Kirchenchöre vollziehen einen wahrhaft liturgischen Dienst"[363]. In Artikel 34,4 wird bestimmt, daß in prie-

---

360 Vgl. ebd.: "Actio demum totius populi Dei clarius apparet".
361 Vgl. Ritus servandus in concelebratione Missae et ritus communionis
    sub utraque specie. Editio Typica, Vatikan 1967, 17: "Item eas tantum
    orationes elata voce dicunt, quas aut soli aut una cum celebrante prin-
    cipali dicere debent; eas autem ... neque voce tam elata proferant ut
    ipsorum vox voci celebrantis principalis superimponatur". In der deut-
    schen Ausgabe: "Die Feier der Gemeindemesse. Handausgabe. Auszug aus
    der authentischen Ausgabe des Meßbuchs für die Bistümer des deutschen
    Sprachgebietes, Einsiedeln usw. 1975, heißt die zusätzlich für Konze-
    lebrationen hinzugefügte Rubrik: "Hauptzelebrant laut, Konzelebranten
    leise": vgl. z.B. ebd., 44.
362 Zur Bewertung dieses Kompromisses vgl. A. Nuij, a.a.O., 23-29. Frag-
    lich ist, ob für den vorliegenden Ritus die Folgerung von K. Peters,
    a.a.O., 215, der hier W. Aymans, Das synodale Element in der Kirchen-
    verfassung, München 1970, 305-311, folgt, stimmt: "Bei der Konzelebra-
    tion kann daher nur der Hauptzelebrant als Repräsentant Christi, des
    Hauptes gelten". Die spezifische Funktion des Hauptes wird vielmehr im
    gleichzeitigen Sprechen der Konsekrationsworte von den konzelebrieren-
    den Priestern unter Führung des Hauptzelebranten erfüllt.
363 SC 29: "Vero ministerio liturgico funguntur".

sterlosen Wortgottesdiensten "ein Diakon oder ein anderer Beauftragter des Bischofs die Feier leiten" soll [364].

Bei diesen Texten wird man zwei verschiedene Weisen der Beteiligung von Laien am liturgischen Dienst unterscheiden müssen, nämlich liturgische Funktionen, in denen sie als Laien die ihnen aus Taufe und Firmung zukommenden Teile übernehmen[365] und solche Funktionen, zu denen sie einer speziellen Beauftragung durch den Bischof bedürfen.

Im ersten Fall handeln die Laien zwar nicht in der Rolle Christi als des Hauptes der Versammlung, aber sie sind beteiligt am Handeln dessen, der in dieser Rolle die Feier leitet. Sie können ohne ihn nicht tätig werden, aber tragen zu seiner Tätigkeit mit bei. So tragen sie mit dazu bei, die Gegenwart des Herrn als des Hauptes seiner Gemeinde darzustellen[366].

Im Fall einer speziellen Beauftragung durch den Bischof werden Leitungsfunktionen im eigentlichen Sinn an solche delegiert, die von sich aus nicht zu einem Handeln in der Person Jesu Christi als des Hauptes qualifiziert sind. Sie können kraft dieser Delegation selbständig eine liturgische Versammlung leiten, freilich stets in Abhängigkeit nicht nur vom Bischof als dem Beauftragenden, sondern auch vom Priester als dem am jeweiligen Ort verantwortlichen Repräsentanten des Bischofs. Dies gilt insbesondere von den Diakonen und anderen zeitweise oder ständig zur Leitung liturgischer Versammlungen beauftragten Personen[367]. Es trifft aber auch für solche Laien zu, die kraft einer bischöflichen Beauftragung an der amtlichen Verkündigung als Lektoren oder Prediger beteiligt sind[368].

---

364 SC 34,4: "Quo in casu celebrationem diaconus vel alius ab Episcopo delegatus dirigat".
365 Vgl. SC 14 und 28 und das oben, S. 277-283, zur tätigen Teilnahme der Gläubigen an der Liturgie Gesagte.
366 Vgl. I.-H. Dalmais, Liturgie und Heilsmysterium, a.a.O. (S. 43, Anm. 141), 221.
367 K. Peters, a.a.O., 188-191, spricht den Diakonen eine wirksame Christusrepräsentation zu, die aber nicht Jesus Christus als das Haupt darstellt. Hier wäre zu fragen, ob nicht der Vorsitz in einer liturgischen Versammlung doch eine solche Repräsentation des Hauptes der Kirche impliziert.
368 K. Peters, ebd., 235, spricht auch hier von einem "amtlichen Handeln im Sinne einer Repräsentation", aber nicht Christi als des Hauptes.

Solche Überlegungen zeigen, daß die Übergänge zwischen den einzelnen Funktionen innerhalb der gemeinschaftlichen Christus-Repräsentation im liturgischen Dienst fließend sind. Hier wird nochmals deutlich, daß auch die Träger des amtlichen liturgischen Dienstes in die Gemeinde eingebunden bleiben, die als ganze in ihren liturgischen Versammlungen das Zeichen des gegenwärtigen Herrn ist [369].

4.2.8. Zusammenfassung

Überblickt man die knappen Hinweise der Liturgiekonstitution auf die Gegenwart des Herrn im liturgischen Dienst des Priesters, so zeigt sich, daß diese Gegenwartsweise des Herrn als zeichenhafte Konkretisierung dessen verstanden werden muß, was oben über das Subjekt der Liturgie gesagt wurde. Der Sinn des priesterlichen Dienstes muß von Jesus Christus her verstanden werden, der in der Liturgie sein priesterliches Werk vollzieht und sich dabei die Kirche zugesellt. Deshalb ist die liturgische Funktion des Priesters nicht zuerst von einer davon unabhängigen Amtstheologie zu entwickeln, sondern vom Sinn der Liturgie her. Ein solcher Ausgangspunkt kann dann auch prägend und korrigierend auf das Amtsverständnis überhaupt wirken.
Im Rahmen der insgesamt zeichenhaften Liturgie hat der Priester das personhafte Zeichen des persönlich die Liturgie feiernden Herrn zu sein. Dabei stellt er Jesus Christus als Haupt seines Leibes dar. Insofern ist er Repräsentant Jesu Christi, jedoch nicht in der Weise, daß sein Tun dem abwesenden Herrn rechtlich zugerechnet würde, sondern so, daß der gegenwärtige Herr sich im Priester eine sichtbare Repräsentation seiner Tätigkeit schafft. Jesus Christus bleibt als Subjekt der Liturgie auch Subjekt der liturgischen Repräsentation.
Diese Funktion erfüllt der Priester in seinem liturgischen Tun, welches somit zum Ausdruck der tätigen Gegenwart des Herrn

---

369 Vgl. dazu K. Lehmann, Das priesterliche Amt im priesterlichen Volk, in: Gemeinde des Herrn. 83. Deutscher Katholikentag, Paderborn 1970, 247 bis 261, bes. 259-261. Siehe auch oben, Abschnitt 3.4.3., S. 283-296.

wird, zur Aktualpräsenz der Person Jesu Christi.

Da dieses Tun des Priesters aber von ihm als Person nicht nur werkzeughaft, sondern personhaft vollzogen werden muß, wird in sein Handeln auch seine Person miteinbezogen. Damit sein stellvertretendes Tun wirklich auch seines ist, ohne indessen aufzuhören, das des Herrn zu sein, wird er als Voraussetzung zu seinem liturgischen Dienst dazu bleibend in seinem Sein qualifiziert; er bleibt deshalb stets Diener des Herrn und muß diesem Anspruch in seinem ganzen Leben zu entsprechen suchen.

Die Gegenwart des Herrn als Aktualpräsenz im liturgischen Dienst des Priesters ist als virtuelle Gegenwart im Unterschied zur substantialen Gegenwart in den eucharistischen Gestalten zu bestimmen. Diese virtuelle Gegenwart ist aber eine reale und personale Gegenwart des Herrn. Sie beruht auf der rechtlichen Sendung durch den auferstandenen Herrn, die über die Apostel und ihre Nachfolger weitergegeben wird, und zugleich auf der pneumatischen Gegenwart des erhöhten Herrn in jedem durch seinen Geist ihm gleichgestalteten Träger des priesterlichen Dienstamtes.

Als Repräsentant Jesu Christi ist der Priester sekundär auch Repräsentant der Kirche als des Leibes des Herrn. Seine Stellvertretungsfunktion in Bezug auf die Kirche kann dann auch durch ein Mandat der Gläubigen begründet werden und hat insofern vorwiegend rechtlichen Charakter. Dieses Mandat bleibt aber immer rückgebunden an die umfassende, rechtlich und zugleich sakramental begründete Repräsentation des gesamten mystischen Leibes, der aus Haupt und Gliedern gebildet ist. Hier ist der Priester Repräsentant des Leibes insofern er Repräsentant des Hauptes ist und stellt in seinem liturgischen Tun die komplexe Beziehung zwischen Jesus Christus und seiner Kirche dar, indem er bald in der Person des Herrn der Gemeinde gegenübertritt, bald im Namen der Gemeinde sich dem Herrn zuwendet und wiederum in der Rolle des Herrn, der seinen Leib mit sich verbindet, das Gebet und Opfer des ganzen mystischen Leibes dem Vater darbringt.

Diese doppelte Repräsentation, die dennoch eine einzige ist, vollzieht der Priester als Glied des Presbyteriums, welches

als ganzes den priesterlichen Dienst des Herrn darstellend
vollzieht. Dies kommt am deutlichsten in der Konzelebration
unter Leitung des Bischofs zum Ausdruck, die ein gemeinschaftliches, aber hierarchisch geordnetes, liturgisches Handeln in
der Rolle Christi, des Hauptes, ist, wobei jeder seiner Stellung im mystischen Leib entsprechend die gemeinsame Handlung
mitträgt.

Dies weitet sich auf die gesamte liturgische Versammlung aus,
innerhalb derer auch Laien, sei es kraft ihres eigenen gemeinsamen Priestertums, sei es kraft spezieller Beauftragung zum
Leitungsdienst, dazu beitragen, daß der Herr als Haupt der liturgischen Versammlung im Zeichen gegenwärtig wird.

4.3. Die Gegenwart des Herrn in den eucharistischen Gestalten

4.3.1. Der Textbefund

Von der Gegenwart des Herrn in den eucharistischen Gestalten
ist in der Liturgiekonstitution ausdrücklich nur in Artikel
7,1, und dort in äußerster Knappheit die Rede: "Gegenwärtig
ist er im Opfer der Messe sowohl in der Person dessen, der den
priesterlichen Dienst vollzieht -...-, wie vor allem unter den
eucharistischen Gestalten" [370].
Im Kapitel über "das heilige Geheimnis der Eucharistie" wird
diese Weise der Gegenwart des Herrn nur indirekt erwähnt, wenn
vom "Opfermahl, in dem Christus genossen wird" (Nr. 47) und
vom "Tisch des Herrenleibes" (Nr. 48) die Rede ist.
Die Liturgiekonstitution hat also das Thema der eucharistischen Realpräsenz fast vollständig ausgeklammert und steht damit in deutlichem Gegensatz zur Enzyklika "Mediator Dei". Dort
steht nicht nur in der theologischen Grundlegung des eucharistischen Kapitels: "Durch die Wesensverwandlung des Brotes in
den Leib und des Weines in das Blut Christi ist nämlich sein
Leib ebenso gegenwärtig wie sein Blut" [371], sondern die Enzyk-

---

370 SC 7,1: "... tum maxime sub speciebus eucharisticis".
371 MeD 69/548: "Si quidem per panis 'transsubstantiationem' in corpus vi-

441

lika widmet auch der heiligen Kommunion[372] und der Anbetung
der Eucharistie[373] je einen eigenen Abschnitt. Dazu ist noch
zu bemerken, daß im Schema der Liturgiekonstitution von der
Gegenwart des Herrn in den eucharistischen Gestalten überhaupt
nicht die Rede war[374]. Ihre Erwähnung wurde erst aufgrund der
Konzilsdiskussion im Anschluß an den entsprechenden Text aus
"Mediator Dei" eingefügt[375].

Ein völliges Verschweigen der Gegenwart Jesu Christi in den
eucharistischen Gestalten, der durch Jahrhunderte das besondere Interesse der kirchlichen Lehre und Frömmigkeit der Katho-
liken gegolten hatte, mußte auf Widerspruch stoßen, zumal in
einem Text, der von der Gegenwart des Herrn in der Liturgie
handelte und sich sachlich an den Aussagen der Enzyklika "Mediator Dei" orientierte. Wenn dort diese eucharistische Gegenwart besonders hervorgehoben und im Konzil einfach übergangen
war, mußte dies den Eindruck erwecken, als wolle man diese
Form der Gegenwart des Herrn bewußt ausklammern.

Aus der Komposition des Textes wird dies verständlich. Im
theologischen Einleitungskapitel ist nur vom Wesen der Liturgie im allgemeinen die Rede. In den übrigen Kapiteln werden
die speziellen Fragen nur insoweit behandelt, als die Konstitution dafür Reformen bestimmt. Infolgedessen ist im eucharistischen Kapitel nur da von der Kommunion die Rede, wo empfohlen wird, dazu in derselben Messe konsekrierte Hostien zu verwenden[376] und wo die Möglichkeiten der Kommunion unter beiden
Gestalten erweitert werden[377].

Die nachträglich eingefügte Formulierung der Gegenwart des
Herrn unter den eucharistischen Gestalten ist unverändert aus
"Mediator Dei" übernommen[378] und wird inhaltlich nicht weiter

---

nique in sanguinem Christi, ut eius Corpus reapse praesens habetur,
ita eius cruor".
372 Vgl. MeD 111-120/562-566.
373 Vgl. MeD 127-135/568-572.
374 Vgl. den Text, oben, S. 177 f.
375 Vgl. oben, S. 178.
376 Vgl. SC 55; entsprechend MeD 117 und 119/564 f.
377 Vgl. SC 55.
378 In MeD ist lediglich die Wortstellung umgekehrt; es heißt in MeD 20/
529: "tum maxime sub Eucharisticis speciebus".

442

entfaltet. Sie ist also zunächst im selben Sinn zu verstehen,
wie im zugrundeliegenden Text und muß in ihrer Beziehung zu
den übrigen Gegenwartsweisen aus dem Kontext der Liturgiekonstitution gedeutet werden.

Die kirchliche Lehre von der eucharistischen Realpräsenz, wie
die Enzyklika "Mediator Dei" sie vorträgt, ist vom Konzil von
Trient in seinem Eucharistiedekret definiert worden[379]. Sie
braucht hier nicht wiederholt zu werden. Zur Interpretation
der Liturgiekonstitution genügt es, zwei Fragen zu erörtern:
welchen Sinn die Hervorhebung der Gegenwart des Herrn unter
den eucharistischen Gestalten vor seinen übrigen Gegenwartsweisen hat, und welche Folgen sich für das Verständnis dieser
Gegenwart aus ihrer Einfügung in die übrigen Gegenwartsweisen
im Kontext der Liturgiekonstitution ergeben.

4.3.2. Der Vorrang der Gegenwart des Herrn unter den euchari-
       stischen Gestalten

In der Enzyklika "Mediator Dei" ist die Gegenwart des Herrn
unter den eucharistischen Gestalten durch ein "vor allem" (*maxime*) vor den übrigen Gegenwartsweisen hervorgehoben[380]. Dabei
ist es nicht verwunderlich, daß eine solche Hervorhebung vorgenommen wird; bemerkenswert ist vielmehr, daß sie so unbetont
geschieht und diese Gegenwartsweise in der Reihe der übrigen
Weisen der liturgischen Gegenwart beläßt. Innerhalb der Eucharistiefeier wird sogar die Gegenwart des Herrn im Dienst des
Priesters vor dieser speziellen eucharistischen Gegenwart genannt. Aimon-Marie Roguet bemerkt zu dem entsprechenden Text
der Liturgiekonstitution, man habe die Gegenwart des Herrn in
der Person des Priesters vor seiner Gegenwart in den eucharistischen Gestalten genannt, weil diese zwar die wichtigste,
aber eine Wirkung der erstgenannten sei[381]. Ob diese Ausdrucks-

---

379 Vgl. DS 1635-1661.
380 Vgl. den Text, oben, S. 180.
381 A.-M. Roguet, (Kommentar zu SC 5-12), a.a.O. (S. 252, Anm. 146), 25:
    "S'il est présent dans le sacrifice de la messe, on fait passer sa

weise sehr glücklich ist, sei dahingestellt; sie zeigt zumindest, daß die Gegenwart des Herrn in den eucharistischen Gestalten im Zusammenhang mit den übrigen Gegenwartsweisen gesehen werden muß.

Ihren Vorrang hatte das Konzil von Trient damit begründet, daß die übrigen Sakramente erst im Empfang ihre Heilskraft haben, während in der Eucharistie der Urheber der Heiligkeit selbst unabhängig vom Empfang dieses Sakramentes gegenwärtig sei [382]. "Mediator Dei" wiederholt dies in etwas anderer Formulierung: "Die Eucharistie ist ja sowohl Opfer wie auch Sakrament und unterscheidet sich von den anderen Sakramenten dadurch, daß sie nicht bloß die Gnade mitteilt, sondern den Urheber der Gnade selbst in fortdauernder Weise enthält" [383].

Die Aussageabsicht der beiden Texte ist verschieden. Während es im Tridentinum zuerst darum ging, in antireformatorischer Richtung festzuhalten, daß die eucharistische Realpräsenz nicht nur auf den Augenblick des Sakramentenempfangs beschränkt ist [384], zielt die Enzyklika auf die eucharistische Anbetung, die wegen dieser bleibenden Realpräsenz möglich und angemessen ist. Beidemale aber wird nachdrücklich betont, daß im Sakrament der Eucharistie "nach der Konsekration des Brotes und Weines unser Herr Jesus Christus, wahrer Gott und Mensch, wahrhaft, wirklich und wesentlich unter der Gestalt jener sinnfälligen Dinge enthalten sei" [385].

---

présence *dans la personne du ministre* avant la présence *sous les saintes espèces*: celle-ci est évidemment la plus importante (*maxime*), mais elle est un effet de celle-la".

382 Vgl. DS 1639: "Verum illud in ea (Eucharistia) excellens et singulare reperitur, quod reliqua sacramenta tunc primum sanctificandi vim habent, cum quis illis utitur: at in Eucharistia ipse sanctitatis auctor ante usum est".

383 MeD 129/569: "Eucharistia enim et Sacrificium, et Sacramentum est; hoc autem a ceteris idcirco differt, quod non modo gratiam gignit, sed ipsum gratiae auctorem stabili modo continet".

384 Daß zumindest M. Luther die Realpräsenz nicht auf den Augenblick des Kommunionempfangs einschränkte, sondern sie für die gesamte Abendmahlfeier annahm, zeigt K. Rahner, Die Gegenwart Christi im Sakrament des Herrenmahles, in: Ders., Schriften IV (1960), 357-385, hier 366 und Anm. 7.

385 DS 1636: "... docet sancta Synodus ... in almo sanctae Eucharistiae Sacramento post panis et vini consecrationem Dominum nostrum Iesum Christum verum Deum atque hominem vere, realiter ac substantialiter sub

Diese Formulierung aus dem ersten Lehrkapitel des tridentinischen Eucharistiedekretes geht von der Gegenwart der Person
des Herrn aus. Sie ist deshalb der Formulierung des Canon 1,
die von "Mediator Dei" zitiert wird, vorzuziehen. Dort wird
die 'Konkomitanzlehre' aufgenommen, die von der Gegenwart des
Leibes des Herrn unter der Gestalt des Brotes und seines Blutes unter der Gestalt des Weines ausgeht, um dann wegen der
natürlichen Verbundenheit dieser 'Teile' zu folgern, daß auch
unter jeder Gestalt der jeweils andere Wesensteil des Herrn,
sowie unter beiden Gestalten seine Seele und wegen der hypo-
statischen Union auch seine Gottheit gegenwärtig sei [386]. Dieser komplizierte Gedankengang, der die Gegenwart der Ganzheit
der Person erst aus der Gegenwart ihrer Teile folgert [387], ver-
führt eher dazu, Leib und Blut des Herrn als sachhafte Gegebenheiten, statt als personale Gegenwart zu empfinden [388]. Unabhängig davon muß jedoch als die Eucharistie auszeichnende
Gegenwart des Herrn seine wesentliche, das heißt substantiale
Gegenwart festgehalten werden [389].

War also bisher einerseits von einer realen Gegenwart der
Heilstat Jesu Christi in der sakramentalen Gedächtnisfeier
seines im eucharistischen Opfer und Mahl gegenwärtigen Kreu-

---

specie illarum rerum contineri".

386 Vgl. DS 1640: "Semper haec fides in Ecclesia Dei fuit, statim post
consecrationem verum Domini nostri corpus verumque eius sanguinem sub
specie panis et vini una cum ipsius anima et divinitate exsistere: sed
corpus quidem sub specie panis et sanguinem sub vini specie ex vi ver-
borum, ipsum autem corpus sub specie vini et sanguinem sub specie panis animamque sub utraque, vi naturalis illius connexionis et concomi-
tantiae, quae partes Christi Domini, qui iam ex mortuis resurrexit non
amplius moriturus (Rom 6,9), inter se copulantur, divinitatem porro
propter admirabile illam eius cum corpore et anima hypostaticam unionem".

387 Die Frage, welche Anthropologie hinter dieser Formulierung steht und
welches Verständnis der Wirkweise der sakramentskonstitutiven Worte,
braucht hier nicht erörtert zu werden. Vgl. zur Sache K. Rahner, Zur
Theologie des Symbols, a.a.O. (S. 312, Anm. 419), 304-308 ("der Leib
als Symbol des Menschen"), mit weiterer Lit., bes. ebd., 304, Anm. 23.

388 Diese lange vorherrschende Tendenz wurde erst in jüngster Zeit erkannt
und überwunden: vgl. dazu die von J. Betz, Eucharistie als zentrales
Mysterium, a.a.O. (S. 50 f., Anm. 183), 310, Anm. 145, genannte Lit.

389 Das unterscheidende Merkmal ist also die als *substantialiter* bezeichnete Gegenwart. Die Qualifikationen als *vere* und *realiter* treffen natürlich auch auf die übrigen Gegenwartsweisen zu.

zesopfers die Rede und andererseits von einer realen Gegenwart seiner dieses Geschehen als Subjekt tragenden Person, die sich in der Person des den Herrn repräsentierenden Priesters zur Erscheinung bringt, so ist doch in beiden Fällen diese reale Gegenwart eine relative, die sich in einem anderen Handeln beziehungsweise in einer anderen Person darstellt, wobei diese repräsentierende Handlung und Person in ihrem jeweiligen Selbstsein erhalten bleiben.

Substantiale Gegenwart

In der substantialen Gegenwart des Herrn in den eucharistischen Gestalten ist dagegen ausgesagt, daß er selbst absolut, nicht in einem anderen Selbstsein, da ist. Diese Unterscheidung und Hervorhebung der substantialen Realpräsenz meint demnach nicht nur eine Steigerung der Intensität oder des Umfangs der bisher erörterten Gegenwartsweisen; sie kennzeichnet vielmehr eine durchaus neue und andere Qualität der Gegenwart. Diese andersartige Gegenwartsweise kann nur dann hinreichend ausgesagt werden, wenn zum Ausdruck gebracht wird, daß, unabhängig von ihrem empirischen Erscheinungsbild, die Wirklichkeit des Brotes und des Weines, und in diesem Sinn ihre Substanz, verwandelt wird in die Wirklichkeit der Person Jesu Christi, wie sie in der Wirklichkeit seines Leibes und Blutes gegeben ist [390].
Ist in einer so verstandenen Transsubstantiation die qualitative Unterscheidung und Hervorhebung der substantialen oder somatischen [391] Realpräsenz des Herrn gewahrt, so muß gleich

---

390 Vgl. dazu K. Rahner, Die Gegenwart Christi im Sakrament des Herrenmahles, a.a.O. (S. 444, Anm. 384); außerdem über die Frage der Dauer der Realpräsenz ders., Danksagung nach der heiligen Messe, in: Ders., Sendung und Gnade. Beiträge zur Pastoraltheologie, Innsbruck-Wien-München 1959, 201–218, und, nochmals diesen Punkt präzisierend, ders., Über die Dauer der Gegenwart Christi nach dem Kommunionempfang, in: Ders., Schriften IV (1960), 387–397. Außerdem J. Betz, Eucharistie als zentrales Mysterium, a.a.O., 297–300 ("inhaltliche Verdeutlichung der substantialen Seinsweise").
391 Dieser Ausdruck betont, daß die substantiale Gegenwart des Herrn als Gegenwart seines Leibes und Blutes gegeben ist. Der Ausdruck wird als gleichbedeutend mit 'substantiale Gegenwart' gebraucht und erklärt von J. Betz, Die Eucharistie in der Zeit der griechischen Väter II/1: "Die

hinzugefügt werden, daß nicht erst hier von einer personalen Gegenwart des Herrn gesprochen werden kann. Eine solche war auch schon von der relativen und virtuellen Gegenwart Jesu Christi im Dienst des Priesters auszusagen und hätte an sich genügt, um die Eucharistiefeier als Werk Jesu Christi, als Gegenwart seiner Person und seiner Heilstat zu kennzeichnen. Seine substantiale Gegenwart ist eine daraus nicht ableitbare, aber dennoch daraus folgende zusätzliche Offenbarungsgegebenheit, die nicht anders als in der kirchlichen Bewahrung und Überlieferung des Stiftungswortes Jesu Christi beim Abendmahl gewußt werden kann und nichts anderes meint, als was in diesem Wort gesagt ist [392].

Diese höchste Form der in der Feier der Eucharistie gewährten Gegenwart des Herrn bestätigt und verdeutlicht aber dann den Sinn auch seiner anderen Gegenwartsweisen. Indem der Herr sich in den verwandelten Gaben schließlich selbst substantial präsent macht, ist er nochmals überbietend als das Subjekt der von seinem Repräsentanten vollzogenen eucharistischen Handlung und der darin vergegenwärtigten Heilstat gekennzeichnet. Dies faßt Johannes Betz folgendermaßen zusammen: "Die ontische Struktur dieser Gegenwart ist ein komplexes Phänomen entsprechend dem vergegenwärtigten Heilsereignis Jesus selbst. Die Person Jesu ist in den Gaben substanziell anwesend, die Heilstat kann es nur auf akzidentell-geschehnishafte Weise sein, bedarf folglich des sie tragenden Subjektes. Auf Grund ihres 'eph'hapax'-Charakters (Hebr 7,27; 9,12) ist sie aber von der Person Jesu gar nicht ablösbar. Nun gewinnt sie im Abendmahl der Kirche eine Erscheinung in der sakramentalen Handlung, der Segnung der Gaben mittels der Einsetzungsworte und ihrer 'Darreichung' durch den Liturgen. Der aber fungiert nur in nomine (persona) et virtute Christi, und so ist Christus selbst letztlich Träger nicht nur der vergegenwärtigten Heilstat, sondern

_____

Realpräsenz des Leibes und Blutes Jesu im Abendmahl nach dem Neuen Testament, Freiburg-Basel-Wien 1961, XX und passim.

392 Vgl. dazu die bibeltheologischen Untersuchungen von J. Betz im soeben zitierten Werk und K. Rahner, Die Gegenwart Jesu Christi im Sakrament des Herrenmahles, a.a.O., bes. 372-378.

auch (virtuell) der sie vergegenwärtigenden Handlung. Da im
Vollzug des sakramentalen Ritus die Person Jesu selbst in den
Gaben substanziell zugegen wird, können schließlich diese
selbst auch Subjekt der vergegenwärtigten Heilstat werden"[393].
Hier erreicht also die personale Präsenz des Herrn ihren Höhepunkt, indem seine Substantialpräsenz als letzter und eigentlicher Träger seiner Aktualpräsenz gegeben ist[394].

4.3.3. Der Bezug der Gegenwart des Herrn in den eucharisti-
schen Gestalten zu seinen übrigen Gegenwartsweisen

Bei der Erörterung der Textentwicklung des Artikels 7 der Liturgiekonstitution wurde darauf aufmerksam gemacht, daß die
substantiale Realpräsenz die einzige liturgische Gegenwartsweise ist, der nicht noch ein handlungsbezogener Zusatz beigefügt wurde[395]. Nun kann präzisiert werden, daß die gesamte eucharistische Feier das dieser Gegenwart des Herrn zugeordnete
Tun ist. Umgekehrt ist dann auch die substantiale Realpräsenz
aus dem Vorgang dieser Feier zu deuten und darf nicht davon
isoliert werden.
Damit ist die vorsichtige, aber entschlossene Korrektur der
Tendenz angezeigt, die Kostbarkeit der eucharistischen Gabe
dadurch hervorzuheben, daß man sie als eine in sich ruhende,
statische Gegebenheit sah, neben der alles andere zurückstand
und verblaßte. Dies deutete sich schon in der alten Kirche[396]

393 J. Betz, a.a.O., 205.
394 Vgl. die entsprechenden Ausführungen bei G. Söhngen, Christi Gegenwart
in uns durch den Glauben (Eph 3,17), a.a.O. (S. 51, Anm.185), bes. 43,
und M. Schmaus, Christus, Kirche und Eucharistie, a.a.O. (S. 368, Anm.
60), 61: "Träger des Geschehens bzw. der funktionalen Gegenwart ist
die ontologische Gegenwart des Leibes und Blutes". Vgl. auch schon die
katechetische Formulierung dieses Sachverhalts bei Ambrosius, De Mysteriis, in: Sources Chrétiennes 25 bis, 158-160: "Crede ergo divini-
tatis illic adesse praesentiam. Operationem credis, non credis praesentiam? Unde sequeretur operatio nisi praecederet ante praesentia?",
zit. nach "Liturgia Horarum" (1972) III, 395.
395 Vgl. oben, S. 181 f.
396 Vgl. zum Folgenden das zur Vorgeschichte der Liturgischen Bewegung Gesagte: s. S. 11-22. Dazu noch den Überblick bei J. A. Jungmann, Eucharistische Frömmigkeit und eucharistischer Kult in Wandel und Bestand, in:

448

an, trat bereits um 1200 deutlich zutage, als man die Elevation der eucharistischen Gestalten so betonte, daß ihr Schauen bald als entscheidender Vollzug eucharistischer Frömmigkeit erschien, und verstärkte sich bis zum Konzil von Trient. Dieses Konzil verabschiedete ein eigenes Lehrkapitel über die eucharistische Anbetung[397], in welchem aber der ursprüngliche Zusammenhang noch gewahrt blieb: Das Sakrament der Eucharistie wurde von Christus zum Genuß eingesetzt; dies hindert nicht, daß ihm Anbetung gebührt[398]. Dennoch prägte sich nach dem Tridentinum die auch antireformatorisch zu erklärende Neigung zu statischer Auffassung und isolierter Betrachtung des Altarssakramentes weiter aus[399]. Erst die Liturgische Bewegung entwickelte ein erneutes Verständnis für den Vorgang der Eucharistie als Feier. In der Enzyklika "Mediator Dei" wird dies positiv aufgenommen, dennoch aber die eucharistische Anbetung gesondert und ohne Bezug zur Eucharistiefeier behandelt[400]. Diese Tendenz verstärkte sich noch in den späteren amtlichen Verlautbarungen[401], fand aber gleichzeitig eine gegenläufige Korrektur in der liturgietheologischen Entwicklung vor dem II. Vatikanischen Konzil[402]. Eindrucksvoll kam dies beim Eucharistischen Kongreß in München (1960) zum Ausdruck, wo nicht mehr der Kult, sondern die Feier der Eucharistie im Vordergrund stand[403].

Eucharistiefeier in der Pfarrgemeinde. Vorträge der pastoralliturgischen Werkwoche (Trier 1960), Trier 1961, 19-38. Jungmann findet schon bei Joh. Chrysostomus in der Konzentration der Aufmerksamkeit auf das eucharistische Sakrament als solches die Tendenz zu seiner Isolierung innerhalb der Eucharistiefeier: vgl. ebd., 25 ff. Bezeichnenderweise zitiert "Mediator Dei" diesen Kirchenvater zur Begründung des eucharistischen Anbetungskultes: vgl. MeD 132/570 f.
397 Vgl. DS 1643 f. und can. 6: DS 1656.
398 Vgl. DS 1643: "Neque enim ideo minus est adorandum, quod fuerit a Christo Domino, ut sumatur (cf. Mt. 26,26 ss), institutum".
399 Vgl. J. A. Jungmann, a.a.O., 28-35.
400 In der Enzyklika findet sich im Kapitel über den eucharistischen Anbetungskult (MeD 127-135/568-572) außerhalb des Chrysostomus-Zitats kein Hinweis darauf, daß die Eucharistie primär zum Genuß bestimmt ist.
401 Vgl. oben, S. 87-94.
402 Vgl. oben, S. 99-116.
403 Vgl. J. A. Jungmann, Statio orbis catholici - heute und morgen, in: Statio Orbis. Eucharistischer Weltkongreß 1960 in München, 2 Bde., München 1960, I, 81-89, sowie mehrere weitere Beiträge in diesem Band.

Entsprechend führten auch die bibeltheologischen und dogmatischen Forschungen zum "*Ereignis-Charakter* der Realpräsenz. Gegenwärtig wird ja die Person Jesu als zu unserem Heile handelnde, mit ihrer einstigen Heilstat und zum Zwecke des Genusses, im Zusammenhang eines Mahlgeschehens" [404].

Daß dieser Akzent zur Zeit der Vorbereitung auf das II. Vatikanische Konzil erst noch ins Bewußtsein gehoben werden mußte, zeigen die Beiträge der Dogmatikertagung von 1959, wo von Karl Rahner [405] und Alois Winklhofer [406] der Ereignischarakter der Eucharistie hervorgehoben wurde, was Bernhard Welte in Ergänzung zu Winklhofer nochmals verstärkte, indem er davon sprach, "daß der Vorgang des Todes Jesu im Vorgang des Mahles sakramentale Gegenwart wird" [407], um so zu "einem lebendigen Geschehen sakramental ermöglichten Mitvollzugs" [408] zu führen, im Vergleich zu dem dann die Begegnung mit dem Herrn im Sakrament und die eucharistische Anbetung erst sekundär zum Sinn dieses Sakramentes gehören [409].

Solche Überlegungen konvergieren mit den aus der Theologie der Liturgie gewonnenen Einsichten, wonach die liturgische und speziell die eucharistische Feier als ganze den Sinnzusammenhang ergibt, in welchem ihre einzelnen Teile und Funktionen ihren Sinn erhalten. Dies gilt dann auch für die substantiale Realpräsenz des Herrn in den eucharistischen Gestalten. Ihr Zustandekommen kann nicht wie eine überraschende Intervention des erhöhten Herrn in die im übrigen von der Kirche vollzogene liturgische Feier betrachtet werden [410], noch kann seine Gegen-

---

404 J. Betz, a.a.O., 205; vgl. auch K. Rahner, Die Gegenwart Christi im Sakrament des Herrenmahles, a.a.O., 383 f.
405 Vgl. K. Rahner, Wort und Eucharistie, in: M. Schmaus (Hg.), Aktuelle Fragen zur Eucharistie, München 1960, 7-52 = ders., Schriften IV (1960), 331-355.
406 Vgl. A. Winklhofer, a.a.O. (S. 368, Anm. 60).
407 B. Welte, Zum Vortrag von A. Winklhofer, a.a.O. (S. 326, Anm. 493).
408 Ebd., 188.
409 Vgl. ebd., 189 f.
410 Ein solches Vorstellungsmodell legt sich nahe, wenn, wie in den amtlichen Texten vor dem II. Vaticanum, die *actio Christi* so exklusiv auf die Konsekration beschränkt wird, daß alles übrige 'nur noch' *actio* der Ekklesia sein kann.

wart als eine durch die Dauer des Bestandes der eucharistischen Gestalten zeitlich genau begrenzte 'Audienz' verstanden
werden, die der Herr gewährt, um sich dann wieder zurückzuzie-
hen[411]. Vielmehr muß die substantiale Realpräsenz als die zeichenhaft und wirklich intensivste und unableitbar höchste Form
der einen und unteilbaren personalen Gegenwart des Herrn in
der liturgischen Feier betrachtet werden, als die letzte Gewähr dafür, daß es wirklich der Priester Jesus Christus selbst
ist, der zusammen mit seinem Leib, der Kirche, in der gesamten
Liturgie sein Priesteramt vollzieht[412].

Deshalb haben dann auch alle übrigen Gegenwartsweisen Teil an
dieser höchsten und sind von ihr her zu deuten[413]. Umgekehrt
aber ist auch die substantiale Realpräsenz nicht als isolier-
tes Ergebnis einer möglicherweise vorwiegend naturphilosophisch
verstandenen Transsubstantiation zu verstehen[414], sondern ist
das (freilich nicht ableitbare) Ergebnis der göttlichen Stiftung eines neuen Sinnzusammenhanges, des eucharistischen Opfers und Mahles nämlich, in welchem Jesus Christus selbst Brot
und Wein als sein leibhaftes Opfer an den Vater und seine leibhafte Speise für die Gläubigen und damit als seinen Leib und
sein Blut bestimmt. Wenn es zutrifft, daß der Beziehungszusammenhang nicht als akzidentelle Bestimmung zum Sein der Sache
hinzukommt, sondern dieses Sein selbst ausmacht, so ist ein
solcher neuer Beziehungszusammenhang eine Veränderung am Sein
der Sache, die, als göttliche Stiftung einschränkungslos verbindlich, das Sein selbst verwandelt, also eine ontisch verstandene Wesensverwandlung und in diesem Sinn Transsubstantiation ist[415].

---

411 Vgl. zu diesem Bild und seiner Kritik K. Rahner, Über die Dauer der
    Gegenwart Christi ..., a.a.O., 396 f.
412 Vgl. SC 7,3 und 7,4.
413 Dies zeigte sich schon für die Gegenwart in der Gemeinde (vgl. oben,
    S. 293 f.) und im Priester (vgl. oben, S. 447 f.) und muß noch für die
    Gegenwart im Sakrament und im Wort gezeigt werden.
414 In diese Richtung weist L. Scheffczyk, Die materielle Welt im Lichte
    der Eucharistie, in: M. Schmaus (Hg.), Aktuelle Fragen zur Eucharistie,
    156-178, wo die Transsubstantiation als ontische Wesensverwandlung im
    Blick auf scholastische und moderne Bestimmungen des Wesens der Mate-
    rie erläutert wird.
415 Diesen Gedanken hat B. Welte, Zum Referat von L. Scheffczyk, in: M.

Diese Überlegungen können hier nicht fortgeführt werden; sie überschreiten die Thematik der Liturgiekonstitution. Es ist aber nicht zu übersehen, daß der theologische Ansatz der Liturgiekonstitution solche Deutungsversuche der substantialen Realpräsenz unterstützt, welche deren Sinn und dann auch deren Sein aus dem in der Liturgie gefeierten Sinnzusammenhang des gegenwärtigen Vollzugs des Heilsmysteriums durch den gegenwärtigen Herrn zu erklären trachten.

Daß dieser Ansatz für das Eucharistieverständnis äußerst fruchtbar sein kann, zeigt die lebhafte Diskussion über neue Erklärungsversuche der Eucharistie, wie sie, gewiß nicht angestoßen von der Liturgiekonstitution, aber doch aus ähnlichen Quellen wie diese stammend [416], sich schon während und gleich nach dem II. Vatikanischen Konzil entwickelt hat [417].

4.3.4. Zusammenfassung

Für unsere Fragestellung genügt die Einordnung der substantialen Realpräsenz des Herrn in den eucharistischen Gesamtzusammenhang, wie Johannes Betz sie formuliert: Die Realpräsenz Jesu als Opfergabe "gibt dem Glauben die letzte Gewähr und Gewißheit für die Aktualpräsenz der Opfertat Jesu. Denn eine Op-

---

Schmaus (Hg.), a.a.O., 190-195, als Diskussionsbeitrag vorgetragen.

416 Als "bewegende Kräfte" nennt A. Gerken, Theologie der Eucharistie, 166 bis 173, hier 173, "die liturgisch-patristische Bewegung, die biblisch-ökumenische Besinnung und das philosophisch-anthropologische Umdenken".

417 Vgl. den informativen Überblick von A. Gerken, ebd., 173-199 ("neuere Interpretationsversuche") und neben zahlreichen Einzeluntersuchungen die zusammenfassenden Darstellungen von E. Schillebeeckx, Die eucharistische Gegenwart. Zur Diskussion über die Realpräsenz, Düsseldorf 1967 (holl. Original: Christus' tegenwoordigheid in de Eucharistie); J. Powers, Eucharistie in neuer Sicht, Freiburg-Basel-Wien 1968 (engl. Original: Eucharistic Theology, New-York 1967). Powers diskutiert vor allem die Entwürfe niederländischer Theologen, wie sein Literaturverzeichnis, ebd., 201-203, zeigt; umfassender informieren: J. A. Sayes, Presencia real de Cristo y Transsustanciación. La teología eucarística ante la física y la filosofía modernas, Burgos 1974; G. Hintzen, Die neuere Diskussion über die eucharistische Wandlung. Darstellung, kritische Würdigung, Weiterführung (Diss. Bonn 1974), Bern-Frankfurt-München 1976; V. Venanzi, Bibliografia relativa alla recente controversia teologica sulla transsustanziazione (1945-1970), in: Augustinianum 12

fergabe setzt eine Opfertat voraus. In der objektiven Seins-
und Geschehensordnung ist denn auch die Aktualpräsenz der Op-
ferhingabe Jesu der tragende Grund für die Realpräsenz der Opfergabe, diese die Krönung der ersten. Die somatische Realpräsenz Jesu darf nicht isoliert und wie ein Mirakel angesehen
werden. Sie wächst vielmehr organisch aus dem Gesamtgeschehen
heraus" [418].

Sieht man so die substantiale Realpräsenz im Vollzug der liturgischen Feier, so ergibt sich, daß das Ineinander konzen-
trischer Kreise, welches den Inhalt des Heilsmysteriums cha-
rakterisiert, hier seine Mitte hat. Das Christus-Mysterium,
welches in seinem Zentrum das Mysterium des Todes und der Auferstehung des Herrn ist, bildet sich im liturgischen Mysterium
ab und darin speziell im eucharistischen Mysterium, in dessen
Mitte als "Geheimnis des Glaubens" (*mysterium fidei*) der seiner ganzen Wirklichkeit nach gegenwärtige Jesus Christus als
der im Tod hingegebene, auferstandene und im Geist bleibend
präsente Herr sich den Gläubigen schenkt.

Deshalb müssen im Sinn der Liturgiekonstitution auch und gerade für die substantiale Realpräsenz die Grundbestimmungen gelten, welche für die liturgische Gegenwart des Herrn überhaupt
aus dem Text der Konstitution erhoben wurden [419]. "Gerade die
Realpräsenz ist eingebettet in die Wirklichkeit, die der erhöhte Herr durch seinen Geist schenkt und die nur im Glauben
empfangen werden kann. Von daher verbietet es sich von vornherein, die Realpräsenz außerhalb der pneumatischen, d.h. aus-
serhalb einer personal-dialogischen Dimension auszulegen, etwa
in einem naturphilosophischen Sinne. Hiergegen stünde das jo-
hanneische Wort: 'Der Geist ist es, der lebendig macht, das
Fleisch nützt nichts'" [420].

Bevor aber versucht werden kann, dieses Zentrum aus dem Zusammenhang der übrigen Gegenwartsweisen und diese von ihrem Zentrum her in ihrem Sinn zu verdeutlichen, müssen erst noch die

---

(1972) 517-542.
418 J. Betz, Eucharistie als zentrales Mysterium, a.a.O., 289.
419 Vgl. oben, S. 300-350.
420 A. Gerken, Theologie der Eucharistie, 53.

weiteren, in Artikel 7,1 der Liturgiekonstitution genannten
Gegenwartsweisen erörtert werden.

4.4. Die Gegenwart des Herrn in den Sakramenten

Wenn die Eucharistie das Zentrum und die vollste Verwirklichung
der gesamten Liturgie ist, und wenn sie selbst in ihrer ganzen
Wirklichkeit als Sakrament bezeichnet werden muß, so folgt daraus, daß die übrigen Sakramente nichts enthalten können, was
prinzipiell über die Eucharistie hinausginge. Für unsere Fragestellung bedeutet dies, daß alles, was über die Gegenwart
des Herrn in den Sakramenten zu sagen ist, auch schon für die
Gegenwart des Herrn in der Eucharistie gilt und, soweit es
dort behandelt wurde, hier nicht wiederholt zu werden braucht.
Dennoch müssen die Sakramente eigens erörtert werden, negativ,
um zu zeigen, inwiefern in ihnen eine weniger umfassende Gegenwart Jesu Christi gegeben ist als in der Eucharistie, und
positiv, um einzelne Aspekte der sakramentalen Wirklichkeit,
die in der Liturgiekonstitution und auch in der Theologie gewöhnlich nicht im Rahmen der Eucharistie behandelt werden,
noch nachzutragen.
Zunächst aber sind die Texte der Liturgiekonstitution, die von
den übrigen Sakramenten handeln, vorzustellen.

4.4.1. Der Textbefund

In Artikel 6 werden "Opfer und Sakrament" als Mitte des liturgischen Lebens genannt [421]. Darauf folgen Hinweise auf die Taufe und die Eucharistie, die damit als die bedeutendsten liturgischen Vollzüge gekennzeichnet sind. In der Taufe werden die
Menschen in das Pascha-Mysterium eingefügt, welches in der Eucharistie gefeiert wird. Damit ist schon die Struktur des sa-

---

421 SC 6: "Apostolos ... misit, ... ut ... opus salutis per Sacrificium et
    Sacramenta, circa quae tota vita liturgica vertit, exercerent".

kramentalen Kosmos angegeben: in seiner Mitte steht die Eucharistie; ihr zugeordnet ist zunächst die Taufe.

In Artikel 7,1 wird in der Reihe der Gegenwartsweisen nach der
eucharistischen Gegenwart die Gegenwart des Herrn in den Sakramenten genannt: "Gegenwärtig ist er mit seiner Kraft in den
Sakramenten, so daß, wenn immer einer tauft, Christus selber
tauft"[422]. Sie wird, entsprechend dem zugrundeliegenden Text
aus "Mediator Dei"[423] als eine Gegenwart "mit seiner Kraft"
gekennzeichnet und so von der eucharistischen Gegenwart unterschieden. Im Unterschied zu "Mediator Dei" wird, dem Text des
Schemas der Konstitution sinngemäß entsprechend[424], ausdrücklich das Handeln Jesu Christi in den Sakramenten betont, wobei
freilich nur die Taufe genannt ist.

In Anbetracht der Bedeutung der Sakramente müssen die Gläubigen durch die Verkündigung auf ihren Empfang vorbereitet werden (Nr. 9)[425].

Betont wird, daß, wie in der Messe, so auch bei den Sakramenten die gemeinschaftliche Feier unter tätiger Teilnahme der
Gläubigen zu wünschen ist (Nr. 27)[426].

Eine thematische Darstellung der Sakramente findet sich in den
Artikeln 59-61, dem theologischen Vorwort zum Kapitel über die
Sakramente und Sakramentalien[427]. Wie bei den Einleitungsarti-
keln zum Eucharistiekapitel, so ist auch hier offensichtlich
nicht beabsichtigt gewesen, alle wichtigen Aspekte der Sakramententheologie anzusprechen, vielmehr sollten nur die Gesichtspunkte genannt werden, die für das konkrete Reformprogramm von Bedeutung sind. Dieser Grundsatz führte jedoch zu
ziemlich einseitigen Aussagen. Im Entwurf der Konstitution wa-

---

422 SC 7,1: "Praesens adest virtute sua in Sacramentis, ita ut.cum aliquis
baptizat, Christus ipse baptizet (cf. S. Augustinus, In Ioannis Evangelium Tractatus IV, Cap. I, n. 7: PL 35,1428)".
423 Vgl. die Gegenüberstellung der Texte, oben, S. 180.
424 Im Schema hieß es: "Qui opus salutis, quod degens in terra patraverat,
in Sacramentis pergit": vgl. den Text, oben, S. 177, und Anhang II,
S. 784.
425 SC 9: "(Ecclesia) credentibus vero semper fidem et paenitentiam prae-
dicare debet, eos praeterea debet ad Sacramenta disponere ...".
426 SC 27: "Quod (praeferenda celebratio communis) valet praesertim pro
Missae celebratione ... et pro Sacramentorum administratione".
427 Vgl. den Text, oben, S. 200-202, und Anhang II, S. 786 f.

ren die Sakramente zusammen mit den Sakramentalien fast ausschließlich im Hinblick auf die tätige Teilnahme der Gläubigen
dargestellt. Ihre Zeichenhaftigkeit wurde als Mittel der Belehrung bezeichnet. "Sakramente des Glaubens" heißen sie vor
allem, weil sie den Glauben nähren und so zum Gottesdienst und
zum Empfang der Gnade disponieren. Schließlich wurde noch gesagt, daß vermittels der Sakramente und Sakramentalien fast
alle Ereignisse des Lebens durch die göttliche Gnade geheiligt
werden, die aus dem Pascha-Mysterium ausströmt, von dem alle
Sakramente und Sakramentalien ihre Kraft ableiten.
Über das Wesen der Sakramente sowie über ihre spezifische
Wirkweise und Wirkung war nichts gesagt.
Diese einseitige und lückenhafte Darstellung wurde auch in der
Überarbeitung nach der ersten Lesung nicht wirklich verbessert.
Aufgrund der Forderung mehrer Konzilsväter wurde die Darstellung der Sakramente und der Sakramentalien voneinander getrennt und in zwei verschiedene Artikel aufgeteilt [428]. Die damit gegebene Möglichkeit, Spezifisches zu den Sakramenten zu
sagen, blieb ungenützt. Lediglich die Bemerkung, daß sie Gnade
verleihen, läßt einen wichtigen Aspekt der Sakramententheologie anklingen, hätte aber in dieser allgemeinen Form auch von
den Sakramentalien gesagt werden können.
Die Forderung mehrerer Väter, den kirchlich-sozialen Aspekt
der Sakramente stärker hervorzuheben, wurde in den Aussagen
aufgenommen, daß die Sakramente den Leib Christi aufbauen und
die Gläubigen befähigen, die Liebe zu üben. Die hinter dieser
Forderung zu vermutende Lehre von den Sakramenten als kirchlichen Heilszeichen, als Lebensäußerungen des Grundsakramentes
Kirche [429], hat dagegen auch in der endgültigen Fassung keine
Aufnahme gefunden.

---

428 Vgl. oben, S. 200 f.
429 Vgl. dazu vor allem die in den Jahren unmittelbar vor dem Konzil er-
    schienen Werke von E. Schillebeeckx, De sacramentele heilseconomie.
    Theologische Bezinning op S. Thomas' sacramentenleer in het licht van
    de traditie en van de hedendagse sacramentsproblematiek, Antwerpen
    1952; ders., Sakramente als Organe der Gottbegegnung, in: J. Feiner/
    J. Trütsch/ F. Böckle (Hg.), Fragen der Theologie heute, Einsiedeln-
    Zürich-Köln 1957, 379-401; ders., Christus, Sakrament der Gottbegeg-
    nung, Mainz 1960; O. Semmelroth, Die Kirche als Ursakrament, Frankfurt

Die in den übrigen liturgietheologischen Artikeln und insbesondere in Artikel 7,1 zu beobachtende Sorgfalt, auch sprachlich auszudrücken, daß alle liturgischen Handlungen letztlich Jesus Christus und zusammen mit ihm die Kirche zum Subjekt haben, ist hier nicht festzustellen[430]. Die Sakramente und Sakramentalien selbst sind das sprachliche Subjekt ihrer Wirkungen, wenn auch ihre Wirkkraft nicht aus ihnen, sondern aus dem Pascha-Mysterium stammt. Die sprachliche Fassung dieser Herkunft bleibt aber in einer dinghaften Ausdrucksweise: die Sakramente leiten ihre Kraft aus dem Pascha-Mysterium ab. Immerhin ist damit wenigstens der Zusammenhang zu der Liturgietheologie des ersten Kapitels der Liturgiekonstitution hergestellt. Dennoch ist nicht zu übersehen, daß die inhaltliche und sprachliche Fassung der Artikel 59-61 hinter dem theologischen Konzept der Liturgiekonstitution zurückbleibt. Im Hinblick auf eine organische Einordnung der Sakramente in das gesamte Heilsgeschehen und insbesondere unter der Rücksicht der tätigen Gegenwart des Herrn erreichen diese Artikel auch nicht die Aussagen von "Mediator Dei". Dort war ausdrücklich von den Sakramenten als von "Handlungen Christi"[431] die Rede, deren Wirksamkeit deshalb "*ex opere operato*" kommt[432], weil Christus selbst in ihnen "tagtäglich für uns tätig" ist[433].

Ein Hinweis auf die in Artikel 7,3 so deutlich ausgesprochene Verbindung von Zeichenhaftigkeit und Wirksamkeit in der Liturgie[434] findet sich lediglich in dem neuformulierten Artikel 60 über die Sakramentalien. "Diese sind heilige Zeichen, durch

---

1953; ders., Personalismus und Sakramentalismus. Zur Frage nach der Ursächlichkeit der Sakramente, in: J. Auer/ H. Volk (Hg.), Theologie in Geschichte und Gegenwart (FS M. Schmaus), München 1957, 199-218; ders., Vom Sinn der Sakramente, Frankfurt/ M. 1960; K. Rahner, Kirche und Sakramente, Freiburg ²1960 (= QD 10).

430 Vgl. oben, S. 202.

431 Vgl. MeD 31/533: "... utpote quae (Sacramenta altarisque Sacrificium) sint ipsius Christi actiones".

432 Vgl. MeD 27/532: "Quae efficacitas, si de Eucharistico Sacrificio ac de Sacramentis agitur, *ex opere operato* potius ac primo loco oritur".

433 Vgl. MeD 29/533: "Christus in Sacramentis et in Sacrificio suo singulis diebus saluti nostrae operatur".

434 SC 7,3: "... in qua (Liturgia) per signa sensibilia significatur et modo singulis proprio efficitur sanctificatio hominis ...".

die in einer gewissen Nachahmung der Sakramente Wirkungen, besonders geistlicher Art, bezeichnet und kraft der Fürbitte der
Kirche erlangt werden" [435]. Aber auch diese Formulierung erreicht an Klarheit und Geschlossenheit keineswegs die liturgietheologischen Aussagen des ersten Kapitels.

An dieser insgesamt unbefriedigenden Textfassung wurde nach
der zweiten Lesung nichts mehr geändert. Die dazu vorliegenden
zahlreichen 'Modi' zielten auch durchweg auf wenig bedeutsame
Details der Formulierung [436]. Lediglich ein Änderungswunsch
hätte wohl mehr Beachtung verdient. In ihm wurden die Sakramentalien als Weiterführung der durch die Sakramente vollzogenen und vom menschgewordenen Wort ausgehenden Heiligung der
Welt beschrieben und zudem ihre Verbindung mit der Eucharistie
empfohlen [437]. Die Kommission nahm aber diesen Vorschlag nicht
an, da über den Text schon abgestimmt und das Anliegen des
'Modus' in Artikel 79 enthalten sei, wo von der Überarbeitung
und Neuschaffung von Sakramentalien die Rede ist, freilich ohne jede theologische Sinndeutung.

Positiv ist an dem neugefaßten Text des Artikels 59 hervorzuheben, daß die dort gemachten Aussagen durch einige sprachliche Präzisierungen verbessert wurden [438]. So wurde beim Ziel
der Sakramente, abgesehen von der Einfügung des kirchlichen
Aspektes, die Reihenfolge verändert: der soterische Aspekt
steht vor dem latreutischen, wie es der klassischen Auffassung

---

435 SC 60: "Quae sacra sunt signa quibus, in aliquam Sacramentorum imitationem, effectus praesertim spirituales significantur et ex Ecclesiae
impetratione obtinentur".
436 Vgl. die im Bericht von Bischof O. Spülbeck (Meißen) aufgeführten Modi, in: AS II/V, 646-649.
437 Vgl. den Ergänzungsvorschlag von drei Vätern (Modus 26), ebd., 648:
"Sed ut consecratio mundi a Verbo incarnato procedens et per Sacramenta in homines propagata latius in dies progrediatur atque fidelium vitam tam socialem quam individualem intimius penetret, Sancta Mater Ecclesia instituit sacra signa, quae dicuntur Sacramentalia; si fiunt
modo solemniori potissimum in connexione cum Sacrificio Eucharistico
exercentur". Die Responsio dazu, ebd., lobt den Inhalt des Vorschlags,
übernimmt ihn aber dann mit der genannten Begründung dennoch nicht.
438 Vgl. die im Text kursiv gedruckten Stellen (siehe oben, S. 200-202),
durch die sprachliche Änderungen, die nicht eigens einer Abstimmung
unterworfen wurden, kenntlich gemacht sind.

des Sakramentes entspricht[439].

Die Bemerkung, daß die Zeichenhaftigkeit der Sakramente der Belehrung dient, wurde wenigstens durch ein "auch" (*etiam*) relativiert und für weitere Deutungen geöffnet.

Das Verhältnis von Glaube und Sakrament wird verdeutlicht. Hatte die Formulierung im Schema den Eindruck erweckt, daß zwar zugegeben wird, daß die Sakramente den Glauben des Empfängers voraussetzen, vor allem aber den Zweck haben, ihn zu nähren[440], so werden nun beide Aspekte ausgeglichen einander zugeordnet: die Sakramente setzen den Glauben "nicht nur voraus, sondern sie nähren ihn auch". Zusätzlich wird noch gesagt, daß sie den Glauben auch bekunden (*exprimunt*). So wird ein dialogisches Verhältnis von Glaube und Sakrament, von Gabe und Antwort im Sakramentenvollzug angedeutet.

Dasselbe zeigt sich auch bei der Erwähnung der Vermittlung der Gnade und ihrer Annahme durch den Menschen: Die Sakramente "verleihen Gnade, aber ihre Feier befähigt auch die Gläubigen in hohem Maß, diese Gnade mit Frucht zu empfangen, Gott recht zu verehren und die Liebe zu üben". Zu der Gabe des Sakramentes wird also auch die Hilfe zu ihrer Annahme geschenkt, wodurch der Mensch zur entsprechenden Antwort in Bezug auf Gott und seine Mitmenschen befähigt wird.

Über die gegenwärtige Wirksamkeit Jesu Christi in den Sakramenten und durch sie ist in den Artikeln über die Theologie der Sakramente nichts enthalten. Die diesbezügliche Lehre der Liturgiekonstitution muß aber aus dem Gesamttext erhoben werden, dessen theologisches Einleitungskapitel auch zur Interpretation des Sakramentenkapitels heranzuziehen ist.

---

439 Dies wurde gegen den Änderungswunsch von 12 Konzilsvätern beibehalten und mit Hinweis auf Thomas v. Aquin, Summa Theol. III, q. 60, a. 2, und q. 72, prol., begründet: vgl. den Bericht von Bischof O. Spülbeck, a.a.O., 646 (Modus 15).

440 Vgl. den Text, oben, S. 200 f., und Anhang II, S.786: "Unde fidem non solum supponunt, sed 'verbis ac rebus' alunt".

4.4.2. Die Sakramente als liturgische Feiern des Heilsmysteriums

Das Sakramentenkapitel der Liturgiekonstitution stellt sich
als eine in sich geschlossene Einheit dar. Der Zusammenhang
mit dem Gesamttext ist nicht ausdrücklich kenntlich gemacht.
Ein Hinweis liegt lediglich in der Überschrift: Indem von den
"übrigen Sakramenten" gesprochen wird, ist der Anschluß an die
vorher behandelte Eucharistie gegeben.
Im liturgietheologischen Einleitungskapitel ist der theologische Ort der Sakramente auch nur angedeutet, nicht ausdrücklich genannt: Durch die Taufe wird man in das Pascha-Mysterium
eingefügt, welches in der Eucharistie gefeiert wird (Nr. 6).
Damit ist immerhin für die Taufe gesagt, daß hier das Pascha-
Mysterium in irgendeinem Sinn präsent sein muß, damit der
Täufling ihm begegnen kann.
Schließlich ist noch darauf hinzuweisen, daß im Text des Schemas auch speziell von den Sakramenten und den Sakramentalien
gesagt war, daß ihre Riten Heiliges bezeichnen und auf je ihre
Weise bewirken [441]. Dieser Satz wurde bei der Überarbeitung ge-
strichen, weil er als Aussage über die Liturgie überhaupt in
Artikel 7,3 und Artikel 21 enthalten war und man Wiederholun-
gen vermeiden wollte [442].
Erst aus der Kombination dieser Aussagen ergibt sich für das
Wesen der Sakramente, daß sie liturgische Feiern sind und als
solche konkret beinhalten, was von der Liturgie generell gilt.
In ihnen und durch sie vollzieht Jesus Christus seinen prie-
sterlichen Dienst, bei dem er sich die Kirche zugesellt, zur
Heiligung der Menschen und zur Ehre Gottes.
Daraus folgt, daß, wie speziell die Eucharistie, so auch die
Sakramente insgesamt das göttliche Heilsmysterium, welches im
Pascha-Mysterium kulminiert, zum Inhalt haben. Sie sind damit
Formen des liturgischen Mysteriums, in welchem das Mysterium

---

441 "... res divinas, quas significant et suo cuiusque modo efficiunt ...";
   vgl. den gesamten Text, oben, S. 202, und Anhang II, S. 787.
442 Vgl. den Bericht von Erzbischof P. J. Hallinan (Atlanta/ USA), in: AS
   II/II, 560-571, hier 563.

Kirche sich vollzieht [443].

Diese Sicht der Sakramente als Selbstvollzügen der Kirche und damit letztlich Handlungen Jesu Christi selbst entspricht zwar dem Gesamtkonzept der Liturgiekonstitution, hat aber im Sakramentenkapitel keinen Niederschlag gefunden.

Dabei wäre die theologische Vorarbeit dazu im Anschluß an "Mystici Corporis" und "Mediator Dei" [444] und in Weiterführung dieser Enzykliken vorhanden gewesen. Schon 1951 hatte der französische Episkopat ein Direktorium zur Sakramentenpastoral herausgegeben [445], dem fünf dogmatische Richtlinien vorangestellt waren, die als Beispiel einer knappen Zusammenfassung einer vom Heilsmysterium Jesu Christi in der Kirche ausgehenden Sakramententheologie gelten können. Sie sollen deshalb im Wortlaut wiedergegeben werden [446]:

"1. Die Sakramente sind *Handlungen* Christi, der durch die Dienstleistung der Kirche sein Priestertum ausübt, um sowohl Gott zu ehren als die Menschen zu retten. ('Es ist Christus, der durch die Kirche tauft, lehrt, leitet, bindet, löst, darbringt und opfert': Enz. Myst. Corporis).

2. Die Sakramente sind auch geheiligte, von Christus eingesetzte *Zeichen*. Jedes hat durch den Willen Christi selbst seine eigenen charakteristischen und besonderen Merkmale.

3. Die Sakramente sind *Gnadenzeichen*. Als wirksame Zeichen teilen sie das göttliche Leben dem Menschen nach seiner besonderen Lebenslage gemäß ihrer Bedeutung mit. Sie bezeichnen das göttliche Leben durch Worte, Gegenstände und die sakramentalen Riten.

4. Zugleich bezeichnen und verwirklichen die Sakramente die *Eingliederung in die Kirche*. Als Zeichen der Kirche werden die Sakramente in der Gemeinschaft für die Gemeinschaft gespendet.

---

443 Vgl. das oben, S. 225-235, zum Inhalt der Liturgie Gesagte.
444 Vgl. oben, S. 457.
445 Directoire pour la pastorale des sacrements à l'usage du clergé adopté par l'assemblée plénière de l'épiscopat pour tous les diocèses de France, Paris 1951; deutsch: J. Hünermann (Hg.), Pastoral der Sakramente heute. Zum Gebrauch für den Klerus, Essen [3]1963.
446 Ebd. (deutsche Ausgabe), 49 f.

Sie sind bestimmt, diese Gemeinschaft aufzubauen und zu vertiefen. (Der gemeinschaftliche Aspekt muß immer erklärt werden nach den folgenden Erwägungen der Enz. Myst. Corp.: 'In einem natürlichen Leibe nämlich verbindet das einigende Prinzip die einzelnen Teile derart, daß sie kein eigenes Fürsichsein mehr besitzen. Im mystischen Leibe dagegen verbindet das einigende Prinzip, obschon es bis in das Innerste geht, die Glieder so untereinander, daß die einzelnen ihre Eigenpersönlichkeit vollauf bewahren': Myst. Corp. n. 63).
5. Die Sakramente sind *Zeichen des Glaubens*. Ihr Empfang setzt den Glauben des Empfängers an Christus und die Kirche voraus und bekräftigt ihn".

Der Bericht, den Erzbischof-Koadjutor Guerry von Cambrai zu dem Direktorium gab [447], hebt das gegenwärtige Handeln Christi hervor, das in der ersten Richtlinie betont wird, sowie die Gemeinschaftsbezogenheit der Sakramente entsprechend der vierten Richtlinie. Ausführlich erläutert er dann das in der fünften Richtlinie angedeutete Verhältnis von Glaube und Sakrament.

Die erste und vierte Richtlinie, das gegenwärtige Handeln Jesu Christi durch seine Kirche und zum Aufbau der Kirche, nehmen die im Gefolge der Mysterienlehre neu gewonnene Einsicht auf, daß die Sakramente insgesamt die gegenwärtige Feier des christlich-kirchlichen Heilsmysteriums sind. Odo Casel selbst hatte zwar nie sehr ausführlich über die Sakramente gesprochen, für ihn sind sie aber selbstverständlich insgesamt 'Kultmysterien', liturgische Feiern des Christus-Mysteriums [448]. Den Zusammenhang von Kirche und Sakrament, in dem die Sakramente als Zeichen der Kirche und als Weisen des Vollzugs ihres Wesens und

447 Vgl. ebd., 15-47.
448 Vgl. O. Casel, Das christliche Kultmysterium, 25-46, bes. 43-46, wo von den übrigen Sakramenten die Rede ist. Vgl. dazu Th. Filthaut, Die Kontroverse ..., 67 f.; J. Auer, Allgemeine Sakramentenlehre und das Mysterium der Eucharistie, Regensburg 1971 (= KKD VI), 68 ff.; vgl. außerdem Th. Soiron, Das Mysterium Christi als Grundlage der Sakramententheologie, in: WiWei 12 (1949) 2-10; E. Biser, Das Christusgeheimnis der Sakramente, Heidelberg 1950; J. Plooij, Die Mysterienlehre Odo Casels, 67 f.

deshalb als Handlungen Jesu Christi und als wirksame Gegenwart
seines Heilswerks verstanden werden können, haben insbesondere
Edward Schillebeeckx, Karl Rahner und Otto Semmelroth theologisch erarbeitet und begründet [449]. Daß die Ergebnisse dieser
Forschungen im Sakramentenkapitel der Liturgiekonstitution
kaum greifbar sind, ist umso verwunderlicher, als sie dem Konzept des gesamten Textes entsprechen und die liturgietheologische Grundposition der Konstitution im Hinblick auf die Sakramente vertiefen und bekräftigen. Daß dies im Text der Artikel
59-61 nicht ganz zum Ausdruck kommt, erklärt sich wohl vor allem aus der Tatsache, daß jedes Kapitel von einer eigenen Subkommission erarbeitet wurde [450] und das Prinzip, theologische
Grundaussagen im ersten Kapitel zusammenzustellen, nicht ohne
Schaden für die folgenden Kapitel bleiben konnte. Was im Eucharistiekapitel gut gelungen ist, erscheint im Sakramentenkapitel weniger geglückt, nämlich die allgemeinen Aussagen des
ersten Kapitels für die spezielle Thematik nochmals knapp zusammenzufassen und anzuwenden [451].

Trotz dieses Mangels kann kein Zweifel daran bestehen, daß nach
der Gesamtintention der Liturgiekonstitution auch die übrigen
Sakramente als liturgische Feiern des Heilsmysteriums zu sehen
sind [452] und für sie deshalb all das gilt, was über Inhalt, Ziel

---

449 Vgl. die S. 456, Anm. 429, angegebene Literatur. Dazu früher noch J.
Pinsk, Die sakramentale Welt, Freiburg 1938, ²1941; außerdem R. Schulte, Kirche und Kult (s. S. 243, Anm. 100); ders., Die Einzelsakramente
als Ausgliederung des Wurzelsakramentes, in: MySal IV/2, 46-155, bes.
109-152: "die Sakramente als ekklesiale Heilszeichen. Versuch einer
systematischen Einsichtnahme".
450 Vgl. oben, S. 133.
451 Daß dies für die Sakramente nicht so gut gelungen ist, verwundert auch
deshalb, weil das französische Sakramentendirektorium dafür gute For-
mulierungshilfen geboten hätte und die theologischen Berater bei der
Erarbeitung dieses Direktoriums, A.-M. Roguet und A.-G. Martimort (vgl.
den Bericht zum Direktorium, a.a.O., 16 und Anm. 1) auch in der Vorbereitungskommission für die Liturgiekonstitution mitgearbeitet haben:
vgl. die Liste bei Schmidt, 219 f.
452 Vgl. R. Pou y Rius, La presenza di Cristo nei Sacramenti, in: RivLi 54
(1967) 21-38, der den heilsgeschichtlichen Aspekt der Sakramente herausarbeitet (ebd., 24-32), dafür eine Fülle von Belegen aus SC, LG und
DV bietet (ebd., 32-36) und schließlich die Folgerung zieht: "Oggi,
dire 'sacramento' è parlare dell'opera della salvezza ... Dio è presente in Cristo nel piano della nostra creazione e redenzione; Cristo
nella Chiesa, e Cristo-Chiesa nelle sue membra e nei suoi segni che

und Subjekt der Liturgie, sowie über die Grundbestimmungen der liturgischen Gegenwart des Herrn gesagt wurde.
Die spezifische Art, wie sich dies in den Sakramenten darstellt, muß im Folgenden noch verdeutlicht werden.

4.4.3. Die Gegenwart des Herrn "mit seiner Kraft"

In Artikel 7 der Liturgiekonstitution wird die Gegenwart des Herrn in den Sakramenten als eine Gegenwart "mit seiner Kraft" (*virtute sua*) bezeichnet. Damit wird diese Gegenwartsweise von der vorher genannen eucharistischen Gegenwart unterschieden und, so muß aus dem Zusammenhang gefolgert werden, als minderer Art gekennzeichnet. Die Konstitution erläutert aber diesen Unterschied nicht weiter und erklärt auch nicht, wie diese Gegenwart "mit seiner Kraft" zu verstehen ist.
Zunächst legt sich ein Verständnis nahe, wie es von Cipriano Vagaggini formuliert wurde, der sagt: "In der Eucharistie ist nicht allein die übernatürliche Kraft, sondern die Person Christi selbst zugegen in seiner Gottheit und verklärten Menschheit. ... Wir nennen sie darum persönliche Gegenwart. In den anderen Sakramenten ist Christus der Kraft und nicht der Person nach zugegen, und der Gläubige tritt mit der dauernden Seelenhaltung Christi der Kraft nach in realen Kontakt" [453].

Geschichtlicher Rückblick

Diese Deutung kann sich auf Thomas von Aquin berufen, der schreibt: Daß "das Sakrament der Eucharistie das wichtigste unter allen Sakramenten" ist, folgt daraus, "daß in ihm Christus selbst wesenhaft enthalten ist; in den anderen Sakramenten ist nur eine werkzeugliche von Christus mitgeteilte Kraft

---

continuamente invitano gli uomini, e negli uomini la storia e tutto l'universo, affinche vengano a integrarsi al Corpo di Cristo lasciandosi trasformare mediante la sua azione pasquale" (ebd., 37). Vgl. dazu auch B. Maggioni, I sacramenti e la 'Historia salutis', in: RivLi 54 (1967) 7-20, bes. 18-20.
453 C. Vagaggini, Theologie der Liturgie, 85.

enthalten"[454].

Man muß jedoch beachten, daß hier davon die Rede ist, "was im Sakrament enthalten ist"[455] und so der Unterschied zwischen der substantialen Präsenz Christi in den eucharistischen Gaben und seiner 'virtuellen' Gegenwart in den übrigen Sakramenten hervortritt. Unter dem Aspekt des Handelns Christi in allen Sakramenten muß jedoch gesagt werden, daß er als das eigentliche Subjekt in jedem Sakrament personal gegenwärtig und wirksam ist. Polycarp Wegenaer hat gezeigt, daß dies der Auffassung des heiligen Thomas nicht widerspricht[456]. Wegenaer erläutert dies mit dem schon angeführten Text von Ambrosius: "An die Wirksamkeit glaubst du, nicht aber an die Gegenwart? Woher erfolgte denn die Wirksamkeit, wenn nicht die Gegenwart vorausginge?"[457] und führt als Zeugen für diese Deutung des Thomas-Textes auch Odo Casel an, der schreibt: "Die virtus ist also keineswegs von der praesentia unterschieden, sondern umfaßt diese und kann ohne sie nicht sein"[458].

Dennoch ist nicht zu übersehen, daß Thomas zwar im Sakrament das geschichtliche Christus-Mysterium und seine eschatologische Vollendung sieht, aber am meisten seine gegenwärtige Gnadenwirkung betont[459]. Damit übernimmt Thomas eine Entwicklung der nachpatristischen Zeit, in der das Mysterium des Heils zunehmend einseitig unter dem Gesichtspunkt seiner Heilswirksamkeit gesehen wurde und die Sakramente dann vorwiegend als Mittel dieser Wirksamkeit und nicht mehr als vergegenwärtigende Zeichen der zugrundeliegenden Wirklichkeit verstanden wurden.

---

454 Thomas v. Aquin, Summa Theol. III, q. 65, a. 3: "Respondeo dicendum quod, simpliciter loquendo, sacramentum Eucharistiae est potissimum inter alia sacramenta. Quod quidem tripliter apparet: primo quidem ex eo quod in eo continetur; nam in sacramento Eucharistiae continetur ipse Christus substantialiter; in aliis autem sacramentis continetur quaedam virtus instrumentalis participata a Christo"; deutsch: DThA, 29. Bd., 141 f.
455 "Quod in eo continetur"; diese Angabe des Aspektes ist in der deutschen Übersetzung ausgelassen.
456 Vgl. P. Wegenaer, Heilsgegenwart ... (s. S. 49, Anm. 178), 112 f.
457 Ambrosius, De mysteriis II,8, zit. bei P. Wegenaer, a.a.O., 113.
458 O. Casel, Glaube, Gnosis und Mysterium, in: JLW 15 (1941) 155-305, hier 225 f.; vgl. P. Wegenaer, a.a.O., 113; J. Plooij, a.a.O., 50 f.
459 Vgl. J. Plooij, ebd., 130.

Diese Entwicklung braucht hier nicht in den Einzelheiten nachgezeichnet zu werden [460]; für unseren Zusammenhang genügt es,
einige wichtige Stationen zu nennen.

Bei Augustinus wird erstmals ein ausgesprochen systematisches
Interesse am Sakramentsbegriff erkennbar [461]. Dabei gibt er jedoch keine strikte Definiton, noch begrenzt er den Sakramentsbegriff auf bestimmte kirchliche Riten. Vielmehr kann bei ihm
alles 'Sakrament' heißen, was den Heilsplan Gottes, der im Mysterium Christi und der Kirche sich auswirkt, im Zeichen sichtbar macht und an den Menschen zur Auswirkung bringt [462].

Hier ist also 'Sakrament' noch ganz von dem darin gegenwärtigen und wirksamen Mysterion des göttlichen Heilsplans her begriffen, wie er im Mysterion-Begriff des Neuen Testamentes und
der Vätertheologie beschrieben ist [463]. Dabei ist der göttliche
Heilsplan immer zugleich schon Heilswirklichkeit, die noch
verborgene, aber als solche schon offenbarte Königsherrschaft
Gottes, die in Jesus gegenwärtig und den Glaubenden gegeben
ist [464].

Dieses ursprüngliche Mysterium ist gegenwärtig und wirksam in
den Mysterien der Kirche, den Sakramenten, die es bezeichnen
und seine Heilskraft (*virtus*) enthalten.

Im Bemühen um die Klärung des Sakramentsbegriffs hat Augustinus das Zeichen hervorgehoben, in welchem das Heilsmysterium
sich auswirkt. Dieses Zeichen ist von dem darin Bezeichneten,

---

460 Vgl. den Überblick von H. R. Schlette, Sakrament. II. Dogmengeschichtlich, in: HThG II, 456-461; R. Schulte, Die Einzelsakramente ..., in:
   MySal IV/2, 63-109; außerdem die Wort- und Begriffsgeschichte von *My-*
   sterium und *Sacramentum* sowie die Geschichte der Entwicklung der Definition des Sakraments bei G. van Roo, De Sacramentis in Genere, Rom
   ²1960, 3-61 (mit weiterer Literatur). Eine informative Auseinandersetzung mit der Mysterienlehre Casels in Bezug auf Sinn und Verwendung
   der Begriffe *Mysterium* und *Sacramentum* findet sich bei J. Plooij, a.a.
   O., 101-141, bes. 131-141.
461 Vgl. R. Schulte, a.a.O., 89 f. Literatur zum Sakramentsbegriff von Augustinus bei L. Boff, a.a.O. (S. 231, Anm. 45), 76 mit Anm. 141.
462 Vgl. G. van Roo, a.a.O., 21 f., und die Textsammlung, ebd., 23-32.
463 Vgl. G. Bornkamm, μυστήριον, in: ThWNT IV, 809-834; G. van Roo, a.a.O.,
   11-18; L. Boff, a.a.O., 49-81 (mit weiterer Literatur).
464 Zum neutestamentlichen Begriff der Gottesherrschaft vgl. K. L. Schmidt,
   βασιλεία, in: ThWNT I, 579-592; eine Bibliographie bietet H. Küng, Die
   Kirche, Freiburg 1967, 80.

dem geschenkten Heil (Gnade), zu unterscheiden. Diese Gnade, welche durch das Sakrament bezeichnet wird, nennt Augustinus *res sacramenti*. Diese 'Sache' kann bei Augustinus dann auch *virtus* heißen, wobei *virtus* als ein Element der *res sacramenti* erscheint, nämlich als seine Wirkung oder als seine Wirkkraft [465]. Diese Wirkkraft ist letztlich die Königsherrschaft Gottes, das ursprüngliche Heilsmysterium, das sich als Heil am Menschen auswirkt.

In der Folgezeit verstärkte sich die Blickrichtung auf das Zeichen, so daß *Sacramentum* nicht mehr den Heilsplan und die Heilsmacht Gottes meinte, sondern nur noch das sichtbare Zeichen dieses Heils. Dies führte, vor allem bei Hugo von St. Viktor [466], zu einer starken Trennung von Zeichen und bezeichneter Sache. Die Zeichen sind nur die Gefäße, in denen die Gnade enthalten ist, auf die allein es ankommt. Zwar haben die Sakramente, um Zeichen der Gnade zu sein, eine Ähnlichkeit mit ihr, aber das Heil kommt doch nicht durch die Sakramente, sondern nur durch die in ihnen gegebene Gnade. In dieser Auffassung sind die Sakramente nicht mehr primär als Handlungen verstanden, sondern als körperliche Elemente, die Gnade in sich enthalten. Auch die Ursächlichkeit der Sakramente für die Gnade ist dem Bild vom Gefäß nicht mehr zu entnehmen [467], wenn auch Hugo von St. Viktor selbst ausdrücklich davon sprach, daß die Sakramente die Gnade enthalten und sie dehalb mitteilen können, also auch Ursache der Gnade sind [468]. Dieser letzte Aspekt wurde von Petrus Lombardus betont, der das Sakrament als sichtbare Gestalt der unsichtbaren Gnade bezeichnete, die dieser ähnlich und ihre Ursache ist [469].

---

465 Vgl. G. van Roo, a.a.O., 33.
466 Vgl. zum Folgenden H. Weisweiler, Die Wirksamkeit der Sakramente nach Hugo von St. Viktor, Freiburg 1932, 11-22.
467 H. Weisweiler, ebd., 20-22, hat gezeigt, daß Hugo zwar ausdrücklich dabei bleibt, daß die Gnade nicht durch (*per*) die Sakramente gegeben werde, sondern in (*in*) ihnen enthalten sei, daß er aber dennoch den von den Vätern betonten instrumentalen Einfluß der Sakramente auf die Gnadenmitteilung nicht leugnen kann.
468 Vgl. den Text der Definition Hugos bei G. van Roo, a.a.O., 41.
469 Vgl. die Definition des Petrus Lombardus bei G. van Roo, ebd., 42: "Sacramentum enim proprie dicitur quod ita signum est gratiae Dei et invisibilis gratiae forma, ut ipsius imaginem gerat et causa existat".

Die verschiedenen Elemente der bisherigen Entwicklung wurden dann von Thomas von Aquin gesammelt und systematisiert[470]. Für ihn ist ein Sakrament das Zeichen einer heiligen Sache, insofern sie den Menschen heiligt[471]. Diese 'heilige Sache' ist dreifach zu verstehen: "die Ursache unserer Heiligung selbst, nämlich das Leiden Christi; das Wesen unserer Heiligung, das in der Gnade besteht und in den Tugenden; und das letzte Ziel unserer Heiligung: das ewige Leben"[472]. Das Sakrament enthält die Gnade auf zweifache Weise, nämlich als ihr Zeichen und als ihre (instrumentale) Ursache. "Demnach sind die Sakramente des neuen Gesetzes zugleich Ursache und Zeichen, und dann ist es richtig, wenn man gemeinhin sagt: 'Sie bewirken, was sie bezeichnen'"[473].

Die Wirkkraft (*virtus*), von deren Gegenwart im Sakrament Thomas spricht[474], ist nun näherhin die göttliche Kraft, die als Hauptursache der Gnade durch die Menschheit Christi als ihr natürliches Werkzeug und durch die Sakramente als ihre "getrennten Werkzeuge" wirksam wird. Die Kraft der Sakramente stammt also aus der Menschheit Christi als dem Organ seiner Gottheit, näherhin aus seinem Leiden, durch das er uns erlöst hat[475].

Darin zeigt sich, daß die *virtus sacramenti* auch bei Thomas in die Nähe der *res sacramenti*, zumal in ihrem Bezug auf das Leiden Christi, gerückt wird. Sein Leiden ist zugleich das, was im Sakrament bezeichnet wird, und das, wodurch das Sakrament wirkt.

---

470 Vgl. G. van Roo, ebd., 44-52.
471 Thomas v. Aquin, Summa Theol. III, q. 60, a. 2, resp.: "Signum rei sacrae inquantum est sanctificans hominem".
472 Ebd., a. 3, resp.: "... sacramentum proprie dicitur quod ordinatur ad significandam nostram sanctificationem, in qua tria possunt considerari: videlicet ipsa causa sanctificationis nostrae, quae est passio Christi; et forma nostrae sanctificationis, quae consistit in gratia et virtutibus, et ultimus finis sanctificationis nostrae, qui est vita aeterna".
473 Ebd., q. 62, a. 1, ad 1: "Et secundum hoc sacramenta novae legis simul sunt causae et signa; et inde est quod, sicut communiter dicitur, 'efficiunt quod figurant'".
474 Vgl. den Text, oben, S. 465, Anm. 454.
475 Vgl. Thomas v. Aquin, Summa Theol. III, q. 62, a. 5, resp.

Gegenwart "mit seiner Kraft" und persönliche Gegenwart

Diesen im Verlauf der vorliegenden Untersuchung schon mehrfach erörterten Zusammenhang [476] hat Polycarp Wegenaer in seiner Studie über die Heilsgegenwart bei Thomas von Aquin [477] nochmals präzisiert. Er zeigt, daß nach Thomas die göttliche Kraft (*virtus divina*) im historischen Heilswerk Christi am Werk ist und dieses dadurch heilswirksam macht. Dieses historische Heilswerk, das seiner physischen Wirklichkeit nach vergangen ist, bleibt seiner Wirkkraft nach in den Sakramenten gegenwärtig und ist in ihnen als Zeichen (*causa exemplaris*) und Werkzeug (*causa efficiens*) wirksam [478]. Wegenaer kommt zu folgendem Ergebnis: "Die historische passio ist gegenwärtig per modum causalitatis efficientis instrumentalis und exemplaris instrumentalis" [479] und folgert daraus: "Gnade ist Christusgnade, verursacht durch die mysteria Christi. Und diese Christusgnade bedeutet Gegenwart Christi; denn Gnade ist das persönliche Handeln Christi an uns. Christus, das Prinzip der Heiligung aller Glieder des mystischen Leibes, ist wirkend in seiner Kirche gegenwärtig, und wo immer die Gnade wirkt, da wirkt Christus, dort besteht ein geheimnisvoller Kontakt mit ihm" [480]. Wenn diese Deutung der Lehre des Thomas zu Recht besteht, so ergibt sich daraus, daß nach ihm die Gegenwart Jesu Christi in

---

476 Vgl. bes. B. Poschmann, "Mysteriengegenwart" im Licht des hl. Thomas, a.a.O. (S. 49, Anm. 178), bes. 61-64; G. Söhngen, Symbol und Wirklichkeit im Kultmysterium, a.a.O. (S. 46, Anm. 163), 48 f., 106 f. Beide setzen sich mit O. Casel, Mysteriengegenwart, a.a.O. (S. 40, Anm. 124), auseinander. Während Casel die "virtus participata a Christo" (vgl. den Thomas-Text, oben, S. 465, Anm. 454) als "etwas durchaus objektiv Bestehendes" bezeichnet (ebd., 203), worin Person und Heilswerk Christi selbst physisch-real, aber nicht in historischer, sondern in sakramentaler Seinsweise gegenwärtig seien, vertritt Söhngen mit Poschmann die Meinung, daß nach Thomas Person und Heilswerk des Herrn nicht als sie selbst, sondern ihrer Wirkkraft nach gegenwärtig seien: vgl. oben, S. 46-48, und die dort angegebene Literatur. - In seinem Kommentar zu Summa Theol. III, q. 60-72, sagt D. Winzen, selbst Maria Laacher Theologe, daß aus dem Text diese Frage jedenfalls nicht zu entscheiden sei: vgl. DThA. Bd. 29 (1935), 483 f.
477 P. Wegenaer, Heilsgegenwart ... (s. S. 49, Anm. 178).
478 Vgl. ebd., 12-22.
479 Ebd., 51.
480 Ebd., 53. Damit bleibt die Frage offen, ob und in welchem Sinn man bei Thomas v. Aquin auch eine physisch-reale Gegenwart des Heilswerks Christi ausgesagt findet.

den Sakramenten "mit seiner Kraft" keineswegs im Gegensatz zu
einer persönlichen Gegenwart des Herrn steht, sondern diese
ausdrücklich einschließt und zwar als Gegenwart der Person des
verherrlichten Gottmenschen mit seinem Heilswerk. Damit wäre,
zumindest noch bei Thomas, die Gegenwart des Herrn "mit seiner
Kraft" sinngemäß wiederzugeben als gegenwärtige Wirksamkeit
der göttlichen Heilsmacht, die sich im Christus-Mysterium,
insbesondere im Pascha-Mysterium, vollendete und sich nun in
den Sakramenten zum Heil der Menschen auswirkt.

Die Lehre des heiligen Thomas blieb für die folgende Zeit maßgeblich und bestimmte auch das Konzil von Trient. Dort wurden
jedoch nur die kontroverstheologischen Aspekte hervorgehoben
und definiert, ohne daß eine Gesamtdarstellung des Sakramentsbegriffs versucht worden wäre [481]. Dabei wurde die Zeichenhaftigkeit der Sakramente weniger betont, umso mehr aber ihre
Wirksamkeit [482].

Vor diesem Hintergund, der nun nicht weiter im Detail dargestellt werden kann, sind die Texte der Liturgiekonstitution
und die zugrundeliegenden Texte aus der Enzyklika "Mediator
Dei" zu lesen. Aus ihrem Vergleich ergeben sich Hinweise für
die Aussageabsicht des Konzils über die Gegenwart des Herrn
"mit seiner Kraft" in den Sakramenten.

In der Enzyklika "Mediator Dei" heißt der entscheidende Text:
"Zugegen ist er (Christus) in den Sakramenten durch seine
Kraft, die er in sie als die Werkzeuge der Heiligung strömen
läßt" [483]. Hier ist nur noch die werkzeugliche Ursächlichkeit
der Sakramente gesehen, nicht mehr ihre Zeichenhaftigkeit und
damit nicht mehr der Hinweis auf die wirkende Gegenwart des
Bezeichneten. Die "Kraft" (*virtus*) erscheint, im Anklang an
die Lehre Hugos von St. Viktor, als ein Heilmittel, das Jesus
Christus in die 'Gefäße' Sakramente hineingelegt hat, damit
die Menschen es in ihnen empfangen. Immerhin sind aber die Sa-

---

481 Vgl. die 13 Canones über die Sakramente: DS 1601-1613.
482 Vgl. DS 1606: "contineri gratiam, quam significant"; DS 1607: "dari
    gratiam per ... sacramenta"; DS 1608: "per ... sacramenta ... conferri
    gratiam".
483 Vgl. den Text, oben, S. 180, und Anhang II, S. 785.

kramente selbst, und nicht nur die in ihnen enthaltene Kraft, Werkzeuge der Heiligung. Auch ist aus dem Zusammenhang klar, daß mittels dieser Werkzeuge eine Gegenwart dessen zustande kommt, der das Werkzeug führt: Jesus Christus, der so sein priesterliches Wirken fortführt. Dennoch erscheint diese Gegenwart als diejenige einer Ursache, die nicht als sie selbst, sondern in ihrer Wirkung präsent ist [484].

Wenn nun das Konzil diesen Text in seinem ersten Teil übernimmt und als Erläuterung das gegenwärtige, personale Handeln des Herrn selbst hinzufügt [485], so ist damit wieder die volle Bedeutung dieser "Kraft" angedeutet, wie sie bei Thomas noch zu finden war, in der Folgezeit vergessen wurde und von Odo Casel [486] und in seinem Gefolge von Polycarp Wegenaer neu herausgestellt wurde.

Ob die Konzilsväter eine solche umfassende Bedeutung dieses Ausdrucks im Blick hatten, erscheint fraglich. Unbestreitbar ist jedoch, daß nur eine solche Deutung des kurzen Hinweises in Artikel 7 dem liturgietheologischen Konzept des ersten Kapitels der Liturgiekonstitution gerecht wird.

Daraus ergibt sich die Konsequenz, daß für die übrigen Sakramente eine ebenso umfassende und wirksame Gegenwart Jesu Christi anzunehmen ist, wie sie von der Eucharistie auszusagen war [487], mit der entscheidenden und den Vorrang der Eucharistie vor allem begründenden Ausnahme, daß in den Sakramenten die Gegenwart des Herrn nicht als substantiale Gegenwart seiner Person gegeben ist, sondern als virtuelle, aber nicht minder

---

484 Es wurde schon mehrfach darauf hingewiesen, daß Pius XII. in den Enzykliken "Mystici Corporis" und "Mediator Dei" dennoch von einem Handeln Christi in den Sakramenten spricht. Vgl. dazu die S. 79, Anm. 312, zitierte Erklärung von G. Frénaud zu der Bedeutung der *virtus* nach der Enzyklika "Mediator Dei".

485 Vgl. den Text, oben, S. 180. - Daß mit dieser Gegenwart des Herrn "mit seiner Kraft" in beiden Texten auch eine persönliche Gegenwart gemeint ist, stellt A. Cuva, La presenza di Cristo nella Liturgia (s. S. 52 f., Anm. 189), 120, fest: "Ambedue i testi (MeD und SC) pertanto concordano nella sostanza, parlando di una virtù di Cristo che se realizza nei Sacramenti e che implica la presenza stessa di Cristo".

486 Vgl. J. Plooij, a.a.O., 131-141.

487 Damit ist nicht gesagt, daß das Heilsmysterium in jedem Sakrament in gleicher Weise und mit allen seinen Aspekten gegenwärtig sei. Vielmehr

reale, wirksame und persönliche Gegenwart des Herrn und seines
Heilswerkes [488].

Diese wichtige Ergänzung und Eröffnung einer umfassenden bib-
lisch-patristischen Sakramententheologie hat sich jedoch im
Konzilstext nicht weiter ausgewirkt. In Artikel 61 ist von der
Kraft der Sakramente in ähnlichem Sinn die Rede wie in "Mediator Dei": ihre Kraft kommt aus der göttlichen Gnade, die aus
dem Pascha-Mysterium ausströmt [489]. So hilfreich die darin angedeutete Verbindung der Sakamente mit dem Pascha-Mysterium
und so der Hinweis auf die Einheit des sakramentalen Gefüges
ist [490], so ist doch die Lehre des Einleitungskapitels in diesem Text nicht hinreichend aufgenommen. Er müßte dahin ergänzt
werden, daß das Pascha-Mysterium nicht nur die Ursache der sakramentalen Heiligungskraft ist, sondern in den Sakramenten als
im Zeichen gegenwärtige Wirklichkeit vollzogen wird und wirkt.

---

hebt jedes Sakrament einen bestimmten Aspekt hervor und entfaltet so
die in der Eucharistie insgesamt gegebene Heilswirklichkeit. - Zu der
damit verbundenen Frage nach der Ordnung der Sakramente und ihrer Unterschiedenheit nimmt die Liturgiekonstitution nicht Stellung. Diese
Frage soll deshalb hier ausgeklammert werden.

488 A.-M. Roguet, (Kommentar zu SC 5-12), a.a.O. (S. 252, Anm. 146), 25,
ist also recht zu geben, wenn er schreibt: "S'il est présent par sa
vertu dans les sacrements, cela marque un degré de présence inférieure
à celle qui se réalise dans l'eucharistie, mais qui est beaucoup plus
qu'une présence 'virtuelle'. Il faudrait dire une présence active, dynamique - à la différence de la présence substantielle et stable réa-
lisée par la consécration eucharistique - ...". Allerdings könnte man
sich eine genauere Erklärung dieser "présence par sa vertu" aus dem
Zusammenhang von SC wünschen. Ein solcher Hinweis findet sich indessen
in keinem der Kommentare mit Ausnahme von P. Massi, Catechesi ai fedeli sulla santa Messa, in: AA.VV., La santa Messa mistero pasquale, Rom
1965, 143: "La Costituzione sulla Liturgia dice che Cristo vi 'è presente con la sua virtù' (*virtute sua*), ma non è in questione una presenza virtuale, bensì personale. La Persona di Cristo tuttavia vi agis-
ce con la potenza dei suoi atti salvifici e allora la sua si può chia-
mare propriamente una presenza 'misterica'" (zit nach A. Cuva, a.a.O.,
122). Cuva selbst macht sich diese Position zu eigen: vgl. ebd.: "La
virtù di Cristo, di cui parliamo, è l'azione salvifica stessa di Cristo che, attraversando il ministro e il Sacramento, viene a contatto
con i fedeli". Wenig später nennt er jedoch die Gegenwart des Herrn in
den Sakramenten "solo virtuale e transitoria" (ebd., 128). Hier zeigt
sich die Schwierigkeit, eine nicht substantiale und dennoch im vollen
Sinn personale und aktive Gegenwart des Herrn auszusagen.

489 Vgl. den Text, oben, S. 201 f., und Anhang II, S. 787.

490 Vgl. A.-M. Roguet, (Kommentar zu SC 59-82), in: MD, Nr. 77 (1964) 133
bis 158, hier 138: "... l'interêt, ... d'affirmer ... l'unité de l'or-

4.4.4. Die Wirkweise der Sakramente

Es gehört zur ältesten kirchlichen Glaubensüberzeugung, daß die Sakramente nicht nur Zeichen, sondern auch Ursache der Gnade sind [491]. Bis zu Thomas von Aquin ist die Zeichenhaftigkeit der Sakramente der primär betonte Aspekt gewesen, während ihre Gnadenursächlichkeit dagegen nur zögernd und stets an zweiter Stelle genannt wurde [492]. Thomas selbst hat die Ursächlichkeit der Sakramente ausdrücklich und systematisch behandelt, sie aber ebenfalls ihrer Zeichenhaftigkeit zugeordnet, die den ersten Rang in der Gnadenwirksamkeit behält [493].

Im Gefolge der Reformation wurde dann die Ursächlichkeit der Sakramente immer stärker betont und gegen die reformatorische These verteidigt, daß die Sakramente nur Zeichen des Glaubens seien, aufgrund dessen Gott die Rechtfertigung schenkt [494].

In der Folgezeit wurde die Bedeutung der Zeichenhaftigkeit der Sakramente kaum noch beachtet und jedenfalls nicht in die systematische Frage nach der Gnadenwirksamkeit der Sakramente einbezogen [495].

Diese Tendenz ist noch in der Enzyklika "Mediator Dei" deut-

---

ganisme sacramentel".

491 Vgl. oben, S. 466-471.

492 Vgl. G. van Roo, a.a.O., 11-44.

493 Vgl. ebd., 44-52, hier 51: "Neque obstat quod sacramentum est signum et ratio signi magis competit effectui quam causae".

494 Vgl. ebd., 260 f., 270. Dazu Can. 6 des tridentinischen Sakramentendekrets: DS 1606: "Si quis dixerit, sacramenta novae Legis non contineri gratiam quam significant, aut gratiam ipsam non ponentibus obicem non conferre, quasi signa tantum externa sint acceptae per fidem gratiae vel iustitiae, et notae quaedam christianae professionis ... an.s.". Das Konzil von Trient nennt die Sakramente zwar nicht *causae gratiae*, spricht aber davon, daß sie die Gnade enthalten (*continere*: DS 1606) und durch sie die Gnade gegeben (*dari*: DS 1607) und mitgeteilt (*conferri*: DS 1608) werde. Das Konzil von Florenz hatte in seinem Dekret für die Armenier schon erklärt, daß die alttestamentlichen Sakramente die Gnade nicht verursachten (*non causabant gratiam*), die neutestamentlichen sie jedoch enthalten und mitteilen (*continent, conferunt*: vgl. DS 1310), was demnach im Sinn von *causant* verstanden werden muß. Daraus ergibt sich, daß nur eine wirkliche Kausalität der Sakramente dem Sinn dieser Lehrentscheidungen gerecht wird. Offen bleibt jedoch die spezifische Art dieser Kausalität; vgl. dazu G. van Roo, a.a.O., 263 bis 273.

495 Vgl. zu diesem Befund z.B. O. Semmelroth, Personalismus und Sakramentalismus, a.a.O. (S. 456 f., Anm. 429, 200-202; Lengeling, 133 f.

lich greifbar, wo zwar mehrfach und ausdrücklich von der Ursächlichkeit der Sakramente, dagegen mit keinem Wort von ihrer
Zeichenhaftigkeit die Rede ist [496].

Diese isolierte Betonung der sakramentalen Gnadenwirksamkeit
mußte zu der Frage führen, wie denn die Sakramente wirklich
als Ursache der Gnade bezeichnet werden können, ohne daß damit
geleugnet wird, daß allein Gott die Gnade schenkt, die Jesus
Christus durch sein Leiden und Sterben uns verdient hat; wie
also die instrumentale Gnadenursächlichkeit der Sakramente
sich zur prinzipalen Gnadenursächlichkeit Gottes verhält. Die
verschiedenen Erklärungsversuche der scholastischen Theologie
brauchen hier nicht dargestellt zu werden [497]. Zumindest in ihrer nachtridentinischen Form sind sie alle von der Vernachläs-
sigung der Zeichenhaftigkeit der Sakramente gekennzeichnet.

Zeichenhaftigkeit und Wirksamkeit

Auch hier hat die Mysterienlehre wieder neue Aspekte eröffnet,
indem sie die Sakramente als liturgische Feiern des in ihnen
gegenwärtigen und wirksamen Heilswerkes Jesu Christi verstehen
lehrte [498]. Gottlieb Söhngen hat die von dieser Sicht ausgehenden Impulse aufgenommen und mit der Terminologie der Scholastik
gedeutet und präzisiert. Das Axiom, daß die Sakramente die Gnade verursachen, die sie bezeichnen [499], legt er so aus: "Die Sakramente bewirken, was sie bezeichnen, und zwar bewirken sie,
was sie bezeichnen, dadurch, daß sie bezeichnen, was sie bewirken" [500].

---

496 Vgl. MeD 27-31/532-534.
497 Vgl. diese Hypothesen bei G. van Roo, a.a.O., 275-306, und die knappe
    Zusammenfassung von J. Auer, a.a.O. (S. 462, Anm. 448), 79-81.
498 Vgl. O. Casel, Das christliche Kultmysterium, 157: "Nach der Anschau-
    ung mancher Theologen hat Christus in die Sakramente seine Gnade ge-
    legt, die er uns durch seinen Opfertod verdient hat. Wenn das Sakrament
    gefeiert wird, erhalten die Feiernden diese Gnade zugeteilt. Das Sakra-
    ment ist die causa gratiae. Nach der Mysterienlehre aber wird im Kult
    die Urheilstat gegenwärtig. Aus ihr strömt den Menschen unmittelbar
    das Leben, die Gnade Gottes zu"; vgl. auch ebd., 180.
499 Zugrunde liegt das von Thomas v. Aquin, Summa Theol. III, q. 62, a. 1,
    ad 1, als gemeinhin gebrauchter Ausdruck zitierte Axiom: "efficiunt
    quod figurant", wobei offen bleibt, wie sich Ursächlichkeit und Zei-
    chenhaftigkeit zueinander verhalten.
500 G. Söhngen, Symbol und Wirklichkeit ... (s. S. 46, Anm. 163), 60.

Daraus folgert er: "Im Sakrament liegt jener geheimnisvolle Sachverhalt vor, daß die Wirklichkeit vom Zeichen nicht nur angezeigt, sondern auch enthalten wird, daß also die Wirklichkeit nicht unabhängig vom Zeichen und außerhalb des Zeichens besteht"[501]. Die Wirkweise der Sakramente muß also aus ihrer Zeichenhaftigkeit abgelesen werden, aus der ihre Wirksamkeit folgt.

Diese Einsicht führte zu einer Neubesinnung, die auch in der Lehre des heiligen Thomas die lange übersehene Bedeutung der Zeichenhaftigkeit der Sakramente neu hervorhob, insbesondere auch seinen Hinweis, daß die Sakramente Erinnerungszeichen an das Leiden Christi seien[502], welches also in ihnen irgendwie gegenwärtig sein muß[503].

Die Verbindung von Zeichenhaftigkeit und Wirksamkeit der Sakramente wurde dann von Edward Schillebeeckx tiefer begründet[504]. In kritischer Aufnahme und Weiterführung der Mysterienlehre zeigt er, daß die als solche vergangenen historischen Heilstaten Jesu als "persönliche Taten der zweiten göttlichen Person"[505] Raum und Zeit transzendieren, im jetzt lebenden erhöhten Gottmenschen jederzeit aktuell sind und sich in den sakramentalen Riten einen uns zugänglichen Ausdruck schaffen. Damit sind die Sakramente "wegen ihrer sakramentalen Sichtbarkeit die effektive Gnadengabe selbst in sichtbarer und also bedeutungsvoller Erscheinungsform" und deshalb "heilbringend, weil sie *Zeichen* sind"[506]. Hier wird also der Ausgangspunkt

---

501 Ebd., 61.
502 Thomas v. Aquin, Summa Tehol. III, q. 60, a. 3, resp.: "Unde sacramentum est et signum rememorativum eius quod praecessit, scilicet passionis Christi ...".
503 Vgl. dazu schon vor G. Söhngen: H. Kühle, Sakramentale Christusgleichgestaltung. Studie zur allgemeinen Sakramententheologie, Münster ²1964 (Erstveröffentl. 1939/ 1943), der sich vornahm, "die Rolle vor allem des signum rememorativum bei der Bewirkung der gratia sacramentalis aufzuhellen" (ebd., 7); außerdem I. Backes, Die Sakramente als Zeichen Christi, in: TThZ 65 (1956) 329-336, der ebenfalls den Zusammenhang von Zeichenhaftigkeit und Wirksamkeit der Sakramente bei Thomas untersucht und besonders das signum rememorativum betont.
504 Vgl. die S. 456 f., Anm. 429, angegebenen Werke.
505 E. Schillebeeckx, Sakramente als Organe der Gottbegegnung, a.a.O. (S. 53, Anm. 191), 390.
506 Ebd., 396.

beim erhöhten Herrn genommen, der sich vermittels der Kirche und durch den Dienst des Priesters [507] sichtbare Zeichen seines ewig aktuellen Heilswirkens schafft, Zeichen, in denen dieser Heilswille in seiner göttlichen Wirksamkeit gegenwärtig ist [508].

Karl Rahner kommt zum selben Ergebnis, indem er seine ontologische und theologische Erklärung des Symbols [509] auf die Sakramente anwendet [510]. Er zeigt, daß die Kirche selbst "die bleibende Gegenwart der heilsgeschichtlichen Aufgabe und Funktion Christi" [511] ist, der seinerseits "die Realpräsenz des eschatologisch siegreich gewordenen Erbarmens Gottes" ist [512]. In den Sakramenten vollzieht die Kirche dieses ihr Wesen. Sie sind ihrerseits Realsymbole der Kirche, die das, was sie bezeichnen, in sich tragen. Ursache der Gnade sind sie insofern, als die Gnade als das Bezeichnete erst in Erscheinung treten kann, indem sie sich zeigt und so erst als sie selbst da ist. Daraus ergibt sich, daß letztlich Gott die Ursache der Gnade ist, die er im Symbol anzeigt und schenkt, und dennoch auch das Symbol Ursache der Gnade ist, da diese sich nur geben kann, indem sie sich zeigt: "Das Zeichen bewirkt die Gnade, indem die Gnade das Sakrament *als* Zeichen des Gnadenvorganges bewirkt" [513].

---

507 Diese Vermittlung durch die Kirche begründet Schillebeeckx ausführlich. Vgl. die Zusammenfassung seiner These, ebd., 386-389.

508 Einen ähnlichen Versuch hat F. Gallagher, Significando causant. A Study of Sacramental Efficiency, Freiburg/ Schweiz 1965 (= Studia Friburgensia, New Series, 40), vorgelegt. Nach ausführlicher geschichtlicher Darstellung des Problems gibt er eine Thomas-Interpretation (Kap. 6: "Significando causant: a new interpretation of Saint Thomas", ebd., 221-261), in welcher er die Verbindung von Zeichenhaftigkeit und Wirksamkeit im Willen des Handelnden findet, der in seiner Geste und durch sie zeigt und bewirkt, was er will. Wenn Gott selbst, bzw. der Gottmensch Jesus Christus, dieser Handelnde ist, so haben seine Gesten, die Sakramente, als Zeichen göttliche Wirksamkeit. Gallagher entspricht damit genau der Position von G. van Roo, der, a.a.O., 347, schreibt: "Causalitas enim sacramentorum est proprie causalitas signi: non cuiuslibet signi, sed *signi practici quo efficaciter manifestatur imperium divinum*". - Hier scheint allerdings nicht hinreichend begründet zu sein, wie die Zeichen nicht nur Zeichen göttlicher Heilskraft, welche Gnade schenkt, sondern selbst auch Ursache der Gnade sein können.

509 Vgl. oben, S. 312 f.

510 Vgl. K. Rahner, Kirche und Sakramente (s. S. 456 f., Anm. 429), 31-37.

511 Ebd., 13.

512 Ebd.

513 Ebd., 36.

Dieser Entwurf blieb nicht unwidersprochen[514]. Er scheint aber doch geeignet zu sein, den Zusammenhang zwischen dem göttlichen Heilswillen, seiner Verwirklichung in Jesus Christus, seiner fortdauernden Gegenwart und Wirksamkeit in der Kirche und seinem konkreten Vollzug in den Sakramenten auszusagen. Ohne ihn im einzelnen zu diskutieren, sollen deshalb die Aussagen der Liturgiekonstitution über die Zeichenhaftigkeit und Wirksamkeit der Sakramente vor dem Hintergrund der skizzierten theologischen Entwicklung gelesen werden.

Die Gnadenursächlichkeit der Zeichen

Der entscheidende und für den hier interessierenden Zusammenhang von Zeichenhaftigkeit und Wirksamkeit allein aussagekräftige Text ist der Satz in Artikel 7,3: "Durch sinnenfällige Zeichen wird in ihr (der Liturgie) die Heiligung des Menschen bezeichnet und in je eigener Weise bewirkt". Hier werden Bezeichnung und Bewirkung des Heils direkt miteinander verbunden und gemeinsam an die ausdrücklich instrumental verstandenen[515] Zeichen geknüpft.

Die Formulierung, daß nicht nur "unter" den Zeichen, wie es im Entwurf geheißen hatte[516], sondern "durch" sie die Heiligung des Menschen bezeichnet und bewirkt wird, erhält durch die Geschichte dieses instrumentalen *per* nochmals größeres Gewicht. Hugo von St. Viktor hatte entgegen der bis dahin durchgängigen Tradition von einer Gnadenvermittlung "in" und "mit" dem Sakrament gesprochen und das instrumentale "durch" vermieden[517], um so die Souveränität Gottes hervorzuheben, der in seiner Gnadenmitteilung nicht an ein Sakrament gebunden ist[518]. Damit entstand jedoch die Gefahr der gegenteiligen Einseitigkeit ei-

---

514 Vgl. z.B. G. van Roo, Reflections on Karl Rahner's "Kirche und Sakramente", in: Gr. 44 (1963) 465-500, der Rahners These in den entscheidenden Punkten für ungenügend hält. Dies gilt für das *Opus operatum* (ebd., 484-488), für die Gnadenursächlichkeit (ebd., 488-493) und für die Einsetzung der Sakramente durch Christus (ebd., 493-498).
515 Vgl. das oben, S. 314 f., zu der Einführung des instrumentalen *per* Gesagte.
516 Vgl. den Text im Anhang II, S. 784.
517 Vgl. H. Weisweiler, a.a.O. (S. 467, Anm. 466), 12.
518 Vgl. ebd., 17-20.

ner Unterbewertung des Sakramentes und zumal seiner Zeichenhaftigkeit, die dann nicht mehr eigentlich zur Ursächlichkeit bei
der Gnadenvermittlung gerechnet werden konnte. Thomas von Aquin
verband beide Seiten, indem er dem Sakrament eine wahre Gnadenursächlichkeit zusprach, diese aber als eine instrumentale Ursächlichkeit in der souveränen Verfügung der prinzipalen Ursächlichkeit Gottes verstand[519].

In den Sakramentenkanones des Konzils von Trient taucht das
instrumentale *per* zweimal auf[520] und blieb von da an gerade
als katholische Grundposition unbestritten. Damit tritt aber
immer deutlicher die von Hugo von St. Viktor bekämpfte Gefahr
einer dem Sakrament als solchem zugeschriebenen Gnadenursächlichkeit hervor, in der Gott als der einzige Gnadenspender
nicht mehr gebührend genannt wird.

In der Mysterienlehre wird umgekehrt der Ausgangspunkt wieder
ganz von dem im Sakrament sich anzeigenden und auswirkenden
Heilswillen Gottes genommen, was mehr oder weniger unbemerkt
zu dem an Hugo von St. Viktor erinnernden Ausdruck "unter dem
Schleier der Zeichen" führt[521].

In der Korrektur dieses im Konzilsentwurf enthaltenen "unter"
zugunsten des instrumentalen "durch" in Verbindung mit dem vom
Heilsmysterium her gedachten Sakramentenverständnis muß also
der Versuch gesehen werden, das souveräne Gnadenhandeln Gottes
mit einer wahren instrumentalen Gnadenursächlichkeit der liturgischen Zeichen zu verbinden.

Bedauerlicherweise wird diese präzise Fassung der Gnadenursächlichkeit durch die Zeichen in Artikel 59 über die Sakramente
nicht aufgenommen. In Artikel 61 wird die Art des Enthalten-
seins der heiligenden Gnade in den Sakramenten und Sakramentalien offengelassen. Immerhin ist aber von "ihrer Kraft" die
Rede, was sinnvollerweise nur die Kraft Christi meinen kann[522],

---

519 Vgl. die Zusammenfassung der diesbezüglichen Position des Thomas bei
    G. van Roo, De Sacramentis in genere, 280-283.
520 Vgl. DS 1607: "Si quis dixerit, non dari gratiam per huiusmodi sacra-
    menta ...", und DS 1608: "Si quis dixerit, per ipsa novae Legis sacra-
    menta ex opere operato non conferri gratiam ...".
521 Vgl. oben, S. 467.
522 Vgl. oben, S. 470-472.

die damit den Zeichen eng zugeordnet ist. Ob aber dabei die
Zeichen eher als selbst nicht heilsursächliche Gefäße der Gnade verstanden werden, wie die Formulierung nahelegt [523], oder
als wahre Ursachen des Heils, muß zumindest offenbleiben.
Deutlicher ist dagegen die in Artikel 60 von den Sakramentali-
en gemachte Aussage, bei der das instrumentale *per* zwar nicht
steht, aber durch einen instrumentalen Ablativ (*quibus*) entsprechend ersetzt wird [524]. Durch die Sakramentalien werden "in
einer gewissen Nachahmung der Sakramente Wirkungen ... bezeichnet und ... erlangt" [525]. Dies muß dann erst recht von den Sakramenten gelten, womit zumindest indirekt bestätigt ist, daß
die allgemeine Aussage von der zeichenhaften Ursächlichkeit
der liturgischen Zeichen speziell auch von den Sakramenten
gilt.

4.4.5. Sakramente und Sakramentalien

Zur Frage nach der Wirkweise der Sakramente gehört auch die
Lehre von ihrer Wirksamkeit *ex opere operato* und die in diesem
Begriff gegebene Abgrenzung von anderen liturgischen Handlungen, die nicht im strikten Sinn Sakramente sind. Die Liturgiekonstitution verwendet diesen zum Grundbestand herkömmlicher
katholischer Sakramententheologie gehörenden Ausdruck erstaunlicherweise überhaupt nicht, weder ausdrücklich noch sinngemäß. Sie deutet die darin liegende Problematik lediglich an,
wenn es in Artikel 7,3 heißt, daß durch die liturgischen Zeichen das Heil "bezeichnet und in je eigener Weise bewirkt" [526]

---

523 Die Formulierungen *gratia manante* und *virtutem derivant* lassen das
    Bild vom unbeteiligten Gefäß der dahineingegebenen Gnade als Hinter-
    grund vermuten.
524 Es ist interessant, daß diese Formulierung nicht im Entwurf stand, son-
    dern erst von der Konzilskommission vorgeschlagen wurde.
525 SC 60: "Quae (sacramentalia) sacra sunt signa quibus, in aliquam Sac-
    ramentorum imitationem, effectus praesertim spirituales significantur
    et ex Ecclesiae impetratione obtinentur". - Von der Bedeutung der Für-
    bitte der Kirche muß noch im nächsten Abschnitt (4.4.6.) gesprochen
    werden.
526 SC 7,3: "In qua (liturgia) per signa sensibilia significatur et modo
    singulis proprio efficitur sanctificatio hominis ...".

wird, ohne daß dabei erläutert würde, an welche verschiedenen
Weisen der Heilsursächlichkeit dabei gedacht ist. Es könnte
hier beispielsweise auf die je verschiedene Ausformung der einen Heilsgnade durch die verschiedenen Sakramente angespielt
sein, was aber unwahrscheinlich ist, weil dies keinen grundsätzlichen Unterschied in der Wirkweise, sondern modifizierte
Wirkungen meinen würde. Deshalb ist wohl anzunehmen, daß hier
die unterschiedliche Wirkweise der Sakramente und der Sakramentalien gemeint ist. Dies wird in Artikel 60 bestätigt, wo
der Komplementärbegriff zur Wirkung *ex opere operato* anklingt,
wenn es dort heißt, daß durch die Sakamentalien geistliche
Wirkungen "bezeichnet und kraft der Fürbitte der Kirche erlangt werden"[527], also *ex opere operantis ecclesiae*.
Es ist auffällig, daß dieser in der Enzyklika "Mediator Dei"
betonte Unterschied[528] hier eine so untergeordnete Rolle
spielt. Es soll nun nicht die lange Geschichte der Entwicklung
und Bedeutung dieses Begriffspaars nachgezeichnet werden[529],
das seit dem 13. Jahrhundert gebräuchlich ist und vor allem
dazu dient, die Bedeutung der Sakramente hervorzuheben[530]. Zur
Unterscheidung zwischen Sakrament und Sakramentale wird es
ausdrücklich von "Mediator Dei" gebraucht, wobei in dieser Enzyklika einerseits die Gnadenwirksamkeit der Sakramente aus
der recht vollzogenen Handlung als solcher (*ex opere operato*)
der Gnadenwirksamkeit der Sakramentalien aus dem Wirken der
Kirche (*ex opere operantis ecclesiae*) gegenübergestellt wird[531],
andererseits die Wirksamkeit der Sakramente (*ex opere operato*)
vom verdienstlichen Werk ihrer Spender oder Empfänger (*opus
operantis*) unterschieden wird[532]. Erst in dieser Enzyklika ist
eine eindeutige Festlegung der genannten Begriffe erreicht.

---

527 SC 60: "... effectus praesertim spirituales significantur et ex Ecclesiae impetratione obtinentur".
528 Vgl. MeD 27/532.
529 Vgl. A. Landgraf, Die Einführung des Begriffspaares opus operans und
   opus operatum in die Theologie, in: DT 29 (1951) 211-223; G. van Roo,
   a.a.O., 264 f.; O. Semmelroth, Opus operatum, in: LThK[2] VII, 1184-1186 .
530 Vgl. dazu O. Semmelroth, Vom Sinn der Sakramente (s. S. 456 f., Anm.
   429), 99-106.
531 Vgl. MeD 27/523.
532 Vgl. MeD 36/537.

Hier interessiert zunächst nur die erstgenannte Unterscheidung, die allerdings nicht so eindeutig ist, wie sie erscheint. Denn einerseits kann der Unterschied nicht in der verschiedenen subjektiven Gewißheit des empfangenen Heils liegen, die in beiden Fällen auch das *opus operantis* des Empfängers zumindest als gläubige Disposition zum Heilsempfang zur Voraussetzung hat[533], andererseits enthält die genannte Unterscheidung als Kennzeichen des objektiv verschiedenartigen Heilsangebotes bei Sakramenten und Sakramentalien eine Reihe weiterer Fragen. Der Unterschied liegt dann nämlich, entsprechend "Mediator Dei", darin, ob die Zeichen von Jesus Christus oder von der Kirche eingesetzt sind, was wiederum die Frage nach der Einsetzung der Sakramente durch Jesus Christus und die Definition der Zahl der Sakramente durch die Kirche impliziert[534]. All diesen Fragen, die um die Begriffe *ex opere operato* und *ex opere operantis* entstehen, kann hier nicht nachgegangen werden[535].

Im Blick auf die Liturgiekonstitution muß jedoch festgestellt werden, daß der Ausgangspunkt vom Heilsmysterium, das sich in den liturgischen Handlungen darstellt und auswirkt, die Unterscheidung zwischen Sakramenten und Sakramentalien schwer macht. Das zeigt sich deutlich bei den Vertretern der Mysterienlehre und bei solchen Theologen, die vor allem das Handeln Gottes durch Jesus Christus in der Kirche als einheitliche und umfassende Quelle der Gnade betonen, demgegenüber die möglichen verschiedenen Weisen der Heilsvermittlung sekundär oder gar unerheblich sind[536].

---

533 Vgl. dazu K. Rahner, Kirche und Sakramente (s. S. 456 f., Anm. 429) 22-30.
534 Daß es auch nach der Liturgiekonstitution eine Hierarchie im sakramentalen Gefüge gibt, zeigt schon die Hervorhebung von Taufe und Eucharistie in Artikel 6. Im übrigen äußert sich die Konstitution nicht zur Zahl und Abgrenzung der Sakramente. Zur Sache vgl. K. Rahner, Kirche und Sakramente, 51 f., 65 f.; J. Dournes, Die Siebenzahl der Sakramente - Versuch einer Entschlüsselung, in: Conc 4 (1968) 32-40. Weitere Literaturhinweise bei L. Boff, a.a.O., 384.
535 Eine ausführliche Diskussion dieser Problematik, sowie Darstellung und Kritik heutiger Lösungsversuche bietet F. Schott, Der eine kirchliche Heilsdienst in Wort und Sakrament (Diss. masch.), Mainz 1969, bes. 116 bis 257: Zweiter Hauptteil: "Opus operatum und opus operantis".
536 Vgl. den entsprechenden Vorwurf, den F. Schott, ebd., 116-162, gegen Möhler, Schell, Semmelroth und etwas modifiziert gegen Tyciak, Bouyer, Casel, Betz und Schlette erhebt.

Karl Rahner führt zur Unterscheidung von Sakramenten und anderen Gnade vermittelnden Handlungen den Unterschied von in sich unwiderruflich gültigen, weil von Gott zu Zeichen des ewigen Bundes bestimmten Zeichen der Gnade und in sich bedrohten Zeichen ein[537]. Die ersten, die Sakramente, enthalten die bezeichnete Gnade mit Sicherheit, weil sie als "wesentliche Grundvollzüge der Kirche", als "letzte Aktualisation ihres Wesens"[538] die mit der Kirche selbst gegebene "eschatologische(n) Realpräsenz des siegreichen ... Gnadenwillens Gottes in Christus"[539] vermitteln. Die zweiten, die Sakramentalien sowie alle anderen Glaubensvollzüge wie Gebet, Reue usw. enthalten die bezeichnete Gnade, sofern sie wirklich Zeichen der Gnade sind, was aber nicht garantiert ist, weil die Kirche darin nicht in voller Aktualisation ihres Wesens sich selbst vollzieht, sondern die Glaubenszeichen nur solche sind, solange sie wirklich gläubig vollzogen werden[540].

Dieser Lösungsversuch muß dann freilich noch erklären, woran man erkennt, in welchen Zeichen die Kirche sich voll realisiert, was letztlich nur im Nachhinein in der amtlichen Definition durch die Kirche selbst festgestellt werden kann[541].

Auch in diesem Vorschlag ist die Unterscheidung zwischen Sakrament und Sakramentale "nicht so radikal"[542], so nachdrücklich mit der Tradition der Kirche an ihr festgehalten wird.

Daß in einer Denkweise, die von dem sich selbst ausdrückenden und auswirkenden Heilsmysterium ausgeht, der Unterschied zwischen den verschiedenen Formen des liturgischen Mysteriums tatsächlich sekundär wird, zeigt sich an der aufschlußreichen Untersuchung des reformierten Theologen Gerardus van der Leeuw[543].

---

537 Vgl. K. Rahner, Kirche und Sakramente, 26-30.
538 Ebd., 21.
539 Ebd., 17.
540 Vgl. ebd., 26.
541 Vgl. zur Frage nach der Einsetzung der Sakramente durch Christus: ebd., 37-67; dazu die Kritik von W. A. (= G.) van Roo, a.a.O. (S. 477, Anm. 514), 484-488 (Opus operatum) und 493-498 (Einsetzung durch Christus).
542 K. Rahner, a.a.O., 26.
543 G. van der Leeuw, Sakramentales Denken (s. S. 53 f., Anm. 192). Van der Leeuw kommt aus einer Verbindung reformierter Theologie und phänomenologisch-anthropologischer Beschreibung zu einem Mysterienbegriff, der dem Casels entspricht, dessen Mysterienlehre er "die wichtigste und

Er behandelt die in der reformierten Kirche anerkannten Sakramente, stellt aber ausdrücklich fest, daß deren Zahl nicht eindeutig zu bestimmen ist, da es im Grunde nur ein Mysterium gibt, Jesus Christus. "Wie groß nun die Zahl der Erscheinungsformen dieses Grundmysteriums ist, die zu unseren Diensten stehen, ist nicht so wichtig" [544]. Im engen Anschluß an die Sakramente nennt er die davon zu unterscheidenden Sakramentalien und zählt dazu auch Konfirmation, Ordination und Krankensalbung [545], wobei die Inadäquatheit der Unterscheidung in der Formulierung zum Ausdruck kommt: "Er (hier ist vom Segen die Rede) ist ein typisches sacramentale, *kein* Sakrament, besitzt aber volle sakramentale Kraft" [546].

Eine vergleichbare Unbestimmtheit der Unterscheidung zwischen Sakramenten und Sakramentalien findet sich in der Liturgiekonstitution. Das von Pius XII. herangezogene Unterscheidungsmerkmal, die Einsetzung durch Jesus Christus, bzw. durch die Kirche, wird in Artikel 33 der Liturgiekonstitution nicht in unterscheidender Funktion genannt: "Die sichtbaren Zeichen endlich, welche die heilige Liturgie gebraucht, um die unsichtbaren göttlichen Dinge zu bezeichnen, sind von Christus und (*vel*) der Kirche ausgewählt" [547].

In Artikel 60 wird der Unterschied zwischen Sakramenten und Sakramentalien so beschrieben, daß die Sakramentalien dazu dienen, die Menschen zur Aufnahme der Wirkung der Sakramente zu disponieren. Gleich im selben Satz wird aber die Heiligung des Lebens auch als Wirkung der Sakramentalien genannt [548] und in Artikel 61 schließlich die Wirkung der Sakramente und die

---

zutiefst eingreifende theologische Strömung seit eineinhalb Jahrhunderten" nennt: ebd., 187.

544 Ebd., 196-200, hier 200.
545 Ebd., 255 f.
546 Ebd., 255.
547 SC 33: "Signa tandem visibilia, quibus utitur sacra Liturgia ad res divinas invisibiles significandas, a Christo vel Ecclesia delecta sunt". Das lateinische *vel* läßt immerhin noch einen Unterschied erkennen, während das deutsche "und" eine schlichte Gleichordnung auszudrücken scheint. Die Übersetzung müßte wohl besser heißen: "von Christus bzw. der Kirche".
548 SC 60: "Per ea (sacramentalia) homines ad praecipuum Sacramentorum effectum suscipiendum disponuntur et varia vitae adiuncta sanctificantur".

der Sakramentalien unterschiedslos in der Heiligung des Lebens
gesehen [549]. Die Kraft dazu haben beide aus dem Pascha-Mysterium [550]; beide verwirklichen die Doppelbewegung der Liturgie:
die Heiligung des Menschen und das Lob Gottes [551].
Daraus muß man folgern, daß auch die Sakramentalien, sofern
sie als Zeichen des Heils vollzogen werden, dieses Heil wirklich enthalten und bewirken. Sie haben ihre Heiligungskraft
nicht aus dem subjektiven Glauben dessen, der sie vollzieht,
sondern aus dem Pascha-Mysterium und wirken in diesem uneigent-
lichen Sinn *ex opere operato*, wenn auch ihre Zeichenhaftigkeit
selbst wandelbar und auch verlierbar ist und nur im gläubigen
Vollzug durch die Kirche (*ex opere operantis ecclesiae*) bewahrt und wirksam werden kann. Die Sakramentalien müssen also,
sofern sie als solche gefeiert werden, selbst auch als Ausdruck
und Auswirkung des in ihnen gegenwärtigen Christus-Mysteriums,
als Handeln des gegenwärtigen Herrn, verstanden werden. Sie
wirken *ex opere operantis ecclesiae*, welches aber letztlich
ein *opus operantis Christi* ist, worin der gegenwärtig handelnde Herr im *opus operatum* der kirchlichen Feier sein Heilswerk
zur Auswirkung bringt [552].

---

549 SC 61: "Itaque liturgia Sacramentorum et Sacramentalium id efficit ut
    fidelibus bene dispositis omnis fere eventus vitae sanctificetur gra-
    tia divina ...".
550 Ebd.: "... gratia divina manante ex mysterio paschali ... a quo omnia
    Sacramenta et Sacramentalia suam virtutem derivant".
551 Ebd.: "Nullusque paene rerum materialium usus honestus ad finem homi-
    nem sanctificandi Deumque laudandi dirigi non possit".
552 Dies ist zu sagen gegen B. Piault, Was ist ein Sakrament?, Aschaffen-
    burg 1964 (= Der Christ in der Welt, VII. Reihe, 2. Bd.); franz. Ori-
    ginal: Qu'est-ce qu'un sacrement?, Paris 1963. Piault argumentiert
    ganz aus der Tradition der Mysterienlehre, meint aber zur Unterschei-
    dung der Sakramentalien sagen zu müssen, ebd., 151: "Die Wirksamkeit
    des Sakramentale gehört also, wie man sieht, nicht zur gleichen Ord-
    nung wie die des Sakraments. Dieses wirkt 'kraft des vollzogenen Ri-
    tus', wenn der Glaube des Empfängers lebendig ist, jenes auch durch
    seine Kraft, diesen Glauben zu wecken und zu nähren und damit den Emp-
    fänger für die sakramentale Gnade zu disponieren". Diese das Sakramen-
    tale auf eine zum Sakrament disponierende Wirkung einengende Position
    wird von der Liturgiekonstitution vom gleichen theologischen Ansatz
    her überboten und ausgeweitet. – Unzureichend bleibt dann auch die Un-
    terscheidung von C. Vagaggini, Theologie der Liturgie, 30, der die Sa-
    kramente als Werkzeug Christi, die Sakramentalien als Werkzeug der
    Kirche bezeichnet. – Ebensowenig kann die Lösung von F. Schott, a.a.O.,
    bes. 3. Hauptteil, 258-338, überzeugen, der von der Voraussetzung aus-

Die Unterscheidung zwischen Sakramentalien und Sakramenten kann dann weder aus der jeweiligen Wirkung noch aus ihrer Wirkweise gewonnen werden, sondern nur einerseits aus der unterschiedlich intensiven Aktualisierung der Kirche als der Zusage des Heilsmysteriums und andererseits aus der unterschiedlich bedeutsamen Lebenssituation des heilsbedürftigen Menschen[553]. Diese Frage wird jedoch von der Liturgiekonstitution nicht behandelt; sie soll deshalb hier nicht weiter verfolgt werden.

4.4.6. Sakramente des Glaubens

In Artikel 59 der Liturgiekonstitution war, zumal in seiner ursprünglichen Fassung[554], die Zeichenhaftigkeit der Sakramente lediglich unter der Rücksicht ihrer Funktion der Glaubensunterweisung erwähnt, und dies vor allem im Hinblick auf die daraus gefolgerte Notwendigkeit einer Ermöglichung der tätigen Teilnahme der Gläubigen an der Liturgie. Diese einseitige Akzentuierung führte jedoch zu bemerkenswerten Formulierungen über das Verhältnis von Glaube und Sakrament, die in der endgültigen Textfassung noch verstärkt und präzisiert wurden[555].

Die zusammenfassende Aussage lautet: "Deshalb heißen sie Sakramente des Glaubens"[556]. Mit dieser Formulierung weitet die Liturgiekonstitution den üblichen Sprachgebrauch aus, der mit dem Konzil von Trient meist nur die Taufe als Sakrament des Glaubens bezeichnete[557]. Diesen Ausdruck gebrauchte mit der

---

geht, daß das *opus operatum* identisch sei mit dem sakramentalen Gnadengeschehen, außerhalb dessen es keine Gnadenwirksamkeit *ex opere operato* gebe: vgl. ebd., 258. Auf die These Schotts ist noch im Zusammenhang mit der Frage nach Wort und Sakrament einzugehen: s. unten, 4.5.5.
553 Dies hat besonders K. Rahner, Kirche und Sakramente, 68-104, herausgearbeitet. Vgl. dazu auch M. Löhrer, Sakramentalien, in: LThK[2] IX (1964), 233-236; ders., Sakramentalien, in: SM IV (1969), 341-347.
554 Vgl. den Text, oben, S. 200 f., und Anhang II, S. 786.
555 Vgl. oben, S. 459.
556 SC 59: "Quare fidei sacramenta dicuntur".
557 Vgl. DS 1529, wo die Taufe als Instrumentalursache der Rechtfertigung bezeichnet wird, da sie Zeichen des Glaubens sei, ohne den niemand ge-

Tradition auch Thomas von Aquin[558], der aber mehrfach auch alle Sakramente Zeichen des Glaubens nennt[559]. Dabei fällt auf, daß Thomas diese Zeichen des Glaubens meistens in dem Sinn versteht, daß sich darin der Glaube des Empfängers bekundet[560]; diesen Sinn hat der Ausdruck auch im Konzil von Trient. Der Glaube ist die Bedingung, ohne welche das Sakrament zwar gespendet, aber nicht heilbringend empfangen werden kann[561]; er ist damit die Bedingung des Heils, das jedoch nicht aus der Kraft des Glaubens, sondern aus der Kraft des Sakramentes und damit aus der Kraft Gottes stammt, wie das Konzil von Trient gegen das reformatorische Verständnis von Zeichen des Glaubens definierte[562]. In der kontroverstheologischen Polarisierung der Folgezeit betonte die reformatorische Theologie, daß die Sakramente nicht heilswirksam seien, sondern nur Zeichen, die den allein rechtfertigenden Glauben bekunden, nähren und bestärken. Im Gegensatz dazu hielt die katholische Theologie daran fest, daß das Heil aus der Kraft der Sakramente komme. Daß der Glaube zum fruchtbaren Sakramentenempfang notwendig sei, wurde zwar stets gelehrt, doch kaum betont. Um das reformatorische Verständnis auszuschließen, sprach man nicht gerne von Zeichen des Glaubens, sondern eher von Zeichen des Heils oder, noch deutlicher, von Heilsmitteln.

Es ist auch ökumenisch hoch bedeutsam, daß die Liturgiekonstitution wieder unbefangen von Zeichen des Glaubens spricht, und zwar in doppeltem Sinn: Zeichen, die den Glauben voraussetzen, der sich in ihnen bekundet, und zugleich Zeichen, durch die

---

rechtfertigt wird: "sacramentum fidei, sine qua nulli umquam contigit iustificatio".

558 Vgl. z.B. Thomas v. Aquin, Summa Theol. III, q. 68, a. 4, ad 3: "Baptismus est fidei sacramentum"; vgl. ebd., a. 8, ad 3.; a. 9, ad 2; q. 70, a. 1, resp.; q. 71, a. 1., resp.

559 Vgl. z.B. ebd., q. 61, a. 4, resp.: "Sunt autem sacramenta quaedam signa protestantia fidem qua iustificatur homo"; ebd., q. 64, a. 3, ad 3: "Ecclesiae constitutae per fidem et fidei sacramenta"; q. 72, a. 5, ad 2: "Omnia sacramenta sunt quaedam fidei protestationes".

560 Vgl. J. Gaillard, Les Sacrements de la foi, in: RThom 59 (1959) 5-31, 270-309.

561 Vgl. Thomas v. Aquin, Summa Theol. III, q. 68, a. 8, resp.

562 Vgl. DS 1604-1606, 1608; vgl. dazu O. H. Pesch, Theologie der Rechtfertigung bei Martin Luther und Thomas von Aquin. Versuch eines systematisch-theologischen Dialogs, Mainz 1967 (= Walberberger Studien 4).

der Glaube genährt und gestärkt wird.

Mit dieser zweifachen Sinnrichtung der Glaubenszeichen nimmt die Konstitution eine in der frühen Tradition selbstverständliche Lehre auf [563], die im Gefolge der Reformation katholischerseits weithin vernachlässigt, im französischen Sakramentendirektorium von 1951 aber ausdrücklich betont worden war [564]. Der Einfluß dieses Textes auf Artikel 59 der Liturgiekonstitution ist unverkennbar. Das Direktorium spricht ebenfalls von einer Gläubigkeit, die dem Sakrament vorausgeht und sich in ihm bekundet, wie von einer Gläubigkeit, die durch das Sakrament genährt und bestärkt wird.

Ein dritter Aspekt ist noch zu bedenken. Wenn in Artikel 48 die Eucharistiefeier "Geheimnis des Glaubens" (*mysterium fidei*) genannt wird, so ist hier nicht die (subjektive) Gläubigkeit (*fides qua creditur*), sondern der (objektive) Glaube (*fides quae creditur*) angesprochen, das Mysterium des Heils, welches den Inhalt des christlichen Glaubens darstellt, als solcher dem Menschen angeboten wird und von ihm dann erst gläubig angenommen werden kann und soll [565]. Wenn nun auch die übrigen Sakramente Feiern des Heilsmysteriums sind [566] und so auch *Memoriale*, Erinnerungszeichen und Gedächtnisfeier der in ihnen gegenwärtigen Heilstat Jesu Christi [567], so gilt auch von ihnen,

---

563 Vgl. dazu die umfassende Untersuchung von L. Villette, Foi et Sacrement, Bd. I: Du nouveau Testament à Saint Augustin, Paris 1959; Bd. II: De Saint Thomas à Karl Barth, Paris 1964 (= Travaux de l'Institut Catholique de Paris 5 und 6), bes. II, 363-375, wo Villette eine systematische Zusammenfassung der in der Tradition beständig gegebenen Themen zum Verhältnis von Glaube und Sakrament gibt und dazu jeweils die Seitenzahlen in seinem Werk nennt, wo er die entsprechenden Textzeugen zusammengestellt hat. Für die Lehre, daß das Sakrament den Glauben voraussetzt und zugleich bestärkt, vgl. ebd., II, 369 f., und die entsprechenden Verweise.

564 Vgl. oben, S. 462, Nr. 5; dazu den Bericht, a.a.O. (S. 462, Anm. 447), 40-44.

565 Vgl. den Aufbau des Artikels 48 (s. den Text im Anhang II, S. 785 f.): Zuerst ist vom Mysterium der Eucharistie in sich die Rede, dann von seiner gläubigen Annahme vermittels der tätigen Teilnahme daran.

566 Vgl. oben, S. 460-464.

567 Vgl. oben, S. 475; vgl. dazu B. van Iersel, Einige biblische Voraussetzungen des Sakraments, in: Conc 4 (1968) 2-9, der für die Taufe zeigt, daß sie analog zur Eucharistie *memoriale* ist und daraus folgert, daß dies ein Grundzug der Sakramentalität überhaupt sein müsse.

daß sie, im Anschluß an das zentrale eucharistische Mysterium, selbst auch "Geheimnis des Glaubens" sind. Wegen der inhaltlichen Verwandtschaft von 'Mysterium' und 'Sacramentum' [568] kann dann "Zeichen des Glaubens" auch im Sinn von "Mysterium des Glaubens" verstanden werden, zeichenhafter Ausdruck und Auswirkung des Heilsmysteriums als Inhalt des Glaubens.

Der Text sagt dies nicht ausdrücklich; er deutet es jedoch möglicherweise an, indem gesagt wird, die Sakramente zeigen den Glauben an (*exprimunt*). Dieser erst nachträglich hinzugefügte Ausdruck [569] steht in einer Reihe mit "nähren und stärken", worin die 'absteigende' Linie des Sakraments in Bezug auf den Glauben beschrieben und der 'aufsteigenden', dem Glauben als Voraussetzung des Sakramentes, gegenübergestellt wird. Dem würde es entsprechen, wenn das Anzeigen des Glaubens hier nicht als Ausdruck der Gläubigkeit, sondern als Ausdruck des Glaubensinhaltes verstanden wäre, durch welchen die Gläubigkeit bestärkt wird.

Falls diese Deutung, die nicht notwendig aber sinnvoll ist, zutrifft, wird das Sakrament hier als Ausdruck des Heilsmysteriums beschrieben, welches gerade in diesem Zeichen gegenwärtig und wirksam ist. Damit wäre nochmals eine Bestätigung für die im Sakramentenkapitel sonst vermißte Einheit von Zeichenhaftigkeit und Wirksamkeit der Sakramente gegeben.

Für unsere Frage nach der Gegenwart des Herrn hat die Analyse des Begriffs "Zeichen des Glaubens" eine dreifache Konsequenz:

1. Die Sakramente sind Zeichen des Glaubens als der Gläubigkeit des Menschen, der sich im Sakrament zum Glauben bekennt. Dieser Glaube ist selbst schon heilbringend, indem durch ihn Jesus Christus in unseren Herzen wohnt (vgl. Eph 3,17).

2. Die Sakramente sind Zeichen des Glaubens als Glaubensinhalt, also Zeichen des Heils und damit der Gegenwart des Herrn und seiner Heilstat im Zeichen.

3. Die Sakramente sind Zeichen der dialogischen Einheit von Glaube und Gläubigkeit, sie sind der im Zeichen sich ereignen-

---

568 Vgl. oben, S. 229-232.
569 Vgl. den ursprünglichen Text, oben, S. 201, und Anhang II, S. 786.

de Vorgang des Heilsangebotes und seiner gläubigen Annahme in einem.

Diese drei Aspekte, die unterschieden, aber nicht voneinander getrennt werden können, sind noch kurz zu erläutern.

Zeichen der Gläubigkeit

Daß der für den Sakramentenempfang vorausgesetzte Glaube selbst bereits eine Weise der heilsschaffenden Gegenwart Jesu Christi ist, hat Gottlieb Söhngen schon in einem Aufsatz aus dem Jahr 1949 aufgrund des biblischen Befundes und im Anschluß an die Lehre des Thomas von Aquin als durchgängige katholische Lehrtradition aufgewiesen [570], die freilich in der nachreformatorischen Zeit weithin vergessen worden war. Diese Glaubensgegenwart oder Gnadengegenwart ist nach Söhngen eine Form realer, geistiger Gegenwart des Herrn [571], die umfassender ist, als seine sakramentale Gegenwart, in dieser aber eine Intensivierung und - in Bezug auf die Eucharistie [572] - ihre Aufgipfelung zur substantialen Realpräsenz erlangt, umgekehrt aber notwendig ist, damit das Sakrament überhaupt fruchtbar empfangen werden kann.

Damit ist nicht gesagt, daß die Heilswirksamkeit des Sakramentes aus dem Glauben komme, wohl aber, daß er selbst eine Weise des Heilsempfangs ist, wobei das Heil nicht aus ihm selbst als einem menschlichen Werk, sondern aus der den Glauben allererst ermöglichenden und dann im Glauben antwortend aufgenommenen Heilsinitiative Gottes kommt. Insofern befähigt die Feier der Sakramente dazu, die im Sakrament angebotene Gnade auch "mit Frucht zu empfangen" [573], indem sie nämlich den dazu notwendigen Glauben nährt und bestärkt [574].

---

570 G. Söhngen, Christi Gegenwart in uns durch den Glauben (Eph 3,17) (s. S. 51, Anm. 185).
571 Vgl. ebd., 43.
572 Söhngen behandelt in diesem Aufsatz nur die Glaubensgegenwart in Beziehung zur eucharistischen Realpräsenz. Innerhalb der eucharistischen Realpräsenz unterscheidet er die Substanzgegenwart des Christus passus von der Aktgegenwart der passio Christi: vgl. ebd., 43 f. Nur diese kann und muß auch von den übrigen Sakramenten ausgesagt werden.
573 SC 59: "Gratiam quidem conferunt sed eorum celebratio fideles optime etiam disponit ad eandem gratiam fructuose recipiendam ...".
574 Vgl. G. Negri, Gli atti di fede nel ricevere i Sacramenti: come edu-

Glaube und Sakrament

Daß die Sakramente Zeichen des Glaubensinhaltes sind, Weisen der Selbstvergegenwärtigung und Wirksamkeit des Heilsmysteriums, wurde schon dargelegt. Dies entspricht der durchgängigen theologischen Position der Liturgiekonstitution.

Die eigentliche Frage ist, wie sich die Glaubensgegenwart des Herrn zu seiner sakramentalen Gegenwart verhält, warum Sakramente überhaupt notwendig sind, wenn schon der Glaube die heilschaffende Gegenwart des Herrn empfängt, und wie sich schließlich personale und sakramentale Elemente der Frömmigkeit zueinander verhalten.

Zunächst muß festgestellt werden, daß die Notwendigkeit und Heilsbedeutung des persönlichen Glaubens in der katholischen Sakramententheologie nach der Reformation nicht genügend berücksichtigt wurde. Während die Notwendigkeit des Glaubens neben und vor der Notwendigkeit der Sakramente in der vorreformatorischen Theologie durchgängig betont wurde [575], trat dieses Thema in der späteren Zeit, im selben Maß, wie es in der protestantischen Theologie einseitig akzentuiert wurde, mehr und mehr zurück [576]. William van Roo behandelt in seiner Sakramentenlehre die Notwendigkeit des Glaubens als Voraussetzung der Taufe und des Bußsakramentes in zwei Zeilen [577], im Zusammenhang mit der Rechtfertigung durch das Sakrament auf einer halben Seite [578]. Umso bemerkenswerter ist der erwähnte Aufsatz von Gottlieb Söhngen [579], der zunächst nur die heilswirksame Glaubensgegenwart des Herrn mit seiner heilswirksamen sakramentalen (eucharistischen) Gegenwart vergleicht, indem er diese beiden Weisen je für sich beschreibt und dann Gemeinsames und Unterschiedliches darstellt.

---

carli, in:RivLi 54 (1967) 61-80.
575 Vgl. die Belege bei L. Villette, a.a.O. (S. 487, Anm. 563).
576 Ein Symptom ist z.B., daß L. Billot in seinem umfangreichen Kommentar zur Sakramentenlehre des Thomas v. Aquin den 8. Artikel der 68. Quaestio über die Notwendigkeit des Glaubens beim Täufling übergeht: vgl. L. Billot, De Ecclesiae Sacramentis. Commentarius in tertima parten S. Thomaè, Rom [7]1931, 258-279 (Quaestio 68).
577 Vgl. G. van Roo, De Sacramentis in Genere, 193.
578 Vgl. ebd., 34 .
579 Vgl. S. 489, Anm. 570.

Diesen Ansatz vertiefte bald Karl Rahner, indem er zeigte, daß
der Glaube, der schon die volle Rechtfertigung und heiligmachende Gnade empfängt, dennoch auf das Sakrament hingeordnet
bleibt, das nichts prinzipiell anderes, aber entsprechend der
neutestamentlichen Heilsordnung dasselbe in sakramentaler Leibhaftigkeit bewirkt und so intensiviert in der Öffentlichkeit
der Kirche, wodurch dasselbe eine größere Ausdrücklichkeit gewinnt [580].

Heinz Robert Schlette hat dies nochmals im Hinblick auf das
Verhältnis zwischen geistlicher und sakramentaler Kommunion
entfaltet [581]. Beide zielen auf dasselbe: die heilschaffende
Gemeinschaft mit Christus. Die personale Kommunikation im Glauben ist eine Weise dieser Gemeinschaft, die intensiviert wird
durch die sakramentale Kommunion [582]. Deren Notwendigkeit, wie
überhaupt die Notwendigkeit der Sakramente, begründet Schlette
mit dem positiven Willen Christi, der Sakramente eingesetzt
hat [583]. Dafür lassen sich freilich Angemessenheitsgründe finden, die vor allem in der Leibhaftigkeit des Menschen und der
Sichtbarkeit der Kirche entsprechend der Leibhaftigkeit des
Heils in Christus liegen [584].

---

580 Vgl. K. Rahner, Personale und sakramentale Frömmigkeit, in: Ders.,
Schriften II (1955), 115-141; ders., Kirche und Sakramente, 67. - Zum
Problem des Verhältnisses von Glaube und Rechtfertigung vgl. M. Flick/
Z. Alszeghy, Il vangelo della grazia, Florenz 1964, bes. 320 ff., 375
ff.; O. H. Pesch, Theologie der Rechtfertigung ... (s. S. 486, Anm.
562). - Zur Beziehung von Glaube und Sakrament vgl. u.a. K. Lehmann,
Das Verhältnis von Glaube und Sakrament in der katholischen Tauftheologie. Erwachsenen- und Kindertaufe, in: Ders., Gegenwart des Glaubens,
Mainz 1974, 201-228; ders., Glaube - Taufe - Ehesakrament. Dogmatische
Überlegungen zur Sakramentalität der Ehe, in: Studia Moralia 16 (1978)
71-92, bes. 79-92. - Vgl. zum Ganzen auch unten, Abschnitt 4.5.5.:
"Wort und Sakrament", S. 542-555.
581 Vgl. H. R. Schlette, Kommunikation und Sakrament (s. S. 398, Anm. 197).
582 Vgl. ebd., 51-53.
583 Vgl. ebd., 53-55.
584 Vgl. ebd., 55 f. Man könnte wohl fragen, ob hier nicht doch noch ein
Schritt weiter gegangen werden muß, wenn man in Rechnung stellt, daß
der Mensch als leibhafter Geist letztlich geistige Wirklichkeiten nur
leibhaft ausdrücken kann und sie so erst zu ganzmenschlichen Vollzügen
macht. Vgl. dazu K. Rahner, Die ewige Bedeutung der Menschheit Jesu
für unser Gottesverhältnis (s. S. 315, Anm. 433); ders., Zur Theologie
des Symbols (s. S. 312, Anm. 419); vgl. auch die phänomenologischen
Untersuchungen zum Sakramentenverständnis von G. van der Leeuw, a.a.O.
(S. 53 f., Anm. 192), 109-171; dazu auch B. Bro, Der Mensch und die

491

Dieser Gedanke, daß die Heilswirksamkeit des Glaubens und die
Heilswirksamkeit des Sakramentes auf derselben Ebene liegen,
indem die Wirkung des Sakramentes die Wirkung des personalen
Glaubens, beidemale als gläubig empfangene Gabe Jesu Christi
verstanden, intensiviert und vermehrt, wird noch ergänzt durch
den Gedanken des dialogischen Verhältnisses von gnadenhafter
Gabe und gläubigem Empfang. Dies hat vor allem Otto Semmelroth
betont [585], wenn er sagt, daß "im Sakrament die Gnade Gottes
dadurch empfangen wird, daß sich der Mensch im Sakrament als
einem von Christus legitimierten Ausdruck zu Gott hin ausspricht" [586]. Das Sakrament ist also zugleich Zeichen der sich
selbst schenkenden Gnade, wie auch Zeichen des diese Gnade
empfangenden Glaubens, und damit Zeichen des Vorgangs der Heiligung in Gabe und Empfang des Heils [587], worin jeweils "der
Bund Gottes mit den Menschen ... neu bekräftigt wird", wie die
Liturgiekonstitution im Hinblick auf die Eucharistiefeier
sagt [588].

Sakramente. Anthropologische Infrastruktur der christlichen Sakramente, in: Conc 4 (1968) 15-24. - Auf diese in der nachkonziliaren Theologie zunehmend betonte Wesenskomponente des sakramentalen Geschehens
kann hier nicht weiter eingegangen werden. Vgl. dazu auch R. Schulte,
Die Einzelsakramente ..., a.a.O. (S. 386, Anm. 140).

585 Vgl. bes. O. Semmelroth, Personalismus und Sakramentalismus, a.a.O.
(s. S. 456 f., Anm. 429); ders., Vom Sinn der Sakramente (s. ebd.).

586 O. Semmelroth, Personalismus und Sakramentalismus, 215.

587 Vgl. im selben Sinn H. R. Schlette, a.a.O., 51: "Praktisch besagt die
Dialektik der Zeichenhaftigkeit für die Eucharistie, daß der Kommunionempfang einerseits die personale Christuseinheit des Empfängers und
andererseits die nährende und festigende Heilskraft der sakramentalen
Speise zugleich und ineins darstellt".

588 Vgl. SC 10. Daß dieser Heilsbund selbst in der Begegnung zwischen Spender und Empfänger einen zeichenhaften Ausdruck gewinnt, hat O. Semmelroth, a.a.O., 208, gezeigt. Dies wurde von A. Winklhofer, Kirche in
den Sakramenten, Frankfurt/ M. 1968, 21-25, neu betont: "Spender und
Empfänger eines Sakraments tun sich zu einem in der Ehe unauflöslichen,
in den anderen Sakramenten zu einem vorübergehenden Bund zusammen ...
In diesem Bund stellen der Spender Christus und der Empfänger die Kirche dar ... Dieser Bund nun ist es, der als ein handelnder, gemeinsamer Vollzug, als Kleinstkirche, als ekklesiola das jeweilige Realsymbol hervorbringt" (ebd., 22). Man wird fragen müssen, ob der Ausdruck
"vorübergehender Bund" sinnvoll ist und ob der Vollzug dieses Bundes
als Subjekt des heilswirksamen Realsymbols bezeichnet werden kann und
nicht vielmehr Jesus Christus als Subjekt der bundesstiftenden und zugleich die Annahme dieser Stiftung ermöglichenden Heilsgabe genannt

Diese komplexe Struktur der "Zeichen des Glaubens" läßt sich
aus der knappen Formulierung des Artikels 59 der Liturgiekonstitution erheben, wenn man sie im Kontext der gesamten Konstitution liest. Sie bezeichnen den Glauben des Menschen, ohne
den er kein Heil empfangen kann; sie bezeichnen das Heil, das
im Zeichen gegenwärtig ist, angeboten wird und den Glauben des
Menschen ermöglicht und erwirkt, sofern er sich dem nicht wi-
dersetzt[589]. Und sie bezeichnen die heilschaffende Einheit
von Heilsgabe und Heilsempfang als Aktuierung des Neuen Bundes.

Darin liegt eine bedeutsame Konsequenz für die Weise der liturgischen Gegenwart des Herrn. Sie impliziert seine Gegenwart
im Sakrament als Heilsgabe, die aber nur dann ihren Sinn erfüllen kann, wenn sie den im selben Zeichen seine gläubige
Hingabe und in diesem Sinn seine Gegenwart ausdrückenden Menschen trifft und ihm so in gegenseitiger Gegenwart das Heil
schenkt. Damit erfüllt sich im Sakrament in spezifischer Weise das oben[590] über die wesentlich dialogische Grundstruktur
der Liturgie Gesagte[591].

4.4.7. Zusammenfassung

Die Erörterung der Gegenwart Jesu Christi in den Sakramenten
muß all das voraussetzen, was über die Gegenwart des Herrn in
der Liturgie im allgemeinen und über seine Gegenwart im zentralen eucharistischen Sakrament speziell gesagt wurde. Bei
der Behandlung der Sakramente werden einzelne Aspekte der ge-

---

werden müßte. Immerhin wird deutlich, daß Sakrament in vollem Sinn das
wirksame Zeichen der Einheit von Zeichen des gewährten Heils und Zeichen der gläubigen Annahme des Heils ist.

589 Vgl. Y. Congar, Das Verhältnis zwischen Kult oder Sakrament und Verkündigung des Wortes, a.a.O. (S. 386, Anm. 142), 178 f. ("sacramenta fidei").
590 Vgl. oben, S. 322-327.
591 Vgl. dazu E. Ruffini, I grandi temi della teologia contemporanea dei
Sacramenti, in: RivLi 54 (1967) 39-52, hier 49-52 ("I sacramenti come
incontro di Dio con l'uomo"), bes. 50: "Nei Sacramenti, partecipando e
immedesimandosi con i misteri di Cristo, l'uomo stabilisce un incontro
dialogico con Dio tanto perfetto da non potere ipotizzare uno migli-
ore".

nerellen liturgischen Gegenwart des Herrn besonders entfaltet
und verdeutlicht. Außerdem werden manche Gesichtspunkte ein-
gehender erörtert, die zwar auch in der Eucharistiefeier verwirklicht sind, dort aber weniger ausdrücklich behandelt werden.

Die Textbasis erwies sich dabei als recht schmal. Die Konstitution bietet keine Sakramententheologie, sondern gibt nur einige Hinweise auf das Sakramentenverständnis im Hinblick auf
das geplante Reformprogramm, vor allem unter der Rücksicht der
tätigen Teilnahme der Gläubigen an den sakramentalen Feiern.
Die Sakramententheologie der Konstitution muß also aus diesen
Hinweisen im Kontext des gesamten Dokumentes erschlossen werden. Zunächst war festzustellen, daß die übrigen Sakramente
auch, entsprechend der Eucharistiefeier, liturgische Feiern
des in ihnen gegenwärtigen und sich auswirkenden Heilsmysteriums sind. Mit der Eucharistie sind die übrigen Sakramente die
zentralen Weisen der Verwirklichung dessen, was Liturgie als
Feier des Heilsmysteriums insgesamt ist.

Die damit ausgesagte Gegenwart des Herrn und seiner Heilstat
ist aber bei den übrigen Sakramenten anders als bei der Eucharistie. Während Jesus Christus in den eucharistischen Gaben
mit der vollen, wesenhaften Wirklichkeit seiner Person als der
menschgewordene Gottessohn leibhaft zugegen ist, ist er in den
übrigen Sakramenten, wie auch in der eucharistischen Feier als
ganzer, zwar stets persönlich und subjekthaft, nicht aber in
seinem Wesen (Substanz) als Träger seines Handelns, sondern in
einem anderen, ihn repräsentierenden Handlungsträger gegenwärtig und wirksam. Hier muß folglich von den Sakramenten all das
gesagt werden, was oben über die Gegenwart des Herrn im Dienst
des ihn repräsentierenden Sakramentenspenders zu sagen war.
Diese seine Gegenwart wird als Gegenwart "mit seiner Kraft"
gekennzeichnet, wobei dieser Ausdruck nicht als Gegensatz zu
personaler, sondern lediglich zu substantialer Gegenwart zu
verstehen ist, da "seine Kraft" nicht etwa eine von ihm zwar
ausgehende aber dann losgelöste Wirklichkeit meint, sondern
seine eigene wirksame Gegenwart im Tun der Kirche.
Von hier aus wäre die im Text nicht erörterte Frage anzugehen,

494

ob nicht die substantiale Gegenwart Jesu Christi in den eucharistischen Gestalten logisch zu verstehen wäre als Träger
nicht nur seiner akthaften Gegenwart in der gesamten Eucharis-
stiefeier, sondern auch aller übrigen Sakramente. So würde
nochmals in einem tieferen Sinn deutlich, daß die Eucharistie
das zentrale Sakrament ist, ohne welches die übrigen Sakramente nicht voll verständlich wären.

Speziell bei den übrigen Sakramenten war dann die Weise der
sakramentalen Heilswirksamkeit zu untersuchen. Sie wird in der
Liturgiekonstitution mit der alten theologischen Tradition und
in Korrektur der nachreformatorischen Einseitigkeiten als zeichenhafte Wirksamkeit beschrieben. Die Sakramente sind Zeichen
des in ihnen real gegenwärtigen und sich Ausdruck verschaffen-
den Heilsmysteriums, das gerade, indem es sich zeichenhaft
ausdrückt, seine Wirkung hervorbringt: die Heiligung des Menschen, der sich vom Heilsmysterium erfassen läßt, und die Verherrlichung Gottes.

Diese zeichenhafte Wirksamkeit der Sakramente gilt für alle
liturgischen Vollzüge und so auch für die Sakramentalien. Diese sind auf die Sakramente hingeordnet und führen die Sakramente weiter. Der wesentliche Unterschied zwischen ihrer Wirkweise und der der Sakramente wird in der Liturgiekonstitution
nicht genannt. Er muß darin gefunden werden, daß die Kirche in
den eigentlichen Sakramenten ihr eigenes Wesen voll verwirklicht, und damit in diesen Zeichen das endgültige Heilsangebot
Gottes unfehlbar gegeben ist. Bei den Sakramentalien wird dieses selbe Heilsangebot dagegen nur gegenwärtig, sofern sie in
ihrer Zeichenhaftigkeit aussagekräftig bleiben, indem die Kirche sie als Zeichen ihres Glaubens vollzieht. In beiden Fällen
kann dieses bedingungslos bzw. unter der genannten Bedingung
angebotene Heil nur empfangen werden und so seinen Sinn erfüllen, wenn es gläubig angenommen wird.

In einem letzten Gedankengang mußte deshalb untersucht werden,
inwiefern die Sakramente Zeichen des Glaubens sind. Es ergab
sich, daß sie einerseits den objektiven Glaubensinhalt, nämlich das in ihnen angebotene Heil, darstellen und so gegenwärtig machen, andererseits aber auch Ausdruck der subjektiven

Gläubigkeit des Menschen sind, der in diesen Zeichen das Heil erkennt und empfängt. Und schließlich sind sie damit Zeichen der konstitutiven Zusammengehörigkeit von Heilsgabe und Heilsempfang, Zeichen des Heilsvorgangs, den es nur als zugleich angebotenes und empfangenes Heil gibt.

Darin wird die für die Sinnbestimmung der Heilsgabe selbst wesentliche Bedeutung der Aktivität des empfangenden Menschen sichtbar. Der Sinn ihrer tätigen Teilnahme an den liturgischen Feiern liegt nicht nur auf der Ebene erzieherischer oder gar nur zeremonieller Bedeutung; ihr Beitrag ist vielmehr von konstitutiver Notwendigkeit für das Zustandekommen des liturgischen Heilsvollzugs.

Insgesamt zeigte sich, daß in der Feier der Sakramente in vollem Sinn die Grundbestimmungen erfüllt sind, die im vorigen Kapitel für die Gegenwart Jesu Christi im Gottesdienst generell erarbeitet wurden. Auch in den Sakramenten wird das Heilsmysterium gefeiert. In dieser Feier schenkt der gegenwärtige Herr selbst in sinnenfälligen, wirklichkeitserfüllten Zeichen den Gläubigen das Heil, das nur zur Auswirkung kommen kann, wenn es in der dialogischen Einheit von gnadenhafter Gabe und gläubigem Empfang zu seinem Ziel kommt.

Auch im Sakramentenkapitel ist jedoch die pneumatologische Dimension dieses Vorgangs mit keinem Wort angedeutet.

4.5. Die Gegenwart des Herrn in seinem Wort

Entsprechend der Reihenfolge der in Artikel 7,1 der Liturgiekonstitution aufgezählten Gegenwartsweisen ist nun von der Gegenwart Jesu Christi in seinem Wort zu sprechen. Dabei ist wiederum der kurze Text des Artikles 7 im Zusammenhang der gesamten Konstitution zu interpretieren. Sie enthält zwar keinen thematischen Abschnitt über die Verkündigung des Gotteswortes, gibt aber im gesamten Text Hinweise auf dieses Thema. Sie müssen zusammengestellt werden.

4.5.1. Der Textbefund

Nach Artikel 6 hat Christus die Apostel gesandt, "nicht nur
das Evangelium ... zu verkünden ..., sondern auch das von ihnen verkündete Heilswerk zu vollziehen durch Opfer und Sakrament" [592]. Dies impliziert einen Unterschied zwischen der Verkündigung und dem darin nicht ohne weiteres gegebenen Vollzug
des Heilswerkes.

Am Ende desselben Artikels ist davon die Rede, daß die Kirche
sich zur Feier des Pascha-Mysteriums versammelt, um "dabei zu
lesen, 'was in allen Schriften von ihm geschrieben steht' (Lk
24,27), die Eucharistie zu feiern ... und zugleich 'Gott für
die unsagbar große Gabe dankzusagen' (2 Kor 9,15)" [593]. Die
deutsche Formulierung gibt das lateinische "*legendo ... celebrando ... gratias agendo*" nur unzureichend wieder. Tatsächlich feiert die Kirche das Pascha-Mysterium, *indem* sie die
Schrift liest, die Eucharistie feiert und Gott dankt. Damit
ist die Schriftlesung selbst schon als eine Weise der Feier
des Pascha-Mysteriums gekennzeichnet.

Wichtig ist außerdem, daß im Anschluß an die Emmausperikope
ausdrücklich der christologische Sinn der gesamten Heiligen
Schrift ausgesagt wird.

In Artikel 7,1 steht der Satz: "Gegenwärtig ist er in seinem
Wort, da er selbst spricht, wenn die heiligen Schriften in der
Kirche gelesen werden" [594]. Wie schon dargelegt, stand im Entwurf: "... wenn die heiligen Schriften in der Kirche gelesen
und erklärt werden" [595]. Der auf die Predigt verweisende Zusatz
war in dem von der Vorbereitungskommission vorgelegten Text
nicht enthalten; er wurde aufgrund eines Votums in der vorbe-

---

592 SC 6: "... Christus ... Apostolos ... misit, non solum ut, praedicantes
   Evangelium ..., sed etiam ut, quod annuntiabant, opus salutis per Sacrificium et Sacramenta exercerent".
593 Ebd.: "Numquam exinde omisit Ecclesia quin in unum conveniret ad paschale mysterium celebrandum: legendo ea 'in omnibus Scripturis quae de
   ipso erant' (Lc. 24,27), Eucharistiam celebrando ... et simul gratias
   agendo 'Deo super inenarrabili dono' (2 Cor. 9,15)".
594 SC 7,1: "Praesens adest in verbo suo, siquidem ipse loquitur dum sacrae Scripturae in Ecclesia leguntur".
595 Vgl. den Text, oben, S. 177, und Anhang II, S. 784.

reitenden Zentralkommission eingefügt[596]. In der ersten Lesung des Konzils wurde er mehrfach beanstandet[597] und deshalb gestrichen.

In der endgültigen Textfassung ist also an dieser Stelle die Predigt nicht mitgemeint.

Außerdem wird zu bedenken sein, was der Hinweis auf die Schriftlesung "in der Kirche" bedeutet.

Artikel 24 stellt fest: "Von größtem Gewicht für die Liturgiefeier ist die Heilige Schrift. Aus ihr werden nämlich Lesungen vorgetragen und in der Homilie ausgedeutet ..."[598]. Dieser Artikel ist in zweifacher Hinsicht bemerkenswert. Einmal besagt er, daß die gesamte Liturgiereform und alle einzelnen Elemente der Liturgie sich an der Heiligen Schrift orientieren sollen[599], eine Forderung, die sich in amtlichen Texten zur Liturgie vorher nicht findet. Außerdem wird hier die enge Verbindung von Schriftlesung und Auslegung ausgesagt, ohne daß freilich die Homilie damit schon als Wort Gottes gekennzeichnet wäre.

In Artikel 33 wird unter dem Gesichtspunkt des belehrenden und seelsorglichen Charakters der Liturgie gesagt: "Denn in der Liturgie spricht Gott zu seinem Volk; in ihr verkündet Christus noch immer die Frohe Botschaft. Das Volk aber antwortet mit Gesang und Gebet"[600]. Da dieses Sprechen Gottes und Christi nicht nur in den Lesungen, sondern auch in den liturgischen Zeichen geschieht, müssen sie, so die Folgerung, einfach und verständlich sein.

In Artikel 35 stehen mehrere Aussagen in Bezug auf das Wort Gottes, deren Bedeutung damit begründet wird, "daß in der Liturgie Ritus und Wort aufs engste miteinander verbunden sind[601].

---

596 Vgl. oben, S. 163.
597 Vgl. oben, S. 171.
598 SC 24: "Maximum est sacrae Scripturae momentum in Liturgia celebranda. Ex ea enim lectiones leguntur et in homilia explicantur".
599 Die Überschrift dieses Artikels im Entwurf hieß: "De mente biblica in instauratione liturgica inculcanda". Dem Artikel war eine Erklärung beigegeben, die dieses Prinzip eingehend erläuterte: vgl. den Text im Anhang I, S. 779 f.
600 SC 33: "In Liturgia enim Deus ad populum suum loquitur; Christus adhuc Evangelium annuntiat. Populus vero respondet tum cantibus tum oratione".
601 SC 35,1: "Ut clare appareat in Liturgia ritum et verbum intime coniungi".

Unter Nr. 2 wird im selben Artikel die Predigt als "Teil der
liturgischen Handlung" [602] bezeichnet und als "Botschaft von
den Wundertaten Gottes in der Geschichte des Heils, das heißt
im Mysterium Christi, das allezeit in uns zugegen und am Werk
ist, vor allem bei der liturgischen Feier" [603].

In Nr. 4 von Artikel 35 werden "eigene Wortgottesdienste" empfohlen [604], ein Zusatz nach der ersten Lesung, der sinngemäß
einer Empfehlung der römischen Synode von 1960 entspricht [605].
Diesem Artikel war eine längere Erklärung der vorbereitenden
Kommission beigefügt, in welcher die Bedeutung von Schriftlesung und Predigt in der Liturgie hervorgehoben wird. Viele
Gläubige, so heißt es da, hören nur in der Liturgie das Wort
Gottes. Außerdem bestünde bei den Anglikanern und Protestanten
der Eindruck, daß in der römischen Liturgie keine Ausgewogenheit zwischen sakramentalen Elementen und Verkündigungselemen-
ten bestehe. Die Predigt müsse als zu allen wichtigen Gottesdiensten hinzugehörig betrachtet werden. Ihr Inhalt sei vor allem das Heilsmysterium und ausgehend davon die Glaubens- und
Sittenlehre zur Belehrung der Gläubigen. Sie müsse aber immer
zur rechten Mitfeier der Gottesdienste disponieren und zum
besseren Erfassen des darin Gefeierten [606].

Artikel 48 spricht vom Wort Gottes und vom Tisch des Herrenleibes als hauptsächlichen Elementen der Mitfeier der Eucharistie. Im Entwurf hatte gestanden, die Gläubigen sollten am
Tisch des Wortes und des Herrenleibes Stärkung finden [607]. Damit war die Wirkung des Gotteswortes und der eucharistischen
Kommunion in enger Verbindung zueinander dargestellt, was gewiß Folgen für die Bewertung der Wortverkündigung hat. Dagegen

---

602 SC 35,2: "... sermonis, utpote partis actionis liturgicae". Vgl. auch
    SC 52: "pars ipsius liturgiae".
603 Ebd.: "... annuntiatio mirabilium Dei in historia salutis seu mysterio
    Christi, quod in nobis praesens semper adest et operatur, praesertim
    in actionibus liturgicis". Vgl. auch SC 52.
604 SC 35,4: "Foveatur sacra Verbi Dei celebratio".
605 Vgl. den Bericht von Bischof C. I. Calewaert (Gent/ Belgien), in: AS
    I/IV, 278-290, hier 285.
606 Vgl. den Text der Erklärung zu SC 35 im Anhang I, S. 780.
607 SC 48: "Mensa cum verbi tum corporis Domini reficiantur". Vgl. den ge-
    samten Text im Anhang II, S. 785 f.

wurde eingewandt, man könnte den "Tisch des Herrenleibes" in
metaphorischem Sinn verstehen, da der "Tisch des Wortes" diesen Sinn habe [608]. Die liturgische Kommission glaubte zwar, mit
dem Hinweis auf die "Nachfolge Christi" des Thomas von Kempen
den Text belassen zu können [609]; er wurde dennoch geändert, um
Mißverständnisse auszuschließen. Die Folge ist, daß nun die
Parallelität von "Tisch des Wortes" und "Tisch des Herrenleibes" aufgegeben ist und auch die jeweiligen Wirkungen differenziert werden: die Gläubigen sollen "sich durch das Wort
Gottes formen lassen, am Tisch des Herrenleibes Stärkung finden" [610]. Zwar findet sich in Artikel 51 unverändert der Ausdruck "Tisch des Gotteswortes"; in welchem Verhältnis er zum
"Tisch des Herrenleibes" steht, ist jedoch nicht gesagt.
In Artikel 52 wird nochmals die Homilie als Teil der Liturgie
bezeichnet. In ihr werden "die Geheimnisse des Glaubens und
die Richtlinien für das christliche Leben dargelegt" [611].
Wichtig ist der Hinweis in Artikel 56: "Die beiden Teile, aus
denen die Messe gewissermaßen besteht, nämlich Wortgottesdienst und Eucharistiefeier, sind so eng miteinander verbunden, daß sie einen einzigen Kultakt ausmachen" [612]. Josef Andreas Jungmann berichtet aus der Arbeit der vorbereitenden
Kommission, daß man zunächst von den beiden Teilen als "lehr-
haftem und opferhaftem" gesprochen habe, in der Endfassung des
Entwurfs aber schon "Wortgottesdienst" und "Eucharistiefeier"
formuliert wurde [613]. Hier werden nun Wortgottesdienst und Eu-

---

608 Vgl. den Bericht von Bischof J. Enciso Viana (Mallorca/ Spanien), a.a.
     O. (S. 192, Anm. 265). Der Einwand kam offensichtlich nicht aus der
     Diskussion in der Konzilsaula, sondern aus den Reihen der Kommissions-
     mitglieder: vgl. dazu Jungmann, 51 f.
609 Vgl. den Bericht, a.a.O.; vgl. den Text in: "Nachfolge Christi" IV,11.
610 "Verbo Dei instituantur, mensa Corporis Domini reficiantur". Lengeling,
     108, macht darauf aufmerksam, daß *instituere* nicht nur "Belehrung im
     intellektuellen oder paränetischen Sinn des Wortes meine, sondern etwa
     dem deutschen 'bilden' entspreche.
611 SC 52: "Homilia, qua per anni liturgici cursum ex textu sacro fidei
     mysteria et normae vitae christianae exponuntur, ut pars ipsius litur-
     giae valde commendatur".
612 SC 56: "Duae partes e quibus Missa quodammodo constat, liturgia nempe
     verbi et eucharistica, tam arcte inter se coniunguntur, ut unum actum
     cultus efficiant".
613 Vgl. Jungmann, 59; demnach hieß die ursprüngliche Formulierung: "Li-

charistiefeier als untrennbare Einheit bezeichnet, was wieder
Aufschluß über die Bewertung des Wortgottesdienstes gibt.
Bedeutsam ist die Erklärung der Vorbereitungskommission: Die
Heiligung des Menschen geschieht "durch das Hören des Gotteswortes, durch die Eingliederung des Menschen in das 'Mysterium
Christi' und durch die eucharistische Kommunion" [614]. Das Hören
des Gotteswortes wird also nicht selbst und als solches mit
dem Christus-Mysterium in Verbindung gebracht, ist aber doch
eine Form der Heiligung des Menschen.

Die bisher angeführten Texte haben das Sprechen Gottes bzw.
Jesu Christi zu den Menschen zum Inhalt. In Artikel 83 und 84
über das Stundengebet ist auch vom Sprechen Jesu Christi zum
Vater die Rede. Auch dies ist eine Weise der Gegenwart des
Herrn im Wort. Artikel 83 spricht davon, daß Jesus Christus im
Stundengebet die Menschengemeinschaft um sich schart, "um gemeinsam mit ihr diesen göttlichen Lobgesang zu singen. Diese
priesterliche Aufgabe setzt er nämlich durch seine Kirche
fort" [615].

Nach Artikel 84 ist das kirchlich vollzogene Stundengebet
"wahrhaft die Stimme der Braut, die zum Bräutigam spricht, ja
es ist das Gebet, das Christus vereint mit seinem Leib an seinen Vater richtet" [616].

Diese Texte sollen hier aber ausgeklammert werden; sie sind im
nächsten Abschnitt über die Gegenwart des Herrn im Gebet der
Kirche gesondert zu erörtern [617].

Schließlich ist noch auf Artikel 106 über die Feier des Sonntags hinzuweisen, wo es heißt: "An diesem Tag müssen die
Christgläubigen zusammenkommen, um das Wort Gottes zu hören,
an der Eucharistiefeier teilzunehmen und so des Leidens, der

---

turgia Missae duabus partibus quodammodo constat: didascalica nempe et
sacrificali".
614 Vgl. den Text der Erklärung zu SC 56 im Anhang I, S. 781; deutsch bei
Lengeling, 125.
615 SC 83 "Universam hominum communitatem sibi coagmentat, eandemque in
divino hoc concinendo laudis carmine secum consociat. Illud enim sacerdotale munus per ipsam suam Ecclesiam pergit".
616 SC 84: "... vere vox est ipsius Sponsae, quae Sponsum alloquitur, immo
etiam oratio Christi cum ipsius Corpore ad Patrem".
617 Vgl. unten, Abschnitt 4.6., S. 558-574.

Auferstehung und der Herrlichkeit des Herrn Jesus zu gedenken
...". In der deutschen Fassung scheint das Gedächtnis des Pascha Christi nur auf die Eucharistiefeier bezogen zu sein. Im
lateinischen Text [618] könnte es sich zumindest auch auf den
Wortgottesdienst beziehen. In der Erklärung zu diesem Artikel
war gesagt worden: "Am Tag des Herrn ... pflegt sich die Kirche seit ihrem Entstehen zu versammeln, um das Pascha-Mysterium zu begehen, indem sie liest, 'was in allen Schriften von
ihm gesagt ist' (Lk 24,27), und die Eucharistie zu vollziehen
..." [619]. Hier ist offensichtlich auch der Wortgottesdienst
schon als eine Weise der Feier des Pascha-Mysteriums gesehen.
Die diesen Sachverhalt zum Ausdruck bringende Übersetzung wäre
auch in Artikel 6 angebracht gewesen [620].
Insgesamt ist festzustellen, daß in der Konstitution in auffälliger Häufigkeit und Betonung vom Wort Gottes die Rede ist,
wobei allerdings eine präzise theologische Bewertung und Beschreibung der Verkündigung fehlt und nur aus dem gesamten
Text erschlossen werden kann.

4.5.2. Zur Theologie des Wortes Gottes

Die Liturgiekonstitution des II. Vatikanischen Konzils bietet
keine ausgearbeitete Theologie des Wortes Gottes; sie widmet
diesem Thema auch keinen eigenen Abschnitt. Dennoch enthält
sie dazu eine Reihe markanter Formulierungen, die auf die da-
hinter stehende theologische Position befragt werden können [621].
Um die Bedeutung dieser Äußerungen recht einschätzen zu können,
muß man einen kurzen Blick auf die Geschichte der Theologie des

---

618 SC 106: "Hac enim die christifideles in unum convenire debent ut, verbum Dei audientes et Eucharistiam participantes, memores sint Passionis, Resurrectionis et gloriae Domini Iesu ...".
619 Vgl. den Text der Erklärung zu SC 106 im Anhang I, S.781; deutsch bei
   Lengeling, 208.
620 Vgl. oben, S. 497.
621 Vgl. zum ganzen Thema J. Baumgartner, Das Verkündigungsanliegen in der
   Liturgiereform des II. Vatikanischen Konzils, in: F. Furger (Hg.), Liturgie als Verkündigung (= Theologische Berichte 6), Zürich-Einsiedeln-
   Köln 1977, 123-165.

Wortes Gottes bzw. der Verkündigung werfen[622].

Patristik und Scholastik

In der nachapostolischen Kirche läßt sich eine fraglose Hochschätzung des Gotteswortes als Ankündigung und gegenwärtige Verwirklichung des Heils feststellen. "So steht die Verkündigung ganz in der Perspektive der Gegenwart und entfaltet eine das Heil in Christus repräsentierende Macht"[623], vor allem in der Feier der Liturgie.

In der Patristik wurde diese Einschätzung des Gotteswortes theologisch reflektiert und entfaltet. Zeugen dafür sind unter den griechischen Kirchenvätern vor allem Origenes, Basilius und Johannes Chrysostomus[624], unter den lateinischen Vätern insbesondere Hieronymus, der die ganze Schrift auf Christus hin auslegte[625], und Augustinus, der die Heilswirksamkeit des Gotteswortes in enger Analogie zur sakramentalen Heilskraft, ja sogar als solche deutete[626].

---

622 Vgl. dazu bes. L. Scheffczyk, Von der Heilsmacht des Wortes. Grundzüge einer Theologie des Wortes, München 1966, hier vor allem 226-243; F. Schnitzler, Überlegungen zur neueren Entwicklung der Wort-Gottes-Theologie, in: TThZ 88 (1979) 145-162. Schnitzler hat die lateinischen Kirchenväter, bes. Augustinus, auf ihre Wort-Gottes-Theologie untersucht. – Speziell im Hinblick auf die Predigt vgl. D. Grasso, L'annuncio della salvezza. Teologia della predicazione, Neapel 1966 (= Historia salutis 1); J. B. Schneyer, Geschichte der katholischen Predigt, Freiburg 1969. Vgl. auch den bibliographischen Überblick von Z. Alszeghy/ M. Flick, Il problema teologico della predicazione, in: Gr. 40 (1959) 671-744.
623 L. Scheffczyk, a.a.O., 228.
624 Vgl. ebd., 229-232; A. Hamman, Dogmatik und Verkündigung in der Väterzeit, in: ThGl 61 (1971) 109-140, 202-231, hier 118-139; zu Origenes vgl. J. Daniélou, Die liturgische Verkündigung des Gotteswortes bei den Kirchenvätern, in: Anima 10 (1955) 292-295; R. Gögler, Zur Theologie des biblischen Wortes bei Origenes, Düsseldorf 1963; H. de Lubac, Geist aus der Geschichte. Das Schriftverständnis des Origenes (übertr. u. eingeleitet v. H. U. v. Balthasar), Einsiedeln 1968 (frz. Original: Histoire et Ésprit. L'intelligence de l'Écriture d'après Origène, Paris 1950); zu Joh. Chrysostomus vgl. bes. R. Kaczynski, Das Wort Gottes in Liturgie und Alltag der Gemeinde des Johannes Chrysostomus, Freiburg-Basel-Wien 1974 (= FThSt 94).
625 Vgl. W. Hagemann, Wort als Begegnung mit Christus. Die christozentrische Schriftauslegung des Kirchenvaters Hieronymus, Trier 1970 (= TThSt 23).
626 Vgl. L. Scheffczyk, a.a.O., 232-234; V. Warnach, Das Mysterium des Wortes bei Augustin, in: Miscellanea Liturgica (FS Kard. L. Lercaro), 2

In der mönchischen Theologie des Mittelalters, wie sie von Hugo von St. Viktor, Bernhard von Clairvaux und vielen anderen ausgebildet wurde, blieb die Überzeugung von der Heilsmacht des göttlichen Wortes unvermindert, verlagerte sich jedoch mehr auf die Betonung eines inneren Vorgangs zwischen Gott und Mensch, zu welchem der äußere Akt der Verkündigung nur Anlaß, nicht eigentliche Ursache ist[627].

Die großen scholastischen Theologen, vor allem Thomas von Aquin und Bonaventura, sammelten und systematisierten die vorliegende Tradition. Ihre Theologie des Gotteswortes steht im Kontext einer entfalteten Sakramententheologie. Dabei zeigt sich, daß in der theologischen Reflexion eine eigentliche Gnadenursächlichkeit nur den Sakramenten zugeschrieben wurde, während der Verkündigung bei aller Notwendigkeit im Vorgang der Begnadigung nur eine dispositive und okkasionale Funktion zukam. Eine eigene Gnadenwirksamkeit hatte das Gotteswort nach Auffassung der Scholastiker nicht[628].

Die Folgezeit war durch die Betonung der Sakramente bestimmt als der einzigen Gnadenmittel, die zudem mehr und mehr als dingliche Zeichen verstanden wurden, denen gegenüber die geistige Wirklichkeit der Wortverkündigung als weniger real, weniger wirksam und damit auch als weniger wichtig erschien.

Nachreformatorische Polarisierung

Dies verstärkte sich im Gefolge der reformatorischen Abwertung des Sakramentes zugunsten der Wortverkündigung und der darauf antwortenden einseitigen Betonung der sakramentalen Wirksamkeit in der katholischen Theologie. Schließlich konnte, wenn auch nur in polemischer Zuspitzung, von der katholischen Kir-

Bde., Rom-Paris-Tournai-New-York 1967, II, 95-117. Weitere Literaturhinweise zu Augustinus, Ambrosius und Leo dem Gr. bietet F. Schnitzler, a.a.O., 158 f. und Anm. 62, 64 und 65; vgl. auch E. Sauser, Lateinische Vätertheologie, in: SM III (1969), 145-154, bes. 152 f.

627 Vgl. L. Scheffczyk, a.a.O., 234-236; dazu Z. Alszeghy, Die Theologie des Wortes Gottes bei den mittelalterlichen Theologen, in: Gr. 39 (1958) 658-705.

628 L. Scheffczyk, a.a.O., 236-242; zu Bonaventura vgl. die eingehende Studie von A. Gerken, Theologie des Wortes. Das Verhältnis von Schöpfung und Inkarnation bei Bonaventura, Düsseldorf 1963.

che als der 'Kirche des Sakramentes' gesprochen werden, der
gegenüber sich die evangelische Kirche als 'Kirche des Wortes'
verstand[629].

Eine solche Kennzeichnung ist schon insofern unzureichend, als
in der katholischen Kirche auch der nachreformatorischen Zeit
der Predigt stets eine große Bedeutung zugemessen wurde. Da in
der Predigt aber lange Zeit "nur der kunstvolle menschliche
Ausdruck der Heilswahrheiten gesehen wurde (wie im Barock)
oder die vernunftmäßige Unterweisung in religiösen Dingen (in
der rationalistischen Aufklärung)"[630], entwickelte die katholische Homiletik nicht eigentlich eine Theologie des Gotteswortes und seiner Heilswirksamkeit, sondern gab nur Anweisungen zum Vollzug des menschlichen Verkündigungsdienstes[631].
Eine solche pauschale Beurteilung vermag natürlich nur eine
allgemeine Tendenz anzugeben. Sie wird einzelnen hervorragenden Leistungen auf dem Gebiet einer fundierten Theologie der
Predigt nicht gerecht[632], zeigt aber eine deutliche Lücke im
Gesamtbild der katholischen Theologie an.

Neubesinnung im 19. und 20. Jahrhundert

Das Bemühen um eine Theologie des Wortes Gottes setzte katholischerseits erst in diesem Jahrhundert wieder in breiterem
Umfang ein[633]. Nach den Vorarbeiten von Johann Sebastian von
Drey (+1853) und Johann Evangelist Kuhn (+1887) aus der Tübin-
ger Schule[634], nach weiteren wichtigen Impulsen von Matthias

---

629 Vgl. P. Bormann, Der Pfeil des Wortes trifft sein Ziel, Theologische
    Erwägungen zum Themenkreis "Wort Gottes" und "Verkündigung", in: Ders./
    H. J. Degenhardt (Hg.), Liturgie in der Gemeinde, 2 Bde., Paderborn
    1965, II, 135-154, hier 135 f.; F. Schnitzler, a.a.O. (Anm. 622), 151.
630 L. Scheffczyk, a.a.O., 13.
631 Hierzu findet sich reichhaltiges Material bei J. B. Schneyer, a.a.O.
    (S. 503, Anm. 622).
632 Vgl. G. Biemer, Verkündigung in der Geschichte der Kirche. Die herme-
    neutische Problematik christlicher Verkündigung, in: HVK I, 296-334.
633 Vgl. F. Sobotta, Die Heilswirksamkeit der Predigt in der theologischen
    Diskussion der Gegenwart (Diss. Münster 1967), Trier 1968 (= TThST 21),
    und die umfassend und zuverlässig informierende Arbeit von H. Jacob,
    Theologie der Predigt. Zur Deutung der Wortverkündigung durch die neu-
    ere katholische Theologie (Diss. Innsbruck 1966), Essen 1969 (= BNGKT
    11).
634 Vgl. J. Betz, Wort und Sakrament. Versuch einer dogmatischen Verhält-

Joseph Scheeben (+1888) [635] und John Henry Newman (+1890)[636] war
es auch hier die Mysterienlehre, die den entscheidenden Anstoß
zur Neubesinnung gab [637]. Nach der Lehre Odo Casels gehören zur
Vergegenwärtigung des Heilsmysteriums im Kultmysterium Wort
und Sakrament in gleicher Weise. "Beide, das Wort und das Tun,
gehören zum Kultgedächtnis ..., auch das Wort der Liturgie ist
erfüllt von göttlicher Gegenwart" [638]. In der Verkündigung des
Evangeliums "wird das Heilsgeschehen Christi pneumatisch gegenwärtig. Die Geschichte Christi vollzieht sich in dem verkündeten Wort" [639]. "So ist auch die Schriftlesung in der Liturgie in gewissem Sinne ein sacramentum" [640]. "Das gesprochene
Wort läßt die Urtat wiedererstehen. Nicht nur im Sakrament
wird sie gegenwärtig" [641].

Verkündigungstheologie

Eine weitere wichtige Anregung kam von der sogenannten Verkündigungstheologie, die vor allem von den in Innsbruck lehrenden
Jesuiten Josef Andreas Jungmann, Franz Lakner, Franz Dander,
Johannes Baptist Lotz und Hugo Rahner zwischen 1930 und 1940
entwickelt wurde [642]. Ihr Anliegen war es, eine starr gewordene
wissenschaftliche Theologie scholastischer Art, die sich weitgehend in sich selbst abzuschließen drohte, durch eine auf
Verkündigung und Seelsorge orientierte Theologie zu ergänzen.
Das Dogma sollte in das Kerygma umgemünzt werden und so wieder
seine geistliche Fruchtbarkeit entfalten. Diesen beiden Aspekten wurde dann je eine eigene Form der Theologie zugewiesen,
die man voneinander unterscheiden müsse.
Die Diskussion dieses Entwurfs ergab schon bald als überein-

---

nisbestimmung, in: Th. Filthaut/ J. A. Jungmann (Hg.), Verkündigung
und Glaube (FS F. X. Arnold), Freiburg 1958, 76-99, hier 78 f.; ausführlich zu Kuhn: H. Jacob, a.a.O., 18-20.
635 Vgl. H. Jacob, a.a.O., 20-22.
636 Vgl. G. Biemer, a.a.O., 332 f., und die dort angegebene Literatur.
637 Vgl. H. Jacob, a.a.O., 22-30.
638 O. Casel, Das christliche Kultmysterium, 172.
639 Ebd., 180; vgl. auch ebd., 158.
640 Ebd., 158.
641 Ebd., 162.
642 Vgl. den Überblick bei H. Jacob, a.a.O., 30-37.

stimmende Meinung seiner Vertreter wie seiner Kritiker, daß es eine eigenständige Verkündigungstheologie nicht geben könne [643], daß vielmehr die dogmatische Theologie selbst die Umsetzung in Verkündigungstheologie leisten müsse. Der in dieser Diskussion zum Bewußtsein gebrachte fundamentale Zusammenhang von Theologie und Verkündigung gab jedoch vielfältige Anregungen für die Entwicklung einer neuen Theologie der Verkündigung bzw. einer diese tragenden Theologie des Wortes Gottes.

Erste systematische Untersuchungen

Neben diesen beiden fruchtbaren theologischen Denkanstößen ist noch eine Reihe weiterer theologiegeschichtlicher und geistesgeschichtlicher Strömungen zu nennen, die den Weg zu einer systematischen Erörterung der Theologie des Wortes freimachen halfen [644]. Vor allem die Neubesinnung auf die Heilige Schrift ließ die dort durchweg vorausgesetzte Heilsmacht des Wortes Gottes neu verstehen [645]. Das nicht mehr primär kontrovers geführte Gespräch mit der evangelischen Theologie brachte weitere Anregungen. Dazu kamen wichtige Anstöße von der Philosophie, vor allem das als dialogischer Personalismus bezeichnete Denken [646] und die Sprachphilosophie in ihrer vielfältigen Ausprägung [647].

Aus diesen Elementen hat eine Vielzahl von Theologen aller Disziplinen versucht, eine Theologie des Wortes Gottes und der Verkündigung zu erarbeiten. Die meisten Bemühungen sind in Form von Aufsätzen zu einzelnen Sachfragen erschienen; es lagen aber schon vor dem Konzil auch zwei systematische Gesamtdarstellungen vor. Die eine war die mehr liturgiewissenschaftliche und ganz von der Mysterienlehre inspirierte Arbeit von

---

643 Vgl. K. Rahner, Kerygmatische Theologie, in: LThK[2] VI, 126.
644 Vgl. den Überblick bei L. Scheffczyk, a.a.O., 11-26, und H. Jacob, a. a.O., 9-16.
645 Vgl. die Zusammenfassungen der diesbezüglichen bibeltheologischen Ergebnisse der letzten Jahrzehnte bei F. Sobotta, a.a.O., 5-35, und H. Jacob, a.a.O., 61-85.
646 Vgl. vor allem B. Langemeyer, Der dialogische Personalismus (s. S. 325, Anm. 489); dazu H. Jacob, a.a.O., 9-13.
647 Vgl. H. Jacob, a.a.O., 14-16, und H. Krings, Zur Philosophie des Wortes, in: H. Fries (Hg.), Wort und Sakrament, München 1966, 25-40.

Divo Barsotti: "Christliches Mysterium und Wort Gottes" [648].
Darin wird die ganze Heilsgeschichte als Wirkung und Ausdruck
des göttlichen Wortes beschrieben, das in der Eucharistie seine höchste Erfüllung findet, wo das fleischgewordene Wort Gegenwart ist, sich die Kirche schafft und durch sie das Universum in sich einbezieht, welches sich schließlich durch die
Kirche im Wort an den Vater wendet [649].

Die andere systematische Arbeit war das Werk von Otto Semmelroth: "Wirkendes Wort" [650]. Semmelroth betrachtet die ganze
Heilsgeschichte als ein dialogisches Geschehen. Das göttliche
Wort ergeht an den Menschen bis hin zu seinem endgültigen Kommen in der Inkarnation. Dieses göttliche Wort erwirkt sich die
menschliche Antwort, deren Höhepunkt in der Kreuzeshingabe Jesu Christi liegt. Diese dialogische Einheit von Inkarnation
und Kreuz wird in der analogen Einheit von Verkündigung und
Sakrament repräsentiert und so stets gegenwärtig und wirksam
gemacht [651].

Außer diesen zusammenfassenden Darstellungen gab es eine Fülle
von teils recht umfangreichen Einzeluntersuchungen bedeutender
Theologen. Sie brauchen hier nicht eigens vorgestellt zu werden, da sie von Heinrich Jacob in seiner Dissertation über die
"Theologie der Predigt" sorgfältig dokumentiert und ausgewertet worden sind [652].

---

648 D. Barsotti, Christliches Mysterium und Wort Gottes, Einsiedeln-Köln-
Zürich 1957 (ital. Original: Il mistero cristiano e la parola di Dio,
Florenz 1954).
649 Vgl. ebd., 311-314.
650 O. Semmelroth, Wirkendes Wort. Zur Theologie der Verkündigung, Frank-
furt/ M. 1962.
651 Die Arbeit von F. Sobotta ist ganz von diesem Ansatz Semmelroths geprägt. Die systematischen Aspekte, unter denen Sobotta die Heilswirksamkeit der Predigt untersucht, entsprechen der Einteilung des zweiten
Teils von Semmelroths Buch über die Wirksamkeit des Gotteswortes. - Etwas distanzierter aber dennoch sehr positiv zu Semmelroth referiert H.
Jacob, a.a.O., 94-120.
652 H. Jacob stellt im Hauptteil seiner Untersuchung, a.a.O., 39-268, alle
wichtigen Beiträge zur Theologie des Wortes vor, wobei er die einzelnen Theologen unter dem Gesichtspunkt ihrer theologischen Ausgangspo-
sition einordnet. So diskutiert er als von der Mysterientheologie ausgehende Untersuchungen die Arbeiten von G. Söhngen, M. Schmaus, J. Betz,
V. Warnach, J. Pinsk, J. Pascher, E. Berbuir, E. Walter. Unter bibel-
theologischem Aspekt führt er K. H. Schelkle, H. Schlier, J. M. Nielen,

Jacob kommt zu dem Ergebnis, daß in der Theologie Übereinstimmung darüber besteht, daß "die amtliche Wortverkündigung eindeutig und schriftgemäß als *Heilsvorgang* zu sehen ist[653]. In
Christus als dem Wort des Vaters erweist sich definitiv die
Worthaftigkeit alles Heilsgeschehens"[654] und zugleich die Einheit von "'Wort' und darin gegenwärtiger 'Sache'"[655]. "Weil
das eigentliche WORT in Christus nicht mehr bloß als das vor-
läufige, die Sache anzeigende, sondern die Sache selbst schon
mit sich bringende Wort ergangen ist, so daß darin Wort und
Sache, Wort und Sakrament schon ihre geschichtliche, vom
menschlichen Denken her nicht mehr auflösbare Einheit eingegangen sind, kann die Theologie die Unterscheidung beider Bereiche nur auf dem Grund ihrer ursprünglichen vorgängigen Zusammengehörigkeit zur Sprache bringen"[656].

Hier zeigt sich, daß das Wort Gottes grundsätzlich von derselben Art der Heilswirksamkeit ist wie das Sakrament[657], wobei
freilich zwischen sehr unterschiedlichen Intensitäts- und damit auch Wirksamkeitsgraden des ergehenden Gotteswortes in der
Kirche zu differenzieren ist, angefangen vom schlichten Glaubensgespräch über die missionarische Predigt des Evangeliums
und die amtliche liturgische Verkündigung und Auslegung der
Schrift bis hin zu dem das Sakrament konstituierenden Wort. In
all diesen Weisen des Ergehens von Gottes Wort ist schließlich

---

R. Schnackenburg, A. Thome und P. Bormann an. Als Dogmatiker, die von
personal-dialogischem Denken ausgehen, bespricht er H. Volk, O. Semmelroth, L. Scheffczyk. Außerdem unter sakramententheologischem und ekkle-
siologischem Ansatz: B. Willems, W. Breuning, E. Przywara; unter fun-
damentaltheologisch-ökumenischem Gesichtspunkt: J. Ratzinger, H. Fries
und O. Karrer; hier wäre noch zu ergänzen: P. Knauer, Was heißt "Wort
Gottes"?, in: GuL 48 (1975) 6-17; der Beitrag von H. U. v. Balthasar
wird als christologisch-phänomenologischer Ausgangspunkt besprochen,
der von K. Rahner als Ansatz bei einer theologischen Anthropologie.
Als Pastoraltheologe wird F. X. Arnold diskutiert, als Homiletiker Th.
Soiron, V. Schurr, E. Haensli, J. Ries, A. Günthör, F. Hengsbach, W.
Esser, Th. Kampmann und O. H. Pesch. Das Literaturverzeichnis Jacobs
gibt eine gute Hilfe zur Feststellung des Diskussionsstands bis 1966.
653 H. Jacob, ebd., 269.
654 Ebd., 270.
655 Ebd.
656 Ebd.
657 Auf die Unterscheidung von beidem ist nachher noch einzugehen: vgl.
unten, Abschnitt 4.5.5. ("Wort und Sakrament"), S. 542-555.

auch die von diesem Wort erwirkte, aber von ihm zu unterscheidende menschliche Antwort zu bedenken, die ihrerseits auch wiederum Wort Gottes und Heilsvorgang sein kann[658]. Davon muß später noch gesprochen werden[659].

Hier ist nun zu fragen, inwieweit die genannten theologischen Ergebnisse auch in die vorkonziliare liturgiewissenschaftliche Arbeit eingegangen und von ihr mitbestimmt worden sind, und welchen Niederschlag sie in der Liturgiekonstitution gefunden haben.

Liturgiewissenschaftliche Arbeiten

Zunächst ist festzustellen, daß die meisten systematischen Theologen dem in der Liturgie verkündeten Gotteswort einen besonderen Rang zuschreiben[660], daß sie aber den speziell liturgiewissenschaftlichen Untersuchungen nicht genügend Rechnung tragen[661]. Dies kommt wohl daher, daß diese wiederum oft zu wenig systematisch-theologisch durchgeführt sind. Dennoch kann auf eine Reihe von Arbeiten aus diesem Bereich hingewiesen werden, die vor allem im Umkreis der pastoralliturgischen Bemühungen seit dem Zweiten Weltkrieg entstanden sind.

La Maison-Dieu, die Zeitschrift des französischen pastoralliturgischen Instituts, widmete schon 1948 ein ganzes Heft dem Thema: Biblische und liturgische Predigt[662]. Darin ist besonders der Beitrag von Louis Bouyer hervorzuheben[663], der die Predigt als wirksame Proklamation des Heilsmysteriums versteht[664] und in der Verkündigung nicht nur das Weitergeben des festgelegten Schriftwortes, sondern ein aktuelles Sprechen Gottes selbst erkennt[665].

---

658 Vgl. dazu bes. O. Semmelroth, Wirkendes Wort, 59–74.
659 Vgl. unten, Abschnitt 4.6.2. ("Wort und Antwort"), S. 561–565.
660 Vgl. F. Sobotta, a.a.O., 216.
661 Dies zeigt sich auch daran, daß H. Jacob diesen Bereich nur sehr knapp erwähnt: vgl. a.a.O., 203 f.
662 MD, Nr. 16 (1948): Prédication biblique et liturgique.
663 L. Bouyer, Prédication et mystère, ebd., 12–33.
664 Vgl. ebd., 20: "La prédication est la proclamation d'un fait", und die Anwendung auf den Begriff des Mysteriums, ebd., 23–33.
665 Vgl. ebd., 22: "Si Dieu ne nous parlait pas, ce dont sa Parole nous parle, perdrait tout son sens".

Im selben Heft hat Charles Rauch gezeigt, daß die Homilie die wichtigste Form der Verkündigung und nichts anderes als die Fortführung der apostolischen Predigt ist [666].

Die Maria Laacher Schriftenreihe *Liturgie und Mönchtum* brachte 1953 ein Heft mit dem Titel: "Der Mensch vor dem Worte Gottes" [667]. Darin ist auf den Beitrag von Viktor Warnach hinzuweisen, demzufolge "die Wortverkündigung ein grundlegender Faktor in der Heilsverwirklichung ..., ein wirksamer Zuspruch des Heils" ist [668].

Im selben Heft hat sich Eucharius Berbuir bereits mit der Verhältnisbestimmung von Wort und Sakrament auseinandergesetzt und beide in Einheit miteinander dargestellt, da sie zusammen das Kultmysterium tragen, welches die Gegenwart des Christus-Mysteriums, des Verbum Incarnatum, ist [669].

Bald darauf (1955) veröffentlichte die *Anima*, das Organ des Seelsorginstituts in Freiburg (Schweiz), ein ganzes Heft zum Thema: "Wort Gottes und Verkündigung" [670]. Darin zeigte Robert Koch, daß in der Urkirche das Wort vom Heil als heilswirksames Wort verstanden wurde, dem "eine fast sakramentale Würde und Wirkkraft" zukommt [671].

Wichtiger noch ist im selben Heft der Beitrag von Luigi Agustoni, der ganz von der Mysterienlehre geprägt ist [672]. Das kultische Wort ist nach ihm Wort Gottes und dauert deshalb ewig und wirkt das Heil. "Das Wort Gottes als kultisches Wort ist also das Geheimnis des Wortes Gottes im Vollzug, d.h., das Geheimnis, das mittels des Wortes wirkt" [673]. Es ist letztlich immer Christus selbst, der im kultischen Wort spricht und han-

---

666 Ch. Rauch, Qu'est-ce qu'une homélie?, ebd., 34-47, hier 45: "Si la prédication apostolique est le prototype de la prédication, l'homélie se doit ranger en tête de tous les genres de prédication".
667 LuM 12 (1953).
668 V. Warnach, Menschenwort und Wort Gottes. Zur Phänomenologie und Theologie der Sprache, ebd., 14-34, hier 28.
669 Vgl. E. Berbuir, Wort und Sakrament, ebd., 35-49.
670 Anima 10 (1955), Heft 3.
671 Vgl. R. Koch, Die Verkündigung des "Wortes Gottes" in der Urkirche, ebd., 256-265, hier 265.
672 Vgl. L. Agustoni, Das Wort Gottes als kultisches Wort, ebd., 272-284.
673 Ebd., 274.

delt [674]; dieses ist deshalb *"Ausdruck der Gegenwart des Logos"* [675]. Agustoni nennt es mit Aimon-Marie Roguet [676] ein Sakramentale [677].

Divo Barsotti hat im selben Heft der *Anima* die Grundthese seines Buches nochmals zusammengefaßt [678].

Schließlich kam in der Lyoner Zeitschrift *Lumière et Vie* 1960 ein ganzes Heft zum Thema: "Predigt" heraus [679]. Darin hat vor allem Edward Schillebeeckx einen grundlegenden Beitrag zum Thema: "Wort und Sakrament" veröffentlicht [680], der manche Ähnlichkeit mit dem gleichzeitig erschienenen, umfangreicheren Aufsatz von Karl Rahner: "Wort und Eucharistie" aufweist [681].

Insgesamt lag also schon eine bemerkenswerte Anzahl liturgiewissenschaftlicher Untersuchungen vor, die gewiß nicht ohne Einfluß auf die Erarbeitung der Liturgiekonstitution geblieben sind. Allerdings findet sich dabei, mit Ausnahme des letztgenannten Aufsatzes von Schillebeeckx, kaum ein Beitrag mit einer systematischen Reflexion über das Wort Gottes als solches. Im Vordergrund steht das liturgische Geschehen, innerhalb dessen die Verkündigung erörtert wird [682].

Das französische Meßdirektorium von 1956

Unter den für die Liturgiekonstitution bedeutsamen Einflüssen im Hinblick auf die Lehre über die Verkündigung des Wortes Gottes sind außerdem noch die "Richtlinien für die seelsorgliche Gestaltung der Meßfeier in den Bistümern Frankreichs" von

---

674 Vgl. ebd.
675 Ebd., 277.
676 Vgl. A.-M. Roguet, Les Sacrements, Tournai 1945, 376.
677 L. Agustoni, a.a.O., 282.
678 D. Barsotti, Wort Gottes und Liturgie, ebd., 284-292; vgl. ders., Christliches Mysterium und Wort Gottes (s. S. 508, Anm. 648).
679 LV(L) 9 (1960), Heft 46.
680 E. Schillebeeckx, Parole et Sacrement dans l'Église, ebd., 25-45.
681 Vgl. K. Rahner, Wort und Eucharistie, a.a.O. (S. 450, Anm. 405).
682 Vgl. auch I.-H. Dalmais, Initiation à la Liturgie (s. S. 108, Anm. 460), bes. 119-128, und im selben Sinn ders., Liturgie und Heilsmysterium, a.a.O. (S. 43, Anm. 141), 221; ebenso die kurze Bemerkung von A.-G. Martimort, Gott im Dialog mit seinem Volk, a.a.O. (S. 112, Anm. 482), 124: "Die Lesung bewirkt, daß ein bestimmtes Heilsgeschehen sich wirklich heute begibt".

1956 zu nennen [683]. Dieses Dokument wurde vom französischen pastoralliturgischen Institut erarbeitet [684], dessen Direktoren, Aimé-Georges Martimort und Aimon-Marie Roguet, und dessen Generalsekretär, Pierre Jounel, an der Vorbereitung des Liturgieschemas beteiligt waren [685]. Es bietet zunächst in enger Anlehnung an die Enzyklika "Mediator Dei" eine knappe Theologie der Meßfeier [686], um dann eingehende Richtlinien zur vorbereitenden Meßkatechese, zu den Elementen der Meßfeier, zu den Arten der Meßfeier und zu Sonder- und Gruppengottesdiensten zu geben. Bemerkenswert ist hier aus den theologischen Vorbemerkungen die Feststellung, daß die Messe "zwei verschiedene, aber eng miteinander verbundene Teile" umfasse: "einen Wortgottesdienst und das eucharistische Opfer". "Das Wort Gottes (ist) ein wesentlicher Bestandteil der liturgischen Versammlung, es ist Nahrung für die Seelen (Imitatio IV,11), es verkündet in der Kirche das Heilsmysterium, das durch die Eucharistie verwirklicht wird" [687]. Das Meßopfer faßt das ganze Heilsmysterium zusammen: "die Verkündigung des Wortes Gottes, die Einsetzung der heiligen Eucharistie, Leiden, Tod und Auferstehung unseres Herrn Jesus Christus" [688]. Unter den Elementen der Meßfeier wird dann ausdrücklich "die Verkündigung des Wortes Gottes" besprochen [689]. Hier wird die Messe als ein Ganzes bezeichnet, "in dem die Wortverkündigung bereits integrierender Bestandteil des Mysteriums ist" [690]. "Das Wort Gottes wird zunächst in den biblischen Lesungen, alsdann in der Predigt vorgelegt" [691]."Die Predigt ist ein Bestandteil der Meßliturgie" [692].

683 Vgl. den deutschen Text, in: LJ 7 (1957) 163-192 (franz. Original: Directoire pour la pastorale de la Messe à l'usage des diocèses de France, Paris 1956).
684 Vgl. den Hinweis von Ch. Rauch, (Bericht über den 3. französischen pastoralliturgischen Kongreß 1957), in: LJ 8 (1958) 50-55, hier 50.
685 Vgl. die Liste der Mitglieder der Vorbereitungskommission bei Schmidt, 219 f.
686 Vgl. das Meßdirektorium, a.a.O. (deutsch), 164-167 (Nr. 1-21).
687 Ebd., 164 f. (Nr. 1).
688 Ebd., 165 (Nr. 2).
689 Vgl. ebd., 173 f. (Nr. 68-78).
690 Ebd., 173 (Nr. 69).
691 Ebd. (Nr. 70).
692 Ebd. (Nr. 71).

Der Einfluß dieses Textes auf die entsprechenden Formulierungen der Liturgiekonstitution ist offensichtlich.

In diesem Meßdirektorium wird aber bei aller Betonung der Verkündigung in ihr nicht ein Präsentwerden des Heilsmysteriums
gesehen, sondern eine Deutung des in der Eucharistie gefeierten Mysteriums. Dennoch gehört die Wortverkündigung zur Feier
des Mysteriums hinzu. Schriftlesung und Auslegung in der Predigt bilden zusammen das Wort Gottes in der Verkündigung.

Der pastoralliturgische Kongreß in Straßburg von 1957

Diese in einem offiziellen kirchlichen Dokument neuen Hinweise
gaben das Thema für den dritten pastoralliturgischen Kongreß
in Straßburg (1957): "Bibel und Liturgie" [693]. Der Kongreß stand
unter dem aus dem Direktorium entnommenen Leitwort: "Das Wort
Gottes verkündet in der Kirche das Heilsmysterium, das durch
die Eucharistie verwirklicht wird" [694].

In den Referaten des Kongresses wurde aber mehrfach eine noch
tiefer reichende Bedeutung des Wortes Gottes vertreten, als
das Leitwort es vermuten läßt. Pierre Jounel befaßte sich mit
der Bedeutung der Heiligen Schrift für die Liturgie [695]. Neben
den allgemeinen Hinweisen, daß die ganze Liturgie aus der Bibel lebt und umgekehrt die Schrift in der Liturgie zu ihrer
vollen Erfüllung kommt, sagte er auch ausdrücklich: "Gott
spricht - und zwar heute - zu seinem Volk, das seiner Auffor-
derung, sich zu versammeln, nachgekommen ist" [696]. Dieses Sprechen Gottes geschieht im liturgischen Lesen der Schrift und in
der "Predigt des Priesters, die mit der Verkündigung des Wortes Gottes aufs innigste verbunden ist und eine Einheit bildet" [697].

Jean Daniélou stellte die gesamte Heilsgeschichte als Verwirk-

---

693 Die Referate dieses Kongresses sind veröffentlicht unter dem Titel:
    "Parole de Dieu et Liturgie", Paris 1958 (= LO 25); deutsch: Das Wort
    Gottes und die Liturgie, Mainz 1960.
694 Vgl. den Hinweis von Ch. Rauch, a.a.O., 51.
695 P. Jounel, Die Bibel und die Liturgie, in: Das Wort Gottes und die Li-
    turgie, Mainz 1960, 11-31 (franz.: La Bible dans la Liturgie, in: LO
    25, 17-49).
696 Ebd., 29.
697 Ebd.

lichung des Wortes Gottes dar, als Handeln Gottes [698]. Da diese
göttliche Wirksamkeit sich in den Sakramenten fortsetzt, "ak-
tualisieren sie das Wort Gottes und erlauben uns, es auf die
gegenwärtigen Handlungen Gottes in der Kirche anzuwenden" [699].
Hans Urs von Balthasar [700] setzte nochmals umfassender an, indem er zeigte, daß Gottes Wort in menschlicher Sprache ergeht,
welche die Erfahrungen der Menschen aufnimmt und den Gesetz-
mäßigkeiten menschlichen Sprechens folgt, um gerade so zu erweisen, daß der Mensch sein Wesen, das sich in der Sprache
ausdrückt, Gott verdankt [701]. Der Mensch selbst wird so zum
Wort Gottes, was sich in der Menschwerdung des ewigen Wortes
endgültig vollendet hat. Das menschgewordene Wort ist zugleich
die menschliche Antwort auf Gottes Wort, die vom Sohn dem Vater dargebrachte Liturgie. "In ihm fallen Wort und Liturgie
zusammen" [702]. Hier ist das Wort nicht nur Verkündigung des
Heilsmysteriums, sondern sein ursprünglicher Vollzug, der im
Christus-Mysterium seine Vollendung findet.
Ähnliche Gedanken finden sich bei Louis Bouyer [703], der die aus
dem heilsgeschichtlichen Denken gewonnene Hochschätzung der
Verkündigung auf die Liturgie anwendet. Nach einer Situations-
schilderung meint er, man müsse neu entdecken, "wie es hinter
dieser ursprünglichen Verbindung von Ritus und Wort einen inneren Zusammenhang zwischen dem tiefsten Begreifen von Gottes
Wort und den Sakramenten gibt" [704]. Den Einheitspunkt findet
auch er in der Person des menschgewordenen Wortes, Jesus Christus. Für die liturgische Verkündigung bedeutet dies, daß es
eine "Verkündigung Christi mit seinen eigenen Worten" ist[705];

---

698 J. Daniélou, Sakramente und Heilsgeschichte, ebd., 32-47 (franz.: Sacrements et histoire du salut, in: LO 25, 51-69).
699 Ebd., 47.
700 H. U. V. Balthasar, Gott hat eine menschliche Sprache gesprochen, ebd.,
48-75 (franz.: Dieu a parlé un langage d'homme, in: LO 25, 71-103) =
Ders., Gott redet als Mensch, in: Ders., Verbum Caro. Skizzen zur Theologie I, Einsiedeln 1960, 73-99.
701 Vgl. ebd. (Verbum Caro), 76-85.
702 Ebd., 98.
703 L. Bouyer, Das Wort Gottes lebt in der Liturgie, in: Das Wort Gottes
und die Liturgie, 76-94 (franz.: La Parole de Dieu vit dans la Liturgie, in: LO 25, 105-126).
704 Ebd., 84.
705 Ebd., 86.

für die Homilie, daß sie "an uns gerichtet (ist) von Christus selbst, der unter uns gegenwärtig ist"[706]. Die Verkündigung ist eine Erscheinungsweise des Mysteriums. Sie muß aber immer im Hinblick auf die volle Verwirklichung des liturgischen Mysteriums gesehen werden, zu der das Sakrament hinzugehört. Dieses ist der Raum der Aktualisierung, der immer wieder erneuerten Verwirklichung, auf die von sich aus die Verkündigung des Wortes Gottes hinzielt"[707]. Das entscheidende Wort ist das sakramentale Wort, so daß "das verkündete Wort ohne das Sakrament nicht vollständig ist"[708].

Aimon-Marie Roguet betonte beim selben Kongreß[709], daß nicht nur in der Liturgie das Wort Gottes verkündet werde, sondern daß die Liturgie selbst insgesamt Verkündigung des Gotteswortes sei. Dabei ist der Hinweis wichtig, daß vor allem in der eucharistischen Feier jeder ihrer Teile schon irgendwie das Ganze enthält und die zeitliche und inhaltliche Erstreckung des Ritus nichts anderes ist, als die Entfaltung des zentralen Mysteriums, des im Wort der Konsekration gegenwärtigen Herrn. Aus diesem Prinzip folgert Roguet, daß auch die "Evangeliumsliturgie eucharistisch" zu verstehen sei[710], daß sie "eine wirkliche Gegenwart, eine Aktualität des Göttlichen in unserer Zeit" ist[711], wobei das, "was verkündet wird, geschieht"[712]. Die Homilie ist dementsprechend auch eine "liturgische Handlung"[713]. Die ganze Wortverkündigung wird im Hinblick auf ihren sakramentalen Kontext als Sakramentale verstanden[714]. Schließlich ist unter den Referenten des Straßburger Kongresses noch auf Joseph Gelineau hinzuweisen, der in seinem Bei-

---

706 Ebd.
707 Ebd., 87.
708 Ebd., 89.
709 A.-M. Roguet, Die ganze Messe verkündet das Wort Gottes, ebd., 95-114 (franz.: Toute la messe proclame la Parole de Dieu, in: LO 25, 127-153).
710 Ebd., 101.
711 Ebd., 102.
712 Ebd.
713 Ebd., 108.
714 Vgl. dazu ausführlicher das frühere Werk von dems., Les Sacrements (s. S. 512, Anm. 676) hier 376, wo Wortgottesdienst und Stundengebet als erstrangige Sakramentalien bezeichnet werden; vgl. dazu L. Agustoni, a.a.O. (S. 511, Anm. 672), 281 f.

trag [715] darlegte, daß in der Liturgie nicht nur Gottes Wort an die Menschen ergeht, sondern auch umgekehrt die Antwort der Menschen an Gott gegeben wird. Diese Antwort ist vor allem in der Eucharistie die Hingabe Jesu Christi an den Vater, "das Wort Christi als Antwort der Kirche an den Vater" [716]. Darüberhinaus betet die gesamte Liturgie "in der Sprache Gottes" [717], was sich besonders in den Psalmen des Stundengebetes zeigt, die als Wort Gottes Gebet der Kirche sind [718].

Der Kongreß verabschiedete schließlich dreizehn "Schlußfolgerungen" [719], in denen die Thesen der Referate zusammengefaßt sind. Es dürfte nicht schwer sein, sämtliche Aussagen der Liturgiekonstitution über die Verkündigung des Wortes Gottes mit Zitaten aus den Referaten des Kongresses zu belegen. Umgekehrt ist jedoch zu fragen, ob die Konstitution die auf dem Kongreß vertretene Theologie voll aufnimmt, oder ob sie sich davon auch in einzelnen Punkten distanziert.

Cipriano Vagaggini

Zuletzt soll wegen des besonderen Einflusses, den Cipriano Vagaggini auf die Abfassung des Liturgieschemas ausgeübt hat, noch seine Position in der Frage der Bewertung der liturgischen Wortverkündigung kurz dargestellt werden. Unter den liturgischen Zeichen nennt Vagaggini als erstes das Wort [720]. Dabei spricht er vom Wort als der Form der Sakramente und Sakramentalien, die deren Sinn bestimmt. Ähnlich wie in Christus, der die "persönliche und substantiale Manifestation" des göttlichen Heilswillens ist, "manifestiert sich im Wort (des Sakraments) der Heilswille Gottes" [721]. Das Wort ist also Teil des Sakraments, dem Heilskraft zukommt.

---

715 J. Gelineau, Die Kirche antwortet Gott mit dem Worte Gottes, in: Das Wort Gottes und die Liturgie, 115-123 (franz.: L'Église répond à Dieu par la Parole de Dieu, in: LO 25, 155-179).
716 Ebd., 117.
717 Ebd., 119.
718 Vgl. ebd., 120-123.
719 Schlußfolgerungen des Kongresses, ebd., 197-202 (franz.: Conclusions du Congrès, in: LO 25, 381-387).
720 Vgl. C. Vagaggini, Theologie der Liturgie, 46-48.
721 Ebd., 47.

Im dritten Teil seines Buches behandelt Vagaggini "die Verwendung der Heiligen Schrift durch die Liturgie" [722] und "die Thematik der Psalmen und ihr(en) Bezug auf das Christusmysterium" [723]. Der Grundgedanke dabei ist, daß die Schrift mit ihren verschiedenen Sinndeutungen erst in der Liturgie im vollen christlichen Verständnis gelesen und verstanden werden kann. Die liturgische Handlung, in welche das entsprechende Schriftwort hineingestellt ist, gibt diesem seinen vollen Sinn. Der umgekehrte Gedanke, daß auch die Schrift erst die Liturgie deutet und in ihrem Sinn erhellt, tritt bei Vagaggini nicht so deutlich hervor, wenn auch gesagt ist, daß die Liturgie ganz aus dem Wort der Schrift lebt. Übergeordnet ist die Liturgie: "In der Liturgie vor allem lebt und schöpft die Kirche aus der Bibel heraus" [724]; "die spezifisch christliche Schriftlesung geschieht innerhalb der Liturgie" [725]. Welcher spezifische Stellenwert dem Wort Gottes in der Liturgie zukommt, wird jedoch nicht erörtert.

Weitere Ausführungen finden sich in einem Abschnitt über "Predigt und Liturgie" [726]. Hier wird nun ausdrücklich "die christliche Predigt ein Mysterium" genannt, in dem "das Wort des Verkünders Wort Gottes ist" [727]. "So wirkt sich durch diese äußere Verkündigung des Wortes Gottes ... unablässig das Christusmysterium aus als Geheimnis des Heils, das der Vater durch Christus im Heiligen Geist an den Menschen vollzieht" [728]. "Alle diese Momente verleihen der Predigt einen tiefen Mysteriumscharakter und machen sie zu einer heiligen Handlung, zu etwas, worin sich das Christusmysterium und die Heilsgeschichte stets von neuem auswirken" [729].

Gleich darauf sagt Vagaggini freilich von der Verkündigung, sie übermittle "die Kunde von einem Ereignis, das zwar schon

---

722 Kap. XIV, ebd., 267-284.
723 Kap. IX, ebd., 285-294.
724 Ebd., 194.
725 Ebd., 284.
726 Ebd., 422-429.
727 Ebd., 422.
728 Ebd., 423.
729 Ebd.

518

weit zurückliegt, aber stets weiterwirkt"[730]. Hier entsteht
der Eindruck, daß die Predigt doch nur Wort über das Heilsgeschehen, nicht aber selbst Heilsgeschehen ist.

Insgesamt muß wohl festgestellt werden, daß bei Vagaggini die
etwa gleichzeitig mit dem Erscheinen seines Buches geführte
dogmatische Diskussion um die Heilsmacht des Wortes Gottes
sowie die entsprechende bibeltheologische Arbeit noch nicht
vollauf rezipiert sind[731]. Die verschiedenen an der Neugewin-
nung einer Lehre vom Wort Gottes interessierten Disziplinen
waren von ihren unterschiedlichen Ausgangspunkten her zwar zu
weithin konvergierenden Ergebnissen gekommen. Ihre gegenseitige Bereicherung und Korrektur im interdisziplinären Gespräch
scheint aber noch kaum erfolgt zu sein.

Vor dem Hintergrund all dieser Arbeiten ist die Liturgiekonstitution zu lesen. Dabei wird sich zeigen, daß die Konstitution weitgehend den liturgiewissenschaftlichen Ergebnissen der
ihr vorausgehenden Jahre entspricht, in einzelnen Punkten aber
sehr zurückhaltend und unentschieden formuliert ist. Außerdem
scheint sich in der Konstitution der Einfluß der dogmatischen
Arbeiten zur Theologie des Wortes Gottes noch nicht hinreichend ausgewirkt zu haben. Dies muß jetzt noch unter einigen
für die Frage nach der Gegenwart Jesu Christi im Wort der Verkündigung wichtigen Gesichtspunkten dargestellt werden.

Um trotz dieser Einschränkungen die Bedeutung der Aussagen der
Liturgiekonstitution für eine Theologie des Wortes Gottes und

---

730 Ebd.

731 Das Werk C. Vagagginis ist 1957 erschienen. Zu dieser Zeit lag das
Buch von D. Barsotti bereits vor (Ersterscheinung 1954). Die meisten
größeren Aufsätze von F. X. Arnold, H. U. v. Balthasar, E. Haensli, K.
Rahner, H. Schlier, V. Schurr, O. Semmelroth, M. Schmaus, H. Volk u.a.
sind etwa gleichzeitig oder erst später erschienen und konnten von Vagaggini noch nicht berücksichtigt werden. Seine recht kritische Einstellung zur Mysterienlehre mag dazu beigetragen haben, daß er die
dort erarbeiteten Ergebnisse wenig berücksichtigt. Hier sind vor allem
die schon ein bis zwei Jahrzehnte früher erschienenen Arbeiten von G.
Söhngen zu nennen, vor allem ders., Symbol und Wirklichkeit im Kultmysterium (1937) (s. S. 46, Anm. 163); ders., Das Mysterium des lebendigen Christus und der lebendige Glaube (1943) (s. S. 51, Anm. 185);
ders., Christi Gegenwart in uns durch den Glauben (Eph 3,17) (1949)
(s. S. 51, Anm. 185).

der Verkündigung recht einzuschätzen, muß man berücksichtigen,
daß in der Enzyklika "Mediator Dei" als dem letzten großen
kirchenamtlichen Dokument über die Liturgie von der Verkündigung des Gotteswortes fast überhaupt nicht die Rede ist. Wenn
die Enzyklika davon spricht, so nur nebenbei und unter dem Aspekt der belehrenden Wirkung von Schriftlesung und Predigt [732].

4.5.3. Schriftlesung und Predigt

Das Wort Gottes ergeht auf vielerlei Weisen und in verschiedener Intensität, angefangen vom innertrinitarischen Wort über
das Wort der Schöpfung, der Offenbarung und der Menschwerdung
bis hin zum Wort der Verkündigung in der Kirche. Dieses hat
wiederum verschiedene Gestalt und Wirklichkeitsdichte, je nach
Subjekt, Adressat und Anlaß des kirchlichen Verkündigens [733].
Die Liturgiekonstitution des II. Vatikanischen Konzils spricht
von der Wirklichkeit und der Verkündigung des Wortes Gottes
ihrem Thema entsprechend nur im Hinblick auf die Liturgie.
Doch auch darin sind verschiedene Weisen des Wortes Gottes zu
unterscheiden, vor allem das sakramentale Wort, das Wort der
Heiligen Schrift und das Wort der missionarischen Verkündigung
als Vorbedingung und Hinführung zur Liturgie [734].

Die ganze Heilige Schrift ist Gottes Wort

In der konziliaren Diskussion der Liturgiekonstitution tauchte
die Frage auf, ob alle liturgischen Lesungen, also auch die
aus dem Alten Testament und den neutestamentlichen Briefen,
wirklich als Wort Gottes, als aktuelles Sprechen Gottes bzw.
Jesu Christi verstanden werden können, und ob auch die liturgische Predigt als Auslegung der liturgischen Schriftlesung
als Wort Gottes bezeichnet werden könne.
Die erste Frage wurde im Zusammenhang der Diskussion von Arti-

---

732 Vgl. MeD 21/529; MeD 46/540; MeD 100/558; MeD 200/593.
733 Vgl. dazu den ersten Teil des Buches von O. Semmelroth, Wirkendes Wort,
    11-133.
734 Vgl. SC 6 und 9.

kel 7 der Liturgiekonstitution gestellt. Dem Einwand, daß nur
vom Evangelium gesagt werden könne, daß darin Christus spricht
[735], oder daß man besser sage, Gott spricht, wenn die Heiligen
Schriften in der Kirche gelesen werden, begegnete die liturgische Konzilskommission mit dem allgemeinen Hinweis, daß nach
der liturgischen Tradition feststehe, daß Christus spricht,
wenn die Schrift gelesen wird [736]. Zugrunde liegt die kaum diskutierte Überzeugung, daß die gesamte Heilige Schrift als in-
spiriertes Gotteswort zu gelten hat, so daß sie als ganze in
der Kirche als Hinweis auf das Christus-Mysterium bzw. als
dessen ausdrückliche Verkündigung gelesen wird [737].

Als Gotteswort ist die Schriftlesung demnach Verkündigung durch
Jesus Christus selbst, sein aktuelles Sprechen zu der versammelten Gemeinde. Darin gewinnt die gesamte Heilige Schrift eine Aktualität, die nicht aus ihr selbst oder aus der bleibenden Bedeutung ihrer Verfasser, aber auch nicht schon aus der
Tatsache ihrer Inspiriertheit vom Geist Gottes erklärt werden
kann. Vielmehr ist logisch vorgängig zum aktuellen Ergehen des

---

735 Vgl. oben, S. 171, Anm. 172.
736 Vgl. oben, S. 188, Anm. 247.
737 Vgl. dazu die 4. Schlußfolgerung des Straßburger Kongresses, a.a.O.,
    197 f.: "Die Kirche liest die ganze Bibel". Dies wird in SC 6 aufge-
    nommen, wo mit dem Zitat aus Lk 24,27 davon die Rede ist, daß die Kir-
    che liest, "was in allen Schriften" von Christus geschrieben ist. Vgl.
    dazu A.-M. Roguet, La présence active du Christ dans la Parole de Dieu,
    in: MD, Nr. 82 (1965) 8-28, hier 10 f.; vgl. auch den umfangreichen
    Beitrag von P. Grelot, La Parole de Dieu s'adresse-t-elle à l'homme d'
    aujourd'hui?, in: MD, Nr. 80 (1964) 151-200, bes. 170 f. ("Corrélation
    de l'Église et de l'Écriture"), der auch abgesehen vom liturgischen
    Gebrauch die kirchliche Schriftlesung als Wort Gottes bezeichnet. - A.
    A. G. Gimeno, La presencia de Cristo ... (Diss. masch., s. S. 152 f.,
    Anm. 96), 439-441, meint den Hinweis der Kommission auf das Sprechen
    Christi im Evangelium (vgl. S. 188, Anm. 247) entsprechend dem S. 171,
    Anm. 172 zitierten Einwand interpretieren zu müssen und kommt zu dem
    Schluß (ebd., 440), daß die Gegenwart des Herrn in seinem Wort nur vom
    Evangelium gelte. Hier ist die Einheit des Wortes Gottes in der ganzen
    Heiligen Schrift und ihrer Auslegung zu wenig berücksichtigt. Vgl. da-
    gegen F. Mußner, Liturgiekonstitution und Schriftauslegung für die Ge-
    meinde, in: TThZ 75 (1966) 108-118, hier 108: "Sein Wort ist nach die-
    ser Formulierung (SC 7,1) nicht bloß jenes, das im Neuen Testament,
    speziell in den Evangelien, ausdrücklich als Wort Jesu überliefert
    ist; vielmehr ist die ganze Heilige Schrift des Neuen Testamentes ge-
    meint, ja offensichtlich auch das Alte Testament ... Darum ist die
    ganze Heilige Schrift 'sein Wort'".

Gotteswortes die Gegenwart des dieses Wort verkündenden Herrn
vorausgesetzt. Er ist nicht deshalb und allein dadurch da, daß
seine Botschaft verkündet wird, sondern weil er gegenwärtig
ist, bekommt die Verkündigung seiner Botschaft den Charakter
eines aktuellen Sprechens des Herrn. Hier zeigt sich wieder,
daß letztlich die im zentralen eucharistischen Mysterium gewährte personale und substantiale Gegenwart Jesu Christi als
Träger seiner aktualen Gegenwart in der Verkündigung angesehen
werden muß [738].

Deshalb ist es mißverständlich, wenn Aimé-Georges Martimort
mit Berufung auf Pierre Jounel [739] und Olivier Rousseau [740] bezüglich des Wortgottesdienstes schreibt: "Der Apostel ist
hier; der Herr ist hier; die Lesung bewirkt, daß ein bestimmtes
Heilsgeschehen sich wirklich heute begibt" [741]. Die Gegenwart
des Apostels und die Gegenwart des Herrn können nicht unterschiedslos und auf derselben Ebene gesehen werden.

Dies wird deutlich, wenn man den Sinn der Gegenwart des Apostels bedenkt, wie ihn Olivier Rousseau erläutert [742]. Die Apostel sind in ihren Schriften gegenwärtig, in denen sie als bevollmächtigte Gesandte des Herrn sein Heilswerk verkünden,
deuten und allen späteren Gläubigen so erst zugänglich machen
[743]. Ihre Gegenwart unterscheidet sich als solche nicht von
der intentionalen Gegenwart des Autors anderer Schriften, der
in der Wirkung seines Werkes fortlebt und so gegenwärtig ist.
Erst dadurch, daß in der lebendigen Verkündigung der Kirche,
deren eigentliches Subjekt der gegenwärtige Herr selbst ist,

---

738 Vgl. den entsprechenden Gedankengang in Bezug auf die liturgische Versammlung als Weise der Gegenwart des Herrn bei A.-G. Martimort: siehe
oben, S. 293 und Anm. 340.
739 Vgl. P. Jounel, Die Bibel in der Liturgie, a.a.O. (S. 514, Anm. 695), 26.
740 Vgl. O. Rousseau, La présence de l'Apôtre dans la liturgie de la messe, in: Vie spirituelle 96 (1957) 479-484.
741 A.-G. Martimort, Das Wort Gottes in der Versammlung, in: HLW I, 124;
vgl. auch oben, S. 112, Anm. 482.
742 Vgl. O. Rousseau, Lecture et présence de l'Apôtre à la liturgie de la
messe, in: MD, Nr. 62 (1960) 69-78.
743 Vgl. ebd., 69-71. - Den entscheidenden Unterschied zwischen der Gegenwart Christi und der des Apostels berücksichtigt A. A. G. Gimeno, a.a.
O. (S. 152 f., Anm. 96) nicht; er beruft sich zwar auf die Aufsätze
von O. Rousseau und A.-G. Martimort (vgl. ebd., Diss. masch., 440),
ohne aber deren Differenzierungen genügend zu beachten.

das apostolische Wort als 'Wort Gottes' qualifiziert wird [744], gewinnt es Heilsmacht und die seinen Inhalt vergegenwärtigende Kraft. Das Apostelwort wird zum Wort im Munde Jesu Christi selbst, so daß man, um eine Äquivokation zu vermeiden, nur sagen kann: "Der Herr ist hier", auch im Wort der Lesung aus den apostolischen Briefen [745].

Doch braucht diese Frage hier nicht weiter verfolgt zu werden; die Liturgiekonstitution umgeht sie, indem sie von der Einheit der Schrift als Wort Gottes ausgeht.

Die Predigt als Gotteswort

Schwieriger war die Frage, ob auch die liturgische Predigt als Wort Gottes und als Sprechen Jesu Christi zu gelten habe. Die entsprechenden Texte der Liturgiekonstitution lassen die Frage offen. Das läßt sich ausdrücklich in Artikel 7 beobachten, aber auch in Artikel 24 [746]. In Artikel 35,2 wird die Predigt als Botschaft vom gegenwärtigen und wirksamen Christus-Mysterium bezeichnet. Eine wörtliche Übersetzung des lateinischen Textes müßte freilich deutlicher von der Verkündigung des Christus-Mysteriums sprechen [747], was mehr ist als die Botschaft darüber. Hier wird die liturgische Predigt zumindest in die Nähe des Schriftwortes gerückt. Wie dieses selbst, so verkündet auch sie das Christus-Mysterium. Ein ausdrücklicher Hinweis darauf, ob damit auch die Predigt als Wort Gottes und aktuelles Sprechen Jesu Christi verstanden wird, fehlt jedoch. Er ist auch aus der entsprechenden Erklärung der vorbereitenden Kommission nicht zu entnehmen [748].

Ebenso verhält es sich bei Artikel 52. In der Homilie werden die Glaubensgeheimnisse "dargelegt" (*exponuntur*) [749]. Dies muß wohl zunächst als menschliches Sprechen über die Glaubensge-

---

744 Entsprechend gilt die Akklamation des Volkes nach der Lesung nicht etwa dem 'Wort des Apostels Paulus' oder eines anderen Apostels, sondern dem 'Wort des lebendigen Gottes'.
745 Vgl. zum Ganzen H. Schmidt, Schriftlesung in der Liturgie, in: Conc 12 (1976) 131-139, bes. 135-137.
746 Vgl. die Texte, oben, S. 497 f.
747 Vgl. den Text, oben, S. 499, Anm. 603.
748 Vgl. den Text, oben, S. 499 und Anm. 606.
749 Vgl. oben, S. 500

heimnisse verstanden werden.

Insgesamt ist festzustellen, daß die Liturgiekonstitution die Frage, ob auch die Predigt Wort Gottes ist und ob ihr damit über den erklärenden, belehrenden Charakter hinaus auch Heilswirksamkeit zukommt, nicht eindeutig beantwortet. Die Texte scheinen diese Frage eher zu verneinen. Die Kommissionserklärungen weisen der Predigt mehrfach ausdrücklich hinführende, vorbereitende und belehrende Aufgaben zu [750].

Damit bleibt die Konstitution in ihren ausdrücklichen Formulierungen hinter den Ergebnissen der vorausgegangenen theologischen Diskussion über die Heilswirksamkeit des Gotteswortes zurück. Diese Diskussion zusammenfassend stellt Franz Sobotta fest, "daß nahezu Übereinstimmung herrscht, daß die Predigt heilswirksam ist. In ihr wird Gottes Wort verkündet. In ihr werden dem Menschen die Heilstaten und Verheißungen Gottes mitgeteilt in Lehre und Auslegung, in Ermahnung und Proklamation, durch die Gott den Menschen einfordert und einholt in sein Heilswerk; denn in ihr tritt Gott, sein wirksamer Heilswille und sein Heilswirken in der Geschichte am Menschen hervor" [751].

Aber auch die Theologie des für dieses Thema so bedeutsamen Kongresses von Straßburg wird in diesem Punkt von der Konstitution nicht erreicht. Vor allem Pierre Jounel und Louis Bouyer hatten dort ausdrücklich auch der Predigt in Einheit mit der Schriftlesung den Charakter des Wortes Gottes und der aktuellen und heilswirksamen Anrede durch Jesus Christus zugesprochen [752].

In ihrem Tenor entsprechen die hier interessierenden Texte am deutlichsten der Position von Cipriano Vagaggini [753]; sie fol-

---

750 Vgl. die Erklärungen zu SC 35 und 56 im Anhang I, S. 780 f.

751 F. Sobotta, a.a.O., 215. Vgl. auch die entsprechende zusammenfassende Bemerkung bei H. Jacob, a.a.O., 269 f.: "Die Predigt ist Gotteswort und bringt dem Menschen Rettung, Heil und Leben". – Zum Nachweis bei den einzelnen Theologen muß auf das in beiden Werken breit vorgelegte Material verwiesen werden.

752 Vgl. die Zitate, oben, S. 514-516.

753 Vgl. oben, S. 517-519. – Wie sehr die Konstitution in ihren Ausführungen über die Verkündigung von dem Werk Vagagginis beeinflußt ist, zeigen auch die Erklärungen der vorbereitenden Kommission; vgl. z.B. den

gen aber auch ihm nicht bis zu der Aussage, daß in der Predigt
"das Wort des Verkünders Wort Gottes ist" [754]. Offensichtlich
wollte man eine solche pointierte Aussage, die wohl erst recht
auf Widerspruch gestoßen wäre [755], vermeiden.

Dennoch muß die Interpretation der genannten Artikel im Gesamttext der Konstitution über den Wortlaut hinausführen. Dabei
wird der Hinweis auf die Predigt als liturgische Handlung (vgl.
Nr. 35,2 und 52) bedeutsam. Diese Einstufung besagt gewiß nicht
nur, daß die Predigt in der Liturgie ihren Platz hat, sondern
darüberhinaus, daß ihr selbst der Rang eines liturgischen Vollzugs zukommt. Damit wird sie in einem umfassenden Sinn "Werk
Christi" (Nr. 7,4), der nicht nur im Menschenwort der Schrift,
sondern auch im menschlichen Wort der diese auslegenden Predigt selbst spricht (vgl. Nr. 7,1) und sein Evangelium verkündet (Nr. 33). Nur eine isolierte Betrachtung der Predigt als
menschliche Belehrung über die Heilige Schrift könnte ihr diesen Charakter einer der Liturgie insgesamt zukommenden Heilswirksamkeit absprechen.

Die angeführten Texte der Liturgiekonstitution, die in ihrem
Wortlaut die Predigt nicht als Wort Gottes bezeichnen und so
den Einwänden mancher Konzilsväter Rechnung tragen, lassen
doch in ihrem Kontext erkennen, daß auch für die Liturgiekonstitution, ebenso wie für die vorausgehenden theologischen Er-
örterungen, die Verkündigung eine Einheit aus Schriftwort und
dieses Wort aktualisierender Predigt ist [756]. Diesem gesamten
Vorgang kommt die Bezeichnung 'Wort Gottes' zu.

Text der Erklärung zu SC 35 im Anhang I, S. 780, mit C. Vagaggini, a.a.
O., 423 f. ("die Heilsgeschichte, das Mysterium Christi als zentraler
Gegenstand der Predigt"), und 429 ("der Inhalt der Liturgie als Inhalt
der Predigt").

754 Vgl. oben, S. 518 und Anm. 727.
755 Vgl. die Kritik an der Wendung *"et explicantur"* in SC 7: s. oben, S.
171; vgl. F. Schnitzler, Ministerium verbi. Zur Verkündigungstheologie
des Zweiten Vatikanischen Konzils und bei Augustinus, in: ThGl 57
(1967) 440-462. Schnitzler zeigt, daß nach der Gesamtaussage der Konstitution "Gott auch in der Predigt als einem Teil der liturgischen
Handlung gegenwärtig" ist (ebd., 445).
756 Die bibeltheologische Einsicht, daß die ntl. Schrift selbst schon wesentlich schriftliche fixierte Predigt ist und als solche verstanden
und in der Verkündigung aktualisiert werden muß, unterstützt noch diese Auffassung. Vgl. dazu vor allem H. Schlier, Wort Gottes. Eine neu-

Diese Interpretation läßt sich an den Kommentaren zur Liturgiekonstitution bestätigen. Diejenigen, die lediglich den Wortlaut der einzelnen Artikel kommentieren, lassen es zumindest offen, ob die Predigt den Charakter des aktuellen Gotteswortes hat und weisen ihr ausdrücklich eine belehrende und erklärende Bedeutung und damit nur indirekt Heilskraft zu [757]. Anders die Kommentatoren, die aus dem Gesamttext der Liturgiekonstitution eine theologische Deutung ihrer Lehre über das Wort Gottes entwickeln [758]. So nennt Pacifico Massi die Homilie einen integrierenden Teil des Dienstes am Wort [759], ein wirksames Zeichen "*ex opere operantis ecclesiae*" [760]. Sie ist als Teil des Wortgottesdienstes ebenso wie die Eucharistie sakramentales und wirksames Zeichen des Heils, wenn auch in anderer

---

testamentliche Besinnung, Würzburg 1958 (= Rothenfelser Reihe 4), bes. 53 ff.: "Das Evangelium in der Kirche"; zur Auswertung dieser und anderer Schriften von H. Schlier vgl. H. Jacob, a.a.O., 68-80.

757 So z.B. Lengeling, 76 f.: "In der Liturgie ist die Predigt Teil des heiligen Tuns. Sie muß also zur vollen Teilnahme daran führen, d.h. zur besseren geistigen und vor allem erlebnismäßigen Erfassung des in der Feier enthaltenen Heiligen". Vgl. auch H. Schürmann, Das Wort Gottes in der Konstitution des II. Vatikanischen Konzils über die Heilige Liturgie, in: P. Bormann/ H. J. Degenhardt (Hg.), Liturgie in der Gemeinde II, 128-134. Schürmann schreibt: "Gewiß wird in jeder Predigt und Unterweisung irgendwie das Gotteswort weitergegeben. In besonders dichter und eigentlicher Weise gilt das aber ... von den liturgischen Lesungen, die *aktuelles Gotteswort* sind" (ebd., 129). Die Predigt gibt also zwar irgendwie Gottes Wort weiter, sie akutalisiert es (vgl. ebd., 131), ist aber dennoch nicht eigentlich selbst Gottes Wort. – Vgl. zu diesen Kommentaren auch F. Sobotta, a.a.O., 146-149, der die Liturgiekonstitution unter die Texte einreiht, die die Wirksamkeit der Predigt als "intentionale Wirksamkeit noetisch-dynamisch" verstehen (ebd., 149) und ihr deshalb nur eine "indirekte Heilswirksamkeit" zubilligen (ebd., 216). – Etwas weitergehend formuliert P.-M. Gy, De Verbo Dei in Liturgia, in: ELit 78 (1964) 272-275, hier 274: "... quia praedicatio intra Liturgiam actus est historiae salutis", also nicht nur Bericht über das Heilsgeschehen.

758 Hier sind u.a. folgende Beiträge zu nennen: G. Fesenmayer, L'omelia nella celebrazione eucaristica, in: G. Baraúna (Hg.), La Sacra Liturgia ..., 411-435; A.-M. Roguet, La présence active du Christ dans la Parole de Dieu, a.a.O. (S. 521, Anm. 737); J. Gelineau, L'homélie, forme plénière de la prédication, in: MD, Nr. 82 (1965) 29-42; P. Bormann, Der Pfeil des Wortes trifft sein Ziel, a.a.O. (S. 505, Anm. 629); P. Massi, Catechesi e Predicazione liturgica, in: RivLi 50 (1963) 131 bis 147; ders., Liturgia della Parola, annuncio del mistero di Cristo, in: RivLi 53 (1966) 307-332.

759 Vgl. P. Massi, Catechesi e Predicazione liturgica, a.a.O., 139-141.

760 Ebd., 144.

526

Weise, entsprechend der je verschiedenen Gegenwart des Herrn im Wort und im Sakrament [761]. Die Verkündigung wirkt selbst das Heil [762].

Gerhard Fesenmayer kommt zu dem Ergebnis, daß auch der Predigt wie der Heiligen Schrift aktualisierende Kraft zukommt. Sie macht die Heilstat gegenwärtig, indem sie sie in Erinnerung ruft [763]. So enthält die Predigt die Barmherzigkeit Gottes und wendet die Erlösung Christi zu [764].

Paul Bormann diskutiert die Lehre der Liturgiekonstitution vom Wort Gottes vor dem Hintergrund der systematischen Diskussion um dieses Thema. Unter anderem setzt er sich mit Artikel 7,1 auseinander, wo nur vom Lesen der Schrift die Rede ist. Er schreibt: "Auch wo also das Wort der Schrift 'bloß' gelesen wird, ist es niemals 'nur' gelesen, sondern immer lebendiges Wort aus der Verkündigung der Kirche" [765]. Gerade deshalb bedarf das gelesene Schriftwort auch der Predigt, "die das Wort der Schrift erst eigentlich hörbar macht" [766]. Aus dem Gesamtbefund der Liturgiekonstitution erhebt Bormann dann, daß der Inhalt der Verkündigung Jesus Christus und sein Heilswerk ist, aber nicht als vergangenes Ereignis, sondern als gegenwärtige Wirklichkeit, da ja der Herr als Gegenstand der Verkündigung selbst zugegen und damit vielmehr Subjekt der Verkündigung ist [767]. Das Evangelium als Schrift ist nur Bericht über Vergangenes; im verkündigten Evangelium aber "wird dieser Bericht von einem für uns vergangenen Geschehen zum uns anredenden,

---

761 Vgl. ders., Liturgia della Parola, a.a.O., 315: "Liturgia della Parola e Liturgia eucaristica sono ambedue segno sacramentale ed efficace di salvezza, ma in modi diversi che sono propri della presenza di Cristo nella Parola e nel rito".

762 Vgl. ebd., 312: "Annuncio e pienezza della parola: L'annuncio opera la salvezza".

763 G. Fesenmayer, a.a.O., 424, schreibt unter dem Titel "Potere attualizzante": Come del testo sacro così della parola predicata si può dire che è 'parola di vita eterna' (Gv 6,68) ... Essa rende presente il fatto salvifico nel momento stesso in cui lo rievoca".

764 Ebd., 426, unter dem Titel "dispensazione della salvezza": "La teologia della parola di Dio ha destato la persuasione che la predica *apporti* la misericordia di Dio e *ci applichi* la salvezza in Cristo".

765 P. Bormann, a.a.O., 143.

766 Ebd.

767 Vgl. ebd., 145-148.

verheißenden und fordernden Wort. In diesem Wort wird die Person des Heilbringers und mit ihm das Heilsgeschehen Gegenwart"[768]. Das verkündete Evangelium, so muß man in Bezug auf die Predigt folgern, ist gerade das durch die verkündigende Kirche in seinem Anspruch als gegenwärtige Proklamation des verkündigten Inhalts erst wirklich hörbar gemachte Evangelium. Das geschieht nicht nur in der liturgischen Predigt, aber in ihr in ausdrücklichster Weise.

Aimon-Marie Roguet geht zur Erklärung der Wirksamkeit der Verkündigung von der Eucharistiefeier aus. Sie ist als ganze Gedächtnisfeier und so wirksame Gegenwart des in Wort und Tat vollzogenen Christus-Mysteriums[769]. Dieses wirksame Wort des Herrn hat sein Zentrum und seinen Höhepunkt in der eucharistischen Konsekration, welche die gesamte Heilsgeschichte zusammenfaßt[770]. Dieses zentrale Mysterium wird entfaltet im Kirchenjahr, im Stundengebet, in den einzelnen Teilen der Meßfeier und so auch im Wortgottesdienst der Messe. Diese einzelnen Teile haben von ihrem Zentrum her Sinn und Wirkkraft. Wenn sie dann auch für sich bestehen können, so doch immer in Hinordnung auf die Eucharistie[771]. Die Predigt hat demnach ihre Heilswirksamkeit in Verbindung einerseits mit den Schriftlesungen, andererseits mit der eucharistischen Konsekration[772]. Sie ist in einem weiteren Sinn 'Sakrament', dessen Wirksamkeit *ex opere operato* stammt, insofern damit letztlich das Werk Christi gemeint ist, welches der alleinige Grund der Heilskraft ist, deren Auswirkung im Hörer freilich von dessen Disposition abhängt. Der Zusammenhang der Predigt mit der Eucharistie kommt auch dadurch zum Ausdruck, daß gewöhnlich derselbe Priester predigt, der als Liturge konsekriert und das Brot des Gotteswortes bricht[773]. In dieser Verbindung mit der Hei-

---

768 Ebd., 149.
769 Vgl. A.-M. Roguet, La présence active ... (s. S. 521, Anm. 737).
770 Vgl. ebd., 16.
771 Vgl. ebd., 16-18.
772 Vgl. ebd., 18: "La prédication, enfin, est elle-même en continuité d'une part avec les lectures, d'autre part avec la consécration eucharistique"; vgl. dazu H. Schlier, a.a.O. (S. 525 f., Anm. 756), 64-68.
773 Vgl. A.-M. Roguet, a.a.O., 20: "Le Christ agit bien *ex opere operato*, mais selon des modes divers, avec une efficacité inégale, dans les sa-

ligen Schrift und der Liturgie ist die Predigt selbst Wort
Gottes, wirksames Wort und Element des Heilswerks[774].
Joseph Gelineau führt diese Gedanken weiter, indem er die liturgische Homilie als Vollform und Höhepunkt der kirchlichen
Verkündigung darstellt[775]. Davon zu unterscheiden sind vor allem die missionarische Verkündigung an noch nicht Glaubende
und die weiterführende Katechese als Glaubensunterweisung schon
Glaubender[776]. Die Homilie ist in gewissem Sinn der Höhepunkt
der liturgischen Verkündigung; in ihr bricht der Priester das
Brot des Wortes, nachdem der Lektor, die Gemeinde und der Diakon das Wort der Schrift gelesen, gehört und aufgenommen haben[777]. Die Homilie wendet sich an Gläubige, die in der Kraft
des Geistes im Menschenwort Gottes Wort zu hören vermögen[778];
sie ist Sache des Bischofs und Priesters als Zelebranten, denen die Kirche die Feier des Quasi-Sakramentes Wort und des
Sakramentes Eucharistie anvertraut[779]. Die Homilie und die
Schriftlesung bedingen sich gegenseitig und bilden miteinander

---

  crements proprement dits et dans ce grand et universel 'sacrement' qu'
  est la Parole de Dieu, qu'elle soit proclamée dans sa teneur authenti-
  que, ou qu'elle soit commentée dans l'homélie par le même prêtre qui
  agit comme liturge et prophète en rompant le pain de la Parole de
  Dieu".

774 Vgl. ebd., 26: "Comme la Parole du Christ, parce qu'elle la prolonge,
  l'actualise et l'applique, la parole du prêtre est une parole efficace,
  un élément de l'économie du salut, qui se déploie dans la liturgie, et,
  une fois la liturgie achevée, dans la vie des fidèles". Vgl. dazu auch
  A. Adam, Die Meßpredigt als Teil der eucharistischen Liturgie, in: Th.
  Maas-Ewerd/ K. Richter (Hg.), Gemeinde im Herrenmahl. Zur Praxis der
  Meßfeier (FS E. J. Lengeling), Einsiedeln-Zürich-Freiburg-Wien 1976,
  242-250, hier 243 f. ("die Meßpredigt ist heilsmächtiges Wort"). Daß
  in der Verkündigung Gott selbst gegenwärtig ist, betont F. Schnitzler,
  Ministerium verbi, a.a.O. (S. 525, Anm. 755), 444-454: "Der eigentlich
  Handelnde bei der Verkündigung des Wortes ist Gott selbst", und zwar
  ist "Gott in seinem Wort gegenwärtig" (ebd., 444-449) und "Gott ist im
  Diener des Wortes gegenwärtig" (ebd., 449-454).
775 Vgl. J. Gelineau, a.a.O. (S. 526, Anm. 758), 30 f.
776 Vgl. ebd., 31 f.
777 Vgl. ebd., 32: "D'une certain manière, l'homélie est le sommet d'une
  montée dans le processus liturgique de la transmission de la Parole de
  Dieu".
778 Vgl. ebd., 33.
779 Vgl. ebd., 33 f., hier 34: "L'unité de ces 'deux tables' apparaît dans
  la célébration de la messe, non seulement dans les rites, mais aussi
  dans le ministre auquel l'Église confie de célébrer le quasi-sacrement
  de la Parole et le sacrement de l'eucharistie".

ein Ganzes 780. Aufgrund ihres Vorranges ist die Homilie die umfassende Verkündigung. Sie umschließt die Proklamation des Evangeliums, die Unterweisung im Glauben, die Forderung, aus dem Glauben zu leben, und die Einführung in das eucharistische Mysterium781. Als umfassende Form der Verkündigung ist die Homilie ein pastorales Tun Christi, der durch den Dienst des Priesters für das gläubige Volk das Brot des Lebens bricht 782.

Diese zuletzt vorgestellten Kommentare gehen gewiß über den Wortlaut der Liturgiekonstitution hinaus. Es kann aber kein Zweifel bestehen, daß sie, was die Verbindung von Schriftlesung und Predigt sowie die Zuordnung der nichtliturgischen Verkündigungsformen zur Liturgie betrifft, den Sinn und die Gesamtaussage der Liturgiekonstitution wiedergeben 783. Das gibt uns die Möglichkeit, im Folgenden ohne weitere Differenzierung vom Wort Gottes in der Liturgie zu sprechen, womit dann der Gesamtvorgang der liturgischen Verkündigung, aber auch die dazu hinführenden und die daraus folgenden Formen kirchlicher Verkündigung zusammengefaßt sind. Es dürfte dem Sinn der Liturgiekonstitution entsprechen, wenn man die Heils-

---

780 Vgl. ebd., 34 f., hier 34: "Ainsi la lecture scripturaire et l'explication homilétique se complètent et se conditionnent l'une l'autre. Elles forment un couple qui ne devrait pas être separé".

781 Vgl. ebd., 35-41; vgl. dazu auch J. Baumgartner, Das Verkündigungsanliegen ..., a.a.O. (S. 502, Anm. 621), 152.

782 Vgl. J. Gelineau, a.a.O., 42: "L'homélie est un acte pastoral du Christ qui, par le ministère du prêtre, rompt le pain de la vraie vie au peuple des croyants".

783 Zum selben Ergebnis kommt auch F. Schnitzler, Ministerium verbi, a.a.O. (S. 525, Anm. 755), 445. Eine solche umfassende Würdigung der Aussagen der Liturgiekonstitution in Bezug auf die Predigt vermißt man bei E. Schlink, Nach dem Konzil, München-Hamburg 1966 (= Siebenstern-Taschenbuch 75), der unter der Überschrift "das Heilshandeln Gottes" (ebd., 57) positiv die konziliare Lehre von der Gegenwart Christi in Eucharistie und Wort vermerkt und die Anregungen zu einer reicheren Schriftlesung und zur Predigt würdigt, aber einschränkend bemerkt: "Daß das Evangelium wesensgemäß nicht Schrift und Lesung, sondern lebendiges Wort und konkreter Zuspruch, also Predigt, und gerade so 'Kraft Gottes' ist (Röm 1,16), wird hier übergangen" (ebd., 61). - Auf die in einer solchen Kritik sich andeutende Problematik der Verschiedenartigkeit der Bewertung des Predigtwortes in der evangelischen und katholischen Theologie kann hier nicht weiter eingegangen werden. Vgl. dazu L. Scheffczyk, a.a.O., passim, und bes. 243-286, der immer wieder kontroverstheologische Fragen aufnimmt.

wirksamkeit der einzelnen Verkündigungsformen, je für sich betrachtet, mit Aimon-Marie Roguet und Otto Semmelroth nach ihrer "Sakramentsnähe" bemißt [784].

Bedingungen der Gegenwart von Gottes Wort im Menschenwort

Dabei ist freilich zu berücksichtigen, daß eine Reihe von Bedingungen erfüllt sein müssen, sowohl auf der Seite des Spre-
chenden wie auf der Seite der Hörenden, damit wirklich im
menschlichen Wort der Verkündigung Gottes Wort gesprochen und
gehört werden kann.

Nach Artikel 7,1 spricht Jesus Christus dann selbst, "wenn die
heiligen Schriften in der Kirche gelesen werden". Nach dem bisher Gesagten kann nun formuliert werden: Er spricht, wenn in
der Kirche das Wort Gottes verkündet wird.

Es muß also wirklich die Heilige Schrift sein, die gelesen
wird [785], und sie muß schriftgemäß ausgelegt werden [786]. Die Heilige Schrift muß darüberhinaus "in der Kirche" gelesen werden.
Dies ist zunächst ein Hinweis auf die liturgische Versammlung
als den eigentlichen Ort der kirchlichen Schriftlesung [787], des
weiteren aber auf die Kirchlichkeit als Bedingung sachgemäßer
Schriftlesung und Auslegung überhaupt. Die Schrift als Buch
der Kirche kann nur in und von der Kirche recht gelesen und
verstanden werden [788]. Deshalb ist es die Kirche, die "denen,

---

784 Vgl. O. Semmelroth, Wirkendes Wort, 242-246, hier 243.
785 Darauf macht bes. A.-M. Roguet, a.a.O., 22-25 ("Conditions d'efficacité"), aufmerksam und zieht daraus die Konsequenzen für Übersetzung,
Druck und Vortrag der Bibel zum liturgischen Gebrauch.
786 Vgl. SC 35,2. Zur schriftgemäßen Auslegung vgl. C. Vagaggini, Theologie der Liturgie, 423 f., 428; C. Wiéner, Exégèse et annonce de la Parole, in: MD, Nr. 82 (1965) 59-76, bes. 70-74 ("la prédication").
787 Vgl. SC 6. Dieser Gesichtspunkt wird vor allem von den Autoren betont,
die die Liturgie zum Ausgangspunkt für die Erarbeitung einer Theologie
des Wortes nehmen: vgl. die angeführten Arbeiten von L. Agustoni, L.
Bouyer, J. Gelineau, P. Jounel, P. Massi u.a.; vgl. dazu auch J. Baumgartner, a.a.O. (S. 502, Anm. 621), 125.
788 Zu diesem vor allem von der Bibelwissenschaft und der Dogmatik neu her-
ausgestellten Sachverhalt vgl. zusammenfassend H. Schlier, Wort.II.
Das Wort im Licht der biblischen Offenbarung, in: H. Fries (Hg.), Wort
und Sakrament, München 1966, 40-73; H. Volk, Wort.III. Zur Theologie
des Wortes Gottes, ebd., 73-87; L. Scheffczyk, a.a.O., 206-225 ("das
Wort Gottes im normativen Zeugnis der Heiligen Schrift"); P. Grelot,
a.a.O. (S. 521, Anm. 737).

die nicht glauben, die Botschaft des Heils (verkündet)", "denen aber, die schon glauben, ... imer wieder Glauben und Buße
verkünden (muß)" (Nr. 6). Diese notwendige Kirchlichkeit der
Glaubensverkündigung als Bedingung dafür, daß sie wirklich
"Botschaft des Heils" und Wort Gottes ist, kommt in der kirchlichen Sendung der mit der Verkündigung Beauftragten zum Ausdruck. Sie ist eine weitere Bedingung für die Wirksamkeit der
Verkündigung [789].

Aber auch die Hörer müssen befähigt und bereit sein, im kirchlichen Verkündigungswort Gottes Wort zu hören und anzunehmen,
damit es als solches sein Ziel erreicht [790]. Dieser wichtige
Aspekt wird in der Liturgiekonstitution nicht ausgeführt; er
soll deshalb an dieser Stelle nicht weiter erörtert werden.

Für unseren Zusammenhang ergibt sich, daß unter den genannten
Bedingungen [791] zumindest in der liturgischen Versammlung die
gesamte Verkündigung als Gotteswort, als aktuelles Sprechen
Jesu Christi anzusehen ist, und damit als eine Weise seiner
persönlichen, wirksamen Realpräsenz. Dabei gilt dies von der
liturgischen Wortverkündigung nicht im exklusiven Sinn, aber

---

789 Vgl. die Andeutung dieses Prinzips in SC 6: "Wie daher Christus vom
   Vater gesandt ist ..., so hat er selbst die vom Heiligen Geist erfüllten Apostel gesandt ...". Vgl. dazu J. Gelineau, a.a.O., 33 f.; L.
   Scheffczyk, a.a.O., 249-252. - F. Wetter, Das Sprechen Gottes in der
   Verkündigung der Kirche. Ein Beitrag zur Theologie des Wortes Gottes,
   in: TThZ 76 (1967) 341-356, geht noch einen Schritt weiter. Ausgehend
   von SC 7 und SC 33 (vgl. ebd., 342 f.) fragt er, wie die Verkündigung
   aktuelles Sprechen Gottes sein kann. Zwei Bedingungen erhebt er: die
   Verkündigung muß inhaltlich mit der Botschaft der Schrift übereinstim-
   men und durch rechtliche Sendung legitimiert sein (vgl. ebd., 347 f.).
   Zu diesem "horizontalen Konnex" mit dem Ursprung muß nach Wetter aber
   noch ein "vertikaler Konnex" mit dem erhöhten Herrn gegeben sein. Er
   liegt in der Sendung des Geistes, wodurch die wirksame Gegenwart des
   Herrn gewährt ist (vgl. ebd., 350 f.).
790 Zu diesem dialogischen Charakter der Verkündigung vgl. B. Welte, Heilsverständnis (s. S. 346, Anm. 574); O. Semmelroth, Wirkendes Wort; H.
   Volk, Das Wort Gottes in der Seelsorge, in: Ders., Gesammelte Schriften I, Mainz ²1967, 211-222; ders., Zur Theologie des Wortes Gottes,
   in: Ders., Gesammelte Schriften III, Mainz 1978, 19-35; ders., Wort
   Gottes, Gabe und Aufgabe, in: Cath 16 (1962) 241-251.
791 Vgl. dazu die instruktive Zusammenfassung bei L. Scheffczyk, a.a.O.,
   243-263 ("das Weiterergehen des Wortes Gottes in der gegenwärtigen
   Verkündigung der Kirche").

doch nur hier in vollem Umfang und in höchster Dichte. Die nichtliturgischen Verkündigungsformen können im Maß ihrer Hinordnung und Nähe zur Liturgie als aktuelles Gotteswort verstanden werden. Auch hier gilt der Grundsatz von Artikel 7,4 der Liturgiekonstitution: Die Liturgie ist "als Werk Christi, des Priesters, und seines Leibes, der die Kirche ist, in vorzüglichem Sinn heilige Handlung, deren Wirksamkeit kein anderes Tun der Kirche an Rang und Maß erreicht".

4.5.4. Der Wortgottesdienst als Feier des Heilsmysteriums

Nachdem geklärt ist, daß die liturgische Wortverkündigung als Einheit aus Schriftlesung und Predigt gesehen werden muß, kann nun nach dem Stellenwert dieses Gesamtvorgangs gefragt werden. Dabei geht es vor allem um die Frage, ob die Wortverkündigung nur Ankündigung, Erläuterung und Vorbereitung der Feier des Heils ist, welche in der Eucharistie und den übrigen Sakramenten vollzogen wird, oder ob sie darüberhinaus selbst auch schon als heilswirksame Feier des Heilsmysteriums verstanden werden kann [792]. Diese Frage scheint zunächst vom Ansatz der Liturgiekonstitution her belanglos zu sein. Denn wenn Wortgottesdienst und Eucharistiefeier der Messe "einen einzigen Kultakt ausmachen" (Nr. 56), ist es vielleicht müßig zu fragen, welche spezifische Funktion jedem der Teile für sich zukommt, da sie doch nur zusammen ihren Sinn erfüllen.
Andererseits hat das Konzil aber auch "eigene Wortgottesdienste" befürwortet (Nr. 35,4), die zu besonderen Gelegenheiten als Festvorbereitung aber auch als Sonntagsgottesdienste gefeiert werden sollen, wo kein Priester für die Eucharistiefeier zur Verfügung steht [793].

---

792 Vgl. zustimmend A. Nocent, Prospettive d'avvenire per l'Ordo Missae, in: G. Baraúna (Hg.), La Sacra Liturgia ..., 371-410, hier 372-389 ("la liturgia della Parola"), bes. 373: "Ed in questo dialogo dove è proclamata la Parola di Dio, non si vede solo un richiamo, ma quasi una ripresenza degli avvenimenti". Dies gilt nach Nocent schon für das AT und erst recht für das NT, "poiché la Parola proclamata suppone che il Signore è reso presente dalla sua parola" (ebd.).
793 Vgl. SC 35,4: "Foveatur sacra Verbi Dei celebratio in solemniorum festorum pervigiliis, in aliquibus feriis Adventus et Quadragesimae, at-

Eigene Wortgottesdienste

Dieser Text wurde auf Vorschlag der argentinische Bischöfe
Jorge Kémérer (Posadas) und Alberto Devoto (Goya) [794] neu zum
Artikel 35 hinzugefügt. Die beiden Bischöfe hatten zur Begründung auch auf die Notwendigkeit solcher Gottesdienste zum Er-
satz der Eucharistiefeier am Sonntag in priesterarmen Gegenden
hingewiesen [795]. Die liturgische Kommission stellte fest, daß
er inhaltlich zwei römischen Bestimmungen aus den Jahren 1958
und 1960 entspreche [796]. Aus diesen Hinweisen geht jedoch nicht
hervor, welcher Rang solchen Gottesdiensten zukommt [797]. Wenn
sie auch in engem Zusammenhang mit der Eucharistiefeier stehen,
so muß doch gefragt werden, welche Bedeutung sie selbst und
als solche haben.

Dazu ist aber zunächst zu klären, ob diese Wortgottesdienste
im Sinn der Liturgiekonstitution 'Liturgie' sind und ihnen damit die Qualität zugesprochen werden kann, welche die Konstitution den liturgischen Feiern zuschreibt.

Einen Hinweis gibt der Einwand eines Konzilsvaters, der an
Stelle von "heilige Feier des Wortes Gottes" (*sacra Verbi Dei
celebratio*) schreiben wollte: "paraliturgische Handlung" (*actio paraliturgica*) oder "Ritus des Wortes" (*ritus Verbi*). Die
Kommission wies die vorgeschlagenen Ausdrücke zurück, da sie

---

que in dominicis et diebus festis, maxime in locis quae sacerdote ca-
rent: quo in casu celebrationem diaconus vel alius ab Episcopo delegatus dirigat".

794 Vgl. Bischof G. Kémérer (Posada/ Argentienien), in: AS I/I, 520-523,
hier 521, der im Namen von 25 argentinischen Bischöfen sprach, und Bischof A. Devoto (Goya/ Argentinien), ebd., 523-525, hier 525.

795 Vgl. dazu Jungmann, 40 f., und den Beitrag von Bischof G. Kémérer, Celebrazione della parola di Dio in località dove non vi siano sacerdoti, in: G. Baraúna (Hg.), La Sacra Liturgia ..., 303-310.

796 Vgl. den Hinweis auf das Responsum der Ritenkongregation vom 29.3.1958
an den Erzbischof von Toledo und den Artikel 559 der römischen Diöze-
sansynode 1960: siehe oben, S. 499, Anm. 605.

797 Die römische Synode wollte lediglich den Brauch abendlicher Gebetsgot-
tesdienste wiederherstellen. Sie befaßte sich nicht mit der Frage nach
der theologischen Bedeutung solcher Wortgottesdienste: vgl. Prima Romana Synodus 1960, Vatikan o.J., 217 (Nr. 559): "Fovendae sunt vigiliae biblico-liturgicae, quas vocant, quae eo spectant, ut ordinaria ves-
pertina caeremonia restituantur cum sacra concione, cum religiosa fidelium institutione, et cum cantu coniuncta. Quae vigiliae Eucharistica benedictione semper absolvendae sunt".

im liturgischen Recht ungebräuchlich und der lateinischen Sprache fremd seien [798]. Das Anliegen des Einwandes, zu klären, was hier mit *"celebratio"* gemeint ist, wurde nicht aufgenommen. Immerhin wurde dieses Wort bewußt beibehalten, das sonst überall in der Konstitution 'liturgische Feier' meint [799]. Dennoch kann nicht gefolgert werden, daß die Liturgiekonstitution solchen Wortgottesdiensten formell den Rang der Liturgie zuspricht, da sie bei aller Hochschätzung der bischöflich geregelten gottesdienstlichen Feiern der Teilkirchen [800] doch nur die vom Heiligen Stuhl für die Gesamtkirche approbierten Gottesdienste formell Liturgie nennt [801]. Man wird also folgern müssen, daß die genannten Wortgottesdienste nur dann im strikten Sinn Liturgie

---

798 Vgl. Modus 43 zu Artikel 35,4, in: AS II/V, 525: "Loco 'sacra Verbi Dei celebratio', dicatur 'Actio paraliturgica' vel 'Ritus Verbi', quia apud fideles significatio huius vocis 'celebratio' quandam confusionem gignere potest". Die Responsio dazu, ebd.: "Locutio 'Actio paraliturgica' numquam accepta est in iure liturgico, immo sermoni latino repugnat; 'Ritus Verbi' adhuc magis repugnat".
799 Vgl. SC 7, 11, 14, 17, 21, 27, 28, 35, 41, 42, 57, 59, 106.
800 Vgl. SC 13: "Speciali quoque dignitate gaudent sacra Ecclesiarum particularium·exercitia..·secundum consuetudines aut libros legitime approbatos". Hier werden bischöflich geregelte Gottesdienste als "sacra exercitia" von den Andachtsübungen des Volkes (*pia exercitia*) im vorhergehenden Abschnitt abgehoben, aber beide der Liturgie untergeordnet, "denn sie steht von Natur aus weit über ihnen" ("utpote quae natura sua iisdem longe antecellat").
801 Diese Unterscheidung wird von P.-M. Gy, (Kommentar zu SC 13), in: MD, Nr. 77 (1964) 30 f. strikt durchgeführt. Er rechnet die Wortgottesdienste von SC 35,4 zu den *sacra exercitia*, die nicht Liturgie sind. Allerdings spricht ders., De Verbo Dei in Liturgia, in: ELit 78 (1964) 272-275, hier 274, von den genannten Wortgottesdiensten als "liturgia verbi" und setzt voraus, daß sie den ersten Teil der Messe zum Inhalt haben oder zumindest nachahmen. Hier spricht er nicht von der Notwendigkeit einer formellen Approbation als Bedingung für den Rang einer *liturgia verbi*. - Auch C. Vagaggini, (Kommentar zu SC 5-13), in: ELit 78 (1964) 233-246, hier 246, spricht den *sacra exercitia* bischöflichen Rechtes ausdrücklich den Rang der Liturgie ab. Jungmann, 40, bezeichnet dagegen den Wortgottesdienst als "Form liturgischer Feier". Andernorts plädiert er für den Ausdruck "Liturgie bischöflichen Rechtes": vgl. ders., ebd., 27; ders., Liturgie und pia exercitia, in: LJ 9 (1959) 79-86; ders., Bischof und *sacra exercitia*, in: Conc 1 (1965) 95 bis 98; ders., Wortgottesdienst im Lichte von Theologie und Geschichte, Regensburg 1965 (= 4., überarb. Aufl. von "Die liturgische Feier", Regensburg 1939), bes. 122-124, hier 122 f.: "Ist nun ein solcher Wortgottesdienst Liturgie? Er ist Gottesdienst der Kirche. Er ist Liturgie im theologischen und liturgiegeschichtlichen Sinn. ... jedenfalls Liturgie bischöflichen Rechtes".

sind, wenn sie den Text des Wortgottesdienstes der Messe aus
einem approbierten liturgischen Buch zugrundelegen, sonst aber
nur in einem weiteren Sinn Liturgie genannt werden können [802].
Es gilt also, den Wortgottesdienst der Messe (*liturgia verbi*:
Nr. 56) und ebenfalls den der Feier der Sakramente sowie das
Stundengebet (*liturgia horarum* [803]) als liturgische Wortgottesdienste zu unterscheiden von den nur im weiteren Sinn liturgischen Wortgottesdiensten bischöflichen Rechts (*sacra Dei Verbi
celebratio*).

Eine solche Unterscheidung ist gewiß nicht dogmatischer, sondern juridischer Art und könnte aufgehoben werden [804]. Die inhaltlichen Kriterien der Liturgie, nämlich Werk Christi und
der Kirche zur Verehrung Gottes und zur Heiligung der Menschen
zu sein, werden gewiß von einer Liturgie bischöflichen Rechts,
die in Übereinstimmung mit der Gesamtkirche steht, ebenfalls
erfüllt. Dennoch kann der Rang der Wortgottesdienste bischöflichen Rechts für unseren Zusammenhang nicht aus dem allgemeinen Rang der Liturgie als Feier des Heilsmysteriums abgeleitet
werden. Er steht ihnen formell nicht zu. Diese Wortgottesdienste müssen also zunächst außer Betracht bleiben [805].

---

802 Diese Auffassung vertritt A.-M. Roguet, La présence active ..., a.a.O.
(S. 521, Anm. 737), 20-22, hier 21: Die Wortgottesdienste sind nicht
liturgisch im strikten Sinn, aber sie sind mit der Liturgie verbunden.
Von ihnen gilt analog, was von der liturgischen Wortverkündigung gilt.
Vgl. auch im selben Sinn: Ders., La célébration sacrée de la Parole de
Dieu, in: Miscellanea Liturgica (s. S. 503 f., Anm. 626) II, 119-132,
hier 126-128.
803 Diese Bezeichnung des erneuerten Römischen Stundenbuches ist in der Liturgiekonstitution noch nicht enthalten. Dort wird das Stundengebet in
der Regel *Officium divinum* genannt: vgl. SC 83, 101 und passim. Es kann
aber kein Zweifel bestehen, daß das Stundengebet 'Liturgie' im strikten
Sinn ist: vgl. z.B. den Hinweis in SC 91.
804 Vgl. C. Vagaggini, a.a.O., 245.
805 Vgl. H. B. Meyer, Andachten und Wortgottesdienste. Zwei Grundtypen
nichtsakramentaler Liturgie?, in: LJ 24 (1974) 157-175. Über den andersartigen Charakter der Schriftlesung in einem Gebetsgottesdienst
vgl. H. Schürmann, Die Heilige Schrift im gottesdienstlichen Raum der
Kirche, in: P. Bormann/ H. J. Degenhardt (Hg.), Liturgie in der Gemeinde I, 94-101, hier 99 f. - Von wenig Verständnis für die durch die "Sakramentsnähe" nicht erst entstehende aber doch intensivierte Wirksam-
samkeit des Verkündigungswortes zeugt die Bewertung dieser als wertvolle Ergänzung, aber auch als Notlösung eingeführten Wortgottesdienste bei W. Birnbaum, Das Kultusproblem ... (s. S. 10, Anm. 1), 148 f.
Er schreibt: "Am meisten erregend ist die Bestimmung des Artikels 35,4

Liturgische Wortgottesdienste

Im Folgenden soll also nur untersucht werden, ob der liturgische Wortgottesdienst als solcher, unabhängig von der Frage,
wie weit die Kirche diese Qualifikation über die bestehenden
Bestimmungen hinaus ausdehnen könnte, Feier des Heilsmysteriums und damit gegenwärtiges Handeln Jesu Christi genannt werden kann.

Dies ist gleichbedeutend mit der Frage, ob der Wortgottesdienst
die Qualifikation als Liturgie nur in Verbindung mit einer sakramentalen liturgischen Feier hat, mit der er "einen einzigen
Kultakt" bildet, wie in der Feier der Eucharistie und der übrigen Sakramente, oder ob auch ein Wortgottesdienst für sich
und als solcher Liturgie sein kann. Diese Frage ist eindeutig
im Sinn der zweiten Alternative zu entscheiden. Denn fraglos
ist das Stundengebet ein nichtsakramentaler Wortgottesdienst;
dasselbe gilt für die in der Liturgiekonstitution freilich
nicht erwähnte Karfreitagsliturgie und ebenso für die Wortgottesdienste anläßlich der Feier von gesamtkirchlich approbierten Sakramentalien.

Daraus muß gefolgert werden, daß liturgische Wortgottesdienste,
so sehr sie stets auf die Eucharistie hingeordnet sind, dennoch auch für sich im vollen Sinn Liturgie und als solche Feier des Heilsmysteriums sind [806]. Entsprechend ist zu sagen, daß
auch der Wortgottesdienst der Messe und der Sakramentenfeier
nicht erst wegen seiner Integration in eine sakramentale Feier,
sondern auch für sich schon uneingeschränkt Feier des Heilsmysteriums ist.

Nun darf eine solche Aussage aber keinesfalls so verstanden

... Wenn es gelingt, für diese Abendgottesdienste die rechten Prediger
zu finden, Männer mit dem echten Charisma der Verkündigung, dann könnte Deo volente der kühne Entschluß eine tiefe Erneuerung des Christseins in den katholischen Ländern zur Folge haben".

806 Vgl. dazu bes. V. Warnach, Christusmysterium (s. S. 50, Anm. 181), 182
bis 185: "Die Verkündigung ist ein wesentlicher Teil der Heilsgeschichte" (185). "Das Wort des Evangeliums hat das göttliche Mysterium nicht
nur zum Inhalt, sondern es ist selbst ein Mysterium, eine Erscheinung
der Gottesgegenwart" (184); vgl. auch F. Schnitzler, Ministerium verbi, a.a.O. (S. 525, Anm. 755), 440-444: "Der Inhalt des Dienstes am
Wort ist die Heilsgeschichte".

werden, als sollte der Wortgottesdienst gegen den sakramentalen Gottesdienst ausgespielt werden. Das zentrale liturgische
Mysterium bleibt die Eucharistiefeier, in welcher die beiden
Teile einen einzigen Gottesdienst bilden. Aus diesem zentralen
Geschehen können aber einzelne Elemente gleichsam ausgegliedert werden; ohne ihren Bezug zum Zentrum zu verlieren, sind
sie dann doch selbst auch in je ihrer Weise Verwirklichung des
Heilsmysteriums, das in der Eucharistie seinen höchsten und
umfassenden Ausdruck findet. Dabei sind die übrigen liturgischen Feiern immer hingeordnet auf die Eucharistie, zu deren
Feier sie die Gläubigen hinführen und disponieren sollen; sie
sind zugleich aber selbst schon ein in sich sinnvolles Ganzes,
ohne damit aufzuhören, Teile des umfassenden liturgischen Kosmos zu sein.
Beide Aspekte lassen sich in den Aussagen der Liturgiekonstitution über die Wortverkündigung beobachten, ohne daß dort
versucht würde, ihre gegenseitige Zuordnung zu klären.

Wortverkündigung als Ankündigung des Heils

Zunächst erscheint die Wortverkündigung als Ankündigung des
Heils, das sich in der sakramentalen Feier vollzieht. Das gilt
von der missionarischen Verkündigung, die nach Artikel 6 zu
unterscheiden ist von Opfer und Sakrament, durch welche die
Apostel "das von ihnen verkündete Heilswerk zu vollziehen" gesandt sind. Es gilt aber auch von der katechetischen Verkündigung an die Glaubenden, denen die Kirche "immer wieder Glauben
und Buße verkünden und sie überdies für die Sakramente bereiten" muß (Nr. 9). Dies trifft aber nach Artikel 35,2 auch für
die liturgische Predigt zu als der "Botschaft von den Wundertaten Gottes in der Geschichte des Heils, das heißt im Mysterium Christi, das allezeit in uns zugegen und am Werk ist, vor
allem bei der liturgischen Feier"[807]. Dieser letzte Text wurde
von der vorbereitenden Kommission in dem Sinn erläutert, daß
die Predigt dazu diene, die Gläubigen zu unterrichten, zu er-
muntern, zu ermahnen und vor Irrtümern zu bewahren. Das diene

---

807 Vgl. den Text, oben, S. 499, Anm. 603.

letztlich immer dazu, die Großtaten Gottes in der in Christus
für uns stets und besonders in der Liturgie gegenwärtig wirksamen Heilsgeschichte anzukündigen, zu preisen und zu loben.
Die Predigt müsse also zur vollen Teilnahme am Ritus disponieren, dazu, daß das dort enthaltene Heilige begrifflich und vor
allem lebensmäßig besser aufgenommen werde [808].
Nach dieser Erläuterung hat also die Wortverkündigung dispo-
nierende Bedeutung für die sakramentale Feier des Heils. Dennoch ist nicht zu übersehen, daß sowohl der Text des Artikels
wie auch die Erläuterung über diesen nur vorbereitenden Sinn
des Wortgottesdienstes hinausgehen. Schon der Gebrauch des
Ausdrucks "verkündigen" (*annuntiare*) signalisiert ein weiter-
gehendes Verständnis. Er meint im biblischen und liturgischen
Gebrauch nie nur Information über die verkündigte Sache, sondern Proklamation der Sache selbst und damit gegenwärtigen Anspruch und aktuelle Wirksamkeit des Proklamierten. Denn die
verkündigte Sache, das Heilsmysterium, erweist sich eben in
der Verkündigung als Tatwort Gottes, das wirkt, was es sagt [809].

Wortverkündigung als Ereignis des Heils

Damit leitet dieser letztgenannte Text zu einer zweiten Aussage über, die sich in den Artikeln 7 und 33 findet. Hier wird
nun die Wortverkündigung eindeutig nicht mehr nur als menschliches Sprechen über die im Sakrament sich vollziehende Heilswirklichkeit verstanden, sondern ist selbst Handeln Gottes,
das als solches stets wirksames Heilstun ist. Jesus Christus
selbst spricht (Nr. 7,1); Gott spricht zu seinem Volk, Christus verkündet die Frohe Botschaft (Nr. 33).
Hier erweist sich, daß die liturgische Verkündigung niemals
nur "anrufende Mitteilung", sondern immer auch "gnadenwirksames Ereignis" [810] ist, nie nur Bericht über das Heil, sondern

---

808 Vgl. den Text der Erklärung zu SC 35 im Anhang I, S. 780.
809 Vgl. P. Bormann, a.a.O. (S. 505, Anm. 629), 147-151, und die dort an-
      geführte Literatur. Dazu noch P. Neuenzeit, Das Herrenmahl (s. S. 48 f.,
      Anm. 175), bes. 130-145, der hier gegen Casels Lehre von der objekti-
      ven Repräsentation des Heilshandelns Christi "nur ein effektives Heils-
      oder Unheilshandeln des Herrn" gelten läßt (ebd., 145).
810 Diese Begriffe stammen von O. Semmelroth, Wirkendes Wort, und dienen

wirksames Angebot des Heils, Feier des gegenwärtigen und wirksamen Christus-Mysteriums.

Allerdings muß zugegeben werden, daß die Liturgiekonstitution selbst die Verkündigung niemals ausdrücklich als gegenwärtige Wirksamkeit des verkündigten Heils beschreibt. Sie bleibt damit hinter einer von ihrem Ansatz her möglichen konsequenten Durchführung der Lehre von der Heilsgegenwart Jesu Christi auch in der Wortverkündigung zurück, stellt jedoch gleichwohl die Elemente bereit, die zu einer solchen Durchführung nötig sind [811]. Eine umfassende Interpretation der Konstitution würde also dem Text nicht gerecht, wenn sie das Sprechen Gottes in Jesus Christus bei der liturgischen Wortverkündigung nur als Botschaft über das Heil, als Ruf zum Glauben daran und als Einladung zur Eucharistiefeier verstünde [812]; sie muß es darüberhinaus als Vollzug des Heils verstehen. So schreibt Hermann Volk: "Das aktuelle Wort Gottes ist für uns ein aktuelles Heilshandeln Gottes, eine Heilsrealität, eine spezifische Form spezifischer Gnadenerweise" [813]. Jakob Baumgartner formuliert[814]: "Es ist Erinnerung Jesu, eine repräsentierende Kundgabe, in welcher die Gemeinde den Tod Christi feierlich proklamiert, so daß er für sie ein gegenwärtiges und offenbares Ereignis wird". Hier ist nun nochmals auf die oben bereits angeführten Kommentare hinzuweisen [815], welche die liturgische Predigt als Myste-

---

als Überschriften der Abschnitte über die Wirksamkeit des Wortes. Vgl. dazu im selben Sinn F. Sobotta, a.a.O.; er spricht der "anrufenden Mitteilung" intentionale Wirksamkeit dianoetischen und darüberhinaus dynamischen Charakters zu (vgl., ebd., 70-114, bes. 111), deren Wirkung "eine Disposition" ist (ebd., 111). Die Predigt als "gnadenwirksames Ereignis" hat nach ihm aber immer auch eine "energetische Wirksamkeit" (ebd., 114-160, hier 114).

811 Hierin entspricht die Konstitution wiederum der Position C. Vagagginis, der einerseits den disponierenden Charakter der Wortverkündigung, andererseits aber auch ihren heilswirksamen Charakter nennt, ohne die Synthese zwischen beiden zu formulieren. Daß diese Synthese aus der Gesamtaussage der Konstitution erhoben werden kann, zeigt F. Schnitzler, Ministerium verbi, a.a.O. (S. 525, Anm. 755), 445-462: "Gottes Wort besitzt Kraft, das Heil zu wirken".

812 So C. Gavaler, Die Homilie als Teil der Messe, in: LJ 15 (1965) 103 bis 107, hier 106.

813 H. Volk, Theologische Grundlagen der Liturgie, 92.

814 J. Baumgartner, Das Verkündigungsanliegen ... (s. S. 502, Anm. 621), 140.

815 Vgl. die oben, S. 526-530, angeführten Beiträge.

rium, als das Christus-Mysterium vergegenwärtigendes Heilsereignis und damit als gegenwärtige Heilswirksamkeit des erhöhten Herrn in und mit der Kirche beschreiben. Was dort von der
Predigt gesagt wird, gilt natürlich erst recht und primär vom
Wortgottesdienst insgesamt.

Daraus folgt, daß auch das in der Kirche verkündete Wort Gottes als Aktualpräsenz des erhöhten Herrn und seiner Heilstat
verstanden werden muß; es ist eine Realpräsenz als "seine
geist- und tathafte, seine wirkhafte Gegenwart" [816]. Seine
Wirksamkeit kann nicht nur darin gesehen werden, daß es den
Menschen zum sakramentalen Heilsempfang disponiert, auch nicht
nur darin, daß seine Verkündigung Anlaß für eine von dieser
Verkündigung innerlich unabhängige Gnadenwirksamkeit Gottes
wäre. Es ist vielmehr "das heilshafte Wort, das an sich mit-
bringt, was es aussagt, ist selbst also Heilsereignis, das
(...) anzeigt, was an ihm und unter ihm geschieht, und geschehen läßt, was es anzeigt" [817].

Der hier vorgelegte Gedankengang geht als theologische Interpretation der Liturgiekonstitution von der liturgischen Wortverkündigung aus. Er kommt zum selben Ergebnis, wie die bibeltheologischen und dogmatischen Untersuchungen zum selben Thema [818]. Von hier aus könnte nun zurückgefragt werden, um die
Wirksamkeit und Wirkweise der übrigen Formen kirchlicher Verkündigung bis hin zum Glaubensgespräch unter Christen und zur
persönlichen Schriftlesung zu untersuchen [819]. Doch ist dies
nicht das Thema der Liturgiekonstitution.

---

816 P. Bormann, a.a.O., 153. Diesen Gedanken hat F. Schnitzler, Ministerium verbi, a.a.O., 449-454, eigens herausgearbeitet. Jesus Christus ist
nicht nur im Zelebranten der Eucharistie im engen Sinn handelnd gegenwärtig, sondern "Christus ist auch dann im minister sacramenti gegenwärtig, wenn er Gottes Wort innerhalb der Liturgie verkündet" (452).
Vgl. auch A. Verheul, Le service de la Parole. Essai d'une approche de
théologie pastorale, in: QL(P) 56 (1975) 225-256, bes. 230-232: "La
présence du Christ sous le signe de la Parole".

817 K. Rahner, Wort und Eucharistie (s. S. 450, Anm. 405), 321; vgl. auch
den als Kommentar zu SC zu lesenden Abschnitt zur Heilskraft der Verkündigung bei J. Baumgartner, Das Verkündigungsanliegen ..., 127.

818 Die liturgietheologische Untersuchung der Bedeutung der Wortverkündigung kann als Ergänzung zu der Arbeit von H. Jacob dienen, bei dem
dieser Bereich kaum berücksichtigt ist.

819 Vgl. dazu außer den Arbeiten von O. Semmelroth, a.a.O., 242 f., und L.

4.5.5. Wort und Sakrament

Es wurde mehrfach festgestellt, daß die liturgische Wortverkündigung als die dichteste und wirksamste Weise des in der
Kirche ergehenden Gotteswortes verstanden werden muß. An ihr
müssen die übrigen Formen der Verkündigung gemessen werden;
das Maß ihrer Kirchlichkeit und ihrer Sakramentsnähe bestimmt
das Maß ihrer Wirksamkeit. Dennoch besteht auch innerhalb der
liturgischen Wortverkündigung eine Stufenordnung und Rangfol-
ge. Damit ist nun nicht mehr der Unterschied zwischen Lesung,
Evangelium und Predigt gemeint, die als einheitliches Sinngefüge erkannt wurden, auch nicht die verschiedenen Formen der
Hinführung zum Schriftwort und seiner Auslegung in der Liturgie[820], sondern der Unterschied zwischen dem Wortgottesdienst
und der sakramentalen Feier, die selbst ein Verkündigungsge-
schehen ist.

Es muß also nach dem Verhältnis von Wort und Sakrament gefragt
werden, eine Frage, die umso brisanter ist, als in der bisherigen Darstellung ein entscheidender Unterschied zwischen diesen beiden Weisen kirchlichen Heilsvollzugs nicht sichtbar
wurde und dennoch die Wortverkündigung nicht einfach den Sakramenten gleichgestellt werden kann.

Die Frage nach dem Verhältnis von Wort und Sakrament wurde immer dort akut, wo man begann, über die Heilsmacht des Wortes
nachzudenken und dabei feststellte, daß sie ganz ähnlich oder
sogar von grundsätzlich der gleichen Art ist wie die des Sakramentes. Deshalb ist es nicht erstaunlich, daß dieselben
Theologen, die entscheidende Beiträge zur Theologie des Wortes
geliefert haben, sich auch zum Verhältnis von Wort und Sakrament äußern mußten. Die wichtigsten Beiträge sind von F. Sobotta gesammelt und diskutiert worden[821]. Seine Ergebnisse

---

Scheffczyk, a.a.O., 259-263, auch noch R. Berthier, Comment l'Église
annonce la Parole de Dieu, in: MD, Nr. 80 (1964) 201-216.
820 Vgl. die Erläuterungen zu diesen verschiedenen Formen (Ansprache, Homilie, Predigt, Hinweise, Katechese) bei Schmidt, 184-187.
821 F. Sobotta, a.a.O., 160-215, behandelt unter der Überschrift "die Predigt und die Sakramente" die Arbeiten von G. Söhngen, F. X. Arnold, V.
Warnach, E. Berbuir, M. Schmaus, K. Rahner und O. Semmelroth.

sind zu ergänzen durch die Ausführungen der breiter angelegten
Arbeit von Heinrich Jacob, der zwar nicht, wie Sobotta, unter
dem Stichwort 'Predigt und Sakrament' die einzelnen Autoren
untersucht, aber bei jedem von ihm diskutierten Autor auch
nach dessen Position zu diesem Thema fragt [822].
Eine eigene Untersuchung zu der genannten Frage hat Franz
Schott vorgelegt [823]; er berücksichtigt die einschlägige Literatur bis 1968 [824].
Einen bis dahin oft zu wenig beachteten Aspekt hat Walter Kasper neu in die Diskussion gebracht [825], indem er das Wort zunächst anthropologisch als Bestimmung der menschlichen Situation versteht, die sich im Sakrament verdichtet, welches seinerseits durch das Wort zur Heilssituation gemacht wird [826].

---

822 Aus H. Jacob, a.a.O., wären vor allem die Beiträge von O. Casel, J.
   Betz, K. H. Schelkle, H. Schlier, P. Bormann, H. Volk, L. Scheffczyk,
   W. Breuning, E. Przywara, H. Fries, H. U. v. Balthasar, Th. Soiron, V.
   Schurr, E. Haensli, W. Esser und O. H. Pesch zu nennen.
823 F. Schott, Der eine kirchliche Heilsdienst in Wort und Sakrament (Diss.
   masch.), Mainz 1969; Schott diskutiert zunächst die vorliegenden Lösungsversuche unter dem Aspekt der "Einheit und Verschiedenheit von
   Wort und Sakrament" (ebd., 33-114), um dann mit Hilfe einer präziseren
   Fassung der Begriffe "opus operatum und opus operantis" (ebd., 116-257)
   darin den Ansatz zur Unterscheidung und gegenseitigen Zuordnung von
   Sakrament und Wort zu finden (ebd., 258-339).
824 Zu ergänzen ist noch H. R. Schlette, Wort und Sakrament, in: Orientierung 32 (1968) 128-131. - Im übrigen kann auf die Literaturverzeich-
   nisse der Arbeiten von F. Sobotta (a.a.O., 223-231), H. Jacob (a.a.O.,
   XII-XXXVI) und F. Schott (a.a.O., 460-479) verwiesen werden. Sie bieten eine umfangreiche Bibliographie zur Theologie des Wortes Gottes
   und zur Verhältnisbestimmung von Wort und Sakrament.
825 Vgl. W. Kasper, Wort und Sakrament, in: Ders., Glaube und Geschichte,
   Mainz 1970, 285-310 (erstveröffentl. 1968); ders., Wort und Symbol im
   sakramentalen Leben. Eine anthropologische Begründung, in: W. Heinen
   (Hg.), Bild - Wort - Symbol in der Theologie, Würzburg 1969, 157-175.
826 Das Neue am Beitrag Kaspers liegt nicht eigentlich im ausdrücklichen
   Bedenken der menschlichen Situation, die christlich zur Heilssituation
   bestimmt wird. Dieser Gedanke findet sich auch bei K. Rahner, Personale und sakramentale Frömmigkeit, a.a.O. (S. 491, Anm. 580), bes. 126
   bis 134; ders., Wort und Eucharistie, a.a.O. (S. 450, Anm. 405), bes.
   340-345; ders., Zur Theologie des Symbols, a.a.O. (S. 312, Anm. 419),
   bes. 304-311. Ebenso betont diesen Gedanken H. U. v. Balthasar, Gott
   redet als Mensch, a.a.O. (S. 515, Anm. 700), u.ö.; er findet sich auch
   bei L. Scheffczyk, a.a.O., 273 f. Der Beitrag Kaspers liegt vielmehr
   darin, daß er die menschliche Situation, die durch das Christus-Ereignis durchgreifend bestimmt ist, zum Ausgangspunkt der Überlegungen zur
   Zuordnung von Wort und Sakrament macht. Vgl. seine "christologische
   Grundlegung" und "anthropologische Grundlegung" in: Ders., Wort und

Dieser Gedanke, der den Menschen als Empfänger von Wort und
Sakrament in seiner konstitutiven Bedeutung für das Ereignis
von Wort und Sakrament selbst stärker in den Blick nimmt, ist
in einigen neueren Arbeiten unter verschiedenen Gesichtspunkten weitergeführt worden [827].

Es kann hier nicht darum gehen, diese umfangreiche und noch
keineswegs abgeschlossene Diskussion erneut darzustellen oder
fortzuführen. In unserem Zusammenhang ist lediglich zu fragen,
welchen Beitrag die Liturgiekonstitution zu der Verhältnisbestimmung von Wort und Sakrament leistet, inwieweit sie Ergebnisse der theologischen Diskussion aufnimmt und ob sie ihrerseits dazu neue Impulse gibt. Dabei ist entsprechend dem Thema
dieses Abschnitts speziell auch nach der spezifischen Heilswirksamkeit des Verkündigungswortes zu fragen.

Der Diskussionsstand zur Zeit des Konzils

Um die Liturgiekonstitution richtig in der Diskussion um die
Verhältnisbestimmung von Wort und Sakrament zu situieren, ist
es wohl nützlich, mit wenigen Strichen den Stand dieser Diskussion zur Zeit des Konzils zu skizzieren.

Sakrament, a.a.O., 295-302; noch deutlicher in: Ders., Wort und Symbol, a.a.O., 159-170.

827 Vgl. z.B. O. H. Pesch, Besinnung auf die Sakramente. Historische und
systematische Überlegungen und ihre pastoralen Konsequenzen, in: FZPhTh
18 (1971) 266-321, bes. 295-316 ("Wort und Sakrament"); H. Weber, Wort
und Sakrament. Diskussionsstand und Anregung zu einer Neuinterpretation, in: MThZ 23 (1972) 241-274, wo der "Versuch einer Deutung mit den
Mitteln der modernen Sprachphilosophie" unternommen wird (vgl. ebd.,
256-274); G. Koch, Wort und Sakrament als Wirkweisen der Kirche, in:
Ders. u.a., Gegenwärtig in Wort und Sakrament. Eine Hinführung zur Sakramentenlehre, Freiburg-Basel-Wien 1976 (= Buchreihe Theologie im Fernkurs 5), 48-83; R. Schulte, Die Wort-Sakrament-Problematik in der evangelischen und katholischen Theologie, in: F. Furger (Hg.), Liturgie als
Verkündigung, Zürich-Einsiedeln-Köln 1977 (= Theologische Berichte 6),
81-122 (dort auch Hinweise auf Literatur aus der evangelischen Theologie: ebd., 120-122). - Vgl. auch den Literaturbericht von H. B. Meyer,
Kult - Liturgie - Sakrament. Bemerkungen zu einigen Neuerscheinungen,
in: ZKTh 100 (1978) 122-126, bes. 124 f. ("Wort und Sakrament"). - Unter einer anderen und spezielleren Fragestellung vgl. auch K. Lehmann,
Das Verhältnis von Glaube und Sakrament in der katholischen Tauftheologie. Erwachsenen- und Kindertaufe, a.a.O. (S. 491, Anm. 580); ders.,
Glaube - Taufe - Ehesakrament. Dogmatische Überlegungen zur Sakramentalität der Ehe, a.a.O. (S. 491, Anm. 580); P. Knauer, Der Glaube kommt
vom Hören. Ökumenische Fundamentaltheologie, Graz-Wien-Köln 1978, 170 ff.

544

Die gängige, aber in Wahrheit beide Positionen immer schon unzulässig vereinfachende Gegenüberstellung von 'Kirche des Wortes' und 'Kirche des Sakramentes' im Hinblick auf evangelisches und katholisches Glaubensverständnis war, zumindest theologisch, überwunden [828]. Es war klar, daß auch im katholischen Verständnis das Wort nicht nur belehrend, sondern wirksam ist, Heilszeichen und Gnadenmittel, ähnlich wie das Sakrament [829], daß also "die These, die Kirche lebe aus Wort *und* Sakrament heute als selbstverständliche katholische Position gelten kann" [830]. Weiterhin trafen sich die bedeutendsten Beiträge in der Überzeugung, daß Wort und Sakrament eine innere Einheit bilden, daß sie also nicht primär von ihrer Unterschiedenheit her, sondern von ihrer vorgängigen Einheit her gesehen und dann erst sekundär in ihrer jeweiligen Eigenart voneinander abgehoben werden können [831].

Diese Einheit ist daher begründet, daß mit der Menschwerdung Jesu Christi das Wort Gottes selbst, das in der Offenbarung als Heilswort an die Menschen ergeht, definitiv und untrennbar eines ist mit der 'Sache' des Heils, dem Christus-Ereignis. Darin erweist sich abschließend, daß das Wort Gottes immer schon wirksames Wort, Wort und Tat in Einheit ist [832]. Diesem Charakteristikum der Schöpfungs- und Offenbarungswirklichkeit entspricht folgerichtig die Natur des Menschen als eines leibhaften Geistwesens, das "als Person sich ganz wesentlich sprechend, sich selbst aussprechend, vollzieht" [833] und dabei geistige Wirklichkeit sinnlich wahrnehmbar äußert, so daß man von "der Leiblichkeit der menschlichen Sprache" als einer "'Inkarnation' des inneren Wortes" sprechen kann [834].

---

828 Vgl. P. Bormann, a.a.O., 135-137, mit Belegen; L. Scheffczyk, a.a.O., 14-16. Vgl. auch die S. 505, Anm. 629, genannten Hinweise bei F. Schnitzler, Ministerium verbi; dazu L. Bouyer, Wort - Kirche - Sakrament in evangelischer und katholischer Sicht, Mainz 1961.
829 Vgl. G. Koch, a.a.O. (S. 544, Anm. 827), 49-56.
830 W. Kasper, Wort und Sakrament, a.a.O., 285.
831 Darin stimmen alle Autoren wichtiger Beiträge zur Sache überein; vgl. die zusammenfassende Feststellung bei H. Jacob, a.a.O., 270.
832 Dies wird besonders deutlich bei den heilsgeschichtlich orientierten Beiträgen z.B. von D. Barsotti, O. Semmelroth und L. Scheffczyk.
833 Vgl. H. Volk, Wort. III., a.a.O. (S. 531, Anm. 788), 80.
834 Vgl. L. Scheffczyk, a.a.O., 27-107, hier 66.

Umstritten war die Frage nach der rechten Einordnung des Wortes und seiner Wirkweise in die geläufige, vor allem von der Sakramententheologie her bestimmte Systematik[835]. Während manche Theologen in der Verkündigung zunächst lediglich den Anlaß, nicht aber die Ursache der Gnade sahen[836], setzte sich mehr und mehr die Auffassung durch, daß auch der Verkündigung eine eigentliche Gnadenursächlichkeit zuzusprechen sei. Dabei bestanden erhebliche Unterschiede in der näheren Bestimmung dieser Ursächlichkeit. Luigi Agustoni[837], Johannes Betz[838] und andere[839] bezeichnen die Verkündigung ausdrücklich als Sakramentale. Die beiden genannten Autoren heben hervor, daß die Verkündigung wie die Sakramentalien *ex opere operantis ecclesiae*, aber gerade deshalb aufgrund der Einheit von Christus und Kirche auch *ex opere operato* dem recht disponierten Hörer Gnade schenken, sofern man mit *opus operatum* letztlich das Wirken Jesu Christi durch die Kirche meint[840], eine Auffassung, die freilich nicht unbestritten blieb. Andere Autoren fanden nämlich gerade in der Wirksamkeit *ex opere operantis ecclesiae* den entscheidenden Unterschied zwischen Wortverkündigung und Sakramentenspendung[841].

---

835 Vgl. zu dieser Frage bes. A. Günthör, Die Predigt. Theoretische und praktische Wegweisung, Freiburg-Basel-Wien 1963, 42-63 ("Wirkung und Wirkweise der Predigt").

836 So Thomas v. Aquin: vgl. Z. Alszeghy, Die Theologie des Wortes Gottes bei den mittelalterlichen Theologen, a.a.O. (S. 504, Anm. 627), 239-242, und L. Scheffczyk, a.a.O., 236-238; Bonaventura: Vgl. L. Scheffczyk, ebd., 239-242; J. E. Kuhn: vgl. J. Betz, Wort und Sakrament, a.a.O. (S. 505 f., Anm. 634), 79, und H. Jacob, a.a.O., 18-20; aber auch noch V. Schurr, F. X. Arnold und P. Hitz in ihren früheren Schriften, wobei bei allen dreien eine spätere Wendung zu einem direkt heilsursächlichen Verständnis der Verkündigung festzustellen ist: vgl. dazu F. Sobotta, a.a.O., 118-125.

837 Vgl. L. Agustoni, a.a.O. (S. 511, Anm. 672), 281: "Das Wort Gottes in der Liturgie ist ein Sakramentale".

838 Vgl. J. Betz, a.a.O., 99: "Das Wort ist sogar das Ur-Sakramentale oder das Sakramentale schlechthin".

839 Vgl. die Angaben bei A. Günthör, a.a.O., 54 und Anm. 32.

840 Vgl. J. Betz, a.a.O., 98 f.; L. Agustoni, a.a.O., 282. - A. Günthör, a.a.O., 54, gibt hier Agustoni nicht vollständig wieder, wenn er bei ihm nur eine Wirksamkeit *ex opere operantis ecclesiae* findet. Vgl. auch F. Sobotta, a.a.O., 163 f.

841 Vgl. F. Sobotta, a.a.O., 166 f., der hier neben J. E. Kuhn auch E. Busch, V. Warnach, E. Haensli und W. Esser anführt. Später hat F. Schott die Unterscheidung zwischen der Wirksamkeit *ex opere operantis*

Zwischen Sakrament und Sakramentale wollte Kardinal Augustin Bea die Verkündigung situieren, wobei er sachlich der Auffassung von Johannes Betz und Luigi Agustoni nahekommt, auch wenn man nach ihm die Verkündigung "nicht bloß 'Sakramentale' heissen (darf), als ob sie ihre Wirkung nur ex opere operantis Ecclesiae hervorbringe" [842]. Aber auch Kardinal Bea schreibt ihr ausdrücklich nur aktuelle Gnaden, nicht aber heiligmachende Gnade als Wirkung zu [843].

Die Theologen, die primär von der Einheit von Wort und Sakrament ausgehen, kommen dagegen zu weitergehenden Formulierungen. Wenn auch nie die Wortverkündigung schlechthin 'Sakrament' genannt wird, so spricht man ihr doch einen quasi-sakramentalen Charakter zu oder direkt einen Sakramentscharakter, freilich ohne dann die Unterschiedenheit vom Sakrament präzise zu erklären [844].

Fragt man nach der genaueren Verhältnisbestimmung von Wort und Sakrament, so ist bei den maßgeblichen Arbeiten der gemeinsame Ausgangspunkt die Einheit von Wort und Tat im Christus-Ereignis, das in der Kirche und ihren entscheidenden Selbstvollzügen, der Verkündigung und Sakramentenspendung, präsent und wirksam bleibt. Innerhalb dieser gemeinsamen Position lassen sich drei Typen unterscheiden.

Die vor allem von Karl Rahner vertretene Auffassung geht von

und *ex opere operato* zur Grundthese seines Buches gemacht. Vgl. dazu seine Auseinandersetzung mit J. A. Möhler, O. Semmelroth, L. Bouyer, A.-M. Roguet, J. Betz, O. Casel, H. R. Schlette u.a.: a.a.O. (S. 481, Anm. 535), 116-197. Ihnen allen wirft Schott unter verschiedenen Aspekten vor, daß sie das *opus operatum* ungebührlich ausweiten, indem sie darunter das Handeln Gottes durch Jesus Christus in der Kirche verstehen und es so zur Unterscheidung von Wort und Sakrament, bzw. Sakramentale und Sakrament untauglich machen. – Umgekehrt wird man fragen dürfen, ob Schott selbst seine strikte Unterscheidung zwischen Wortverkündigung und Sakrament nicht durch eine ungebührliche Einengung des *opus operatum* gewinnt, das er schlechthin mit dem sakramentalen Gnadengeschehen identisch setzt: vgl. ebd., 258. Doch kann diese Frage hier nicht weiter verfolgt werden.

842 Vgl. A. Bea, Die seelsorgliche Bedeutung des Wortes Gottes, a.a.O. (S. 103 f., Anm. 429), 139 f.

843 Vgl. ebd. – So auch J. Betz, a.a.O., 96, und E. Haensli: vgl. A. Günthör, a.a.O., 55 f.

844 Vgl. die Zusammenstellung solcher Positionen bei A. Günthör, ebd., 52 bis 54, und F. Sobotta, a.a.O., 160-163.

der Worthaftigkeit der gesamten Schöpfung, Heilsgeschichte und
Kirche aus und kommt zu dem Schluß, daß die Kirche ihr Wesen
im Verkündigungswort vollzieht, welches im Sakrament seine
höchste und dichteste Form findet [845].
Otto Semmelroth kommt von einem ähnlichen Ausgangspunkt zum
Grundgedanken der dialogischen Wirkeinheit von Menschwerdung
und Kreuzesopfer des Herrn, welche in der dialogischen Wirkeinheit von kirchlicher Wortverkündigung und Sakramentenspen-

---

[845] K. Rahner hat seine Position immer wieder verdeutlicht. Vgl. schon
ders., Personale und sakramentale Frömmigkeit, a.a.O. (S. 491, Anm.
580), bes. 135-138. Eine knappe Zusammenfassung findet sich in: Ders.,
Wort und Eucharistie, a.a.O. (S. 450, Anm. 405), 329: "Die höchste We-
sensverwirklichung des wirksamen Wortes Gottes als Gegenwärtigung der
Heilstat Gottes im radikalen Engagement der Kirche (d.h. als deren ei-
gene, volle Aktualisation) bei entscheidenden Heilssituationen des einzelnen ist das Sakrament und nur es". Vgl. auch bes. ders., Kirche und
Sakramente, a.a.O. (S. 456 f., Anm. 429). - Vgl. dazu ausführlich F.
Sobotta, a.a.O., 188-193, und H. Jacob, a.a.O., 150-192, bes. 182-187.
A. Gerken, Theologie der Eucharistie, 196 f., sieht bei Rahner eine
Tendenz zur Spiritualisierung, wenn er das Sakrament vom Wort her versteht. Tatsächlich muß man aber wohl gerade von diesem Ansatz her das
Sakrament als Verleiblichung des Wortes und so als seine höchste Aktualisierung verstehen, in der es erst ganz es selbst wird. Dies ist ge-
wiß keine Spiritualisierung. - Vgl. auch J. Ratzinger, Die sakramentale Begründung der christlichen Existenz (s. S. 53, Anm. 191), 22-24. -
Zu ähnlichen Ergebnissen wie Rahner kommt auch M. Schmaus, Die Heilsvermittlung im Wort, in: Ders., Katholische Dogmatik III/1, München
[5]1958, 744-798, bes. 794-797 (vgl. dazu H. Jacob, a.a.O., 45-51, bes.
47 f.). - Am Rande sei auf eine bemerkenswerte Weiterentwicklung der
Position von Schmaus in Richtung auf eine immer stärkere Betonung der
Heilswirksamkeit der Verkündigung hingewiesen: vgl. ders., Der theologische Ort der Verkündigung, in: W. Dürig (Hg.), Liturgie, Gestalt und
Vollzug (FS J. Pascher), München 1963, 286-296, bes. 287 f.; ders.,
Wahrheit als Heilsbegegnung, München 1964, bes. 46 f. Am deutlichsten
ist seine Stellungnahme in: Ders., Der Glaube der Kirche (s. S. 52,
Anm. 188) II, 271-273. Während er in der Katholischen Dogmatik, a.a.O.,
744, schrieb: "Die katholische Kirche ist 'Kirche des Wortes und des
Sakramentes'", heißt es nun: "Die katholische Kirche weiß sich nicht
nur als Kirche des Zeichens, sondern auch und sogar in erster Linie
als Kirche des Wortes. Die Verkündigungsaufgabe ist ihre primäre Aufgabe. Die Zeichensetzung ist in die Wortaufgabe der Kirche einbeschlos-
sen, nicht umgekehrt. ... Im Wort vollzieht sich die Gegenwart Christi
in der Kirche. Die Heilsgegenwart Jesu Christi hat Wortgestalt gemäß
seinem eigenen Wortcharakter" (a.a.O., 371). Und ebd., 373: Wort und
Sakrament wirken nicht auf dieselbe Weise. "Dennoch muß man hinzufügen,
daß auch dem Worte der kirchlichen Verkündigung nicht jedes Element
dessen fehlt, was wir hier das opus operatum nennten. Denn es ist ja hier
letztlich der im Heiligen Geist wirkende Christus, der sich den Menschen zuwendet". Eine für das Sakrament spezifische Gnadenwirksamkeit
sieht Schmaus schließlich in der im Sakrament gegebenen Spezifizierung

548

dung ihre Entsprechung hat und darin stets wirksam bleibt[846].
Ein dritter Typus geht von der zentralen Stellung der Eucharistiefeier als der höchsten Verwirklichung des Heilsmysteriums aus. Darin sind Wort und Sakrament in untrennbarer Einheit einander zugeordnet. Hier ist nach den grundlegenden, aber nicht systematisch durchgeführten Stellungnahmen von Odo Casel[847] besonders Gottlieb Söhngen zu nennen, der als einer der ersten den Versuch unternommen hat, Wort und Sakrament in ihrem Verhältnis zueinander systematisch zu bestimmen. Er stellt folgende These auf: "Es verhalten sich Wort und Element (oder Materie) analog zum Sakrament, nämlich gleichsam wie dessen Form und Stoff, und Wort und Sakrament analog zum Kult, nämlich gleichsam wie dessen Geistigkeit und Wirklichkeit; und es verhalten sich Wort und Element im Sakrament analog zu Wort und Sakrament im Kult"[848]. Später hat Söhngen unmißverständlich verdeutlicht, daß "Geistigkeit" hier nicht im Gegensatz zu "Wirklichkeit" steht, vielmehr selbst eine Weise der Wirklichkeit darstellt, die der sakramentalen an Realität nicht nachsteht[849].
Vom selben Ausgangspunkt her haben später Aimon-Marie Roguet und andere Liturgiewissenschaftler das Verhältnis von Wort und

---

der Gnadenzusage in "bestimmten Situationen der Kirche oder des einzelnen" (ebd.). - Eine ähnliche Position vertritt H. Volk: "Die Sakramente haben daher auch den Charakter des Wortes Gottes": vgl. ders., Zur Theologie des Wortes Gottes, a.a.O. (S. 532, Anm. 790), 25; dieses "kulminiert in den Sakramenten als der intensivsten Form des Wortes Gottes": vgl. ders., Wort. III., a.a.O. (S. 531, Anm. 788), 78.

846 Vgl. die durch O. Semmelroth in mehreren Einzelveröffentlichungen vorbereitete und in ders., Wirkendes Wort, bes. 230-240, zusammenfassend durchgeführte Verhältnisbestimmung von Wort und Sakrament. Vgl. dazu ausführlich F. Sobotta, a.a.O., 193-215, und H. Jacob, a.a.O., 94-120. Dieser Position schloß sich im Wesentlichen L. Scheffczyk, a.a.O., bes. 283-286, an.

847 Vgl. O. Casel, Das christliche Kultmysterium, 172: "Zu der kultischen Handlung tritt das Wort. Beide, das Wort und das Tun, gehören zum Kultgedächtnis ... Das Wort hat Teil an dem sakramentalen Geschehen". Vgl. auch ebd., 98 f., und 192-194.

848 G. Söhngen, Symbol und Wirklichkeit im Kultmysterium, a.a.O. (S. 46, Anm. 163), 18.

849 Vgl. vor allem ders., Christi Gegenwart in uns durch den Glauben (Eph 3,17), a.a.O. (S. 51, Anm. 185), bes. 45-49, und ders., Das Mysterium des lebendigen Christus und der lebendige Glaube, a.a.O. (S. 51, Anm. 185), 342-369, bes. 360-362.

Sakrament bestimmt [850]. Viktor Warnach hat in seinem letzten
(posthumen) Buch diese Position der Mysterienlehre nochmals
zusammengefaßt [851].

Alle diese Versuche stimmen darin überein, daß sie dem Sakrament im Vergleich zum Wort einen intensivierenden, komparati-
vischen Charakter zusprechen [852], ohne dabei einerseits die
Verkündigung als zweitrangigen oder "defizienten Modus" der
Heilswirksamkeit zu erklären [853] oder andererseits das Sakrament nur als eine zwar nützliche aber nicht eigentlich notwendige Steigerung der im Wort schon gänzlich gegebenen Heilswirklichkeit zu beschreiben [854].

Vor dem Hintergrund dieser höchst differenzierten und hier
auch nur summarisch dargestellten Diskussion muß nun nach dem
Beitrag der Liturgiekonstitution gefragt werden.

---

850 Vgl. vor allem A.-M. Roguet, La présence active du Christ dans la Parole de Dieu, a.a.O. (S. 521, Anm. 737), aber auch alle anderen, oben,
S. 510-519 und 526-530, vorgestellten Beiträge aus dem Bereich der Liturgiewissenschaft und Pastoralliturgie.

851 Vgl. V. Warnach, Christusmysterium, 190-192; früher schon ders., Menschenwort und Wort Gottes, a.a.O. (S. 511, Anm. 668).

852 Vgl. z.B. diese Charakterisierung bei H. R. Schlette, Kommunikation
und Sakrament (s. S. 398, Anm. 197), 48 ff., und L. Scheffczyk, a.a.O.,
281.

853 Der entsprechende Vorwurf gegen Karl Rahner stützt sich auf mehrere
Texte, z.B. ders., Wort und Eucharistie, a.a.O. (S. 450, Anm. 405),
322, wo er erklärt, daß man eine Sache von ihrem höchsten Analogatum
her beschreiben kann und dann die übrigen "Analogata als *defiziente*
Weisen der Verwirklichung ebendieses Wesens auffaßt", oder ders., Was
ist ein Sakrament?, in: E. Jüngel/ K. Rahner, Was ist ein Sakrament?,
Freiburg 1971, 65-85, hier 73, wo alle nichtsakramentalen Worte als
"defiziente (unvollständige) Modi des christlichen Wortes" beschrieben
werden. Der Vorwurf trifft jedoch nicht eigentlich, weil Rahner die
Wortverkündigung nicht als "defizienten Modus" im Vergleich zum Sakrament ohne Wort (was es nicht gibt) versteht, sondern im Vergleich zum
Sakrament als eigentlichem und höchsten Wort. - Eher ist der entsprechende Vorwurf gegen J. Betz zu richten, der, a.a.O., 95, schreibt:
"Aber im Worte spricht Christus nur, im Sakrament aber spricht und
handelt er zugleich", oder auch gegen A.-M. Roguet, wo es, a.a.O., 20,
heißt: "La Parole de Dieu tire de son lien avec la consécration eucharistique son actualité et son efficacité".

854 In die Nähe einer solchen Position kommen manche Formulierungen bei H.
R. Schlette, a.a.O. (S. 398, Anm. 197), 51 f., wo er das Sakrament im
Vergleich zum Wort als Steigerung desselben beschreibt, die nicht ei-
gentlich in sich, sondern nur kraft der positiven Setzung durch Chri-
stus notwendig und verpflichtend ist. - Zur Sache vgl. die ausgewogene
Darstellung bei L. Scheffczyk, a.a.O., 280-286.

Der Beitrag der Liturgiekonstitution

Zunächst bezeugt die Konstitution nachdrücklich die Einheit und Zusammengehörigkeit von Wort und Sakrament, von Verkündigung und sakramentaler Liturgie. Dies wird schon im Ansatz dadurch festgehalten, daß die Vollendung des göttlichen Heilsplans im Christus-Mysterium beschrieben wird. Jesus Christus, der das fleischgewordene Wort Gottes ist, predigt und heilt und erweist sich so in seinem Wesen und Wirken als das vollendete Tatwort Gottes (Nr. 5) [855]. Diese Grundstruktur setzt sich in der Kirche fort, indem der Herr die Apostel sendet, das Heilswerk zu verkünden und in Opfer und Sakrament zu vollziehen (Nr. 6) [856]. Seither hat die Kirche nicht aufgehört, das Pascha-Mysterium in Schriftlesung und Eucharistie zu begehen (Nr. 6,2) [857].

Texte und Riten sind dabei gemeinsam Zeichen einer heiligen Wirklichkeit, die sie so zum Ausdruck bringen sollen, daß das christliche Volk sie leicht erfassen und mitfeiern kann (Nr. 21) [858].

Also sind "Ritus und Wort aufs engste miteinander verbunden" (Nr. 35). Bei der Meßfeier sollen die Gläubigen "sich durch das Wort Gottes formen lassen, am Tisch des Herrenleibes Stärkung finden" (Nr. 48) [859]. Wortgottesdienst und Eucharistiefeier bilden einen einzigen Kultakt (Nr. 56). Der Genuß des Herrenmahles ist selbst Verkündigung des Pascha-Mysteriums (vgl. Nr. 6,1) [860]. Die Sakramente bezeugen den Glauben "in Wort und Ding" (Nr. 59).

Die Reihe dieser Texte läßt deutlich die verschiedenen Ebenen erkennen, auf denen Verkündigung und liturgische Feier, bzw. Wort und Sakrament einander zugeordnet sind. Darüberhinaus

---

855 Vgl. den lat. Wortlaut im Anhang II, S. 782 f.
856 Vgl. den lat. Wortlaut ebd., 783.
857 Vgl. den lat. Wortlaut ebd.
858 SC 21: "Qua quidem instauratione, textus et ritus ita ordinari oportet, ut sancta, quae significant, clarius exprimant, eaque populus christianus, in quantum fieri potest, facile percipere atque plena, actuosa et communitatis propria celebratione participare possit".
859 Vgl. oben, S. 500, Anm. 610.
860 SC 6,1: "Quotiescumque dominicam cenam manducant, mortem Domini annuntiant donec veniat".

zeigt sich eine durchgängige Struktur in der Weise dieser Zuordnung. Die vorliturgische Verkündigung ist auf die Liturgie
hin ausgerichtet: die Apostel verkünden das Heil, das sie dann
liturgisch feiern. Innerhalb der Liturgie gibt es eine Steigerung von "lesen" zu "feiern" (*legendo - celebrando*) (Nr. 6),
von "sich formen lassen" zu "Stärkung finden" (*instituantur -
reficiantur*) (Nr. 48) [861]. Innerhalb des Sakramentes schließlich gibt es "Wort und Ding" (Nr. 59). Der Genuß des Herrenmahles ist Verkündigung des Todes Christi (Nr. 6,1).

Erst nachträglich zu diesem durchgängigen Zusammenwirken von
Wort und Sakrament in der wirksamen Feier des Heils kann nach
der je spezifischen Eigenart der Wirkung und Wirkweise der
beiden Elemente dieses einheitlichen Vorgangs gefragt werden.
Dabei läßt sich beobachten, daß als Wirkung der Verkündigung
primär der Glaube genannt wird. Dabei ist der Glaube stets im
vollen Sinn als Glaubensvollzug durch die Tat des Lebens zu
verstehen. Die Verkündigung ruft zu "Glaube und Bekehrung"
(Nr. 9), sie dient der Erkenntnis, der Bekehrung und Buße
(ebd.). Sie ermuntert zu Werken des Glaubens (ebd.).

Beim Lesen der Schrift wird "der Glaube der Teilnehmer genährt
und ihr Herz zu Gott hin erweckt, auf daß sie ihm geistlichen
Dienst leisten und seine Gnade reichlicher empfangen" (Nr. 33)
[862]. Hier ist der durch die Verkündigung erweckte und gestärk-
te Glaube Voraussetzung für Gottesdienst und Heiligung des
Menschen, welche das Ziel des Glaubens sind und ihm selbst so
schon zugeordnet werden [863].

Das Wort Gottes formt die Gläubigen (*instituere*) (Nr. 48), was
wiederum nicht nur Hilfe zur Erkenntnis, sondern auch zur Praxis meint [864].

---

861 Vgl. auch die in SC 21 angedeutete Steigerung: "erfassen"- "mitfeiern"
    (*percipere - celebratione participare*), wobei allerdings beides auf
    Wort und Ritus gemeinsam bezogen werden kann.
862 SC 33: "Unde non solum quando leguntur ea 'quae ad nostram doctrinam
    scripta sunt' (Rom. 15,4), sed etiam dum Ecclesia vel orat vel canit
    vel agit, participantium fides alitur, mentes in Deum excitantur ut
    rationabile obsequium Ei praestent, gratiamque Eius abundantius reci-
    piant".
863 Zu dem Ausdruck "geistlicher Dienst" (*rationabile obsequium*), der Röm
    12,1 entnommen ist, vgl. Lengeling, 71.
864 Vgl. die Erläuterungen von E. J. Lengeling, a.a.O. (S. 500, Anm. 610).

Daneben ist aber die pointierte Aussage des Artikels 59 zu stellen, wonach auch die Sakramente auf den Glauben hingeordnet sind: "Den Glauben setzen sie nicht nur voraus, sondern sie nähren ihn auch, stärken ihn und zeigen ihn an in Wort und Ding; deshalb heißen sie Sakramente des Glaubens".

Diese Texte geben gewiß nicht die Möglichkeit einer präzisen Zuordnung von Verkündigung und Sakrament zu je spezifischen Wirkungen im Heilsvorgang. Sie lassen aber deutlich genug erkennen, daß beide Weisen des göttlichen Wirkens in der Kirche das ganze Heil des Menschen meinen und bewirken, wobei es selbstverständlich Stufen der Intensität und Dichte des Vorgangs und seiner Auswirkungen gibt, anfängliches und vollendetes Heil mit vielen Zwischengliedern. Dabei steht die Verkündigung am Anfang und tendiert zum Sakrament, welches seinerseits Verkündigung ist und vertiefende Verkündigung fordert, um so erst seine volle Heilskraft zu entfalten. Es dürfte also schon eine den Text ausschöpfende Interpretation sein, wenn man mit Jakob Baumgartner sagt: "Weil im Wortgottesdienst Heil angeboten wird, erscheint die Verkündigung selbst als Heilsgeschehen ... Sie dient dem Glauben. Dieser aber verbindet mit Christus und führt zur Rechtfertigung. Somit erweist sich die gottesdienstliche Verkündigung als eine aktuelle, heilsträchtige Realität, als eine spezifische Weise gnädiger Herablassung, in der Gott auf uns zukommt, in uns den Glauben weckt und festigt" [865]. Ergänzend muß hinzugefügt werden, daß die Liturgiekonstitution Verkündigung und Glauben niemals isoliert für sich betrachtet, sondern immer im Hinblick auf die sakramentale Feier des Heils im Zusammenhang mit ihr.

Es bleibt festzustellen, daß die Konstitution die theologische Debatte um Wort und Sakrament in ihrer heilsgeschichtlichen, christologischen und kirchlichen Grundlegung aufnimmt. Sie bestätigt als wesentliches Ergebnis die fundamentale Zusammengehörigkeit und gegenseitige Verwiesenheit von Wort und Sakrament. Sie deutet in deren Zuordnung eine Linie an, die vom Wort zum Sakrament führt, ohne aber das Wort vom Sakrament zu

---

865 J. Baumgartner, a.a.O. (S.502, Anm. 621), 127. Vgl. dazu auch das
   oben, S. 485-493, über "Sakramente des Glaubens" Gesagte.

trennen. Beide werden als wirksame Weisen der kirchlichen
Heilsvermittlung vorgestellt.

In die theologische Diskussion um die präzise Fassung ihrer
gegenseitigen Beziehung und je spezifische Wirkweise greift
die Liturgiekonstitution nicht ein. Sie korrigiert jedoch mit
Bedacht auch schon Formulierungen, die eine gleichrangige Bewertung von Wort und Sakrament nahelegen könnten. Dies zeigt
sich bei der Veränderung in Artikel 48, wo nun nicht mehr von
den beiden Tischen, nämlich des Wortes und des Sakramentes,
ohne Unterscheidung der jeweiligen Weise der Heilsvermittlung
gesprochen wird[866]. Hier ist die Konstitution weit vorsichtiger als die Theologen der alten Kirche, die unbefangen auch im
Wort Gottes den Herrenleib erkannten, was sich in der Rede von
den zwei Tischen ausdrückte und bis ins hohe Mittelalter beibehalten wurde[867]. Der Ausdruck wurde dann auf dem Kongreß von
Assisi (1956) von den Kardinälen Giacomo Lercaro[868] und Augustin Bea[869] aufgegriffen und gelangte so in den Entwurf der
Liturgiekonstitution. Die Veränderung des Textes gegen das Votum der Konzilskommission bedeutet wohl den Verzicht auf eine
markante Formulierung, in welcher die Bedeutung des Gotteswortes zutage trat. Sie sollte dennoch nicht als Abwertung der
Verkündigung verstanden werden, denn nach der Gesamtaussage
der Liturgiekonstitution kann "die Liturgie als Verkündigung
... grundsätzlich den gleichen Rang wie die im engeren Sinn
sakramentale Liturgie beanspruchen"[870].

---

866 Vgl. oben, S. 499 f. - Daß die von manchen Konzilsvätern befürchtete
    Nivellierung der eucharist. Realpräsenz durch das Bild von den zwei Ti-
    schen immerhin möglich ist, zeigt die Studie von L. Lies, Wort und Eu-
    charistie bei Origenes. Zur Spiritualisierungstendenz des Eucharistie-
    verständnisses, Innsbruck-Wien-München 1978 (= IThSt 1).
867 Vgl. zur Geschichte dieses Ausdrucks J. Baumgartner, a.a.O., 131; dazu
    auch F. Schnitzler, Überlegungen zur neueren Entwicklung der Wort-Got-
    tes-Theologie, a.a.O. (S. 503, Anm. 622), 160; außerdem T. Stramare,
    "Mensae duae". Studio biblico patristico su s. Scrittura ed Eucaristia,
    in: Seminarium 18 (1966) 1020-1034.
868 Vgl. J. Baumgartner, a.a.O.
869 Vgl. A. Bea, Die seelsorgliche Bedeutung des Wortes Gottes, a.a.O. (S.
    103 f., Anm. 429), 152: Die Gläubigen zurückzuführen zu den beiden Ti-
    schen des eucharistischen Brotes und des Brotes des Wortes Gottes "ist
    das große Ziel der liturgischen Reform".
870 J. Baumgartner, a.a.O., 130.

Immerhin müßte aber diese konziliare Verlautbarung von solchen Autoren stärker berücksichtigt werden, die dazu neigen, die Zweieinheit von Wort und Sakrament zugunsten eines absoluten Vorrangs des Wortes aufzugeben[871].

4.5.6. Zusammenfassung

Die Gegenwart Jesu Christi im Wort der kirchlichen Verkündigung mußte deshalb so ausführlich erörtert werden, weil dieses Thema in der katholischen Theologie noch nicht lange die ihm gebührende Beachtung findet und in einem gesamtkirchlichen, offiziellen Lehrdokument erstmalig in der Liturgiekonstitution des II. Vatikanischen Konzils zur Geltung kommt. Dabei wurde in der vorliegenden Darstellung vor allem der Beitrag der liturgiewissenschaftlichen Arbeiten zum theologischen Gespräch über das Wort Gottes hervorgehoben, da gerade er in den vorhandenen Untersuchungen zum Thema wenig berücksichtigt ist.

Es hat sich zunächst gezeigt, daß die Liturgiekonstitution in erstaunlicher Breite und Intensität von der Verkündigung spricht, wenn sie ihr auch nicht ein eigenes Kapitel widmet. Aufgrund dieses Textbefundes mußte dann im Hinblick auf eine Präzisierung dessen, was mit 'Wort Gottes' und seiner Verkündigung gemeint ist, das Verhältnis von Schriftlesung und Predigt untersucht werden. Es ergab sich, daß die Liturgiekonsti-

---

871 Vgl. dazu manche Formulierungen von H. R. Schlette, Wort und Sakrament, a.a.O. (S. 543, Anm. 824), bes. 131: "Indes ist dieses Sakramentale (gemeint sind die Sakramente) nicht unersetzlich, während für den Christen als solchen sehr wohl Glaube und Liebe unersetzlich sind - als das Hören, das Annehmen des Wortes Gottes und das sich darauf Einlassen ..."; vgl. auch P. Knauer, a.a.O. (S. 544, Anm. 827), 169: "Deshalb kann man die Sakramente nicht als 'Überbietung' des 'Wortes Gottes' verstehen, als würde in ihnen 'mehr' Gnade als im 'Wort allein' vermittelt. Sie verdeutlichen vielmehr die Unüberbietbarkeit der Gnade, die bereits im Wort sinnenhaft vermittelt wird". - Bei solchen Formulierungen entsteht die Frage, ob die für den Menschen notwendige und von Jesus Christus her gegebene Verleiblichung des Wortes hinreichend zum Ausdruck kommt. Doch kann dieser Frage hier nicht weiter nachgegangen werden.

tution die Predigt zwar entschieden aufwertet und dringend empfiehlt, über ihre theologische Relevanz jedoch sehr zurückhaltend spricht. Eine umfassende Interpretation der vorliegenden Texte ließ dennoch den Schluß zu, daß auch die Predigt als 'Wort Gottes' und damit als Heilszeichen zu verstehen ist und mit der Schriftlesung zusammen ein untrennbares Sinngefüge darstellt.

So konnte dann gefragt werden, ob die liturgische Wortverkündigung insgesamt nach der Liturgiekonstitution nur Disposition zur sakramentalen Feier des Heils oder selbst auch Feier des Heilsmysteriums ist. Aus den Texten ließen sich beide Positionen deutlich erkennen, ohne daß jedoch ihr gegenseitiges Verhältnis im Text selbst geklärt würde. Wiederum ergab aber eine Deutung aus dem Gesamtzusammenhang der Konstitution, daß der liturgischen Wortverkündigung uneingeschränkt der Charakter des wirksamen Heilsangebotes zuzusprechen ist. Im Maß ihrer Nähe zur Liturgie haben die übrigen kirchlichen Verkündigungsformen Anteil an dieser Qualifikation.

Danach mußte die Frage der Verhältnisbestimmung von Wort und Sakrament angesprochen werden. Hier zeigte sich, daß die Liturgiekonstitution nur grundsätzliche Aussagen über die Zusammengehörigkeit beider Weisen des kirchlichen Heilsdienstes macht, wobei sich eine Hinordnung des Wortes auf das Sakrament feststellen läßt. Zur präziseren Klärung der jeweils spezifischen Bedeutung von Wort und Sakrament trägt die Konstitution nicht bei, wohl aber unterstützt sie deutlich den Versuch, im Hinblick auf eine solche Verhältnisbestimmung von der ursprünglichen Einheit von Wort und Sakrament im Christus-Mysterium und seiner liturgischen Verwirklichung auszugehen. Damit ist eine Denkrichtung angedeutet, deren weitere Ausfüllung der theologischen Diskussion überlassen bleiben muß.

All das ergibt für die Frage nach der Gegenwart Jesu Christi im kirchlichen Verkündigungswort, daß auch hier eine tätige und wirksame Gegenwart des Herrn gegeben ist, eine Realpräsenz im Sinne der Aktualpräsenz des erhöhten Herrn und seines Heilswerks. Die liturgische Verkündigung verwirklicht in vollem Umfang die oben dargestellten Grundbestimmungen der liturgischen

Gegenwart des Herrn.

Auffällig ist freilich, daß, wie schon bei den Sakramenten, so auch hier mit keinem Wort von der Wirksamkeit des Heiligen Geistes beim Verkünden und Hören des Gotteswortes die Rede ist. Ferner wird die Verkündigungsaufgabe stets der Kirche als solcher zugesprochen, wobei an die amtliche Verkündigung zu denken ist. Von einem Verkündigungsauftrag aller Christen im Sinn des die Gemeinde aufbauenden Glaubenszeugnisses wird nicht gesprochen. Eine Teilhabe der Laien an der Verkündigung der Kirche ist im Lektorendienst gegeben und bleibt darauf beschränkt. Im übrigen scheint die tätige Teilnahme der Laien an der Wortverkündigung nur darauf zu zielen, daß sie die Texte der Schrift leichter verstehen und hörend das verkündigte Heil annehmen können. Das dialogische Element der Wortverkündigung ist zwar in der Konstitution präsent, wird aber nicht im Hinblick auf die Bedeutung des Beitrags der Gemeinde und der einzelnen Gläubigen ausgewertet.

Trotz dieser Einschränkungen muß anerkannt werden, daß die Liturgiekonstitution einen erstaunlich mutigen Schritt auf dem Weg zu einer auch ökumenisch besonders wichtigen neuen Hochschätzung der Wortverkündigung in der katholischen Kirche und Theologie darstellt. Daß diese Öffnung an manchen besonders differenzierten und theologisch noch weithin diskutierten Stellen mit einer spürbaren Zurückhaltung geschieht und eine vom eigenen Ansatz her mögliche konsequente Durchführung der Theologie des Wortes vermissen läßt, ist angesichts der kirchlichen Situation und des Diskussionsstandes zur Zeit des Konzils nicht verwunderlich. In dem, was in der Liturgiekonstitution schon direkt ausgesagt und, mehr noch, indirekt aus ihr zu erschließen ist, kann ein wirksamer und folgenreicher Impuls für die theologische und kirchliche Weiterentwicklung dieses lange Zeit vernachlässigten Bereiches gesehen werden.

4.6. Die Gegenwart des Herrn im Gebet der Kirche

An letzter Stelle enthält die Aufzählung der Gegenwartsweisen Jesu Christi in Artikel 7,1 der Liturgiekonstitution den Hinweis auf seine Gegenwart, "wenn die Kirche betet und singt". Diese Weise seiner Gegenwart wird im Text mit der Verheißung verbunden und begründet, daß der Herr versprochen hat: "Wo zwei oder drei versammelt sind in meinem Namen, da bin ich mitten unter ihnen" (Mt 18,20).

Die Analyse der Textentwicklung von Artikel 7 in der Vorbereitungszeit des Konzils hat ergeben, daß in diesem letzten Glied der Aufzählung der liturgischen Gegenwartsweisen des Herrn zwei Themen angesprochen sind: seine generelle Gegenwart in der liturgischen Versammlung und seine spezifische Gegenwart im Beten und Singen der Kirche[872].

Über die Gegenwart des Herrn in der liturgischen Versammlung wurde schon im Abschnitt über das Subjekt der Liturgie gesprochen[873]; jetzt ist noch seine Gegenwart im Beten und Singen der Kirche zu erörtern. Dieses Beten und Singen der Kirche findet seine liturgische Form neben der Eucharistiefeier vor allem im kirchlichen Stundengebet. Dieses hat als ganzes den Chrakter eines Wortgottesdienstes. Seine entscheidenden Aspekte im Hinblick auf die Frage nach der liturgischen Gegenwart des Herrn wurden schon im Abschnitt über die Gegenwart Jesu Christi in seinem Wort dargestellt[874]. Ein Merkmal dieser Gegenwartsweise ist es, daß das Wort Gottes die ihm entsprechende menschliche Antwort ermöglicht und erfordert. Diese menschliche Antwort ist unter diesem Gesichtspunkt selbst eine Auswirkung des göttlichen Tuns und insofern eine Weise des gegenwärtigen Handelns Jesu Christi in seiner Kirche. Nur dieses letzte Thema muß hier noch erörtert werden.

---

872 Vgl. oben, S. 285 f., 291-296.
873 Vgl. oben, S. 283-296.
874 Vgl. oben, S. 497-557.

4.6.1. Der Textbefund

Die theologische Sinndeutung des kirchlichen Betens findet
sich in der Liturgiekonstitution vor allem im vierten Kapitel
über das Stundengebet. Einzelne Hinweise sind aber auch im
übrigen Text enthalten. Hier sollen allerdings nur solche Texte vorgestellt werden, in denen das Beten und Singen der Gläubigen in irgendeinen Zusammenhang mit der gegenwärtigen Wirksamkeit Jesu Christi gebracht werden.

Artikel 6 beschreibt die Fortsetzung des priesterlichen Wirkens Jesu Christi in der Kirche, das sich vor allem in Opfer
und Sakrament vollzieht: "So werden die Menschen durch die
Taufe in das Pascha-Mysterium eingefügt. Mit Christus gestor-
ben, werden sie mit ihm begraben und mit ihm auferweckt (vgl.
Röm 6,4; Eph 2,6; Kol 3,1; 2 Tim 2,11). Sie empfangen den
Geist der Kindschaft, 'in dem wir Abba, Vater, rufen' (Röm
8,15) und werden so zu wahren Anbetern, wie der Vater sie
sucht (vgl. Joh 4,23)" [875]. Die wahre Anbetung setzt also die
seinsmäßige Verähnlichung mit Jesus Christus und die Gabe des
Heiligen Geistes voraus [876].

Am Schluß desselben Artikels wird als ein Element der liturgischen Feier des Pascha-Mysteriums die Danksagung an Gott genannt. Die Formulierung des lateinischen Textes [877] kennzeichnet diese Danksagung als eine Weise, in der sich die Feier des
Pascha-Mysteriums vollzieht [878].

Dazu ist Jesus Christus seiner Kirche gegenwärtig, in der Eucharistiefeier, in den Sakramenten und "schließlich, wenn die

---

875 SC 6: "Sic per Baptismum homines paschali mysterio inseruntur: commor-
    tui, consepulti, conresuscitati (cf. Rom. 6,4; Eph.2,6; Coloss. 3,1;
    2 Tim. 2,11); spiritum accipiunt adoptionis filiorum, 'in quo clamamus:
    Abba, Pater' (Rom. 8,15), et ita fiunt veri adoratores, quos Pater
    quaerit (cf. Jo. 4,23)".
876 Zur Erwähnung des Heiligen Geistes an dieser Stelle vgl. oben, S. 332
    bis 334.
877 SC 6: "Numquam exinde omisit Ecclesia quin in unum conveniret ad pas-
    chale mysterium celebrandum: legendo ..., Eucharistiam celebrando ...,
    et simul gratias agendo 'Deo super inenarrabile dono' (2 Cor. 9,15) in
    Christo Iesu ...".
878 Vgl. dazu oben, S. 497.

Kirche betet und singt" (Nr. 7,1) [879].

Die Kirche aber "ruft ihren Herrn an, und durch ihn huldigt sie dem ewigen Vater" (Nr. 7,2) [880].

Unter dem Aspekt des belehrenden Charakters der Liturgie heißt es in Artikel 33: "Denn in der Liturgie spricht Gott zu seinem Volk; in ihr verkündet Christus noch immer die Frohe Botschaft. Das Volk aber antwortet mit Gesang und Gebet" [881].

Im selben Artikel erklärt die Konstitution, daß der Priester seine Amtsgebete "in der Rolle Christi an der Spitze der Gemeinde stehend an Gott richtet, im Namen des ganzen heiligen Volkes und aller Umstehenden" [882]. In dieser doppelten Repräsentationsfunktion des Priesters [883] wird, hier zwar sekundär aber doch ausdrücklich, gesagt, daß er auch bei seinem amtlichen Beten in der Rolle Christi handelt.

In Artikel 48 werden bei der Feier der Eucharistie zwei Paare von Inhalten genannt, eines, das der absteigenden, heiligenden Funktion der Liturgie entspricht, nämlich das Hören des Wortes Gottes und der Empfang des Herrenleibes, und eines, das die aufsteigende Linie angibt: Die Gläubigen "sollen Gott danksagen und die unbefleckte Opfergabe darbringen ..." [884]. Wieder ist die Danksagung als integrierendes Element der eucharistischen Feier genannt, als eine Weise, in der sich diese Feier vollzieht.

Die wichtigsten Texte für das Thema dieses Abschnitts finden sich in Artikel 83-87, der theologischen Einleitung zum Kapitel über das Stundengebet.

---

879 SC 7,1: "Praesens adest denique dum supplicat et psallit Ecclesia".
880 SC 7,2: "Quae (Ecclesia) Dominum suum invocat et per ipsum Aeterno Patri cultum tribuit". Vgl. zu diesem erst nachträglich hinzugefügten Satz das oben, S. 182 f., Gesagte.
881 SC 33: "In Liturgia enim Deus ad populum suum loquitur; Christus adhuc Evangelium annuntiat. Populus vero Deo respondet tum cantibus tum oratione".
882 Ebd.: "Immo, preces a sacerdote, qui coetui in persona Christi praeest, ad Deum directae, nomine totius plebis sanctae et omnium circumstantium dicuntur".
883 Vgl. oben, S. 422-427.
884 SC 48: "... christifideles ... verbo Dei instituantur, mensa Corporis Domini reficiantur, gratias Deo agant, immaculatam hostiam ... offerentes, seipsos offere discant".

Jesus Christus selbst hat den Lobpreis, "der in den himmlischen Wohnungen durch alle Ewigkeit erklingt", auf die Erde
mitgebracht. "Die gesamte Menschengemeinschaft schart er um
sich, um mit ihr diesen göttlichen Lobgesang zu singen. Diese
priesterliche Aufgabe setzt er nämlich durch seine Kirche fort;
sie lobt den Herrn ohne Unterlaß und tritt bei ihm für das Heil
der Welt ein, nicht nur in der Feier der Eucharistie, sondern
auch in anderen Formen, besonders im Vollzug des Stundengebetes" (Nr. 83) [885]. Deshalb ist es "wahrhaft die Stimme der
Braut, die zum Bräutigam spricht, ja es ist das Gebet, das
Christus vereint mit seinem Leibe an seinen Vater richtet"
(Nr. 84) [886]. Folgerichtig wird dann das Stundengebet als "Stimme der Kirche" bezeichnet, "des ganzen mystischen Leibes, der
Gott öffentlich lobt" (Nr. 99) [887].
Schließlich wird in Artikel 106 wieder die Danksagung als Teil
der Eucharistiefeier dargestellt [888].

4.6.2. Wort und Antwort

Die soeben angeführten Texte zeigen, daß die Liturgiekonstitution immer wieder betont, daß dem Sprechen Gottes zu seinem
Volk und seinem heilshaften Wirken an den Menschen eine Reaktion im Sinne des dankenden Empfangens entsprechen muß. Das
Wort Gottes ergeht an die Menschen, damit es gehört, aufgenommen und in Gebet und Gesang und in der Tat des christlichen
Lebens beantwortet wird. Erst in diesem Gesamtvorgang von

---

885 SC 83: "Universam hominum communitatem ipse sibi coagmentat, eandemque
  in divino hoc concinendo laudis carmine secum consociat. Illud enim
  sacerdotale munus per ipsam suam Ecclesiam pergit, quae non tantum Eucharistia celebranda, sed etiam aliis modis, praesertim Officio divino
  persolvendo, Dominum sine intermissione laudat et pro totius mundi salute interpellat".
886 SC 84: "... tunc vere vox est ipsius Sponsae, quae Sponsum alloquitur,
  immo etiam oratio Christi cum ipsius Corpore ad Patrem".
887 SC 99: "Cum Officium divinum sit vox Ecclesiae seu totius Corporis mystici Deum publice laudantis ...".
888 SC 106: "Hac enim die christifideles in unum convenire debent ut, verbum Dei audientes et Eucharistiam participantes, memores sint Passionis, Resurrectionis et gloriae Domini Iesu, et gratias agant Deo ...".

Sprechen, Hören und Antworten kommt die Verkündigung an ihr
Ziel. Insofern gehört auch das Hören und Antworten des Menschen zur Wirklichkeit des Gotteswortes, ohne daß indessen das
Gotteswort aufhören würde zu bestehen und zu wirken, wenn es
schuldhaft nicht gehört und beantwortet würde.
In diesem Zusammenhang wäre eine Reihe von grundsätzlichen
Fragen zu erörtern. Wenn der Mensch Gottes Wort als solches
hören soll, setzt dies schon die ihm von Natur aus nicht zukommende Fähigkeit voraus, "daß er als der endliche Mensch das
Wort des unendlichen Gottes vernehmen" kann[889]. Diese funda-
mentaltheologische Frage nach dem menschlichen Hörenkönnen von
Gottes Wort impliziert weitreichende Konsequenzen für eine
theologische Anthropologie[890], aber auch für die Theologie des
Wortes Gottes. Dieses kann ja als Wort Gottes an die Menschen
nur laut werden, wenn es in menschlicher Sprache ergeht und so
das Unendliche im Endlichen zum Ausdruck bringt, ohne deshalb
aufzuhören, wirklich Wort Gottes zu sein. Das Wort Gottes muß
sich also selbst die Bedingungen seiner Annahme und die Möglichkeit einer Antwort im Menschen schaffen. Insofern ist der
menschliche Glaube und seine Glaubensantwort selbst auch Tat
Gottes, von Gott ermöglichte Antwort, und in diesem Sinne
selbst Wort Gottes. Dennoch muß sie als freie Tat des Menschen
verstanden werden, die auch verweigert werden kann[891].

---

889 H. Volk, Zur Theologie des Wortes Gottes, a.a.O. (S. 532, Anm. 790),
33.
890 Vgl. dazu K. Rahner, Über den Versuch eines Aufrisses einer Dogmatik,
in: Ders., Schriften I (1954), 9-47, hier 30 f.: "Offenbarung im ver-
nehmenden Subjekt"; grundsätzlich hat das Problem erörtert: Ders., Hörer des Wortes. Zur Grundlegung einer Religionsphilosophie (neubear-
beitet von J. B. Metz), München 1963. Die verzweigte fundamentaltheo-
logische Diskussion über dieses Thema kann hier nicht erörtert werden;
vgl. dazu zuletzt P. Knauer, Der Glaube kommt vom Hören (s. S. 544,
Anm. 827), und B. Welte, Religionsphilosophie, Freiburg-Basel-Wien
1978, bes. 167-182: § 12."Der Glaube".
891 Vgl. dazu bes. B. Welte, Heilsverständnis (s. S. 345 f., Anm. 574), 27
bis 61: § 2: "Das Verstehen als theologischer Ort einer zur Theologie
gehörigen Philosophie", und 190-225: § 15: "Die Konvenienz des imma-
nenten und personalen Zuspruchs"; ders., Religionsphilosophie, 212 f.:
"Der theologische und anthropologische Pol der Verkündigung"; O. Semmelroth, Wirkendes Wort, bes. 59-74: "Wort Gottes und Antwort des Menschen"; dazu auch die knappen Hinweise bei P. Bormann, a.a.O. (S. 505,
Anm. 629), 140 f., 153 f.

Die konkrete Gestalt des Wortes Gottes schließt also die konstitutive Beteiligung des Hörers mit ein. In seinem Glaubensverständnis, aber auch in seiner Glaubensantwort ist er an der konkreten inhaltlichen und formalen Ausformung des kirchlichen Verkündigungsvorgangs wesentlich beteiligt. Nur in der gelungenen Kommunikation zwischen Verkündiger und Hörer ereignet sich 'Wort Gottes' im vollen Sinn [892].

Diese Thematik kann hier nicht weiter entfaltet werden. Sie wird von der Liturgiekonstitution nur insofern aufgenommen, als dort mehrfach festgestellt wird, daß zum Hören des Gotteswortes und zur Feier der Eucharistie der Dank der Gemeinde gehört [893]. Ausdrücklich formuliert die Konstitution in Artikel 33: "In der Liturgie spricht Gott zu seinem Volk; in ihr verkündet Christus noch immer die Frohe Botschaft. Das Volk aber antwortet mit Gesang und Gebet". Damit ist die enge Zusammengehörigkeit von Wort Gottes und menschlicher Antwort angedeutet und damit der dialogische Charakter des Wortes Gottes [894], ohne daß aber etwas über eine spezifische Gegenwart des Herrn auch in der menschlichen Antwort gesagt wäre.

Ein weiterer wichtiger Hinweis auf die menschliche Annahme der göttlichen Verkündigung findet sich in Artikel 9, wo mit dem

---

892 Vgl. dazu B. Welte, Religionsphilosophie, 207-224: § 15. "Das Gebet als Kult: Gemeinde, Verkündigung und Gemeindegebet". - Zu den damit gegebenen Forderungen für die Predigt vgl. P. Wehrle, Orientierung am Hörer. Die Predigtlehre unter dem Einfluß des Aufklärungsprozesses (Diss. München 1975), Zürich-Einsiedeln-Köln 1975 (= Studien zur praktischen Theologie 8), bes. 272-283, und die dort genannte Literatur.
893 Vgl. die Texte, oben, S. 559-561.
894 Vgl. A.-G. Martimort, Gott im Dialog mit seinem Volk, a.a.O. (S. 112, Anm. 482); E. J. Lengeling, Liturgie, Dialog zwischen Gott und Mensch, a.a.O. (S. 237, Anm. 75); J. Baumgartner, a.a.O. (S. 502, Anm. 621), 127 f.: "Dialogcharakter des Gotteswortes". - Speziell für die Predigt vgl. bes. W. Esser, Das Dialogische in der Predigt, in: O. Wehner/ M. Frickel (Hg.), Theologie und Predigt, Würzburg 1958, 33-56; vgl. dazu H. Jacob, a.a.O., 260-263; F. Sobotta, a.a.O., 96 f. - Unter religionsphilosophischem Aspekt vgl. B. Welte, Religionsphilosophie, 222: "Im Raum des Kultgeschehens entspricht dem Wort als Verkündigung das Wort als *Gemeindegebet*. ... Beides gehört zusammen wie Wort und Antwort. Es gehört zusammen wie ein dialogisches Geschehen". - Für die Konzilstexte insgesamt vgl. J. M. González Ruiz, Der Gebrauch der Bibel in der Kirche des Konzils, in: J. Chr. Hampe (Hg.), Die Autorität der Freiheit. Gegenwart des Konzils und Zukunft der Kirche im ökumenischen Disput, 3 Bde., München 1967, Bd. I, 232-239.

Zitat von Röm 10,14-15 die Notwendigkeit der Verkündigung für den Glauben, aber auch die Notwendigkeit der Verkündigung zur Vertiefung des schon vorhandenen Glaubens ausgesagt ist[895]. Hieraus läßt sich ein analoges Beziehungsverhältnis von Verkündigung und Glaube ableiten, wie es in Artikel 59 von Sakrament und Glaube ausgesagt ist[896].

Dabei ist freilich der Unterschied zu beachten, daß die Sakramente den Glauben immer schon voraussetzen und ihn dann auch vertiefen, während die Verkündigung sich ausdrücklich auch an Nichtglaubende wendet (Nr. 9), um in ihnen den Glauben erst zu wecken. Dennoch ist dieser Unterschied nicht so grundsätzlicher Art, wie es scheinen könnte, da sowohl das Wort Gottes wie auch das Sakrament eine Empfangsbereitschaft im Menschen voraussetzen, die von Gott gewährt und vom Menschen verwirklicht werden muß. Ein 'Glaube' im Sinn eines von Gott ermöglichten Hören- und Glaubenkönnens auf Seiten des Menschen ist dann auch schon Voraussetzung der Verkündigung. Dies gilt erst recht von der Wortverkündigung, insofern sie ihre Heilsmacht nur im Maß der Disposition der Hörer, also im Maß ihrer gläubigen Bereitschaft zur Annahme des Wortes entfalten kann. Somit ist auch hier der Glaube zwar nicht zum Zustandekommen und Wirksamwerden des Wortes Gottes erforderlich, wohl aber dazu, daß es die intendierte Wirkung, das Heil des Menschen, erreichen kann[897].

---

895 Vgl. oben, S. 552.

896 Vgl. oben, S. 485-493: Abschnitt 4.4.6.: "Sakramente des Glaubens", und dazu die oben, S. 544, Anm. 827, angegebene Literatur.

897 Hier wäre nochmals im einzelnen zu differenzieren zwischen dem Glauben als *opus operantis* des Verkünders, dessen Fehlen die Verkündigung des Gotteswortes nicht zunichte mache, wohl aber seine Annehmbarkeit entscheidend hemmen kann, und dem Glauben als *opus operantis* des Hörers, dessen Fehlen das Hören des Gotteswortes als solchen unmöglich macht. Zur vollen Wirksamkeit und Fruchtbarkeit des Gotteswortes müssen beide zusammenkommen. Vgl. dazu F. Schott, a.a.O. (S. 481, Anm. 535), 225 bis 229: "Die dialogische Struktur des opus operantis". Ohne auf die von Schott durchgeführte strikte Unterscheidung zwischen der Disposition als Bedingung der Heilswirkung (Sakrament) und Ursache der Heilswirkung (Sakramentale) einzugehen (vgl. ebd., 255), ist festzustellen, daß auch hier eine durchaus mit der sakramentalen Wirksamkeit vergleichbare Struktur vorliegt. Vgl. zu dieser Frage auch V. Warnach, Christusmysterium (s. S. 50, Anm. 181), 185-190.

Da die Liturgiekonstitution aber unter dem Aspekt der Wortverkündigung nicht weiter auf die Bedeutung des Glaubens für diese Verkündigung eingeht und somit über das zum Thema "Sakramente des Glaubens" Gesagte hinaus keine weiteren Hinweise für
die Frage nach der Gegenwart des Herrn zu erheben sind, soll
dieses Problem hier nicht weiter verfolgt werden.

4.6.3. Das Gebet der Kirche als Feier des Heilsmysteriums

Nach der Lehre der Liturgiekonstitution gehört der Dank der
Kirche an Gott als wesentliches Element zur Liturgie [898] und
speziell zur Feier der Eucharistie [899]. Das Beten und Singen
der Kirche, von dem Artikel 7,1 spricht, verwirklicht sich vor
allem in der eucharistischen Feier. In ihr sind aber nicht nur
die zusammenfassenden Orationen am Schluß der einzelnen Haupt-
teile der Messe Gebete, "die der Priester in der Rolle Christi
an der Spitze der Gemeinde stehend an Gott richtet" [900], vielmehr ist vor allem auch das eucharistische Hochgebet selbst
ein solches Beten der Kirche, das der Priester im Namen der
Gemeinde in der Rolle Christi als des Hauptes dem Vater darbringt.
Es würde hier zu weit führen und auch den durch die Thematik
der Liturgiekonstitution abgesteckten Rahmen dieser Arbeit
sprengen, wenn nun die Struktur des eucharistischen Hochgebets
und der Sinn seiner einzelnen Elemente im Hinblick auf unsere
Fragestellung erläutert würden [901]. So viel aber kann gesagt
werden: Die Gedächtnisfeier der Eucharistie, in der das gesamte Heilswerk in seinem Zentrum sich gegenwärtig vollzieht [902],

---

898 Vgl. SC 7/2, 33, 83, 84, 99; siehe die Texte, oben, S. 559-561.
899 Vgl. SC 6, 48, 106; siehe die Texte, ebd.
900 SC 33; vgl. den Text, oben, S. 560, Anm. 882.
901 Vgl. dazu die S. 416 f., Anm. 265, angegebenen Einführungen in die
    Meßfeier. Speziell zum eucharistischen Hochgebet vgl. vor allem fol-
    gende thematische Zeitschriftenhefte: MD, Nr. 87 (1966) und Nr. 94
    (1968); LJ 18 (1968); außerdem B. Kleinheyer, Erneuerung des Hochgebe-
    tes, Regensburg 1969 (S. 105: Literatur); R. Berger, Tut dies zu mei-
    nem Gedächtnis. Einführung in die Feier der Messe, München 1971.
902 Vgl. dazu oben, S. 379-388: Abschnitt 4.1.5.

wird in einer Zeichenhandlung gefeiert, die umgeben, getragen
und erläutert wird vom Gebet der Kirche, das als ganzes den
Charakter der Danksagung hat[903]. In diesem Hochgebet der Kirche lassen sich dann einzelne Elemente unterscheiden, vor allem Lobpreis und Dank für das in objektivem Gedächtnis gefeierte Heil, Herabrufung des Heiligen Geistes auf die eucharistischen Gaben und auf die versammelte Gemeinde und Fürbitte
der Kirche für sie selbst und für die ganze Welt[904]. Alle diese Elemente sind aber davon geprägt, daß der Inhalt dieses Betens das Heilsmysterium ist, wofür die Kirche dankt und um
dessen jetzige und endgültige Verwirklichung sie bittet. Damit
hat nicht nur die eigentliche Anamnese des Heilswerks einen
den Inhalt des Gebetes objektiv realisierenden Charakter[905];
dasselbe gilt auch für Dankgebet, Epiklese und Fürbitte, in
denen das Heilswerk im antwortenden und fürbittenden Dank der
Kirche gegenwärtig wird. Die eucharistische Gedächtnisfeier
ist damit nicht nur gegenwärtiges Heilsangebot in der absteigenden, heiligenden Sinnrichtung der Eucharistie, sondern auch
dankbare Annahme des Heils und Lobpreis Gottes dafür in der
aufsteigenden, latreutischen Linie des Gottesdienstes. Als angenommenes und im Lobpreis verdanktes Heil ist im Gebet der
Kirche das Heilswerk Jesu Christi präsent.
Die Feier des Heilsmysteriums im Gebet der Kirche verwirklicht
sich aber nicht nur im eucharistischen Hochgebet. Sie findet
einen komprimierten Ausdruck auch in den Orationen der Messe,
in denen das jeweilige Festgeheimnis als konkrete Verwirklichung des Heilsmysteriums dankend genannt und um seine Verwirklichung an der versammelten Gemeinde gebetet wird[906].

---

903 Vgl. dazu J. Betz, Sacrifice et action de grâce, in: MD, Nr. 87 (1966)
    78-96, hier 78-84.
904 Vgl. dazu den instruktiven Beitrag von M. Thurian, La théologie des
    nouvelles prières eucharistiques, in: MD, Nr. 94 (1968) 77-102. Thuri-
    an zeigt als Struktur des Hochgebets zwei Teile auf, die parallel ge-
    staltet sind und jeweils den Lobpreis Gottes, die Herabrufung des Hei-
    ligen Geistes und die Verwirklichung des eucharistischen und kirchli-
    chen Leibes Christi zum Inhalt haben. Vgl. auch B. Kleinheyer, a.a.O.
    (S. 565, Anm. 901), 41-101, der das Hochgebet in Dankgebet, Opfermahl-
    gebet und Fürbittgebet der Kirche untergliedert.
905 Vgl. das oben, S. 384-386, Gesagte.
906 Vgl. dazu die entsprechenden Hinweise in den S. 416 f., Anm. 265, und

Seine ausführlichste Entfaltung findet das dankende, preisende und bittende Gebet der Kirche aber im Stundengebet. Es muß als das aus der Eucharistie über den ganzen Tag hin sich entfaltende Gebet der Kirche verstanden werden [907]. Damit erhält es, wenn auch nicht so deutlich, wie das eucharistische Hochgebet, ebenfalls den Charakter des dankenden Lobpreises für das empfangene Heil [908]. Es ist ebenfalls als ganzes Feier des Heilsmysteriums in liturgischer Form [909]. Damit entspricht es in seiner theologischen Bedeutung dem Wortgottesdienst als eigenständiger Form der liturgischen Feier des Heils [910]. Es unterscheidet sich von ihm aber dadurch, daß der Wortgottesdienst mehr den Charakter der Wortverkündigung hat und in ihm die absteigende Linie der Liturgie überwiegt, während das Stundengebet den dankenden Lobpreis für das in Wort und Sakrament mitgeteilte Heil zum Inhalt hat und somit mehr die aufsteigende Richtung der Liturgie verwirklicht. Dies sind jedoch nur verschiedene Akzente; auch zum Wortgottesdienst gehört wesentlich die Antwort der Gemeinde in Dank und Fürbitte, und auch zum Stundengebet gehört wesentlich die Verkündigung des Wortes Gottes.

Im Folgenden kann nun vom Gebet der Kirche generell gesprochen

---

S. 565, Anm. 901, angegebenen Meßerklärungen.

907 Vgl. dazu vor vielen anderen Autoren O. Casel, Das christliche Kultmysterium, 100-127; vgl. auch V. Warnach, Menschenwort und Wort Gottes (s. S. 511, Anm. 668), 31: "Von daher (aus seiner Sakramentsnähe) empfängt auch das in der Liturgiefeier, besonders im Offizium (Chorgebet) gebrauchte Wort seine eigentliche Tiefe und Wirkkraft, da es sich im Mysterium der Verkündigung und des Sakraments gleicherweise begründet und stets wieder erneuert. Hier ist das Wort nicht bloß Kundgabe und Belehrung, sondern auch pneumatische (nicht physische oder 'somatische'!) Gegenwärtigkeit des Gesprochenen".

908 Dies gilt nicht nur für die eigentlichen Lob- und Preisgebete, wie sie im Hymnus und in den Lobgesängen des Zacharias, der Gottesmutter und des Simeon gegeben sind, sondern auch noch für die Bitten am Ende von Laudes und Vesper; der Lobpreis, die jüdische Berakah, mündet in Bitten und Fürbitten, in denen Gott um die stete Verwirklichung des Erbarmens gebeten wird, das Gegenstand des Lobpreises war. Vgl. dazu B. Fischer, Die Schluß-Bitten in Laudes und Vesper des neuen Stundengebetes, in: LJ 29 (1979) 14-23.

909 Vgl. dazu H. Lheureux, L'Office est une célébration, in: MD, Nr. 95 (1968) 94-117.

910 Vgl. oben, S. 533-541: Abschnitt 4.5.4.: "Der Wortgottesdienst als Feier des Heilsmysteriums".

werden, ohne daß dabei jedesmal seine verschiedenartigen Verwirklichungsweisen erwähnt werden müssen. Es ist immer, wenn
auch in verschiedenartiger Deutlichkeit, liturgische Feier des
Heilsmysteriums.

4.6.4. Das Gebet der Kirche als Gebet Jesu Christi

Für unsere Fragestellung muß nun nach dem Sinn der von Artikel
7,1 der Liturgiekonstitution ausgesagten Gegenwart des Herrn
im Gebet der Kirche gefragt werden. Dazu sind die bisher gemachten Überlegungen zur Zusammengehörigkeit von Wort und Antwort in der Verkündigung und zum Gebet der Kirche als Feier
des Heilsmysteriums vorauszusetzen.
Das Wort Gottes erfordert und ermöglicht die menschliche Antwort, die ganz vom Wort Gottes getragen ist und insofern ein
Element am Wort Gottes selbst ist, ohne indessen aufzuhören,
freie Tat des Menschen zu sein. In diesem menschlichen Tun,
dem antwortenden Gebet der Kirche, handelt also letztlich Gott
selbst. Auf unseren Zusammenhang bezogen bedeutet dies, daß im
Gebet der Kirche sich eine letzte, spezifische Weise der wirksamen Gegenwart Jesu Christi ereignet. Hier wird also nun nicht
vom Gotteswort her nach der menschlichen Antwort, sondern von
dieser Antwort her nach der Gegenwart des Herrn im Menschenwort gefragt.
Damit ergibt sich ein neuer Aspekt an der Wortverkündigung.
War bisher vorwiegend von ihrer absteigenden, heilshaften Dimension die Rede, vom Heilsangebot Gottes im Wort, das er an
sein Volk richtet, so tritt nun deutlich auch die aufsteigende, die Verherrlichung Gottes intendierende Linie dieses Vorgangs zutage. Dieser Aspekt war in den bisher erörterten Gegenwartsweisen zwar auch immer präsent, wurde aber nicht eigentlich thematisiert, da es in der Feier der Eucharistie und
der Sakramente und in der Verkündigung des Gotteswortes primär
um ein heilshaftes Handeln Gottes an den Menschen ging. Diese
jetzt an letzter Stelle zu erörternde Gegenwartsweise des Herrn
im Gebet der Kirche stellt also die notwendige Ergänzung in la-

treutischer Sinnrichtung dar, ohne die das Wesen der Liturgie nicht verwirklicht wäre.

Die Bedeutung des dankenden Lobpreises ergibt sich daraus, daß dieses Beten und Singen selbst ein liturgischer Vollzug ist. "Denn in der Liturgie spricht Gott zu seinem Volk ... Das Volk aber antwortet mit Gesang und Gebet" (Nr. 33) [911]. Infolgedessen muß alles, was vom Wesen der Liturgie und ihrem Subjekt gesagt wurde, sinngemäß auch auf das liturgische Beten der Kirche angewandt werden: Jesus Christus selbst vollzieht es zusammen mit seiner Kirche zur Verherrlichung Gottes und zum Heil der Menschen.

Dies kommt bei der Feier der Eucharistie in den Amtsgebeten des Priesters zum Ausdruck, die er als Repräsentant der Gemeinde in der Funktion des Hauptes, in der Rolle Jesu Christi, spricht [912]. Noch deutlicher wird es beim kirchlichen Stundengebet, das als "Stimme der Braut" (Nr. 83) das Gebet "des ganzen mystischen Leibes" (Nr. 99) und insofern auch das Gebet Jesu Christi selbst ist (Nr. 84). Damit wird das allgemeine Prinzip, daß in der Liturgie Jesus Christus sich die Kirche zugesellt, die ihn anruft und durch ihn dem Vater huldigt (Nr. 7,2), nun speziell auf das liturgische Beten der Kirche angewandt. Dabei wiederholt sich das differenzierte Beziehungsgefüge zwischen Jesus Christus und der Kirche [913]: Sie stehen einander gegenüber und sind zugleich gemeinsam auf das Heil der Menschen und die Verehrung Gottes ausgerichtet. Nur dieser letzte Aspekt interessiert hier: Jesus Christus "betet in uns als unser Haupt" [914].

Dieses Beten Jesu Christi im Gebet der Kirche findet im eucharistischen Hochgebet und im kirchlichen Stundengebet seinen deutlichsten Ausdruck. Auf das eucharistische Hochgebet braucht

---

911 Nicht so ausdrücklich aber ebenso eindeutig kennzeichnen auch alle anderen oben angeführten Texte das Gebet der Kirche als integrales Moment der liturgischen Feier, als eine Weise, in der die Feier des Pascha-Mysteriums sich vollzieht.
912 Vgl. oben, S. 560, Anm. 882.
913 Vgl. oben, S. 241-259.
914 Vgl. MeD 142/573, wo der Augustinus-Text zitiert wird, der den Kontext der zitierten Stelle in SC 84 bildet: vgl. oben, S. 208.

hier nicht mehr eingegangen zu werden; es wurde als Kern der eucharistischen Feier bereits ausführlich als Werk Jesu Christi und der Kirche beschrieben. Hier sollen nun noch einige Hinweise auf die tätige Gegenwart des Herrn in der Feier des Stundengebetes nachgetragen werden.

Die Gegenwart des Herrn im Stundengebet der Kirche

Odo Casel hat in seiner Darstellung des christlichen Kultmysteriums auch ein Kapitel: "Der heilige Tag der Kirche" [915]. Er geht davon aus, daß sich um das zentrale Mysterium der Eucharistie als Ausweitung der Mysterienfeier das kirchliche Stundengebet legt. Es entfaltet das im eucharistischen Opfer konzentrierte Heilsgeschehen in den Tag hinein. Sein eigentliches Subjekt ist Jesus Christus selbst, dem sich die Kirche mit ihrem Beten anschließt [916]. Dadurch gewinnt dieses Gebet Anteil "an der sakramentalen Würde des Opferaktes" und wird "zu seinem objektiven Wert erhöht ... Alles Beten der Kirche und der Seele wird damit zu einem Beten Christi" [917]. Casel erörtert dann eingehend die Funktion des Heiligen Geistes in diesem Vorgang, der "wie auf starken Fittichen das Gebet der Gemeinde empor" trägt [918] und es so wirklich zum Gebet im Namen Jesu macht. Aus dieser Gesamtsicht des Stundengebetes sind seine einzelnen Teile zu deuten, ohne daß Casel ihren christologischen Sinn speziell erörtert.

Ausdrücklich wurde immer wieder der christologische Sinn der Psalmen untersucht. Vor allem Balthasar Fischer hat in mehreren Aufsätzen gezeigt, wie im Verständnis der Kirchenväter der alttestamentliche Psalter zum Gebet der Kirche wurde und man in den Psalmen Hinweise auf das in Jesus Christus verwirklichte Heilsmysterium fand [919]. Nur vom Christus-Mysterium her ist nach patristischer Auffassung der Psalter in seiner vollen Sinntiefe zu erfassen, ein Gedanke, der in der Liturgischen

---

915 Vgl. O. Casel, Das christliche Kultmysterium, 100-127.
916 Vgl. ebd., 101.
917 Ebd., 103.
918 Ebd.
919 Vgl. die S. 112, Anm. 485, angegebenen Titel; außerdem S. Grün, Psalmengebet im Lichte des Neuen Testamentes, Regensburg 1959.

Bewegung und der vorkonziliaren Liturgiewissenschaft wieder entschieden aufgenommen wurde [920].

Die Enzyklika "Mediator Dei" hatte diese Anregungen aufgenommen und weitergeführt, indem sie nicht nur vom christologischen Sinn der Psalmen spricht [921], sondern darüberhinaus, mehr als in ihren übrigen Darlegungen, ein aktuelles Handeln Jesu Christi im Gebet der Kirche andeutet, wobei sie sich vor allem der Formulierungen des heiligen Augustinus bedient [922].

Im Hinblick auf unsere Fragestellung ist der Beitrag von Joseph Gelineau beim dritten pastoralliturgischen Kongreß in Straßburg (1957) von besonderem Interesse [923]. Er stellt dar, daß die Kirche sich des Wortes Gottes bedient, um auf Gottes Wort zu antworten. Die gesamte Liturgie betet "in der Sprache Gottes, was sich besonders in den Psalmen des Stundengebetes zeigt, die als Wort Gottes Gebet der Kirche sind" [924].

Daraus ergibt sich für alles christliche Beten die Konsequenz, die später Hermann Volk zog, "daß wir nur in Christus zu Gott 'Vater' sagen können, daß wir es nicht sagen, ohne daß Christus in seiner Weise mitspricht" [925].

Die Liturgiekonstitution hat diese Vorarbeiten übernommen und sich im Wesentlichen an die Formulierungen von "Mediator Dei" gehalten, dabei aber ausdrücklich und in Korrektur des Entwurfs

---

920 Vgl. z.B. L. Bouyer, La vie de la liturgie, Paris 1956 (= LO 20); P. Parsch, Breviererklärung, Klosterneuburg 1940; J. Pascher, Das Stundengebet der römischen Kirche, München 1954; J. Hild, Das Wort Gottes in der Feier der Vesper und Komplet, in: Anima 10 (1955) 308-322; C. Vagaggini, Theologie der Liturgie, 285-294; P. Salmon, Das Stundengebet, in: HLW II, 326-422, bes. 413-422: "Die Theologie des Stundengebets".
921 Vgl. MeD 145-147/574 f.
922 Vgl. MeD 142/573. Daß dies einer breiten Tradition in der Väterzeit entspricht, zeigt B. Fischer, Die Psalmenfrömmigkeit der Martyrerkirche, Freiburg 1949 (Antrittsvorlesung, Bonn 1946); vgl. z.B. S. 7: "Wo die Stimmen der Einzelnen reden, die Stimme Davids, des Königs, des unschuldig verfolgten und geretteten Gerechten, liebt die Frühkirche es, die Stimme Christi reden zu hören, 'Filium ad Patrem, i.e. Christum ad Deum verba facientem', wie Tertullian ausdrücklich mit Bezug auf den Psalter sagt". "Psalmus vox Christi/ Psalmus vox Ecclesiae: das sind die beiden Leitworte frühchristlicher Psalmenfrömmigkeit" (ebd., 9).
923 Vgl. oben, S. 517, Anm. 715.
924 Vgl. oben, S. 517, Anm. 716.
925 H. Volk, Theologische Grundlagen für die Neuordnung des Gottesdienstes, in: Ders., Gesammelte Schriften II, Mainz 1966, 179-196, hier 182.

vom Handeln Jesu Christi im Gebet der Kirche gesprochen [926].
Allerdings stand die vom Konzil beschlossene Neuordnung des
Stundengebets, seine Kürzung, der rechte Zeitansatz der einzelnen Gebetszeiten und die Struktur der Horen so sehr im Vordergrund, daß auch die meisten Kommentare sich hauptsächlich
mit diesen Fragen beschäftigen, ohne die theologische Sinndeutung dieses kirchlichen Betens zu bedenken [927]. Immerhin betont
Stefano Bettencourt in dem von Guilelmo Baraúna herausgegebenen Kommentarband, daß die Wirksamkeit des Stundengebets auch
daher komme, daß es Werk Gottes sei. Gott handelt im Christen
und hilft ihm beten; das Gebet ist damit ein Geschenk Gottes
an den Menschen [928].

Wenn auch dieser Aspekt des liturgischen Gebetes in den Kommentaren wenig Beachtung gefunden hat, so muß dennoch auf seine Bedeutung hingewiesen werden. Das liturgische Gebet ist,
wie die gesamte Liturgie, Werk Jesu Christi und der Kirche und
muß als solches als eine Weise der realen, personalen, tathaften Gegenwart des Herrn angesehen werden.

Wie auch bei den anderen Formen der Aktualpräsenz verlangt die
Gegenwart des Herrn im Beten der Kirche nach einer personhaf-
ten Repräsentation des erhöhten Herrn als des eigentlichen
Trägers dieses kirchlichen Tuns. In diesem Zusammenhang ist es
bedeutsam, daß nach Artikel 33 das Gebet der Kirche in ihrem
Namen von dem dazu ermächtigten Priester an Gott gerichtet
wird. Er stellt Jesus Christus als das Haupt dar und betet in
der Rolle des Herrn [929].

Dieser Gesichtspunkt wird in Artikel 84 nochmals aufgenommen,
indem die Funktion des Priesters im Stundengebet hervorgehoben
wird: "Wenn nun die Priester und andere kraft kirchlicher Ordnung Beauftragte oder die Christgläubigen, die zusammen mit
dem Priester in einer approbierten Form beten ..." [930]. Es wur-

---

926 Vgl. oben, S. 208.
927 Vgl. z.B. G. Michiels, Vers une redécouverte de l'office divin, in: QLP
    45 (1964) 228-240; S. Bettencourt, L'Ufficio Divino rinnovato fonte di
    vita cristiana, in: G. Baraúna (Hg.), La Sacra Liturgia ..., 559-583.
928 Vgl. S. Bettencourt, ebd., 569.
929 Vgl. den Text, oben, S. 560, Anm. 882.
930 SC 84: "Cum vero mirabile illud laudis canticum rite peragunt sacerdo-

de oben darauf hingewiesen, daß nach der Liturgiekonstitution die Funktion des Priesters als des Vorstehers des kirchlichen Gebetes nicht mehr in so striktem Sinn erforderlich ist, wenn überhaupt liturgisches Beten im Namen der Kirche sich ereignen soll, wie das noch von der Enzyklika "Mediator Dei" gefordert wurde [931]. Dennoch gehört es zum Wesen der liturgischen Feier, daß sich in ihrem hierarchischen Aufbau die Funktion Jesu Christi als des Hauptes der Kirche einen sinnenfälligen Ausdruck schafft. Deshalb hat das liturgische Gebet der Kirche, auch wenn es unter gewissen Umständen ohne hierarchische Leitung vollzogen werden kann, erst dann seine volle zeichenhafte Wirklichkeit erreicht, wenn es unter Führung eines die Person Jesu Christi darstellenden Amtsträgers gebetet wird. Erst dann wird auch in dieser liturgischen Feier die gegenwärtige Wirksamkeit des Herrn im Zeichen dargestellt und verwirklicht.

4.6.5. Zusammenfassung

Bei der Erörterung der Gegenwart Jesu Christi im Gebet der Kirche handelt es sich im Wesentlichen um eine Ergänzung zu dem über die Gegenwart des Herrn in seinem Wort Gesagten. Dieser letzte Abschnitt konnte dementsprechend knapp ausfallen. Als einziger neuer Gesichtspunkt war noch darzustellen, daß dem Sprechen und Handeln Gottes zum Heil der Menschen ein antwortendes Handeln und Sprechen der Menschen korrespondieren muß. Dabei zeigte sich, daß diese menschliche Antwort selbst vom Wort Gottes getragen und ermöglicht ist und mit ihm zusammen ein einziges dialogisches Sinngefüge ausmacht. Nur im gehörten, aufgenommenen und mit dem christlichen Leben und dem Lobpreis Gottes beantworteten Gotteswort kommt dieses an sein Ziel.

In einem zweiten Schritt war zu zeigen, daß nach den Grund-

---

tes aliique ad hanc rem Ecclesiae instituto deputati vel christifideles una cum sacerdote forma probata orantes ...".
931 Vgl. oben, S. 275.

prinzipien der Liturgie, wie sie das Konzil formuliert hat,
dieses antwortende Tun der Kirche im Lobpreis Gottes selbst
ein Teil der Liturgie ist, ein Handeln des ganzen mystischen
Leibes, in dem Jesus Christus selbst der Haupthandelnde ist.
Damit erweist sich das Gebet der Kirche in seinem Kern als Gebet Jesu Christi und ist folglich eine spezifische Weise seiner gegenwärtigen Wirksamkeit in der Liturgie.

Die Gegenwart des Herrn im Gebet der Kirche unterscheidet sich
von seinen übrigen Gegenwartsweisen dadurch, daß es nicht primär ein gegenwärtiges Handeln an den Gläubigen, sondern ein
Tun zusammen mit den Gläubigen vor Gott ist. Damit ist der in
den übrigen Gegenwartsweisen weniger betonte latreutische Aspekt der Liturgie nochmals eigens hervorgehoben. Auch in ihrer
aufsteigenden Linie ist die Liturgie ein Tun Jesu Christi
selbst, bei dem er sich die Kirche zugesellt. Dabei läßt er
sich als den eigentlichen Träger dieses liturgischen Tuns der
Kirche auch hier personhaft repräsentieren, indem in der Regel
das liturgische Gebet unter Führung eines kirchlichen Amtsträgers vollzogen wird, der Jesus Christus als das Haupt der Kirche darstellt und in seinem Tun repräsentiert.

4.7. Ergebnis

Im vorliegenden Kapitel war die Frage zu erörtern, welche verschiedenen Weisen der liturgischen Gegenwart des Herrn die Liturgiekonstitution des II. Vatikanischen Konzils nennt, wie
diese im einzelnen gekennzeichnet sind und in welcher Beziehung sie zueinander stehen. Dabei orientierte sich die Untersuchung an der Aufzählung der liturgischen Gegenwartsweisen
des Herrn, wie sie Artikel 7,1 der Liturgiekonstitution bietet [932]. Die dort aufgeführten sechs Weisen der Gegenwart des

---

932 Die Gegenwart des Herrn in den Feiern des Kirchenjahres, dem die Liturgiekonstitution ein eigenes Kapitel widmet, wird in Artikel 7,1
nicht erwähnt. Sie blieb jedoch nicht nur aus diesem formalen Gesichtspunkt unberücksichtigt, sondern aus der sachlichen Überlegung, daß die
Feiern des Kirchenjahres nicht eine eigene, spezifische Gegenwartsweise des Herrn darstellen, sondern die Gegenwart seines Heilswerks, die

Herrn wurden der Reihe nach erörtert. Die Zahl sechs ergab
sich daraus, daß im Unterschied zu vielen Kommentaren zu Artikel 7,1 der Liturgiekonstitution die Gegenwart des Herrn in
der Eucharistiefeier als ganzer als eine eigene, spezifische
Gegenwartsweise angesetzt und aus dem Text erhoben wurde.

Das methodische Vorgehen war dadurch gekennzeichnet, daß im
vorausgehenden Kapitel nach allgemeinen, in jeder liturgischen
Feier verwirklichten Bedingungen und Grundbestimmungen der Gegenwart des Herrn gefragt wurde, während es jetzt um die speziellen Formen ging, in denen sich diese allgemeine Gegenwart
des Herrn verwirklicht.

Bei jeder einzelnen Gegenwartsweise des Herrn wurde versucht,
die knappe Aussage des Artikels 7,1 aus dem Gesamtzusammenhang
der Liturgiekonstitution zu interpretieren. Außerdem wurde die
Gesamtaussage der Konstitution zum jeweiligen Thema auf ihre
Vorgeschichte in der vorkonziliaren theologischen Entwicklung
hin befragt. Erst im Rückblick auf die Geschichte und unter
Berücksichtigung der Konzilsdiskussion selbst konnte jeweils
der präzise Sinn der einzelnen Aussagen des Artikels 7,1 der
Liturgiekonstitution erhoben werden. Die einzelnen Ergebnisse
dieser Untersuchung brauchen hier nicht nochmals wiederholt zu
werden; dafür sei auf die Zusammenfassungen am Ende eines jeden Abschnitts des vorliegenden Kapitels verwiesen [933]. Hier
ist vielmehr abschließend danach zu fragen, welche Gemeinsamkeiten und Unterschiede sich bei der Erörterung der einzelnen
Gegenwartsweisen zeigten und in welcher Beziehung diese zueinander stehen.

---

in jeder Eucharistiefeier gegeben ist, entsprechend dem liturgischen
Fest unter diesem oder jenem Aspekt besonders hervorheben, ohne daß
damit aber die Überzeugung preisgegeben wird, daß der Inhalt der liturgischen Feier stets das gesamte Heilswerk ist. Die inhaltlichen
Aussagen, die sich im Kapitel über das Kirchenjahr finden, wurden dagegen selbstverständlich an der jeweils entsprechenden Stelle berücksichtigt.

933 Vgl. S. 399 f.: die Gegenwart des Herrn in der Feier der Eucharistie;
S. 439-441: die Gegenwart des Herrn im Dienst des Priesters; S. 452
bis 454: die Gegenwart des Herrn in den eucharistischen Gestalten; S.
493-496: die Gegenwart des Herrn in den übrigen Sakramenten; S. 555
bis 557: die Gegenwart des Herrn in seinem Wort; S. 573 f.: die Gegenwart des Herrn im Gebet der Kirche.

Die Gegenwart des Herrn in der Feier der Eucharistie

Ausgangspunkt ist das eucharistische Opfer, in welchem Jesus
Christus zusammen mit der Kirche durch den Dienst des Priesters in der Gestalt einer Gedächtnisfeier sein Kreuzesopfer
als den Höhepunkt des göttlichen Heilsplans darstellt und gegenwärtig setzt. Die Eucharistiefeier ist das Zentrum der Liturgie; in ihr sind die allgemeinen Bestimmungen der liturgischen Gegenwart Jesu Christi auf umfassendste und intensivste
Weise verwirklicht.

Die eucharistische Feier als ganze ist in ihrem Vollzug die
Repräsentation des gesamten Heilswerks Jesu Christi, vor allem
seines Höhepunktes in Kreuzestod und Auferstehung des Herrn.
Dieses Pascha-Mysterium erlangt im eucharistischen Mysterium
eine realsymbolische Gegenwart: es vollzieht sich als es selbst
in einem anderen Vorgang, nämlich der sakramentalen Feier der
Eucharistie.

Die Gegenwart des Herrn im Dienst des Priesters

Diese Gegenwart des Heilswerks verlangt nach dem Subjekt, welches das Heilswerk vollzieht: Jesus Christus. Er repräsentiert
sich im Tun des Priesters, der in seinem Dienst das Wirken des
Herrn darstellt und als Voraussetzung dazu seinsmäßig dem Herrn
verähnlicht wird. Der Priester ist dadurch befähigt, in seinem
liturgischen Tun das personhafte Zeichen zu sein, in dem sich
die personale, tätige und wirksame Gegenwart des Herrn zur Erscheinung bringt.

Zu der sakramentalen Gegenwart seines Heilswerks in der eucharistischen Feier muß darum als Bedingung ihrer Möglichkeit die
tätige Gegenwart der Person Jesu Christi als Träger dieser
Feier hinzugedacht werden. Er ist als Subjekt des einstigen
Heilswerks zugleich Subjekt seiner sakramentalen Vergegenwärtigung und schafft sich dazu in seinem Repräsentanten ein
sichtbares Zeichen seiner selbst.

Im gegenwärtigen Vollzug des Erlösungswerkes verbindet Jesus
Christus sich die Kirche, die er zu seiner Gehilfin im Heilswerk bestimmt hat. Mit ihr zusammen ist er das Subjekt der liturgischen Feier. Haupt und Glieder des mystischen Leibes der

Kirche vollziehen gemeinsam das Erlösungswerk. Dies bildet
sich in der liturgischen Versammlung ab, die als sichtbare Manifestation der gesamten Kirche den mystischen Leib darstellt,
dessen Haupt sich im Priester als dem Vertreter der liturgischen Versammlung repräsentiert. Im liturgischen Dienst des
Priesters gewinnt daher der gesamte mystische Leib sichtbare
Gestalt. In doppelter Repräsentation steht der Priester für
Jesus Christus und die Kirche, deren Einheit er in seiner Person und in seiner Funktion als Haupt der liturgischen Versammlung zur Darstellung bringt.

Die Gegenwart des Herrn in den eucharistischen Gestalten

Diese zeichenhafte und wirkliche Gegenwart des Heilswerks und
der Person Jesu Christi in einem anderen Geschehen und in einer anderen Person wird durch die wesen- und leibhafte Gegenwart des Herrn in den eucharistischen Gestalten seines Flei-
sches und Blutes überboten und letztlich ermöglicht. Die Gewähr dafür, daß der Herr sich in der Zeichenhandlung und ihrem
Träger nicht als Abwesenden vertreten, sondern als Gegenwärtigen darstellen läßt, erhält der Glaube durch die substantiale
somatische Realpräsenz des Herrn. Von daher sind die tätige
Gegenwart seiner Person in ihrem Repräsentanten, sowie der
wirksame gegenwärtige Vollzug seines Heilswerks in der liturgischen Gedächtnisfeier gewissermaßen als Formen seiner tathaften, personalen, wirklichen Gegenwart zu deuten: zwei einander bedingende und ergänzende Formen der aktualen Realpräsenz des erhöhten Herrn und seines Heilswerks, die von der
substantialen Realpräsenz seiner Person getragen werden.
Die zentrale eucharistische Feier ist die Verwirklichung der
drei ersten besprochenen Gegenwartsweisen des Herrn: seiner
Gegenwart in der Eucharistiefeier, im Dienst des Priesters und
in den eucharistischen Gestalten.
Aus diesem Zentrum gliedern sich die weiteren liturgischen Vollzüge und die darin gegebenen spezifischen Gegenwartsweisen des
Herrn aus. Sie bilden eigenständige Formen der liturgischen
Gegenwart des Herrn und bleiben dennoch stets auf das zentrale
eucharistische Mysterium zurückbezogen.

Die Gegenwart des Herrn in den Sakramenten

Die sakramentale Feier der Eucharistie entfaltet sich in der
Feier der übrigen Sakramente, in denen der Herr ebenfalls jeweils sein gesamtes Heilswerk, aber nun unter je einem speziellen Gesichtspunkt im liturgischen Vollzug zur gegenwärtigen
Erscheinung bringt. So ist die Gegenwart des Herrn in den Sakramenten ebenfalls als tathafte Gegenwart seiner Person und
als Gegenwart seines Heilswerks im jetzigen Vollzug zu kennzeichnen. Das Subjekt der Feier der Sakramente ist ebenfalls
Jesus Christus zusammen mit seiner Kirche; er schafft sich
auch hier in der liturgischen Gemeinde und ihrem bevollmäch-
tigten Vorsteher ein wirklichkeitserfülltes Bild seiner selbst,
des ganzen mystischen Leibes mit Haupt und Gliedern [934]. Dabei
gilt auch für die übrigen Sakramente, daß die letzte Gewähr
für die wirkliche Gegenwart Jesu Christi und seines Heilswerks
in der eucharistischen substantialen Realpräsenz seines Leibes
und Blutes zu suchen ist. Der darin wesen- und leibhaft gegenwärtige Herr handelt in den übrigen Sakramenten ebenso wie in
der sakramentalen eucharistischen Feier.

Die Gegenwart des Herrn in seinem Wort

Als zweites wesentliches Element enthält die Eucharistiefeier
die Verkündigung des Wortes Gottes, worin der Herr das seiner
Kirche und durch sie allen Menschen zuspricht, was er in den
Sakramenten vollzieht. In ihrer Einheit mit der sakramentalen
Feier ist auch die Wortverkündigung als gegenwärtiges Wirken
des Herrn und als gegenwärtige Verwirklichung seines Heilswerks zu verstehen. Was der Herr durch den Dienst des Priesters und seiner Mitarbeiter in der liturgischen Wortverkündigung sagt, ist Gottes Wort und damit Gottes Tat. Das darin angebotene und insofern gegenwärtige Heil schafft sich auch in
der Wortverkündigung ein wirklichkeitserfülltes Zeichen, das
aber stets auf die sakramentale Feier als die noch umfassen-

---

934 Auf die spezielle Frage, wie sich die Repräsentation Jesu Christi als
des Hauptes in den Sakramenten darstellt, die auch von Laien gespendet
werden können (Taufe) oder sogar grundsätzlich von ihnen gespendet
werden (Ehe), kann hier nicht eingegangen werden.

dere und intensivere Verwirklichung desselben hingeordnet bleiben muß.

Als eigenständige liturgische Feier kann der Wortgottesdienst auch für sich bestehen, hat aber seinen eigentlichen Sinn und die Bedingung seiner Möglichkeit nur aus dem Zusammenhang mit der eucharistischen Feier, der immer gegeben ist, aber im liturgischen Vollzug nicht immer ausdrücklich realisiert zu werden braucht.

Die letzte Gewähr dafür, daß es wirklich der Herr ist, der in der kirchlichen Verkündigung des Evangeliums seinem Volk Heil zuspricht, gewinnt der Glaube wiederum aus der leibhaften Gegenwart Jesu Christi in den eucharistischen Gestalten. Der darin wesenhaft gegenwärtige Herr spricht in der Verkündigung, die damit stets als tathafte, gegenwärtige Wirksamkeit seiner Person und als wirksamer Vollzug seines Heilswerks zu verstehen ist.

Die Gegenwart des Herrn im Gebet der Kirche

Ein drittes wesentliches Element der Eucharistiefeier ist der gläubige Empfang des in Wort und Sakrament angebotenen Heils durch die mitfeiernde Gemeinde und ihre dankbare Antwort im Lobpreis und der Verherrlichung Gottes. Nur als gehörtes und beantwortetes Wort erreicht das Heilswort Jesu Christi sein Ziel; nur als dankbar empfangene und im christlichen Leben zur Auswirkung gebrachte Gabe ist die Heilstat des Herrn voll verwirklicht. Deshalb gehört der Dank der Gemeinde, der sich im christlichen Leben und im ausdrücklichen Lobpreis Gottes vollzieht, zum Gesamtvorgang der Heilsverwirklichung in der liturgischen Feier wesentlich hinzu.

Dieses antwortende Tun kann die Kirche als Leib des Herrn aber nicht ohne ihr Haupt vollziehen; Jesus Christus ist auch hier das eigentliche Subjekt des kirchlichen Handelns. Deshalb ist das Gebet der Kirche in der eucharistischen Feier letztlich wiederum das Gebet Jesu Christi selbst, das er zusammen mit der Kirche durch den Dienst des Priesters dem Vater darbringt. Es erweist sich ebenfalls als eine Weise der tathaften Gegenwart des Herrn, der zusammen mit der Kirche und durch sie Gott,

dem Vater, für das Heil dankt, das er durch ihn, den Sohn, ge-
wirkt hat. Auch in dieser Form personaler Aktualpräsenz des
Herrn wird mit ihm sein Heilswerk gegenwärtig, nicht mehr nur
als angebotenes, sondern als angenommenes und im christlichen
Leben und im Dank an Gott zur Auswirkung gebrachtes.

Seine eigenständige liturgische Form findet dieses Gebet der
Kirche im Stundengebet, das wiederum als ein aus der eucharistischen Feier sich ausgliederndes Element der Liturgie verstanden werden muß. Ähnlich dem Wortgottesdienst bleibt es
stets zurückbezogen auf die zentrale eucharistische Feier, die
sich im Stundengebet über den Tag hin fortsetzt. Die letzte
Gewähr dafür, daß dieses Beten nicht nur das Gebet der Kirche
zu Jesus Christus, sondern auch das Gebet Jesu Christi zusammen mit der Kirche zum Vater ist, erhält der Glaube auch hier
aus der substantialen Realpräsenz des Herrn in den eucharistischen Gestalten. Der darin wesen- und leibhaft gegenwärtige
Herr handelt zusammen mit der Kirche, indem er mit ihr sich
dankend und lobpreisend an Gott, den Vater, wendet.

Die gegenseitige Zuordnung der liturgischen Gegenwartsweisen

Damit sind die drei zuletzt behandelten Gegenwartsweisen des
Herrn, seine Gegenwart in den Sakramenten, in seinem Wort und
im Gebet der Kirche, in ihrem Zusammenhang mit den in der eucharistischen Feier verwirklichten Weisen der Gegenwart Jesu
Christi kenntlich gemacht. Die verschiedenen Formen der liturgischen Gegenwart des Herrn erweisen sich als Ausformungen
seiner einen und tätigen Gegenwart in der Eucharistiefeier.
Der in den eucharistischen Gestalten wesenhaft und leibhaft
gegenwärtige erhöhte Herr spricht seinem Volk in der liturgischen Verkündigung der Meßfeier und eigener Wortgottesdienste
das Heil zu; er vollzieht dieses Heil an seinem Volk in der
sakramentalen Feier der Eucharistie und der übrigen Sakramente; er dankt zusammen mit der das Heil empfangenden Kirche und
durch sie Gott, dem Vater, im eucharistischen Dankgebet und in
der liturgischen Feier des kirchlichen Stundengebets.

Damit ist die Verschiedenheit und Zusammengehörigkeit der liturgischen Gegenwartsweisen Jesu Christi nach der Liturgiekon-

stitution dargelegt. Die Konstitution bietet in ihrem Gesamttext mit seinen aus seiner Vorgeschichte zu erhebenden Implikationen hinreichende Aussagen, um die Tatsache der liturgischen Gegenwart des Herrn in ihren verschiedenen Formen in einer systematischen Überlegung zusammenfassend darzustellen.

Weniger deutlich sind die Aussagen der Liturgiekonstitution
hinsichtlich der Frage nach den Möglichkeitsbedingungen der
liturgischen Gegenwart des Herrn. Insbesondere bleibt die in
Abschnitt 3.5.5. dargestellte fundamentale Bedeutung der Sendung des Heiligen Geistes für die Gegenwart und Wirksamkeit
des Herrn in der Liturgie bei der Darstellung der einzelnen
Gegenwartsweisen in der Liturgiekonstitution völlig unberücksichtigt [935]. In diesem Punkt bedarf die Liturgiekonstitution
einer pneumatologisch orientierten theologischen Weiterführung,
die einen entscheidenden Beitrag zum vollen Verständnis nicht
nur der Tatsächlichkeit, sondern auch der Bedingungen der Möglichkeit der liturgischen Gegenwart des Herrn in ihren verschiedenen Formen zu leisten hätte.

---

935 Vgl. die entsprechenden Hinweise jeweils am Schluß der einzelnen Zu-
    sammenfassungen; vgl. die Fundstellen, oben S. 575, Anm. 933.

5. Zur kirchenamtlichen und theologischen Rezeption der Lehre von der Gegenwart Jesu Christi im Gottesdienst

Mit dem Abschluß des vorausgehenden Kapitels ist das Ziel der vorliegenden Untersuchung im Wesentlichen erreicht. Nach einem historischen Überblick über die theologische Vorgeschichte der Liturgiekonstitution (erstes Kapitel) wurde die konziliare Arbeit an dieser Konstitution erörtert (zweites Kapitel). Daraus ergab sich als erste Frage, wie nach der Liturgiekonstitution überhaupt eine liturgische Gegenwart des Herrn zu denken ist; die Antwort wurde im dritten Kapitel erarbeitet. Und schließlich mußte dargestellt werden, welche verschiedenen Weisen der liturgischen Gegenwart des Herrn die Liturgiekonstitution kennt, welche theologische Bedeutsamkeit sie je für sich haben und in welchem Zusammenhang sie untereinander stehen. Dieser Aufgabe diente das vierte Kapitel.

Nun muß aber ein Text nicht nur im Kontext seiner Vorgeschichte gelesen werden, um in seiner eigenen Gestalt verständlich zu werden; er muß auch von seiner Wirkungsgeschichte her nochmals gelesen werden und gewinnt so weitere Konturen. Deshalb soll im vorliegenden Kapitel nach der kirchenamtlichen und theologischen Rezeption der Liturgiekonstitution im Hinblick auf die hier erörterte Lehre von der Gegenwart des Herrn im Gottesdienst gefragt werden.

Dieses Thema bietet überreichlich Stoff für eine eigene umfangreiche Untersuchung, die hier aber nicht mehr vorgelegt werden kann; sie würde den Rahmen dieser Arbeit sprengen.

Das einschneidendste und auch handgreiflichste Ergebnis der Beschlüsse, die das II. Vatikanische Konzil in der Liturgiekonstitution niedergelegt hat, ist die Liturgiereform selbst. Sie ist inzwischen im Wesentlichen abgeschlossen[1], so daß es möglich ist, den konziliaren Auftrag mit der daraus gewordenen Wirklichkeit zu vergleichen. Wenn dies aber nicht nur auf der Ebene der äußeren Gestalt der liturgischen Feiern geschehen

---

1 Vgl. die oben, S. 416, Anm. 265, angegebenen Arbeiten zum Überblick.

soll, sondern, was wichtiger ist, den theologischen Gehalt der
einzelnen Riten mit einbezieht, dann erfordert auch eine solche theologische Auswertung der neuen liturgischen Texte wie
auch die Deutung der veränderten Gestalt der Liturgie selbst
eine eigene, eingehende Untersuchung. Auch dies kann hier nicht
mehr geleistet werden.

Es soll also nur noch versucht werden, in knappen Strichen einige Entwicklungslinien und wichtige Stationen der Rezeption
der Lehre von der Gegenwart des Herrn im Gottesdienst zu skizzieren.

In einem ersten Abschnitt (5.1.) werden die übrigen Dokumente
des II. Vatikanischen Konzils daraufhin untersucht, wie in ihnen die Lehre der Liturgiekonstitution über die liturgische
Gegenwart des Herrn aufgenommen ist.

Im zweiten Abschnitt (5.2.) werden die für dieses Thema wichtigsten kirchenamtlichen Dokumente der nachkonziliaren Zeit
vorgestellt und ihr Beitrag zur Lehre von der liturgischen Gegenwart Jesu Christi erörtert.

Der dritte Abschnitt (5.3.) dient schließlich der Darstellung
einiger theologischer Untersuchungen zu unserem Thema.

5.1. Die Lehre von der liturgischen Gegenwart Jesu Christi in den übrigen Texten des II. Vatikanischen Konzils

Aus einem einzelnen Konzilstext kann noch nicht eindeutig die
Meinung des Konzils zu den in diesem Text enthaltenen theologischen Implikationen erhoben werden. Zu vielfältig sind die
Bausteine und Ereignisse, die schließlich zu dem endgültigen
Text geführt haben, als daß man jedes einzelne dieser Momente
für sich genommen als formell vom Konzil bestätigt und gelehrt
ansehen könnte. Zwar ist nicht nur die Liturgiekonstitution
als ganze, sondern ausdrücklich auch das in ihrem ersten Kapitel vorgelegte theologische Konzept vom Konzil mit überwältigender Mehrheit gebilligt worden[2]. Diese Zustimmung schließt

---

2 Vgl. oben, S. 140.

aber, wie die Durchsicht der Konzilsreden und der Veränderungswünsche zeigt, nicht ohne weiteres eine reflektierte Bejahung
der theologischen Akzente mit ein, wie sie im Verlauf der vorliegenden Untersuchung aus dem Text erarbeitet wurden.
Gewiß muß mit Karl Rahner gesagt werden: "Die Lehräußerung der
Kirche - auch auf dem Konzil - ist zunächst einmal und in erster Linie verbindlich in dem, *was* gesagt wird, weniger aber
in der Perspektive, unter der die Aussagen gemacht werden"[3].
Insofern steht und gilt die theologische Aussage der Liturgiekonstitution in sich. Dennoch aber ist gerade zum volleren Verständnis dieser Aussage auch der Kontext mit heranzuziehen, in
dem sie steht. Deshalb wird es hilfreich sein, die theologischen Aspekte und Tendenzen der Liturgiekonstitution an den
übrigen Konzilsdokumenten zu messen. Erst dann zeigt sich, ob
einzelne Aussagen nicht nur relativ zufällig und isoliert -
wenn damit auch um nichts weniger gültig - im Gesamt der konziliaren Lehre des II. Vaticanums stehen, oder inwieweit sie
von der Gesamttendenz des Konzils her und von der in seinen
Dokumenten gegebenen Explikation einzelner Themen bestätigt
oder durch den größeren Zusammenhang modifiziert werden.
Die einzelnen Dokumente des II. Vatikanischen Konzils können
hier nicht in sich, mit ihrer jeweiligen Vorgeschichte, Textentwicklung und Gesamtaussage dargestellt werden; dies würde
für jeden Konzilstext eine eigene Untersuchung erfordern. Hier
sollen diese Texte lediglich von der Liturgiekonstitution her
in den Blick genommen werden.
Dabei bildet die systematische Interpretation der Liturgiekonstitution im Hinblick auf unser Thema, wie sie im dritten und
vierten Kapitel dieser Arbeit vorgelegt wurde, den Raster,
nach dessen Maßgabe die übrigen Konzilstexte untersucht werden.
Wiederum sind also die beiden Fragen leitend, wie überhaupt
eine liturgische Gegenwart des Herrn zu denken ist, und welche
liturgischen Gegenwartsweisen genannt werden.

---

3 Vgl. K. Rahner, Das neue Bild der Kirche, in: Ders., Schriften VIII
  (1967), 329-354, hier 334. Rahner erörtert die Verbindlichkeit einer
  einzelnen Konzilsaussage im Hinblick auf die Entwicklung der Ekklesiologie von der Ortsgemeinde her, was zwar nicht der Gesamttendenz der Kir-

5.1.1. Zur Bedeutung der Liturgiekonstitution für das II. Vatikanische Konzil

Bekanntlich wurde die Liturgiekonstitution als erstes Schema im Konzil diskutiert. Dies ist kein Zufall, sondern kommt daher, daß das Liturgieschema als einziges schon von der vorbereitenden Kommission in einer Form vorgelegt wurde, die von den zuständigen Stellen als zufriedenstellend und für die Konzilsdebatte geeignet angesehen wurde[4]. Tatsächlich wurde es von der vorbereitenden Zentralkommission nur geringfügig verändert[5] und blieb auch, im Unterschied zu allen anderen Schemata[6], in Aufbau, Umfang und grundsätzlicher inhaltlicher Ausrichtung im Verlauf der konziliaren Arbeit nahezu unverändert.

Aber nicht nur die formale Gestalt des Liturgieschemas ließ es als ersten Diskussionsgegenstand geeignet erscheinen, auch seine *Argumentationsweise* gefiel den Konzilsvätern und blieb wegweisend für die übrige Konzilsarbeit. Die Liturgiekonstitution ist entsprechend der pastoralen Zielsetzung des gesamten Konzils auf eine konkrete Liturgiereform hin orientiert, die es den Gläubigen ermöglichen, bzw. erleichtern soll, die Liturgie so mitzufeiern, daß sie darin auf bestmögliche Weise das in ihr angebotene Heil erkennen und empfangen und Gott dafür danken und ihn preisen können. Diese pastorale Ausrichtung stützt sich jedoch im ganzen Dokument wie auch in seinen einzelnen Kapiteln auf eine knappe, aber doch wohl durchdachte und präzise formulierte theologische Grundlegung.

Diese Weise der Argumentation wurde für die übrigen Konzils-

---

chenkonstitution entspricht, aber doch in LG 26 ansatzweise gegeben ist.
4 Vgl. J.-P. Jossua, La Constitution *Sacrosanctum Concilium* dans l'ensemble de l'oeuvre conciliaire, in: Ders./ Y. Congar, La Liturgie après Vatican II. Bilans, Études, Prospective, Paris 1967, 127-156, hier 127: "Il est aussi le seul des schémas préconciliaires qui ait été jugé satisfaisant".
5 Vgl. oben, S. 162-166.
6 Einen Einblick in die oft grundsätzlichen Veränderungen, die an allen übrigen eingereichten Schemata vorgenommen wurden, sofern sie überhaupt auf die Tagesordnung des Konzils gelangten, geben die Einleitungen zu den einzelnen Konzilsdokumenten, in: LThK.E I-III, sowie die Übersicht über die vorbereiteten Schemata, in: LThK.E III, 665-724; vgl. auch den Text der Schemata, in: Schemata I-IV.

dokumente beispielhaft. Man wollte sich nicht mit der Wiederholung von dogmatischen Lehraussagen begnügen, aber auch keine
theologisch nicht fundierten pastoralen Programme vorlegen,
sondern die pastoralen Folgerungen aus einer zeitgemäß formulierten, aber ganz in der kirchlichen Tradition verwurzelten
Theologie ableiten. Daß dies möglich ist, daß es keinen Widerspruch zwischen dogmatischer Präzision und pastoraler Ausrichtung gibt, vielmehr das eine dem anderen dienen kann und muß,
erkannten die Väter nach dem Zeugnis von Gabriel M. Kardinal
Garronne bei der Diskussion des Liturgieschemas. Er schreibt:
"Aus diesem Grund kann und muß man sagen, daß dieser Text das
glückliche Instrument einer Lösung (des scheinbaren Konflikts
zwischen dogmatischer Präzision und pastoraler Ausrichtung)
war. Durch die Art seines Gegenstandes und durch den Geist,
der ihn beseelte, trug er entscheidend dazu bei, die konziliare Arbeit in ihre wahre Richtung zu leiten"[7].
Auch die *Sprache* des Liturgieschemas muß hier genannt werden.
Man bemühte sich um eine biblisch und patristisch geprägte
Sprechweise, die dogmatische Festlegungen im Zusammenhang mit
ihrer Quelle: der Schrift, und mit ihrem Ziel: dem christlichen Leben in Glaube, Hoffnung und Liebe darlegt[8]. Mag auch in
Einzelfällen dabei die Präzision scholastischer Begrifflich-
keit nicht erreicht worden sein[9], so erwies sich doch insgesamt dieses Vorgehen als richtig. Auch in seinen übrigen Dokumenten, nicht zuletzt auch in den dogmatischen Konstitutionen,
bemühte sich das Konzil um eine ähnliche sprachliche Fassung.
Daß dies an einem Text erprobt werden konnte, der insgesamt,

---

7 Vgl. G. Garronne, Le rôle de la Constitution de Sacra Liturgia sur l'évolution du Concile et l'orientation de la pastorale, in: Miscellanea Liturgica (FS Kard. G. Lercaro), 2 Bde., Rom-Paris-Tournai,New-York 1967,
   II, 11-26, hier 15 f.: "... on peut et on doit dire que ce texte fut l'
   heureux instrument d'une solution et que, par la nature même de son ob-
   jet comme par l'esprit qui l'animait, il contribua de façon décisive à
   pousser l'effort conciliaire dans sa véritable direction" (Übersetzung
   von mir).
8 Vgl. ebd., 17: "En effet, ce texte, le meilleure sans doute de ceux qui
   étaient proposés, ne séparait pas les déterminations de tout genre, théologiens et disciplinaires, de ce qui en était la raison d'être: la foi
   et la charité".
9 Vgl. die entsprechende Kritik von C. Vagaggini, oben, S. 298, Anm. 358.

trotz aller heftigen Auseinandersetzungen in Einzelfragen, die
Zustimmung des Konzils fand, war ein glücklicher Umstand, dessen Bedeutung für die ganze Atmosphäre des Konzils und für
sein erfolgreiches Ende hoch veranschlagt werden muß[10].
Neben dieser großen Bedeutung, die die Liturgiekonstitution in
formaler Hinsicht für die übrigen Konzilsdokumente und damit
für das gesamte Konzil hatte, hat sie aber auch *inhaltlich*
viele der großen Themen der weiteren Konzilsarbeit andeutungsweise oder schon ausformuliert vorweggenommen. So sehr sie auf
ein praktisches Reformprogramm zielt, bietet sie doch auch,
insbesondere im Hinblick auf die Ekklesiologie, theologische
Grundaussagen von großer Tragweite. Gewiß ist es spürbar, daß
die konziliare Debatte der Kirchenkonstitution und die dabei
erreichte theologische Klärung ekklesiologischer Sachfragen
noch ausstand; die Liturgiekonstitution konnte davon nicht
mehr profitieren[11]. Dennoch kann mit Hermann Volk gesagt werden, "daß die Konstitution über die Liturgie mit erstaunlicher
Treffsicherheit auf dem Gebiet der Liturgie schon das zur Aussage brachte, was später prinzipiell für die Gesamtaussage
über die Kirche erst gewonnen werden mußte, sodaß die Konstitution über die Liturgie ihrerseits auch den übrigen Texten
des Konzils spürbare Hilfe geleistet hat"[12]. In einer ganzen
Reihe von Einzelfragen haben spätere Konzilsdokumente die Ekklesiologie, welche in der Liturgiekonstitution vorausgesetzt
oder angedeutet wird, bestätigt und ausgeformt[13]. Dieser Befund zeigt nochmals die Leistung der vorbereitenden liturgi-

---

10 Vgl. nochmals G. Garronne, a.a.O., 17: "Un tel débat a vraiment créé le
   climat conciliaire et fait trouver la route; c'est grâce à lui que le
   Concile a pu aboutir"; ebd., 18: "... cette Constitution fut, entre les
   mains de la Providence, l'instrument de son (Concile) orientation et la
   condition de son départ".
11 Vgl. dazu J.-P. Jossua, a.a.O. (S. 585, Anm. 4), 128. Im Folgenden wird
   dies an einzelnen Beispielen noch zu verdeutlichen sein.
12 H. Volk, Gottesdienst als Selbstdarstellung der Kirche, in: LJ 16 (1966)
   65-90, hier 65.
13 Vgl. J.-P. Jossua, a.a.O., 131: "En tous ces points l'oeuvre ultérieure
   du Concile confirme et épanouit l'ecclesiologie sous-jacente à Sacrosanctum Concilium, ou amorcé dans cette Constitution"; vgl. auch H.
   Volk, a.a.O.: "Andere Konstitutionen sind an ihre Seite gerückt, und
   kein Dekret des Konzils steht dem Geist der Liturgiekonstitution entgegen".

schen Kommission[14], deren Text in formaler und inhaltlicher
Hinsicht für das Konzil insgesamt entscheidende Bedeutung erlangt hat.

Der Einfluß der Liturgiekonstitution auf die übrigen Dokumente
des II. Vatikanischen Konzils kann hier nicht im einzelnen
dargestellt werden; dies würde eine genaue Analyse der Entwicklung dieser Texte voraussetzen. Hier soll vielmehr umgekehrt gezeigt werden, wie weit die für unsere Untersuchung
wichtigen Themen und Aussagen der Liturgiekonstitution durch
andere Dokumente des II. Vatikanischen Konzils bestätigt und
erläutert werden. Dabei kann freilich keine Vollständigkeit
bei der Zitation solcher Texte erreicht werden; oft sind es ja
implizite Aussagen, deren Bedeutung erst in einer Interpretation des jeweiligen Gesamttextes zur Vorschein käme. Hier muß
es genügen, einige besonders markante und wichtige Formulierungen herauszugreifen.

5.1.2. Voraussetzungen der liturgischen Gegenwart Jesu Christi nach den übrigen Texten des II. Vatikanischen Konzils

Begriff, Inhalt und Ziel der Liturgie

Als *Grundbegriff* der Liturgie nennt die Liturgiekonstitution
den Vollzug des Priesteramtes Jesu Christi[15]. Dies wird vom
Dekret über Dienst und Leben der Priester aufgenommen, wenn
dort mit Hinweis auf die Liturgiekonstitution[16] von Jesus
Christus die Rede ist, "der sein priesterliches Amt durch seinen Geist allezeit für uns in der Liturgie ausübt"[17].
Der *Inhalt* der Liturgie ist das Heilsmysterium, das im Christus-Mysterium vollendet wurde[18]. Deshalb müssen nach dem *Dekret über die Missionstätigkeit der Kirche* die Alumnen lernen,
"dieses Geheimnis Christi und des menschlichen Heils in der

---

14 Vgl. oben, S. 215-217.
15 Vgl. oben, S. 221-224.
16 Vgl. PO 5, Anm. 12.
17 PO 5,1: "... qui (Christus) suum sacerdotale munus per Spiritum suum
    iugiter pro nobis in Liturgia exercet".
18 Vgl. oben, S. 225-235.

Liturgie gegenwärtig zu finden und in ihrem Leben zu verwirklichen". Auch hier wird auf die Liturgiekonstitution verwiesen[19].

Das *Ziel* der Liturgie besteht in der Heiligung der Menschen und der Verehrung Gottes[20]. Dieses Thema wird in den übrigen Konzilstexten nicht ausdrücklich behandelt, wohl aber sprechen unzählige Texte davon, daß die Kirche insgesamt und in ihr speziell die Amtsträger in Fortführung der Sendung Jesu Christi gesandt sind, um der Heiligung der Menschen und der Verehrung Gottes zu dienen. Diese Texte brauchen hier nicht eigens aufgeführt zu werden[21]. Sie bestätigen für die Kirche insgesamt, was für ihr zentrales Tun, die Liturgie, gilt.

Jesus Christus und die Kirche

Als besonders wichtig für unsere Untersuchung hat sich die Frage erwiesen, wer das Subjekt der Liturgie ist. Hier mußte die komplexe Struktur der Beziehung zwischen Jesus Christus und der Kirche dargestellt werden, wobei sich ergab, daß Jesus Christus das primäre Subjekt der Liturgie ist, sich dabei aber die Kirche zugesellt, die dann zusammen mit ihm und unter Umständen auch ihm gegenüber selbst Subjekt der Liturgie ist[22]. Die Einheit von Jesus Christus und Kirche, die zusammen den ganzen mystischen Leib bilden, in welchem die Kirche als Braut und Leib des Herrn ihm zu- und untergeordnet ist, wird in Artikel 7 der Liturgiekonstitution in knappen Sätzen dargestellt und klingt noch in einigen anderen Stellen derselben Konstitution an[23].

Diese Lehre wird in der *Kirchenkonstitution* systematisch entfaltet. Schon ihr Beginn enthält ihr Programm: "Christus ist das Licht der Völker". Dieses Licht ist "seine Herrlichkeit, die auf dem Antlitz der Kirche widerscheint". Die Kirche in

---

19 AG 16,3: "Hoc mysterium Christi et salutis humanae in Liturgia praesens inveniant et vivant"; der Hinweis auf SC findet sich in Anm. 36.
20 Vgl. oben, S. 235–240.
21 Vgl. eine Fülle solcher Textstellen bei E. J. Lengeling, Liturgie, Dialog zwischen Gott und Mensch, a.a.O. (S. 237, Anm. 75), 105–118.
22 Vgl. oben, S. 240–259.
23 Vgl. oben, S. 242–250.

Gestalt des Konzils erleuchtet mit diesem Licht, das ihr vom
Herrn geschenkt ist, alle Menschen. Denn sie "ist ja in Christus gleichsam das Sakrament" der Einheit mit Gott und unter
den Menschen (Nr. 1) [24].
In diesem einleitenden Bild wird die souveräne Priorität Jesu
Christi eindeutig an den Anfang gestellt. Die Kirche hat und
ist nichts, was nicht von ihm käme. Dann freilich ist sie
selbst Subjekt des Dienstes, den der Herr ihr übertragen hat.

Darauf folgt eine Darstellung des göttlichen Heilsplans (Nr.
2-5), die in Aufbau und Sprache dem Inhalt der Artikel 5 und 6
der Liturgiekonstitution entspricht und das dort Gesagte breit
ausführt. Auch in der Kirchenkonstitution wird der Ursprung
der Kirche aus dem geöffneten Herzen des Gekreuzigten dargestellt: "Diesen Anfang und dieses Wachstum (der Kirche) werden
zeichenhaft angedeutet durch Blut und Wasser, die der geöffneten Seite des gekreuzigten Jesus entströmen (vgl. Jo 19,34)"[25].

Neu im Vergleich mit der Liturgiekonstitution ist die überaus
starke und häufige Betonung der Bedeutung des Heiligen Geistes
für das Entstehen und den Bestand der Kirche. Sie wurde "durch
die Ausgießung des Heiligen Geistes offenbart" (Nr. 2)[26]. Er
heiligt die Kirche; durch ihn vergibt Gott die Sünden; er wohnt
in den Herzen der Gläubigen und betet in ihnen; er lehrt die
Kirche, eint, erneuert und führt sie (Nr. 4). Die Kirche ist
damit nach einem Wort der Kirchenväter "das von der Einheit
des Vaters und des Sohnes und des Heiligen Geistes her geeinte
Volk" (Nr. 4)[27].

---

24 LG 1: "Lumen gentium cum sit Christus, haec Sacrosancta Synodus, in
   Spiritu Sancto congregata, omnes homines claritate Eius, super faciem
   Ecclesiae resplendente, illuminare vehementer exoptat, omni creaturae
   Evangelium annuntiando (cf. Marc. 16,15). Cum autem Ecclesia sit in
   Christo veluti sacramentum seu signum et instrumentum intimae cum Deo
   unionis totiusque generis humanae unitatis ...".
25 LG 3: "Quod exordium et incrementum significantur sanguine et aqua ex
   aperto latere Iesu crucifixi exeuntibus (cf. Io. 19,34)".
26 LG 2: "... effuso Spiritu est manifestata ...".
27 LG 4: "Sic apparet universa Ecclesia sicuti 'de unitate Patris et Filii
   et Spiritus Sancti plebs adunata'".

Das Wesen der Kirche wird sodann in einer Fülle von biblischen
Bildern beschrieben (Nr. 5 und 6), bei deren Aneinanderreihung
sich eine bestimmte Ordnung erkennen läßt. Zuerst erscheint
die Kirche als Werk des Vaters, sein Schafstall, seine Pflan-
zung, sein Bauwerk, seine Familie, sein Tempel (Nr. 6,2-4).
Dies steigert sich bis zum Bild des "Jerusalem droben", als
welches die Kirche "unsere Mutter" ist, die Braut des Lammes
(Nr. 6,5). "In unauflöslichem Bund hat er sie zu sich genommen, immerfort 'nährt und hegt er' sie (Eph 5,29). Nach seinem
Willen soll sie als die von ihm Gereinigte ihm zugehören und
in Liebe und Treue ihm untertan sein (vgl. Eph 5,24)" [28].
Von hier aus geht die Konstitution zum Bild des Leibes über,
dem ein eigener umfangreicher Artikel gewidmet ist (Nr. 7).
"Indem er (Gottes Sohn) nämlich seinen Geist mitteilte, hat er
seine Brüder, die er aus allen Völkern zusammenrief, in geheimnisvoller Weise zu seinem Leib gemacht" [29].
Durch die Sakramente "strömt Christi Leben auf die Gläubigen
über" (Nr. 7,1). Sie werden Glieder des einen Leibes und erhalten durch den Geist verschiedene Gaben zu seinem Aufbau
(Nr. 7,3). Dies alles aber geschieht in der bleibenden Unterordnung unter Christus. "Er ist das Haupt des Leibes, welcher
die Kirche ist" (Nr. 7,4), der Maßstab und das Prinzip des
Wachstums seines Leibes (Nr. 7,5-6). Dies bewirkt er durch
seinen Geist, "der als der eine und gleiche in Haupt und Gliedern wohnt" (Nr. 7,7) [30].
Der Schluß des Artikels wendet den Blick wieder zurück: "Christus aber liebt die Kirche als seine Braut; er ist zum Urbild
des Mannes geworden, der seine Gattin liebt wie seinen eigenen
Leib (vgl. Eph 5,25-28); die Kirche ihrerseits ist ihrem Haupt
untertan (ebd., 23-24)" [31]. Ganz ähnlich wie in der Liturgie-

---

28 LG 6,5: "... quam (sponsam) sibi foedere indissolubili sociavit et indesinenter 'nutrit et fovet' (Eph. 5,29), et quam mundatam sibi voluit
   coniunctam et dilectione ac fidelitate subditam (cf. Eph. 5,24) ...".
29 LG 7,1: "Communicando enim Spiritum suum, fratres suos, ex omnibus gentibus convocatos, tamquam corpus suum mystice constituit"; vgl. auch LG
   48,2; 52.
30 LG 7,7: "Ut autem in Illo incessanter renovemur (cf. Eph. 4,23), dedit
   nobis de Spiritu suo, qui unus et idem in Capite et in mebris existens".
31 LG 7,8: "Christus vero diligit Ecclesiam ut sponsam suam, exemplar fac-

konstitution werden die Bilder vom Leib und von der Braut miteinander verbunden; gemeinsam drücken sie das komplexe Verhältnis der Zuordnung in Unterordnung aus, in welchem die Kirche
zu Jesus Christus steht.

Artikel 8 faßt diesen Gedankengang zusammen und zieht daraus
Folgerungen für das Wesen und Leben der Kirche. Wichtig ist,
daß hier zunächst nochmals die absolute und bleibende Priorität Jesu Christi gegenüber der Kirche betont wird; er ist es,
der sie geschaffen hat, sie erhält und durch sie beständig
wirkt: "Der einzige Mittler Christus hat seine heilige Kirche
... hier auf Erden als sichtbares Gefüge verfaßt und trägt sie
als solches unablässig; so gießt er durch sie Wahrheit und
Gnade auf alle aus" [32].

Diese imposante Darstellung des Mysteriums der Kirche im ersten Kapitel der Kirchenkonstitution stellt sich aus dem Blick
der Liturgiekonstitution als eine reiche Entfaltung des dort
in Artikel 5 und 6 Gesagten dar, wo sich bereits alle wesentlichen Elemente dieser späteren Explikation finden [33].

Diese ekklesiologischen Grundaussagen werden in anderen Konzilstexten wieder aufgenommen: Durch seinen Geist, der das
Prinzip der Einheit der Kirche ist[34], gründet Jesus Christus
die Kirche als seinen Leib[35] und macht sie zu seinem Sakrament,
durch welches er beständig in der Welt das Heil wirkt[36].

---

tus viri diligentis uxorem suam ut corpus suum (cf. Eph. 5,25-28); ipsa
vero Ecclesia subiecta est Capiti suo (ib. 23-24)".

32 LG 8,1: "Unicus Mediator Christus Ecclesiam suam sanctam, fidei spei et
caritatis communitatem his in terris ut compaginem visibilem constituit
et indesinenter sustentat, qua veritatem et gratiam ad omnes diffundit".

33 Vgl. J.-P. Jossua, a.a.O. (S. 585, Anm. 4), 128 f.

34 Vgl. UR 2,2: "Spiritus Sanctus, qui credentes inhabitat totamque replet
atque regit Ecclesiam, miram illam communionem fidelium efficit et tam
intime omnes in Christo coniungit, ut Ecclesiae unitatis sit principium".

35 Vgl. LG 52: "Quod salutis divinum mysterium nobis revelatur et continu-
atur in Ecclesia, quam Dominus ut corpus suum constituit, et in qua fideles Christo Capiti adhaerentes ...".

36 Vgl. LG 48: "Resurgens ex mortuis (cf. Rom. 6,9) Spiritum suum vivificantem in discipulos immisit et per eum Corpus suum quod est Ecclesia
ut universale salutis sacramentum constituit; sedens ad dexteram Patris
continuo operatur in mundo ut homines ad Ecclesiam perducat arctiusque
per eam Sibi coniungat ...".

Dieses Fundament gilt es im Bewußtsein zu behalten, denn das II. Vatikanische Konzil war so sehr ein Konzil der Kirche, hat so viel über die Kirche und ihr Wirken nach innen und nach außen gesagt, daß man sich fragen kann, ob es damit nicht zu ausschließlich den Blick auf die Kirche gerichtet hat, "die doch *nicht* für *sich*, sondern für *Gott*, für ihren Herrn, für *die Menschen*, für deren Zukunft da ist" [37]. Naturgemäß wird bei der Erörterung des Wirkens der Kirche sie selbst als Subjekt dieses Wirkens beschrieben. Über weite Passagen mancher Konzilsdokumente hin kann man denn auch den Eindruck gewinnen, als sei von der Kirche wie von einer eigenständigen Größe die Rede, als könnte sie, einmal mit Sendung und Vollmacht des Herrn versehen, nun allein ihren Auftrag erfüllen.

In Wahrheit muß die gesamte konziliare Aussage über das Wirken der Kirche von der für das II. Vatikanischen Konzils zentralen Kirchenkonstitution her verstanden werden und ruht auf dem soeben kurz skizzierten Fundament einer ganz von Jesus Christus her entwickelten Ekklesiologie. Dies ist eine Feststellung, die auch schon in der Liturgiekonstitution zu beobachten war. In ihrem Reformprogramm spricht sie ständig von dem, was die Kirche ist, tut und fordert. Doch muß dies immer auf dem Hintergrund des theologischen Fundamentes gelesen werden, in welchem eindeutig ausgesagt ist, daß Jesus Christus bleibend in der Kirche gegenwärtig ist und durch sie und zusammen mit ihr sein Heilswerk fortsetzt.

Dieser im ersten Kapitel der Konstitution über die Kirche grundsätzlich dargelegte Sachverhalt mußte in den übrigen Ausführungen nicht immer wiederholt werden; er muß aber immer mit bedacht werden, wenn man die Texte richtig deuten will.

Für unsere Frage nach der liturgischen Gegenwart des Herrn ist es deshalb von maßgeblicher Bedeutung, wie die Beziehung zwischen Jesus Christus und der Kirche gesehen wird. Was generell vom Wirken der Kirche gilt, muß nämlich auch speziell für ihr liturgisches Tun als ihrer zentralen Wirksamkeit zutreffen. Deshalb sollen hier noch einige weitere Konzilstexte angeführt

----

37 K. Rahner, Das neue Bild der Kirche, a.a.O. (S. 584, Anm. 3), 330.

werden, die diese Beziehung zum Inhalt haben.

Jesus Christus ist in seiner Kirche gegenwärtig

Die *Kirchenkonstitution* sagt: "Der eine Christus ist Mittler
und Weg zum Heil, der in seinem Leib, der Kirche, uns gegenwärtig ist" (Nr. 14) [38]. Dies gilt für die Kirche als ganze,
aber auch für alle einzelnen Gemeinden, die "auch selbst Kirchen heißen" (Nr. 26). "In diesen Gemeinden, auch wenn sie
oft klein und arm sind oder in der Diaspora leben, ist Christus gegenwärtig, durch dessen Kraft die eine, heilige, katholische und apostolische Kirche geeint wird". (ebd.) [39]. Diese
Gemeinden werden als "Altargemeinschaften" bezeichnet, in denen die Frohbotschaft verkündigt und das Herrenmahl gefeiert
wird (ebd.) [40].

Diese Gegenwart des Herrn in der Kirche konkretisiert sich in
seiner Gegenwart in seinen Repräsentanten: "In den Bischöfen,
denen die Priester zur Seite stehen, ist also inmitten der
Gläubigen der Herr Jesus Christus, der Hohepriester, anwesend.
Zur Rechten des Vaters sitzend, ist er nicht fern von der Versammlung seiner Bischöfe" (Nr. 21) [41]. Jesus Christus hat dem
Petrus die Leitung der Kirche anvertraut, bleibt aber, wie das
Dekret über den Ökumenismus betont, "selbst der höchste Eck-
stein und der Hirt unserer Seelen" (Nr. 2) [42].

Die Gegenwart des Herrn gilt aber auch allen Gliedern der Kirche. Insbesondere in den Heiligen, die "vollkommener dem Bild
Christi gleichgestaltet werden (vgl. 2 Kor 3,18), zeigt Gott
den Menschen in lebendiger Weise seine Gegenwart und sein Ant-

---

38 LG 14,1: "Unus enim Christus est Mediator ac via salutis, qui in Corpore suo, quod est Ecclesia, praesens nobis fit".
39 LG 26,1: "In his communitatibus, licet saepe exiguis et pauperibus, vel
in dispersione degentibus, praesens est Christus, cuius virtute conso-
ciatur una, sancta, catholica et apostolica Ecclesia".
40 Vgl. LG 26,1: "In eis praedicatione Evangelii Christi congregantur fideles et celebratur mysterium Coenae Domini".
41 LG 21,1: "In Episcopis igitur, quibus presbyteri assistunt, adest in medio credentium Dominus Iesus Christus, Pontifex Summus. Sedens enim ad
dexteram Patris, non deest a suorum congregatione pontificum".
42 UR 2,3: "... Ipso Christo Iesu summo angulari lapide et pastore anima-
rum nostrarum in aeternum manente".

litz" (Kirchenkonstitution, Nr. 50)[43].

Das *Dekret über die zeitgemäße Erneuerung des Ordenslebens* erweitert dies: Es "erfreut sich eine Gemeinschaft, die wie eine Familie im Namen des Herrn beisammen ist, seiner Gegenwart (vgl. Mt 18,20)" (Nr. 15)[44]. Ihre Mitglieder sollen "Christus selbst in seinen Gliedern dienen", wenn sie caritative Tätigkeiten ausüben (Nr. 8)[45].

Weitere Hinweise finden sich im *Dekret über das Apostolat der Laien*. In diesem Apostolat wird "Christus, der in seinen Gläubigen lebt, sichtbar" (Nr. 6)[46]. Insbesondere das gemeinsam ausgeübte Apostolat ist ein Zeichen seiner Gegenwart (Nr. 18)[47]. Man muß "im Nächsten das Bild Gottes sehen, nach dem er geschaffen ist, und Christus, den Herrn, dem in Wahrheit all das dargeboten wird, was einem Bedürftigen gegeben wird" (Nr. 8)[48]. So wird es möglich, "in allen Menschen, ob sie uns nahe oder fernstehen, Christus zu sehen" (Nr. 4)[49].

Jesus Christus handelt durch die Kirche

Diese Gegenwart des Herrn in der Kirche ist aber stets als seine gegenwärtige Wirksamkeit durch die Kirche und zusammen mit ihr zu verstehen. Er selbst handelt in der Kirche, ihren Gliedern und ihren Lebensvollzügen. Auch diese Lehre der Liturgiekonstitution[50] wird von einer Reihe weiterer Konzilstexte bestätigt.

So erklärt die *Kirchenkonstitution*, daß die Schafe der Herde

---

43 LG 50,2: "In vita eorum qui ... ad imaginem tamen Christi perfectius transformantur (cf. 2 Cor. 3,18), Deus praesentiam vultumque suum hominibus vivide manifestat".
44 PC 15,1: "... communitas ut vera familia, in nomine Domini congregata, Eius praesentia gaudet (cf. Matth. 18,20)".
45 PC 8,2: "... ac ipsi Christo in Eius membris deserviant ...".
46 AA 16,4: "Peculiaris forma apostolatus ..., Christum in fidelibus suis viventem manifestans ...".
47 AA 18,1: "Apostolatus consociatus ... signum prae se fert communionis et unitatis Ecclesiae in Christo qui dixit: 'Ubi enim sunt duo vel tres congregati in nomine meo, ibi sum in medio eorum' (Matth. 18,20)".
48 AA 8,5: "In proximo consideretur imago Dei ad quam creatus est, et Christus Dominus cui re vera offertur quidquid indigenti donatur".
49 AA 4,3: "... Christum intueri in omnibus hominibus, sive propinqui sint sive extranei".
50 Vgl. oben, S. 250-256.

Gottes, die durch menschliche Hirten geleitet werden, in Wahrheit "immerfort von Christus, dem guten Hirten und dem Ersten der Hirten, geführt und genährt" werden (Nr. 6) [51]. Insbesondere in den Bischöfen ist er wirksam. "Vorzüglich durch ihren erhabenen Dienst verkündet er allen Völkern Gottes Wort und spendet den Glaubenden immerfort die Sakramente des Glaubens. Durch ihr väterliches Amt (vgl. 1 Kor 4,15) fügt er seinem Leib kraft der Wiedergeburt von oben neue Glieder ein. Durch ihre Weisheit und Umsicht endlich lenkt und ordnet er das Volk des neuen Bundes auf seiner Pilgerschaft zur ewigen Seligkeit" (Nr. 21) [52]. Deshalb gilt: "Wer sie hört, hört Christus" (Nr. 20) [53].

Aber Jesus Christus will nicht nur durch die Bischöfe und Priester, sondern auch durch die Laien sein Zeugnis und seinen Dienst fortsetzen" und macht sie deshalb "durch seinen Geist lebendig und treibt sie unaufhörlich an zu jedem guten und vollkommenen Werk" (Nr. 34) [54]. Christus erfüllt "sein prophetisches Amt nicht nur durch die Hierarchie, die in seinem Namen und in seiner Vollmacht lehrt, sondern auch durch die Laien" (Nr. 35) [55].

Das *Dekret über den Ökumenismus* spricht ebenfalls von einem gegenwärtigen Handeln des Herrn. Jesus Christus will, daß durch den Dienst der Apostel und ihrer Nachfolger sein Volk wachse; er selbst "vollendet seine Gemeinschaft in der Einheit" (Nr. 2) [56].

---

51 LG 6,2: "Est enim grex, ... cuius oves, etsi a pastoribus humanis gubernantur, indesinenter tamen deducuntur et nutriuntur ab ipso Christo, bono Pastore Principeque pastorum".
52 LG 21,1: "... imprimis per eorum eximium servitium verbum Dei omnibus gentibus praedicat et credentibus sacramenta fidei continuo administrat, eorum paterno munere (cf. 1 Cor. 4,15) nova membra Corpori suo regeneratione superna incorporat, eorum denique sapientia et prudentia Populum Novi Testamenti in sua ad aeternam beatitudinem peregrinatione dirigit et ordinat".
53 LG 20,3: "... quos (Epsicopos) qui audit, Christum audit".
54 LG 34,1: "Supernus et aeternus Sacerdos Christus Iesus, cum etiam per laicos suum testimonium suumque servitium continuare velit, eos suo Spiritu vivificat indesinenterque impellit ad omne opus bonum et perfectum".
55 LG 35,1: "Christus ... suum munus propheticum adimplet, non solum per Hierarchiam, quae nomine et potestate Eius docet, sed etiam per laicos".
56 UR 2,4: "Iesus Christus ... populum suum crescere vult eiusque communionem perficit in unitate".

Auch das *Dekret über das Apostolat der Laien* kennt ein solches aktives Handeln Jesu Christi im Tun der Kirche: "Das Heilige Konzil beschwört also im Herrn inständig alle Laien, dem Ruf Christi, der sie in dieser Stunde noch eindringlicher einlädt, ... zu antworten ..., denn der Herr selbst lädt durch diese heilige Synode alle Laien noch einmal ein, sich von Tag zu Tag inniger mit ihm zu verbinden" [57].

Mehrere entsprechende Formulierungen finden sich im *Dekret über Dienst und Leben der Priester*: "Jesus der Herr ... gibt seinem ganzen mystischen Leib Anteil an der Geistsalbung, mit der er gesalbt worden ist" (Nr. 2) [58]. "Damit die Gläubigen zu einem Leib ... zusammenwachsen, hat der gleiche Herr einige von ihnen zu amtlichen Dienern eingesetzt" (ebd.) [59]. Dieses Amt nimmt "an der Vollmacht teil, mit der Christus selbst seinen Leib auferbaut, heiligt und leitet" (ebd.) [60]. Jesus Christus selbst übt "sein priesterliches Amt durch seinen Geist allezeit für uns in der Liturgie aus" (Nr. 5) [61]. "Durch sein Fleisch, das durch den Heiligen Geist lebt und Leben schafft, spendet er den Menschen das Leben" (ebd.) [62].

Schließlich erklärt die *Pastoralkonstitution über die Kirche in der Welt von heute*, "daß Christus selbst in den Armen mit lauter Stimme seine Jünger zur Liebe aufruft" (Nr. 83) [63].

---

57 AA 33: "Sacrosanctum igitur Concilium omnes laicos enixe in Domino obtestatur ut voci Christi, hac hora se instantius invitanti ... respondeant. ... Ipse enim Dominus omnes laicos per hanc Sanctam Synodum iterato invitat ut intimius in dies sibi iungantur ...".
58 PO 2,1: "Dominus Iesus ... unctionis Spiritus qua unctus est totum Corpus suum mysticum particeps reddit".
59 PO 2,2: "Idem vere Dominus, inter fideles, ut in unum coalescerent corpus, ... quosdam instituit ministros ...".
60 PO 2,3: "Officium Presbyterorum utpote Ordini episcopali coniunctum, participat auctoritatem qua Christus Ipse Corpus suum exstruit, sanctificat et regit".
61 PO 5,1: Siehe S. 588, Anm. 17.
62 PO 5,2: "... ipse scilicet Christus, Pascha nostrum panisque vivus per Carnem suam Spiritu Sancto vivificatam et vivificantem vitam praestans hominibus".
63 GS 88,1: "... ut in pauperibus Christus Ipse quasi alta voce caritatem suorum discipulorum evocet".

Die Untersuchung der Texte der Liturgiekonstitution hat ergeben, daß das Wirken Jesu Christi an der Kirche, durch sie und
zusammen mit ihr bewirkt, daß dann auch die Kirche selbst kraft
ihrer Verbindung mit Jesus Christus in relativer Selbständigkeit handeln kann und durch den Vollzug ihres Lebens Jesus
Christus als ihren Herrn und ihr Haupt sichtbar macht[64]. Wenn
auch die übrigen Konzilstexte ihrer jeweiligen Thematik entsprechend häufig vom Tun der Kirche sprechen, ohne dabei die
dafür grundlegende Abhängigkeit von Jesus Christus zu erwähnen, so muß doch diese scheinbare Selbständigkeit der Kirche
ganz von ihrem Wesen als Leib und Braut Jesu Christi her gedeutet werden. Eine Reihe von Konzilstexten formuliert diesen
Sachverhalt ausdrücklich. Einige davon sollen hier genannt
werden.

Die *Kirchenkonstitution* sagt den Ordensleuten, sie sollten
"sorgfältig darauf achten, daß durch sie die Kirche wirklich
von Tag zu Tag mehr den Gläubigen wie den Ungläubigen Christus
sichtbar mache" (Nr. 46)[65].

Das *Dekret über das Apostolat der Laien* spricht davon, daß die
Laien lernen müssen, "die Sendung Christi und der Kirche zu
erfüllen" (Nr. 29)[66], so daß also in ihrem Apostolat das Wirken Christi in der Kirche sichtbar wird.

Im *Dekret über die Missionstätigkeit der Kirche* wird gesagt,
daß die Missionare durch ihr Christus-Zeugnis "dem Herrn die
Wege bereiten und ihn in gewissem Sinn gegenwärtig werden lassen" (Nr. 6)[67]. "Missionarische Tätigkeit ist nichts anderes
und nichts weniger als Kundgabe oder Epiphanie und Erfüllung
des Planes Gottes in der Welt und ihrer Geschichte, in der

---

64 Vgl. oben, S. 256-259.
65 LG 46,1: "Sollicite attendant religiosi, ut per ipsos Ecclesia revera
   Christum in dies, sive fidelibus sive infidelibus, melius commonstret".
66 AA 29,3: "Imprimis autem laicus discat implere Christi et Ecclesiae
   missionem".
67 AG 6,5: "... missionarii possunt ac debent ... caritatis et beneficien-
   tiae testimonium Christi praebere et sic vias Domini praeparare et ipsum aliquo modo praesentem reddere".

Gott durch die Mission die Heilsgeschichte sichtbar vollzieht.
Durch das Wort der Verkündigung und die Feier der Sakramente,
deren Mitte und Höhepunkt die heilige Eucharistie darstellt,
läßt sie Christus, den Urheber des Heils gegenwärtig werden"
(Nr. 9) [68].

Dieser letzte Text stellt im Hinblick auf die Missionstätigkeit der Kirche besonders deutlich die Struktur kirchlichen
Wirkens heraus: Gott vollzieht seinen Heilsplan durch Christus,
den Urheber des Heils, der in der kirchlichen Verkündigung und
Sakramentenspendung, in deren Zentrum die Eucharistie steht,
gegenwärtig ist und wirkt.

Eine spezifische Weise der Vergegenwärtigung Jesu Christi im
kirchlichen Heilswerk ist der Dienst des Priesters, insbesondere bei der Eucharistiefeier. Davon soll gleich bei der Aufzählung der einzelnen liturgischen Gegenwartsweisen die Rede
sein, ebenso von der Gegenwart des Herrn in der Verkündigung.
Aber auch das Leben der Kirche insgesamt ist ein Zeichen der
Gegenwart Jesu Christi. In der *Pastoralkonstitution über die
Kirche in der Welt von heute* steht: "Denn es ist die Aufgabe
der Kirche, Gott, den Vater und seinen menschgewordenen Sohn
präsent und sozusagen sichtbar zu machen" (Nr. 21) [69]. Dies geschieht auf spezielle Weise in der christlichen Ehe, "die das
Bild und die Teilhabe an dem Liebesbund Christi und der Kirche
ist", so daß die Familie "die lebendige Gegenwart des Erlösers
in der Welt und die wahre Natur der Kirche allen kundmachen"
soll (Nr. 48) [70].

---

68 AG 9,2: "Activitas missionalis nihil aliud est et nihil minus quam propositi Dei manifestatio seu Epiphania et adimplementum in mundo et in
   eius historia, in qua Deus, per missionem, historiam salutis manifeste
   perficit. Per verbum praedicationis et per celebrationem sacramentorum,
   quorum centrum et culmen est Sanctissima Eucharistia, Christum salutis
   auctorem praesentem reddit".
69 GS 21,5: "Ecclesiae enim est Deum Patrem eiusque Filium incarnatum
   praesentem et quasi visibilem reddere".
70 GS 48,4: "Proinde familia christiana, cum ex matrimonio, quod est imago
   et participatio foederis dilectionis Christi et Ecclesiae, exoriatur,
   vivam Salvatoris in mundo praesentiam atque germanam Ecclesiae naturam
   omnibus patefaciet".

Jesus Christus, das primäre Subjekt der Liturgie, handelt durch
die Kirche und zusammen mit ihr, die er zu seinem Leib macht.
Die Kirche selbst aber ist eine gegliederte Gemeinschaft, die
als ganze und in ihren einzelnen Gliedern den Herrn darstellt.
Dies ergab die Untersuchung der Liturgiekonstitution. Damit
wurde die Betrachtung des Gottesvolkes insgesamt als des Trägers der Liturgie wichtig für die Deutung der liturgischen Gegenwart des Herrn. Dazu war das gemeinsame Priestertum der
Gläubigen und ihre tätige Teilnahme an der Liturgie zu bedenken[71].

Auch zu diesen Themen sollen einige Formulierungen aus den übrigen Konzilsdokumenten vorgestellt werden, die die Lehre der
Liturgiekonstitution bestätigen und erläutern[72].

Die zentralen Aussagen finden sich in der *Kirchenkonstitution*.
Ihr ganzes zweites Kapitel (Nr. 9-17) ist dem Thema "das Volk
Gottes" gewidmet. Dieses Volk, dessen Vorausbild das Gottesvolk des Alten Bundes war, hat Jesus Christus aus Juden und
Heiden berufen und zu "einem auserwählten Geschlecht, einem
königlichen Priestertum ..." (1 Petr 2,9-10) gemacht (Nr. 9).
"Durch die Wiedergeburt und die Salbung mit dem Heiligen Geist
werden die Getauften zu einem geistigen Bau und einem heiligen
Priestertum geweiht, damit sie in allen Werken eines christlichen Menschen geistige Opfer darbringen und die Machttaten
dessen verkünden, der sie aus der Finsternis in sein wunderbares Licht berufen hat (vgl. 1 Petr 2,4-10)" (Nr. 10)[73].
Erst innerhalb dieses gemeinsamen Priestertums aller Gläubigen

---

71 Vgl. oben, S. 260-283.
72 Vgl. dazu J.-P. Jossua, a.a.O. (S. 585, Anm. 4), 131-135, der zeigt, daß
   die in der Liturgiekonstitution angedeutete und immer wieder vorausgesetzte Lehre vom gemeinsamen Priestertum der Gläubigen durch die Kirchenkonstitution feierlich bestätigt worden sei: vgl. ebd., 133-135:
   "Une affirmation solennelle".
73 LG 10,1: "Baptizati enim, per regenerationem et Spiritus Sancti unctionem consecrantur in domum spiritualem et sacerdotium sanctum, ut per
   omnia opera hominis christiani spirituales offerant hostias, et virtu-
   tes annuntiant Eius qui de tenebris eos vocavit in admirabile lumen suum (cf. 1 Petr. 2,4-10)".

gibt es die Differenzierung zwischen hierarchischem Priestertum und Priestertum der Laien[74]. Sie unterscheiden sich wesentlich voneinander, sind aber dennoch "einander zugeordnet: das
eine wie das andere nimmt auf je besondere Weise am Priestertum Christi teil" [75].

Die Funktion des amtlichen Priestertums braucht an dieser Stelle nicht beschrieben zu werden. Vom Priestertum der Gläubigen
sagt die Konstitution: "Die Gläubigen hingegen wirken kraft
ihres königlichen Priestertums an der eucharistischen Darbringung mit und üben ihr Priestertum im Empfang der Sakramente,
im Gebet, in der Danksagung, im Zeugnis eines heiligen Lebens,
durch Selbstverleugnung und tätige Liebe" (ebd.) [76].

In Artikel 11 wird sodann der Vollzug dieses gemeinsamen Priestertums in der Feier der Sakramente beschrieben. In enger Anlehnung an die Liturgiekonstitution aber ohne Hinweis auf sie
heißt es von der Eucharistie: "In der Teilnahme am eucharistischen Opfer, der Quelle und dem Höhepunkt des ganzen christlichen Lebens, bringen sie das göttliche Opferlamm Gott dar und
sich selbst mit ihm; so übernehmen alle bei der liturgischen
Handlung ihren je eigenen Teil, sowohl in der Darbringung wie
in der heiligen Kommunion, nicht unterschiedslos, sondern jeder
auf seine Art" [77].

Interessant ist noch die Formulierung aus Artikel 34: "Denen
nämlich, die er mit seinem Leben und seiner Sendung innigst

---

74 Vgl. zu dieser Lehre, die mit solcher Klarheit in der Liturgiekonstitution noch nicht zu finden ist, E. J. De Smedt, Das Priestertum der Gläubigen, in: G. Baraúna (Hg.), De Ecclesia. Beiträge zur Konstitution
   "Über die Kirche" des Zweiten Vatikanischen Konzils, 2 Bde., Freiburg-
   Basel-Wien-Frankfurt/ M. 1966, I, 380-392.
75 LG 10,2: "Sacerdotium autem commune fidelium et sacerdotium ministeria-
   le seu hierarchicum, licet essentia et non gradu tantum differant, ad
   invicem tamen ordinantur; unum enim et alterum suo peculiari modo de
   uno Christi sacerdotio participant".
76 LG 10,2: "Fideles vero, vi regalis sui sacerdotii, in oblationem Eucharistiae concurrunt, illudque in sacramentis suscipiendis, in oratione
   et gratiarum actione, testimonio vitae sanctae, abnegatione et actuosa
   caritate exercent".
77 LG 11,1: "Sacrificium eucharisticum, totius vitae christianae fontem et
   culmen, participantes, divinam Victimam Deo offerunt atque seipsos cum
   Ea; ita tum oblatione tum sacra communione, non promiscue sed alii aliter, omnes in liturgica actione partem propriam agunt".

verbindet, gibt er auch Anteil an seinem Priestertum zur Ausübung eines geistlichen Kultes zur Verherrlichung Gottes und
zum Heil der Menschen" [78]. Dieser "geistliche Kult" wird offenbar in Parallele zur Liturgie gesehen. Er ist ihre Fortsetzung
im alltäglichen Leben.

Andere Texte nehmen diese Lehre der Kirchenkonstitution auf,
ohne inhaltlich Neues zu sagen; sie brauchen hier nicht eigens
zitiert zu werden [79].

Die tätige Teilnahme der Gläubigen an der Liturgie, eines der
Hauptthemen der Liturgiekonstitution, wird in den übrigen Dokumenten des Konzils gefordert, ohne daß dies freilich direkt
thematisiert würde [80]. Auch die Frage, ob es über den Sakramentenempfang, die Mitwirkung am eucharistischen Opfer und die
Darbringung des "geistlichen Opfers" eines christlichen Lebens
hinaus auch Formen aktiven liturgischen Vollzugs des gemeinsamen Priestertums gibt, wird in den übrigen Konzilstexten nicht
weitergeführt.

Die Ortsgemeinde als Manifestation der Kirche

Unter den Bedingungen einer liturgischen Gegenwart des Herrn
war noch zu sagen, daß die jeweilige Ortsgemeinde in ihrem Leben das Wesen der ganzen Kirche vollzieht, diese sichtbar macht
und so selbst wirklich Kirche ist, in deren Lebensvollzug der
Herr sein Heilswerk vollbringt. Auch diese Lehre der Liturgiekonstitution [81] wird von der *Kirchenkonstitution* bestätigt.
"Diese Kirche Christi ist wahrhaft in allen rechtmäßigen Orts-
gemeinschaften der Gläubigen anwesend, die in der Verbundenheit mit ihren Hirten im Neuen Testament auch selbst Kirchen

---

78 LG 34,2: "Illis enim, quos vitae et missioni suae intime coniungit,
   etiam sui muneris sacerdotalis partem tribuit ad cultum spiritualem exercendum, ut glorificetur Deus et salventur homines".
79 Vgl. PO 2,1: Die Gläubigen werden durch die Salbung mit Christi Geist
   zu einer heiligen Priesterschaft; LG 62,2: amtliches und gemeinsames
   Priestertum nehmen am Priestertum Christi teil und sind einander zugeordnet; PO 5,3: die Gläubigen bringen das eucharistische Opfer und mit
   ihm sich selbst dar; AA 3,1: sie sollen geistliche Opfergaben eines
   christlichen Lebens darbringen.
80 Vgl. OT 8,1; GE 4; AA 4,1.
81 Vgl. oben, S. 283-296.

heißen"[82]. Sie werden weiterhin als "Altargemeinschaften" (*al-taris communitates*) bezeichnet, in deren gottesdienstlicher Versammlung sich das Leben der Kirche vollzieht[83]: "Sie sind nämlich je an ihrem Ort, im Heiligen Geist und mit großer Zuversicht (vgl. 1 Thess 1,5), das von Gott gerufene neue Volk. In ihnen werden durch die Verkündigung der Frohbotschaft Christi die Gläubigen versammelt, in ihnen wird das Mysterium des Herrenmahles begangen" (ebd.)[84]. Durch ihren seelsorglichen Dienst unter der Autorität des Bischofs machen die Priester "die Gesamtkirche an ihrem Ort sichtbar und leisten einen wirksamen Beitrag zur Erbauung des gesamten Leibes Christi (vgl. Eph 4,12)" (Nr. 28)[85].

Die Grundbestimmungen der liturgischen Gegenwart des Herrn

Aus der Gesamtlehre der Liturgiekonstitution wurden einige Grundbestimmungen herausgearbeitet, die für jede Form der liturgischen Gegenwart des Herrn gelten[86]. Daß Jesus Christus *im Mysterium* der Liturgie gefunden wird, betont das *Dekret über die Ausbildung der Priester*: Die Alumnen "sollen angeleitet werden, Christus zu suchen: in der gewissenhaften Meditation des Gotteswortes, in der aktiven Teilnahme an den heiligen Geheimnissen der Kirche, vor allem in der Eucharistie und im

---

82 LG 26,1: "Haec Christi Ecclesia vere adest in omnibus legitimis fidelium congregationibus localibus, quae, pastoribus suis adhaerentes, et ipsae in Novo Testamento ecclesiae vocantur".
83 Folglich könnte von der konkreten Ortsgemeinde her die Ekklesiologie insgesamt entworfen werden: vgl. K. Rahner, Das neue Bild der Kirche, a.a.O. (S. 584, Anm. 3). 333-337; ders., Über die Gegenwart Christi in der Diasporagemeinde nach der Lehre des Zweiten Vatikanischen Konzils, a.a.O. (S. 289, Anm. 312); B. Neunheuser, Gesamtkirche und Einzelkirche, in: G. Baraúna (Hg.), De Ecclesia I, 547-573; vgl. auch P. Pernot, La Notion de communauté dans les Actes de Vatican II, in: MD, Nr. 91 (1967) 65-75; vgl. auch die Untersuchung speziell zu diesem Thema von H. Wieh, Konzil und Gemeinde (s. S. 288, Anm. 308).
84 LG 26,1: "Hae sunt enim loco suo Populus novus a Deo vocatus, in Spiritu Sancto et in plenitudine multa (cf. 1 Thess. 1,5). In eis praedicatione Evangelii Christi congregantur fideles et celebratur mysterium Coenae Domini".
85 LG 28,2: "Qui (presbyteri) sub auctoritate Episcopi portionem gregis dominici sibi addictam sanctificant et regunt, Ecclesiam universalem in suo loco visibilem faciunt et in aedificando toto corpore Christi (cf. Eph. 4,12) validam opem afferunt".
86 Vgl. oben, S. 300-350.

Stundengebet" (Nr. 8)[87]. "Sie sollen geschult werden, diese selben Heilsgeheimnisse stets in den liturgischen Handlungen und im gesamten Leben der Kirche gegenwärtig und wirksam zu sehen" (Nr. 16)[88].

Diese gegenwärtige Wirksamkeit des Herrn vollzieht sich in der Liturgie in *sinnenfälligen Zeichen*, ein Thema, welches die übrigen Konzilsdokumente nicht ausdrücklich aufnehmen. Wohl aber sind als Grundlage dafür alle Texte heranzuziehen, welche die Sichtbarkeit der Kirche als universales Sakrament des Heils betonen[89]. Sie ist insgesamt Zeichen des Heils und zeigt dieses Heil an und vermittelt es in ihrer sichtbaren Gestalt und Wirksamkeit[90].

Diese Gegenwart des Herrn wurde als *tätige* Gegenwart erkannt. Hier sind alle die Texte anzuführen, die oben unter der Überschrift: "Jesus Christus handelt durch die Kirche"[91] zitiert wurden. Was die Liturgiekonstitution speziell für die Liturgie lehrt, wird von den übrigen Konzilsdokumenten für die Art und Weise der Gegenwart des Herrn in der Kirche überhaupt ausgesagt.

Ebenso findet sich in allen Konzilsdokumenten die Auffassung vom *dialogischen Charakter* des Heils, das sich in göttlicher Gabe und menschlicher Annahme, in Wort und Antwort, in Empfang und Dank vollzieht. Dieses generelle Thema in einzelnen Textformulierungen zu belegen, würde jedoch zu weit führen[92].

Die Gegenwart des Herrn im Heiligen Geist

Eine letzte Grundbestimmung der Gegenwart des Herrn ist noch gesondert zu nennen: seine Gegenwart im Heiligen Geist. In der

---

87 OT 8,1: "Christum quaerere edoceantur in verbi Dei fideli meditatione, in actuosa cum sacrosanctis Ecclesiae Mysteriis communicatione, imprimis in Eucharistia et in officio divino ...".
88 OT 16,3: "... eademque (mysteria salutis) semper in actionibus liturgicis et universa Ecclesiae vita praesentia et operantia agnoscere ...".
89 Vgl. z.B. LG 1; 8,1; 9,3; 48,2; 59; AG 1,5; 5,1; GS 42,3; 43,6; 44,3; 45,2.
90 Vgl. dazu P. Smulders, Die Kirche als Sakrament des Heils, in: G. Baraúna (Hg.), De Ecclesia I, 289-312.
91 Vgl. oben, S. 595-597.
92 E. J. Lengeling, Liturgie, Dialog zwischen Gott und Mensch (s. S. 237, Anm. 75), hat alle Dokumente des II. Vaticanums auf ihre Aussagen zum dialogischen Charakter der Liturgie untersucht.

Liturgiekonstitution war die Bedeutung des Heiligen Geistes
für die Liturgie nur an wenigen Stellen und nur in den ersten
sechs Artikeln der Konstitution erwähnt. Erst eine diese wenigen Texte voll ausschöpfende Interpretation konnte zeigen, daß
sie dennoch für das liturgietheologische Konzept der Konstitution wesentlich sind [93]. Dies im Text der Liturgiekonstitution
besser zur Darstellung zu bringen, ist im Konzil nicht mehr
gelungen. Umso deutlicher und eindringlicher sprechen fast alle übrigen Dokumente des II. Vatikanischen Konzils [94] von der
Bedeutung der Sendung und Wirksamkeit des Heiligen Geistes für
das Entstehen und Leben der Kirche und für alle ihre Lebens-
vollzüge.

Die zahllosen Texte, in denen von der Bedeutung des Heiligen
Geistes für das Leben der Kirche und damit speziell für ihr
liturgisches Tun die Rede ist, sollen hier nicht im einzelnen
aufgeführt werden.

Eine eigene Untersuchung zur Pneumatologie des II. Vatikanischen Konzils hat Heribert Mühlen vorgelegt [95]. Seine Analysen
und Ergebnisse sind für eine pneumatologische Grundlegung der
Liturgie als eines entscheidenden Selbstvollzugs der Kirche
heranzuziehen. Hier muß es jedoch genügen, einige markante
Texte zur Bedeutung des Heiligen Geistes speziell für die Liturgie anzuführen [96].

Die Grundlage nennt die *Kirchenkonstitution* in Artikel 4: Nach
Vollendung des Heilswerks Jesu Christi "wurde am Pfingsttag der
Heilige Geist gesandt, auf daß er die Kirche immerfort heilige
und die Gläubigen so durch Christus in einem Geist Zugang hät-

---

93 Vgl. oben, S. 327-348.
94 Dies gilt nicht vom *Dekret über die sozialen Kommunikationsmittel*. Es
   wurde, wie die Liturgiekonstitution, bereits am Ende der zweiten Sitzungsperiode verabschiedet, läßt aber, im Unterschied zur Liturgiekonstitution, wenig vom Geist und der Theologie späterer Texte erkennen.
95 Vgl. H. Mühlen, Una mystica persona (s. S. 246 f., Anm. 115); die 3.
   Aufl. (1966) enthält ein umfangreiches 4. Kapitel: "Die Aussagen des
   Vaticanum II über den Geist Christi als 'unus et idem in capite et in
   membris existens': Eine Person in vielen Personen: ebd., 359-598.
96 Vgl. auch die Zusammenstellung solcher Texte bei E. J. Lengeling, a.a.
   O., 121 f.; eine systematische Auswertung pneumatologischer Texte des
   Konzils für eine Theologie der Liturgie findet sich bei B. Duda, De as-
   pectibus trinitariis praesentiae Domini ...: s. unten, S. 706, Anm. 543.

ten zum Vater (vgl. Eph 2,18)"[97]. Von diesem Geist empfängt die Kirche ihre Sendung (vgl. Nr. 5)[98]; durch ihn wird sie zum Leib des Herrn (Nr. 7)[99]. Der Geist ist "für die ganze Kirche und die Gläubigen einzeln und insgesamt der Urgrund der Vereinigung und Einheit in der Lehre der Apostel und in der Gemeinschaft, im Brotbrechen und im Gebet" (Nr. 13)[100].

Derselbe Geist ist es, der die Apostel und ihre Nachfolger zur Erfüllung ihrer Sendung befähigt (Nr. 24)[101] und der die Laien belebt und zum christlichen Leben von innen her antreibt (Nr. 34)[102].

Eine besondere Rolle kommt dabei der Feier der Liturgie zu, "in der die Kraft des Heiligen Geistes durch die sakramentalen Zeichen auf uns einwirkt" (Nr. 50)[103], und zwar deshalb, weil Jesus Christus selbst "sein priesterliches Amt durch seinen Geist allezeit für uns in der Liturgie ausübt", wie das *Dekret über Dienst und Leben der Priester* betont (Nr. 5)[104].

Diese allgemeine Feststellung gilt aber auch für die liturgischen Vollzüge im einzelnen: "All dies aber geschieht in der Kraft des Heiligen Geistes", wie die Liturgiekonstitution in

---

97 LG 4,1: "Opere autem consummato, quod Pater Filio commisit in terra faciendum (cf. Io. 17,4), missus est Spiritus Sanctus die Pentecostes, ut Ecclesiam iugiter sanctificaret, atque ita credentes per Christum in uno Spiritu accessum haberent ad Patrem (cf. Eph. 2,18)".
98 Vgl. LG 5,2: "... (Iesus) Spiritum a Patre promissum in discipulos suos effudit (cf. Act. 2,33). Unde Ecclesia ... missionem accipit Regnum Christi et Dei annuntiandi ...". Vgl. AG 4,5.
99 Vgl. LG 7,1: "Communicando enim Spiritum suum, fratres suos, ex omnibus gentibus convocatos, tamquam corpus suum mystice constituit". Vgl. LG 9,3; 48,2.
100 LG 13,1: "Ad hoc tandem misit Deus Spiritum Filii sui, Dominum et Vivificantem, qui pro tota Ecclesia et singulis universisque credentibus principium est congregationis et unitatis in doctrina Apostolorum et communione, fractione panis et orationibus (cf. Act. 2,42, gr.)". Vgl. UR 2,2; AG 4.
101 Vgl. LG 24,1: "Ad hanc missionem implendam Christus Dominus Spiritum Sanctum promisit Apostolis et die Pentecostes e caelo misit". Vgl. CD 2,2: für die Bischöfe; OT 1; PO 12,2: für den priesterlichen Dienst.
102 LG 34: "Supremus et aeternus Sacerdos Christus Iesus, cum etiam per laicos suum testimonium suumque servitium continuare velit, eos suo Spiritu vivificat indesinenterque impellit ad omne opus bonum et perfectum". Vgl. LG 40,1; GS 38; AA 3,4; 29; AG 4; 24,1.
103 LG 50,4: "... praesertim in sacra Liturgia, in qua virtus Spiritus Sancti per signa sacramentalia super nos agit, ...".
104 PO 5,1: Vgl. S. 588, Anm. 17.

Artikel 6 summarisch sagt. Die übrigen Konzilsdokumente bestätigen und entfalten dies. Darauf ist bei der Aufzählung der
einzelnen liturgischen Gegenwartsweisen des Herrn im Folgenden
hinzuweisen.

5.1.3. Die liturgischen Gegenwartsweisen Jesu Christi nach den übrigen Texten des II. Vatikanischen Konzils

Die Liturgiekonstitution des II. Vatikanischen Konzils nennt
in Artikel 7,1 sechs Weisen, in denen sich die liturgische Gegenwart Jesu Christi verwirklicht. Sie wurden im vierten Kapitel der vorliegenden Untersuchung im einzelnen dargestellt und
erörtert. Nun sollen entsprechend der Reihenfolge der Aufzählung dieser Gegenwartsweisen in Artikel 7 der Liturgiekonstitution aus den übrigen Dokumenten des II. Vatikanischen Konzils Texte zusammengestellt werden, die diese Lehre bestätigen
und erläutern. Dabei kann wiederum nicht eine vollständige
Aufzählung aller diesbezüglichen Texte versucht werden. Dies
würde eine genaue Analyse und Interpretation der einzelnen Dokumente voraussetzen. Es sollen nur solche Formulierungen genannt werden, die in unmittelbarem sachlichen Zusammenhang mit
den Aussagen von Artikel 7,1 der Liturgiekonstitution stehen.

Die Gegenwart des Herrn in der Feier der Eucharistie

Daß die Eucharistiefeier als ganze ein gegenwärtiges Tun Jesu
Christi darstellt, wird ausdrücklich nur an einer Stelle, im
Dekret über Dienst und Leben der Priester, gesagt: "Sie ist
auch dann, wenn keine Gläubigen dabei sein können, ein Akt
Christi und der Kirche" (Nr. 13) [105]. Von ekklesiologischer
Seite her wird das vom *Dekret über die Missionstätigkeit der
Kirche* aufgenommen. Es sagt von der Mission: "Durch das Wort
der Verkündigung und die Feier der Sakramente, deren Mitte und
Höhepunkt die heilige Eucharistie darstellt, läßt sie Christus,

---

[105] PO 13,3: "... quae quidem etiam si praesentia fidelium haberi non possit, actus est Christi et Ecclesiae".

den Urheber des Heils, gegenwärtig werden" (Nr. 9)[106].
Indirekt aber kann darüberhinaus die Gegenwart der Heilstaten
des Herrn und seine persönliche Wirksamkeit in der Eucharistie
aus all den Texten erschlossen werden, die vom Vollzug des Erlösungswerkes in der Eucharistiefeier sprechen[107], sowie davon,
daß die Priester in der Person Jesu Christi das eucharistische
Opfer vollziehen[108]. Weiterhin wird die Eucharistiefeier immer
wieder als Zentrum der gesamten Liturgie[109] und insbesondere
der Sakramente bezeichnet[110], welche insgesamt Weisen der gegenwärtigen Wirksamkeit des Herrn sind. Die Eucharistie ist
aber auch Mittelpunkt, Quelle und Höhepunkt der christlichen
Gemeinde und des Lebens der Gläubigen[111], welches seinerseits
gerade durch die Feier der Eucharistie zum Zeichen und Ausdruck der Wirksamkeit des Christus-Mysteriums werden soll.

Die Gegenwart des Herrn im Dienst des Priesters

Daß Jesus Christus seinen priesterlichen Dienst vor allem in
der Liturgie und speziell in der Eucharistie durch den Dienst
der Priester vollzieht, bzw. die Priester in diesem Dienst in
der Person Jesu Christi und im Namen der ganzen Kirche handeln,
wird in den Konzilstexten immer wieder betont.
Die *Kirchenkonstitution* lehrt: Der Amtspriester "vollzieht in
der Person Christi das eucharistische Opfer und bringt es im
Namen des ganzen Volkes Gottes dar" (Nr. 10)[112]. "In den Bischöfen, denen die Priester zur Seite stehen, ist also inmitten der Gläubigen der Herr Jesus Christus, der Hohepriester,
anwesend" (Nr. 21)[113], so daß kraft der Weihe "die Bischöfe in

---

106 AG 9,2: "Per verbum praedicationis et per celebrationem sacramentorum,
   quorum centrum et culmen est Sanctissima Eucharistia, Christum salutis
   auctorem praesentem reddit".
107 Vgl. z.B. LG 3; PO 13,3.
108 Vgl. z.B. LG 10,2; 28,1; PO 2,4; 5,1.
109 Vgl. z.B. PC 15,1.
110 Vgl. z.B. AA 3,1; AG 9,2; PO 5,2.
111 Vgl. z.B. LG 11,1; CD 30,6; AA 8,3; PO 6,5.
112 LG 10,2: "Sacerdos quidem ministerialis ... sacrificium eucharisticum
   in persona Christi conficit illudque nomine totius populi Dei offert".
   Vgl. LG 28,1.
113 LG 21,1: "In Episcopis igitur, quibus presbyteri assistunt, adest in
   medio credentium Dominus Iesus Christus".

hervorragender und sichtbarer Weise die Aufgabe Christi selbst,
des Lehrers, Hirten und Priesters, innehaben und in seiner Person handeln" (ebd.) [114], ja sogar "aufgrund ihres geweihten Amtes die Stelle Christi vertreten" (Nr. 37) [115] und sein Geheimnis darstellen [116].

Hier wird also das Handeln *in persona Christi* ausdrücklich
nicht auf die Konsekration, auch nicht auf die Liturgie als
ganze beschränkt, sondern erstreckt sich auf den gesamten bischöflichen und priesterlichen Dienst. Dies bedeutet eine Bestätigung und Verdeutlichung der diesbezüglich sehr zurückhal-
tenden Aussagen der Liturgiekonstitution [117].

Zur Erfüllung ihrer Sendung empfangen die Amtsträger [118] den
Heiligen Geist [119] und führen in seiner Kraft durch Verkündigung und Eucharistie die Gläubigen zusammen [120]; so vollzieht
sich das Heilswerk [121]. Deshalb kann das *Dekret über das Apostolat der Laien* sagen, daß der Heilige Geist "durch den Dienst
des Amtes und durch die Sakramente die Heiligung des Volkes
Gottes wirkt" (Nr. 3) [122].

Besonders häufig spricht seinem Thema entsprechend das *Dekret
über Dienst und Leben der Priester* von der gegenwärtigen Wirk-

---

114 LG 21,2: "... ut Episcopi, eminenti ac adspectabili modo, ipsius Chri-
    sti Magistri, Pastoris et Pontificis partes sustineant et in Eius per-
    sona agant".
115 LG 37,1: "... qui ratione sacri sui muneris personam Christi gerunt".
    Vgl. AG 39,1.
116 Vgl. AG 24,2: "Annuntiando Evangelium in gentibus, cum fiducia notum
    faciat mysterium Christi, pro quo legatione fungitur ...".
117 Vgl. oben, S. 415-417; vgl. dazu J.-P. Jossua, a.a.O. (S. 585, Anm. 4),
    146-149, der es als begrüßenswerte Erweiterung des Verständnisses des
    Priestertums kennzeichnet, daß seine liturgische Beschreibung durch SC
    von den übrigen Konzilsdokumenten in den größeren Zusammenhang des ge-
    samten kirchlichen Dienstes gestellt wird; vgl. auch F. Vandenbroucke,
    Le sacerdoce selon Vatican II, in: QLP 47 (1966) 107-122, bes. 113-122;
    H. Thomas, Le prêtre dans la pensée de Vatican II, in: QLP 48 (1967)
    121-133.
118 In diesem Zusammenhang braucht nicht zwischen Priesteramt und Bischofs-
    amt unterschieden zu werden. Auch "die Priester sind Stellvertreter
    Christi und Mitarbeiter der Bischöfe in dem dreifachen heiligen Amt":
    AG 29,1; vgl. PO 7,1.
119 Vgl. LG 24,1; OT, Vorwort.
120 Vgl. CD 11,1.
121 Vgl. OT 4,1.
122 AA 3,4: "Ad hunc apostolatum exercendum, Spiritus Sanctus, qui populi

samkeit Jesu Christi im Dienst der Priester[123]. Die sakramentale Weihe zeichnet die Priester "durch die Salbung mit Heiligem Geist mit einem besonderen Prägemal und macht sie auf diese Weise dem Priester Christus gleichförmig, so daß sie in der Person des Hauptes Christus handeln können" (Nr. 2)[124], was vor allem für die Liturgie und darin besonders für die Eucharistiefeier gilt[125]. Dies ist in dem Sinn zu verstehen, daß Jesus Christus in ihnen handelt: "Da das Amt der Priester mit dem Bischofsamt verbunden ist, nimmt es an der Vollmacht teil, mit der Christus selbst seinen Leib auferbaut, heiligt und leitet" (ebd.)[126]. Mit seinem Dienst verbinden sich die Priester[127]; durch sie wirkt er[128]. Durch die Weihe sind die Priester "lebendige Werkzeuge Jesu Christi des ewigen Priesters geworden, damit sie sein wunderbares Werk ... fortzuführen vermögen. Jeder Priester vertritt also, seiner Weihestufe entsprechend, Christus" (Nr. 12)[129].

Die Gegenwart des Herrn in den eucharistischen Gestalten

Bei der Erörterung der Liturgiekonstitution war aufgefallen, daß dort nur ganz selten von der eucharistischen Realpräsenz im strikten Sinn, also von der somatischen Gegenwart Jesu Christi in den eucharistischen Gestalten, die Rede ist[130]. Dasselbe läßt sich in den übrigen Konzilstexten beobachten.

Dei sanctificationem per ministerium et sacramenta operatur ...".
123 Vgl. dazu P. J. Cordes, Sendung zum Dienst (s. S. 76, Anm. 297), 176 bis 208.
124 PO 2,3: "... quo (Sacramento) Presbyteri unctione Spiritus Sancti speciali charactere signantur et sic Christo Sacerdoti configurantur, ita ut in persona Christi Capitis agere valeant".
125 Vgl. PO 13,3: "Ut Sacrorum ministri, praesertim in Sacrificio Missae, Presbyteri personam specialiter gerunt Christi ...".
126 PO 2,3: "Officium Presbyterorum, utpote Ordini episcopali coniunctum, participat auctoritatem qua Christus Ipse Corpus suum exstruit, sanctificat et regit".
127 Vgl. PO 13,3: "Ita, dum Presbyteri cum actu Christi sacerdotis se coniungunt ...".
128 Vgl. PO 14,2: "Re quidem vera, ut eandem voluntatem Patris in mundo per Ecclesiam indesinenter faciat, per ministros suos operatur ...".
129 PO 12,1: "... Christi Aeterni Sacerdotis viva instrumenta efficiantur, ut mirabile opus Eius ... persequi valeant. Cum ergo omnis sacerdos, suo modo, ipsius Christi personam gerat ...".
130 Vgl. oben, S. 441-443.

Die *Kirchenkonstitution* spricht davon, daß Jesus Christus die
Menschen "mit seinem eigenen Leib und Blut" ernährt (Nr. 48)[131].
Das *Dekret über Dienst und Leben der Priester* lehrt: "Die Hei-
ligste Eucharistie enthält ja das Heilsgut der Kirche in seiner ganzen Fülle, Christus selbst, unser Osterlamm und das lebendige Brot. Durch sein Fleisch, das durch den Heiligen Geist
lebt und Leben schafft, spendet er den Menschen das Leben"
(Nr. 5) [132].

Interessant ist immerhin, daß hier die Bedeutung des Wirkens
des Heiligen Geistes auch für die eucharistische Realpräsenz
angedeutet wird. Im übrigen aber ist offensichtlich diese Form
der Gegenwart des Herrn kein Thema des II. Vatikanischen Konzils.

Die Gegenwart des Herrn in den Sakramenten

Auch die Gegenwart und Wirksamkeit Jesu Christi in der Feier
der Sakramente wird von den übrigen Konzilstexten nur knapp
und am Rand erwähnt. Immerhin finden sich einige Formulierungen, die davon sprechen, daß in der kirchlichen Sakramentenspendung der Herr gegenwärtig und darin der eigentlich Handelnde ist.

Nach dem *Dekret über die Missionstätigkeit der Kirche* läßt auch
"die Feier der Sakramente ... Christus, den Urheber des Heils
gegenwärtig werden" (Nr. 9) [133], so daß die Christen "durch die
Sakramente auf geheimnisvolle und doch wirklich Weise mit Christus, der gelitten hat und verherrlicht ist, vereint werden"
(*Kirchenkonstitution*, Nr. 7) [134].

Dabei ist aber Jesus Christus selbst der eigentlich Handelnde.

---

131 LG 48,2: "Sedens ad dexteram Patris continuo operatur in mundo ut homines ... proprio Corpore et Sanguine illos nutriendo gloriosae vitae
   suae faciat esse participes".
132 PO 5,2: "In Sanctissima enim Eucharistia totum bonum spirituale Ecclesiae continetur, ipse scilicet Christus, Pascha nostrum panisque vivus
   per Carnem suam Spiritu Sancto vivificatam et vivificantem vitam praestans hominibus ...".
133 AG 9,2: Vgl. S. 608, Anm. 106.
134 LG 7,2: "In corpore illo vita Christi in credentes diffunditur, qui
   Christo passo atque glorificato, per sacramenta arcano ac reali modo
   uniuntur".

Durch den Dienst der Bischöfe "verkündet er allen Völkern Gottes Wort und spendet den Glaubenden immerfort die Sakramente des Glaubens" (*Kirchenkonstitution*, Nr. 21) [135]. Er "begegnet ... durch das Sakrament der Ehe den christlichen Gatten" (*Pastoralkonstitution über die Kirche in der Welt von heute*, Nr. 48) [136].

Auch zum Verhältnis von Glaube und Sakrament äußert sich das Konzil nicht weiterhin. Die Sakramente sind insgesamt "Sakramente des Glaubens" [137]. Dem Glauben kommt sogar ein gewisser Vorrang zu; von den nichtkatholischen Christen sagt das *Dekret über den Ökumenismus*, daß sie "durch den Glauben in der Taufe gerechtfertigt" sind (Nr. 3) [138].

Die Sakramente sind im Geist gewirkte Zeichen: Unsere Einheit mit der himmlischen Kirche verwirklicht sich "besonders in der heiligen Liturgie, in der die Kraft des Heiligen Geistes durch die sakramentalen Zeichen auf uns einwirkt" (*Kirchenkonstitution*, Nr. 50) [139]. Der Heilige Geist selbst wirkt "durch den Dienst des Amtes und durch die Sakramente die Heiligung des Volkes Gottes" (*Dekret über das Apostolat der Laien*, Nr. 3) [140].

Die Gegenwart des Herrn in seinem Wort

Die Lehre von der wirksamen Gegenwart Jesu Christi im Wort der kirchlichen Verkündigung, die schon in der Liturgiekonstitution eine wichtige Rolle spielt, wird in den übrigen Dokumenten des II. Vatikanischen Konzils aufgenommen und ausgebaut. Vor allem die *Dogmatische Konstitution über die göttliche Offenbarung* enthält dazu bedeutsame Aussagen [141].

---

135 LG 21,1: "... (Christus) verbum Dei omnibus gentibus praedicat et credentibus sacramenta fidei continuo administrat".
136 GS 48,2: "... ita nunc hominum Salvator Ecclesiaeque Sponsus, per sacramentum matrimonii christifidelibus coniugibus obviam venit".
137 "Sacramenta fidei": LG 21,1; PO 4,2.
138 Ur 3,1: "Nihilominus iustificati ex fide in baptismate, Christo incorporantur ...".
139 LG 50,4: "Nobilissima vero ratione unio nostra cum Ecclesia caelesti actuatur, cum, praesertim in sacra Liturgia, in qua virtus Spiritus Sancti per signa sacramentalia super nos agit ...".
140 AA 3,4: Vgl. S. 609, Anm. 122.
141 Vgl. dazu O. Semmelroth/ M. Zerwick, Vaticanum II über das Wort Gottes. Die Konstitution "Dei Verbum": Einführung und Kommentar. Text und Über-

"Die Heiligen Schriften enthalten das Wort Gottes, und weil inspiriert, sind sie wahrhaft Wort Gottes" (Nr. 24) [142]. Deshalb hat die Kirche "die Heiligen Schriften immer verehrt wie den Herrenleib selbst" (Nr. 21) [143].

Dieses Wort Gottes ist der Kirche anvertraut: "Die Braut des fleischgewordenen Wortes, die Kirche, bemüht sich, vom Heiligen Geist belehrt, zu einem tieferen Verständnis der Heiligen Schriften vorzudringen, um ihre Kinder unablässig mit dem Wort Gottes zu nähren" (Nr. 23) [144]. "Die Aufgabe aber, das geschriebene oder überlieferte Wort Gottes verbindlich zu erklären, ist nur dem lebendigen Lehramt der Kirche anvertraut, dessen Vollmacht im Namen Jesu Christi ausgeübt wird" (Nr. 10) [145]. Die Gegenwart des Herrn in seinem Wort ist also als dynamische Wirksamkeit zu verstehen, die sich im autoritativ vorgelegten Verkündigungswort ereignet. Dies wird durch die Sendung des Heiligen Geistes bewirkt, in dessen Kraft im Menschenwort Gottes Wort verkündigt und gehört wird. So sagt Artikel 7: Jesus Christus, in dem sich die göttliche Offenbarung vollendet, hat den Aposteln den Verkündigungsauftrag gegeben. Sie und die übrigen Verfasser der neutestamentlichen Schrift haben weitergegeben, was sie vom Herrn gehört, bzw. "unter der Eingebung des Heiligen Geistes gelernt hatten". Schließlich wurde "unter der Inspiration des gleichen Heiligen Geistes die Botschaft vom Heil niedergeschrieben" (Nr. 7) [146]. "Denn die Heilige Schrift

---

setzung, Stuttgart 1966 (= SBS 16).

142 DV 24: "Sacrae autem Scripturae verbum Dei continent et, quia inspiratae vere verbum Dei sunt".

143 DV 21: "Divinas Scripturas sicut et ipsum Corpus dominicum semper venerata est Ecclesia".

144 DV 23: "Verbi incarnati Sponsa, Ecclesia nempe, a Sancto Spiritu edocta, ad profundiorem in dies Scripturarum Sacrarum intelligentiam assequendam accedere satagit, ut filios suos divinis eloquiis indesinenter pascat".

145 DV 10,2: "Munus autem authentice interpretandi verbum Dei scriptum vel traditum soli vivo Ecclesiae Magisterio concreditum est, cuius auctoritas in nomine Iesu Christi exercetur".

146 DV 7,1: "Quod quidem fideliter factum est, tum ab Apostolis, qui in praedicatione orali, exemplis et institutionibus ea tradiderunt quae sive ex ore, conversatione et operibus Christi acceperant, sive a Spiritu Sancto suggerente didicerant, tum ab illis Apostolis virisque apostolicis, qui, sub inspiratione eiusdem Spiritus Sancti, nuntium salutis scriptis mandaverunt".

ist Gottes Rede, insofern sie unter dem Anhauch des Heiligen
Geistes schriftlich aufgezeichnet wurde" (Nr. 9) [147].

Dies gilt von der Heiligen Schrift "des Alten wie des Neuen
Testamentes in ihrer Ganzheit mit allen ihren Teilen" (Nr. 11)
[148]. Damit ist eine Frage geklärt, die in der Liturgiekonstitution noch nicht so eindeutig beantwortet war und zur Diskussion Anlaß bot [149].

Es ist also "der Heilige Geist, durch den die lebendige Stimme
des Evangeliums in der Kirche und durch sie in der Welt wider-
hallt" (Nr. 8) [150]. Dieses lebendige Gotteswort muß im Glauben
gehört und angenommen werden. "Dieser Glaube kann nicht vollzogen werden ohne die zuvorkommende und helfende Gnade Gottes
und ohne den inneren Beistand des Heiligen Geistes" (Nr. 5) [151].
So wie die kirchliche Verkündigung und Auslegung der Heiligen
Schrift also "im Licht des Heiligen Geistes" erfolgt [152], so
wird sie auch "von den Hörenden kraft des Heiligen Geistes angenommen" [153].

Unter dieser Voraussetzung ist die kirchliche Verkündigung ein
Sprechen des Heiligen Geistes [154], ein Sprechen Gottes (vgl.
Nr. 21) [155] in Christus [156], ein "Gespräch mit der Braut seines

---

147 DV 9: "Etenim Sacra Scriptura est locutio Dei quatenus divino afflante
    Spiritu scriptu consignatur".
148 DV 11,1: "Libros enim integros tam Veteris quam Novi Testamenti, cum
    omnibus eorum partibus, sancta Mater Ecclesia ex apostolica fide pro
    sacris et canonicis habet, propterea quod, Spiritu Sancto inspirante
    conscripti (...), Deum habent auctorem, atque ut tales ipsi Ecclesiae
    traditi sunt".
149 Vgl. oben, S. 521-523.
150 DV 8,4: "... Spiritus Sanctus, per quem viva vox Evangelii in Ecclesia
    et per ipsam in mundo resonat ...".
151 DV 5 "Quae fides ut praebeatur, opus est praeveniente et adiuvante
    gratia Dei et internis Spiritus Sancti auxiliis ...".
152 Vgl. LG 25,1: "... qui (Episcopi) populo sibi commisso fidem credendam
    et moribus applicandam praedicant, et sub lumine Sancti Spiritus il-
    lustrant, ex thesauro Revelationis nova et vetera proferentes ...".
153 Vgl. LG 19: "Apostoli autem praedicando ubique Evangelium (...), ab
    audientibus Spiritu Sancto operante acceptum ...".
154 Vgl. DV 21: "... atque (Divinae Scripturae) in verbis Prophetarum Apo-
    stolorumque vocem Spiritus Sancti personare faciant".
155 Vgl. DV 21: "In sacris enim libris Pater qui in caelis est filiis suis
    permanenter occurrit et cum eis sermonem confert".
156 Vgl. UR 21,2: "Spiritum Sanctum invocantes, in ipsis Sacris Scripturis
    Deum inquirunt quasi loquentem in Christo ...".

geliebten Sohnes" (Nr. 8)[157], so daß wir Gott hören, wenn wir seine Weisung lesen (Nr. 25)[158].

In der kirchlichen Verkündigung wird Jesus Christus selbst gegenwärtig[159]; er verkündet durch den Dienst der Bischöfe "allen Völkern Gottes Wort"[160].

Offenbarung und Verkündigung vollziehen sich aber nicht nur in Worten. Wie das Offenbarungsgeschehen selbst sich "in Tat und Wort, die innerlich miteinander verknüpft sind", ereignet (Nr. 2)[161], wie die Apostel "aus Christi Mund, im Umgang mit ihm und durch seine Werke" die Heilsbotschaft empfangen haben, so gaben sie diese auch durch "mündliche Predigt, durch Beispiel und Einrichtungen" weiter (Nr. 7)[162]. Entsprechend vollzieht sich die Weitergabe des Heils in der Kirche in Wort und Sakrament, die in enger Zusammengehörigkeit zu sehen sind[163]: "Die Kirche hat die Heiligen Schriften immer verehrt wie den Herrenleib selbst, weil sie, vor allem in der heiligen Liturgie, vom Tisch des Wortes Gottes wie des Leibes Christi ohne Unterlaß das Brot des Lebens nimmt und den Gläubigen reicht" (Nr. 21)[164]. Hier wird also die in der Liturgiekonstitution ursprünglich vorgesehene und dann aus Rücksicht auf Kritik doch abgeschwächte Rede von den beiden Tischen[165] in voller Konsequenz aufgenommen[166]. Das "Brot des Lebens" wird von beiden Tischen genommen, womit angedeutet wird, daß dieses "Brot des Lebens" nichts anderes ist als die Heilsgabe, die in Wort und Eucharistie präsent ist. Im *Dekret über Dienst und Leben der Priester*

---

157 DV 8,4: "Sicque Deus, qui olim locutus est, sine intermissione cum dilecti Filii sui Sponsa colloquitur".
158 Vgl. DV 25,1: "Nam 'illum (Deum) alloquimur, cum orantes; illum audimus, cum divina legimus oracula' (S. Ambrosius)".
159 Vgl. AG 9,2: Siehe S. 608, Anm. 106.
160 Vgl. LG 21,1: Siehe S. 612, Anm. 135.
161 DV 2: "Haec revelationis oeconomia fit gestis verbisque intrinsece inter se connexis".
162 DV 7,1: Siehe S. 613, Anm. 146.
163 Vgl. LG 21,1: Siehe S. 612, Anm. 135.
164 DV 21: "Divinas Scripturas sicut et ipsum Corpus dominicum semper venerata est Ecclesia, cum, maxime in sacra Liturgia, non desinat ex mensa tam verbi Dei quam Corporis Christi panem vitae sumere atque fidelibus porrigere".
165 Vgl. oben, S. 499 f. und 554.
166 Vgl. auch PC 6,3.

ist dabei das Wort als die umgreifende Wirklichkeit verstanden: Die Gläubigen werden "vom zweifachen Tisch, der Heiligen Schrift und der Eucharistie, mit dem Wort Gottes genährt" (Nr. 18) [167]. Eine genauere Analyse dieser Texte müßte zur Verhältnisbestimmung von Wort und Sakrament [168] herangezogen werden, was hier freilich nicht ausgeführt werden kann.

Die Gegenwart des Herrn im Gebet der Kirche

In der Liturgiekonstitution war vor allem die Erörterung des Stundengebetes und der übrigen amtlichen liturgischen Gebete der Rahmen, in welchem das kirchliche Beten als gegenwärtiges Wirken Jesu Christi, als sein Gebet, verstanden werden konnte [169]. Diese kirchlichen Vollzüge werden in den übrigen Konzilsdokumenten nicht mehr thematisch behandelt. Infolgedessen finden sich zu der Frage nach der Gegenwart des Herrn im Gebet der Kirche kaum weitere Texte. Immerhin sagt das *Dekret über Dienst und Leben der Priester*, daß die Kirche im Breviergebet "beständig im Namen des ganzen Menschengeschlechtes im Gebet verharrt mit Christus, der 'allezeit lebt, um für uns einzutreten' (Hebr 7,25)" (Nr. 13) [170]. Das *Dekret über den Ökumenismus* spricht davon, daß im gemeinsamen Gebet auch der Christen verschiedener Konfessionen die Verheißung Jesu Christi gilt: "Denn wo zwei oder drei versammelt sind in meinem Namen, da bin ich mitten unter ihnen" (Mt 18,20) (Nr. 8).

5.1.4. Zusammenfassung

Als erstes vom II. Vatikanischen Konzil verabschiedetes Dokument hatte die Liturgiekonstitution unter formaler wie unter

---

167 PO 18,1: "... quibus christifideles ex duplici mensa Sacrae Scripturae et Eucharistiae Verbo Dei nutriuntur".
168 Vgl. oben, S. 542-555. Weitere Belege finden sich in: LG 17; 26,1; 26,2; 42,1; CD 11,1; 15,3; 30,4-5; OT 4; AA 6,1; PO 2,4; AG 6,3.
169 Vgl. oben, S. 568-573.
170 PO 13,3: "In Officio Divino recitando, vocem praebent (Presbyteri) Ecclesiae, quae in oratione, nomine totius generis humani, perseverat, una cum Christo, qui est 'semper vivens ad interpellandum pro nobis' (Hebr. 7,25)".

inhaltlicher Rücksicht große Bedeutung für die weitere Arbeit
des Konzils. An diesem ausgereiften Textentwurf konnte das
Konzil seine Arbeitsweise erproben. Die Gestalt der Liturgiekonstitution wurde aber auch nach Sprache, Argumentationsweise
und Aufbau wegweisend für die übrigen Konzilstexte.

Eine Durchsicht der weiteren Konzilsdokumente zeigt darüberhinaus, daß eine Reihe der großen Themen des II. Vatikanischen
Konzils in der Liturgiekonstitution bereits in glücklicher
Weise vorweggenommen waren. Dies betrifft vor allem ekklesiologische Fragen wie die nach dem Wesen der Kirche, nach ihrem
Ort in einer heilsgeschichtlichen Sicht des Glaubens, nach der
Beziehung zwischen Jesus Christus und der Kirche und dem aus
dieser Beziehung zu deutenden kirchlichen Heilsdienst. In all
diesen Fragen wurden die Ansätze der Liturgiekonstitution von
der weiteren Konzilsarbeit aufgenommen und weitergeführt. In
keinem dieser Punkte war jedoch eine Korrektur der in der Liturgiekonstitution entwickelten theologischen Grundlinien erforderlich.

Lediglich die Ausarbeitung eines entscheidenden Themas blieb
der weiteren Konzilsarbeit vorbehalten: Die Bedeutung der Sendung und Wirksamkeit des Heiligen Geistes für die Entstehung
und das Leben der Kirche wurde in den übrigen Konzilsdokumenten, vor allem in der Kirchenkonstitution, eingehend dargestellt. Hier hat die Liturgiekonstitution einen sehr spürbaren
Mangel, der zwar schon während ihrer konziliaren Diskussion
festgestellt wurde, den zu beheben aber nur noch in sehr ge-
ringem Umfang gelang.

Für unsere Untersuchung hat diese pneumatologische Grundlegung
der Ekklesiologie besondere Bedeutung. Denn die gegenwärtige
Wirksamkeit Jesu Christi in der Kirche und speziell in der Liturgie kann zwar als notwendige Voraussetzung aus allen liturgietheologisch bedeutsamen Aussagen der Liturgiekonstitution
erschlossen werden; sie kann als faktisch ausgesagter Glaubensinhalt aus der Liturgiekonstitution erhoben werden. Sie kann
aber nach ihren Möglichkeitsbedingungen nicht hinreichend erklärt werden, wenn man nicht ihre pneumatologischen Voraussetzungen mitbedenkt. In diesem Punkt haben die übrigen Konzils-

dokumente eine notwendige Ergänzung der Liturgiekonstitution erbracht.

So ergibt die Durchsicht dieser Dokumente eine Bestätigung und Weiterführung der aus der Liturgiekonstitution zu erhebenden ekklesiologischen und speziell liturgietheologischen Voraussetzungen einer wirksamen Gegenwart des Herrn in der Feier des Gottesdienstes [171].

Für die einzelnen Gegenwartsweisen des Herrn in der Liturgie ergab sich ein ähnlicher Befund. Für alle Aussagen von Artikel 7,1 der Liturgiekonstitution konnten mehrere entsprechende Formulierungen aus anderen Konzilstexten angeführt werden. Dabei bieten die übrigen Dokumente für einige der genannten Gegenwartsweisen keine über die Liturgiekonstitution hinausgehenden Aussagen; dies zeigte sich für die Beschreibung der Gegenwart des Herrn in der Eucharistiefeier als ganzer, in den eucharistischen Gestalten, in den Sakramenten und im Gebet der Kirche. Bei den übrigen Gegenwartsweisen wurden einzelne Sachfragen deutlicher formuliert und weiter geklärt, so beispielsweise die Repräsentation Jesu Christi im Dienst des Priesters, die Beziehung zwischen amtlichem und gemeinsamem Priestertum, die Bedeutung der kirchlichen Wortverkündigung und das Verhältnis von Wort und Sakrament zueinander.

Einige in der Liturgiekonstitution nicht eindeutig geklärte Fragen wurden deutlicher beantwortet, beispielsweise die Zugehörigkeit der Predigt zum verkündigten Gotteswort, die Einheit der ganzen Schrift, in der insgesamt Jesus Christus sein Evangelium verkündet, das Zusammenwirken von Verkündigen und Hören im Heiligen Geist, wodurch das Wort Gottes erst wirksam wird, und schließlich die unbefangen ausgesagte Einheit der beiden Tische, des Wortes und der Eucharistie.

---

171 Als wenig ergiebig und darüberhinaus anfällig für Einseitigkeiten (vgl. S. 521, Anm. 737) erweist sich das Vorgehen von A. A. G. Gimeno, a.a. O. (Diss. masch.), 506-680, der, wie schon in der Liturgiekonstitution (vgl. ebd., 273-505), so auch in den übrigen Dokumenten des II. Vaticanums nur die Stellen berücksichtigt, in denen die Stichworte *praesentia, praesens, repraesentatio, repraesentare* vorkommen. Die relativ wenigen Textstellen können nur in einem größeren theologischen Zusammenhang sachgemäß ausgewertet werden.

Bei der Beschreibung aller Gegenwartsweisen konnte über die Liturgiekonstitution hinaus eine starke Beachtung des pneumatologischen Aspektes beobachtet werden.

Für die systematische Frage nach der Zusammengehörigkeit und der Verschiedenheit der einzelnen liturgischen Gegenwartsweisen Jesu Christi bieten die übrigen Konzilsdokumente zwar weitere Gesichtspunkte und Hinweise, aber keine thematisch, zusammenfassende Darstellung. In dieser Hinsicht wird die einfache Aufzählung, wie sie in Artikel 7,1 der Liturgiekonstitution vorliegt, von den übrigen Konzilstexten nicht überboten, ja nicht einmal erreicht.

5.2. Die Lehre von der liturgischen Gegenwart Jesu Christi in nachkonziliaren Dokumenten der Liturgiereform

Die von der Liturgiekonstitution des II. Vatikanischen Konzils in ihren Grundzügen beschlossene allgemeine Liturgiereform mußte nach der Promulgation der Konstitution (4.12.1963) erst Schritt für Schritt durchgeführt werden. Erste Ausführungsbestimmungen gab Papst Paul VI. schon im Januar 1964 in seinem Motu Proprio "Sacram Liturgiam"[172]. Darin gab er auch die Einsetzung der von Artikel 25 der Liturgiekonstitution geforderten Kommission von Fachleuten und Bischöfen aus aller Welt zur Revision der liturgischen Bücher und zur Verwirklichung der Bestimmungen der Liturgiekonstitution bekannt[173]. Die ersten Mitglieder dieses "Rates zur Durchführung der Konstitution über die heilige Liturgie", kurz *Consilium* genannt, wurden noch im Januar 1964 ernannt. Sein Präsident war Giacomo Kardinal Lercaro von Bologna, sein Sekretär Pater Annibale Bugnini, der Sekretär der vorbereitenden liturgischen Kommission, die das Liturgieschema erarbeitet hatte[174]. Die erste Vollversamm-

---

172 Paul VI., Motu Proprio "Sacram Liturgiam" (25.1.1964), in: AAS 56 (1964) 139-144; deutsch in: LJ 14 (1964) 152-156.
173 Vgl. ebd., 140; deutsch: 153.
174 Vgl. die Angaben bei Lengeling, 67*; eine vollständige Liste der Mitglieder des "Consilium ad exsequendam Constitutionem de sacra Liturgia": ebd., 67* f.

lung fand bereits am 11. März 1964 statt[175]. Dieses *Consilium*
hat in Durchführung der Beschlüsse der Liturgiekonstitution
eine Fülle von Einzelreformen vorbereitet, die in den folgenden Jahren bis 1969 von der Ritenkongregation veröffentlicht
wurden[176].

Seit 1965 verfügte das *Consilium* über ein eigenes Organ, die
Notitiae, das über die Arbeit des *Consilium* fortlaufend be-
richtete.

Als am 8.5.1969 die Ritenkongregation in zwei neue Kongregationen aufgeteilt wurde, die Kongregation für den Gottesdienst
und die Kongregation für die Heiligsprechungsprozesse[177], wurde das *Consilium* in die Kongregation für den Gottesdienst integriert[178]. Am 10.4.1970 wurde das *Consilium* nach Abschluß
seines Auftrags vom Papst aufgelöst[179].

Zu den vom *Consilium* erarbeiteten Verlautbarungen kommt eine
Reihe gewichtiger Dokumente, die Papst Paul VI. zur Liturgiereform erlassen oder in denen er zu liturgischen Fragen Stellung genommen hat.

Neben diesen gesamtkirchlichen Dokumenten gibt es noch eine
Fülle von Bestimmungen einzelner Bischofskonferenzen, die zum
Teil von großem liturgietheologischen Gewicht sind.

---

175 Vgl. ebd., 74*; dazu ausführlicher: H. Rennings, Die Tätigkeit des
   Consilium. Weitere Schritte zur Durchführung der Konzilskonstitution
   bis zur Veröffentlichung der Instruktion vom 26. September 1964, in:
   LebGo 7 (1964) 9-15; weitere Hinweise finden sich in: QLP 46 (1965) 58.
176 In der Regel wurden die entsprechenden Texte vom *Consilium* ausgearbeitet, dann von der Ritenkongregation geprüft und schließlich von ihrem
   Präfekten, Arcadio Kardinal Larraona, dem Papst zur Bestätigung vorgelegt. Die Dokumente trugen gewöhnlich die Unterschriften von Kardinal
   Lercaro für das *Consilium* und Kardinal Larraona, des Präfekten der Ritenkongregation, und F. Antonelli, ihres Sekretärs (seit 1965; vorher
   war es Erzbischof E. Dante). Ab 9.1.1968 war Benno Kardinal Gut Präsident des *Consilium* und Präfekt der Ritenkongregation in Personalunion.
   Vgl. zur Arbeit des *Consilium* auch den Problembericht der Herder Korrespondenz, Der römische Liturgierat und seine Reformarbeit, in:
   HerKorr 24 (1970) 234-242.
177 Vgl. Paul VI., Apost. Konstitution "Sacra Rituum Congregatio" (8.5.
   1969), in: AAS 61 (1969) 297-305.
178 Vgl. ebd., 299 und 301, Nr. 4.
179 Vgl. Paul VI., Ansprache an die Mitglieder und Berater des *Consilium*
   (10.4.1970), in: AAS 62 (1970) 272-274. Vgl. dazu E. J. Lengeling, Die
   Errichtung der Kongregation für den Gottesdienst und das Ende des Consilium, in: LebGo 17/18 (1970) 452 f.

Alle diese Dokumente[180] auf ihren Beitrag zu unserer Frage
nach der liturgischen Gegenwart Jesu Christi und ihrer einzelnen Verwirklichungsformen zu untersuchen, würde eine eigene
umfangreiche Studie erfordern. Sie zu bieten, ist im Rahmen
dieser Arbeit nicht möglich. Es sollen deshalb nach einem allgemeinen Überblick über den Verlauf der nachkonziliaren Liturgiereform lediglich einige besonders wichtige Texte vorgestellt
werden, die sich ausdrücklich mit den liturgischen Gegenwartsweisen befassen. Auf eine Erörterung der Beiträge dieser Dokumente zu den liturgietheologischen Voraussetzungen für die Gegenwart Jesu Christi in der Liturgie muß hier verzichtet werden; dies würde wiederum eine eingehende Analyse der einzelnen
Dokumente voraussetzen.

5.2.1. Zur Bedeutung Papst Pauls VI. für die Liturgiereform
des II. Vatikanischen Konzils

Am 21. Juni 1963 wurde der Erzbischof von Mailand, Giovanni
Battista Kardinal Montini zum Papst gewählt. Bereits am 22.
Juni erklärte Paul VI., daß das Konzil fortgesetzt werde. Ihm
fiel die Aufgabe zu, am 4. Dezember 1963 als erstes Dokument
des II. Vatikanischen Konzils die Liturgiekonstitution feierlich zu promulgieren. In seiner Regierungszeit und unter seiner Verantwortung wurde die vom Konzil beschlossene allgemeine
Liturgiereform durchgeführt. Als Paul VI. am 6. August 1978
starb, war die Revision der liturgischen Bücher mit der Neuordnung der gesamten Römischen Liturgie im wesentlichen abgeschlossen. Die ganze Zeit seines Pontifikates war Paul VI. mit
der Liturgiereform befaßt, förderte sie, bestimmte ihre Richtung und ihr Tempo und hatte neben Dank und Lob auch entschiedene und harte Kritik gegen die Reform als solche und gegen
sein persönliches Engagement in dieser Reform zu ertragen.
Solche Kritik hat ihn nicht gehindert, das Reformwerk ent-

---

180 R. Kaczynski zählt im 1. Teil seines Enchiridion (s. S. 221, Anm. 1)
180 römische Dokumente zu liturgischen Fragen, die in den von ihm vorgelegten Auszügen etwa 1000 enggedruckte Seiten füllen.

schlossen durchzuführen.

Für diese Aufgabe war Papst Paul VI. wohl vorbereitet. Als
Erzbischof von Mailand hatte er sich in mehreren gewichtigen
Dokumenten zu liturgischen Fragen als Kenner und engagierter
Förderer der Liturgischen Bewegung ausgewiesen[181].

Hervorzuheben ist sein umfangreicher Fastenhirtenbrief von
1958 über die liturgische Bildung[182]. Ausgehend von der Enzyklika "Mediator Dei" fordert er eine religiöse Erneuerung mit
Hilfe der liturgischen Erneuerung und gibt dazu eine Fülle von
pastoralen Richtlinien. Im Jahr davor hatte Kardinal Montini
in Verona einen Vortrag über die Bedeutung der zehn Jahre zuvor erlassenen Enzyklika "Mediator Dei" gehalten, worin er besonders die Liturgie als Mittel der religiösen Erziehung hervorhebt[183]. Der Fastenhirtenbrief von 1959 behandelt in umfassender Weise das Pascha-Mysterium als zentralen Glaubensinhalt,
als Repräsentation des Kreuzesopfers, als Quelle der Frömmigkeit und der theologischen Wissenschaft und als Kraft zur sittlichen Erneuerung. Auch hier gab der Kardinal eine Reihe von
pastoralen Hinweisen[184].

Schließlich ist noch ein Predigtzyklus aus der Karwoche 1961
zu erwähnen, in dem Kardinal Montini Taufe und Buße als österliche Sakramente behandelte[185].

Auch in der Vorbereitungszeit des Konzils hatte Kardinal Montini als Mitglied der vorbereitenden Zentralkommission entschieden für das Liturgieschema Stellung bezogen und insbesondere die Notwendigkeit der besseren Verständlichkeit der Liturgie betont[186]. Für die Einführung der Muttersprache in gewissen Teilen der Liturgie setzte er sich mehrfach ein, auch
in einer Intervention auf dem Konzil[187].

---

181 Eine Sammlung von 13 Dokumenten (1957-1963) findet sich in: ELit 77
    (1963) 217-344. Vgl. dazu F. Vandenbroucke, Jean XXIII, Paul VI et le
    mouvement liturgique, in: QLP 44 (1963) 201-207.
182 Vgl. den Text in: ELit 77 (1963) 220-243.
183 Vgl. ebd., 244-259.
184 Vgl. ebd., 265-289.
185 Vgl. ebd., 290-318.
186 Vgl. AD II/II/III, 84-90.
187 Vgl. ebd., 84-87; AS I/I, 313-316; deutsch (auszugsweise) in: Schmidt,
    231-233.

So entsprach es also offensichtlich seiner ganz persönlichen
Überzeugung, wenn der Papst anläßlich der Promulgation der Liturgiekonstitution in bewegten Worten die Bedeutung der Liturgie hervorhob. Sie ist "die erste Quelle für jenen göttlichen
Austausch, in dem uns das göttliche Leben mitgeteilt wird, die
erste Schule unseres Geistes, das erste Geschenk, das wir dem
christlichen Volk zu geben haben ..." [188]. In derselben Ansprache betonte der Papst auch die Notwendigkeit einer amtlich geregelten Reform: "Damit all das sich glücklich erfülle, soll
niemand gegen die Regelung des öffentlichen Gottesdienstes der
Kirche verstoßen, indem er private Änderungen oder besondere
Riten einführt. Niemand darf sich herausnehmen, die Konstitution über die heilige Liturgie, die Wir heute veröffentlichen,
nach seinem Gutdünken anzuwenden, bevor nicht entsprechende
und eindeutige Anweisungen erfolgt ... sind" [189].
Damit sind die beiden Pole gekennzeichnet, die in den folgenden Jahren das Vorgehen des Papstes bestimmten. Mit seinem
persönlichen Engagement für eine zügige und durchgreifende Liturgiereform mußte er die Sorge um die Einheitlichkeit der Liturgie und die geordnete Durchführung ihrer Erneuerung verbinden. Beides hat ihm immer wieder Kritik eingebracht, sowohl
sein persönlicher, positiver Beitrag wie seine Mahnungen und
Einschränkungen gegenüber voreiligen und willkürlichen Allein-
gängen in der Verwirklichung der Liturgiereform.
Die theologische Grundlage für das liturgische Interesse Pauls
VI. wird, zumindest andeutungsweise, in seiner ersten Enzyklika "Ecclesiam suam" (1964) [190] greifbar. Drei Aufgaben zählt
der Papst als vorrangige Sorgen auf: Die Kirche muß "tief in
sich selbst hineinschauen und über ihr Geheimnis nachdenken",
um ihr Wesen, ihre Sendung und ihr Ziel besser zu erfassen [191].
"Daraus ergibt sich für die Kirche ein starkes, ja unruhiges

---

188 Paul VI., Rede zum Abschluß der zweiten Sitzungsperiode am 4.12.1963,
in: Lengeling, 5* f.; lat. in: AAS 56 (1964) 31-40.
189 Ebd., 6*; lat: ebd., 35.
190 Paul VI., Enzyklika "Ecclesiam suam" (6.8.1964), in: AAS 56 (1964) 609
bis 659; deutsch in: HerKorr 18 (1963/64) 567-583.
191 Ebd., 611: "... debere Ecclesiam in seipsam introspicere penitus; suam
meditari mysterium".

Verlangen nach Selbsterneuerung"[192]. Aus beidem folgt als
drittes die Notwendigkeit des Gesprächs der Kirche mit der
Welt, in deren Mitte sie lebt.

Diese starke Konzentration auf die Kirche gilt aber nicht der
Kirche um ihrer selbst willen. Sie ist vielmehr "Werkzeug und
Ausdruck" der religiösen Beziehung, die Gott zu den Menschen
knüpfen wollte[193] und deren Betrachtung "zu einem Akt der Ge-
folgschaft gegenüber dem Worte des göttlichen Meisters" werden
soll[194]. Mit Berufung auf die Enzykliken "Satis cognitum"
(1896) und "Mystici Corporis" (1943), aber ohne der gerade
laufenden Diskussion über das Schema der Kirchenkonstitution
vorgreifen zu wollen, stellt der Papst fest: "Die erste Frucht
der Vertiefung des Bewußtseins der Kirche von sich selbst ist
die erneute Entdeckung ihrer lebendigen Beziehung zu Christus"
[195]. Die Kirche ist nämlich ein Geheimnis, fährt der Papst fort.
"Die Gegenwart Christi, ja sein Leben selbst wird in den einzelnen Menschen und im ganzen des mystischen Leibes durch den
lebendigen und belebenden Glauben wirksam"[196].

Unter der nötigen Reform, die auch durch das Konzil erreicht
werden soll, darf man nach Auffassung des Papstes "nicht die
Änderung verstehen, sondern eher eine Bestätigung und Bestär-
kung der Verpflichtung, der Kirche das Antlitz zu erhalten,
das Christus ihr verlieh, ja darüberhinaus sie immer mehr zu
ihrer vollkommenen Form zu führen"[197]. Das versteht der Papst

---

192 Ebd., 612: "Ex quo consequitur, ut Ecclesia, forti quodam et alacri
    acta animi impetu, suam ipsa quaerat renovationem".
193 Vgl. ebd., 615: "Haec enim consideratio ... Nobis videtur plane con-
    gruere cum via ac ratione a Deo adhibita ad hominibus se revelandum et
    ad religiosum illud cum humano genere commercium ineundum, quod per
    Ecclesiam ipsam perficitur et simul manifestatur".
194 Ebd.: "... indolem sumat (haec consideratio) docilis cuiusdam assensus
    iis verbis praebendi, quae Divinus Magister ad auditores suos habuit".
195 Ebd., 622: "Primum fructum, quem Ecclesia ex pleniore sui ipsius con-
    scientia perceptturam speramus, ex eo provenire arbitramur, quod ipsa
    vitalem suam cum Christo coniunctionem rursus compertam habeat".
196 Ebd., 623: "Christus praesens adsit, immo eius vita in singulorum ani-
    mis et in universo Corpore Mystico vim virtutemque suam ostendet, per
    fidei vivae et vivificae exercitationem ...".
197 Ebd., 630: "Si ergo hac in re de renovatione loquimur, non agitur de
    rebus permutandis, sed potius de confirmando proposito, quo movemur,
    ut faciem et lineamenta, quae Christus Ecclesiae suae dederit, serve-
    mus, quin immo eandem Ecclesiam in perfectam speciem et formam resti-

unter dem von Johannes XXIII. als Leitwort des Konzils geprägten Begriff "*aggiornamento*": "Die Kirche wird in ihre neue Jugend nicht so sehr durch Änderung ihrer äußeren Gesetze finden als vielmehr durch die innere Haltung des Gehorsams gegenüber Christus" [198].

Die Grundlage des Dialogs schließlich, den die Kirche mit der Welt zu führen hat, ist der Dialog Gottes mit den Menschen. "Die Heilsgeschichte erzählt diesen langen und vielgestaltigen Dialog, der von Gott ausgeht und zu einer wunderbaren vielgestaltigen Zwiesprache mit dem Menschen wird. In diesem Gespräch Christi mit den Menschen (vgl. Bar 3,38) gewährt Gott etwas Einblick in das Geheimnis seines Lebens" [199].

Solche Formulierungen zeigen, daß die scheinbare Ekklesiozentrik des Papstes ganz in einer christozentrischen Sicht des göttlichen Heilsplans begründet ist. In seiner Eröffnungsansprache zur zweiten Sitzungsperiode des Konzils sagte er vom Konzil, es sei eine Versammlung, "die Christus selbst als den Ursprung und die Quelle ansieht, der das menschliche Erlösungswerk und die Kirche entspringen und die zugleich die Kirche als dessen irdische und geheimnisvolle Ausstrahlung und Fortsetzung versteht" [200].

Aus diesen und vielen anderen Äußerungen des Papstes [201] läßt

---

tuamus, quae et eius pristinae imagini respondeat ...".
198 Ebd., 632: "... Ecclesiam non magis suas commutando leges exteriores posse ad revirentem iuventutem suam redire, quam seipsam ad Christi obsequium ita componendo, ut iis legibus diligenter pareat, quas ipsa sibi eo consilio condidit, ut Christi semitas sequatur".
199 Ebd., 641: "Re enim vera historia humanae salutis hoc longum et varium colloquium produnt, quod Deus mirifice cum hominibus inchoat cum iisdemque multimodis protrahit. In huiuscemodi prorsus Christi inter homines quasi sermocinatione aliquid Deus de se demonstrat, de suae vitae arcano ...".
200 Vgl. HerKorr 18 (1963/64) 76-83, hier 78; lat. in: AS II/I, 183-200, hier 188: "... hoc nempe consessu nostro, qui Christum agnoscit ut principium et fontem, unde humanae redemptionis opus et Ecclesia manant; qui pariter Ecclesiam agnoscit tamquam eiusdem Christi terrestre idemque arcanum spiramentum et continuationem".
201 Vgl. z.B. auch die Enzyklika Papst Pauls VI, "Mense Maio" (1.5.1965), in: AAS 57 (1965) 353-358; deutsch in: HerKorr 19 (1965) 410 f., hier 410, wo der Papst schreibt: "Maria ist immer der Weg, der zu Christus führt. Jede Begegnung mit ihr wird notwendig zu einer Begegnung mit Christus".

sich mit Hans Urs von Balthasar der Schluß ziehen: "Pauls VI.
gesamtes Denken ist nicht ekklesio-, sondern christozentrisch"
[202]. Diese sowohl in den grundlegenden dogmatischen Texten des
II. Vatikanischen Konzils wie in der Theologie Pauls VI. überall gegenwärtige Christozentrik wurde allerdings oft übersehen, da das Konzil wie der Papst, der augenblicklichen Notwendigkeit gehorchend [203], sich vorrangig mit ekklesiologischen
Fragen befaßten [204].

Auch die theologische Diskussion der Jahre nach dem Konzil war,
wie Walter Kasper schreibt, "zumindest auf katholischer Seite
weitgehend der vom II. Vatikanischen Konzil gestellten Aufgabe
der Erneuerung der Kirche gewidmet. ... Es zeigte sich jedoch,
daß sie (die ekklesiologischen Fragen) auf der Ebene der Ekklesiologie allein nicht gelöst werden können ... Aus diesem
Dilemma ... kann nur eine vertiefte Besinnung auf den eigentlichen Grund und Sinn der Kirche und ihrer Aufgabe in der Welt
von heute herausführen ... Grund und Sinn der Kirche ist jedoch eine Person ...: Jesus Christus" [205].

Diese 1974 formulierte Überlegung entspricht genau dem Programm
Papst Pauls VI. Seine Bedeutung für die nachkonziliare Erneuerung der Kirche und insbesondere der Liturgie liegt, neben seinem persönlichen liturgietheologischen Interesse und Engagement, vor allem in dieser klaren theologischen Position, die
seinem Handeln zugrunde lag, so sehr dieses im Konkreten dann
auch von vielfältigen Faktoren der nachkonziliaren Situation
der Kirche bestimmt war [206].

---

202 H. U. v. Balthasar, Die Katholizität Pauls VI., in: IKaZ 6 (1977) 475
   bis 477, hier 476.
203 Vgl. dazu K. Rahner, Das neue Bild der Kirche, a.a.O. (S. 584, Anm.3),
   330 f., wo Rahner von diesen Notwendigkeiten spricht, die konkret die
   Thematik des Konzils bestimmten.
204 D. A. Seeber, Ende und Anfang. Zum Pontifikatswechsel, in: HerKorr 32
   (1978) 425-435, hier 429, schreibt sogar: "Wäre das Konzil nicht so
   sehr einer später sich als unfruchtbar erweisenden Ekklesiozentrik un-
   terlegen ...".
205 W. Kasper, Jesus der Christus, Mainz 1974, 13.
206 Vgl. D. A. Seeber, a.a.O.: "Doch war die *Konzentration auf die Kirche*
   - in der konkreten Situation Anfang der sechziger Jahre vielleicht eine Notwendigkeit - trotz der vom Papst gewünschten christologischen
   Ausrichtung eine *schicksalsschwere* Vorentscheidung für den gesamten
   Pontifikat".

Konkrete Fragen um das rechte Verständnis der Eucharistie waren es auch, die dem Papst Anlaß gaben, noch während des Konzils eine eigene Enzyklika über das Geheimnis der Eucharistie zu schreiben. In dieser Enzyklika "Mysterium fidei" (1965) nimmt er auch eingehend zu der Frage nach den liturgischen Gegenwartsweisen des Herrn Stellung. Wegen seiner Bedeutung für unser Thema soll dieser Text in einem eigenen Abschnitt erörtert werden.

5.2.2. Die nachkonziliare Liturgiereform im Hinblick auf die Frage nach der liturgischen Gegenwart des Herrn.

In den ersten Jahren nach der Promulgation der Liturgiekonstitution ging es zunächst darum, die von der Konstitution selbst schon festgelegten Reformen durch konkrete Ausführungsbestimmungen durchzuführen. Diese Aufgabe wurde durch entsprechende Instruktionen des Papstes bzw. des *Consilium* in Verbindung mit der Ritenkongregation und durch die davon ausgehenden Erlasse der Bischofskonferenzen in den einzelnen Ländern durchgeführt. Für unsere Fragestellung sind jedoch nicht die Ausführungsbestimmungen selbst wichtig, sondern die liturgietheologischen Einführungen und Begründungen, die nach dem Beispiel der Liturgiekonstitution allen wichtigeren Dokumenten vorangestellt wurden.
Über den Vorgang der Durchführung der Liturgiereform kann hier nicht im einzelnen berichtet werden. Einige Hinweise auf wichtige römische Dokumente und Verlautbarungen der Bischofskonferenzen des deutschen Sprachgebietes müssen genügen.
Unmittelbar nach der feierlichen Verkündigung der Liturgiekonstitution am 4. Dezember 1963 erschien ein gemeinsamer Hirtenbrief der deutschsprachigen Bischöfe [207], in dem die Verabschiedung der Liturgiekonstitution durch das Konzil mitgeteilt und ihre Bedeutung in einem ersten Überblick gewürdigt wird. Das

---

207 Pastorale der deutschsprachigen Bischöfe an ihren Klerus (Rom, 4.12. 1963), in: Lengeling, 7*-12*.

Thema der Gegenwart Jesu Christi in der Liturgie wird darin in
einzelnen Punkten bereits betont [208].

Als erste Durchführungsbestimmung erließ der Papst das Motu
Proprio "Sacram Liturgiam" (1964) [209], das wieder entsprechende
Hirtenbriefe auslöste [210], in denen die Durchführungsbestimmun-
gen erläutert und in Kraft gesetzt wurden. Die österreichischen
Bischöfe schreiben: "Das Konzil spricht mit Wärme von dieser
Nähe und Gegenwart des Herrn, die den Kern aller Liturgie bil-
det". Darauf wird Artikel 7,1 der Liturgiekonstitution wört-
lich zitiert [211].

Im Hirtenbrief der deutschen Bischöfe heißt es: "Darum geht es
also in der Liturgiereform, daß wir in dem mannigfaltigen liturgischen Geschehen deutlicher die wirksame und mächtige Gegenwart des Herrn erfahren ... Wir erfahren die Gegenwart
Christi vor allem im *Wort*, in der *Eucharistie* und *inmitten der
Gemeinde*. Wenn sich die Gemeinde des Herrn versammelt, wird die
Heilige Schrift aufgeschlagen. Wir hören dann, 'was in allen
Schriften von ihm geschrieben steht' (Lc. 24,27). Aber wir hören nicht nur über ihn und von ihm, wir hören ihn selbst. Das
ist ja unser Glaube, daß der *Herr selbst in seinem Wort gegenwärtig* ist, daß er selbst spricht, wenn die heiligen Schriften
in der Kirche verlesen werden" [212]. Daraus folgern die Bischöfe:
"Über jeder Gemeinde - sie mag noch so klein und armselig sein -
liegt ein großer Glanz. Wenn sie betet und singt, *ist der Herr
in ihrer Mitte*. Denn es gilt sein Wort: 'Wo zwei oder drei
sich in meinem Namen versammeln, da bin ich mitten unter ihnen'

---

208 Vgl. ebd., 10*: "Liturgia ist praesentia Christi: In der Feier der Li-
    turgie ist Christus in der Gemeinde gegenwärtig, mächtig und wirksam ...
    Besonders muß die Gegenwart des Herrn in seinem Wort und in der beten-
    den und singenden Gemeinde (vgl. Nr. 7) herausgestellt werden.
209 Paul VI., Motu Proprio "Sacram Liturgiam" (25.1.1964), in: AAS 56
    (1964) 139-144; deutsch mit Kommentar, in: Lengeling, 253-268.
210 Vgl. Fastenhirtenbrief der österreichischen Bischöfe (3.2.1964), in:
    Lengeling, 25*-31*; Instructio Pastoralis der österreichischen Bischö-
    fe (3.2.1964), ebd., 33* f.; Weisungen der schweizerischen Bischöfe
    zur Einführung der Konstitution über die heilige Liturgie, ebd., 35*
    f.; Hirtenbrief der deutschen Bischöfe zur Veröffentlichung der Kon-
    stitution "Über die Heilige Liturgie" (18.2.1964), ebd., 13*-16*; Er-
    laß dazu, in: LebGo 7 (1965) 199 f.
211 Fastenhirtenbrief (3.2.1964), a.a.O., 26*.
212 Hirtenbrief (18.2.1964), a.a.O., 15*.

(Mt 18,20)" [213].

In diesen ersten Äußerungen wird also die zentrale Bedeutung der konziliaren Lehre von der liturgischen Gegenwart des Herrn klar erkannt und betont. Auffällig ist dabei die Hervorhebung der Gegenwart Jesu Christi in der liturgischen Gemeinde und im Verkündigungswort.

Der nächste Schritt war die umfangreiche (erste) "Instruktion zur ordnungsgemäßen Durchführung der Konstitution über die heilige Liturgie" (1964) [214]. Während vorher der Eindruck entstehen konnte, als würden in den neuen Ausführungsbestimmungen nur Rubriken erneuert, so wird hier nun betont, daß die Liturgiereform zuerst die Erneuerung des liturgischen Verständnisses erfordert. Die Instruktion nennt als ihr Ziel, "daß die Liturgie immer vollkommener der Absicht des Konzils entspreche, die tätige Teilnahme der Gläubigen zu fördern" (Nr. 4) [215]. Es sei nicht die Absicht der Liturgiekonstitution, "bloß liturgische Formen und Texte zu ändern. Sie will vielmehr jene Erziehung der Gläubigen und jene Seelsorge fördern, für welche die heilige Liturgie 'Gipfel und Quelle' ist" (Nr. 5) [216].
Dieses Anliegen griffen die deutschen Bischöfe mit derselben Zielsetzung auf [217]. Sie erbaten die Zustimmung des *Consilium* für eine Reihe von einzelnen Veränderungen im Sinn der Liturgiekonstitution [218].

Ein erster Teilabschnitt der Reform der Meßliturgie war für den Bereich der deutschen Bischofskonferenz mit den "Richtlinien der deutschen Bischöfe für die Feier der heiligen Messe in Gemeinschaft (1965)" erreicht [219]. "Im Gegensatz zu voraus-

---

213 Ebd., 16*.
214 Ritenkongregation, Instructio (prima) ad exsecutionem Constitutionis de sacra Liturgia recte ordinandam: "Inter Oecumenici" (26.9.1964), in: AAS 56 (1964) 877-900; deutsch mit Kommentar von H. Rennings, in: LebGo 7 (1965) 17-197.
215 Ebd. (deutsch), 23.
216 Ebd., 27.
217 Vgl. Beschlüsse der Vollversammlung der Bischöfe der Diözesen Deutschlands (Rom, 6.11.1964), ebd., 201-212; Erklärungen und Anweisungen dazu, ebd., 213-218.
218 Vgl. Reskripte des "Rates zur Durchführung der Konstitution über die heilige Liturgie" (20.11.1964), ebd., 201-212.
219 Vgl. die Richtlinien vom 20.11.1965, in: LebGo 9 (1965) 9-61.

gehenden Richtlinien beschränkt sich das deutsche Meßdirektorium von 1965 nicht 'auf die knappe Form eines Regelwerkes'
(Einleitung, Richtlinien 1961), sondern verbindet Auszüge aus
der Konzilskonstitution und anderen Dokumenten des Apostolischen Stuhls mit Anwendungsbestimmungen für die deutschen Bistümer" [220]. So werden im ersten Kapitel der Richtlinien ("von
der Würde der heiligen Liturgie") Artikel 10 und 2 der Liturgiekonstitution auszugsweise und Artikel 7 vollständig zitiert
[221]. Darin zeigt sich nochmals, daß die liturgietheologischen
Aussagen vor allem von Artikel 7 als bestimmend für das Reformwerk angesehen wurden.

In den Studiengruppen des *Consilium* wurden unterdessen in fort-
laufender Arbeit die Entwürfe für weitere Teile der Gesamtreform erstellt [222]. Schon in den Jahren 1964 und 1965 konnte die
Ritenkongregation erste Ergebnisse veröffentlichen und rechtskräftig machen, so neben verschiedenen Detailregelungen [223] den
erneuerten Meßritus [224] und den Ritus der Konzelebration und
der Kommunion unter beiden Gestalten [225].

Diese kontinuierliche Arbeit wurde aber bald schon durch das
Phänomen gestört, daß sowohl in der theologischen Diskussion
wie in der liturgischen Praxis der Gemeinden die Entwicklung
der Reform der römischen Leitung zu entgleiten drohte. Ein erstes aufsehenerregendes Anzeichen dafür waren die Vorgänge,
die zur Enzyklika "Mysterium fidei" (1965) führten [226].

---

220 Vorbemerkung des Herausgebers (H. Rennings), ebd., 7.
221 Vgl. ebd., 12.
222 Vgl. die entsprechenden Berichte, die sich in den *Notitiae* jeweils in
    der Abteilung *Acta Consilii* unter der Rubrik *Labores Coetuum a studiis*
    finden.
223 Vgl. R. Kaczynski, Enchiridion, die Dokumente Nr. 20, 21, 22, 26, 28, 29.
224 Vgl. Ritenkongregation, Dekret (zur Einführung des erneuerten) "Ordo
    Missae" (27.1.1965), in: AAS 57 (1965) 408 f. Der neue Ordo Missae mit
    Kommentar findet sich in: ELit 79 (1965) 122-143.
225 Vgl. Ritenkongregation, Dekret (zur Einführung des) "Ritus concelebra-
    tionis et communionis sub utraque specie" (7.3.1965), in: AAS 57 (1965)
    410-412; vgl. den Text mit Kommentar von A. Nuij, Die Konzelebration
    der Eucharistiefeier, in: LebGo 11 (1965). In diesem Dekret finden
    sich wichtige Hinweise auf den theologischen Sinn der Konzelebration:
    vgl. oben, S. 436 f.
226 Vgl. den Bericht der *Herder Korrespondenz*, Entwicklungen im holländi-
    schen Katholizismus, in: HerKorr 20 (1966) 23-28, hier 26.

In den Jahren unmittelbar vor dem Konzil und während der Kon-
zilszeit war eine neue Diskussion um das Verständnis der eucharistischen Realpräsenz entstanden. Entsprechende theologische Veröffentlichungen aus den Jahren 1964 und 1965 vor allem
von niederländischen Theologen hatten die holländischen Bischöfe dazu veranlaßt, einen Hirtenbrief zu schreiben, in welchem sie diese theologischen Bemühungen würdigten und zugleich
die offizielle kirchliche Lehre neu betonten[227]. Die Diskussion kam dennoch nicht zur Ruhe; manche Verdächtigungen wurden
geäußert. Schließlich nahm der Papst in der genannten Enzyklika selbst zu der Frage Stellung[228]. Diese Enzyklika wurde als
Eingreifen des Papstes in die Diskussion begrüßt oder kritisiert[229], aber offenbar so situationsbezogen verstanden, daß
ihre grundsätzlichen theologischen Äußerungen, vor allem die
Lehre über die liturgische Gegenwart Jesu Christi, kaum beachtet wurden[230].
Weitere Ausführungsbestimmungen und Einzelreformen folgten[231],
darunter auch eine umfassende Neuordnung des kirchlichen Buß-
wesens (1966)[232] und des Ablaßwesens (1967)[233], eine umfang-

---

227 Vgl. den Bericht der *Herder Korrespondenz*, Diskussion um die Realpräsenz, in: HerKorr 19 (1965) 517-520.
228 Vgl. Paul VI., Enzyklika "Mysterium fidei" (3.9.1965), in: AAS 57
   (1965) 753-774; deutsch in: HerKorr 19 (1965) 653-661.
229 Vgl. den Bericht, a.a.O. (Anm. 226), 26 f.
230 Nach R. Kaczynski, Enchiridion, 140, sind außer in Italien keine bedeutenden Kommentare zu der Enzyklika erschienen. Auch die theologischen Zeitschriften nahmen von ihr wenig Notiz. Ausnahmen sind: L. J.
   Lefèvre, L'encyclique "Mysterium fidei", in: La pensée catholique 99
   (1965) 41-60; L. van Hout, Fragen zur Eucharistielehre in den Niederlanden, in: Cath 20 (1966) 179-199; S. Palmier, De ratione praesentiae
   Christi in Eucharistiae Sacramento et de transsubstantiatione iuxta
   Litteras Encyclicas "Mysterium Fidei" Pauli PP. VI, in: DT(P) 69 (1966)
   169-198; W. Beinert, Die Enzyklika "Mysterium fidei" und neuere Auffassungen über die Eucharistie, in: ThQ 147 (1967) 159-176; A. Molinaro, L'unità del mistero eucaristico. Osservazioni metodologiche in
   margina alla "Mysterium Fidei", in: DT(P) 70 (1967) 117-124. Hinweise
   auf spanische Beiträge gibt A. A. G. Gimeno, a.a.O. (Diss. masch.), 535 ff.
231 Vgl. R. Kaczynski, Enchiridion, die Dokumente Nr. 35, 43, 48, 51, 53,
   54, 56, 61, 62, 63.
232 Vgl. Paul VI., Apost. Konstitution "Paenitemini" (17.2.1966), in: AAS
   58 (1966) 177-198; deutsch in: NK 2 (1967) 4-47.
233 Vgl. Paul VI., Apost. Konstitution "Indulgentiarum doctrina" (1.1.
   1967), in: AAS 59 (1967) 5-24; deutsch in: NK 2 (1967) 73-127; vgl.
   den Kommentar von O. Semmelroth, ebd., 51-71.

reiche Instruktion "über die Musik in der Liturgie" (1967) [234],
die "Zweite Instruktion zur ordnungsgemäßen Durchführung der
Konstitution über die heilige Liturgie" (1967) [235] und der auch
für liturgische Fragen bedeutsame erste Teil des "Ökumenischen
Direktoriums" (1967) [236]. Immer wieder warnte der Papst in dieser Zeit vor voreiligem und eigenmächtigem Vorgehen bei der
Durchführung der Liturgiereform [237].

In all diesen Texten geht es aber nicht um grundsätzliche liturgietheologische Fragen. Die Liturgiekonstitution wird zwar
immer wieder zitiert, aber ihre Aussagen werden nicht weiterentwickelt.

Ein neues Stadium in der nachkonziliaren Liturgiereform für
den Bereich der Eucharistiefeier markiert die "Instruktion
über Feier und Verehrung des Geheimnisses der Eucharistie"
(1967) [238]. Erklärtermaßen will dieses Dokument die verschiedenen Äußerungen des Konzils und die nachkonziliaren Verlautbarungen des kirchlichen Lehramts über die Fragen der Eucharistie zusammenfassen und daraus entsprechende pastoralliturgische Folgerungen ziehen. Zu diesem Zweck bietet die Instruktion zunächst eine Zusammenstellung der wichtigsten Stellen
des II. Vatikanischen Konzils zur Eucharistie (Nr. 2) und eine
systematische Aufstellung der darin behandelten Lehren (Nr. 3).
Wegen der Bedeutung dieses Dokuments für unsere Fragestellung

---

234 Ritenkongregation, Instructio de musica in sacra Liturgia: "Musicam Sacram" (5.3.1967), in: AAS 59 (1967) 300-320; deutsch in: LJ 17 (1967)
106-126; vgl. den Kommentar von H. Rennings, ebd., 161-165.
235 Ritenkongregation, Instructio altera ad exsecutionem Constitutionis de
sacra Liturgia recte ordinandam: "Tres abhinc annos" (4.5.1967), in:
AAS 59 (1967) 442-448; deutsch in: LJ 17 (1967) 241-248.
236 Sekretariat für die Einheit der Christen, Directorium ad ea quae a
Concilio Vaticano Secundo de re oecumenica promulgata sunt exsequenda.
Pars prima, in: AAS 59 (1967) 574-592; deutsch in: NK 7 (1967) 13-59;
vgl. den Kommentar von W. Bartz, ebd., 7-11.
237 Vgl. R. Kaczynski, Enchiridion, die Dokumente Nr. 59, 60, 65, 66. Zur
Bewertung der Vorgänge in der Zeit der nachkonziliaren Liturgiereform
vgl. J. Daniélou, Die liturgische Bewegung seit dem Konzil, in: IKaZ 3
(1974) 1-7; W. Siebel/ F. Greiner/ K. Lehmann, Zehn Jahre Liturgiereform, ebd., 8-14.
238 Ritenkongregation, Instructio de cultu mysterii eucharistici: "Eucharisticum mysterium" (25.5.1967), in: AAS 59 (1967) 539-573; deutsch in:
NK 6 (1967) 29-117.

soll es in einem eigenen Abschnitt dargestellt werden [239].

In rascher Folge wurden weitere Teilreformen durchgeführt und in den entsprechenden liturgischen Büchern vorgelegt, insbesondere das neue Graduale (1967) [240], die drei neuen Hochgebete (1968) [241], die Neuordnung der sakramentalen Weihen (1968) [242], das Kalendarium (1969) [243] und der Trauungsritus (1969) [244].

Von besonderer Bedeutung ist das neue "Römische Meßbuch", das von Paul VI. am 3. April 1969 mit der Apostolischen Konstitution "Missale Romanum" [245] eingeführt wurde. Diesem neuen Meßbuch wurde eine umfangreiche "Allgemeine Einführung" vorangestellt, in welcher der detaillierten Beschreibung des Meßritus in seinen verschiedenen Formen eine theologische Einführung über die Bedeutung der Eucharistiefeier vorausgeht.
Dieses 1969 veröffentlichte Dokument wurde heftig kritisiert, unter anderen auch von einigen prominenten Kurienkardinälen [246]. Daraufhin wurden 1970 einige zum Teil erhebliche Änderungen am Text vorgenommen, und man stellte ihm ein Vorwort voran, das die genannten Vorwürfe entkräften sollte, aber in dieser apologetischen Absicht auch Formulierungen enthält, die im Vergleich zum Text der "Allgemeinen Einführung" sachliche Verengungen darstellen [247]. In dieser überarbeiteten Form wurde die "Allgemeine Einführung" in die authentische Ausgabe (*Editio typica*) des Römischen Meßbuchs aufgenommen [248].
Schließlich wurde 1972 die Subdiakonatsweihe abgeschafft [249],

---

239 Vgl. unten, S. 649-660, Abschnitt 5.2.4.
240 Vgl. R. Kaczynski, Enchiridion, Dokument, Nr. 75.
241 Vgl. ebd., Nr. 78.
242 Vgl. ebd., Nr. 81.
243 Vgl. ebd., Nr. 91 und 93.
244 Vgl. ebd., Nr. 92.
245 Vgl. Paul VI., Apost. Konstitution "Missale Romanum" (3.4.1969), in: AAS 61 (1969) 217-222; deutsch in: LebGo 17/18 (1970) 122-125.
246 Vgl. E. J. Lengeling, Die neue Ordnung der Eucharistiefeier. Allgemeine Einführung in das Römische Meßbuch. Endgültiger lateinischer und deutscher Text. Einleitung und Kommentar, Münster 1970 (= LebGo 17/18) (künftig zitiert: E. J. Lengeling, Eucharistiefeier), hier 70-75.
247 Vgl. ebd., 53 f.
248 Vgl. R. Kaczynski, Enchiridion, Dokument Nr. 121.
249 Vgl. Paul VI., Motu Proprio "Ministeria quaedam" (15.8.1972), in: AAS 64 (1972) 529-534; deutsch in NK 38 (1974) 25-39.

was wiederum einige Veränderungen im Meßordo zur Folge hatte[250].
Auch dieses Dokument muß wegen seiner Bedeutung für die Frage
nach den liturgischen Gegenwartsweisen des Herrn eigens erörtert werden[251].

Auf die Darstellung der weiteren Entwicklung im einzelnen kann
hier verzichtet werden[252]. Wegen ihrer liturgietheologischen
Bedeutung soll nur noch die Apostolische Konstitution "Laudis
canticum" (1970) zur Einführung des erneuerten Stundengebets[253]
und die "Allgemeine Einführung" in das Stundengebet (1971)[254]
erwähnt werden. Weitere für unsere Fragestellung wichtige Hinweise finden sich in den Apostolischen Konstitutionen zur Einführung der neuen Ordnungen der Krankensalbung und der Firmung
[255] sowie in den Vorbemerkungen zu den Ordnungen der einzelnen
Sakramente[256], des Begräbnisses und des eucharistischen Anbetungskultes. Ihnen entsprechen sinngemäß, wenn manchmal auch
nicht in wörtlicher Übersetzung, die "pastoralen Einführungen"
die den einzelnen Faszikeln des deutschen Rituale beigegeben
wurden[257]. Auf diese Texte wird, so weit sie für unser Thema
von Bedeutung sind, an gegebener Stelle noch hingewiesen.

---

250 Vgl. den endgültigen Text in: NK 19 ([2]1974) 30-229.
251 Vgl. unten, Abschnitt 5.2.5., S. 660-678.
252 Einen guten Überblick bietet das Inhaltsverzeichnis in: R. Kaczynski,
Enchiridion, VII-X.
253 Paul VI., Apostolische Konstitution "Laudis canticum" (1.11.1970), in:
AAS 63 (1971) 527-535; deutsch in: NK 34 (1975) 15-31.
254 Kongregation für den Gottesdienst, Institutio generalis de Liturgia
Horarum (2.2.1971), in: NK 34 (1975) 33-177 (lat. und deutsch).
255 Vgl. Paul VI., Apost. Konstitution "Divinae consortium naturae" (über
das Sakrament der Firmung) (15.8.1971), in: AAS 63 (1971) 657-664 (der
Text findet sich bei R. Kaczynski - künftig zitiert: Kaczynski -, 808
bis 813); ders., Apost. Konstitution "Sacram unctionem infirmorum"
(30.11.1972), in: AAS 65 (1973) 5-9 (= Kaczynski, 901-903).
256 Vgl. Ritenkongregation, Ordo celebrandi Matrimonium (19.3.1969), in:
Kaczynski, 434-438; dies., Ordo Baptismi parvulorum (15.5.1969) (ed.
typica altera: 24.6.1973), ebd., 556-572; Kongregation für den Gottesdienst, Ordo exsequiarum (15.8.1969), ebd., 606-613; dies., Ordo Confirmationis (22.8.1971), ebd., 814-820; dies., Ordo initiationis christianae adultorum (6.1.1972), ebd., 830-859; dies., Ordo Unctionis infirmorum (7.12.1972), ebd., 905-914; dies., Ritus de sacra communione
et cultu mysterii eucharistici extra Missam (21.6.1973), ebd., 951-964;
dies., Ordo Paenitentiae (2.12.1973), ebd., 981-997.
257 Vgl. Die Feier der Kindertaufe in den katholischen Bistümern des deutschen Sprachgebietes, Einsiedeln usw. 1971, 9-25; Die kirchliche Begräbnisfeier ..., Einsiedeln usw. 1973, 11-20; Die Feier der Firmung...

5.2.3. Die liturgische Gegenwart des Herrn nach der Enzyklika "Mysterium fidei" (1965)

Die Enzyklika "Mysterium fidei" wurde am 3. September 1965 veröffentlicht, knapp zwei Jahre nach der Promulgation der Liturgiekonstitution, unmittelbar vor Beginn der vierten Tagungsperiode des Konzils. Sie behandelt Themen, die in der Liturgiekonstitution angesprochen sind, in den noch zur Diskussion anstehenden Konzilsdokumenten aber nicht mehr vorgesehen waren. Ihr Anlaß sind theologische Diskussionen über das Verständnis der Eucharistie, die nach Auffassung des Papstes zu unhaltbaren und den Glauben gefährdenden Ergebnissen geführt haben. Solchen Meinungen will der Papst aus seiner Verantwortung und Autorität die Glaubenslehre der Kirche entgegenstellen.

Die Interpretation der Enzyklika muß diesen zeit- und situationsbedingten Kontext berücksichtigen, um den Sinn der Aussagen des Dokumentes richtig zu bewerten [258].

Zur Argumentation der Enzyklika

Der Papst bezieht sich zunächst ausdrücklich auf die Sinnrichtung der durch die Liturgiekonstitution beschlossenen Liturgiereform, daß nämlich die Gläubigen "mit unversehrtem Glauben und größter Frömmigkeit aktiv an der Feier dieses hochheiligen Geheimnisses teilnehmen", welches in der Liturgie vollzogen wird, worin das eucharistische Mysterium "das Herz und der Mittelpunkt ist" [259]. Damit dieser Zusammenhang von Glaube und

---

Einsiedeln usw 1973, 19-25; Die Feier der Buße nach dem neuen Rituale Romanum. Studienausgabe, Einsiedeln usw. 1974, 9-29; Die Feier der Trauung ..., Einsiedeln usw. 1975, 9-16; Die Feier der Eingliederung Erwachsener in die Kirche nach dem neuen Rituale Romanum. Studienausgabe, Einsiedeln usw. 1975, 7-51; Die Feier der Krankensakramente. Die Krankensalbung und die Ordnung der Krankenpastoral ..., Einsiedeln usw. 1976, 17-37; Kommunionspendung und Eucharistieverehrung außerhalb der Messe. Studienausgabe, Einsiedeln usw. 1976, 9-20; Benediktionale. Studienausgabe, Einsiedeln usw. 1978, 11-20.

258 Vgl. dazu W. Beinert, a.a.O. (S. 631, Anm. 230), 159-163, A. A. G. Gimeno, a.a.O. (Diss. masch.), 535-603.

259 Vgl. Paul VI., Enzyklika "Mysterium fidei", a.a.O. (S. 631, Anm. 228) (künftig zitiert: MF), 418 (753 f./653) (die erste Zahl kennzeichnet den Abschnitt nach Kaczynski, die Zahlen in Klammern geben die Seiten-

Frömmigkeit gewahrt bleibt, hat das Konzil seinem Reformprogramm der Messe eine Zusammenfassung der kirchlichen Lehre vorangestellt, so fährt der Papst fort und zitiert den entsprechenden Artikel 47 der Liturgiekonstitution[260].

Danach spricht der Papst von der erfreulich positiven und fruchtbaren Aufnahme der Lehre der Liturgiekonstitution und nennt dann die Themen, die er zur Klarstellung gegen irrige Auffassungen behandeln will: die Berechtigung der privat zelebrierten Messe, die Wesensverwandlung und die eucharistische Anbetung außerhalb der Messe[261].

Zu diesen Fragen will der Papst "die Lehre wiederholen, an der die katholische Kirche als überliefert festhält und die sie einmütig lehrt"[262]. Voraussetzung für das rechte Sprechen von der Eucharistie, so erläutert der Papst, ist die Einsicht, daß die Eucharistie ein Glaubensgeheimnis ist, über das niemand nach eigenem Gutdünken sprechen kann, ohne die unter dem Beistand des Heiligen Geistes festgelegte Redeweise der Kirche (*regula loquendi*) zu beachten[263]. Die definierten Glaubensformeln dürfen nicht ersetzt werden; wohl können sie "mit Nutzen klarer und tiefer erklärt werden, nie aber in einem anderen Sinn, als in dem sie gebraucht wurden, so daß mit dem Fortschritt des Glaubensverständnisses die Glaubenswahrheit unberührt bleibt"[264].

Zur Erörterung der *Privatmesse* behandelt der Papst zunächst das Meßopfer in sich, indem er von den tridentinischen Formulierungen ausgeht und zu ihrer Begründung Zeugnisse der Schrift und der Kirchenväter anfügt[265]. Dann kommt die Folgerung: Weil jede Messe ein "Akt Christi und der Kirche" ist und deshalb

---

zahl des lat. Textes in AAS bzw. des deutschen Textes in HerKorr an; vgl. die Angaben in Anm. 228).

260 Vgl. MF 419 (754/653).
261 Vgl. MF 420-422 (754-756/653 f.).
262 MF 427 (759/655).
263 Vgl. dazu die Kritik von V. Vajta, Einige Bemerkungen zur Enzyklika "Mysterium fidei", in: Conc 2 (1966) 308-313, hier 309 f. Vajta zitiert freilich nur das Verbot, die Formeln zu ändern, nicht die Möglichkeit ihrer besseren Erklärung.
264 Vgl. MF 423-426 (756-758/654 f.).
265 Vgl. MF 427-431 (759-762/655 f.).

grundsätzlich "öffentlichen und sozialen Charakter" hat, wie die Liturgiekonstitution sagt, ist die private Messe gutzuheißen, wenn auch "zur Feier der Messe wesentlich (*quasi natura sua*) die häufige und aktive Teilnahme der Gläubigen gehört" [266].

Der Papst nimmt damit ein Zitat, das in der Liturgiekonstitution einschränkend an die überaus starke Betonung des Gemeinschaftsbezugs der Messe angefügt worden war [267], zum Ausgangspunkt seiner positiven Begründung der Privatmesse, wobei er einschränkend an den der Messe von Natur aus angemessenen Gemeinschaftsbezug erinnert [268].

Beim nächsten Punkt, der Darstellung der kirchlichen Lehre von der eucharistischen *Wesensverwandlung* und der daraus folgenden Realpräsenz geht der Papst ähnlich vor. Er stellt die Frage in einen größeren Zusammenhang, indem er die Lehre der Liturgiekonstitution über die verschiedenen Gegenwartsweisen erläuternd wiederholt und erweitert [269]. Seine Aufzählung gipfelt, anders als in der Liturgiekonstitution, in der Darstellung der somatischen Realpräsenz des Herrn. Diese wird dann wiederum mit tridentinischen Formulierungen und anschließenden Belegen aus Schrift und Tradition erläutert und gegen ein nur symbolisches Verständnis abgegrenzt [270]. Zur Erklärung, wie diese Realpräsenz zustandekommt, folgt dann ein eigener Abschnitt über die Transsubstantiation, in welchem die vorher als ungenügend erklärten Begriffe der "Transsignifikation" und "Transfinalisation" [271], unter der Voraussetzung der Transsubstantiation positiv aufgenommen werden. Der Sinn der Transsubstantiation wird wiederum mit Zeugnissen aus der Tradition erläutert [272].

---

266 MF 432 (761/656): "Inde sequitur ut si Missae celebrationem natura sua frequens et actuosa fidelium participatio maxime deceat, carpenda tamen non sit, immo probanda Missa quae ... iusta de causa a Sacerdote privatim ... celebratur".
267 Vgl. oben, S. 272.
268 Vgl. die Kritik von V. Vajta, a.a.O., 310 f., an dieser Argumentationsweise.
269 Vgl. MF 433-436 (762-764/656 f.).
270 Vgl. MF 436-438 (764-766/657).
271 Vgl. MF 421 (755/654).
272 Vgl. MF 439-444 (766-769/658 f.).

Das dritte Thema, der *eucharistische Kult außerhalb der Messe,*
wird ebenfalls mit Hilfe von vor allem griechischen Vätertexten erläutert [273]. Daran schließt der Papst eine eindringliche
Mahnung zur Förderung dieses Kultes und zur Einheit im Glauben
an die Eucharistie an [274].

Durchweg ist somit der Argumentationsgang der Enzyklika so aufgebaut, daß die einzelnen behandelten Themen in einen größeren
Rahmen gestellt werden; dieser theologische Kontext wird aber
nicht ausgeführt, sondern dient nur zur Hinführung auf die an-
gezielte Frage, die dann mit Hilfe traditioneller Formulierungen in Abwehr irriger Positionen erörtert wird.

Diese apologetische Argumentationsweise führt dazu, daß die
behandelten Themen in der Darstellung ein ungleich größeres
Gewicht bekommen als ihr oft sachlich wichtigerer Kontext.

Diese dem Anlaß und Ziel der Enzyklika entsprechende Einseitigkeit wurde von ihren Kritikern wohl nicht immer genügend in
Rechnung gestellt, so daß als Gesamtdarstellung gewertet wurde, was nur zur Vertiefung einzelner Teilinhalte des Euchari-
stieglaubens gedacht war [275].

Terminologische Beobachtungen

Der Papst will in der Enzyklika "Mysterium fidei" die kirchliche Lehre über die Eucharistie wiederholen. Er tut dies unter
der Voraussetzung, daß die kirchliche Sprachregelung der tra-
dierten Glaubensformeln nicht aufgegeben werden darf, auch
wenn man diese Formeln tiefer erklären kann.

Dieses Prinzip war auch bei der Ausarbeitung der Formulierungen von Artikel 47 der Liturgiekonstitution zu beobachten ge-

---

273 Der orthodoxe Metropolit E. Timiados, Einige Bemerkungen zur Enzyklika
   "Mysterium fidei", in: Conc 2 (1966) 314-318, hier 316 f., bestreitet,
   daß die angeführten Texte zur Begründung der katholischen Praxis der
   eucharistischen Anbetung herangezogen werden können.
274 Vgl. MF 445-455 (769-774/659-661).
275 Daraus erklärt sich wohl auch die scharfe Kritik von V. Vajta (s. S.
   636, Anm. 263) und E. Timiades (s. Anm. 273). Vgl. im selben Sinn auch
   V. Vajta, Die Folgen der Liturgiereform, in: J. Chr. Hampe (Hg.), Die
   Autorität der Freiheit I, 607-616, hier 611-613; vgl. dagegen die ausgewogene Darstellung von L. van Hout, a.a.O. (S. 631, Anm. 230), und
   ders., Fragen zur Eucharistielehre, in: J. Chr. Hampe (Hg.), a.a.O.,
   598-607.

wesen. Tridentinische Formeln wurden in einer Weise aufgenommen, die bei aller Wahrung der überkommenen Sprechweise doch
eine Weiterentwicklung zuließ. Vor allem zwei Gesichtspunkte
waren auffällig: Mit dem Begriff "Gedächtnisfeier" (*memoriale*)
und dem Ausdruck "fortdauern lassen" (*perpetuare*) war der Versuch gemacht worden, die Lehre von der Vergegenwärtigung des
Kreuzesopfers im Meßopfer so auszudrücken, daß das Mißverständnis vermieden wurde, als meine man damit eine Wiederholung in
einem neuen Opfer. Außerdem war versucht worden, die wesentlichen Aspekte der Eucharistiefeier, nämlich Opfer, Sakrament
und Mahl, auch sprachlich so miteinander zu verbinden, daß ihre innere Einheit zum Ausdruck kam [276].

Die Enzyklika "Mysterium fidei" geht umgekehrt vor; sie erläutert den Text der Liturgiekonstitution mit Hilfe der tridentinischen Formulierungen.

Dies zeigt sich gleich zu Beginn. Nach dem Zitat des Konzilstextes schreibt der Papst: "Mit diesen Worten werden zugleich
das Opfer, das zum Wesen der täglichen Meßfeier gehört, und
das Sakrament hervorgehoben, an dem die Gläubigen durch die
heilige Kommunion teilnehmen" [277]. Damit ist nur vom Opfer gesagt, es gehöre zum Wesen der Messe. 'Sakrament' ist nicht
mehr im umfassenden Sinn gebraucht; es wird nicht auf die Meßfeier als ganze, sondern nur auf die sakramentale Kommunion
angewandt. Opfer und Sakrament erscheinen als zwei relativ unabhängige Teile der Meßfeier, wenn der Papst auch später sagt:
"... beides, Opfer und Sakrament gehören zum gleichen Mysterium, und das eine kann vom anderen nicht getrennt werden" [278].
Dennoch liegt die Formulierung auf der Linie der tridentinischen *Zweiteilung von Meßopfer und Sakrament* in der Eucharistie.

---

276 Vgl. oben, S. 364-367.
277 MF 419 (754/653): "Quibus verbis et Sacrificium extollitur, quod ad
essentiam pertinet Missae quae quotidie celebratur, et Sacramentum,
cuius qui participes per sacram Communionem efficiuntur, carnem Christi manducant ...".
278 MF 433 (762/656): "... cum utrumque, Sacrificium et Sacramentum, ad
idem mysterium pertineat et alterum ab altero separari non possit".
Vgl. dazu A. Molinaro, L'unità del mistero eucaristico, a.a.O. (S. 631,
Anm. 230).

Ein ähnlicher Vorgang läßt sich bei der Formulierung der Lehre
von der *Fortdauer des Kreuzesopfers im Meßopfer* beobachten.
Die entscheidenden Ausdrücke der Liturgiekonstitution, "Gedächtnisfeier" und "fortdauern lassen" finden sich nicht. Vielmehr werden an Stelle von "fortdauern lassen" mit dem Tridentinum die Ausdrücke "vergegenwärtigen" (*repraesentare*) [279] und
"erneuern" (*renovare*) [280] gebraucht. An Stelle von "Gedächtnisfeier" (*memoriale*) steht der im Tridentinum verwendete Ausdruck
"Gedächtnis" (*memoria*), wobei überdies noch die tridentinische
Formulierung (durch das Meßopfer sollte das Gedächtnis des
Kreuzesopfers für immer bleiben [281]) für den Gedanken eines objektiven Gedächtnisses offener ist [282], als die Formulierung
der Enzyklika: "hier wird es (das Kreuzesopfer) immer ins Gedächtnis zurückgerufen" [283]. "Gedächtnis" muß in diesem Zusammenhang wohl als subjektive Erinnerung verstanden werden.
In der sprachlichen Fassung der Zusammengehörigkeit von *Jesus
Christus und Kirche als Subjekt* der eucharistischen Feier nennt
die Enzyklika, wie das Tridentinum und die Enzyklika "Mediator
Dei", die Kirche zusammen mit Christus als Subjekt des Meßopfers [284], durch welches das Kreuzesopfer vergegenwärtigt und
seine Heilsmacht zugewendet wird, indem der Herr unblutig geopfert wird [285]. Auch hier ist die Sprechweise der Liturgiekon-

---

279 Vgl. MF 427 (759/655): "... per Mysterium Eucharisticum Sacrificium
    Crucis, semel in Calvaria peractum, admirabili modo repraesentari, iu-
    giter in memoriam revocari eiusque virtutem salutarem in remissionem
    eorum quae quotidie a nobis committuntur peccatorum applicari".
280 Vgl. MF 428 (759/655): "Iubens autem Apostolos ut id in memoriam sui
    facerent, idem perpetuo renovandum esse voluit".
281 DS 1740: "... eiusque memoria in finem usque saeculi permaneret ...".
282 Vgl. oben, S. 383 f., Anm. 132.
283 Vgl. den Text in Anm. 279.
284 Vgl. MF 431 (761/656): "... Ecclesiam una cum Christo munere fungentem
    sacerdotis et victimae, Missae Sacrificium totam offerre in eoque et
    ipsam totam offerri"; MF 432 (ebd.): Missa est "actus Christi et Ec-
    clesiae; quae quidem Ecclesia in sacrificio, quod offert, seipsam tam-
    quam universale sacrificium discit offerre et ... sacrificii Crucis
    virtutem ... applicat".
285 Vgl. MF 433 (762/656): "Tunc Dominus incruente immolatur in Sacrificio
    Missae, Crucis sacrificium repraesentare et virtutem eius salutiferam
    applicante, cum per consecrationis verba sacramentaliter incipit prae-
    sens adesse, tamquam spiritualis fidelium alimonia sub speciebus panis
    et vini". Die deutsche Übersetzung der HerKorr formuliert hier anders.
    Nicht das Meßopfer, sondern Jesus Christus ist das sprachliche Subjekt:

stitution, die bewußt immer wieder Jesus Christus auch sprachlich als Subjekt der Eucharistie hervorhob[286], zugunsten der
herkömmlichen Formulierung aufgegeben.

Schließlich ist noch ein Satz anzufügen, der sich auf das Verständnis der eucharistischen Gegenwart Jesu Christi direkt bezieht. Der Papst formuliert: Im Meßopfer wird Christus geopfert, "wenn er kraft der Wandlungsworte beginnt, sakramental
gegenwärtig zu werden als geistliche Speise der Gläubigen unter
den Gestalten von Brot und Wein"[287]. Hiermit ist zweierlei gesagt: erst in der Wandlung beginnt Christus sakramental gegenwärtig zu werden; seine sakramentale Gegenwart ist damit nicht
das Fundament der gesamten Meßfeier, und diese ist nicht als
ganze eine Weise der Wirksamkeit des gegenwärtigen Herrn. Das
zweite: auch in der Konsekration wird Jesus Christus nicht als
Handelnder gegenwärtig, sondern als Speise, die, so muß aus
dem Zusammenhang gefolgert werden, von der Kirche gereicht
wird.

Diese Position entspricht nach Sprache und Inhalt der Enzyklika "Mediator Dei". Sie vollzieht, wie der soeben genannte Satz
und ebenso auch die vorher angeführten Formulierungen zeigen,
zwei wichtige theologische Weiterentwicklungen der Liturgiekonstitution nicht mit: den erweiterten Sakramentsbegriff und
die Lehre von der tätigen Gegenwart des Herrn in der Eucharistie. Paul VI. bleibt damit in diesen Punkten bei einer theologischen Deutung der Eucharistie, die er 1961 so formuliert
hatte: "In der Messe ist nur die Konsekration Sakrament; sie
macht Christus auf dem Altar in den Symbolen gegenwärtig, in
den Zeichen von Brot und Wein. Alles übrige ist menschliches
Tun, welches den sakramentalen Augenblick umgibt und auf gute
Weise umrahmt"[288]. Nur die Konsekration ist im vollen Sinn ein

---

"Der Herr opfert sich unblutig im Meßopfer, in dem er das Kreuzesopfer
vergegenwärtigt und uns seine heilbringende Kraft zuwendet...". Diese
SC entsprechende Sprechweise ist eine vom Text der Enzyklika her nicht
begründete Interpretation.

286 Vgl. oben, S. 196 und 378 f.

287 Vgl. den Text, S. 640, Anm. 285.

288 Kard. G. Montini, Predigt am Montag der Karwoche 1961, in: ELit 77
(1963) 290-297, hier 293: "Nella santa Messa è sacramento soltanto la
consacrazione, che rende presente Cristo sull'altare nei simboli, nei

"opus Christi" 289.

Solche Formulierungen zeigen, daß die Enzyklika "Mysterium fidei" die Eucharistielehre der Liturgiekonstitution nicht wirklich aufnimmt. Zwar wird sie verbal zugrundegelegt, dann aber so erläutert, daß alle über die bisherigen lehramtlichen Dokumente im Sinn einer theologischen Weiterführung hinausgehenden Aspekte unbeachtet bleiben.

Unter diesen Voraussetzungen sind nun auch die Ausführungen der Enzyklika über die Gegenwartsweisen des Herrn zu lesen.

Die Gegenwartsweisen Jesu Christi in der Kirche

Eines der Hauptthemen der Enzyklika "Mysterium fidei" ist die substantiale Realpräsenz Jesu Christi in den eucharistischen Gestalten. Dieses Thema wird zunächst genannt [290], dann in den größeren Zusammenhang verschiedener Gegenwartsweisen eingeordnet [291] und schließlich wieder aufgenommen und mit Hilfe von Texten der Tradition weiter erläutert [292]. Für unser Thema ist der Abschnitt über die verschiedenen Gegenwartsweisen von besonderem Gewicht. Er soll deshalb hier im Wortlaut wiedergegeben werden:

"Wir wissen alle wohl, daß es nicht nur eine einzige Weise gibt, unter der Christus seiner Kirche gegenwärtig ist; es ist nützlich, die beglückende Tatsache, die die Konstitution de sacra Liturgia kurz dargelegt hat (vgl. Nr. 7), etwas weiter auszuführen. Gegenwärtig ist Christus in seiner Kirche, wenn sie betet, da er selbst es ist, der 'für uns betet und in uns betet, zu dem wir beten; er betet für uns als unser Priester, er betet in uns als unser Haupt, und wir beten zu ihm als unserem Gott' (Augustinus), und er selbst hat verheißen: 'Wo zwei

---

segni del pane e del vino; tutto il resto è opera umana, che circonda e bene inquadra il momento sacramentale" (Übersetzung von mir).

289 Vgl. ebd.: "Che cosa è un Sacramento? ... azione che, compiuta dal Ministro, non in nome proprio, non in virtù propria, è un 'opus Christi': il Sacramento".

290 Vgl. den Text, oben, S. 640, Anm. 285.

291 Vgl. MF 434 f. (762 f./656 f.).

292 Vgl. MF 436-438 (764-766/657).

oder drei in meinem Namen vereint sind, da bin ich mitten unter ihnen' (Matth. 18,20). Gegenwärtig ist er in seiner Kirche, wenn sie Werke der Barmherzigkeit ausübt, nicht nur weil wir, wenn wir einem seiner geringsten Brüder etwas Gutes tun, dieses Christus selbst tun (vgl. Matth. 25,40), sondern auch weil Christus es ist, der durch die Kirche diese Werke tut, indem er beständig den Menschen mit seiner göttlichen Liebe zu Hilfe kommt. Gegenwärtig ist er seiner Kirche, die auf der Pilgerfahrt ist und zum Hafen des ewigen Lebens zu gelangen strebt, da er selbst durch den Glauben in unseren Herzen wohnt (vgl. Eph. 3,17) und in ihr die Liebe ausgießt durch den Heiligen Geist, den er uns gibt (vgl. Röm. 5,5).

Auf eine andere Weise zwar, aber ganz wirklich, ist er seiner Kirche gegenwärtig, wenn sie predigt, da das Evangelium, das verkündet wird, das Wort Gottes ist und nur im Namen und in der Autorität Christi, des fleischgewordenen Wortes Gottes, und unter seinem Beistand gepredigt wird, damit sie 'eine Herde sicher geborgen unter einem Hirten' sei (Augustinus).

Gegenwärtig ist er seiner Kirche, wenn sie das Volk Gottes regiert und führt, da die heilige Gewalt von Christus ist und den Hirten, die sie ausüben, Christus beisteht 'der Hirt der Hirten' (Augustinus) nach dem Versprechen, das er den Aposteln gemacht hat.

Darüberhinaus und auf eine sublimere Weise ist Christus seiner Kirche gegenwärtig, die das Meßopfer in seinem Namen darbringt; und er ist bei ihr, wenn sie die Sakramente spendet. Über die Gegenwart Christi bei der Darbringung des Meßopfers wird man an das erinnert, was der heilige Chrysostomus voll Bewunderung treffend sagt: 'Ich möchte etwas ganz Erstaunliches anfügen, aber erschreckt nicht und beunruhigt euch nicht. Was ist das? Die Opferhandlung ist dieselbe, wer auch immer opfert, sei es Paulus, sei es Petrus, es ist dieselbe, die Christus den Jüngern anvertraute und die nun die Priester vollziehen; keine von beiden ist weniger, weil nicht Menschen sie heiligen, sondern der selbst, der sie geheiligt hat. Wie nämlich die Worte, die Gott gesprochen hat, dieselben sind wie die, die nun der Priester sagt, so ist auch die Opferung dieselbe' (...). Daß

aber die Sakramente Taten Christi sind, der sie durch die Menschen spendet, weiß jeder. Und deshalb sind die Sakramente
durch sich selbst heilig, und durch die Kraft Christi gießen
sie dem Herzen Gnade ein, während sie den Leib berühren. Diese
verschiedenen Weisen der Gegenwart erfüllen den Geist mit Staunen und lassen das Geheimnis der Kirche betrachten. Aber ein
anderer ist der Grund, und zwar ein ganz vorzüglicher, warum
Christus seiner Kirche gegenwärtig ist im Sakrament der Eucharistie, und dieses Sakrament ist deswegen unter den anderen
Sakramenten 'inniger an Andacht, schöner in seinem Sinngehalt,
heiliger in seinem Wesen' (Aegidius Romanus); es enthält nämlich Christus selbst und ist 'gewissermaßen die Vollendung des
christlichen Lebens und das Ziel der Sakramente' (Thomas von
Aquin).
Diese Gegenwart wird zwar 'wirklich' genannt, nicht in aus-
schließendem Sinn, als ob die anderen nicht 'wirklich' wären,
sondern hervorhebend, weil sie substantial ist, wie auch, weil
sie die Gegenwart des ganzen und vollen Christus, des Gottmenschen, mit sich bringt (vgl. Konzil von Trient)" [293].

Folgende Bemerkungen sind zu diesem Text zu machen:
- Der Papst bezieht sich auf die in Artikel 7,1 der Liturgiekonstitution aufgezählten Gegenwartsweisen und will das dort
Dargelegte "etwas weiter ausführen" [294]. Dies geschieht aber
nicht in Form einer Erläuterung des Konzilstextes, sondern
durch eine neue und andersartige Darstellung des Themas.
- Der Papst beschränkt sich nicht, wie die Liturgiekonstitution, auf die liturgischen Gegenwartsweisen Jesu Christi, sondern handelt allgemein von seiner Gegenwart in der Kirche und
ihrem Dienst.
- Der Text geht von den allgemeineren zu den spezifischeren
Gegenwartsweisen vor. Dabei wird die Intensität und Bedeutsamkeit der Gegenwart des Herrn in Form einer Steigerung formuliert: "Gegenwärtig ist Christus seiner Kirche" - "auf eine

---

293 Vgl. den lat. Text im Anhang IV, S. 791.
294 Vgl. MF 434 (762/656): "Rem iucundissimam, quam Constitutio de Sacra
    Liturgia breviter exposuit, paulo fusius recolere iuvat".

andere Weise zwar, aber ganz wirklich, ist er seiner Kirche
gegenwärtig" - "darüberhinaus und auf eine sublimere Weise ist
Christus seiner Kirche gegenwärtig" - "aber ein anderer ist
der Grund, und zwar ein ganz vorzüglicher, warum Christus seiner Kirche gegenwärtig ist" [295]. Durch diese im Ausdruck sich
steigernde Kennzeichnung der Gegenwartsweisen werden vier
Gruppen gebildet.

- Die erste Gruppe von Gegenwartsweisen bezieht sich auf die
Kirche insgesamt. Der betenden, Barmherzigkeit übenden und
pilgernden Kirche ist Christus gegenwärtig, indem er selbst in
ihr betet, durch sie den Menschen hilft und ihr durch Glauben
und Liebe die Kraft zu ihrer Pilgerschaft gibt. In dieser
Gruppe von Gegenwartsweisen wird jeweils von einer gegenwärtigen Tätigkeit Jesu Christi in der Kirche und durch sie gesprochen.

- Die übrigen Gegenwartsweisen sind nach dem Schema des dreifachen Amtes Jesu Christi und der Kirche geordnet: Lehramt,
Hirtenamt, Priesteramt.

- Die zweite Gruppe von Gegenwartsweisen enthält Aussagen zum
Lehramt und Hirtenamt. Die Gegenwart Jesu Christi wird hier
nicht mehr als gegenwärtige Tätigkeit formuliert. Vielmehr ist
von Tätigkeiten die Rede, welche die Kirche unter Assistenz
des gegenwärtigen Herrn vollzieht. Wenn die Kirche predigt, so
tut sie das "im Namen und in der Autorität Christi ... und unter seinem Beistand" [296]. Wenn die Kirche "das Volk Gottes regiert und führt", so stammt die Vollmacht dazu von Christus,
der den Hirten in der Ausübung dieses Auftrags beisteht [297].
Die Gegenwart des Herrn wird nicht als Tätigkeit ausgelegt,
sondern sie ermöglicht die Tätigkeit der Kirche.

- Die dritte Gruppe von Gegenwartsweisen befaßt sich mit dem

---

295 Vgl. MF 434 f. (762-764/656 f.): "Praesens adest Ecclesiae suae" -
    "alia quidem ratione, verissime tamen, praesens adest Ecclesiae suae"
    - "insuper et sublimiore quidem modo, praesens adest Christus Ecclesi-
    ae suae" - "sed alia est ratio, praestantissima quidem, qua Christus
    praesens adest Ecclesiae suae".
296 Vgl. MF 434 (763/656): "... et nonnisi nomine et auctoritate Christi
    ... ipsoque adsistente, praedicatur ...".
297 Vgl. ebd.: "... cum sacra potestas a Christo sit et pastoribus eam ex-
    ercentibus Christus adsit ...".

Priesteramt, das im Meßopfer und in den Sakramenten vollzogen wird. Innerhalb dieser Gruppe wird die substantiale Realpräsenz als eigene, eine vierte Kategorie darstellende Gegenwartsweise herausgehoben.

- Die Gegenwart des Herrn im Meßopfer und in den Sakramenten wird als eine gegenwärtige Tätigkeit ausgelegt. Er selbst heiligt die Opferhandlung; die Sakramente sind "Taten Christi"[298].

- Die substantiale Realpräsenz wird als einzige als eine Gegenwart Christi "in" gekennzeichnet: er ist seiner Kirche "im Sakrament der Eucharistie gegenwärtig ... es enthält nämlich Christus selbst"[299].

- Alle Gegenwartsweisen werden als "real" bezeichnet, die eucharistische aber als "real" in hervorhebendem Sinn, "weil sie substantial ist"[300].

Die Liturgiekonstitution und die Enzyklika "Mysterium fidei"

Es war schon aufgefallen, daß die Enzyklika "Mysterium fidei" die Eucharistielehre der Liturgiekonstitution mit Hilfe traditioneller Texte in einer Weise erläutert, die den theologischen Beitrag der Liturgiekonstitution außer acht läßt. Eine ähnliche Beobachtung läßt sich bei der Frage der Gegenwartsweisen des Herrn machen. Der Papst will die diesbezügliche Lehre der Liturgiekonstitution "etwas weiter ausführen", erläutert sie aber so, daß die spezifischen Aussagen, in denen das Konzil über frühere Texte des Lehramts hinausgeht, unbeachtet bleiben.

An folgenden Beobachtungen läßt sich dies zeigen:

- Der Papst verzichtet auf den Rahmen, den die Liturgiekonstitution den Gegenwartsweisen gegeben hatte; dort war von der

---

298 Vgl. MF 435 (763/657): "... quia non homines hanc (oblationem) sanctificant, sed is ipse qui illam sanctificavit". ... "Sacramenta vero actiones esse Christi, qui eadem per homines administrat, nemo est qui ignorat".

299 Vgl. ebd. (764/657): "... praesens adest Ecclesiae suae in sacramento Eucharistiae ... continet enim ipsum Christum ...".

300 Vgl. MF 436 (764/657): "Quae quidem presentia 'realis' dicitur non per exclusionem, quasi aliae 'reales' non sint, sed per excellentiam, quia est substantialis ...". - Vgl. dazu S. Palmier, De ratione praesentiae Christi ..., a.a.O. (S. 631, Anm. 230), bes. 188-190.

Gegenwart des Herrn in der liturgischen Versammlung die Rede
gewesen, der als ganzer die Verheißung der Gegenwart Jesu Christi gilt[301], die sich dann im einzelnen in der Feier der Eucharistie, im zelebrierenden Priester, in den eucharistischen
Gestalten, in den Sakramenten, in der Verkündigung des Wortes
Gottes und im Gebet der Kirche entfaltet.

- Infolgedessen ist von der Gegenwart Jesu Christi im Gebet
und in der Verkündigung der Kirche nicht mehr im liturgischen
Rahmen die Rede. Die Qualififkation, die diesen Gegenwartsweisen als liturgischen Vollzügen zukam, entfällt. Die von der
Liturgiekonstitution so stark betonte Gegenwart des Herrn in
seinem Wort, in dem er selbst spricht, wenn es in der Kirche
verkündet wird, ist reduziert auf eine Assistenz bei der Verkündigung der Kirche.

- Die Eucharistiefeier ist nicht mehr in ihrer Gesamtheit als
eine Weise der gegenwärtigen Wirksamkeit des Herrn gesehen.
Vielmehr bringt Jesus Christus das Opfer in dem Augenblick
dar, da er durch die Konsekrationsworte beginnt, gegenwärtig
zu sein. Die bei Pius XII. zu beobachtende Einschränkung des
Handelns Christi auf den Augenblick der Konsekration[302] (bzw.
der Sakramentenspendung) ist wieder durchgeführt.

- Positiv ist hervorzuheben, daß ganz im Sinn der Liturgiekonstitution hier erstmals in einem lehramtlichen Text die verschiedenen Gegenwartsweisen Jesu Christi ausdrücklich als
"real" bezeichnet werden. Auch muß betont werden, daß die Enzyklika zwei wesentliche Themen der Eucharistielehre, die in
der Liturgiekonstitution kaum oder gar nicht erörtert wurden,
nachträgt: die Lehre von der substantialen Realpräsenz und die
Lehre von der eucharistischen Verehrung außerhalb der Messe.

Durch den Vergleich zwischen der Enzyklika und der Liturgiekonstitution wird die Absicht der Enzyklika deutlich. Es ist
nämlich nicht zu übersehen, daß die Liturgiekonstitution bereits unter dem Einfluß der Diskussion um den Sinn der eucha-

---

301 Vgl. oben, S. 294-296.
302 Vgl. oben, S. 90 f.

ristischen Realpräsenz steht, die dann wenig später zu den
Einseitigkeiten führte, die dem Papst Anlaß gaben, die Enzyklika "Mysterium fidei" zu schreiben. In der starken Betonung
des Vorgangs der eucharistischen Feier als eines dynamischen
Geschehens hatte man zu wenig Wert auf die in der herkömmlichen
Theologie überaus stark betonte Lehre von der eucharistischen
Realpräsenz gelegt. Ein deutlicher Rückgang in der Wertschät-
zung der eucharistischen Andachten und der stillen Anbetung
der Eucharistie war die Folge. Dieser einseitigen Entwicklung
entgegenzuwirken war das berechtigte Anliegen der Enzyklika
"Mysterium fidei".

Allerdings muß festgestellt werden, daß der Papst die Lehre
von der eucharistischen Realpräsenz und vom eucharistischen
Anbetungskult nicht in die Gedankenführung der Liturgiekonstitution einträgt, sondern den Konzilstext insofern umdeutet,
als er gerade seinen spezifischen theologischen Beitrag weg-
läßt. Dies gilt insbesondere von der speziell im liturgischen
Vollzug gegebenen Aktualpräsenz Jesu Christi auch in der Eucharistiefeier als ganzer, sowie in der liturgischen Wortverkündigung und im liturgischen Gebet. Außerdem werden die Ansätze einer systematischen Zuordnung der einzelnen liturgischen Gegenwartsweisen im Gesamtgefüge der Liturgie, wie sie
in einer umfassenden Interpretation der Liturgiekonstitution
erhoben werden konnten, nicht aufgenommen. Die gewiß notwendige Hervorhebung der substantialen Realpräsenz geschieht wiederum um den Preis ihrer Isolierung von den übrigen Gegenwartsweisen.

Dies zeigt sich schon am Aufbau der Enzyklika. Die zur Hinführung auf das Thema der substantialen Realpräsenz erörterten
verschiedenen Gegenwartsweisen des Herrn werden dann nicht
mehr erwähnt. Vielmehr folgen zwei längere, in sich abgeschlossene Abschnitte, deren einer nur dem Thema der Transsubstantiation und damit der substantialen Gegenwart gewidmet ist, und
der andere der Fortdauer dieser substantialen Gegenwart, woraus
sich die Möglichkeit und Verpflichtung der eucharistischen Anbetung ergibt. Diese Gegenwart des Herrn wird aber als eine in
sich ruhende Anwesenheit vorgestellt, die zwar die Anbetung

des Menschen erfordert und seine Zwiesprache mit dem gegenwärtigen Herrn ermöglicht, aber doch davon unabhängig besteht.

Man wird vermuten dürfen, daß der Papst mit diesen Akzentsetzungen nicht nur den genannten theologischen Einseitigkeiten entgegenwirken, sondern auch die nach der Abstimmung der Liturgiekonstitution noch offengebliebenen Wünsche und kritischen Einwände mehrerer Konzilsväter berücksichtigen wollte. Es ist in der Enzyklika jedoch nicht gelungen, diese berechtigten und im Hinblick auf die Eucharistielehre notwendigen Ergänzungen in die theologische Konzeption der Liturgiekonstitution zu integrieren.

5.2.4. Die liturgische Gegenwart des Herrn nach der Instruktion "Eucharisticum mysterium" (1967)

Zur Bedeutung der Instruktion

Die Instruktion "Eucharisticum mysterium"[303] geht, wie dem Dokument selbst zu entnehmen ist, auf einen Auftrag des Papstes zurück[304], den dieser im Herbst 1965, also zur selben Zeit als er die Enzyklika "Mysterium fidei" erließ, dem *Consilium* erteilte[305]. Als Ergebnis einer intensiven Arbeit wurde nach elf Entwürfen der endgültige Text im April 1967 den zuständigen kurialen Stellen und dem Papst vorgelegt und am 25. Mai 1967 von der Ritenkongregation veröffentlicht.

---

303 Vgl. Ritenkongregation, Instruktion über Feier und Verehrung des Geheimnisses der Eucharistie: "Eucharisticum mysterium" (25.5.1967) (s. S. 632, Anm. 238; künftig zitiert: EM). Die Instruktion findet sich bei Kaczynski unter Nr. 70. Sie wird hier nach der lat.-deutschen Ausgabe in: NK 6 (1967), zitiert. Die Nummernzählung entspricht der offiziellen Ausgabe in: AAS 59 (1967) 539-573; zum leichteren Auffinden der Stellen wird auch hier der Abschnitt innerhalb des Artikels angegeben.
304 Vgl. EM 4,1. Diese Tatsache ist auch bei der Interpretation der Enzyklika "Mysterium fidei" zu beachten. Offensichtlich war der Papst sich bewußt, daß die in der Enzyklika betonten Lehrpunkte in einen größeren Zusammenhang gestellt werden müssen. Vgl. auch EM 1,5.
305 Vgl. H. Rennings, Einleitung (zur Instruktion "Eucharisticum mysterium"), in: NK 6 (1967) 11-27, hier 11.

Das Ziel der Instruktion ist es, eine Zusammenfassung der einzelnen Teile einer Eucharistielehre zu bieten, wie sie in den
Texten des II. Vatikanischen Konzils und in den Dokumenten des
Lehramts aus der jüngsten Zeit enthalten sind. Aus dieser Ge-
samtschau sollen praktische Normen für die Feier und Verehrung
der Eucharistie abgeleitet werden[306]. "Die wichtigsten Lehren
aus diesen Dokumenten"[307] stellt die Instruktion in Artikel 3
zusammen und läßt aus dieser Auswahl ihre theologische Position erschließen.

Als zentrale Texte zitiert die Instruktion Artikel 9 der Kirchenkonstitution und Artikel 47 der Liturgiekonstitution und
folgert daraus:

"Daher ist die Messe - das Herrenmahl - zugleich und untrennbar:
- das Opfer, durch welches das Opfer des Kreuzes fortdauert;
- die Gedächtnisfeier des Todes und der Auferstehung des
  Herrn ...";
- das heilige Mahl, bei dem das Volk Gottes durch die Kommunion des Leibes und Blutes des Herrn an den Gütern des österlichen Opfers teilnimmt ..."[308].

Schon dieser kurze Text zeigt, daß die Instruktion die konziliare Eucharistielehre voll aufnimmt. Gleich zu Beginn wird
die Integration von Opfer und Mahl in der Gedächtnisfeier betont. Die zentralen Ausdrücke der Eucharistielehre der Liturgiekonstitution ("fortdauern lassen" und "Gedächtnisfeier"),
die in der Enzyklika "Mysterium fidei" zu vermissen waren,
stehen hier an hervorgehobener Stelle.

Der theologisch entscheidende Gedanke ist die Gegenwart des
Todes und der Auferstehung des Herrn in der eucharistischen

---

306 Vgl. EM 2.
307 EM 3, Überschrift.
308 Vgl. EM 3; Zitat: EM 3a: "Unde Missa, sive Cena dominica, est insimul
    et inseparabiliter:
    - sacrificium, quo sacrificium Crucis perpetuatur;
    - memoriale mortis et resurrectionis Domini dicentis: 'hoc facite in
      meam commemorationem' (Lc. 22,19);
    - sacrum convivium in quo, per communionem corporis et sanguinis Domi-
      ni, populus Dei bona sacrificii paschalis participat, renovat novum
      foedus semel in sanguine Christi a Deo cum hominibus factum, ac in fi-
      de et spe convivium eschatologicum in regno Patris praefigurat et prae-
      venit, mortem Domini annuntians 'donec veniat'".

Gedächtnisfeier. Jean M. R. Tillard, einer der maßgeblichen
Mitarbeiter an der Instruktion[309], betont, daß die Eucharistielehre insgesamt auf drei verschiedenen Ebenen um das "Memoriale" zentriert wird: In der eucharistischen Gedächtnisfeier besteht die Einheit von Opfer und Mahl, die Einheit des
Gottesvolkes wird durch sie dargestellt und bewirkt und die
Eucharistie wird zur einheitsstiftenden Mitte des gesamten
christlichen Lebens[310]. Mit ständigem Bezug auf diese zentrale
theologische Position werden zunächst allgemeine Prinzipien
dargestellt, die bei der Eucharistielehre zu beachten sind (Nr.
5-15); dann folgen Bestimmungen über "die Feier des Herrenge-
dächtnisses" (Nr. 16-48) und über die "Verehrung der heiligen
Eucharistie als eines fortdauernden Sakramentes" (Nr. 49-67).

Die Instruktion will ihrem oben genannten Ziel entsprechend
nicht in die theologische Diskussion eingreifen; sie stellt
lediglich die vorliegenden Teile der konziliaren Eucharistielehre zusammen und bildet daraus ein Gesamtkonzept. In der Art
der Durchführung dieser Zusammenschau ergeben sich jedoch sehr
bedeutsame theologische Akzente, die auch gleich zu entsprechenden praktischen Konsequenzen führen. Dies im einzelnen
darzustellen ist nicht Aufgabe dieser Untersuchung[311].
Hier interessieren jedoch zwei Abschnitte, die jeweils eine
Aufzählung der liturgischen Gegenwartsweisen Jesu Christi enthalten[312]. Sie sind, wie die gesamte Instruktion, als zusammenfassende Darstellung der diesbezüglichen Lehre des II. Vatikanischen Konzils zu verstehen und somit von besonderem Gewicht für die Frage nach der Rezeption der Lehre der Liturgie-

---

309 Vgl. den Hinweis in: Notitiae 3 (1967) 261.
310 Vgl. J. M. R. Tillard, (Kommentar zu EM 1-15), in: Notitiae 3 (1967)
    261-270; ausführlicher ders., Commentaire de l'Instruction sur le cul-
    te eucharistique, in: MD, Nr. 91 (1967) 45-63.
311 Vgl. die Kommentare von J. M. R. Tillard, a.a.O.; den ungezeichneten
    Kommentar in: ELit 81 (1967) 381-424; V. Contestabile, Uno sguardo com-
    plessivo al documento, in: ELit 81 (1967) 425-430; J. A. Jungmann, Ge-
    bet vor dem Tabernakel, in: GuL 40 (1967) 339-347; E. J. Lengeling, Die
    Eucharistie-Instruktion, in: LJ 17 (1967) 204-219; H. Rennings, a.a.O.
    (S. 649, Anm. 305); vgl. auch den Bericht der Herder Korrespondenz, Li-
    turgische Instruktion zur Eucharistie, in: HerKorr 21 (1967) 311-313.
312 Vgl. EM 9 und EM 55.

konstitution über die liturgische Gegenwart Jesu Christi.

Die liturgischen Gegenwartsweisen des Herrn nach Artikel 9 der
Instruktion

Die erste Aufzählung der liturgischen Gegenwartsweisen Jesu
Christi findet sich im ersten Teil der Instruktion, wo in un-
systematischer Folge "allgemeine Prinzipien, die bei der Unterweisung des Volkes über das Geheimnis der Eucharistie besonders
zu beachten sind"[313], zusammengestellt werden. Der Text (Nr. 9)
hat folgenden Wortlaut:

"*Verschiedene Weisen der Gegenwart Christi*
Damit die Gläubigen tiefer in das eucharistische Geheimnis eindringen, sollen sie auch über die hautpsächlichen Weisen belehrt werden, in denen der Herr selbst seiner Kirche in den
liturgischen Feiern gegenwärtig ist (vgl. Liturgiekonstitution,
Nr. 7).
Gegenwärtig ist er in der Versammlung der Gläubigen, die in
seinem Namen zusammenkommen (vgl. Mt 18,20). Gegenwärtig ist
er auch in seinem Wort, da er selbst spricht, wenn die heiligen Schriften in der Kirche gelesen werden.
Im eucharistischen Opfer aber ist er gegenwärtig sowohl in der
Person dessen, der den priesterlichen Dienst vollzieht - denn
'derselbe bringt jetzt das Opfer dar, durch den Dienst der
Priester, der sich einst am Kreuz selbst dargebracht hat'
(Konzil von Trient) - wie auch, und zwar vor allem, unter den
eucharistischen Gestalten (vgl. Liturgiekonstitution, Nr. 7).
In diesem Sakrament ist Christus in einzigartiger Weise ganz
und unversehrt zugegen, Gott und Mensch, wesentlich und dauernd. Diese Gegenwart Christi unter den Gestalten 'wird wirklich genannt, nicht im ausschließenden Sinn, als ob die anderen
Gegenwartsweisen nicht wirklich wären, sondern in hervorhebendem Sinn' (Enzyklika 'Mysterium fidei')"[314].

---

313 EM, 1. Teil, Überschrift.
314 EM 9: "*Diversi modi praesentiae Christi*
    Ad penitiorem intelligentiam eucharistici mysterii assequendam instru-
    antur fideles etiam circa modos praecipuos quibus ipse Dominus Eccle-

Folgendes ist an diesem Text zu bemerken:

- Die liturgischen Gegenwartsweisen werden mit ausdrücklichem Bezug auf Artikel 7 der Liturgiekonstitution aufgezählt, aber der Thematik der Instruktion angepaßt: die Gegenwart in den Sakramenten und im Gebet der Kirche bleibt unerwähnt, da die Instruktion nur von der Eucharistie handelt.

- Soweit es bei dieser veränderten Zusammenstellung der Gegenwartsweisen möglich ist, wird die Liturgiekonstitution wörtlich zitiert. Somit gilt die dort beobachtete Sprechweise auch hier: die Gegenwart des Herrn wird als Tätigkeit ausgelegt.

- Das Thema 'Eucharistiefeier' wird dadurch hervorgehoben, daß die im eucharistischen Opfer verwirklichten Gegenwartsweisen des Herrn an den Schluß gestellt werden, die allgemeineren liturgischen Gegenwartsweisen in der gottesdienstlichen Versammlung und in der liturgischen Wortverkündigung dagegen vorgezogen sind.

- Durch diese Umstellung entsteht eine Steigerung vom Allgemeinen zum Besonderen, vom Geringeren zum Höheren. Als Höhepunkt erscheint die substantiale Realpräsenz.

- Die Verheißung Mt 18,20 wird eindeutig auf die liturgische Versammlung bezogen; damit bestätigt sich die oben vorgelegte Interpretation von Artikel 7 der Liturgiekonstitution[315].

- Die nun am Schluß der Aufzählung stehende substantiale Realpräsenz wird weiter erläutert durch Ausdrücke, die ihre besondere Bedeutung betonen. Damit wird der Sache nach das Anliegen der Enzyklika "Mysterium fidei" aufgenommen, und zwar in For-

---

siae suae, in celebrationibus liturgicis, praesens adest (cfr. Conc. Vat. II, Const. de Sacra Liturgia, "Sacrosanctum Concilium", n. 7: ...). Praesens semper adest in coetu fidelium in suo nomine congregato (cfr. Mt. 18,20). Praesens etiam adest in verbo suo, siquidem ipse loquitur dum sacrae Scripturae in Ecclesia leguntur.
In eucharistico vero Sacrificio praesens est cum in ministri persona 'idem nunc offerens sacerdotum ministerio, qui seipsum tunc in Cruce obtulit' (Conc. Trid. Sess. XXII, Decr. de Missa, cap. 2: ...), tum ac quidem maxime, sub speciebus eucharisticis (cfr. Conc. Vat. II, Const. de Sacra Liturgia, ..., n. 7: ...). In illo enim Sacramento, modo singulari, adest totus et integer Christus, Deus et homo, substantialiter et continenter. Haec praesentia Christi sub Speciebus 'realis dicitur non per exclusionem, quasi aliae reales non sint, sed per excellentiam' (Paulus VI, Litt. Encycl. "Mysterium Fidei": ...)".

315 Vgl. oben, S. 294-296.

mulierungen, die teilweise schon nach der zweiten Lesung der
Liturgiekonstitution als Ergänzung zu Artikel 7,1 gewünscht,
aber nicht mehr in den Text aufgenommen worden waren[316].
- Diese starke Heraushebung der substantialen Realpräsenz wird
insoweit wieder relativiert, als ihr mit den Worten der Enzyklika "Mysterium fidei" die Chrakterisierung als "reale" Gegenwart nicht in exklusivem, sondern in hervorhebendem Sinn zugesprochen wird.
- In folgendem Punkt bleibt der Text unklar: In der Einleitung
wird gesagt, die Gläubigen sollten über die verschiedenen liturgischen Gegenwartsweisen des Herrn belehrt werden, um so tiefer in das eucharistische Geheimnis einzudringen. Fraglich
bleibt, ob der Text nun lediglich die in der Eucharistiefeier
verwirklichten Gegenwartsweisen nennen will; für diese Vermutung spricht das Weglassen der Gegenwart des Herrn in den Sakramenten und im Gebet der Kirche. Andererseits erweckt das
Voranstellen der Gegenwart Jesu Christi in der Versammlung der
Gläubigen und in der Wortverkündigung den Eindruck, als sollte
nicht von der eucharistischen Feier als ganzer die Rede sein,
sondern lediglich von liturgischer Versammlung und Wortverkündigung für sich genommen und dann vom eucharistischen Opfer
und Sakrament im strikten Sinn, was folglich ebenso punktuell
verstanden werden könnte wie in der Enzyklika "Mysterium fidei".
Es könnte freilich auch sein, daß die Umstellung der Reihenfolge lediglich den Sinn hat, die substantiale Realpräsenz an
die letzte, betonteste Stelle zu rücken, um sie dann weiter
entfalten zu können. In diesem Fall wäre auch die Gegenwart
des Herrn in der liturgischen Versammlung und Wortverkündigung
in den Rahmen der eucharistischen Feier als ganzer gestellt. Es
bliebe allerdings immer noch die Frage, warum dann die Gegenwart des Herrn im Gebet der Kirche ausgelassen wird, die sich
doch auch innerhalb der eucharistischen Feier als ganzer verwirklicht.
Weder aus dem Text des Artikels 9 der Instruktion noch aus den

---

316 Vgl. oben, S. 186 f.

Kommentaren dazu ist zu entnehmen, welche Aussage die Autoren mit der vorliegenden Textanordnung machen wollten.

Die liturgischen Gegenwartsweisen des Herrn nach Artikel 55 der Instruktion

Der zweite Text in der Instruktion "Eucharisticum mysterium" über die liturgischen Gegenwartsweisen des Herrn findet sich in Artikel 55 im zweiten Abschnitt des dritten Teils der Instruktion, worin "der Ort der Aufbewahrung der heiligen Eucharistie" erörtert wird [317]. Der Text hat folgenden Wortlaut:

"Der Tabernakel auf dem Altar, an dem eine Gemeindemesse gefeiert wird
Bei der Feier der Messe werden die hauptsächlichen Weisen, in denen Christus seiner Kirche gegenwärtig ist (vgl. oben Nr. 9), nacheinander sichtbar: zunächst wird seine Gegenwart sichtbar schon in der Gemeinde der Gläubigen, die in seinem Namen versammelt sind; dann in seinem Worte, wenn die Schrift gelesen und ausgelegt wird; ebenso in der Person des Priesters; schließlich in besonderer Weise unter den eucharistischen Gestalten. Daher entspricht es vom Zeichen her gesehen eher dem Wesen der heiligen Feier, wenn nach Möglichkeit nicht schon zu Beginn der Messe infolge der Aufbewahrung der heiligen Gestalten im Tabernakel die eucharistische Gegenwart Christi gegeben ist, die doch Frucht der Konsekration ist und als solche erscheinen muß" [318].

---

317 EM, 3. Teil, II. Abschnitt, Überschrift.
318 EM 55: *"Tabernaculum in altari ubi celebratur Missa cum frequentia populi*
In celebratione Missae praecipui illi modi quibus Christus adest Ecclesiae suae (cfr. supra n. 9) successive clarescunt, quatenus primo praesens apparet in ipso coetu fidelium, in suo nomine congregato; deinde vero in verbo suo, cum Scriptura legitur et explanatur; necnon in persona ministri; demum modo singulari sub speciebus eucharisticis. Unde, ratione signi, magis congruit naturae sacrae celebrationis ut in altari ubi Missa celebratur praesentia eucharistica Christi, quae fructus est consecrationis et ut talis apparere debet, non adsit, quantum fieri potest, iam ab initio Missae per asservationem sanctarum Specierum in tabernaculo".

Folgendes ist zu diesem Text zu sagen:

- Alle genannten Gegenwartsweisen verwirklichen sich in der
Feier der Messe. Dies wird mit Verweis auf Artikel 9 der Instruktion gesagt. Damit sind auch die dort aufgezählten Gegenwartsweisen insgesamt in den Rahmen der eucharistischen Feier
gestellt.

- Der Text verzichtet auf wörtliche Zitate. Er bekommt dadurch
eine neue systematische Bedeutung, da er ohne Rücksicht auf
vorgeprägte Formulierungen die angesprochene Sache darstellt
und so mögliche gedankliche Brüche, die bei der Verwendung neu
zusammengestellter Zitate entstehen können, vermeidet. Folglich kommt die eigene Lehre der Instruktion hier deutlicher
zum Ausdruck, und Artikel 9 muß insofern nach Maßgabe von Artikel 55 interpretiert werden.

- Artikel 9 erläutert die einzelnen Gegenwartsweisen ausführlicher. Da Artikel 55 ihn zugrundelegt, müssen die Aussagen
des Artikels 55 im einzelnen nach Maßgabe von Artikel 9 interpretiert werden. Dies gilt insbesondere für die in der Liturgiekonstitution und in Artikel 9 der Instruktion jeweils als
Tätigkeit ausgelegte Gegenwart des Herrn. Die knappen Formulierungen von Artikel 55 müssen ebenfalls in diesem Sinn interpretiert werden, obwohl das dem Text selbst nicht zu entnehmen
ist.

- Die einzelnen Gegenwartsweisen werden in Form einer Steigerung aufgezählt. Den Gipfel bildet die substantiale Realpräsenz, die aber dennoch nicht isoliert erscheint, da sie mit
allen anderen Gegenwartsweisen in den Zusammenhang der eucharistischen Feier eingebunden ist.

- Die Gegenwart des Herrn in seinem Wort ist in der Schriftlesung und in der Predigt gegeben. Der Hinweis auf die Predigt,
der in der Textentwicklung von Artikel 7 der Liturgiekonstitution immer wieder aufgetaucht und schließlich doch gestrichen
worden war [319], ist wieder aufgenommen.

- Im Unterschied zu Artikel 9 setzt Artikel 55 nicht neu an,

---

319 Vgl. oben, S. 163 und 171. Vgl. Schmidt, 99: Man habe diesen Hinweis
    weggelassen, "weil eine solche Aussage wohl doch noch nicht konzils-
    reif gewesen wäre".

wenn die Gegenwart des Herrn im Priester und in den eucharistischen Gestalten genannt wird. Vielmehr sind alle Gegenwartsweisen in den Rahmen der eucharistischen Feier gestellt. Damit wird der Eindruck einer Reduzierung der Gegenwart des Herrn im Priester auf den Augenblick der Konsekration vermieden. Dies wird auch dadurch erreicht, daß die Verwirklichung der Gegenwart des Herrn im Wort und in der Person des Priesters nicht als ein Nacheinander dargestellt wird; sie ereignet sich als gleichzeitige Ausformung der primären Gegenwart in der Gemeinde [320].

- Die Gegenwart des Herrn in der liturgischen Versammlung erscheint als primäre und allgemeinste Form seiner liturgischen Gegenwart. Aus ihr entfalten sich die übrigen Gegenwartsweisen.
- Die Gegenwart des Herrn im Gebet der Kirche bleibt unerwähnt.

Der systematische Beitrag der Instruktion zur Lehre von den liturgischen Gegenwartsweisen des Herrn

Die Untersuchung der beiden genannten Artikel der Instruktion "Eucharisticum mysterium" zeigt, daß dem Text in Artikel 55 größere systematische Bedeutung zukommt. Er stellt erstmals eine Weiterentwicklung der Lehre von Artikel 7,1 der Liturgiekonstitution dar. Die dort nur angedeuteten Ansätze zu einer Systematisierung der verschiedenen Gegenwartsweisen [321] werden behutsam weitergeführt. Die einzelnen Gegenwartsweisen erscheinen als ein Gefüge, das sich in der liturgischen Versammlung speziell der Eucharistiefeier als ganzer darstellt und sich im Verlauf der Feier schrittweise entfaltet bis hin zum Höhepunkt der substantialen Realpräsenz des Herrn in den eucharistischen Gestalten. Die liturgische Gegenwart des Herrn ist insgesamt als seine gegenwärtige Tätigkeit, als Vollzug seines Priesteramtes zu verstehen. Kraft seiner Gegenwart ist die Liturgie "Erlösung im Vollzug" [322].

---

320 Vgl. die Ausdrücke "primo" für die Gegenwart in der Gemeinde und "deinde" - "necnon" für die Gegenwart im Wort bzw. im Priester.
321 Vgl. oben, S. 574-581.
322 Vgl. V. Contestabile, a.a.O. (S. 651, Anm. 311), 428: "Troviamo qui ... uno dei temi maggiormente studiati nella teologia contemporanea, ossia la presenza di Cristo come redenzione in atto".

In diesem Gefüge der Gegenwartsweisen stellt die Gegenwart des Herrn in der liturgischen Versammlung die Basis dar, auf der alles weitere aufruht und aus der es sich entfaltet. Seine substantiale Gegenwart in den eucharistischen Gestalten bildet dagegen den Höhepunkt, der aus den übrigen insgesamt realen Gegenwartsweisen gleichsam organisch herauswächst, sie über bietet und zusammenfaßt: "Der Herr gibt sein Fleisch der Versammlung seiner Brüder durch die Kraft dieses Wortes Gottes, welches die 'forma sacramentalis' ist und vom Priester ausgesprochen wird, der 'in der Person Christi selbst' handelt" [323]. Im einzelnen ist hervorzuheben, daß die Einheit von Schriftlesung und Predigt als 'Wort Gottes', die aus dem Gesamttext der Liturgiekonstitution erschlossen werden konnte [324], nun auch ausdrücklich formuliert ist.

Negativ ist zu bemerken, daß auch hier die Bedeutung des Heiligen Geistes für die Liturgie und speziell für die Eucharistie kaum gesehen wird. Sie wird zwar im grundlegenden Text aus der Kirchenkonstitution, welcher der gesamten Instruktion vorangestellt ist, betont [325], aber dann in den weiteren Ausführungen nur beiläufig genannt [326], gewinnt keine systematische Bedeutung [327] und wird bei der Darstellung der liturgischen Gegenwart des Herrn überhaupt nicht erwähnt.

Trotz der stärker ausgebauten Pneumatologie in der Kirchenkonstitution und in anderen Konzilsdokumenten [328] scheint dieser wichtige Aspekt in der Liturgiewissenschaft noch nicht genügend präsent zu sein [329].

---

323 J. M. R. Tillard, (Kommentar zu EM 1-15), a.a.O. (S. 651, Anm. 310), 268: "Il faut noter que cette dernière (présence dans le pain et le vin consacrés), la plus importante et qui est dit réelle, 'non à titre exclusif, comme si les autres n'étaient pas réelles, mais par excellence', éclôt d'une certaine façon sur les autres présences. Car le Seigneur donne sa chair à l'assemblée de ses frères, par la puissance de cette Parole de Dieu qu'est la 'forma sacramentalis', prononcée par le ministre agissant 'in persona ipsius Christi'" (Übers. von mir).
324 Vgl. oben, S. 520-533.
325 Vgl. EM 3a.
326 Vgl. z.B. EM 3c; 7; 8,1; 38.
327 Dies stellt auch J. M. R. Tillard, Commentaire de l'Instruction ..., a.a.O. (S. 651, Anm. 310), 57, bedauernd fest.
328 Vgl. oben, S. 604-607.
329 Interessant ist auch die beiläufige Bemerkung von J. A. Jungmann, Ge-

Positiv muß jedoch betont werden, daß es der Instruktion gelungen ist, das theologische Konzept der Liturgiekonstitution in Bezug auf die Lehre von der liturgischen Gegenwart des Herrn vollauf zu rezipieren, es sinngemäß verdeutlichend weiterzuführen und es dahingehend zu ergänzen, daß nun auch die substantiale Realpräsenz sowie die daraus abgeleitete Verehrung der Eucharistie ihrem Rang entsprechend erklärt werden und dennoch in das Gefüge der Eucharistiefeier eingebunden bleiben. Dies ist besonders bemerkenswert bei der Darstellung der Verehrung der heiligen Eucharistie im dritten Teil der Instruktion. Immer wieder wird betont, daß "diese Gegenwart aus dem Opfer hervorgeht und auf die sakramentale und geistliche Kommunion hinzielt" [330].

Hier ist hervorzuheben, daß die vorwiegend statische Betrachtungsweise der substantialen Realpräsenz in der Enzyklika "Mysterium fidei" insoweit überwunden ist, daß auch diese Gegenwartsweise von vornherein in ihrem wesentlichen Bezug zu den Gläubigen dargestellt wird. Das eucharistische Sakrament ist von Jesus Christus eingesetzt, "damit es genossen werde", wie schon das Konzil von Trient betont hat [331] und nun die Eucharistie-Instruktion wiederholt. Erst in zweiter Linie ergibt sich dann aus der Aufbewahrung der Gestalten für die Krankenkommunion die Möglichkeit und Pflicht der Verehrung, die den Sinn hat, "die Gnade des Opfers weiterwirken zu lassen" [332]. Die bleibende substantiale Gegenwart des Herrn erscheint somit als fortdauernde Frucht des Meßopfers [333], die, wie dieses selbst,

---

bet vor dem Tabernakel, a.a.O. (S. 651, Anm. 311), 345, der die substantiale Gegenwart des Herrn hervorhebt, in der Christus "nicht nur aufgrund seiner Macht und seines Wirkens 'per virtutem', oder im Heiligen Geist, 'in Spiritu Sancto'" gegenwärtig sei. Die Gegenwart 'im Heiligen Geist' ist hier nicht als eine Bedingung der substantialen Realpräsenz gesehen, sondern als eine ihr untergeordnete eigene Gegenwartsweise.

330 EM 50,1: "Fideles vero, cum Christum in Sacramento praesentem colunt, meminerint hanc praesentiam a Sacrificio derivari atque ad communionem sacramentalem simul et spiritualem tendere". Vgl. auch EM 49, 58, 60, 61, 67.
331 Vgl. DS 1652.
332 EM 3g: "... quae (sacrae Species) post Missam ad extensionem gratiae Sacrificii asservantur".
333 Vgl. EM 55: "Unde, ratione signi, magis congruit naturae sacrae cele-

um der Gläubigen willen da ist und auf die geistliche Kommunion in der eucharistischen Anbetung, vor allem aber auf die sakramentale Kommunion der Kranken und Sterbenden hinzielt, wie
es dem "vornehmlichen Wunsch Christi bei der Einsetzung der
Eucharistie entspricht" [334].

Damit ist auch dieser Form der Gegenwart des Herrn ein dialogischer Charakter zuerkannt. Seine bleibende Gegenwart als
Speise erfüllt ihren Sinn im Genuß durch die Gläubigen, wobei
die geistliche Kommunion in eucharistischer Anbetung und Zwiesprache mit dem Herrn auf die sakramental-leibliche Kommunion
im Essen der heiligen Speise ausgerichtet bleibt [335].

Zu diesen und einer Reihe anderer Themen, wie etwa dem Gemeinschaftsbezug des Gottesdienstes, der Konzelebration als Ausdruck der Einheit des Priestertums und des Opfers, dem gemeinsamen Priestertum der Gläubigen und ihrer tätigen Teilnahme an
der Liturgie, enthält die Instruktion bemerkenswerte theologische Hinweise. Sie können hier nicht im einzelnen erörtert
werden; einige Formulierungen sollen jedoch später in einem
Überblick noch erwähnt werden [336].

5.2.5. Die liturgische Gegenwart des Herrn nach der "Allgemei-
nen Einführung in das Römische Meßbuch" (1969/ 1970)

Werdegang und Bedeutung der "Allgemeinen Einführung"

Mit der Apostolischen Konstitution "Missale Romanum" (1969)[337]

---

brationis ut in altari ubi Missa celebratur praesentia Christi, quae
fructus est consecrationis et ut talis apparere debet, non adsit ...
iam ab initio Missae ...".

334 EM 60: "... desiderium Christi, qui sanctissimam Eucharistiam praecipue instituit ut nobis praesto sit in cibum, remedium et levamen".

335 Vgl. EM 50, wo die Beschreibung der eucharistischen Anbetung dahin
mündet, daß durch sie die innere Haltung der Gläubigen genährt wird,
in der sie ehrfurchtsvoll die Messe feiern und "häufig das Brot empfangen können, das uns der Vater geschenkt hat".

336 Vgl. unten, S. 681-686.

337 Paul VI., Apost. Konstitution "Missale Romanum" (3.4.1969), in: AAS 61
(1969) 217-222 (= Missale Romanum, ed. typica 1970, 11-16); deutsch
in: Meßbuch für die Bistümer des deutschen Sprachgebietes. Authentische Ausgabe für den liturgischen Gebrauch, 1975 (künftig zitiert:
Meßbuch), Teil I, 15*-18*.

veröffentlichte Papst Paul VI. das im Auftrag des II. Vatikanischen Konzils erneuerte Römische Meßbuch. Es enthält außer
den liturgischen Texten für die Meßfeier selbst auch das erneuerte Kalendarium sowie eine "Allgemeine Einführung".
Dieses erneuerte Meßbuch löste das von Papst Pius V. auf Be-
schluß des Konzils von Trient erneuerte und 1570 promulgierte
Missale Romanum ab. Mit seiner Veröffentlichung war das wichtigste Stück der vom II. Vatikanischen Konzil beschlossenen
Liturgiereform abgeschlossen. Damit hat zugleich eine vierhun-
dertjährige Geschichte der Meßreform[338] einen vorläufigen Abschluß gefunden.
Entsprechend der Bedeutung dieser Reformarbeit für das Leben
der Kirche begann das *Consilium* sofort nach der Promulgation
der Liturgiekonstitution mit der Arbeit am neuen Meßbuch. In
den Jahren 1964 bis 1969 wurden in unzähligen Sitzungen der
Arbeitsgruppen des *Consilium* die einzelnen Stücke des Meßbuchs
vorbereitet[339], wobei vielfältige Schwierigkeiten formaler und
inhaltlicher Art zu bewältigen waren.
Das Prinzip der Reform war vom Konzil vorgegeben. In Artikel
50 der Liturgiekonstitution wird gefordert: "Der Meßordo soll
so überarbeitet werden, daß der eigentliche Sinn der einzelnen
Teile und ihr wechselseitiger Zusammenhang deutlicher hervortreten und die fromme und tätige Teilnahme der Gläubigen erleichtert werde. Deshalb sollen die Riten unter treulicher
Wahrung ihrer Substanz einfacher werden. Was im Lauf der Zeit
verdoppelt oder weniger glücklich eingefügt wurde, soll weg-
fallen. Einiges dagegen, was durch die Ungunst der Zeit verloren gegangen ist, soll soweit es angebracht oder nötig erscheint, nach der altehrwürdigen Norm der Väter wiederhergestellt werden.
Dieses Prinzip war dasselbe, das auch schon für die tridenti-

---

338 Vgl. oben, S. 12-30. Speziell zur Geschichte der Meßreform vgl. außerdem O. Nußbaum, Zur Theologie und Spiritualität des neuen Meßbuches,
in: LJ 26 (1976) 193-223, hier 193-198; E. J. Lengeling, Eucharistiefeier, 17-35.
339 Vgl. E. J. Lengeling, Eucharistiefeier, 26-35; vgl. den Problembericht
der *Herder Korrespondenz*, a.a.O. (S. 620, Anm. 176); C. Braga, In novum Ordinem Missae, in: ELit 83 (1969) 375-385, hier 375-380.

nische Meßreform galt[340]. Es sollte nicht ein neues Meßbuch hergestellt werden, sondern das Meßbuch sollte so erneuert werden, daß die ursprüngliche Gestalt der Meßordnung neu hervortrat und leichter erkennbar und vollziehbar wurde[341]. Allerdings war die 'Norm der Väter' durch die intensiven liturgiehistorischen Forschungen der vorausgegangenen Jahrzehnte viel breiter greifbar und gründlicher erforscht als zur Zeit Pius' V. Das neue Meßbuch greift nicht nur auf die Tradition des tridentinischen Meßbuchs zurück, sondern verwendet die gewachsene Geschichte der Meßliturgie von ihren Anfängen an[342]. So konnten nach Maßgabe der 'Norm der Väter' auch einschneidende Erneuerungen vorgenommen werden, wie etwa die Neuschaffung weiterer Hochgebete[343] und die Veränderung der Konsekrationsworte.

Einige Fragen bezüglich solcher gewichtigen Reformen wurden der neuerrichteten Bischofssynode in ihrer ersten Sitzung (1967) vorgelegt[344], da der Papst nicht ohne den Rat der Bischöfe darüber entscheiden wollte[345]. Der Papst selbst brachte 1968 noch einige Änderungen an der Meßordnung an[346].

Erst dann konnte die von einer eigenen Arbeitsgruppe entworfene "Allgemeine Einführung" fertiggestellt werden. Sie wurde vom *Consilium* insgesamt als so zufriedenstellend empfunden, daß sie zusammen mit der Meßordnung im Herbst 1968 dem Papst vorgelegt werden konnte und von ihm approbiert wurde[347].

Eine solche "Allgemeine Einführung" hatte es in dieser Form in früheren Meßbüchern nicht gegeben. Sie ersetzt die früheren

---

340 Vgl. B. Fischer, Vom Missale Pius' V. zum Missale Pauls VI., in: LJ 26 (1976) 2-18, hier 2-5.
341 Vgl. A. Häußling, Das Missale Romanum Pauls VI. Ein Zeugnis sucht Bezeugende, in: LJ 23 (1973) 145-158, hier 151-157.
342 Vgl. O. Nußbaum, a.a.O. (S. 661, Anm. 338), 199-207.
343 Vgl. aus der umfangreichen Literatur den Überblick von H. Rennings, Zur Diskussion über die neuen Hochgebete. Aus der Arbeit einer Studiengruppe im deutschen Sprachgebiet, in: LJ 23 (1973) 3-20.
344 Vgl. den Bericht in: Notitiae 3 (1967) 353-370: De Liturgia in prima Synodo Episcoporum; dazu C. Braga, De Liturgia in primo coetu Synodi Episcoporum, in: ELit 81 (1967) 462-472.
345 Vgl. E. J. Lengeling, Eucharistiefeier, 31-33.
346 Vgl. ebd., 33 f.
347 Vgl. Dekret der Ritenkongregation zum Ordo Missae (6.4.1969), in: Kaczynski, Nr. 96, S. 465, Abschnitt 1373.

allgemeinen Rubriken des Meßbuchs [348], gibt aber darüberhinaus
eine Einführung in Sinn und Wesen der Eucharistiefeier, ihrer
einzelnen Teile und der darin zu leistenden Dienste. Damit
faßt sie nochmals die theologischen Prinzipien und praktischen
Normen zusammen, die in der Liturgiekonstitution, in der Enzyklika "Mysterium fidei" und im Dekret "Eucharisticum mysterium" enthalten sind. Sie will nicht als dogmatisches Dokument, sondern als pastorale Anweisung angesehen werden und
setzt dabei die in den genannten Dokumenten enthaltene Lehre
voraus und bezieht sich darauf [349].

Die neue Meßordnung rief neben dankbarer Zustimmung auch vielfältige *Kritik* hervor, die teils von überzogenen und dann ent-
täuschten Erwartungen herrührte [350], teils aber auch mit begründeten Argumenten auf eine Diskrepanz zwischen den in der
Liturgiekonstitution und der "Allgemeinen Einführung" gegebenen Grundsätzen und der faktischen Neuordnung hinwies [351].
Aufsehenerregender und von größerer Wirkung war die Kritik von
solchen, denen die Erneuerung zu weit ging, ja sogar dem Glauben der Kirche zu widersprechen schien [352]. Vor allem eine an-
onyme Denkschrift, die von einflußreichen Kurienkardinälen unterstützt wurde, war trotz ihrer weitgehend unsachlichen und
ungerechtfertigten Kritik der Anlaß für eine Revision der "Allgemeinen Einführung" und die Abfassung eines Vorworts, das
terminologisch und sachlich darauf zielt, die theologischen
Einwände gegen die "Allgemeine Einführung" zu entkräften [353].
Die so veränderte und um ein Vorwort erweiterte "Allgemeine
Einführung" wurde 1970 in einer neuen zur *Editio typica* erklärten Ausgabe des Römischen Meßbuchs veröffentlicht und rechts-

---

348 Vgl. E. J. Lengeling, a.a.O., 14.
349 Dies wurde bei der 2. Aufl. des Römischen Meßbuchs von der Gottesdienstkongregation eigens erläutert: vgl. Kongregation für den Gottesdienst, Declaratio (18.11.1969), in: Kaczynski, Nr. 96, S. 466, Abschnitt 1374; deutsch in: E. J. Lengeling, a.a.O., 41.
350 Vgl. E. J. Lengeling, a.a.O., 62 f.
351 Vgl. ebd., 63-65; aus den zahlreichen Äußerungen dazu vgl. z.B. H. Auf
   der Maur, Der neue Ordo Missae - Abschluß der Meßreform?, in: MusAl 21
   (1969) 147-153, bes. 150-152.
352 Vgl. E. J. Lengeling, a.a.O., 66-70.
353 Vgl. ebd., 70-75.

kräftig gemacht [354]. Bei ihrer Interpretation insbesondere an
den veränderten Stellen muß diese Entstehungsgeschichte berücksichtigt werden.

Weitere Veränderungen, die aber nicht mehr lehrmäßiger, sondern rubrizistischer Art waren, wurden 1972 notwendig[355], nachdem der Subdiakonat abgeschafft worden war[356], und nochmals
1974, als in einer neuen authentischen Ausgabe des Römischen
Meßbuchs weitere inzwischen erfolgte rubrizistische Änderungen
in die "Allgemeine Einführung" eingetragen wurden[357].

Die hier interessierenden lehrmäßigen Abschnitte der "Allgemeinen Einführung" blieben jedoch seit der authentischen Ausgabe von 1970 unverändert.

Das Vorwort der "Allgemeinen Einführung"

Die 15 Artikel des nachträglich formulierten Vorworts zur "Allgemeinen Einführung" unterscheiden sich nach Sprache und Inhalt beträchtlich vom Haupttext. Das Vorwort ist aus den genannten Gründen in apologetischer Zielsetzung verfaßt. Es betont einseitig die Lehrpunkte, die in der Kritik zu Unrecht in
der "Allgemeinen Einführung" vermißt wurden, vor allem den Opfercharakter der Messe, die substantiale Realpräsenz in der
Eucharistie und das Wesen des amtlichen Priestertums. Dabei
läßt es die in der Liturgiekonstitution und mehr noch in der
Eucharistie-Instruktion von 1967 zu beobachtende Einbindung
dieser Lehrpunkte in ein theologisches Gesamtkonzept der Liturgie und speziell der Eucharistiefeier vermissen. Es verwendet sogar gelegentlich Ausdrücke, die im Konzil absichtlich
und ausdrücklich vermieden wurden[358].

---

354 Vgl. Kongregation für den Gottesdienst, Dekret zur neuen Ausgabe des
   Missale Romanum (26.3.1970), in: AAS 62 (1970) 554 (= Kaczynski, Nr.
   121, S. 665, Abschnitt 2060).
355 Vgl. die Veröffentlichung der Veränderungen durch die Kongregation für
   den Gottesdienst (23.12.1972), in: Kaczynski, Nr. 96, S. 467 f., Abschnitt 1376 f.
356 Vgl. S. 633, Anm. 249.
357 Vgl. Kaczynski, Nr. 96, S. 468 f., Abschnitte 1378-1380. – Der endgültige Text findet sich in: Missale Romanum, 19-92; deutsch in: Meßbuch,
   Teil I, 19*-69* (künftig zitiert: IGMR mit Abschnittsnummer).
358 Vgl. IGMR, Vorwort, Nr. 2,2: "... crucis sacrificium eiusque in Missa
   sacramentalem renovationem ...". Die deutsche Fassung sucht zu vermit-

Diese lehrmäßigen Artikel des Vorworts (Nr. 1-5) bedeuten nach Sprache und Inhalt einen Rückschritt im Vergleich zu den konziliaren und nachkonziliaren Texten zur Eucharistie. Dies braucht hier nicht im einzelnen nachgewiesen zu werden[359].

Im zweiten Abschnitt des Vorworts (Nr. 6-9) wird aufgewiesen, daß das neue Meßbuch in der ungebrochenen Tradition der Kirche steht und der 'Norm der Väter' entspricht; der dritte Abschnitt (Nr. 10-15) rechtfertigt die eingeführten Neuerungen[360]. Diese Artikel haben eher den Charakter eines Kommentars zur Erneuerung des Meßbuchs. Sie entsprechen nicht dem Sinn einer pastoralen und lehrmäßigen Einführung in die Meßordnung.

Aus diesen Gründen braucht das Vorwort hier nicht weiter untersucht zu werden.

Die "Allgemeine Einführung"

Die "Allgemeine Einführung" selbst enthält acht Kapitel. Das erste trägt den Titel: "Bedeutung und Würde der Meßfeier" (Nr. 1-6). Artikel 1 gibt in gestraffter Form die liturgietheologischen Grundlinien der Liturgiekonstitution wieder. Artikel 2 läßt ihre Eucharistielehre anklingen. Artikel 3 betont die tätige Teilnahme der Gläubigen, worin die Messe als Handeln der Kirche erkennbar wird, was auch bestehen bleibt, wenn sie ohne Gemeinde gefeiert wird (Nr. 4). Artikel 5 hebt die Zeichenhaftigkeit der Liturgie hervor; ihre Riten sind Zeichen des Glaubens.

Diese in knapper Form gelungene Wiedergabe der konziliaren Theologie der Liturgie und speziell der Eucharistie kann hier nicht im einzelnen erörtert werden[361]; es sollen lediglich die Texte untersucht werden, die sich eigens mit den liturgischen

---

teln, indem sie den Ausdruck "sacramentalem renovationem" zweimal überträgt und verschieden formuliert: "sakramentale Vergegenwärtigung" und "zeichenhafte Erneuerung". Außerdem werden im selben Artikel die vier Opferzwecke genannt, was im Konzil absichtlich vermieden wurde: vgl. E. J. Lengeling, Eucharistiefeier, 133.

359 Vgl. den ausführlichen Kommentar von E. J. Lengeling, a.a.O., 126-138; vgl. auch A. Pistoia, Il "Prooemium" e le modifiche della "Institutio generalis", in: ELit 84 (1970) 241-248, hier 241-244.

360 Vgl. E. J. Lengeling, a.a.O., 138-151.

361 Vgl. ebd., 153-163.

Gegenwartsweisen des Herrn befassen. Die entscheidenden Artikel finden sich im zweiten Kapitel, das "Struktur, Elemente und Teile der Eucharistiefeier" behandelt.

Die liturgische Gegenwart des Herrn nach der ersten Fassung von Artikel 7 der "Allgemeinen Einführung" (1969)

Das zweite Kapitel beschreibt zunächst "die Grundstruktur der Meßfeier" (Nr. 7-8). Für unseren Zusammenhang ist besonders Artikel 7 über die liturgische Gegenwart des Herrn bedeutsam. Er wurde bei der Überarbeitung für die Ausgabe des Meßbuchs von 1970 stark verändert. Deshalb soll hier zunächst die ursprüngliche Fassung von 1969 untersucht werden[362]. Der Text hatte folgenden Wortlaut:

"Das Herrenmahl - die Messe - ist die heilige Versammlung des Volkes Gottes, die unter der Leitung des Priesters die Gedächtnisfeier des Herrn begeht. Von jeder so versammelten Gemeinde der heiligen Kirche gilt in besonderer Weise die Verheißung Christi: 'Wo zwei oder drei in meinem Namen versammelt sind, dort bin ich mitten unter ihnen' (Mt 18,20)"[363].

Folgendes ist zu diesem Artikel zu sagen:
- Der Text verzichtet auf eine Aufzählung der einzelnen Gegenwartsweisen; er nennt lediglich die grundlegende Weise der Gegenwart des Herrn in der versammelten Gemeinde. Die einzelnen spezifischen Gegenwartsweisen werden je an ihrer Stelle genannt[364]. Damit setzt sich eine Linie fort, die in der Liturgiekonstitution angedeutet[365] und in der Eucharistie-Instruk-

---

362 Der lat. und deutsche Text der ursprünglichen Fassung findet sich in: NK 19 (1970); vgl. auch E. J. Lengeling, a.a.O., 166. Bei Kaczynski ist die lat. Fassung in Fußnote "j", S. 476, zu finden.
363 IGMR 7 (1969): "Cena dominica sive Missa est sacra synaxis seu congregatio populi Dei in unum convenientis, sacerdote praeside, ad memoriale Domini celebrandum (cf. PO 5; SC 33). Quare de sanctae Ecclesiae locali congregatione eminenter valet promissio Christi: 'Ubi sunt duo vel tres congregati in nomine meo, ibi sum in medio eorum' (Mt. 18,20)".
364 Vgl. IGMR 9, 33, 35 (Wort); 10, 48, 60 (Priester); 48, 55, 56, 241 (eucharistische Gestalten).
365 Vgl. oben, S. 293-296

tion von 1967 ausgebaut ist[366]: Die Gegenwart Jesu Christi in
der liturgischen Versammlung des Volkes Gottes ist die Basis,
aus der sich alle spezifischen Gegenwartsweisen des Herrn entfalten
- Allgemeinster Inhalt der Eucharistiefeier ist "die Gedächtnisfeier des Herrn". Dieser Ausdruck erweist sich damit nochmals als der zentrale Begriff, in dem die verschiedenen Aspekte der Eucharistiefeier zusammengefaßt sind. '
- Die "heilige Versammlung des Volkes Gottes" wird überaus
stark betont. Dem zusammenfassenden deutschen Ausdruck entsprechen im Originaltext drei Begriffe: *"synaxis"*, *"congregatio"*
und *"in unum convenire"*[367].
- Zur Konstituierung der "heiligen Versammlung des Volkes Gottes" gehört die Leitung durch den Priester. Damit wird die
Funktion des Priesters, die in Artikel 7 der Liturgiekonstitution und in Artikel 9 der Eucharistie-Instruktion dem eucharistischen Opfer im spezifischen Sinn zugeordnet war[368], in Artikel 55 dieser Instruktion aber zwischen Wortverkündigung und
eucharistischer Realpräsenz zu stehen kam[369], nun als Konstitutivum der liturgischen Versammlung insgesamt genannt.
- Die "heilige Versammlung des Volkes Gottes" wird als "örtli-
che Versammlung der heiligen Kirche" verstanden[370]. Damit wird
der konziliare Gedanke aufgenommen, daß die grundlegende Gegenwart des Herrn der um den Altar versammelten Ortsgemeinde verheißen ist, in der die gesamte Kirche ihre deutlichste Manifestation findet[371].
- Die Messe wird nicht primär als Gedächtnisfeier des Herrn
bezeichnet, sondern primär als Versammlung, welche diese Gedächtnisfeier begeht. Diese mißverständliche Formulierung wurde zum Anlaß heftiger Kritik[372].

---

366 Vgl. oben, S. 657-660.
367 Vgl. den Text, oben, S. 666, Anm. 363. Zum Inhalt der einzelnen Be-
     griffe vgl. E. J. Lengeling, a.a.O., 166.
368 Vgl. oben, S. 652.
369 Vgl. oben, S. 656 f.
370 Die Übersetzung mit "versammelte Gemeinde" meint dasselbe, macht es
     aber nicht so deutlich.
371 Vgl. oben, S. 291-294 und 602 f.
372 Vgl. E. J. Lengeling, a.a.O., 166 f.

Die Neufassung der "Allgemeinen Einführung" von 1970 sollte
die in der Kritik deutlich gewordenen Verständnisschwierigkei-
ten durch klarere Formulierungen überwinden helfen. Ihre Verfasser beabsichtigten jedoch nicht, solche Einwände zu berücksichtigen, die nur aus unbegründeten Vorurteilen stammten[373].
Sie bestanden darauf, daß auch der ursprüngliche Text in seinen Lehraussagen keine Irrtümer enthalten habe[374], wenn er
auch durch manche Veränderungen unmißverständlicher formuliert
werden konnte[375].

Die umfassendsten Veränderungen wurden an dem am heftigsten
kritisierten Artikel 7 vorgenommen[376]. Er wurde "ganz neu gefaßt, damit jene Wahrheiten deutlicher zum Ausdruck kommen,
die von der göttlichen Offenbarung und von der Tradition und
dem Lehramt der Kirche stets vorgelegt wurden und direkt das
eucharistische Mysterium betreffen: das wahre Opfer, das sakramentale Wesen des amtlichen Priestertums und die Realpräsenz"[377].

Der neuen Textfassung ging eine erste Neuformulierung voraus,
die sich aber nur durch drei Worte vom endgültigen Text unterscheidet[378]. Darauf soll an gegebener Stelle hingewiesen werden. In seiner definitiven Fassung hat Artikel 7 folgenden
Wortlaut:

---

373 Vgl. G. Pasqualetti/ S. Bianchi, Variationes in "Institutionem generalem Missalis Romani" inductae, in: Notitiae 6 (1970) 177-193, hier 177:
"Quaedam vero obiurgationes factae sunt ex praeconcepta oppositione ad
cuiusvis generis novitates, et ideo necessarium visum non est eas considerare, cum omni fundamento careant".
374 Vgl. ebd.: "... nec ullus deprehensus est error doctrinalis".
375 Vgl. ebd.: "Quaedam puncta non omnino clara apparuerunt ...".
376 Vgl. E. J. Lengeling, a.a.O., 166 f. Hier wiederholte sich der schon
bei der Diskussion von SC 7 zu beobachtende Vorgang.
377 G. Pasqualetti/ S. Bianchi, a.a.O., 178: "Hic numerus 7 totus refectus
est, ut clarius appareant illae veritates, quae a divina revelatione,
Ecclesiae traditione et magisterio, semper propositae sunt et directe
respiciunt mysterium eucharisticum: nempe veritas sacrificii, natura
sacramentalis sacerdotii ministerialis et realis praesentia".
378 Vgl. den Text der ersten Neuformulierung bei E. J. Lengeling, a.a.O.,
167 f.

"In der Messe, dem Herrenmahl, wird das Volk Gottes zu einer Gemeinschaft unter dem Vorsitz des Priesters, der Christus in seinem Tun repräsentiert, zusammengerufen, um die Gedächtnisfeier des Herrn, das eucharistische Opfer zu begehen [379]. Deshalb gilt für diese Versammlung der Kirche an einem Ort ganz besonders die Verheißung Christi: 'Wo zwei oder drei in meinem Namen versammelt sind, da bin ich mitten unter ihnen' (Mt 18, 20). In der Meßfeier, die das Kreuzesopfer Christi zu allen Zeiten vergegenwärtigt [380], ist Christus wirklich gegenwärtig in der Gemeinde, die sich in seinem Namen versammelt, in der Person des Amtsträgers, in seinem Wort sowie wesenhaft und fortdauernd unter den eucharistischen Gestalten [381]" [382].

Folgendes soll an diesem Text hervorgehoben werden:
- Die ursprüngliche Formulierung wurde im Grundsatz beibehalten; sie wird ergänzt durch Hinweise auf die Christus-Repräsentation des Priesters und das eucharistische Opfer.
- An den ursprünglichen Text wurde eine knapp formulierte Aufzählung der verschiedenen Gegenwartsweisen angefügt. Sie entspricht weitgehend der Formulierung von Artikel 55 der Eucharistie-Instruktion, enthält aber zusätzlich einen Hinweis auf die Fortdauer des Kreuzesopfers im Meßopfer sowie auf die besondere Qualifikation der Gegenwart unter den eucharistischen

379 Anm. 13 im Text: "Vgl. II. Vatikanisches Konzil, Dekret über Leben und Dienst (sic!) der Priester Art. 5; Liturgiekonstitution Art. 33".
380 Anm. 14 im Text: "Vgl. Konzil von Trient, 22. Sitzung, Kap. 1: DS 1740; Paul VI., Feierliches Glaubensbekenntnis vom 30.6.1968, Nr. 24: AAS 60 (1968), S. 442".
381 Anm. 15 im Text: "Vgl. II. Vatikanisches Konzil, Liturgiekonstitution Art. 7; Paul VI., Enzyklika "Mysterium Fidei" vom 3.9.1965: AAS 57 (1965), S. 764; Ritenkongregation, Instruction "Eucharisticum mysterium" vom 25.5.1967, Nr. 9: AAS 59 (1967), S. 547".
382 IGMR 7: "In Missa seu Cena dominica populus Dei in unum convocatur, sacerdote praeside personamque Christi gerente, ad memoriale Domini seu sacrificium eucharisticum celebrandum (Anm. 13: s. oben, Anm. 379). Quare de huiusmodi sanctae Ecclesiae coadunatione locali eminenter valet promissio Christi: 'Ubi sunt duo vel tres congregati in nomine meo, ibi sum in medio eorum' (Mt. 18,20). In Missae enim celebratione, in qua sacrificium crucis perpetuatur (Anm. 14: s. Anm. 380), Christus realiter praesens adest in ipso coetu in suo nomine congregato, in persona ministri, in verbo suo, et quidem substantialiter et continenter sub speciebus eucharisticis (Anm. 15: s. Anm. 381)".

Gestalten.

- Messe, Herrenmahl, Gedächtnisfeier des Herrn und eucharistisches Opfer werden sprachlich einander zugeordnet. Diese verschiedenen Begriffe erscheinen als verschiedene Aspekte derselben Sache [383], wie es der Lehre der Liturgiekonstitution und
der Eucharistie-Instruktion entspricht [384].

- Das Volk Gottes "wird zusammengerufen", während es in der
ersten Neuformulierung hieß: es "versammelt sich" [385]. Im weiteren Text wird aber auch die Wendung "sich versammeln" gebraucht. Die Veränderung kann rein stilistischen Sinn haben;
in der ersten Neuformulierung war dreimal dasselbe Wort für
"versammeln" gebraucht worden, im endgültigen Text sind es
drei verschiedene Wörter [386]. Darüberhinaus klingt in der pas-
sivischen Verbform auch die hierarchische Führung des Volkes
an [387].

- Die Funktion des Priesters als konstitutives Element der li-
turgischen Versammlung wird näher qualifiziert: er führt an
Stelle der Person Jesu Christi, als sein Repräsentant, den
Vorsitz [388]. Zugleich wird damit die primäre Aktivität Jesu
Christi schon zur Konstitution der liturgischen Versammlung
angedeutet.

- Bei der Aufzählung der verschiedenen Gegenwartsweisen setzt
der Text neu an, indem er nochmals die Meßfeier nennt, diesmal
nicht unter dem Aspekt der liturgischen Versammlung, sondern

---

383 Vgl. G. Pasqualetti/ S. Bianchi, a.a.O. (S. 668, Anm. 373), 178: "Cena
   dominica, sacrificium eucharisticum et memoriale Domini, quamvis sub
   aspectu diverso, eandem realitatem Missae constituunt".
384 Vgl. oben, S. 650 f.
385 Vgl. E. J. Lengeling, a.a.O., 167: "In Missa seu Cena Domini populus
   Dei in unum congregatur ...".
386 Vgl. die erste Neuformulierung, ebd.: "congregatur", "Congregatione",
   "congregati", mit dem endgültigen Text: "convocatur","coadunatione",
   "congregato".
387 So E. J. Lengeling, a.a.O., 168.
388 Die deutsche Übersetzung gibt die Wendung "personam Christi gerere"
   interpretierend wieder, wenn sie formuliert: "der Christus in seinem
   Tun repräsentiert". Sie entspricht damit der Forderung von P. J. Cordes, Sendung zum Dienst, 191, "daß die angesetzte Gegenwart Christi
   ausschließlich handlungsbezogen" verstanden werden muß (s. S. 411, Anm.
   240). Diese Übersetzung entspricht wohl dem Sinn der Wendung an dieser
   Stelle, ist aber im Text nicht begründet.

als Repräsentation des Kreuzesopfers. Dieser Aspekt war im früheren Text nur in Artikel 259 ausdrücklich enthalten gewesen. Seine Erwähnung im lehrhaften Teil der "Allgemeinen Einführung" stellt eine echte und sachlich geforderte Ergänzung des ursprünglichen Textes dar [389].

- Die Gegenwart des Kreuzesopfers im Meßopfer wird mit der Wendung "fortdauern lassen" (*perpetuare*) aus der Liturgiekonstitution zum Ausdruck gebracht. Die erste Neuformulierung hatte hier "repräsentieren" (*repraesentatur*) [390]. Der endgültige Text vermeidet nach dem Beispiel der Liturgiekonstitution und der Eucharistie-Instruktion den herkömmlichen Begriff der Repräsentation, der die gemeinte Sache zwar genau wiedergibt, aber Mißverständnissen ausgesetzt ist [391]. Er bevorzugt den auch ökumenisch weniger belasteten Ausdruck "fortdauern lassen" [392].

- Vor die einzelnen Gegenwartsweisen setzt der Text den Hinweis, daß sie alle als "wirklich" (*realiter*) zu betrachten sind und nimmt damit in kürzester Form die entsprechende Aussage der Enzyklika "Mysterium fidei" auf, die auch in der Eucharistie-Instruktion zitiert worden war [393].

- Die Reihenfolge der Gegenwartsweisen geht, wie in der Eucharistie-Instruktion, von der 'Basis', der Gegenwart des Herrn

389 Vgl. A. Pistoia, a.a.O. (S. 665, Anm. 359), 245: "Un'ulteriore precisazione riguarda l'esplicitazione del rapporto tra sacrificio eucaristico e sacrificio della croce. A dire il vero, nella redazione precedente del documento si notava una lacuna a questo riguardo".
390 Vgl. E. J. Lengeling, a.a.O., 167.
391 Vgl. oben, S. 380-383.
392 E. J. Lengeling bedauert dies: vgl. a.a.O., 168. Er hält den Ausdruck "perpetuare" für mißverständlich, weil er der Einmaligkeit des Kreuzesopfers nicht so gut gerecht werde: vgl. ebd., 132. Das Konzil hatte diesen Ausdruck allerdings gerade gewählt, um die Einheit mit dem Kreuzesopfer anzuzeigen und nicht in die theologischen Auseinandersetzungen einzugreifen (vgl. S. 198, Anm. 288), wie auch Lengeling bemerkt: vgl. ebd., 133. - Immerhin ist festzustellen, daß das *Consilium* dem Ausdruck "perpetuare" den Vorzug gibt, und dies in einem Text, dessen Neuformulierung solchen Kritikern begegnen sollte, die gerade die tridentinische Ausdrucksweise gefordert hatten. "Perpetuare" schien dem *Consilium* offensichtlich weniger mißverständlich. - Die Übersetzung verwendet dennoch "vergegenwärtigen" statt "fortdauern lassen", wie es eigentlich heißen müßte.
393 Vgl. oben, S. 652.

in der Gemeinde, aus und führt zum 'Gipfel', seiner Gegenwart
unter den eucharistischen Gestalten. Der Text entspricht weitgehend dem in Artikel 55 der Eucharistie-Instruktion gebotenen,
vertauscht aber die Positionen von Gegenwart im Wort und Gegenwart im Priester. Damit wird die Gegenwart im Priester nochmals
in die Nähe der Gegenwart in der Gemeinde gebracht und der Eindruck vermieden, als bezöge sie sich nur auf die Konsekration.
- Die Gegenwart unter den eucharistischen Gestalten wird mit
der Wendung "wesenhaft und fortdauernd" qualifiziert, was eine
knappe Zusammenfassung der entsprechenden Ausführungen der Enzyklika "Mysterium fidei" darstellt, wie sie in die Eucharistie-Instruktion aufgenommen worden waren[394].
- Wie in der Liturgiekonstitution und der Eucharistie-Instruktion müssen die Gegenwartsweisen Jesu Christi als Weisen seiner gegenwärtigen Tätigkeit ausgelegt werden, was in der äus-
serst knappen Formulierung allerdings, wie gleichfalls in Artikel 55 der Eucharistie-Instruktion, im Text nicht zum Ausdruck kommt[395]. Dies hätte zumindest besser angedeutet werden
können, wenn der Ausdruck "fortdauern lassen" nicht passivisch
(*perpetuatur*), sondern wie in der Liturgiekonstitution aktivisch gebraucht worden wäre und so deutlicher Jesus Christus
als Subjekt vorausgesetzt hätte. Daß dies dem Sinn des Textes
besser entsprochen hätte, sollen die gleich noch anzuführenden
Formulierungen aus anderen Artikeln der "Allgemeinen Einführung" zeigen.

Die liturgische Gegenwart des Herrn nach weiteren Texten der
"Allgemeinen Einführung"

In der ersten Fassung der "Allgemeinen Einführung" war bei der
Darlegung der "Grundstruktur der Meßfeier" in Artikel 7 nur
die grundlegende Gegenwart des Herrn in der unter dem Vorsitz
des Priesters versammelten Gemeinde genannt, während die übrigen Gegenwartsweisen Jesu Christi an je ihrer Stelle bei der
Beschreibung der Teile der Meßfeier dargestellt wurden. Diese

---

394 Vgl. oben, S. 652-654.
395 Vgl. das oben, S. 656, unter der 3. Alinea zur Interpretation von Nr.
    55 der Eucharistie-Instruktion Gesagte.

über den Text der "Allgemeinen Einführung" verteilten Hinweise müssen deshalb zur Interpretation der nachträglich in kürzester Form in Artikel 7 zusammengefaßten Aufzählung der liturgischen Gegenwartsweisen des Herrn herangezogen werden.

In Artikel 28 wird formuliert: "Nach dem Gesang zum Einzug macht der Priester mit allen Gläubigen das Kreuzzeichen. Dann ruft er der versammelten Gemeinde durch den Gruß die Gegenwart des Herrn ins Bewußtsein. Durch diesen Gruß und die Antwort der Gemeinde wird das Gegenwärtigwerden des Mysteriums der Kirche in der feiernden Gemeinde zum Ausdruck gebracht" [396]. In diesem bemerkenswerten Text wird zunächst mit Artikel 7 die *Gegenwart des Herrn in der versammelten Gemeinde* gelehrt. Darüberhinaus wird jedoch auch der *dialogische Charakter* dieser Gegenwart angedeutet; im Zuruf des Priesters und in der Antwort der Gemeinde kommt sie zum Ausdruck. Beide zusammen konstituieren die Versammlung als Zeichen des gegenwärtigen Herrn.
Schließlich wird noch erklärt, daß so das *Mysterium der Kirche* in der feiernden Gemeinde zum Ausdruck kommt, womit gesagt ist, daß die konkrete liturgische Versammlung Manifestation des Mysteriums der Kirche ist, welches gerade in der Gegenwart des Herrn begründet ist. Hier liegt also eine knappe Zusammenfassung entscheidender liturgietheologischer Einsichten der Liturgiekonstitution vor [397].

Zur *Gegenwart des Herrn in der Person und im Dienst des Priesters* sind folgende Texte anzuführen: Artikel 10: "Diese Gebete (Hochgebet und Orationen) werden vom Priester, in dem Christus selbst der Gemeinde vorsteht, im Namen des ganzen heiligen Volkes und aller Anwesenden an Gott gerichtet (vgl. Litur-

---

396 IGMR 28: "Expleto cantu ad introitum, sacerdos et universus coetus signant se signo crucis. Deinde sacerdos communitati congregatae praesentiam Domini per salutationem significat. Qua salutatione et populi responsione manifestatur Ecclesiae congregatae mysterium".
397 Vgl. oben, S. 225-235 ("der Inhalt der Liturgie"), 283-296 ("die liturgische Versammlung als Subjekt der Liturgie"), 322-327 ("der dialogische Charakter der Gegenwart des Herrn").

giekonstitution Art 33)" [398].

Hier wird nicht nur, wie in Artikel 33 der Liturgiekonstitution, die doppelte Repräsentationsaufgabe des Priesters ausgesagt [399], sondern es wird darüberhinaus und deutlicher als in
der Liturgiekonstitution gelehrt, daß Jesus Christus nicht nur
in der Konsekration, sondern in der gesamten Meßfeier selbst
durch den Dienst des Priesters der Gemeinde vorsteht. Seine
Gegenwart im Priester ist also bei der ganzen Feier als gegenwärtige Tätigkeit zu verstehen.

Die Repräsentationsfunktion des Priesters kommt weiterhin in
Artikel 48 [400] und nochmals umfassend in Artikel 60 zum Aus-
druck. Dort heißt es: "Auch der Priester, der das Opfer in der
Gemeinschaft der Gläubigen kraft seines Amtes in der Person
Christi darbringt, steht der versammelten Gemeinde vor, leitet
ihr Gebet, verkündet ihr die Botschaft des Heils, vereint die
Gläubigen mit sich, wenn er dem Vater durch Christus im Heiligen Geist das Opfer darbringt, seinen Brüdern das Brot des
ewigen Lebens reicht und es mit ihnen teilt. Wenn er daher die
Eucharistie feiert, soll er Gott und der Gemeinde in Würde und
Demut dienen und durch sein Handeln wie auch durch sein Sprechen der liturgischen Texte den Gläubigen die lebendige Gegenwart Christi bewußt machen" [401].

Hier ist neben einer neuerlichen Hervorhebung der spezifischen
amtlichen Vollmacht, die im ursprünglichen Text nicht enthalten war [402], auch mit dem Gegenüber von Priester und Gemeinde

---

398 IGMR 10: "Hae preces a sacerdote, qui coetui personam Christi gerens
praeest, ad Deum diriguntur nomine totius plebis sanctae et omnium
circumstantium (cf. SC 33)".

399 Vgl. oben, S. 424-427.

400 Vgl. IGMR 48: "... cum sacerdos, Christum Dominum repraesentans, idem
perficit ...".

401 IGMR 60: "Etiam presbyter, qui in societate fidelium sacra Ordinis potestate pollet sacrificium in persona Christi offerendi (cf. PO 2; LG
28), exinde coetui congregato praeest, eius orationi praesidet, illi
nuntium salutis proclamat, populum sibi sociat in offerendo sacrificio
per Christum in Spiritu Sancto Deo Patri, fratribus suis panem vitae
aeterni dat, ipsumque cum illis participat. Cum igitur Eucharistiam
celebrat, debet Deo et populo cum dignitate et humilitate servire, et
in modo se gerendi et verba divina proferendi praesentiam vivam Christi fidelibus insinuare".

402 Vgl. den ursprünglichen Text bei Kaczynski, S. 492, Fußnote "kk", und

zugleich die Zugehörigkeit des Priesters zu ihr ausgesagt und
so die Verwurzelung des amtlichen im gemeinsamen Priestertum
angedeutet.

Die Gegenwart des Herrn in seinem Wort wird in folgenden Tex-
ten erläutert:
Artikel 9: "Wann immer in der Kirche die Heilige Schrift gele-
sen wird, spricht Gott selbst zu seinem Volk, und verkündet
Christus, gegenwärtig in seinem Wort, die Frohbotschaft" ...
Die Wirkkraft dieses Wortes "wird erhöht durch eine lebendige
Auslegung - die Homilie - die einen Teil des liturgischen Ge-
schehens bildet" [403].

Artikel 33: "In den Lesungen, die in der Homilie ausgedeutet
werden, spricht Gott zu seinem Volk, offenbart er das Erlö-
sungs- und Heilsmysterium und nährt er das Leben im Geist.
Christus selbst ist in seinem Wort inmitten der Gläubigen gegenwärtig. Dieses Wort macht sich die Gemeinde in den Gesängen
zu eigen ..." [404].

Artikel 35: "Die Gläubigen bezeugen in ihren Zurufen, daß
Christus (im Wort des Evangeliums) gegenwärtig ist und zu ihnen spricht" [405].

Diese Formulierungen nehmen nicht nur die Lehre der Liturgiekonstitution von der tätigen Gegenwart des Herrn als des primären Subjekts der liturgischen Verkündigung und vom dialogischen Charakter dieses Vorgangs in Wort und Antwort auf; sie
kennzeichnen darüberhinaus im Sinn der Liturgiekonstitution,
aber deutlicher als sie [406], die Predigt als Teil der liturgi-

---

die Kommentare zu diesen Änderungen von E. J. Lengeling, a.a.O., 251
f., und G. Pasqualetti/ S. Bianchi, a.a.O., 180 f.
403 IGMR 9: "Cum sacrae Scripturae in Ecclesia leguntur, Deus ipse ad populum suum loquitur et Christus, praesens in verbo suo, Evangelium annuntiat ... eius tamen efficacitas expositione viva, idest homilia,
utpote parte actionis liturgicae (cf. SC 7, 33, 52), augetur".
404 IGMR 33: "Nam in lectionibus, quas homilia exponit, Deus populum suum
alloquitur (cf. SC 33), mysterium redemptionis et salutis patefacit,
atque nutrimentum spiritale offert; et ipse Christus per verbum suum
in medio fidelium praesens adest (cf. SC 7). Hoc verbum divinum populus suum facit cantibus ...".
405 IGMR 35: "Sive ex parte fidelium, qui per acclamationes Christum praesentem agnoscunt et profitentur ...".
406 Vgl. oben, S. 520-533.

schen Verkündigung und damit als Weise des Sprechens Jesu
Christi.

Für die Lehre von der *Gegenwart des Herrn unter den euchari-
stischen Gestalten* sind schließlich noch folgende Texte heranzuziehen:
Artikel 48,3: "Im Teilen des einen Brotes wird die Einheit der
Gläubigen kundgetan und in der Kommunion empfangen sie den
Leib und das Blut des Herrn wie einst die Apostel aus Christi
Hand" [407].
Artikel 241: "Vor allem sollen sie (die Seelsorger) darauf
hinweisen, daß nach katholischer Lehre Christus ganz und unge-
teilt, das wahre Sakrament unter jeder der beiden Gestalten
empfangen wird" [408].
Weitere Hinweise finden sich in Artikel 55 und 56. Sie brauchen hier nicht eigens zitiert zu werden. Bemerkenswert an der
Formulierung von Artikel 48 ist, daß hier Jesus Christus auch
als der eigentliche Ausspender der heiligen Kommunion genannt
wird, was in den bisherigen Dokumenten so noch nicht vorkam.
Damit erscheint auch die substantiale Realpräsenz des Herrn in
den eucharistischen Gestalten als eine alle übrigen Formen
überbietende Weise seiner Aktualpräsenz, indem er hier nicht
nur etwas sagt oder tut, sondern sich selbst seiner ganzen
Wirklichkeit nach in Gestalt der eucharistischen Speise den
Gläubigen hingibt.

*Der systematische Beitrag der "Allgemeinen Einführung" zur
Lehre von der liturgischen Gegenwart des Herrn*

Die "Allgemeine Einführung" nimmt, wie schon die Eucharistie-
Instruktion von 1967, die konziliare Lehre von der liturgischen Gegenwart des Herrn uneingeschränkt auf. Sie vollzieht
aber auch gegenüber der Eucharistie-Instruktion nochmals einen

---

407 IGMR 48,3: "Per fractionem unius panis unitas fidelium manifestatur,
  et per Communionem fideles accipiunt Corpus et Sanguinem Domini eodem
  modo ac Apostoli de manibus ipsius Christi".
408 IGMR 241: "In primis christifideles moneant fidem catholicam docere
  etiam sub altera tantum specie totum atque integrum Christum verumque
  sacramentum sumi ...".

676

weiteren Schritt zur theologischen Klärung und Entfaltung dieser Lehre. Noch deutlicher wird den einzelnen liturgischen Gegenwartsweisen des Herrn seine primäre Gegenwart in der liturgischen Gemeinde vorangestellt. Die Wirklichkeit der liturgischen Versammlung bekommt eine weitere theologische Deutung, die bisher noch nicht explizit formuliert war: Die gottesdienstliche Gemeinde wird als solche durch das Gegenüber von Gemeinde und Priester konstituiert, wobei der Priester diese grundlegende Funktion schon in der Rolle Jesu Christi ausübt. In der in diesem Sinn präziser erklärten Versammlung entfalten sich nacheinander, aber immer im selben Gesamtzusammenhang, die verschiedenen Gegenwartsweisen.

Im einzelnen wird der dialogische Charakter der Liturgie, das Eingebundensein des priesterlichen Dienstamtes in das gemeinsame Priestertum, sowie die Homilie als integrierender Bestandteil der als Wort Gottes zu qualifizierenden liturgischen Verkündigung verdeutlicht. Die substantiale Realpräsenz des Herrn wird auch hier, wie schon in der Eucharistie-Instruktion, nicht als isolierte, in sich stehende Wirklichkeit betrachtet, sondern unter dem Aspekt der Kommunion vorgestellt, womit ihre wesentliche dialogische Bezogenheit auf die kommunizierende Gemeinde ausgesagt ist.

Zu einer Reihe von weiteren Themen bietet die "Allgemeine Einführung" bemerkenswerte Hinweise, beispielsweise zur Lehre vom gemeinsamen Priestertum aller Gläubigen und ihrer tätigen Teilnahme an der Liturgie, zur Zusammengehörigkeit von Wort und Sakrament, zur Repräsentation des Kreuzesopfers im Meßopfer, zur Bedeutung der Ortsgemeinde als Manifestation der Gesamtkirche usw. Diese Themen wären zur weiteren Klärung der Voraussetzungen für die liturgische Gegenwart des Herrn zu bedenken; sei können jedoch in diesem Kapitel nicht mehr erörtert werden, das sich auf die Darstellung der liturgischen Gegenwartsweisen des Herrn selbst beschränkt.

Schließlich muß noch erwähnt werden, daß auch die "Allgemeine Einführung in das Römische Meßbuch" die pneumatologische Dimension der Liturgie fast völlig außer acht läßt. In den beiden ersten liturgietheologisch besonders wichtigen Kapiteln

677

(Nr. 1-57) wird der Heilige Geist lediglich an einer Stelle erwähnt: bei der Beschreibung des trinitarischen Schlusses im Tagesgebet der Messe (Nr. 32). Nicht einmal bei der Beschreibung der Epiklese innerhalb des Hochgebetes wird der Heilige Geist genannt; dort ist vielmehr Von "Gottes Kraft" die Rede, die zur Heiligung der Gaben erbeten wird (Nr. 55 c) [409].

5.2.6. Weitere Texte aus nachkonziliaren Dokumenten zur Lehre über die liturgische Gegenwart des Herrn

In der Fülle der nachkonziliaren Dokumente zu liturgischen Fragen findet sich lediglich noch ein Text, der die verschiedenen liturgischen Gegenwartsweisen zusammenfassend darstellt. Er steht in der "Allgemeinen Einführung" zum Ritus der "Kommunionspendung und Eucharistieverehrung außerhalb der Messe" (Nr. 6) und hat folgenden Wortlaut [410]:

"Bei der Feier der heiligen Messe werden die hauptsächlichen Weisen, in denen Christus seiner Kirche gegenwärtig ist, stufenweise sichtbar: Zunächst ist er gegenwärtig schon in der Gemeinde der Gläubigen, die in seinem Namen zusammenkommen; dann in seinem Wort, wenn die Schrift in der Kirche gelesen und ausgelegt wird, ebenso in der Person des Priesters; schließlich vor allem unter den eucharistischen Gestalten. In der Tat ist im Sakrament der Eucharistie Christus in einzigartiger Weise ganz und unversehrt zugegen als Gott und Mensch, wesenhaft und dauernd. Diese Gegenwart Christi unter den Gestalten 'wird wirklich genannt, nicht in ausschließlichem Sinn, als ob die anderen Gegenwartsweisen nicht wirklich wären, sondern in hervorhebendem Sinn'" [411].

---

409 Hier bleibt die "Allgemeine Einführung" auch hinter den neuen Hochgebeten zurück, in Bezug auf die B. Fischer, a.a.O. (S. 662, Anm. 340), 6 f., von einem "Durchstoß zum Thema 'Heiliger Geist'" spricht.
410 Der Text wird nach der deutschen Studienausgabe zitiert: vgl. die Angaben, oben, S. 634 f., Anm. 257; künftig zitiert: Eucharistie-Verehrung mit Angabe der Artikelnummer.
411 Der lat. Text (s. S. 634, Anm. 256) findet sich bei Kaczynski, S. 953,

Dieser Text übernimmt mit unerheblichen stilistischen Änderungen die Formulierung von Artikel 55 der Eucharistie-Instruktion von 1967 [412] und ergänzt sie durch die in Artikel 9 derselben Instruktion enthaltene Hervorhebung der substantialen Realpräsenz [413], was durch die Zielsetzung eines Dokumentes über die Verehrung der Eucharistie außerhalb der Messe wohl begründet ist.

Da der Text keine neuen Gesichtspunkte erbringt, braucht er nicht weiter erörtert zu werden.

In den übrigen nachkonziliaren Dokumenten zu liturgischen Fragen finden sich lediglich noch einzelne Hinweise, die zur Klärung des Sinnes der verschiedenen Gegenwartsweisen des Herrn je für sich beitragen können. Ohne Anspruch auf Vollständigkeit sollen nun noch einige solche Texte zusammengestellt werden [414]. Sie werden hier nach den hauptsächlichen liturgischen Feiern geordnet, der Feier der Messe, der Sakramente und des Stundengebetes.

Die Gegenwart des Herrn in der Liturgie

Jesus Christus vollzieht in der gesamten Liturgie seinen priesterlichen Dienst zum Heil der Menschen und zur Ehre Gottes. Diese konziliare Grundaussage [415] nimmt Paul VI. in einer Ansprache an die Mitglieder des *Consilium* (1966) in anderer Weise auf, wenn er die Liturgie als "Epiphanie", als "Kundmachung Christi" bezeichnet, eine Kundmachung, "welche die Liturgie durch ihre Worte, ihre Sakramente, ihr Priestertum so gestal-

---

Abschnitt 3067: "In celebratione Missae praecipui illi modi quibus Christus praesens adest in Ecclesia sua gradatim clarescunt, quatenus primo praesens adest in ipso coetu fidelium, in suo nomine congregato; deinde vero in verbo suo, cum Scriptura in Ecclesia legitur et explanatur; necnon in persona ministri; demum ac quidem maxime, sub speciebus eucharisticis. Etenim in Eucharistiae sacramento, modo omnino singulari, adest totus et integer Christus, Deus et homo, substantialiter et continenter. Quae praesentia Christi sub speciebus 'realis dicitur non per exclusionem, quasi aliae reales non sint, sed per excellentiam' (cf. MF; EM 9)".

412 Vgl. den Text, oben, S. 655.
413 Vgl. den Text, oben, S. 652.
414 Eine wertvolle Hilfe bietet dabei das hervorragende Register bei Kaczynski, S. 999-1222 ("Index rerum analyticus").
415 Vgl. oben, S. 222-224 und 588 f.

tet, daß die Seelen der Gläubigen sie beinahe sinnenfällig erfassen können und lebendig in sich erfahren"[416].

Die "Instruktion über die liturgische Bildung in den Seminarien" (1979)[417] faßt in ihrer Aufstellung der Themen für die liturgische Bildung der Alumnen[418] das Wesen der Liturgie zusammen. Dort heißt es: "Indem die Kirche die Gegenwart Christi vor allem in der Liturgie bekennt", predigt sie und feiert die Eucharistie und die Sakramente[419]. Die Alumnen sollen lernen, "daß die Liturgie als Vollzug des Priesteramtes Christi eine doppelte Bewegung umfaßt: von Gott zu den Menschen, damit deren Heiligung bewirkt wird, und von den Menschen zu Gott, damit ihm im Geist und in der Wahrheit die Anbetung dargebracht wird"[420].

Diese Manifestation Jesu Christi und seines Heilswerks in der Liturgie geschieht grundlegend in der liturgischen Versammlung. Das Apostolische Schreiben Pauls VI. "Evangelii nuntiandi" erwartet von der Predigt, daß sie dazu führt, daß "die versammelte Gemeinde der Gläubigen eine österliche Kirche sei, welche das Fest des mitten unter ihnen anwesenden Herrn feiert"[421].

---

416 Vgl. Paul VI., Ansprache an das *Consilium* (13.10.1966), in: AAS 58 (1966) 1145–1150, hier 1149 (= Kaczynski, S. 253, Abschnitt 690): "... de utilitate loquimur, quae opere vestro accedit illi epiphaniae seu manifestationi Christi, quam Liturgia verbis, sacramentis, sacerdotio talem efficit, ut ab animis credentium quasi sensibus percipi possit, et quam in iisdem vivacem reddit"; deutsch in: LJ 17 (1967) 53–56, hier 56.

417 Kongregation für die katholische Erziehung, Instructio de institutione liturgica in Seminariis (3.6.1979), in: Notitiae 15 (1979) 526–549.

418 Vgl. ebd., 549–565: Appendix: "Elenchus quaestionum quae in institutione liturgica alumnorum Seminarii tractanda videntur".

419 Ebd., 552, Art. I, Nr. 9c: "Christi praesentiam in sacra liturgia agnoscens" predigt die Kirche und feiert sie die Eucharistie und die Sakramente (Übersetzung von mir).

420 Ebd., 553, Art. I, Nr. 9e: "... liturgiam, utpote quae sit sacerdotalis muneris Christi exercitatio, duplicem motum complecti: tum a Deo ad homines, ut eorum sanctificatio efficiatur, tum ab hominibus ad Deum, ut ipsi in spiritu et veritate adoratio praestetur" (Übersetzung von mir).

421 Paul VI., Apostolisches Schreiben über die Evangelisierung in der Welt von heute: "Evangelii nuntiandi" (8.12.1975), in: AAS , hier zit. nach der lat.-deutschen Ausgabe in: NK 7 (1976) 32–195, hier 98/99 (Nr. 43): "Ab ea (praedicatione) enim fideles, coadunati ut Ecclesiam paschalem efforment, quae festum Domini in medio eorum adstantis celebrat, multum sibi exspectant laetosque fructus percipiunt".

Die gottesdienstliche Gemeinde wird unter der hierarchischen
Führung des Amtsträgers, der Jesus Christus darstellt, zum
wirksamen Zeichen der Einheit Jesu Christi mit der Kirche und
der Menschen untereinander, wie das die Kirche als ganze ist[422].
Dazu ist Jesus Christus in jeder liturgischen Versammlung, die
unter der Leitung des Bischofs oder, in seiner Vertretung, des
Priesters steht, gegenwärtig [423]. Durch den Dienst des Amtsträgers steht er selbst der Gemeinde vor[424].
Dies drückt die "Instruktion für die Meßfeier in Sondergruppen"
(1969) so aus: "Unter dem Vorsitz dessen, der von Gott bevoll-
mächtigt ist, das Volk Gottes zu versammeln, zu leiten, zu un-
terweisen und zu heiligen, ist nämlich die liturgische Versammlung Zeichen und Werkzeug für die Einheit aller Menschen und
vor allem der Kirche mit Christus (vgl. LG 1; SC 83)"[425].

Die Gegenwart des Herrn in der Eucharistiefeier

Was für die Liturgie insgesamt gilt, "wird vor allem in der
gemeinsamen Feier der Eucharistie bewirkt und bezeichnet"[426].
In ihr bringt sich Christus "dem Vater für uns als Opfer"[427]
dar. Sie ist aber "nicht nur ein Handeln Christi, sondern auch
der Kirche"[428], "Werk Christi und des hierarchisch gegliede-
ten Volkes Gottes"[429].

---

422 Vgl. oben, S. 287-290 und 602 f.
423 Vgl. EM 7, 9 (s. S. 652 f., Anm. 314), 55 (s. S. 655, Anm. 318); IGMR
   7 (s. S. 669, Anm. 382), 28 (s. S. 673, Anm. 396); Eucharistie-Verehrung, Einführung (s. S. 678, Anm. 411).
424 Vgl. IGMR 10 (s. S. 674, Anm. 398).
425 Kongregation für den Gottesdienst, Instructio de Missis pro coetibus
   particularibus: "Actio pastoralis" (15.5.1969), in: AAS 61 (1969) 806
   bis 811, hier 806 (= Kaczynski, S. 573, Abschn. 1843): "Coetus enim liturgicus, cui praeest qui populum Dei potestate convocandi, regendi,
   docendi, ac sanctificandi fruitur, signum et instrumentum est totius
   generis humani unitatis, imprimis quidem Ecclesiae cum Christo (cf. LG
   1; SC 83)"; deutsch in: E. J. Lengeling, Eucharistiefeier, 42-47, h. 43.
426 Ebd.: "Quod vere in communi Eucharistiae celebratione efficitur et exprimitur ...".
427 EM 3b: "Participatio vero Cenae dominicae semper est communio cum
   Christo sese Patri pro nobis in sacrificium offerente".
428 EM 3c: "Celebratio eucharistica, quae fit in Missa, est actio non solum Christi, sed etiam Ecclesiae".
429 IGMR 1: "Celebratio Missae, ut actio Christi et populi Dei hierarchice
   ordinati ..."; vgl. auch IGMR 4.

In den deutschen Richtlinien für Gruppenmessen wird entsprechend gesagt, daß "in der Eucharistiefeier das Heilshandeln Christi gegenwärtig wird, ... der selbst inmitten der Seinen als ihr Haupt gegenwärtig ist und sie in sein Tun miteinbezieht". Seine Gegenwart "als Haupt der Gemeinde findet ihren besonderen Ausdruck im unvertretbaren Dienst des Priesters, der den Vorsitz führt und das Handeln Christi zum Ausdruck bringt" [430].

In seinen Amtsgebeten bei der Meßfeier vertritt der Priester Jesus Christus und betet im Namen des Volkes [431]. "In besonderer Weise" handelt er beim Meßopfer "an Christi statt" [432], wenn er "in der Person Christi das Opfer darbringt" [433], womit zum Ausdruck kommt, daß Jesus Christus selbst in der Person des Priesters gegenwärtig ist [434] und sich durch dessen Dienst darbringt [435].

Das gilt auch für die Konzelebration, in welcher "mehrere Priester kraft desselben Priestertums und in der Person des Hohenpriesters gleichzeitig mit einem Willen und einer Stimme handeln und das eine Opfer in einem einzigen sakramentalen Akt gemeinsam vollziehen, darbringen und daran teilnehmen" [436].

In den *Schriftlesungen* der Meßfeier ist Jesus Christus gegenwärtig [437] und spricht selbst zu seinem Volk [438]. Dies gilt auch

---

430 Richtlinien der Deutschen Bischofskonferenz für Meßfeiern kleiner Gruppen (Gruppenmessen) (24.9.1970), in: NK 31 (1972) 54-64, hier 55.
431 Vgl. IGMR 10 (s. S. 674, Anm. 398).
432 Vgl. EM 43.
433 Vgl. IGMR, Vorwort, 4; vgl. IGMR 60.
434 Vgl. EM 9, 55; IGMR 7; Eucharistie-Verehrung 6.
435 Vgl. EM 9.
436 Vgl. Ritenkongregation, Dekret zum Ritus der Konzelebration und der Kommunion unter beiden Gestalten (7.3.1965), in: AAS 57 (1965) 410-412, hier 411 (= Kaczynski, S. 124, Abschnitt 389): "Nam in hac ratione Missam celebrandi plures sacerdotes, in virtute eiusdem Sacerdotii et in persona Summi Sacerdotis simul una voluntate et una voce agunt, atque unicum Sacrificium unico actu sacramentali simul conficiunt et offerunt, idemque simul participant" (Übersetzung von mir).
437 Vgl. außer den besprochenen Dokumenten noch Kaczynski, S. 579 f., Abschnitt 1860 (Leseordnung), und S. 978, Abschnitt 3159 (Kindermessen), wo jeweils frühere Texte zitiert werden.
438 Vgl. außer den besprochenen Dokumenten noch Kaczynski, S. 81, Abschn. 301 (Ansprache Pauls VI.), S. 706, Abschnitt 2175 (3. Instruktion), wo jeweils frühere Texte zitiert werden.

für die Homilie als Auslegung der Lesungen [439]. Sie hat nach
dem Apostolischen Schreiben "Evangelii nuntiandi" innerhalb
der Messe einen besonderen Rang: "Diese Predigt, die in besonderer Weise in die eucharistische Feier eingefügt ist - von
der sie selbst verstärkte Macht und Kraft erhält -, nimmt in
der Evangelisierung ganz sicher einen vorrangigen Platz ein"[440].

Aber nicht nur in Schriftlesung und Predigt spricht Jesus
Christus selbst, sondern auch in allen übrigen liturgischen
Texten, wie die Instruktion des *Consilium* über die Interpreta-
tion liturgischer Texte (1969) sagt: "Für die Gläubigen, wel-
che die Liturgie feiern, ist das (liturgische) Wort gleichzei-
tig ein Mysterium: vermittels der vorgetragenen Worte spricht
Christus selbst zu seinem Volk, und das Volk antwortet seinem
Herrn; die Kirche spricht zum Herrn und bringt die Stimme des
Geistes, der sie belebt, zum Ausdruck" [441].

Im *Opfer der Messe*, das Jesus Christus eingesetzt hat [442], ist
er selbst gegenwärtig [443] "und wird als 'Opfer unserer Versöh-

---

439 Vgl. IGMR 33 (s. S. 675, Anm. 404) und Kaczynski, S. 579, Abschnitt
1860 (Leseordnung). Vgl. dazu auch F. Merkel, Fünfzehn Jahre römisch-
katholischer Liturgiereform, in: LJ 29 (1979) 129-142, hier 140-142,
der diesen Aspekt aus protestantischer Sicht besonders heraushebt.

440 Paul VI., Apostolisches Schreiben "Evangelii nuntiandi", a.a.O. (S.
680, Anm. 421), 98/99 (Nr. 43): "Haec eadem praedicatio, singulari modo in eucharisticam celebrationem inserta, ad quam apparandam directe
ac proxime spectat (dieser Hinweis, daß die Predigt primär zur Vorbereitung auf die eucharistische Feier dient, fehlt in der deutschen
Übersetzung), undequa peculiarem vim ac firmitatem haurit, nihil est
dubii, quin praecipuum munus in evangelizatione expleat".

441 *Consilium*, Instructio de interpretatione textuum liturgicorum (25.1.
1969), in: Notitiae 5 (1969) 3-12, hier 4 (= Kaczynski, S. 422, Abschnitt 1204): "Mais pour les croyants qui célèbrent la liturgie, la
parole (du texte liturgique) est en même temps mystère: à travers les
mots prononcés, c'est le Christ lui-même qui parle à son peuple, et le
peuple répond à son Seigneur; c'est l'Église qui parle au Seigneur et
exprime la voix de l'Esprit qui l'anime" (der Text ist im Original
französisch; die Übersetzung von mir).

442 Vgl. Kaczynski, S. 639, Abschnitt 2002 (Ansprache Pauls VI., 19.9.
1969); IGMR, Vorwort 1.

443 Vgl. Kongregation für den Gottesdienst, Instructio de modo sanctam
communionem ministrandi: "Memoriale Domini" (29.5.1969), in: AAS 61
(1969) 541-545, hier 541 (= Kaczynski, S. 596, Abschnitt 1892): "Memoriale Domini celebrans, Ecclesia ipso ritu testatur fidem et adoratio-

nung' dargebracht, damit wir durch seinen Heiligen Geist 'zur Einheit zusammengeführt werden'" [444].

Das Meßopfer läßt das Kreuzesopfer fortdauern [445]. Das Kreuzesopfer wird im Meßopfer sakramental erneuert [446]; es wird darin gegenwärtig gemacht [447]. Die vielen Messen vergegenwärtigen stets nur das eine Opfer Jesu Christi, indem sie Gedächtnisfeier seines Opfers sind [448].

Dies muß aber so verstanden werden, daß Jesus Christus selbst es ist, der durch den Dienst des Priesters sein Kreuzesopfer im Meßopfer fortdauern läßt und sich so dem Vater zum Heil der Welt darbringt [449]. Deshalb ist nach dem katechetischen Direktorium von 1971 das Meßopfer "nicht nur ein Gedächtnisritus eines vergangenen Opfers. In ihm läßt nämlich Christus die Jahrhunderte hindurch das Kreuzesopfer durch den Dienst der Priester auf unblutige Weise fortdauern und ernährt die Gläubigen mit sich selbst, dem Brot des Lebens" [450].

---

nem Christi qui in sacrificio praesens est ...".

444 Die Feier der Buße, a.a.O. (S. 634 f., Anm. 257), Pastorale Einführung, Nr. 2,2 (= Kaczynski, S. 983, Abschnitt 3247): "In Eucharistia enim Christus adest et offertur ut 'Hostia nostrae reconciliationis' (Miss. Rom., Prex euch. II))".

445 Vgl. EM 3a (s. S. 650, Anm. 308); IGMR 7 (s. S. 669, Anm. 382); Eucharistie-Verehrung 15 (= Kaczynski, S. 955, Abschnitt 3076): "Sedulo doceantur fideles se ... intime uniri cum sacrificio, quo sacrificium crucis perpetuatur ...".

446 Vgl. S. 664 f., Anm. 358.

447 Vgl. IGMR 48: "In Cena novissima, Christus sacrificium et convivium paschale instituit, quo sacrificium crucis in Ecclesia continue praesens efficitur ..."; vgl. auch IGMR 259.

448 Vgl. Konzelebrationsritus (s. S. 682, Anm. 436), S. 410 (= Kaczynski, S. 123, Abschnitt 388): "Imprimis quidem unitas Sacrificii Crucis, quatenus multae Missae nonnisi unicum Sacrificium Christi repraesentant (cf. Conc. Trid.), et ex eo rationem Sacrificii sortiuntur quod sunt memoriale immolationis cruentae in cruce peractae ..."; vgl. auch EM 3a (s. S. 650, Anm. 308), 4, 8, 10; IGMR 2, 48 (erste Fassung); Praenotanda zum Ordo Baptismi Parvulorum, Nr. 1 (= Kaczynski, S. 558, Abschnitt 1777); Eucharistie-Verehrung 80 (= Kaczynski, S. 959, Abschnitt 3088).

449 Vgl. EM 3c: "In ea enim (Missa) Christus, incruente per saecula perpetuans sacrificium in cruce peractum, Seipsum Patri in salutem mundi ministerio sacerdotum offert"; vgl. IGMR, Vorwort 2 (Zitat von SC 47).

450 Vgl. Kongregation für den Klerus, Directorium catechisticum generale (11.4.1971), in: AAS 64 (1972) 97-176, hier 132 (= Kaczynski, S. 792, Abschnitt 2555): "Hoc autem sacrificium non est tantum ritus commemorativus praeteriti sacrificii. In ipso enim Christus, decursu saeculorum, sacrificium Crucis ministerio sacerdotum incruento modo perpetuat

684

Mit solchen Texten wird deutlich gezeigt, daß die Gegenwart
des Herrn im Meßopfer, von der die Eucharistie-Instruktion in
Artikel 55 und die "Allgemeine Einführung in das Römische Meßbuch" nur ganz allgemein gesprochen hatten, mit Artikel 9 der
Eucharistie-Instruktion und mit Artikel 47 der Liturgiekonstitution als gegenwärtige Tätigkeit des sich selbst im Meßopfer
darbringenden Herrn verstanden werden muß.

Am häufigsten wird die *substantiale Realpräsenz* des Herrn unter den eucharistischen Gestalten erwähnt und hervorgehoben.
Die meisten entsprechenden Texte sind wörtliche oder sinngemäße Zitate aus der Enzyklika "Mysterium fidei" oder aus der
Eucharistie-Instruktion. Sie brauchen hier nicht eigens aufgeführt zu werden[451]. Hier sind nur solche Texte zu erwähnen, in
denen die Lehre der Eucharistie-Instruktion aufgenommen und
weitergeführt wird, daß die substantiale Realpräsenz des Herrn
unter den eucharistischen Gestalten nicht primär in sich zu
betrachten ist, sondern als Frucht der Konsekration aus dem
Opfer hervorgeht und nach dem Wunsch Jesu Christi auf das Verzehren der heiligen Speise in der sakramentalen Kommunion hinzielt[452].
So findet sich im Glaubensbekenntnis Papst Pauls VI. (1968)
nach der eingehenden Darstellung der in sich betrachteten substantialen Realpräsenz doch auch der Hinweis: "So hat es der
Herr gewollt, um sich uns zur Speise zu geben und uns einzu-
gliedern in die Einheit seines mystischen Leibes"[453].
Noch deutlicher ist ein Text aus dem Ritus zur Kommunionspendung und Eucharistie-Verehrung außerhalb der Messe (1973).
Meistens wird die Eucharistie-Instruktion sinngemäß oder wört-

---

(cf. SC 47) atque fideles Seipso, pane vitae, nutrit ..." (Übersetzung
von mir).
451 Vgl. die Angaben bei Kaczynski, S. 1169: Praesentia Christi in sacrificio Missae sub speciebus eucharisticis.
452 Vgl. oben, S. 659, und die Angaben ebd., Anm. 330; vgl. auch die Hinweise in: Eucharistie-Verehrung 5, 15.
453 Vgl. Paul VI., Professio fidei (30.6.1968), in: HerKorr 22 (1968) 368
bis 370, hier 370; lat. in: AAS 60 (1968) 436-445, hier 443: "... quemadmodum ipse Dominus voluit, ut sese nobis alimentum praeberet, nosque
mystici Corporis sui unitate sociaret".

lich zitiert: die substantiale Realpräsenz als Frucht der Konsekration (Nr. 6) [454] läßt die Gnade des Opfers weiterwirken (Nr. 4) [455]; sie geht aus dem Opfer hervor und zielt auf die sakramentale und geistliche Kommunion hin (Nr. 80) [456]. Zusätzlich und ausdrücklich wird noch gesagt, daß die Vereinigung mit Jesus Christus, zu welcher die Aussetzung der heiligen Eucharistie die Gläubigen einlädt, "in der sakramentalen Kommunion ihren Höhepunkt" erlangt (Nr. 82) [457] und deshalb bei der Aussetzung "die Verehrung des heiligen Sakramentes in ihrer Beziehung zur Messe deutlich" werden muß, damit die Tatsache nicht verdunkelt wird, "daß es der vornehmliche Wunsch Christi bei der Einsetzung der heiligen Eucharistie war, sie uns als Speise, Heilmittel und Stärkung anzubieten" (ebd.) [458].
Hier wird nochmals verdeutlicht, daß eine isolierte und rein statische Betrachtung der substantialen Realpräsenz nicht dem Sinn des eucharistischen Sakramentes entspricht, daß vielmehr diese höchste Form der realen Gegenwart des Herrn auch in umfassendster Weise sein Wirken für die Menschen zum Ausdruck bringt und verwirklicht, seine ganzheitliche Hingabe als Speise zu unserem Heil [459].

In den bisher vorgestellten Dokumenten war immer nur von der liturgischen Gegenwart des Herrn die Rede, die sich in der Meßfeier in verschiedenen Weisen seiner Gegenwart entfaltet. Der Herr ist aber in entsprechender Weise auch in den übrigen liturgischen Feiern gegenwärtig und wirksam, vor allem bei der Feier der Sakramente und des kirchlichen Stundengebetes. Auch zu diesen gottesdienstlichen Vollzügen sollen einige wichtige Texte aus den nachkonziliaren Dokumenten vorgestellt werden.

---

454 Eucharistie-Verehrung 6,2 = EM 55,2.
455 Vgl. ebd., 4 = EM 3g,1.
456 Vgl. ebd., 80,1 = EM 50,1.
457 Vgl. ebd., 82,1: "Expositio sanctissimae Eucharistiae ... ad agnoscendam in ea miram Christi praesentiam pertrahit, et ad cordis unionem cum illo invitat, quae in communione sacramentali culmen attingit".
458 Ebd., 82,2 = EM 60,2.
459 Damit werden dogmatische Überlegungen zum Sinn des eucharistischen Sakramentes aufgenommen, wie sie z.B. von A. Winklhofer und B. Welte formuliert worden waren: vgl. oben, S. 450.

Für die Sakramente ist die Lehre von der liturgischen Gegenwart Jesu Christi wenig entfaltet. Während es für die Meßfeier und das Stundengebet jeweils eine "Allgemeine Einführung" gibt, die wichtige liturgietheologische Grundlagen zusammenfassend darlegen, fehlt ein entsprechendes Dokument für die Feier der Sakramente. Es finden sich lediglich verstreute Hinweise in den pastoralen Richtlinien zu den einzelnen Sakramenten und in anderen Dokumenten.

Immerhin wird, zumindest nebenbei, festgestellt, daß Jesus Christus auch in den Sakramenten sein Priesteramt ausübt: "Christus vollbringt das 'Werk der Erlösung der Menschen und der vollendeten Verherrlichung Gottes' im Heiligen Geist durch die Kirche nicht nur in der Feier der Eucharistie und bei der Spendung der Sakramente, sondern auch im Stundengebet" [460].

Auch die Sakramente sind eine "Epiphanie" Christi, seine "Kundmachung", welche die Gläubigen "beinahe sinnenfällig erfassen können und lebendig in sich erfahren" [461].

Sie sind "Handlungen Christi", wie die Enzyklika "Mysterium fidei" sagt [462]. Dies führt ein wichtiger Text aus dem katechetischen Direktorium von 1971 weiter aus: "Die Sakramente sind die wichtigsten und grundlegenden Handlungen, durch welche Jesus Christus den Gläubigen stets seinen Geist schenkt und sie so zu einem heiligen Volk macht, das sich in ihm und durch ihn dem Vater als wohlgefällige Opfergabe darbietet. Die Sakramente sind gewiß als unschätzbare Güter der Kirche anzusehen, der die Vollmacht, sie zu spenden, zukommt; dennoch sind sie immer auf Christus zurückzubeziehen, von dem sie ihre Wirksamkeit

---

460 Kongregation für den Gottesdienst, Allgemeine Einführung in das Stundengebet, in: NK 34 (1975) 33-183; lat.: Institutio Generalis de Liturgia Horarum, ebd. Die "Allgemeine Einführung in das Stundengebet" wird mit IGLH und Artikelnummer zitiert. Zitat: IGLH 13: "'Humanae redemptionis et perfectae Dei glorificationis opus' (cf. SC 5) Christus in Spiritu Sancto per Ecclesiam suam exercet non tantum cum Eucharistia celebratur et sacramenta administrantur, sed etiam, prae ceteris modis, cum Liturgia Horarum persolvitur (cf. SC 89 et 98)".
461 Vgl. S. 680, Anm. 416.
462 Vgl. S. 646, Anm. 298.

empfangen. In Wahrheit ist es Christus, der tauft. Es ist nicht
so sehr der Mensch, der die Eucharistie feiert, als vielmehr
Christus selbst. Er selbst bringt sich nämlich im Meßopfer
durch den Dienst der Priester dar. Die sakramentale Handlung
ist vor allem ein Handeln Christi, für welches die Amtsträger
der Kirche gleichsam Instrumente sind" [463].

An diesem Text ist neben der deutlichen Betonung der gegenwärtigen Tätigkeit Jesu Christi in den Sakramenten noch bemerkenswert, daß die Sakramente als Weisen der Geistmitteilung durch
den Herrn beschrieben werden, ein Aspekt, der in den bisher
diskutierten Texten noch nicht anklang.

Im Ritus der Krankensalbung wird gesagt: "Er, der für uns so
viel gelitten hat, ist jetzt mitten unter uns" [464]. Dies verdeutlicht das "Einführungswort" des deutschen Rituale mit den
Worten: "Der Heiland ist es, der in der Person des Priesters
lindernd und stärkend dem Kranken die Hände auflegen und ihm
die Aufrichtung schenken will, die der Kranke in dieser be-
drückenden Lebenssituation braucht. ... Christus lädt den
Kranken ein zur Teilnahme an seinem Leiden für das Heil der
Welt" [465].

Wichtige Texte zur Theologie der Sakramente finden sich im Dokument der Bischofssynode von 1971 über den priesterlichen
Dienst [466] unter der Überschrift: "Sendung als Wortverkündigung
und Sakramentenverwaltung" (Nr. 17) [467]. Nach einer ausgewogenen

---

463 Kongregation für den Klerus, Directorium catechisticum generale, a.a.O.
   (S. 684, Anm. 450), 130 (= Kaczynski, S. 790, Abschnitt 2552): "Sacramenta sunt actiones praecipuae et fundamentales, quibus Iesus Christus
   iugiter dilargitur fidelibus suum Spiritum eos efficiens populum sanctum, qui, in Ipso et cum Ipso, sese praebet oblationem Patri acceptam.
   Sacramenta profecto habenda sunt bona inaestimabilia Ecclesiae, ad
   quam potestas ea administrandi pertinet; eadem tamen semper referenda
   sunt Christo, a quo suam efficaciam accipiunt. Revera Christus est qui
   baptizat. Non est tam homo qui Eucharistiam celebrat, quam ipse Christus; Ipse enim ministerio sacerdotum in sacrificio Missae Sese offert
   (cf. DS 1743). Actio sacramentalis est, imprimis, actio Christi, cuius
   ministri Ecclesiae sunt veluti instrumenta" (Übersetzung von mir).
464 Die Feier der Krankensalbung, a.a.O. (S. 634 f., Anm. 257), Nr. 70.
465 Vgl. ebd., S. 21 f.
466 Vgl. Römische Bischofssynode 1971, Der priesterliche Dienst. Gerechtigkeit in der Welt, Trier 1972; lat. in: AAS 63 (1971) 898–992.
467 Vgl. ebd., 54–58; lat. ebd., 909–912.

und die theologische Diskussion der vorausgehenden Jahre aufnehmenden Verhältnisbestimmung von Wortverkündigung und Sakramentenspendung, bzw. von Glaube und Sakrament [468], wird festgestellt: "Die Proklamation des Wortes Gottes als Verkündigung
in Geisteskraft seiner Großtaten und die Berufung der Menschen
zur Teilnahme am Pascha-Mysterium, das in die konkrete Mensch-
heitsgeschichte eingesenkt werden soll, sind ein *Handeln Gottes*, der in der Kraft des Heiligen Geistes die Kirche innerlich und äußerlich zur Gemeinschaft versammelt" [469]. Und etwas
weiter: "Das von den Sakramenten gewirkte Heil stammt nicht
aus uns, sondern von oben aus Gott. Daraus erhellt der Primat
des Handelns Christi als des einzigen Priesters und Mittlers
in seinem Leib, der Kirche" [470].
Daß Wort und Sakrament, Verkündigung und Feier des Heils eng
miteinander verbunden sind, betont auch Papst Paul VI. im Apostolischen Schreiben "Evangelii nuntiandi" (Nr. 47): "Die Evangelisierung kommt zu ihrer ganzen Fülle, wenn in ihr die innige Verbindung, oder besser noch, ein ununterbrochener Austausch
zwischen dem Wort und den Sakramenten Wirklichkeit wird" [471].
Innerhalb dieser Zusammengehörigkeit bleibt jedoch eine Hinordnung des Wortes auf das Sakrament bestehen: "Die Aufgabe
einer lebendigen Verkündigung des Evangeliums besteht gerade
darin, im Glauben so zu unterrichten, daß sie jeden Christen
dahin führt, die Sakramente - statt sie passiv zu empfangen
oder über sich ergehen zu lassen - als wahrhafte Sakramente

---

468 Vgl. ebd., 55 f. (Abschnitt b); lat. ebd., 909 f. (= Kaczynski, S. 828,
   Abschnitt 2635).
469 Ebd., 56; lat. ebd., 910 (= Kaczynski, S. 828, Abschnitt 2636): "Verbi
   Dei proclamatio, quae est in virtute Spiritus annuntiatio rerum mirabilium a Deo patratarum ac vocatio hominum ad paschale mysterium par-
   ticipandum idque ut fermentum inducendum in historiam *concretam* hominum, actio Dei est, qua virtus Spiritus Sancti Ecclesiam interius ex-
   teriusque congregat".
470 Ebd., 57; lat. ebd., 911 (= Kaczynski, S. 829, Abschnitt 2637): "Sa-
   lus, quae per Sacramenta perficitur, non e nobis provenit, sed desuper
   a Deo; quod demonstrat primatum actionis Christi, unici sacerdotis et
   Mediatoris, in corpore Eius, quod est Ecclesia".
471 Paul VI., Apostolisches Schreiben "Evangelii nuntiandi", a.a.O. (S. 680,
   Anm. 421), 104/105 (Nr. 47,2): "Tali igitur modo suas omnes divitias
   evangelizatio in apertum profert, cum per eam arctissimum nectitur vinculum vel potius continuatio coniunctioque inter Verbum et Sacramenta".

des Glaubens wirklich zu leben" (ebd.) [472]. Die Verkündigung
soll also dazu helfen, daß die Sakramente in Wahrheit Glaubenszeichen sind.

Hier werden Elemente einer theologischen Weiterführung der konziliaren Lehre sichtbar, die allerdings weder im Dokument der
Bischofssynode noch im Apostolischen Schreiben des Papstes in
die liturgietheologische Grundlegung der Feier der Sakramente
insgesamt integriert sind.

Die Gegenwart des Herrn in der Feier des Stundengebetes

Die liturgietheologische Grundlegung der Feier des kirchlichen
Stundengebetes ist ausführlich in der "Allgemeinen Einführung
in das Stundengebet" (1971) dargelegt[473]. Dieses bemerkenswerte Dokument enthält in seinem ersten Kapitel: "Die Bedeutung
des Stundengebetes im Leben der Kirche" (Nr. 1-33) eine auf
das kirchliche Gebet hin ausgelegte Theologie der Liturgie,
die alle wesentlichen Elemente anklingen läßt, die in der bisherigen Untersuchung zu den Voraussetzungen und der Verwirklichung der liturgischen Gegenwart Jesu Christi erörtert wurden.
Zuerst werden aus den Zeugnissen des Neuen Testamentes Texte
zusammengetragen, die Jesus Christus selbst als Beter zeigen
(Nr. 3-4). Dieses Gebet des Herrn setzt die Kirche in seinem
Auftrag fort (Nr. 5-7). Mit dem in der Enzyklika "Mediator Dei"
und in der Liturgiekonstitution zitierten Augustinus-Wort wird
Jesus Christus als der "eine Heiland seines Leibes" dargestellt,
"der für uns betet, in uns betet und zu dem wir beten" (Nr. 7).
Die "Würde des christlichen Betens" liegt in der Teilhabe am
Beten Jesu Christi, "das jetzt im Namen und zum Heil der gan-
zen Menschheit in der Kirche und in allen ihren Gliedern fortdauert" (Nr. 7) [474].

---

472 Ebd., 104 f./105 f. (Nr. 47,2): "Nam proprium evangelizationis munus
   est ad fidem ita educere, ut per eam singuli christiani adducantur ad
   Sacramenta veluti vera fidei Sacramenta vivenda, non autem ad ea desi-
   diose recipienda vel aegre ferenda".
473 Vgl. S. 687, Anm. 460. Ein deutscher Kommentar liegt bisher nicht vor.
   Hinweise auf zahlreiche fremdsprachige Kommentare finden sich bei E. J.
   Lengeling, Liturgia Horarum III. Ergänzungen und Korrekturen zum zweiteiligen Aufsatz "Liturgia Horarum" im LJ 1970 nach Erscheinen der
   Bände I-IV der Editio Typica, in: LJ 24 (1974) 176-193.
474 IGLH 7: "In eo igitur posita est christianae dignitas orationis, ut

Die Möglichkeit christlichen Betens wird sodann mit dem "Wirken des Heiligen Geistes" begründet, "der die gesamte Kirche eint und durch den Sohn zum Vater führt". "Er ist ein und derselbe Geist in Christus, in der ganzen Kirche und in allen Getauften" (Nr. 8) [475].

Das Gebet durch Christus im Heiligen Geist vollzieht die Kirche mit Vorzug in ihrer Gemeinschaft, der die Verheißung der Gegenwart des Herrn (Mt 18,20) gegeben ist (Nr. 9). Die Pflicht des göttlichen Lobpreises erfüllt sie "nicht nur durch die Feier der Eucharistie, sondern auch auf andere Weise, besonders im Stundengebet" (Nr. 10). Darin "wird das Gedächtnis der Heilsmysterien", das in der Eucharistie seinen Höhepunkt hat, in den Tag hinein entfaltet (Nr. 12) [476].

Das Gebet der Kirche ist in Wahrheit Vollzug des priesterlichen Dienstes Jesu Christi im Heiligen Geist durch die Kirche [477]. Im Stundengebet ist er "gegenwärtig, wenn sich die Gemeinde versammelt, wenn Gottes Wort verkündet wird und 'wenn die Kirche betet und singt'" (Nr. 13) [478].

Danach wird die Bedeutung des Wortes Gottes hervorgehoben. "Dazu gehören nicht nur die Lesungen aus der Schrift, sondern auch die Psalmen, die vor Gottes Angesicht gesungen werden, und die Bitten, Gebete und Lieder, die er selber eingibt (Nr. 14) [479].

---

ipsam Unigeniti pietatem erga Patrem eamque orationem participet, quam ille in vita terrestri verbis expressit, quaeque nunc, nomine quoque et in salutem totius generis humani, in universa Ecclesia et in omnibus eius membris indesinenter perseverat". Vgl. auch Paul VI., Apost. Konstitution "Laudis canticum", a.a.O. (S. 634, Anm. 253), 532; deutsch a.a.O., 25, wo der Papst entsprechend SC das Stundengebet als Gebet Christi, vereint mit seinem Leib, darstellt.

475 IGLH 8: "Unitas vero orationis Ecclesiae a Spiritu Sancto efficitur, qui idem est in Christo (cf. LC 10,21: ...), in tota Ecclesia et in singulis baptizatis ... Nulla ergo oratio christiana haberi potest sine Sancti Spiritus actione, qui, totam Ecclesiam uniens, per Filium ducit ad Patrem".

476 Vgl. dazu R. Kaczynski, Schwerpunkte der allgemeinen Einführung in das Stundengebet, in: LJ 27 (1977) 65-91, hier 80-85.

477 Vgl. IGLH 13 (s. S. 687, Anm. 460).

478 Ebd.: "In ea (Liturgia Horarum) ipse praesens adest, dum coetus congregatur, dum verbum Dei profertur, 'dum supplicat et psallit Ecclesia' (SC 7)".

479 IGLH 14: "Ex sacra enim Scriptura lectiones fiunt, Dei verba in psalmis tradita in conspectu eius canuntur, atque eius afflatu instinctu-

Das Stundengebet ist damit insgesamt "als Austausch oder Zwie-
sprache zwischen Gott und Mensch" gekennzeichnet (ebd.) [480].
Auch die menschliche Antwort in Gesang und Gebet wird vom Wort
Gottes getragen und gehört insofern selbst zum Gotteswort [481].
Mit Zitaten aus der Liturgie- und Kirchenkonstitution wird
dann die Beziehung zwischen Jesus Christus und der Kirche im
Stundengebet dargestellt (Nr. 15 und 16).
Mit dem Gotteslob spricht die Kirche im Stundengebet aber auch
Bitten aus. "Diese Stimme der Kirche ist zugleich die Stimme
Christi; denn das Beten geschieht in seinem Namen, 'durch
Christus, unseren Herrn'" (Nr. 17) [482].
Wichtig ist noch, daß hier nun auch das von Laien verrichtete
Stundengebet eindeutig als "Dienst der Kirche" und als Litur-
gie bezeichnet wird (Nr. 27) [483]. In ihrem Beten und im Beten
der Amtsträger, die dazu eigens beauftragt sind, dauert "das
Gebet Christi in der Kirche unablässig fort" (Nr. 28) [484].
Auf ein Thema muß noch hingewiesen werden: Während zur Konstituierung der liturgischen Versammlung, in der die Eucharistie
gefeiert wird, der Priester als Repräsentant Jesu Christi hinzugehört, ist seine Funktion zur Konstituierung der liturgischen Versammlung zum Stundengebet nicht unbedingt erforderlich. Entsprechend wird in der "Allgemeinen Einführung" auch
nirgends von einer spezifischen Christus-Repräsentation des
Priesters gesprochen. Wohl tritt auch das Stundengebet als
kirchliche Feier "am klarsten zutage und empfiehlt sich darum
besonders", wenn es unter dem Vorsitz des Bischofs (Nr. 20)

---

que aliae preces, orationes et carmina perfunduntur (cf. SC 24)". Vgl.
auch IGLH 108.

480 Ebd.: "... ut in ea (Liturgia Horarum) quasi commercium instituatur
seu dialogus ille inter Deum et homines, quo 'Deus ad populum suum loquitur ... populus vero Deo respondet tum cantibus tum oratione' (SC
33)". Vgl. auch IGLH 33.

481 Vgl. R. Kaczynski, a.a.O., 70-73.

482 IGLH 17: "Quae vox non est tantum Ecclesiae, sed etiam Christi, cum
preces proferantur Christi nomine, hoc est 'per Dominum nostrum Iesum
Christum'". Vgl. auch für die Psalmen IGLH 108; vgl. dazu R. Kaczynski, a.a.O., 74-79; J. Emminghaus, Brevierreform: Das Stundengebet, in:
ThPQ 127 (1979) 226-239, hier 332 f.

483 Vgl. oben, S. 269-283 und 437-439.

484 IGLH 28: "... et oratio Christi indesinenter perseveret in Ecclesia
(cf. PO 13)".

692

oder, in seiner Vertretung, des Priesters (Nr. 21) gefeiert
wird. Aber es kann auch ein Gläubiger, der nicht Priester oder
Diakon ist, den Vorsitz führen, gegebenenfalls mit einem "besonderen kanonischen Auftrag" (Nr. 23) [485], freilich als "einer
unter Gleichen" (Nr. 258) [486].
Ob und in welchem Sinn auch in einer liturgischen Versammlung
unter dem Vorsitz eines Laien Jesus Christus als Haupt der
Kirche repräsentiert wird, bleibt auch hier offen[487].

*Der systematische Beitrag der übrigen nachkonziliaren Dokumen-
te zur Frage nach der liturgischen Gegenwart des Herrn*

Die Entwicklung der Lehre von den liturgischen Gegenwartsweisen Jesu Christi in den nachkonziliaren Dokumenten zur Liturgiereform gipfelt in dem Text von Artikel 7 der "Allgemeinen
Einführung in das Römische Meßbuch". Aus der dort unter systematischem Aspekt knapp zusammengefaßten Formulierung war nicht
mehr eindeutig zu erkennen, in welchem Sinn die Gegenwart Jesu
Christi und ihre einzelnen Verwirklichungsweisen in der Liturgie zu verstehen sind. Die Annahme, daß seine Gegenwart im
Sinn der Liturgiekonstitution stets als gegenwärtige Tätigkeit
zu verstehen sei, die er in der Kirche und durch sie vollzieht,
hat sich durch die weiteren untersuchten Texte vollauf bestätigt. Wo immer einzelne liturgische Gegenwartsweisen des Herrn
ausführlicher dargestellt werden, wird die Gegenwart Jesu Christi im Sinn seiner' gegenwärtigen Tätigkeit ausgelegt. Damit
erwies sich, daß die nachkonziliaren Dokumente in ihrer Tendenz die konziliaren Aussagen zu den hier untersuchten Themen
konsequent aufnehmen. In einzelnen Punkten konnte auch eine
Weiterführung beobachtet werden.
Deutlicher als im Konzil wird die substantiale Realpräsenz bei
aller Hervorhebung in den Vorgang der Eucharistiefeier als
ganzer eingebunden. Sie kann nicht mehr als isolierte und

---

485 IGLH 23: "Munus autem eorum, qui sacro ordine insigniti vel peculiari
    missione canonica praediti sunt (cf. AG 17), est indicere et dirigere
    orationem communitatis".
486 IGLH 258: "Deficiente presbytero vel diacono, is qui praeest Officio
    est tamen unus inter pares".
487 Vgl. oben, S. 437-439.

'statische' Gegebenheit betrachtet werden.

Die Gegenwart und Wirksamkeit des Herrn in den Sakramenten, die in den im vorausgehenden Abschnitt besprochenen zusammenfassenden Dokumenten zur Eucharistie nicht erörtert werden konnte, wird in einzelnen Texten innerhalb verschiedener nachkonziliarer Dokumente im Sinn der Liturgiekonstitution entfaltet. Allerdings fehlt hier eine systematische Zusammenfassung der liturgietheologischen Grundlagen der Feier der Sakramente. Hinweise auf ihren Zusammenhang mit der Eucharistiefeier und ihre Hinordnung auf das Sakrament der Eucharistie werden zwar mehrfach gegeben[488], aber nicht weiter entfaltet.

Weiterhin ist die Gegenwart des Herrn im Gebet und Gesang der Kirche, von der in den genannten Eucharistie-Dokumenten nur andeutungsweise die Rede ist[489], in der Einführung zum Stundengebet breit dargelegt. Auch die Verwurzelung des kirchlichen Betens in der Eucharistiefeier wird deutlich ausgesagt. Das zentrale Mysterium der Eucharistie entfaltet sich durch das Stundengebet in den Tagesablauf hinein.

Schließlich ist festzustellen, daß zumindest in zwei liturgietheologischen Grundtexten, nämlich zur Meßfeier[490] und zum Stundengebet[491], nun auch die Bedeutung des Heiligen Geistes für die Liturgie anklingt. In weiteren Texten, vor allem im katechetischen Direktorium von 1971[492] und im Dokument der Bischofssynode 1971 über den priesterlichen Dienst[493], wird die Wirksamkeit des Heiligen Geistes in der Liturgie mehrfach erwähnt. Die "Allgemeine Einführung in das Stundengebet" widmet diesem Thema einen eigenen Artikel[494], ebenso auch das Apostolische Schreiben "Evangelii nuntiandi" von 1975. Dort wird der

---

488 Vgl. z.B. das Zitat von PO 5 in EM 6 und Eucharistie-Verehrung 1: "Cetera sacramenta ... cum sacra Eucharistia cohaerent et ad eam ordinantur". Vgl. auch Ökumenisches Direktorium I, Nr. 6 (= Kaczynski, S. 52, Abschnitt 204).
489 Vgl. z.B. EM 3c: "So sagt die Kirche vor allem im eucharistischen Hochgebet vereint mit Christus im Heiligen Geist dem Vater Dank für alle Güter ...".
490 Vgl. ebd.
491 Vgl. IGLH 13 (s. S. 687, Anm. 460); vgl. auch IGLH 9.
492 Vgl. z.B. oben, S. 687 f.
493 Vgl. z.B. oben, S. 688 f.
494 Vgl. IGLH 8.

Heilige Geist als Ursprung, Ziel und Mittel der Evangelisation dargestellt, der im Verkünder und im Hörer gleichermaßen wirken muß: "Man könnte sage, der Heilige Geist ist der Erstbeweger der Evangelisierung: er ist es, der jeden antreibt, das Evangelium zu verkünden, und er ist es auch, der die Heilsbotschaft in den Tiefen des Bewußtseins annehmen und verstehen läßt (vgl. AG 4). Doch könnte man genauso gut sagen, er sei das Ziel der Evangelisierung: er allein bewirkt die Neuschöpfung, die neue Menschheit, zu der die Frohbotschaft führen soll; Einheit und Vielheit, welche das Evangelium in der christlichen Gemeinschaft verwirklichen will. Durch ihn dringt es bis in das Innerste der Welt, denn er ist es, der die Zeichen der Zeit - Zeichen Gottes - erkennen läßt, welche die Evangelisierung entdeckt und innerhalb der Geschichte zur Geltung bringt" [495].

In solchen Texten deutet sich eine verstärkte Beachtung der pneumatologischen Dimension alles kirchlichen Heilstuns an, die freilich in Theologie und Kirche noch weiter gefördert werden muß, wie der Papst in Übereinstimmung mit der Bischofssynode von 1974 in "Evangelii nuntiandi" (Nr. 75) sagt [496].

---

495 Paul VI., Apostolisches Schreiben "Evangelii nuntiandi", a.a.O. (S. 680, Anm. 421), 170/171 (Nr. 75,6): "Cogi ergo inde facile potest, Spiritum Sanctum in propagatione Evangelii primas agere, utpote qui et moveat ad praedicandum, et hominis intima ad excipiendum itellegendumque verbum salutis praeparet (cf. AG 4), iure pariter affirmari potest Eum esse etiam finem ac terminum omnis evangelizationis; unus enim novam creationem operatur, humanitatem nempe novam, ad quam evangelizatio ipsa tendere debet per illam unitatem in varietate, ad quam praedicatio necessario provocat in communitate christiana. Per Illum insuper, Spiritum Sanctum dicimus, Evangelium in mundum permanat, cum unus *signa temporum* - id est Dei - quae sint, discernere faciat, quae evangelizatio percipit eaque in hominum vita illustrat".
496 Vgl. ebd., 172/173 (Nr. 75,5): "Episcoporum Synodus quidem, anno 1974 habita, postquam opportune institit operam Spiritus Sancti in negotio evangelizationis, vota pariter suscepit, ut animorum pastores atque theologi - inter quos fideles etiam ponimus, quos signum Spiritus Sancti per Baptismum notavit - naturam atque agendi modum divini illius Paracliti altius excuterent in evangelizatione praesentis temporis".

5.2.7. Zusammenfassung

Die Untersuchung der nachkonziliaren Dokumente zur Liturgiereform erbrachte eine Bestätigung und Weiterführung der aus der Liturgiekonstitution erhobenen Lehre von der Gegenwart Jesu Christi im Gottesdienst. In den ersten Jahren der nachkonziliaren Liturgiereform war zunächst eine zustimmende Rezeption der liturgietheologischen Grundlagen der Liturgiekonstitution, insbesondere auch der Aussagen von Artikel 7, zu beobachten. Die Bedeutsamkeit gerade dieses Artikels wurde mehrfach hervorgehoben.

Drei wichtige Dokumente mußten dann eigens besprochen werden: die Enzyklika "Mysterium fidei" (1965), die Eucharistie-Instruktion von 1967 und die "Allgemeine Einführung in das Römische Meßbuch" (1969/1970). In diesen Texten, insbesondere in den beiden letzten, ließ sich eine deutliche systematische Weiterentwicklung der Lehre von den liturgischen Gegenwartsweisen Jesu Christi feststellen. Seine Gegenwart wird differenziert in eine grundlegende Weise, in der er in der unter hierarchischer Führung versammelten Gemeinde gegenwärtig ist, und daraus sich entfaltende spezifische Weisen seiner Gegenwart, die in der substantialen Realpräsenz in den eucharistischen Gestalten gipfelt. Hier wurde eine Linie fortgesetzt, die in Artikel 7 der Liturgiekonstitution nur angedeutet ist, aber aus dem Gesamttext der Konstitution doch schon deutlicher erhoben werden konnte und hier nun ihre Bestätigung findet.

Die übrigen noch untersuchten nachkonziliaren Dokumente führten in systematischer Hinsicht nicht weiter. Ihre Bedeutung für unser Thema liegt darin, daß sie die in den wichtigen Eucharistie-Dokumenten nicht so ausdrücklich formulierte Bestimmung der Gegenwart des Herrn als Tätigkeit nachdrücklich bestätigen und erläutern. Außerdem tragen sie noch zwei wichtige Teilthemen nach: die Gegenwart des Herrn in der Feier der Sakramente und des Stundengebetes.

Schließlich lassen zumindest die jüngsten Dokumente der nachkonziliaren Zeit, etwa seit 1970, deutlich eine stärkere Würdigung und Betonung der Wirksamkeit des Heiligen Geistes als

Bedingung jeglichen kirchlichen und speziell liturgischen Tuns
erkennen, eine Entwicklung, die allerdings in den wichtigeren
liturgietheologisch bedeutsamen Dokumenten nur in ersten Ansätzen greifbar ist.

5.3. Theologische Beiträge zur Lehre des II. Vatikanischen
     Konzils über die liturgische Gegenwart Jesu Christi

Die Aussagen des II. Vatikanischen Konzils über die Gegenwart
Jesu Christi im Gottesdienst sind die Frucht theologischer Arbeit in verschiedenen Disziplinen, vor allem in der Liturgiewissenschaft, der Ekklesiologie und der Sakramententheologie,
speziell der Eucharistielehre. Die konziliare Lehre gibt aber
der Theologie auch neue Anregungen, Fragen und Arbeitsziele.
In dem hier untersuchten Themenkreis erwiesen sich vor allem
grundsätzliche Fragen nach den Möglichkeitsbedingungen der im
Glauben und nach der Lehre der Kirche faktisch gegebenen tätigen Gegenwart des Herrn in der Liturgie als weiterer Klärung
bedürftig. ·
Die Weiterentwicklung der Mysterienlehre mußte der von Odo Casel und seinen Gesprächspartnern und Schülern noch nicht hinreichend geklärten Frage nachgehen, wie die 'Mysteriengegenwart' des Herrn näher zu bestimmen ist [497].
Die aus der Liturgischen Bewegung erwachsene Frage nach Sinn
und Tragweite des gemeinsamen Priestertums der Gläubigen und
ihrer tätigen Teilnahme an der Liturgie [498] mußte über ihre pastoralliturgischen Implikationen hinaus auch theologisch weiter bedacht werden, was eine vertiefte Theologie des Laien,
der Gemeinde und der gegenseitigen Zuordnung von gemeinsamem
und amtlichem Priestertum erfordert [499].
Weiterhin hat das Konzil die Frage nach der Bedeutung des Heiligen Geistes für das Leben der Kirche und ihren Dienst neu
gestellt. Auch hier bleibt der systematischen Reflexion ein

---

497 Vgl. oben, S. 54-56.
498 Vgl. oben, S. 33-35.
499 Vgl. oben, S. 210-215, 269-283, 286-290, 600-602.

weites Aufgabenfeld in der theologischen Aufarbeitung dieses
Themenbereichs, der vom Konzil wohl benannt und beansprucht
wurde [500], dessen systematische Einbeziehung in das Gefüge der
kirchlichen Glaubenslehre aber von der Theologie erst noch zu
leisten ist [501].

Neben solchen grundsätzlichen Anfragen an die Theologie gab
die hier untersuchte Lehre des II. Vatikanischen Konzils aber
auch Anregungen für eine Reihe von einzelnen Themen. Insbesondere die Theologie des Wortes Gottes und seiner kirchlichen
Verkündigung [502], die Frage nach dem Sinn der Lehre von der eucharistischen Wesensverwandlung [503], die Deutung der sieben Sakramente innerhalb der Kirche und ihres Heilsdienstes [504], die
insgesamt sakramental begriffen werden, die Frage nach dem
Verhältnis von Glaube und Sakrament, von personaler und sakramentaler Frömmigkeit [505] und vieles andere mehr. In all diesen
Fragen läßt sich eine Wechselwirkung im Sinn der gegenseitigen
Befruchtung von theologischer Forschung und konziliarer Lehre
beobachten. Dies aber nun für die intensive theologische Arbeit der nachkonziliaren Zeit darzustellen, würde, selbst im
engen Rahmen der Thematik der vorliegenden Arbeit, eine neue,
umfangreiche Untersuchung erfordern, die hier nicht mehr geleistet werden kann.

Es soll deshalb nur noch über einige theologische Beiträge berichtet werden, die sich speziell und ausdrücklich mit der
Lehre des Konzils von den liturgischen Gegenwartsweisen Jesu
Christi befassen. Diese Beiträge sind vor allem daraufhin zu
befragen, inwieweit sie die diesbezügliche Lehre der Liturgiekonstitution aufnehmen und theologisch weiterentwickeln.

Die betreffenden Untersuchungen werden hier in der Reihenfolge
ihrer Veröffentlichung vorgestellt.

---

500 Vgl. oben, S. 327-348, 605 f.
501 Vgl. oben, S. 695.
502 Vgl. oben, S. 496-557, 612-616.
503 Vgl. oben, S. 441-453, 610 f.
504 Vgl. oben, S. 460-464, 687-690.
505 Vgl. oben, S. 485-493 und 561-565.

5.3.1. Heribert Mühlen

Heribert Mühlen hat schon in einem Anfang 1965 erschienenen
Aufsatz "dogmatische Überlegungen zur liturgischen Konstitution" vorgelegt [506], worin er "die Wirksamkeit des Heiligen Geistes als Ermöglichung jeglichen liturgischen Tuns" [507] darstellt. Er untersucht Artikel 7 der Liturgiekonstitution und
fragt, wie die dort ausgesagte Gegenwart Jesu Christi in der
Liturgie als Vollzug seines Priesteramtes zu denken ist. Er
legt dabei nicht eine Interpretation der Aussagen der Liturgiekonstitution insgesamt oder speziell des Artikels 7 vor,
sondern benützt diesen Text lediglich als Ausgangspunkt zu
weiterführenden dogmatischen Überlegungen.
Zunächst stellt er fest, daß die Lehre vom Heiligen Geist in
der Liturgiekonstitution nicht hinreichend dargestellt ist.
Die wenigen Textstellen, die vom Heiligen Geist handeln, stellt
er in einer knappen Textanalyse vor [508], ohne sie jedoch aus
dem Gesamtinhalt der Liturgiekonstitution umfassender zu interpretieren [509].
Seinen Ausgangspunkt faßt Mühlen in folgender These zusammen:
"In einem 'radikalen', wurzelhaften Sinne ist natürlich jegli-
ches liturgische Tun durch die Erlösungstat Jesu selbst ermöglicht, d.h. durch alles das, was er zwischen Inkarnation und
Himmelfahrt gesagt und getan hat. Die heilsgeschichtliche *Fortdauer* und *Vergegenwärtigung* des Heilshandelns Jesu aber ist im
Sinne der Heiligen Schrift nur dadurch möglich geworden, daß
Jesus der Kirche sein heiliges Pneuma gesandt und hinterlassen
hat (vgl. Jo 7,39; 14,16; 20,22 u.ö.). Es gibt keine Präsenz
Jesu in der Heilsgeschichte und damit auch im liturgischen Tun

---

506 Vgl. H. Mühlen, Dogmatische Überlegungen zur liturgischen Konstituti-
    on, in: Cath 19 (1965) 108-135 (s. S. 148, Anm. 84).
507 Vgl. ders., Die Wirksamkeit des Heiligen Geistes als Ermöglichung jeg-
    lichen liturgischen Tuns. Zum dogmatischen Verständnis der Aussagen
    der "Constitutio de Sacra Liturgia" über die Präsenz Christi, in: P.
    Bormann/ H.-J. Degenhardt (Hg.), Liturgie in der Gemeinde II, 40-61
    (s. S. 148, Anm. 84). Die beiden Aufsätze sind im Wesentlichen iden-
    tisch; im Folgenden wird der zuletzt genannte zitiert.
508 Vgl. ebd., 40-47.
509 Vgl. diesen Versuch, oben, S. 327-348.

ohne den Heiligen Geist" [510].

Dieser Sachverhalt ist auch in der Liturgiekonstitution angedeutet, wenn dort vom Heiligen Geist als dem Geist Christi die
Rede ist, mit dem er die Apostel erfüllte, damit sie in seiner
Kraft das Heilswerk des Herrn vollziehen könnten und die Gläubigen so den Geist der Gotteskindschaft empfingen. Dies geschieht in der Liturgie, die insgesamt in der Kraft des Heiligen Geistes vollzogen wird. Eine Ausführung dieser Andeutungen
fehlt jedoch in der Liturgiekonstitution; in ihren weiteren
Kapiteln ist vom Heiligen Geist auch nicht mehr andeutungsweise die Rede [511].

Mühlen legt nun einen systematischen Gedankengang vor, der
sich lediglich im Aufbau an Artikel 7 der Liturgiekonstitution
orientiert.

Er stellt fest, daß in dem in der Liturgie vollzogenen und im
Glauben angenommenen Heilsmysterium das Mysterium der Inkarnation und das Mysterium der Sendung des Geistes voneinander unterschieden werden müssen, aber untrennbar zueinander gehören.
Das Heilswerk Jesu wird durch den von ihm in die Heilsgeschichte gesandten Geist stets vergegenwärtigt [512].

Dies zeigt sich grundlegend schon daran, daß eine Fortdauer
des Heilswerks in der Liturgie nur dadurch möglich ist, daß
das einmalige Priestertum Jesu Christi in der Kirche fortdauert, indem die Priester daran teilbekommen [513]. Derselbe Geist,
in dem Jesus sein gesamtes Heilswerk vollbrachte, wird den
Aposteln und ihren Nachfolgern gegeben, damit sie das Heilswerk in Wort und Sakrament vollziehen: "Eine successio von
Wort, Amt und Sakrament kann es in der Kirche nur deshalb geben, weil und insofern der Heilige Geist in die Geschichte
eingegangen ist, weil er als ein und derselbe sowohl durch die
geschaffene Zeit hindurch als auch über die Jahrtausende hin-
weg zwischen dem historischen Jesus (der zugleich auch immer
der erhöhte Herr ist) und uns vermittelt" [514]. Damit ist ge-

---

510 H. Mühlen, a.a.O., 41.
511 Vgl. oben, S. 581.
512 Vgl. H. Mühlen, a.a.O., 49.
513 Vgl. ebd., 50.
514 Ebd., 51 f.

währleistet, daß der Christ "an allen Geheimnissen der Heilsgeschichte teilnehmen kann" [515].

Auf dieser Grundlage erörtert Mühlen dann die einzelnen in Artikel 7 der Liturgiekonstitution genannten Gegenwartsweisen.
Er legt dar, daß der Heilige Geist innertrinitarisch als Person die Relation zwischen Vater und Sohn ist, "eine Person in
zwei Personen" [516]. Diese Funktion, Personen miteinander zu
verbinden, kommt ihm auch heilsökonomisch zu: er ist in der
Kirche als "eine Person in vielen Personen" [517], primär in Jesus Christus, aber als derselbe auch in allen Gliedern seines
Leibes. So kann Christus sich selbst in der Person des Priesters als Handelnden vergegenwärtigen und durch seinen Dienst
das einmalige Kreuzesopfer so vollziehen, daß seine historische Faktizität "keineswegs aufgehoben, sondern gerade in ihrer Einmaligkeit in die Zukunft hinein bewahrt" wird [518].

Diese vom Heiligen Geist gewährte Verbindung zwischen Jesus
Christus als dem Haupt mit den Gläubigen als seinen Gliedern
verdichtet sich in der Liturgie "zu einem aktuellen ekklesiologischen 'Wir'" [519], wobei jeder Teilnehmende seiner Stellung
entsprechend das Opfer des Herrn vollzieht. Die spezifische
Unterscheidung zwischen gemeinsamem und amtlichem Priestertum
wird von Mühlen hier nicht ausgearbeitet.

Für die Gegenwart Jesu Christi in den Sakramenten erläutert
Mühlen, daß die "Kraft", mit der er nach der Liturgiekonstitution in den Sakramenten so wirkt, daß er sie in Wahrheit selber vollzieht, mit dem in diesem Zusammenhang zitierten Augustinus-Text als Ausdruck für den Heiligen Geist verstanden
werden könne [520]. Jesus Christus macht in der Sendung des Heiligen Geistes sich selbst gegenwärtig und wirkt mittels der
Sakramente in "personaler Kausalität" das Heil [521]. Dies gilt
auch und speziell für seine Gegenwart in den eucharistischen

---

515 Ebd., 52.
516 Ebd., 54.
517 Ebd.
518 Ebd.
519 Ebd., 55.
520 Vgl. ebd.
521 Ebd.

Gestalten. Jesus Christus setzt sich in den eucharistischen
Gestalten dadurch gegenwärtig, daß er sich zur eucharistischen
Wandlung der Gaben eines Menschen bedient, den er durch den
Geist zu diesem Dienst befähigt hat. Die Gegenwart desselben
Geistes in den Gläubigen ist aber auch als heiligmachende Gna-
de die unumgängliche Voraussetzung für einen fruchtbaren Empfang der Eucharistie. Und schließlich ist es wiederum derselbe
Heilige Geist, der in der Epiklese auf die Gaben herabgerufen
wird, um sie zu heiligen, so daß in der Eucharistie der auferstandene Herr als "lebensschaffender Geist" empfangen wird [522].
Dadurch wird die Eucharistie zum *"sacramentum unitatis"*, weil
der eine Heilige Geist im eucharistischen Mahl die Christen
mit Christus und untereinander verbindet [523].
Schließlich ist auch die Verkündigung der Kirche Werk des Heiligen Geistes, da die Heiligen Schriften, die unter Inspiration des Heiligen Geistes aufgeschrieben sind und in der Liturgie gelesen und ausgelegt werden, nur dadurch 'Wort Gottes'
sind, daß Jesus Christus selbst "durch seinen Heiligen Geist
und *nur* durch ihn" in der kirchlichen Verkündigung spricht [524].
Aber auch die Antwort auf das Wort Gottes, das Gebet der Kirche, ist nur möglich in der Kraft des Geistes: "Christus ist
also im Gebet der Kirche gegenwärtig durch seinen Heiligen
Geist bzw. *nur* durch seinen Heiligen Geist" [525].
Viele einzelne Aspekte dieses Gedankengangs hat Mühlen in weiteren Schriften zum Teil ausführlich erläutert. Insbesondere
ist sein Beitrag zur Pneumatologie der Kirchenkonstitution
hervorzuheben, worin er die für die Liturgie grundlegende Beziehung zwischen Jesus Christus und der Kirche darstellt. Sie
ist die Wirkung des gesendeten Geistes, der als "eine Person
in vielen Personen" Haupt und Glieder des mystischen Leibes
miteinander verbindet [526].
Die Analogie zwischen Inkarnation des Logos in Jesus Christus

---

522 Vgl. ebd., 56 f.
523 Vgl. ebd., 57.
524 Vgl. ebd., 58.
525 Ebd.
526 Vgl. H. Mühlen, Una mystica persona (s. S. 246, Anm. 115), bes. 359
    bis 598 (3. Aufl., 1966).

und der vom Heiligen Geist beseelten Kirche, von der die Kirchenkonstitution spricht [527], hat Mühlen in eigenen Aufsätzen erörtert [528]. Auch die spezifische Geistbegabung des Amtsträgers hat er eigens dargestellt [529]. Doch kann auf diese Arbeiten, die sich nicht speziell auf die Liturgiekonstitution beziehen, hier nicht weiter eingegangen werden.

Die Bedeutung dieser Beiträge Heribert Mühlens zur Frage nach der liturgischen Gegenwart Jesu Christi liegt darin, daß er, wie schon vor ihm Gottlieb Söhngen [530], im gesendeten Heiligen Geist das Prinzip erkennt, das eine liturgische Gegenwart des Herrn überhaupt und speziell ihre verschiedenen Verwirklichungsweisen von einem einheitlichen Grundgedanken her denkbar macht. Darin liegt die Antwort auf die Frage nach dem 'Wie' der Gegenwart des Herrn im Gottesdienst. Diese Antwort ist von Mühlen für den Bereich der Liturgie nicht im einzelnen ausgearbeitet worden. Auch hat er die gegenseitige Zuordnung der verschiedenen liturgischen Gegenwartsweisen nicht weiter erörtert. Wohl aber ist ihm ein für die Ausarbeitung einer Theologie der Liturgie grundlegender Beitrag zu verdanken, indem er die pneumatologische Dimension der Kirche als ganzer und aller ihrer wesentlichen Funktionen nachdrücklich betont und überzeugend dargestellt hat.

Eine systematische Ausarbeitung der Möglichkeitsbedingungen für eine liturgische Gegenwart des Herrn und ihre verschiedenen Verwirklichungsweisen müßte diesen Beitrag wesentlich miteinbeziehen. So nur wäre ein im Lauf der vorliegenden Untersuchung immer wieder aufgefallener Mangel der Liturgiekonstitution aber auch der meisten nachkonziliaren Dokumente zu liturgischen Fragen zu beheben.

---

527 Vgl. oben, S. 255.
528 Vgl. H. Mühlen, Das Verhältnis zwischen Inkarnation und Kirche in den Aussagen des Vaticanum II, in: ThGl 55 (1965) 171-190 (s. S. 256, Anm. 159); ders., Die Kirche als die geschichtliche Erscheinung des übergeschichtlichen Geistes Christi, in: ThGl 55 (1965) 270-289 (s. S. 256, Anm. 159).
529 Vgl. H. Mühlen, Das Pneuma Jesu und die Zeit. Zur Theologie des Amtes, in: Cath 17 (1963) 241-276 (s. S. 345, Anm. 573).
530 Vgl. z.B. oben, S. 420.

5.3.2. Internationaler Kongreß über die Theologie des II. Vatikanischen Konzils (1966)

Vom 26. September bis zum 1. Oktober 1966 fand in Rom ein internationaler Kongreß über die Theologie des II. Vatikanischen Konzils statt [531], bei dem man zehn große Themenkreise besprach, darunter als viertes Thema "die Gegenwart des Herrn in der Kultgemeinde" [532]. Zu diesem Thema wurden fünf einzelne Referate und eine systematische Zusammenfassung gehalten. Ihr Inhalt soll im Folgenden unter dem Aspekt unserer Fragestellung kurz referiert werden.

Luigi Ciappi

Der Dominikaner Luigi Ciappi, später 'Magister S. Palatii' und schließlich Kardinal, sprach über das Thema: "Die Gegenwart des Herrn in der Kultgemeinde durch den Taufcharakter" [533]. In einer kurzen Erläuterung des Themas erklärte er, daß der Taufcharakter das Fundament oder der Grund der gegenseitigen Gegenwart des Herrn und der Kultgemeinde sei [534]. Die Frage sei, ob nach der Lehre des II. Vatikanischen Konzils eine solche Kultgegenwart des Herrn nur gegeben ist, wenn der Kult in Gemeinschaft gefeiert wird, und, wenn nicht, ob "wenigstens eine spezifisch intensivere Gegenwart des Herrn in der Kultgemeinde anzunehmen sei, wenn der liturgische Kult von einer Versammlung von Gläubigen gefeiert wird" [535].
Ciappi berichtet zunächst über die Kritik von Vilmos Vajta und Emilianos Timiados an der Enzyklika "Mysterium fidei" und die These dieser beiden Autoren, daß christlicher Gottesdienst le-

---

531 Vgl. A. Schönmetzer (Hg.), Acta Congressus Internationalis de Theologia Concilii Vaticani II (Rom, 26.9.-1.10.1966), Vatikan 1968 (künftig zitiert: ACI; die Übersetzungen sind jeweils von mir).
532 ACI, 272-338: "De praesentia Domini in communitate cultus".
533 A. (Aloisius = Luigi) Ciappi, De praesentia Domini in communitate cultus ratione characteris baptismatis, ebd., 272-282.
534 Vgl. ebd., 273: "Denique, dum adiungitur 'ratione characteris baptismatis', insinuatur fundamentum seu ratio mutuae praesentiae inter Dominum et communitatem cultus".
535 Ebd., 274: "... num saltem agnoscenda sit peculiaris intensior praesentia Domini in communitate cultus dum cultus liturgicus coram conventu Christi fidelium celebratur?".

gitim nur in Gemeinschaft gefeiert werden könne[536]. Dagegen
stellt er Artikel 7 und 48 der Liturgiekonstitution sowie Artikel 11 der Kirchenkonstitution. Aus Artikel 7 entnimmt er,
daß Jesus Christus in der betenden und singenden Kirche, also
bei der Feier des Stundengebetes, gegenwärtig sei[537]. Aus Artikel 48 der Liturgiekonstitution entnimmt er die Lehre von
der Gegenwart des Herrn in der eucharistischen Versammlung[538],
aus Artikel 11 der Kirchenkonstitution schließlich, daß die
Gläubigen durch den Taufcharakter zum christlichen Kult befähigt und beauftragt werden, was er mit Texten des heiligen Thomas und der Enzyklika "Mediator Dei" erläutert[539].
Danach stellt Ciappi fest, daß trotz der Kritik der genannten
nichtkatholischen Autoren aus der Liturgiekonstitution, den
Enzykliken "Mediator Dei" und "Mysterium fidei" sowie aus dem
Meßkanon klar hervorgehe, daß Jesus Christus auch in der privat gefeierten Messe gegenwärtig sei[540].
Die Frage, ob eine intensivere Gegenwart des Herrn in der in
Gemeinschaft gefeierten Messe anzunehmen sei, bejaht er mit
Berufung auf Artikel 26 und 49 der Liturgiekonstitution, in
denen der Vorrang der gemeinschaftlichen liturgischen Feier,
besonders der Meßfeier, hervorgehoben wird[541]. Die größere Intensität seiner Gegenwart kommt durch die tätige Teilnahme der
Gläubigen zustande, durch welche die Gegenwart des Herrn in
den mitfeiernden Gläubigen geheimnisvoll und zugleich sinnenfällig gegeben ist, "umso mehr, wenn das mitfeiernde gläubige
Volk zahlreicher und tätig an der Kultfeier teilnimmt"[542].
Eine theologische Deutung dieses aus den Konzilstexten entnommenen Sachverhalts bietet Ciappi nicht.

---

536 Vgl. ebd., 274-276; vgl. dazu die Angaben, S. 636, Anm. 263, und S. 638, Anm. 273.
537 Vgl. ebd., 277; Ciappi bezieht die Verheißung Mt 18,20 ausschließlich auf die Gegenwart des Herrn im Gebet und Gesang der Kirche. Vgl. zu der möglichen weiteren Interpretation, oben, S. 293-296.
538 Vgl. ebd., 278.
539 Vgl. ebd., 278 f.
540 Vgl. ebd., 279-281.
541 Vgl. ebd., 281 f.
542 Ebd., 282: "Maxime etiam curanda est eorundem (christifidelium) actuosa participatio sacrificio Missae, ut praesentia Domini ... pariter mysteriosa et sensibilis fiat in christifidelibus adstantibus, et eo

Der Franziskaner Bonaventura Duda sprach über das Thema: "Trinitarische Aspekte der Gegenwart des Herrn in der Kultgemeinde"[543].

In drei Vorbemerkungen erklärt er zunächst, daß die substantiale Realpräsenz Christi in der Eucharistie nicht isoliert und statisch gesehen werden dürfe. Vielmehr sei der Herr auch in dieser Weise seiner Kirche gegenwärtig und die Kirche ihm[544], da die eucharistischen Gestalten sowohl den realen wie den mystischen Leib des Herrn bezeichnen.

Weiter sei zu betonen, daß die Ekklesiologie des II. Vatikanischen Konzils zeigt, daß die Kirche das Pascha-Mysterium ihres erhöhten Hauptes feiert, ihm dabei zugesellt ist und somit an seiner gesamten Bezogenheit zum Vater und zum Geist teilhabe[545]. Insofern müsse der Ausgangspunkt der Casel'schen Mysterienlehre korrigiert werden. Dort werde von dem 'Jetzt' der Kirche her nach dem 'Damals' Christi, nach der Möglichkeit einer Gegenwart seiner damaligen Heilstaten im jetzigen Tun der Kirche gefragt. Man müsse aber vielmehr vom 'Jetzt' des himmlischen Christus, was das 'Damals' des irdischen Christus einschließt, nach dem 'Jetzt' der Kirche fragen, denn wie die Kirchenkonstitution in Artikel 48 sagt, handelt der verherrlichte Christus jetzt im Tun der Kirche[546].

---

magis quo numerosior et actuose aderit plebs fidelium participans celebrationi cultus".

543 B. Duda, De aspectibus trinitariis praesentiae Domini in communitate cultus, in: ACI, 283-294.

544 Vgl. ebd., 284: "In Sacramento Altaris ergo Christus Ecclesiae et Ecclesia Christo praesens est".

545 Vgl. ebd.: "... Ecclesia celebrat Christi sui Capitis *gloriosi* Mysterium Paschale, ad quod ipsa quoque coassumitur comparticipando totam Christi relationem ad Patrem et Spiritum, eiusque continua missione Spiritus Sancti fruitur".

546 Vgl. ebd., 285: "Etenim, quaestio ponebatur potius ex 'nunc' Ecclesiae ad 'olim' Christi: quomodo nempe actiones Christi, olim in Palaestina perpatratae, nunc in actionibus Ecclesiae praesentes sint ac perdurent. Quaerendum autem esse videtur ex 'nunc' Christi caelestis - quod implicat 'olim' Christi terrestris - ad 'nunc' Ecclesiae: nam, in praesenti actione Ecclesiae *nunc* operatur Christus gloriosus in caelis existens". Duda erklärt allerdings nicht, in welcher Weise das 'Damals' der irdischen Taten des Herrn in seinem 'Jetzt' enthalten sind.

Nach diesen wichtigen Vorbemerkungen behandelt Duda die trinitarischen Aspekte der Kultpräsenz des Herrn. Die Lehre von der
Gegenwart Jesu Christi in der Kultgemeinde setzt Duda voraus,
da sie von anderen dargestellt werde. Er behandelt zunächst
den pneumatologischen Aspekt [547]. Dazu stellt er eine Reihe von
entsprechenden Konzilstexten, vor allem aus den Konstitutionen
über die Liturgie und die Kirche und den Dekreten über Mission
und Dienst und Leben der Priester zusammen und kommt zu dem
zusammenfassenden Ergebnis: "Der gesamte Kult der Kirche -
auch in seinen konkreten Verwirklichungen in den einzelnen Gemeinden - wird als Heilsereignis betrachtet, das hier und jetzt
geschieht - oder besser: in welchem hier und jetzt das vom Vater begonnene Heilswerk durch seinen Sohn vollzogen wird, der
zum Werk der Erlösung der Menschen und der vollkommenen Verherrlichung Gottes gesendet ist, welche Sendung, 'im Heiligen
Geist' vollendet wird. Zu diesem Werk wird aber - durch den
selben Sohn im Heiligen Geist - die Kirche hinzugenommen, die
in den einzelnen Kultgemeinden sich selbst darstellt und darin
wirkt" [548].

Diese kultische Tätigkeit des Heiligen Geistes wird, so fährt
Duda fort, im II. Vatikanischen Konzil nur angedeutet. Es bietet die Elemente einer erst noch zu entwickelnden Lehre. Diese
müßte eine exegetische Untersuchung wichtiger diesbezüglicher
Schriftstellen [549] zur Grundlage nehmen und dann klären, ob und
in welchem Sinn man sagen kann, daß der Geist selbst die Gegenwart Christi in uns ist und ob und in welchem Sinn der Geist
es ist, durch den wir von Christus und durch Christus dem Vater vergegenwärtigt werden und durch den der Vater in uns wie

---

547 Vgl. ebd., 285-289.
548 Ebd., 287: "In hisce locis totus cultus Ecclesiae - in concretis etiam
   suis manifestationibus singularum communitatum - consideratur tamquam
   salvificus eventus qui hic et nunc inseritur - vel melius, in quo hic
   et nunc operatur opus salutiferum a Deo Patre inceptum, per Filium suum ad opus humanae redemptionis perfectaeque Dei glorificationis mis-
   sum, quae missio perficitur 'in Spiritu Sancto'; ad quod opus autem -
   per eundem Filium in Spiritu Sancto - coassumitur Ecclesia, sese manifestans et operans in singularibus communitatibus cultus".
549 Duda nennt 1 Petr 2,9; Röm 8,15; Eph 2,18; Hebr 9,14.

in einem Tempel wohnt [550].

Danach erörtert Duda anhand mehrerer Konzilstexte die Frage,
ob die Kultpräsenz Christi auch eine Gegenwart Gottes, des Vaters, im Heiligen Geist impliziere [551]. Er stellt fest, daß man
nicht so sehr von einer Gegenwart Gottes, des Vaters, in der
Kultgemeinde sprechen könne, als vielmehr davon, daß wir im
Kult dem Vater vergegenwärtigt werden durch seinen Sohn im
Heiligen Geist. So zeigt sich im Kult unsere Relation zum Vater. Die Liturgie ist in ihren beiden Sinnrichtungen nicht so
sehr unser als vielmehr göttliches Tun. Der Vater bezieht uns
durch den Sohn im Heiligen Geist in das Heilswerk mit ein,
welches in der Kirche fortgeführt wird; der Sohn bezieht uns
im Kult in seine Relation zum Vater im Heiligen Geist mit ein.
"Daraus folgt, daß nicht nur der Vater durch den Sohn im Heiligen Geist in der Kultgemeinde gegenwärtig ist und die Kirche
ebenfalls dem Vater durch den Sohn im Heiligen Geist gegenwärtig ist, sondern die Kirche so auch das wahre 'Sakrament für
die innerste Vereinigung mit Gott' - ja sogar das 'Zeichen der
Gegenwart Gottes in der Welt' ist" [552].

Aus diesen Überlegungen ergibt sich nach Duda unter anderem,
daß so "einerseits die Weise, wie Christus in der Eucharistie
gegenwärtig wird, gut bestimmt werden kann, andererseits dieses Geheimnis, das ohne den Heiligen Geist nicht gedacht werden kann, stärker bekräftigt wird" [553].

Für unsere Fragestellung erbringt der Beitrag Dudas eine wichtige, klärende Weiterführung der konziliaren Lehre von der li-

---

550 Ebd., 289: "... utrum et quanam ratione dici possit ipsum Spiritum esse praesentiam Christi in nobis necnon utrum et quanam ratione Spiritus sit ille quo a Christo et per Christum praesentamur ad Patrem et
in quo Pater in nobis tamquam in templo habitat".
551 Vgl. ebd., 289-292.
552 Ebd., 292: "Sic tandem evenit non tantum ut Pater per Filium in Spiritu Sancto in communitate cultus Ecclesiae praesens sit, et Ecclesia
Patri per eundem Filium in eodem Spiritu copraesens, verum etiam Ecclesia sic fit 'sacramentum intimae cum Deo unionis' (LG 1; SC 26 et 48)
- immo 'signum praesentiae Dei in mundo' (AG 15)".
553 Ebd., 293: "Nam, ex una parte bene determinatur momentum quo Christus
fit in Eucharistia praesens; ex alia parte magis affirmatur ipsum mysterium quod sine Spiritu Sancto cogitari non potest".

turgischen Gegenwart Jesu Christi. Seine Gegenwart als der
zweiten göttlichen Person impliziert eine trinitarische Grundlegung seines Handelns in der Liturgie der Kirche. So wird
deutlich, daß die Kirche in ihrer Einbeziehung in das Pascha-
Mysterium des Herrn am dreifaltigen Lebensvollzug Gottes selbst
teilnimmt. Das gegenwärtige Handeln des Herrn im Gottesdienst
wird als Vollzug des Heilswillens des Vaters im Heiligen Geist
erkennbar. Darin ist implizit die Antwort auf die Frage nach
dem 'Wie' der liturgischen Gegenwart des Herrn enthalten: sie
kommt zustande und vollzieht sich im Heiligen Geist. Diese
Antwort wird von Duda freilich nicht weiter expliziert. Er
stellt lediglich die Elemente aus der Lehre des II. Vatikanischen Konzils zusammen, die zur Ausarbeitung dieser trinitarischen und speziell pneumatologischen Grundlegung der Liturgie
heranzuziehen sind.

Josef Andreas Jungmann

Der Beitrag von Josef Andreas Jungmann auf dem genannten Kongreß trägt den Titel: "Die Gegenwart des Herrn in der Kultgemeinde und die Gründe, warum diese Lehre lange verdunkelt war
und heute neu aufzunehmen ist" [554].
Nach einer kurzen Erläuterung des Begriffs der Kultgemeinde,
worin schon das Faktum der Gegenwart des Herrn impliziert ist,
fragt Jungmann nach der Natur dieser Gegenwart. Er stellt fest,
daß bei dem gewohnten Ausgangspunkt von der substantialen Realpräsenz Jesu Christi in der Eucharistie seine Gegenwart in
der Kultgemeinde im Vergleich dazu als vage und geradezu
nichtssagend erscheint. Diese Sicht sei aber zu eng, ja sogar
fehlerhaft. Geschichtlich erkläre sich die einseitige Betonung
der eucharistischen Gegenwart einerseits aus der Abwehr häre-
tischer Leugnung der Realpräsenz. Andererseits aber habe man
seit langem vergessen, daß das Christus-Mysterium sein Pascha-
Mysterium ist, sein Übergang vom Tod zur Auferstehung, und daß
Jesus Christus als Gottmensch in das ewige Leben in Herrlich-

---

554 J. A. Jungmann, De praesentia Domini in communitate cultus et de rati-
    onibus, cur haec doctrina dudum oscurata et hodie redintegranda sit,
    in: ACI, 295-299.

keit eingetreten ist. In Abwehr des Arianismus habe man zunehmend nur die Gottheit Christi betont und infolgedessen nicht mehr von einer Gegenwart des Menschen Jesus Christus in der Kultgemeinde gesprochen. In der Eucharistie habe man aufgrund der Einsetzung durch Christus eine bleibende Bewahrung seines irdischen Lebens gesehen, im Gnadenstand einen abstrakten übernatürlichen Stand ohne Bezug auf das Leben des erhöhten Herrn.

Jungmann folgert: "Wenn wir den Begriff der Gegenwart des Herrn neu beleben wollen, müssen wir zum Pascha-Mysterium und zum verherrlichten Leben des Herrn zurückkehren. Von daher muß auch ausgegangen werden, wenn man die verschiedenen Weisen erklären will, in denen er uns gegenwärtig ist" [555]. Die eigentliche und erste Existenzweise Jesu Christi ist sein verherrlichtes Leben beim Vater, wo er als Haupt des mystischen Leibes ewig lebt. "Alle anderen Gegenwartsweisen sind sekundär und von dorther zu erklären; sie sind gewissermaßen Projektionen, durch welche jene glorreiche Gegenwart vervielfältigt und uns zugänglich wird - auf je verschiedene Weise" [556]. Mit höchster Intensität geschieht das in der substantialen Gegenwart des Herrn in der Eucharistie. Im Gegensatz dazu geschieht "die Vervielfältigung und Zuwendung der glorreichen Existenz des Herrn in der Kultgemeinde als eine Gegenwart der Kraft nach oder im Heiligen Geist" [557]. Dies zu betonen empfiehlt sich aus pastoralen Gründen, weil aus der Gegenwart des Herrn die Bedeutung der liturgischen Versammlung, die Würde der Gläubigen und ihre Berufung zur tätigen Teilnahme am Gottesdienst klar wird [558].

---

555 Ebd., 297: "Manifestum ergo est: Si conceptum praesentiae Domini reviviscere volumus, redeundum est ad mysterium paschale et ad vitam Domini gloriosam. Inde etiam initium sumendum est ad varios modos quibus praesens nobis est, explicandos".

556 Ebd.: "Omnes alii praesentiae modi sunt secundarii et inde sunt explicandi; sunt quasi quaedam proiectiones, quibus praesentia illa gloriosa multiplicatur et applicatur - diversa utique ratione".

557 Ebd., 298: "E contra in communitate cultus illa multiplicatio et applicatio existentiae Domini gloriosae fit tamquam praesentia per virtutem seu in Spiritu Sancto".

558 Vgl. ebd.

Man wird fragen dürfen, ob mit dieser pastoralen Argumentation
die zuvor bemängelte lehrmäßige Einseitigkeit behoben werden
kann. Über die Frage, wie sich die Gegenwart des Herrn in der
Kultgemeinde und seine übrigen, hier nicht genannten Gegenwartsweisen zur eucharistischen Realpräsenz verhalten, sagt
Jungmann nichts. Merkwürdig ist, daß die substantiale Realpräsenz von einer Gegenwart im Heiligen Geist abgehoben wird.
Immerhin ist hervorzuheben, daß Jungmann in Verdeutlichung der
Lehre der Liturgiekonstitution vom gegenwärtigen Handeln Jesu
Christi als des verherrlichten Menschen spricht. Dieser Ausgangspunkt, den er gemeinsam mit Bonaventura Duda wählt, ermöglicht ein von Jungmann selbst freilich nicht erörtertes
Verständnis der verschiedenen Gegenwartsweisen Jesu Christi
als aktualpräsentischer Wirksamkeit des substantial gegenwärtigen Herrn.

Aimé-Georges Martimort

Aimé-Georges Martimort, der Direktor des pastoralliturgischen
Instituts von Paris, hielt einen Vortrag zum Thema: "Gegenwärtig ist er in seinem Wort, da er selbst spricht, wenn die heiligen Schriften in der Kirche gelesen werden" [559].
Dieser Beitrag setzt die systematische Erörterung der aktuellen Gegenwart Jesu Christi in der liturgischen Verkündigung
und der daraus folgenden Heilskraft des Verkündigungswortes
voraus [560]. Er will sie durch Zeugnisse früher Liturgien und
patristischer Texte untermauern und so zeigen, daß das II. Vatikanische Konzil in diesem Punkt die altkirchliche Tradition
wieder aufnimmt [561]. Danach ist "die Verkündigung des Evangeliums die Weise, wie Christus seine Königsherrschaft ausübt: Er
vollzieht bereits sein Richteramt, und wir sind dessen Zeugen;
dies ist eine Theophanie, welche die Parusie vorwegnimmt" [562].

---

559 A.-G. Martimort, "Praesens adest in verbo suo, siquidem ipse loquitur
dum sacrae Scripturae in Ecclesia leguntur", in: ACI, 300-315.
560 Martimort beruft sich vor allem auf den oben mehrfach zitierten Artikel von A.-M. Roguet (s. S. 416, Anm. 262), vgl. oben, S. 520-532.
561 Vgl. A.-G. Martimort, a.a.O., 302-309.
562 Ebd., 304: "La proclamtion de l'Evangile est l'exercice, par le Christ,
de sa royauté: il rend déjà son jugement et nous en sommes témoins;

Dies gilt aber nicht nur bei der Lesung des Evangeliums; auch
die anderen Schriften des Neuen und des Alten Testamentes sind
in der liturgischen Verkündigung lebendiges und lebensschaf-
fendes Wort Gottes. Auch in ihnen spricht Christus selbst [563].
Die liturgische Lesung der Schrift ist, analog zur eucharistischen Feier, ein Memoriale der Heilstaten Jesu Christi, ihre
heilswirksame Gegenwart [564]. Darin liegt die enge Zusammengehörigkeit von Wort und Sakrament begründet, welche zusammen "die
Fortsetzung und die Gegenwart der Heilstat Christi sind" [565].

Neue Gesichtspunkte erbringt dieser Beitrag nicht. Die grundlegende Frage nach den Möglichkeitsbedingungen der vorausgesetzten Gegenwart des Herrn in seinem Wort wird nicht gestellt,
ebensowenig die Frage nach den Möglichkeitsbedingungen auf
Seiten des Hörers, der im Menschenwort Gottes Wort aktuell als
Anrede und Heilszusage vernehmen soll.

Burkhard Neunheuser

Ein weiterer Beitrag auf dem römischen Kongreß von 1966 stammt
von dem Maria Laacher Benediktiner Burkhard Neunheuser, der
lange Jahre in San Anselmo in Rom wirkte. Er sprach zum Thema:
"Die Gegenwart des Herrn in der Kultgemeinde: die historische
Entwicklung und die spezifische Schwierigkeit dieser Frage" [566].
Zunächst gibt Neunheuser einen knappen und aufschlußreichen
Abriß der historischen Entwicklung, die dazu geführt hat, daß
in der nachtridentinischen Theologie nur noch die substantiale
Realpräsenz des Herrn in den eucharistischen Gestalten Gegen-
stand des theologischen und spirituellen Interesses war. Dies

---

c'est une théophanie qui anticipe la parousie".
563 Vgl. ebd., 309 f. Martimort präzisiert hier korrigierend seine Aussage
über die Gegenwart des Apostels in der Lesung der apostolischen Briefe:
es ist vielmehr der Herr, der durch seinen Apostel spricht und somit
gegenwärtig ist; vgl. dazu oben, S. 522 f.
564 Vgl. ebd., 212.
565 Ebd., 313: "C'est donc par l'analogie avec les sacrements que la théologie rendra compte de la présence du Christ dans sa parole, puisque
parole et sacrement sont, dans l'étape actuelle de l'économie du salut,
la continuation et la présence de l'action salvatrice du Christ".
566 B. Neunheuser, De praesentia Domini in communitate cultus: Quaestionis
evolutio historica et difficultas specifica, in: ACI, 316-329.

änderte sich erst mit der Liturgischen Bewegung und der Mysterienlehre dieses Jahrhunderts. Die Neubesinnung auf verschiedene Weisen der einen tätigen Gegenwart des Herrn gipfelt in
der Lehre der Liturgiekonstitution, wie sie in Artikel 7 zusammengefaßt ist [567]. Als Konsens heutiger Theologie formuliert
Neunheuser: "Die Kirche, der Leib Christi, das Volk Gottes,
das unter den Bischöfen um den Altar versammelt ist, wird dort
aufgebaut in der Kraft ihres Herrn, in seinem Wort, in seinen
Sakramenten, im eucharistischen Gedächtnis (recht verstanden
im vollen und realen Sinn). Dadurch ist die Kirche in ihm und
er in ihr, und sie ist folglich genau dadurch seine Kirche,
sein Leib. Die Kirche, die immer mit ihrem Herrn verbunden ist,
ist sich in einer gewissen neuen Vitalität der spezifischen
Eigenart dieser Gegenwart bewußt, daß sie in der Quelle ihrer
ganzen Existenz und auch in ihrem Gipfel, nämlich im liturgischen Tun, zu dem sie als Kultgemeinde versammelt wird, in
Christus Jesus ist, daß da Christus in ihr ist, gegenwärtig in
ihr" [568].

Von da aus muß dann die Frage gestellt werden, wie es zu verstehen sei, daß der zur Rechten des Vaters sitzende Herr dennnoch auf vielfältige Weise unter uns gegenwärtig ist, besonders in der liturgischen Versammlung. Die gewohnte Umschreibung als wirksame Gegenwart reicht zur Erklärung nicht hin;
sie ginge, so Neunheuser, nicht über die Beschreibung einer
Gegenwartsweise hinaus, wie sie der Allgegenwart Gottes entspricht [569]. In Anlehnung an Gottlieb Söhngen und Heinz-Robert
Schlette erklärt Neunheuser, daß die bleibende Gegenwart des

---

567 Vgl. ebd., 316-321.
568 Ebd., 321: "Ecclesia, Corpus Christi, plebs Dei sub episcopis adunata
circa altare, ad perficiendum actiones liturgicas, praesertim Eucharistiam, aedificatur ibi in virtute Domini sui, in verbo eius, in sacramentis eius, in memoria eucharistica (bene intellecta, in sensu pleno
et reali), ita ut ibi in ipso sit et ipse in ea, et ipsa proinde prae-
cise ex hoc Ecclesia eius sit, Corpus eius. Ecclesia, quae semper coniuncta est cum Domino suo, in nova quaedam vitalitate conscia est modi
specifici praesentiae huius, quod, tamquam in fonte totius suae existentiae et tamquam etiam in culmine eius, in actione liturgica ad
quam tamquam communitas cultus congregatur, in Christo Iesu sit, quod
ibi Christus in ea sit, praesens in ea".
569 Vgl. ebd., 324.

Herrn im Heiligen Geist durch den Glauben in den Herzen der
Gläubigen das Ziel sowohl seiner substantialen Gegenwart in
den eucharistischen Gestalten wie auch seiner aktualen Gegenwart in Wort und Sakrament sei. "Diese bleibende Gegenwart
kann beschrieben werden als Selbstmitteilung Christi, welche
die Wirkursächlichkeit übersteigt und eher eine quasi-formale
Ursächlichkeit ist, durch welche Christus, der uns erlöst, für
uns stirbt und aufersteht, als Verherrlichter kraft seiner
Gottheit uns aktuell sich, der dies alles tut, eingliedert,
damit wir persönlich und wirklich mit ihm verbunden sind und
seinem Bild gleichgestaltet werden, um mit ihm zu sterben und
mit ihm zu leben" [570].

Diese von Jesus Christus gewährte Gegenwart werde von den Theologen 'Kommunikation' genannt, im Unterschied zur eucharistischen Kommunion, durch welche sie bewirkt wird. Es ist eine
geistige "personhafte, im Heiligen Geist bewirkte Einheit mit
Christus in Glaube und Liebe" [571], die umfassender ist als die
eucharistische Gegenwart und sich zu dieser verhält wie das
Ziel zum Mittel. Es ist eine gegenseitige Inexistenz, die im
Heiligen Geist bewirkt wird [572].

"Um diese Gegenwart in ihren verschiedenen Intensitätsgraden
zu verwirklichen, wirken verschiedene Faktoren zusammen:
grundlegend und vor allem die Kraft des Heiligen Geistes; instrumental die Menschheit Christi als *instrumentum coniunctum*, die Sakramente als *instrumenta separata*, der Glaube
und die Liebe als (durch die Gnade ermöglichte) persönliche
Faktoren. Speziell wirken zur Herstellung der eucharistischen

---

570 Ebd., 325: "Quae praesentia describi potest tamquam communicatio Christi sui ipsius, quae causalitatem efficientem supergreditur, quae potius pertinet ad causalitatem quasi-formalem, qua Christus nos redi-
mens, pro nobis moriens, resurgens, glorificatus in virtute Divinita-
tis suae nos actualiter sibi haec agenti incorporat, ut nos personali-
ter et realiter ipsi simus coniuncti, secundum imaginem eius conforma-
ti, ad commoriendum et convivendum". - Hier werden offensichtlich Gedanken und Formulierungen von K. Rahner aufgenommen: vgl. oben, S. 476.
571 Ebd., 326: "... unio personalis hominis cum Christo facta in Spiritu
Sancto, in fide et caritate ...".
572 Vgl. ebd., 327: "... vocatur inexistentia reciproca qua nos in Christo
sumus et Christus in nobis est, inexistentia pneumatica, i.e. spiritualis, facta in Spiritu Sancto".

Substantialpräsenz die Transsubstantiation, zur Herstellung
der aktualen und geistigen Gegenwart die Kraft der Sakramente,
das verkündigte Gotteswort, die liturgische Feier, in welcher
wir das Gedächtnis Christi und seines Heilswerks begehen, und
Glaube und Liebe, durch welche Christus sich uns im Geist mitteilt"[573].

Das Verdienst dieses Beitrags Neunheusers besteht darin, daß
er dogmatische Überlegungen, die insbesondere zur Verhältnisbestimmung von Wort und Sakrament angestellt wurden[574], zur
Erläuterung der verschiedenen Gegenwartsweisen des Herrn in
der Liturgie überhaupt heranzieht. Einen übergeordneten Aspekt
gewinnt er einerseits durch den Ausgangspunkt von einer ganz-
heitlichen, personalen Kommunikation des erhöhten Herrn mit
den Gläubigen. Andererseits wird die Einheit der vielfältigen
Gegenwartsweisen darin sichtbar, daß sie insgesamt der bleibenden geistigen und realen Gemeinschaft des Herrn mit den
Gläubigen im Heiligen Geist durch Glaube und Liebe dienen.
Wie allerdings innerhalb dieses Konzepts die einzelnen Gegenwartsweisen sich zueinander verhalten, wird nicht erörtert.
Auch erläutert Neunheuser nicht die mehrfach hervorgehobene
Funktion des Heiligen Geistes im Bewirken dieser Kommunikation
zwischen Jesus Christus und den Gläubigen. Ebensowenig präzisiert er die Frage, welchen Anteil näherhin Glaube und Liebe
zum Zustandekommen dieser Kommunikation haben.
Sein Beitrag stellt aber jedenfalls den Versuch dar, die Aussagen der Liturgiekonstitution in den Kontext der in der Konstitution selbst wenig spürbaren dogmatischen Diskussion um

---

573 Ebd., 328 f.: "Ad quam praesentiam in variis ipsius gradibus formandam
diversi concurrunt factores: fundamentaliter et primarie virtus Spiritus Sancti; *instrumentaliter* ipsa humanitas Christi tamquam instrumentum coniunctum, sacramenta tamquam instrumenta separata, fides et caritas tamquam factores (ex gratia dati) personales. In *specie* concurrunt ad praesentiam substantialem eucharisticam efficiendam transsub-
stantiatio, ad praesentiam actualem et spiritualem efficiendam virtus
sacramentalis, verbum Dei annuntiatum, celebratio liturgica qua memoriam Christi eiusque operis celebramus, fides et caritas quibus Christus se nobis in Spiritu communicat".
574 Vgl. oben, S. 542-555.

die Verhältnisbestimmung von Wort und Sakrament, bzw. von realer, aktualer, geistiger Gegenwart und realer, substantialer,
geistiger und leiblicher Gegenwart des Herrn zu stellen.

Karl Rahner

Eine theologische Synthese zu den einzelnen Fragen bezüglich
der liturgischen Gegenwart Jesu Christi gab Karl Rahner unter
dem Titel: "Die Gegenwart des Herrn in der christlichen Kultgemeinde" [575].
Rahner bezieht sich in diesem Beitrag nicht ausdrücklich auf
Artikel 7 der Liturgiekonstitution, behandelt aber der Sache
nach genau den Inhalt von Artikel 7,1. Er nimmt für seinen Gedankengang nicht einen liturgietheologischen Ausgangspunkt,
der vom Wesen der Liturgie her nach der darin gegebenen Gegenwart des Herrn und ihren verschiedenen Verwirklichungsweisen
fragen würde; Rahner geht vielmehr von der Frage aus, was
"'Gegenwart' im allgemeinen" sei [576]. Er stellt fest, daß 'Gegenwart' nicht nur einen räumlichen und zeitlichen Sinn hat,
sondern darüberhinaus auf alle Dimensionen des menschlichen
Lebens bezogen wird, so daß man 'Gegenwart' nicht eigentlich
definieren, sondern nur erfahren und dann beschreiben kann.
"Solche Erfahrung, die selbst in der individuellen und kollek-
tiven Geschichte nochmals variabel ist, läßt uns Weisen von
'Gegenwart' erfahren, die selbst verschieden intensiv ist je
nach den einzelnen Dimensionen des Menschen" [577].
Immer aber meint Gegenwart im vollen Sinn eine Beziehung zwischen zweien, die einander gegenwärtig sind in einem dritten,
einem Medium, das ihnen den raumzeitlichen Bereich für ihre
gegenseitige Gegenwart gewährt [578]. Von allen drei Faktoren,
den beiden sich begegnenden Subjekten und dem Medium ihrer gegenseitigen Gegenwart, wird die Eigenart dieser Gegenwart be-

575 K. Rahner, De praesentia Domini in communitate cultus: synthesis theo-
    logica, in: ACI, 330-338; deutsch: Die Gegenwart des Herrn in der
    christlichen Kultgemeinde, in: Ders., Schriften VIII (1967), 395-408.
    Im Folgenden wird die deutsche Fassung zitiert.
576 Vgl. ebd., 395-397.
577 Ebd., 395.
578 Ebd.

stimmt.

Aus diesen Überlegungen folgt, daß 'Gegenwart' nicht nur "physische Koexistenz" meint, sondern ein anthropologischer Begriff ist, der den Menschen in all seinen Dimensionen betrifft.
Die Gegenwart ist vollkommen, wenn sie alle "Abwesenheit" auf-
hebt, "in der das eine existiert und dennoch für ein anderes
so ist, als ob es nicht sei"[579]. Die raum-zeitliche Gegenwart
ist nur Voraussetzung und "Realsymbol" für eine spezifisch
menschliche Gegenwart. Die ursprüngliche Bedeutung von 'Gegenwart' als eines anthropologischen Begriffs wird getroffen,
"wenn wir von einer 'Gegenwart' durch Liebe, im Geist, in der
Erkenntnis usw. sprechen"[580].

Nachdem er so den Begriff von 'Gegenwart' erläutert hat, untersucht Rahner die Eigenart der kultischen Gegenwart des
Herrn. Zunächst wendet er sich dem Medium der gegenseitigen
Gegenwart des Herrn und der Gläubigen im Kult zu. Ein solches
Medium ist prinzipiell notwendig, wenn es auch unter den ge-
wöhnlichen Bedingungen raum-zeitlicher Gegenwart immer schon
mitgegeben ist. Wenn aber, wie bei der kultischen Gegenwart
des Herrn, die Gegenwart nicht immer schon gegeben ist, sondern erst zustandekommen oder intensiviert werden soll, zeigt
sich die Notwendigkeit eines solchen Mediums, das von den beiden einander Gegenwärtigen zu unterscheiden ist und ihnen ihre
gegenseitige Gegenwart erst ermöglicht[581].

Dieses Medium der kultischen Gegenwart des Herrn ist der Geist
Christi[582]. Er wohnt nach Ausweis der Offenbarungsquellen in
den Herzen der Gläubigen; in ihm ist Jesus Christus als Ursprung aller Gnade gegenwärtig. Diese habituelle Gegenwart Jesu Christi ist aber die Voraussetzung für die davon zu unter-

---

579 Ebd., 396.
580 Ebd.
581 Vgl. ebd., 397 f.
582 Vgl. ebd., 398. In der lat. Fassung verwendet Rahner den Ausdruck "ambitus", der deutlicher anklingen läßt, daß dieser gemeinsame 'Raum'
   der Begegnung nicht nur zwischen (medium) den beiden Begegnenden ist,
   sondern sie beide (ambo) in gewissem Sinn umfaßt. Für diesen Sinn von
   "ambitus" gibt es kein deutsches Äquivalent. In der deutschen Fassung
   wird "Medium" erläutert durch: "die Dimension der Gegenwart, ihr 'am-
   biente'".

scheidende aktuelle Gegenwart des Herrn im Kult. Zugleich ist aber die habituelle Gegenwart des Geistes in den Gläubigen die Voraussetzung dafür, daß ihr menschliches kultisches Tun kraft des Geistes Gott selbst erreicht. Der Heilige Geist ist damit auch als "das innere, subjektive Prinzip des Kultes" gekennzeichnet[583].

Im nächsten Schritt zeigt Rahner, daß in der Dimension des Geistes durch den Kult, der als seine höchste Wesensverwirklichung das eucharistische Opfer mit umfaßt, "eine gegenseitige Gegenwart Christi und der Gläubigen von höchster Aktualität konstituiert" wird[584]. Dies geschieht in der örtlichen Altargemeinschaft, in welcher die Kirche als ganze da ist, weil sich hier ihr Wesen umfassend vollzieht[585].

Diese kultische Gegenwart, so fährt Rahner fort, "muß als *eine* und *tätige* verstanden werden"[586]. Sie hat zwar verschiedene Momente und Intensitätsgrade, diese sind aber nur Momente an der einen Gegenwart des Herrn, der dem in aller Pluralität doch einen Menschen begegnet[587]. Sie meint nicht "bloße Koexistenz zweier Seiender am selben Ort", sondern ist "Selbstmitteilung Gottes in seinem Geist" durch alle "Mittel", die diese Selbstmitteilung anzeigen und so bewirken und gegenwärtig machen[588].

Im Anschluß daran erläutert Rahner die entscheidenden Momente dieser kultischen Gegenwart des Herrn[589]. Christus wird gegenwärtig "durch das in Vollmacht verkündigte und im Glauben gehörte Wort des Evangeliums"[590]. Darin teilt sich Christus "als die eschatologische Einheit zwischen Gott und Mensch durch den

583 Vgl. ebd., 398 f., Zitat: 399.
584 Ebd., 399.
585 Vgl. ebd., 400. Auf diesen Aspekt braucht hier nicht näher eingegangen zu werden. Rahner hat ihn weiter entfaltet: vgl. ders., Über die Gegenwart Christi in der Diasporagemeinde nach der Lehre des Zweiten Vatikanischen Konzils, a.a.O. (S. 289, Anm. 312). Zur Sache vgl. oben, S. 283-296.
586 Ebd.
587 Vgl. ebd., 400 f.
588 Vgl. ebd., 402.
589 Vgl. ebd., 402-406.
590 Ebd., 402. Rahner beruft sich hier auf LG 26, statt auf die in diesem Zusammenhang näherliegenden und deutlicheren Texte von SC.

Glauben im Geist in göttlicher Selbstmitteilung uns mit und wird so im Verkündiger und Hörenden gegenwärtig"[591]. Diese Qualifikation kommt der Verkündigung insgesamt, wenn auch in verschiedener Intensität zu. Die Predigt, hier als umfassender Ausdruck für den gesamten Verkündigungsvorgang gebraucht, ist "Ereignis der Gnade und so der Gegenwart Christi"[592].

Im Sakrament sagt sich, so heißt der nächste Schritt, Christus selbst als "Sakrament" des Heils in einem wirksamen Wort durch den Mund der Kirche "einem bestimmten Menschen in einer bedeutsamen Situation seines Lebens in geschichtlicher Greifbarkeit zu"[593]. Diese Gegenwart Jesu Christi ist "dynamisch" im Unterschied zu seiner substantialen Gegenwart in der Eucharistie. Im Sakrament vertritt der menschliche Spender in der Dimension des Zeichens den Herrn, der aber selbst allein die Gnade wirkt. "Der menschliche Spender des Sakramentes vertritt nicht den abwesenden Christus, sondern repräsentiert in der Dimension des (wirksamen) Zeichens den gegenwärtigen Christus, der durch sich selbst in seinem Pneuma die Gnade bewirkt"[594]. Die Gegenwart Jesu Christi im Sakrament ist göttliche Gabe an den Menschen, zugleich aber auch kultische Tat, insofern die Annahme der Sakramentsgnade "Annahme und Ausübung dieser in der Gnade gegebenen Bestimmung des Menschen zum Kult Gottes bedeutet"[595].

Die Eucharistie ist schließlich "das höchste Ereignis der Gegenwart Christi unter seinem Volk"[596], das die Gegenwart in Wort und Sakrament als ihr "spezifisch höchster Fall"[597] übersteigt, ohne jedoch aus dem Zusammenhang der einen und tätigen Gegenwart des Herrn im Kult herauszufallen[598]. In der Eucharistie "ist die sakramental aktuelle Gegenwart des Todes und der

---

591 Ebd.
592 Ebd., 403.
593 Ebd.
594 Ebd.
595 Ebd., 404.
596 Ebd.
597 Ebd., 405.
598 Dies betont Rahner bei der Erörterung der Einheit der Gegenwart des Herrn, ebd., 401, und bei der Darstellung seiner Gegenwart im Sakrament, ebd., 403 f.

Auferstehung ('im Mysterium') und die substantiale Gegenwart des Leibes und Blutes Christi gegeben" [599]. Diese beiden Elemente konstituieren seine letztlich eine Gegenwart, die sich auf die Kirche als solche und in ihr auf die einzelnen Gläubigen bezieht. In der Eucharistie findet infolgedessen die Kirche die höchste Weise ihres Selbstvollzugs [600].

Als letztes Moment der kultischen Gegenwart des Herrn nennt Rahner seine Gegenwart durch Hoffnung und Liebe der Gläubigen, worin die absolute Zukunft der Heilsvollendung im Zeichen wirklich gefeiert wird und als endgültige Zusage der Liebe Gottes die Menschen untereinander in Liebe verbindet. Diese Auswirkung der Eucharistie muß sich im Zeichen verwirklichen, in der versammelten Gemeinde, im Hören des Wortes, im Gebet und Glaubensbekenntnis und in der Sorge für die Armen [601]. Doch braucht dieser 'Kontext' der Eucharistie hier nicht weiter erörtert zu werden.

In einem weiteren Abschnitt betont Rahner nochmals, daß die verschiedenen Weisen der kultischen Gegenwart des Herrn die je verschieden intensive Aktualisation seiner einen Gegenwart sind, in der sowohl auf der sichtbaren Ebene der Zeichen, wie existentiell in der Annahme und Verwirklichung des Bezeichneten durch die Gläubigen diese mit Christus und untereinander geeint und somit sich gegenwärtig sind. "Diese *verschiedenen* Momente der *einen* Gegenwart Christi hängen unter sich zusammen, gehen auseinander hervor und fordern sich gegenseitig aus jener Einheit heraus, in der das 'opus operatum' und das 'opus operantis', die Tat Gottes am Menschen und die Antwort des Menschen in der Gnade ... untereinander zusammenhängen und in immer neuen Gestalten vom Menschen verwirklicht werden" [602]. Damit ist die kultische Gegenwart des Herrn als unüberbietbare Vollendung der Selbstmitteilung Gottes durch seinen Geist an die Welt gekennzeichnet. Die wirksame Gegenwart des Herrn beschränkt sich jedoch nicht auf den Kult, sondern ist überall

---

599 Ebd., 405.
600 Vgl. ebd.
601 Vgl. ebd., 405 f.
602 Ebd., 406 f.

gegeben, wo die Kirche als Grundsakrament des Heils in der
Welt gegenwärtig ist und wirkt [603].

In diesem sehr komprimierten Gedankengang legt Rahner ein Konzept vor, in dem sowohl die Möglichkeitsbedingungen einer liturgischen Gegenwart des Herrn überhaupt wie auch die Einheit,
Verschiedenheit und gegenseitige Zuordnung der verschiedenen
Verwirklichungsweisen dieser Gegenwart dargestellt werden.

Im Hinblick auf die Frage nach der Aufnahme und Weiterführung
der Liturgiekonstitution sind hier folgende Aspekte besonders
hervorzuheben:

Mit dem Hinweis auf die Notwendigkeit eines Mediums gegenseitiger Gegenwart und mit der These, daß dieses Medium der liturgischen Gegenwart des Herrn der Heilige Geist sei, zeigt
Rahner, wie die von der Liturgiekonstitution letztlich unbe-
antwortete Frage nach dem 'Wie' der liturgischen Gegenwart Jesu Christi beantwortet werden kann. Damit zeigt sich auch, daß
'Gegenwart des Herrn' nur in gegenseitiger Gegenwart des Herrn
und der Gläubigen wirklich ist, also nicht nur eine Tat des
Herrn, sondern zugleich auch die antwortende Tat des Menschen
impliziert.

Der dialogische Charakter der Liturgie gehört demnach nicht
nur zu ihrem Wesen, sondern ist darüberhinaus die Bedingung
einer wirklichen Gegenwart des Herrn, die nur als erkannte,
angenommene und verdankte an ihr Ziel kommt. Damit ist die
antwortende Tätigkeit der Gemeinde in der Liturgie, das Hören
des Verkündigungswortes, der Empfang der Sakramente, das gemeinsame Gebet und Gotteslob ein konstitutives Element der liturgischen Gegenwart des Herrn selbst.

Diese Feststellung hebt dennoch nicht die Souveränität und den
absoluten Vorrang der Initiative Jesu Christi auf, da er es
ist, der in der Sendung des Geistes nicht nur die Bedingung
seiner eigenen Präsenz schafft, sondern durch denselben Geist
den Gläubigen auch erst die Voraussetzung ihrer antwortenden
Aktivität gewährt. Der Heilige Geist als Medium gegenseitiger
Gegenwart des Herrn und der Gläubigen ist selbst Gabe des

---

603 Vgl. ebd., 407 f.

Herrn; dieses Medium kann in keiner Weise von den Menschen hergestellt oder eingefordert werden. Sie müssen vielmehr zu dieser Gegenwart "zugelassen werden", die der Herr im Geist ermöglicht und bewirkt [604].

Weiterhin betont Rahner die Einheit der liturgischen Gegenwart des Herrn in all ihrer Variabilität. Damit wird ein Gedanke, der in der Liturgiekonstitution wohl enthalten, aber dort nicht ausgearbeitet ist, verdeutlichend hervorgehoben. Es ist immer die tätige Gegenwart des einen Herrn, der sich in verschiedener Weise dem Menschen als dem in aller Vielheit seiner antwortenden Tätigkeit doch einen gegenwärtig zusagt und gibt. So können die einzelnen Weisen dieser Gegenwart als Teilmomente und Aspekte einer vollen gegenseitigen Gegenwart verstanden werden, die als Beseitigung aller "Abwesenheiten" [605] erst im vollendeten Leben mit Gott möglich ist, wo auch die Verborgenheit der Gegenwart in liturgischen Zeichen aufhört, eine Gegenwart, die aber unter den Bedingungen des zeitlichen Lebens in der Liturgie und darin in höchster Weise in der Eucharistie in realsymbolischer Vorwegnahme jetzt schon verwirklicht ist.

Daraus ergibt sich als dritter Gesichtspunkt, daß auch die eucharistische substantiale Realpräsenz als ein, wenn auch spezifisch höchster, Aspekt der liturgischen Gegenwart des Herrn gesehen werden kann, der alle anderen Gegenwartsweisen in gewissem Sinn in sich enthält und ihnen umgekehrt von der höchsten Verwirklichungsform her ihren eigentlichen Sinn als Momenten am Ganzen der Liturgie gibt. Damit wird die substantiale Realpräsenz, entsprechend dem Sinn der Liturgiekonstitution, in den größeren Zusammenhang der Liturgie gestellt, innerhalb dessen sie in Zuordnung zu den übrigen Gegenwartsweisen deren unableitbar höchsten Fall darstellt. Von da aus könnte dann auch die Gegenwart des Herrn in seinem Wort, in den Sakramenten und im Gebet der Kirche als Weisen der Aktualisierung seiner substantialen Gegenwart verstanden werden, eine Konsequenz, die Rahner hier allerdings nicht zieht.

---

604 Vgl. ebd., 398.
605 Vgl. ebd., 396.

Zu fragen bleibt, ob bei einer systematisch-theologischen Zusammenfassung der Lehre des Konzils über die Gegenwart des Herrn im Gottesdienst nicht der genuin liturgietheologische Ausgangspunkt vom aktuellen Vollzug des Priesteramtes Jesu Christi in der Kirche und durch sie angemessen gewesen wäre; damit wäre von vornherein die im Kreuzesopfer gipfelnde Einheit von Wort und Tat des Herrn zum Heil der Menschen und zur Ehre Gottes, sowie deren Repräsentation in dem Wort und Sakrament umfassenden eucharistischen Opfer ausgesagt gewesen und zugleich die Einbeziehung der Kirche als Mitopfernder und Mitgeopferter in ihrer gnadenhaft ermöglichten konstitutiven Mitwirkung an diesem Heilsgeschehen.

Außerdem wäre, so scheint es, der von Rahner wie auch von den meisten anderen Referenten des römischen Kongresses verwendete Ausdruck 'Kult' besser mit der Liturgiekonstitution durch 'Liturgie' zu ersetzen gewesen. Denn einerseits versteht Rahner unter Kult zunächst ein menschliches Tun, das auf Gott hin ausgerichtet ist [606], andererseits ist die 'kultische' Gegenwart des Herrn als heiligende Gabe zu verstehen [607]. In dem von der Liturgiekonstitution verwendeten Begriff der Liturgie als Einheit von heiligender und verherrlichender Bewegung [608] wäre Rahners These unmißverständlicher zum Ausdruck gekommen. Insgesamt scheint Rahner den naheliegenden Bezug zur Liturgiekonstitution in seiner Systematik kaum berücksichtigt zu haben. Dennoch kommt er von seinem Ansatz her zu prinzipiell denselben Ergebnissen, wie sie auch eine umfassende Interpretation der Liturgiekonstitution erbringt. Darüberhinaus stellt seine systematische Abhandlung einen wichtigen Beitrag zur theologischen Aufarbeitung der von der Liturgiekonstitution offengelassenen Fragen dar.

---

606 Vgl. z.B. ebd., 399, 404, 407 u.ö.
607 Vgl. z.B. ebd., 402: "Diese heilshaft kultische Gegenwart wird vielmehr konstituiert: 1. durch die Selbstmitteilung Gottes ..."; vgl. dazu auch ebd., 404: die Gegenwart Christi im Sakrament als göttliche Gabe, u.ö.
608 Vgl. oben, S. 235-240.

5.3.3. Bernhard Langemeyer

Einen weiteren wichtigen systematischen Beitrag zu unserer
Frage hat etwas später (1968) der Franziskaner Bernhard Langemeyer in seinem Aufsatz über "die Weisen der Gegenwart Christi
im liturgischen Geschehen" geleistet [609].
Er geht von der Aufzählung der verschiedenen Gegenwartsweisen
Jesu Christi nach Artikel 7 der Liturgiekonstitution aus und
stellt fest, daß es Aufgabe der systematischen Theologie sei,
"die verschiedenen Weisen der Gegenwart Christi in ihrer Un-
terschiedlichkeit genauer zu erfassen und einander zuzuordnen"
[610]. Langemeyer findet dafür in der Gegenwart Christi in der
Kirche überhaupt den sachlich und methodisch richtigen Ausgangspunkt und formuliert als *erste These*:
"Grundlegend für alle anderen Gegenwartsweisen Christi in der
Kirche ist seine Gegenwart im Glauben" [611].
Diese Gegenwart des Herrn setzt nicht nur seine Auferstehung
voraus, nicht nur die dadurch eröffnete Möglichkeit einer eschatologisch bleibenden Gegenwart des Herrn im Geist, sondern
auch, als neue Heilstat, daß der auferstandene Herr sich selbst
als solchen sehen läßt und sich so den Glauben an seine Gegenwart in den Zeugen seiner Erscheinung erwirkt. Damit ist von
vornherein festgestellt, daß die Gegenwart des Herrn nicht ein
Werk menschlichen Glaubens ist, sondern ganz der Initiative
Jesu Christi entspringt [612].
Diesem Glauben ist er in seiner ganzen personalen Realität gegenwärtig als der, der er ist: der verherrlichte Gottmensch.
Durch den von ihm erwirkten Glauben ist er aber auch im Glauben in geistiger Weise gegenwärtig, welche geistige Gegenwart
sich aber verleiblicht, indem sie sich zum Beispiel in äußerlich wahrnehmbaren Charismen äußert [613].

---

609 B. Langemeyer, Die Weisen der Gegenwart Christi im liturgischen Geschehen, in: O. Semmelroth (Hg.), Martyria - Leiturgia - Diakonia (FS
 H. Volk), Mainz 1986, 286-307.
610 Ebd., 287.
611 Ebd., 288.
612 Vgl. ebd., 289 f.
613 Vgl. ebd., 290 f.

Diese Glaubensgegenwart Jesu Christi hängt nicht von der Glaubenstreue einzelner Menschen ab, sondern ist im Glauben der Kirche bleibend gewährleistet.

Mit dieser Bestimmung zeigt Langemeyer die absolute Souveränität Jesu Christi, der selbst sich stets den Glauben an seine Gegenwart erwirkt und in diesem Glauben gegenwärtig ist. Damit ist zugleich die göttliche Initiative und die notwendige menschliche Antwort, die aber ihrerseits von der göttlichen Tat getragen ist, ausgesagt. Und weiter ist das menschliche Konstitutivum der Glaubensgegenwart der Beliebigkeit und Unzuverlässigkeit des Glaubens des einzelnen entzogen, da es der Glaube der Kirche ist, die von Jesus Christus als eschatologische Größe gestiftet und in Maria und den Heiligen im Glauben schon endgültig bewährt ist[614].

In einem nächsten Schritt will Langemeyer zeigen, daß alle anderen Gegenwartsweisen des Herrn nicht neben seiner grundlegenden Glaubensgegenwart bestehen, sondern sich aus ihr entfalten. Er formuliert als *zweite These*:

"Alle anderen Weisen der Gegenwart Christi sind Vollzugsweisen der grundlegenden Gegenwart im Glauben"[615].

Zur Begründung dieser These wird der Nachweis erbracht, daß Amt, Wort und Sakrament in der Kirche nichts anderes sind als Weisen, in denen sich der Glaube der Kirche an die Gegenwart Christi vollzieht. Die Urzeugen des auferstandenen Herrn vollziehen ihr Amt, indem sie ihren Glauben an die Gegenwart des Auferstandenen bezeugen. Auf ihren authentischen Glauben gründet sich der Glaube der Kirche in der apostolischen Tradition. Von diesem kirchlichen Glauben wird aber jedes nachapostolische Amt getragen.

Auch das amtliche Verkündigungswort ist Vollzug des Glaubens an den auferstandenen und im Glauben gegenwärtigen Herrn. In diesem Wort als gläubiger Antwort auf das Sich-zeigen des Herrn ist er selbst gegenwärtig. "Das Wort Gottes ist in der Welt nur vernehmbar als Glaubenswort der apostolischen Kir-

---

614 Diesen Gesichtspunkt setzt Langemeyer voraus, ohne ihn zu nennen.
615 Ebd., 292.

che" [616].

Da aber zum Sakrament dieses Glaubenswort als wesentliches Element hinzugehört, ist auch das Sakrament Vollzug des kirchlichen Glaubens, in dem der gegenwärtige Herr in der Zeichenhandlung selbst handelt. Im Sakrament stellt sich der Glaube selber dar und stellt damit stets den gegenwärtigen Herrn und sein Heilswerk dar [617].

Von da aus fragt Langemeyer, worin der Vorrang der Liturgie liegt, so daß die Gegenwart des Herrn in der Liturgie von seinen anderen Gegenwartsweisen (etwa im Glaubensleben der Gläubigen mitten in der Welt, in charismatischen Glaubensgemeinschaften, im caritativen Glaubensvollzug) qualitativ verschieden ist. Er formuliert als *dritte These*:

"Die besondere Gegenwart Christi im liturgischen Geschehen beruht darauf, daß die Liturgie feiernder Glaubensvollzug der Kirche ist" [618].

"Die Feier", so erläutert Langemeyer, "enthebt die Ausdrucksformen des Menschen und der menschlichen Gemeinschaft ihrem alltäglichen Bedeutungs- und Zweckgefüge und macht sie transparent für eine im Alltag verborgene Wirklichkeit" [619]. So gibt die Feier "dem Glauben die Möglichkeit, die eschatologische Präsenz Christi, aus der er sich empfängt und vollzieht, innerweltlich zu repräsentieren" [620]. In der Feier wird das in Christus schon entschiedene endgültige Heil repräsentiert.

An diesem Gedankengang ist verwunderlich, daß Langemeyer hier von einer anthropologisch-phänomenologischen Beschreibung der Feier ausgeht, um den Rang des Gefeierten zu zeigen, ein Ansatz, den er in der Einleitung als "nicht tief genug" gekennzeichnet hatte [621].

---

616 Ebd., 294.
617 Dieser schon bei Langemeyer und erst recht in dieser Zusammenfassung sehr summarisch dargestellte Gedankengang braucht hier nicht weiter entfaltet zu werden. Einzelne Elemente wurden z.T. oben behandelt, s. z.B. Abschnitt 4.5.5.: "Sakramente des Glaubens", S. 485-493, und Abschnitt 4.6.2.: "Wort und Antwort", S. 561-565.
618 B. Langemeyer, a.a.O., 295.
619 Ebd., 297.
620 Ebd., 298.
621 Vgl. ebd., 288.

Die "genuin theologische Bestimmung" [622], die Langemeyer fordert, müßte wohl vom Inhalt der Feier her gewonnen werden,
nämlich vom Christus-Mysterium, das sich in der liturgischen
Feier zur Erscheinung bringt und sie so erst zur Feier als
anamnetischer Repräsentation des Heilswerks macht [623]. Erst von
hier aus wird Langemeyers Folgerung einsichtig: "Der Modus des
feiernden Glaubens ist es, der die Gegenwart Christi in der
Liturgie zu einer besonderen macht, der an Rang und Maß keine
andere gleichkommt" [624]. Diese Folgerung wird im Konzilstext
nicht mit dem Charakter des Gottesdienstes als Feier begründet, sondern mit der Tatsache, daß in dieser Feier Jesus Christus selbst sein Heilswerk vollzieht.

Im letzten Schritt bestimmt Langemeyer den feiernden Glauben
als Selbstvollzug der gläubigen Gemeinschaft der Kirche. Sie
stellt sich selbst in verschiedenen Ausdrucksmedien dar, denen
entsprechend die Eigenart der darin gegebenen verschiedenen
Gegenwartsweisen Jesu Christi als Entfaltung seiner grundlegenden Gegenwart im Glauben der Kirche zu bestimmen ist. Daraus folgt die *vierte These*:

"Die spezifische Gegenwartsweise Christi in den verschiedenen
Elementen der liturgischen Feier entspricht dem anthropolo-
gisch-personalen Ausdrucksgehalt dieser Elemente" [625].

Zunächst erklärt Langemeyer, daß man die beiden Sinnrichtungen
der Liturgie, Heiligung der Menschen und Verehrung Gottes, inniger miteinander verbinden müsse, als dies gewöhnlich geschieht. Indem Jesus Christus sich im Gehorsam dem Vater für
uns hingibt, erwirkt er unsere Heiligung. "Ebenso trägt der
kultische Glaubensgehorsam der Kirche auch die liturgischen
Riten der Heiligung" [626]. "Sie sind Ausdrucksformen personalen
Glaubens" [627], der allerdings niemals primär Werk des Menschen
ist, vielmehr von Herrn erwirkt und "durch die teilgebende

---

622 Ebd.
623 Vgl. dazu das oben, S. 225-235, zum Inhalt der Liturgie Gesagte.
624 A.a.O., 299.
625 Ebd., 300.
626 Ebd., 301.
627 Ebd.

Präsenz des Pneumas Christi innerlich erfaßt" ist[628].
Dieser Selbstvollzug des kirchlichen Glaubens ist damit Aktuierung der in diesem Glauben gegebenen Gegenwart Jesu Christi;
er ist sein Werk, der den Glauben an seine Gegenwart ermöglicht und im Vollzug dieses Glaubens das Tun der Gläubigen
trägt: die liturgische Verehrung Gottes, in der die Menschen
geheiligt werden.
Dies geschieht zunächst, indem sich die liturgische Versammlung im Vollzug ihres Glaubens als Glaubensgemeinschaft darstellt und darin eine qualitativ engere Einheit erfährt, als
weltliche Kommunikationsformen sie bewirken können. In dieser
Glaubensgemeinschaft vergegenwärtigt sich Christus als teilge-
bender Ursprung des einigenden Glaubens. Alle weiteren Ausdrucksformen der Liturgie sind "komplementäre Weisen der einen
personalen Selbstvergegenwärtigung. Sie ergänzen sich gegenseitig in der Vergegenwärtigung der Kirche und ihres Hauptes"
[629]. Die wichtigsten Ausdrucksformen dafür sind Wort und Zeichen. Langemeyer begründet ihre Zusammengehörigkeit und Unter-
schiedlichkeit aus der phänomenologischen Beschreibung von Hören und Sehen, die in ihrer Einheit zur vollen Vergegenwärtigung der Person führen, sich aber doch voneinander unterscheiden: "Im Wort *macht* sich Person gegenwärtig, in der Erscheinung *ist* sie oder *bleibt* sie gegenwärtig"[630].
Dies gilt entsprechend für die liturgische Feier: "Durch das
Glaubenswort der Kirche *macht* sich der fortlebende Christus in
der Welt gegenwärtig ... in Geste, Handlung und Gabe der gläubigen Gemeinschaft *ist* Christus teilgebend gegenwärtig"[631].
"Erst die Zuordnung beider wird beiden gerecht. Indem Christus
sich durch das Glaubenswort gegenwärtig macht in der zeichenhaften Glaubensgeste, wird diese transparent für seine bleibende Gegenwart; wird sie von seiner teilgebenden Präsenz auch
in sich pneumatisch qualifiziert bis hin zur Transsubstantiation der eucharistischen Gaben"[632].

---

628 Ebd.
629 Ebd., 302.
630 Ebd., 303.
631 Ebd., 305.
632 Ebd., 306..

Diese im "Glaubenswort" gedeutete "Glaubensgeste" ist aber nie
einfach menschlich bestimmt. "Der Glaube kann nicht von sich
aus Gestalt und Inhalt der sakramentalen Handlung bestimmen,
er ist nur die Weise, wie das von Christus dem Inhalt nach ...
eingesetzte Zeichen seiner Gegenwart vollzogen wird" [633].

Wichtige Erläuterungen zu diesem Gedankengang finden sich in
früheren Veröffentlichungen von Bernhard Langemeyer. So hat er
die dialogische Struktur des Glaubens erläutert, der sich ganz
der Selbstmitteilung des Herrn verdankt, die den antwortenden
Glauben des Menschen erst möglich macht [634]. Auf biblischer
Grundlage hat er die Gegenwart des Herrn im Glauben näher erklärt [635] und den Vollzug dieses Glaubens in der liturgischen
Feier als Werk Christi und der Kirche dargestellt, wobei die
Gestalt der Feier grundsätzlich von Christus bestimmt ist [636].
Im einzelnen hat Langemeyer dies auch schon für die Feier der
Eucharistie durchgeführt [637]. Die spezifische Funktion des Amts-
trägers, der im Namen Christi und der Kirche handelt, hat er
am Beispiel des Bußsakramentes erläutert [638].

Für manche Fragen würde man sich noch eine verdeutlichende Explikation wünschen, vor allem für die Frage, wie in diesem
Konzept der Selbstverwirklichung des kirchlichen Glaubens der
qualitative Vorrang der substantialen Realpräsenz ausgesagt
werden kann und wie von dieser dichtesten Weise der personalen
Gegenwart des Herrn her seine übrigen Gegenwartsweisen mitbestimmt werden.
Es kann aber kein Zweifel sein, daß es Langemeyer in seinen

633 Ebd., 294 f.
634 Vgl. ders., Der dialogische Personalismus ... (s. S. 325, Anm. 489),
bes. 260-264.
635 Vgl. ders., Der Gottesdienst der Pilger und Fremdlinge, in: LebZeug
(1966) Heft 2/3/4, 124-144, hier 129-131; jetzt auch in: K. Wittstadt
(Hg.), Theologie im Dialog mit der Wirklichkeit, Würzburg 1979, 143
bis 163. Dieser Band enthält mehrere Aufsätze Langemeyers zum Thema.
636 Vgl. ebd. (LebZeug), 131-137.
637 Vgl. ebd., 137-144.
638 Vgl. ders., Sündenvergebung und Brüderlichkeit, in: Cath 18 (1964) 290
bis 314.

Beiträgen gelungen ist, eine systematische Konzeption zu bieten, innerhalb derer die einzelnen von der Liturgiekonstitution aufgezählten Gegenwartsweisen des Herrn einander zugeordnet
werden können.

Insbesondere ist hervorzuheben, daß es in diesem Gedankengang
mögich ist, in dem Vorgang der Begegnung Gottes mit den Menschen auch anthropologische Gegebenheiten voll mitzubedenken
und in ihrer konstitutiven Bedeutung für eine gegenseitige Gegenwart zu sehen. Die durchgängig dialogische Struktur der Liturgie wird so ernst genommen, daß keine der liturgischen Gegenwartsweisen des Herrn sinnvoll gedacht werden kann ohne die
annehmende und antwortende Tat der Gläubigen, die aber in keiner Weise die Souveränität der göttlichen Heilsinitiative beeinträchtigt, da sie sich ganz dem Tun des Herrn verdankt, der
der bleibende Ursprung des Glaubens ist, den er sich durch
seine Gegenwart im Heiligen Geist erwirkt.

Dieser so ermöglichte Glaube ist selbst von diesem teilgebenden Ursprung her geprägt; er ist von der im Glauben gegebenen
Präsenz des Geistes innerlich erfaßt und bestimmt [639]. Im Vollzug dieses Glaubens macht sich der Herr selbst als er selbst
mit seinem Heilswerk gegenwärtig und vollzieht in den grundlegend von ihm bestimmten menschlichen Ausdrucksformen in der
personalen Begegnung von Amtsträger und Gemeinde im Gebet, im
Wort und im Sakrament [640] selbst gegenwärtig sein Priesteramt
zur Verherrlichung Gottes und zum darin verwirklichten Heil
der Menschen.

5.3.4. Armando Cuva

Eine ausführlichere liturgietheologische Studie über "die Gegenwart Christi in der Liturgie" hat Armando Cuva (Liturgiker
an der Päpstlichen Universität der Salesianer in Rom) 1973
vorgelegt [641].

---

639 Vgl. dazu auch ders., Der Gottesdienst ..., 131.
640 Vgl. ebd., 137.
641 A. Cuva, La presenza di Cristo nella Liturgia, Rom 1973.

In einem ersten Teil [642] handelt er über die einzelnen liturgischen Gegenwartsweisen des Herrn, die er entsprechend der Liturgiekonstitution und der nachkonziliaren liturgischen Dokumente vorstellt und mit Hilfe biblischer und patristischer
Texte weiter erläutert. Die Reihenfolge der Darstellung entspricht der in der Eucharistie-Instruktion von 1967 vorgelegten Ordnung: die Gegenwart Christi in der liturgischen Versammlung [643], im Priester [644], in der Verkündigung des Wortes [645],
im Gebet [646], in den konstitutiven Elementen der Sakramente und
Sakramentalien [647]. Dieser mehr beschreibende Teil ist im Wesentlichen eine Sammlung von knapp kommentierten Texten, denen
immer wieder eine theologische Erläuterung beigefügt wird. Der
Wert dieser Untersuchung liegt darin, daß zu den Aussagen der
Liturgiekonstitution und der nachkonziliaren Dokumente eine
Reihe von biblischen und patristischen Belegen zusammengetragen wird. Über die in den entsprechenden Dokumenten enthaltenen inhaltlichen Aspekte geht Cuva nicht hinaus. Auf einige
seiner Interpretationen wurde an gegebener Stelle hingewiesen [648].

Im zweiten Teil seines Buches gibt Cuva eine theologische Vertiefung der Lehre von der liturgischen Gegenwart des Herrn [649].
Er verwendet dabei im Wesentlichen die Beiträge des Internationalen Kongresses über die Theologie des Konzils (Rom, 1966),
über die oben berichtet wurde.

Als Charakteristika der liturgischen Gegenwart des Herrn in
allen ihren Verwirklichungsformen nennt Cuva ihre Einheit, ihre Realität, ihren sakramentalen und personalen Charakter und
die Tatsache, daß sie sekundär ist in Bezug auf die primäre
Gegenwart des erhöhten Herrn im Himmel [650]. Hier übernimmt Cuva
weitgehend die entsprechenden Ausführungen von Karl Rahner und

---

642 Ebd., 29-140.
643 Ebd., 31-56.
644 Ebd., 57-71.
645 Ebd., 72-96.
646 Ebd., 97-112.
647 Ebd., 113-140.
648 Vgl. die Angaben im Personenregister.
649 Vgl. a.a.O., 143-194.
650 Vgl. ebd., 143-147.

Josef Andreas Jungmann.

Um die Natur der Gegenwart Jesu Christi in der Liturgie zu
präzisieren, gibt Cuva sodann einen Abriß über mögliche Weisen
der Gegenwart[651]. Darauf bestimmt er in scholastischer Terminologie die verschiedenen in der Liturgie verwirklichten Gegenwartsweisen Jesu Christi, zunächst als Gott, dann als
Mensch[652]. Diese Einordnung in den terminologischen Rahmen der
scholastischen Theologie ist nicht uninteressant, trägt aber
zu einer weiteren theologischen Klärung nicht viel bei.

Im nächsten Abschnitt erläutert Cuva die Vorrangstellung der
eucharistischen Realpräsenz[653], wobei er nur die substantiale
Gegenwart des Herrn in den eucharistischen Gestalten untersucht, diese aber ausdrücklich nicht isoliert von der gesamten
Eucharistiefeier sehen will[654]. Ihre Beziehung zu den übrigen
liturgischen Gegenwartsweisen wird jedoch nicht thematisiert.
Ihr Vorrang liegt darin, daß sie substantial und dauerhaft ist
und durch Transsubstantiation zustande kommt. Neuere theologische Überlegungen zu diesen Fragen werden nicht aufgenommen.
Danach untersucht Cuva die Bedeutung der Menschheit Christi
als Instrument des Heils[655], beschränkt sich aber dabei auf
ein knappes Referat der üblichen Theorien zur Erklärung der
Wirksamkeit der Sakramente.

In einem weiteren Schritt stellt er die Gegenwart des Christus-
Mysteriums in der Liturgie dar[656], womit die Frage der Mysterienlehre nach der Art und Weise der Gegenwart der vergangenen
Heilstaten im liturgischen Vollzug gemeint ist. Cuva referiert
mit Hilfe von ausgewählten Zitaten die Positionen von Journet,
Schillebeeckx und Gaillard, tritt aber nicht in eine Diskussion über diese Frage ein.

Schließlich fragt er noch nach der Bedeutung der liturgischen
Gegenwart Jesu Christi für das Gnadenleben des Menschen[657].

---

651 Vgl. ebd., 149-152; hier orientiert sich Cuva an A. Darlapp, Gegen-
    wart(sweisen), in: LThK[2] IV (1960), 588-592.
652 Vgl. a.a.O., 152-161.
653 Vgl. ebd., 162-175.
654 Vgl. ebd., 163.
655 Vgl. ebd., 176-179.
656 Vgl. ebd., 180-185.
657 Vgl. ebd., 186-194.

Hier berichtet er über Rahners These, daß der Heilige Geist
das Medium der liturgischen Gegenwart des Herrn sei, benützt
aber dieses Argument nur, um zu zeigen, daß durch die Teilnahme an der Liturgie und die so vermittelten aktuellen Gnaden
die habituelle Gnade der Einwohnung des Heiligen Geistes vermehrt und intensiviert wird [658].

Den Schluß bildet eine kurze Darstellung der Auswirkungen der
Feier der Liturgie im christlichen Leben [659].

Der systematische Beitrag dieser Arbeit ist gering. Die Frage
nach den Möglichkeitsbedingungen einer liturgischen Gegenwart
des Herrn wird nicht gestellt. Auch versucht Cuva nur in wenigen Andeutungen eine gegenseitige Zuordnung der verschiedenen
liturgischen Gegenwartsweisen. Immerhin stellt er fest, daß
jede tätige Gegenwart als solche die substantiale Gegenwart
des Handelnden voraussetzt, von dem sie ausgeht [660]. Folgerungen für die Zuordnung der substantialen Gegenwart des Herrn in
den eucharistischen Gestalten zu seiner aktualen oder operativen Gegenwart in den übrigen liturgischen Vollzügen zieht Cuva
nicht.

Der Wert der Arbeit Cuvas liegt in der Sammlung und Ordnung
der einschlägigen Texte und Belege sowie in der Einordnung der
systematischen Frage nach der liturgischen Gegenwart des Herrn
in die scholastische Terminologie. In wichtigen Punkten wird
die Lehre der Liturgiekonstitution aufgenommen. Eine theologische Weiterführung ist jedoch nicht festzustellen.

5.3.5. Atilio A. G. Gimeno

Den bisher umfangreichsten Beitrag zu unserem Thema hat Atilio
A. G. Gimeno in seiner 1976 an der Gregoriana in Rom eingereichten Dissertation vorgelegt. Sie trägt den Titel: "Die Ge-

---

658 Vgl. ebd., 186-189.
659 Vgl. ebd., 190-194. Hier übernimmt Cuva die Ausführungen von B. Neun-
    heuser, a.a.O. (S. 712, Anm. 566).
660 Vgl. ebd., 165: "Ogni presenza operativa, come tale, infatti, suppone,
    in vario modo, la presenza sostanziale dell'agente, da cui essa dipende".

genwart Christi nach dem II. Vaticanum"[661].

Im ersten Teil behandelt Gimeno die Zeit vor dem II. Vatikanischen Konzil und unterscheidet darin vier Etappen: zunächst die Zeit der dogmatischen Handbücher neuscholastischer Prägung, in denen 'Gegenwart Christi' stets als eucharistische Realpräsenz verstanden wurde[662]. Dann ergibt die Arbeit von Odo Casel und Michael Schmaus eine neue Perspektive: es werden verschiedene Weisen der Gegenwart des Herrn gelehrt[663]. Einen nächsten Schritt stellt die Enzyklika "Mediator Dei" dar: sie anerkennt verschiedene Weisen der Gegenwart Jesu Christi in der Liturgie, korrigiert aber die Casel'sche Theorie von der Mysteriengegenwart der Heilstaten Christi[664]. Schließlich bespricht Gimeno neue Elemente dieser Lehre, die nach "Mediator Dei" im Lehramt der Kirche und in der Theologie auftauchen. Insbesondere aus der Enzyklika Pius' XII., "Humani generis" (1950), und aus der Ansprache desselben Papstes an die Teilnehmer des Kongresses in Assisi (1956) entnimmt er die Hinweise, daß die Lehre von verschiedenen Gegenwartsweisen nicht den Glauben an die eucharistische Realpräsenz beeinträchtigen dürfe[665].

Dieser erste Teil der Dissertation Gimenos gibt eine gute Hinführung zu der Frage, was in lehramtlichen Dokumenten und in typischen theologischen Veröffentlichungen aus diesem Jahrhundert bis zum Beginn des II. Vatikanischen Konzils unter 'Gegenwart des Herrn' verstanden wurde.

Der zweite Teil bezieht sich auf die Texte des II. Vatikanischen Konzils selbst. Gimeno untersucht lediglich solche Texte, in denen das Wort 'Gegenwart' oder entsprechende Ableitun-

---

661 A. A. G. Gimeno, La presencia de Cristo en el Vaticano II (Diss. masch., unveröffentl.), Rom 1976. Diese mit den Anmerkungen etwa 1000 Schreibmaschinenseiten umfassende Arbeit ist an der Gregoriana in Rom unter Register-Nr. 4847/1973 einzusehen. Ein Auszug wurde 1977 veröffentlicht (s. S. 128, Anm. 7); er umfaßt im Manuskript 55 Seiten, im Druck 26 Seiten. Im Folgenden wird der unveröffentlichte Gesamttext zitiert (s. S. 153, Anm. 96).

662 Vgl. ebd., 4-53: Capítulo Primero: Etapa de tranquilla posesión.

663 Vgl. ebd., 54-105: Capítulo Segundo: Una nueva Perspectiva.

664 Vgl. ebd., 106-196: Capítulo Tercero: La Encyclica "Mediator Dei".

665 Vgl. ebd., 197-265: Capítulo Cuarto: Nuevos elementos en el Magisterio y la teologia.

gen davon vorkommen. Den größten Umfang hat dabei eine minuti-
öse Darstellung der Textentwicklung von Artikel 7,1 der Liturgiekonstitution [666]. Weniger ins Detail gehend wird sodann die
Arbeit an den Artikeln 35,2 und 102,3 dargestellt [667].

Der besondere Wert dieser beiden Kapitel liegt darin, daß Gimeno sämtliche Entwürfe der Liturgiekonstitution, die während
der Vorbereitungszeit des Konzils erarbeitet worden waren,
einsehen konnte und ausgewertet hat [668]. Er beschränkt sich dabei aber strikt auf die kurzen Textstücke in den untersuchten
Artikeln, in denen 'Gegenwart' vorkommt. Die Ergebnisse dieser
sorgfältigen Arbeit sind etwas enttäuschend: In Ermangelung
von Sitzungsprotokollen aus der Arbeit der vorbereitenden liturgischen Kommission kann Gimeno lediglich die fertigen Textentwürfe miteinander vergleichen. Folgerungen bezüglich der
Aussageabsicht der vorbereitenden Kommission sind also stets
Interpretationen Gimenos [669].

In einem weiteren Kapitel untersucht Gimeno weniger eingehend
die Stellen der übrigen Konzilsdokumente, in denen das Wort
'Gegenwart' im spezifischen Sinn seines Themas vorkommt [670].
Innerhalb dieses Kapitels findet sich ein längerer Abschnitt
über die Enzyklika "Mysterium fidei" [671].

Gimeno kommt zu dem Ergebnis, daß die verwendeten Ausdrücke
die Art der gemeinten Gegenwart des Herrn erkennen lassen.
Praesens adesse meint eine personale, dynamische Gegenwart Jesu Christi bei seiner Kirche und in ihr bei den Gläubigen,
durch welche eine Relation von Person zu Person entsteht [672].
Dabei besagt *adesse* eine "Tätigkeit der verherrlichten Menschheit Christi, die ursprünglich vermittels des Bischofskollegi-

---

666 Vgl. ebd., 273-449: Capítulo Quinto: El Art. 7.1 de la Constitutión SC.
667 Vgl. ebd., 450-505: Capítulo Sexto: Los Artículos 35.2) y 102.3 de la
    Constitutión litúrgica. Dieses Kapitel ist veröffentlicht: s. S. 128,
    Anm. 7.
668 Vgl. die Liste der unveröffentlichten Dokumente, ebd., XIII-XV (= S.
    40 f. im Teildruck).
669 Auf einige seiner Interpretationen wurde an gegebener Stelle hingewie-
    sen; manche waren zu kritisieren. Vgl. die Hinweise im Personenregi-
    ster unter 'Gimeno'.
670 Vgl. a.a.O., 506-680: Capítulo Séptimo: El resto de la labor conciliar.
671 Vgl. ebd., 535-603.
672 Vgl. ebd., 649-652.

ums das Leben und die Ausweitung des Leibes der Kirche bewirkt"[673], und zwar durch die Sendung des Heiligen Geistes[674].
Der Begriff 'Gegenwart' und 'gegenwärtig sein' wurde im Tridentinum und in der nachtridentinische Theologie nur auf die
Eucharistie angewandt. In der Enzyklika "Mediator Dei" und im
II. Vatikanischen Konzil werden diese Ausdrücke für verschiedene Weisen der Gegenwart des Herrn gebraucht. Die Enzyklika
"Mysterium fidei" erklärt ausdrücklich, daß es sich bei den in
der Liturgiekonstitution aufgezählten Gegenwartsweisen um ver-
schiedenartige Verwirklichungen von 'Gegenwart Christi' handelt[675].

Aufschlußreich ist die Bemerkung von Gimeno, daß die Gegenwart
des Herrn im Priester eine "Tätigkeit oder Fortführung des
Wirkens der verherrlichten Menschheit Christi vermittels des
hierarchischen Dienstes der Kirche" sei[676], während die Eucharistie zwar die Gegenwart Christi, nicht aber seine Tätigkeit
beinhalte[677].

Hier deutet sich die Absicht Gimenos an: Er will zeigen, daß
es dem Konzil bei aller Anerkennung verschiedener Gegenwartsweisen doch zuerst um die Darstellung des Vorrangs der eucharistischen Realpräsenz gehe. In diesem Zusammenhang bemerkt
er, daß die theologische Synthese, die Karl Rahner auf dem römischen Kongreß von 1966 zum Thema der Kultgegenwart Christi
vorgelegt hat[678], zwar legitim und hilfreich sei, aber zu wenig berücksichtige, daß in den einzelnen Konzilsdokumenten in
ihrer zeitlichen Abfolge ein zunehmend stärkeres Interesse an
der eucharistischen Realpräsenz zu beobachten sei[679].

---

673 Ebd., 652: "La presencia de Cristo en esto caso (LG 21), es una opera-
ción de su humanidad gloriosa que influye por medio del colegio epi-
scopal en el origen, vida y dilatación del cuerpo de la Iglesia".
674 Vgl. ebd., 653: "... Cristo asiste porque el envia el Espíritu Santo".
675 Vgl. ebd., 657-659.
676 Ebd., 622 f.: "... la presencia en el ministro ... no es continencia
del cuerpo y sangre de Cristo, sino *acción* o prolongación de la acti-
vidad de la humanidad gloriosa de Cristo por medio del ministerio jer-
árquico de la Iglesia".
677 Vgl. ebd., 660: "La eucaristía, también presencia de Cristo ... no es
una acción suya".
678 Vgl. oben, S. 716-723.
679 Vgl. a.a.O., 668-673, hier 673.

Im Schlußkapitel seiner Arbeit faßt Gimeno seine Ergebnisse
zusammen und erläutert sie. Er stellt fest, daß das Konzil die
Fragen nach der Art und Weise der Gegenwart des Herrn nicht
gelöst habe [680]. Es habe allerdings die Casel'sche Lösung als
"toten Weg" erwiesen [681], im übrigen aber keine andere Lösung
definiert noch ausgeschlossen [682]. Insbesondere sei die Funktion des Heiligen Geistes für die Gegenwart Christi zwar häufig
genannt, aber nicht eigentlich geklärt worden [683]. Auch die
These Rahners, daß der Heilige Geist das Medium der Gegenwart
des Herrn bei seinen Gläubigen sei, gebe keine deutlichere Erklärung der Funktion des Heiligen Geistes ab [684].
Zur Frage nach der Vielfalt der Verwirklichungsformen der Realpräsenz [685] fordert Gimeno, man müsse unterscheiden zwischen
der Annahme verschiedener Gegenwartsweisen des einen Herrn und
dem Konzept einer einheitlichen realen Gegenwart des Herrn in
verschiedenen Weisen [686]. Edward Schillebeeckx hat nach Gimeno
die Liturgiekonstitution und die Enzyklika "Mysterium fidei"
nicht richtig interpretiert, wenn er behauptet, dort sei die
Vielfalt der einen Realpräsenz Christi ausgesagt. Beide Dokumente sprächen vielmehr ausdrücklich von verschiedenen Gegenwartsweisen [687].

---

680 Vgl. ebd., 686-700: "Noción de presencia".
681 Vgl. ebd., 683: "Es evidente que la mayoría de los autores consultados
no comparte el modo con que Casel resuelve el Problema. Es una vía mu-
erta, que es abandonada definitivamente (esto se verá con toda clari-
dad en SC 102.3)".
682 Vgl. ebd., 685: "El Vaticano II no ha cerrado ninguna puerta y no ha
decidado definitivamente ninguno de los problemas planteados a lo lar-
go de nuestro trabajo".
683 Vgl. ebd., 708-713: "Función del Espíritu Santo".
684 Vgl. ebd., 713.
685 Vgl. ebd., 700-707: "Multiplicidad de la presencia real".
686 Vgl. ebd., 704: "No es lo mismo decir 'presencias del único Señor que
a través de todos esos signos de communión humana opera su communica-
ción divina', como lo hace González de Cardedal, que sostener la 'úni-
ca presencia real de Cristo', que es la interpretación dada por Schillebeeckx a SC y MFid".
687 Vgl. ebd., 701: "... el concilio enseña expresamente que existen di-
versas presencias de Cristo". Zu MF vgl. ebd., 702: "MFid accepta, por
el contrario (zu Schillebeeckx), las múltiples presencias de Cristo".
Die Formulierung von Schillebeeckx lautet: "Vielfältige Realisierung
der einen 'wirklichen Gegenwart': vgl. ders., Die eucharistische Gegenwart (s. S. 452 f., Anm. 417), 68.

Das Wort 'real' kennzeichne im Konzil verschiedene Wirklichkeiten, nämlich die Wirklichkeit des Leibes Christi, die Wirklichkeit anderer Realitäten wie Tätigkeit, Kraft, Geist Christi und die Wirklichkeit der personalen Gegenwart Christi in
den Gläubigen [688]. Dabei handelt es sich nach Gimeno nicht nur
um verschiedene Verwirklichungsweisen der einen persönlichen
Gegenwart des Herrn, wie Schillebeeckx es versteht, sondern
man muß von "verschiedenen Gegenwarten" (*presencias*) Christi
sprechen. Anders könnte man nicht die tiefgreifende Verschiedenheit der einzelnen Gegenwartsweisen unterstreichen [689].
Mit diesem Ergebnis stellt sich Gimeno nicht nur direkt gegen
die Auffassung von Schillebeeckx, sondern ebenso, ohne daß er
dies bemerkt, gegen die Aussage Rahners, daß es gerade nicht
richtig sei, von verschiedenen "Gegenwarten" zu reden, es
vielmehr nur eine Gegenwart des Herrn in verschiedenen Intensitätsgraden und Verwirklichungsweisen gebe [690]. Gimeno bemüht
sich so entschieden um eine Abgrenzung und Hervorhebung der
eucharistischen substantialen Realpräsenz, daß ihr Zusammenhang mit den übrigen Gegenwartsweisen des Herrn nicht mehr
sichtbar wird [691]. "Die persönliche Gegenwart Christi bei uns
hat verschiedene Weisen der Verwirklichung. Das Charakteristikum der Eucharistie aber liegt nicht darin, Zeichen und Mittel
dieser personalen Gegenwart und der Hingabe und Liebe Christi
für seine Kirche zu sein. Dies findet auch in den übrigen Sakramenten und in allen übrigen 'Gegenwarten' statt. Die spezifische Eigenart der Eucharistie besteht darin, daß die Gegenwart Christi vermittelt wird durch die sakramentale Gegenwart

---

688 Vgl. ebd., 703.
689 Vgl. ebd., 708: "... no nos parece errôneo sostener la existencia de
   varias presencias de Cristo; al contrario, consideramos necesaria una
   tal afirmaciôn. El hablar simplemente de 'modos de presencia' no per-
   mite subrayer suffientemente la diversidad profunda entre uno y otro".
690 Vgl. dazu die Argumentation von K. Rahner, a.a.O. (S. 716, Anm. 575):
   siehe oben, S. 718-721.
691 Gimeno spricht zwar auch von der Einordnung der eucharistischen Gegenwart in den Zusammenhang der liturgischen Gegenwart des Herrn insgesamt, widmet diesem Thema aber nur eine Seite: vgl. a.a.O., 720 f. Zu
   seinem Versuch, in den Aussagen der Kirchenkonstitution eine ausschließliche Betonung der eucharistischen Gegenwart zu finden, vgl.
   die Ausführungen zu LG 26,1, ebd., 526.

seines eigenen Leibes" [692].

Mit dieser Akzentsetzung führt Gimeno letztlich die vorkonziliare Linie einer einseitigen und isolierenden Hervorhebung
der substantialen Realpräsenz fort. Er nimmt den vom Konzil
eröffneten Ansatz bei einer umfassenden Gegenwart des Herrn in
der liturgischen Versammlung und ihrer in der eucharistischen
substantialen Realpräsenz gipfelnden Entfaltung in verschiedene Gegenwartsweisen nicht auf. Es entsteht der Eindruck, daß
Gimeno trotz vieler aufschlußreicher und präziser Einzeluntersuchungen der konziliaren Lehre von der Gegenwart des Herrn im
Ganzen nicht gerecht wird, indem er sie wieder einseitig zugunsten der substantialen Realpräsenz Christi akzentuiert [693].

Diese grundsätzliche Kritik, die neben manchen einzelnen Einwänden [694] gegen die Arbeit Gimenos vorzubringen ist, soll nicht
das Verdienst seiner detaillierten Analyse einzelner Konzilstexte schmälern. Es bleibt aber zu fragen, ob es möglich ist,
nur aufgrund der Untersuchung von Texten, die das Wort 'Gegenwart' enthalten, eine zutreffende Darstellung der Lehre des
Konzils von der Gegenwart des Herrn in der Liturgie zu erarbeiten. Solche isolierten Textstücke lassen nicht hinreichend

---

692 Ebd., 716: "La presencia personal de Cristo a nosotros tiene varios
modos de realización. Lo característico de la eucaristía no es ser
signo o mediación de esa presencia personal y de la entrega y del amor
de Cristo a su Iglesia. Esto tiene lugar también en los demás sacra-
mentos y en todas las otras 'presencias'. Lo específicamente propio de
la eucaristía es que la presencia de Cristo está mediada por la presencia sacramental de su propio cuerpo".

693 Dies zeigt sich auch daran, daß Gimeno die Einbeziehung der Gläubigen
in das Opfer Jesu Christi für die Erlösung der Welt nur durch die sakramentale Kommunion verwirklicht sieht, nicht aber durch den Mitvollzug der eucharistischen Feier insgesamt: vgl. ebd., 719.

694 Vgl. z.B. die Bemerkung, ebd., 693, das Interesse der Bischöfe bei der
Erörterung von SC 7,1 sei nur auf den Inhalt (*contenido*), nur auf die
objektive Realität der einzelnen Gegenwartsweisen (*la realidad objeti-
va de cada presencia*) gerichtet gewesen. Es ging ja vielmehr um die
verschiedenen Weisen der gegenwärtigen Tätigkeit des Herrn. Auch Gimenos Casel-Interpretation scheint korrekturbedürftig. Es trifft nicht
zu, daß Casel ausschließlich nach der gegenwärtigen 'Sache', dem
Heilswerk, nicht aber nach der gegenwärtigen Person, Jesus Christus,
gefragt habe, wie Gimeno behauptet: vgl. ebd., 693. - Doch kann hier
nicht eine ins Einzelne gehende Rezension der Arbeit Gimenos vorgelegt
werden.

die Gesamtaussage des jeweiligen Dokuments erkennen. Jeden-
falls scheint es nicht gerechtfertigt zu sein, schon aus der
Analyse dieser wenigen Texte den Schluß zu ziehen, daß das
Konzil die Frage nach der Art und Weise der Gegenwart des
Herrn nicht beantwortet habe. Diese Antwort wäre doch wohl nur
einer Gesamtinterpretation zu entnehmen.

5.3.6. Everett A. Diederich

Als letzter theologischer Beitrag soll der Aufsatz des ameri-
kanischen Liturgikers Everett A. Diederich über "das Gegenwärtigwerden Christi bei der Feier der Eucharistie" genannt werden[695].
Diederich geht von Artikel 7 der Liturgiekonstitution und den
entsprechenden nachkonziliaren Dokumenten aus und möchte vor
allem die "dynamische Struktur" des "stufenweise Gegenwärtig-
werdens Christi bei der Eucharistie" erläutern[696].
Er beginnt mit einer knappen Auswertung der Emmaus-Perikope
(Lk 24) als Hinführung zu "unserer gläubigen Erfahrung ...,
wenn wir die Gegenwart des erhöhten Herrn beim Meßopfer feiern"[697].
Danach behandelt er der Reihe nach "Christi Gegenwart in der
Versammlung der Gläubigen", "Christi Gegenwart in seinem Wort",
"die Gegenwart Christi in der Person des Priesters" und "die
eucharistische Gegenwart Christi"[698]. Sie wird nochmals speziell erörtert im Hinblick auf die "Gabenbereitung", "das eucharistische Gebet" und den "Kommunionritus"[699].
Auffällig ist an dieser Darstellung, die sich ganz am Ablauf
der Meßfeier orientiert, daß die Funktion des Priesters als
des Vorsitzenden der liturgischen Feier ausdrücklich und betont erst bei der Eucharistiefeier im engen Sinn genannt wird.

---

695 E. A. Diederich, Das Gegenwärtigwerden Christi bei der Feier der Eucharistie, in: IKaZ 7 (1978) 498-508.
696 Ebd., 498.
697 Ebd., 500.
698 Vgl. ebd., 500-504.
699 Vgl. ebd., 504-508.

Der Priester übernimmt "nach der Liturgie des Wortes den Vorsitz am Tisch des Altares" [700]. Die Bedeutung des priesterlichen Repräsentanten Jesu Christi als des Hauptes der Kirche
schon zur Konstitution der liturgischen Versammlung wird nicht
gesehen, wenn Diederich auch eigens vermerkt, daß schon im Er-
öffnungsteil der Messe der Priester dem Volk zugewandt zelebriert, wodurch deutlich wird, daß das Mysterium sich "in der
Mitte der Versammlung" vollzieht [701].

Die Funktion des Heiligen Geistes wird ausdrücklich nur beim
Gebet im Namen der Kirche genannt: "Die Gegenwart Jesu in denen, die in seinem Namen beten, ist seine Anteilgabe am Heiligen Geist, der ihnen die Einheit in ihrem Gebet zu dem einen
Vater gibt" [702].

Im übrigen wird die konstitutive Rolle der mitfeiernden Gemeinde für die Wirklichkeit der liturgischen Gegenwart des
Herrn kaum angedeutet. Zwar beruft sich Diederich auf den oben
vorgestellten Aufsatz von Bernhard Langemeyer; außer ihm zitiert er fast nur nachkonziliare Dokumente zur Liturgiereform,
aber keine weitere Literatur. Dennoch hat der Ansatz Langemeyers im Aufsatz Diederichs kaum einen Niederschlag gefunden.
Die Frage nach der Möglichkeitsbedingung einer liturgischen
Gegenwart des Herrn wird nur andeutungsweise berührt, die Frage nach der gegenseitigen Zuordnung der verschiedenen Gegenwartsweisen kommt nicht zur Sprache.

5.3.7. Zusammenfassung

Der Versuch einer Zusammenfassung des systematischen Ertrags
der in diesem Abschnitt dargestellten theologischen Beiträge
orientiert sich an den beiden grundlegenden Fragen dieser Untersuchung, nämlich wie überhaupt eine Gegenwart Jesu Christi
in der Liturgie gedacht werden kann und wie seine verschiedenen Gegenwartsweisen einander zuzuordnen sind.

---

700 Ebd., 503.
701 Vgl. ebd., 501.
702 Ebd., 500.

Gemeinsamer Ausgangspunkt mehrerer systematischer Beiträge ist
der Blick auf den verherrlichten Herrn, der als Mensch und
Gott zugleich zur Rechten des Vaters sitzt und als solcher das
Haupt seiner Kirche ist, die er in unlöslicher Einheit als
seinen Leib durch seinen Geist mit sich verbindet[703].

Damit ist die grundlegende Gegenwart des Herrn bei seiner Kirche ausgesagt. Sie ist ein transzendent begründetes Faktum wie
die Auferstehung des Herrn selbst, wird aber im Glauben der
Kirche erkannt, indem Jesus Christus selbst sich als der Auferstandene zu sehen gibt und so den Glauben der Kirche erwirkt,
in dem er als Gegenwärtiger erfahren wird. Diese Gegenwart ist
pneumatischer Art: sie ist die neue Gegenwart Jesu Christi in
seinem gesendeten Geist, der den Glauben der Kirche innerlich
erfaßt und prägt, so daß in ihrem pneumatisch getragenen Glauben der Herr gegenwärtig ist[704].

Damit ist der Heilige Geist als Medium der gegenseitigen Gegenwart des Herrn und seiner Kirche gekennzeichnet[705], der als
derselbe im Haupt und in den Gliedern der Kirche lebt und in
einem die Weise der wirksamen Gegenwart Jesu Christi zum Heil
der Menschen und die Möglichkeitsbedingung jeglichen liturgischen Vollzugs der Menschen zur Verehrung Gottes ist[706].

Deshalb sind alle liturgischen Vollzüge als dialogisches Geschehen zu verstehen, in dem das Handeln Jesu Christi im Heiligen Geist und das antwortende Tun der Gläubigen im selben
Geist zusammen erst die volle gegenseitige Gegenwart des Herrn
und seiner Kirche konstituieren[707].

So ist zugleich der absolute Vorrang der Initiative Gottes
durch Jesus Christus im Heiligen Geist vor dem liturgischen
Handeln der Menschen ausgesagt, welches aber als im Heiligen
Geist ermöglichtes Tun konstitutiv zur Verwirklichung der Liturgie als Werk Jesu Christi und der Kirche hinzugehört[708].

---

703 Vgl. H. Mühlen, B. Duda, J. A. Jungmann, K. Rahner, B. Langemeyer, E.
   A. Diederich.
704 Dies ist der Grundgedanke von B. Langemeyer.
705 Vgl. K. Rahner.
706 Vgl. H. Mühlen.
707 Vgl. K. Rahner, B. Langemeyer.
708 Vgl. B. Langemeyer.

Innerhalb dieser Grundbestimmungen der liturgischen Gegenwart des Herrn muß nach Einheit und Verschiedenheit seiner einzelnen Gegenwartsweisen gefragt werden.

Mehrere Autoren gehen davon aus, daß es nur eine einheitliche personale Gegenwart des Herrn bei den Gläubigen gibt, die in der Liturgie in verschiedenen Weisen entfaltet wird und jeweils zur Begegnung mit dem Menschen führt, der das gegenwärtige Tun des Herrn gläubig annimmt und dankend beantwortet, so daß darin die Einheit der Glieder seines Leibes untereinander bewirkt wird, eine Einheit, die letztes Ziel allen liturgischen Tuns der Kirche ist und Vorwegnahme der eschatologischen Vollendung des Heils bedeutet [709].

Diese Einheit des mystischen Leibes mit seinem Haupt stellt sich grundlegend in der liturgischen Versammlung dar [710], die durch das Gegenüber von Amtsträger als Repräsentation des Hauptes und Gemeinde der Gläubigen konstituiert wird [711]. Die personale Begegnung von Amtsträger und Gemeinde, in welcher sich die Begegnung Jesu Christi mit seinen Gläubigen darstellt, vollzieht sich vor allem im gemeinsamen Gebet [712], in Wort und Sakrament in enger gegenseitiger Bezogenheit [713] und in dem aus der Eucharistie erwachsenden christlichen Leben in Glaube und Liebe [714].

Ihren Höhepunkt findet diese liturgische Heilsbegegnung in der substantialen Gegenwart Jesu Christi in seinem Fleisch und Blut, das er dem Vater darbringt und den Gläubigen zum Genuß reicht [715]. Dieser höchste mögliche Fall liturgischer Gegenwart des Herrn umfaßt seine substantiale wie seine aktuale Gegenwart und bewirkt so in der Annahme dieser in doppelter Weise konstituierten Gegenwart durch die gläubige Gemeinde eine in der Zeitlichkeit unüberbietbare gegenseitige Gegenwart Jesu

---

709 Vgl. B. Neunheuser, K. Rahner.
710 Vgl. A. Cuva, B. Langemeyer.
711 Dieser Aspekt ist wenig entfaltet; er wird von B. Langemeyer immerhin angedeutet.
712 Vgl. B. Langemeyer, E. A. Diederich.
713 Vgl. K. Rahner, B. Langemeyer.
714 Vgl. K. Rahner.
715 Vgl. K. Rahner, A. Cuva, A. A. G. Gimeno.

Christi und der Kirche, worin die Kirche ihren vollen Ausdruck
findet, ihr Wesen vollzieht und dadurch aufgebaut wird zum
Leib Christi.

Diese höchste Form der gegenseitigen Gegenwart Jesu Christi
umschließt die übrigen Weisen dieser Gegenwart und läßt sie
von ihrem Höhepunkt her und mit ihm zusammen als Momente an
der einen Gegenwart des Herrn erst voll verständlich sein[716].

5.4. Ergebnis

Im vorliegenden Kapitel sollte der Frage nachgegangen werden,
wie sich die Rezeption der Lehre der Liturgiekonstitution des
II. Vatikanischen Konzils über die liturgischen Gegenwartsweisen Jesu Christi vollzogen hat. Weiter sollte untersucht
werden, ob eine theologische Weiterführung dieser Lehre festzustellen ist und in welche Richtung sie gegebenenfalls geht.
Zu diesem Zweck wurden die übrigen Dokumente des II. Vatikanischen Konzils, die wichtigsten nachkonziliaren Dokumente zur
Liturgiereform und einige speziell auf unser Thema bezogene
theologische Beiträge untersucht.

Konzilsdokumente

Aus der Durchsicht der übrigen Konzilsdokumente ergab sich eine Bestätigung der liturgietheologischen Grundlinien der Liturgiekonstitution, die als Voraussetzungen und allgemeine Bestimmungen einer liturgischen Gegenwart des Herrn anzusehen
sind. Außerdem konnte nachgewiesen werden, daß die einzelnen
in der Liturgiekonstitution aufgezählten liturgischen Gegenwartsweisen Jesu Christi auch in den übrigen Konzilsdokumenten
grundsätzlich im selben Sinn genannt werden, ohne daß allerdings über ihre Zuordnung zueinander zusammenfassende Aussagen
zu finden wären.

Eine Vertiefung und deutlichere Erklärung einzelner in der Liturgiekonstitution anklingender Teilthemen konnte den übrigen

---

716 Vgl. K. Rahner

Konzilsdokumenten entnommen werden. Sie ergaben keine Korrektur der theologischen Aussagen der Liturgiekonstitution, wohl aber eine Explikation mehrerer dort nur implizit oder andeutungsweise enthaltener Lehren. Die Untersuchung der übrigen Konzilsdokumente diente hier zur Absicherung und Präzisierung der Interpretation der Liturgiekonstitution.

Eine deutliche Weiterführung der liturgietheologischen Lehre der Liturgiekonstitution war insbesondere auf dem Gebiet ekklesiologischer Grundfragen und speziell der pneumatologischen Grundlegung des Wesens und des Lebens der Kirche und damit auch ihres liturgischen Selbstvollzugs zu erkennen.

Nachkonziliare Dokumente

Der Beitrag der nachkonziliaren Dokumente zur Liturgiereform liegt nicht so sehr im Bereich liturgietheologischer Grundfragen; hier übernehmen diese Dokumente einfachhin und meistens in wörtlicher Zitation die entsprechenden Aussagen des Konzils. Die Bedeutung dieser Dokumente für unsere Fragestellung liegt vielmehr in der Tatsache, daß sich in ihnen die im Konzil gewonnenen theologischen Einsichten und Akzentsetzungen im ganzen erhalten und gegen andersartige Tendenzen durchsetzen. So werden sie im Leben der Kirche praktisch wirksam.

Darüberhinaus war auch eine Präzisierung einzelner Sachfragen festzustellen, insbesondere im Hinblick auf eine entschiedenere Formulierung des Vorrangs der eucharistischen Realpräsenz vor den übrigen liturgischen Gegenwartsweisen des Herrn und eine weitere Klärung der gegenwärtigen Wirksamkeit des Herrn in der Feier der Sakramente und des kirchlichen Stundengebets. Auch hier lagen die beobachteten Präzisierungen durchaus auf der Linie der aus der Liturgiekonstitution erhobenen Lehre. Eine Weiterführung ergab sich vor allem hinsichtlich der Ordnung der einzelnen liturgischen Gegenwartsweisen Jesu Christi. Deutlicher als in der Liturgiekonstitution wurden sie als einheitliches Gefüge erkennbar, als Ausformungen der einen und tätigen Gegenwart des Herrn in der liturgischen Versammlung. Die stufenweise sich in verschiedenen Formen entfaltende Gegenwart des Herrn im Gottesdienst sollte wohl auch schon in der Liturgiekonstitution formuliert werden. Die dort ursprünglich vorgelegte Textform wies jedoch solche Mängel auf, daß eine Neufassung nötig wurde, die als Kompromißtext erkennbar blieb und nicht ganz befriedigen konnte. In den nachkonziliaren Dokumenten gelang es, zu einer ausgereifteren Formulierung der ursprünglich intendierten Aussage des Liturgieschemas zu kommen.

Theologische Beiträge

Der Beitrag der Theologie erbrachte insbesondere für die fundamentale Frage nach den Möglichkeitsbedingungen einer liturgischen Gegenwart des Herrn bedeutende Fortschritte. Im Konzil selbst wird die liturgische Gegenwart des Herrn in ihren verschiedenen Verwirklichungsweisen als positive Lehre der Kirche vorgelegt. Weiterhin lassen sich den Konzilstexten die entscheidenden Elemente für eine systematische Begründung dieser Lehre entnehmen. Die Ausarbeitung dieser Systematik blieb jedoch der Theologie überlassen.

Die Untersuchung der entsprechenden Beiträge ergab insbesondere, daß die Frage nach der Möglichkeit und Wirklichkeit einer liturgischen Gegenwart des Herrn in einen größeren Zusammenhang gestellt werden muß. Jesus Christus lebt als der durch Tod und Auferstehung erhöhte Herr in der Herrlichkeit Gottes als die zweite göttliche Person mit seiner verklärten menschlichen Natur; er ist das Haupt der Kirche, die er durch seine Erlösungstat als erlöste Gemeinschaft der Gläubigen zu seinem Leib gemacht hat.

Jede mögliche Gegenwart des Herrn ist von diesem Ausgangspunkt her zu deuten. Dies besagt zunächst, daß die Gegenwart des Herrn *trinitarisch bestimmt* ist: Jesus Christus ist die Offenbarung des Heilswillens Gottes, der in der Kraft des Heiligen Geistes durch den Sohn erfüllt wurde und in der Sendung des Heiligen Geistes vom Vater und vom Sohn durch den Sohn bleibend zur Auswirkung gebracht wird. In der Vollendung und bleibenden Verwirklichung des göttlichen Heilsplans liegt zugleich und in einem die vollendete Verherrlichung Gottes durch seinen Sohn zusammen mit seinem die Schöpfung insgesamt repräsentie-

renden mystischen Leib wie auch die Erlösung und Heiligung der
Menschen in ihrer Einbeziehung in die Gottesverherrlichung
durch den Sohn im Heiligen Geist.

Daraus ergibt sich für unsere Fragestellung eine spezifische
Bedeutung des Heiligen Geistes: Er ist als ein und derselbe
das Prinzip der bleibenden Gegenwart des erhöhten Herrn und
seines fortwirkenden Heilswerks wie auch das Prinzip der Einbeziehung der Menschen in dieses Heilswerk, worin sie durch
denselben Geist erlöst und geheiligt werden und in der Kraft
des Geistes Gott mit dem Sohn verherrlichen.

So erweist sich der Heilige Geist als das 'Medium' der liturgischen Gegenwart des Herrn, in welcher die heilbringende und
Gott verherrlichende Einheit Jesu Christi mit seiner Kirche
bewirkt wird und sich auswirkt.

Diese gnadenhafte im Geist geschenkte Gegenwart des Herrn kann
nur dann wirklich sein, wenn sie in dem durch diese Gnade ermöglichten, aber frei zu leistenden *Glauben des Menschen* angenommen und zur Auswirkung gebracht wird. Damit wird der menschliche Partner des Bundes mit Jesus Christus in seiner ganz von
der Initiative des Herrn bzw. von der Wirksamkeit des Geistes
getragenen und ermöglichten aber dennoch ganz von ihm selbst
zu erbringenden Mitwirkung zum Zustandekommen dieses Heilsbun-
des gewürdigt. Liturgische Gegenwart des Herrn erweist sich
somit als gegenseitige Gegenwart *dialogischer Natur*, in der
beide Partner dieser so bewirkten Einheit an ihrem Zustandekommen konstitutiv, wenn auch auf grundlegend verschiedene
Weise, beteiligt sind.

Diese durch die gnadenhafte Selbstmitteilung des Herrn im Hei-
ligen Geist erwirkte Gegenwart im gnadenhaft ermöglichten und
in freier Zustimmung geleisteten Glauben der Kirche in ihren
Gliedern findet als gegenseitige Gegenwart und somit als Ein-
heit von Haupt und Gliedern der Kirche in der *liturgischen
Versammlung* ihren deutlichsten Ausdruck. Sie wird darin zu-
gleich dargestellt und stets neu verwirklicht und vertieft.
Dies geschieht in verschiedenen *anthropologisch bestimmten
Ausdrucksformen* der Begegnung zwischen Jesus Christus und den
Gläubigen, die je nach ihrer anthropologischen Sinngebung ver-

schiedene Grade der Intensität und der Ganzheit kennen. Alle
diese Ausdrucksformen sind jedoch innerlich zusammengehörige
Momente der ursprünglich einen und ganzen Gegenwart des erhöhten Herrn, der in seiner ganzen Wirklichkeit dem Menschen in
allen seinen Dimensionen in grundsätzlich von ihm selbst fest-
gesetzten Formen menschlicher Kommunikation begegnet.

Die wichtigsten dieser in der liturgischen Versammlung in aus-
gezeichneter Weise verwirklichten Ausdrucksformen sind *Wort
und Sakrament* in ihrer innerhalb einer grundlegenden Einheit
aufeinander bezogenen Unterschiedenheit. Diese worthaft und
tathaft in gegenseitiger Gegenwart vollzogene Einheit von Jesus Christus und Kirche findet ihren Höhepunkt in der Wort und
Sakrament umfassenden und überbietenden leib- und wesenhaften
Gegenwart Jesu Christi in den eucharistischen Gestalten, die
zugleich ihn selbst in seiner Hingabe an Gott und an die Menschen und seinen in dieser Hingabe geschaffenen und stets neu
gebildeten mystischen Leib darstellen und vergegenwärtigen.

Diese leib- und wesenhafte Gegenwart Jesu Christi und seines
Leibes in Einheit miteinander ist die Gewähr für die wirkliche, personale und tätige gegenseitige Gegenwart des Herrn und
der Kirche in den übrigen auf dieses Zentrum hingeordneten
Ausdrucksformen dieser Gegenwart.

6. Abschließende Überlegungen: Rückblick und Ausblick

Es fällt nicht leicht, die Untersuchung der Frage nach der Gegenwart Jesu Christi im Gottesdienst hier abzuschließen. Zwar ist das dieser Arbeit gesetzte Ziel erreicht, indem die Lehre der Liturgiekonstitution des II. Vatikanischen Konzils über die Gegenwart des Herrn im Gottesdienst und ihre Verwirklichungsweisen dargestellt und aus dem Zusammenhang ihrer Vorgeschichte, ihres theologischen Umfeldes und ihrer Wirkungsgeschichte interpretiert worden ist.

Die aus der Liturgiekonstitution zu erhebenden Antworten auf die Frage nach der Gegenwart Jesu Christi im Gottesdienst drängen aber zu einer über diese Konstitution hinausgehenden, umfassenden Behandlung unseres Themas. Die Ergebnisse der systematischen Interpretation der Liturgiekonstitution könnten und müßten nun in Verbindung zu anderswoher gewonnenen und zur selben Sache führenden Überlegungen gebracht werden. Dies gilt vor allem in zwei Richtungen, die von den Partnern der liturgischen Begegnung, dem gegenwärtigen Herrn und der Gemeinde gläubiger Menschen, bestimmt werden.

Es wäre zu fragen, wie von der biblischen und systematischen Theologie her die Gegenwart des Herrn bei seiner Kirche näher zu bestimmen ist, und es müßte gefragt werden, wie von einer theologischen Anthropologie und der in ihr wirksamen Philosophie her die Gegenwart der Glaubensgemeinschaft und darin der einzelnen Gläubigen bei Jesus Christus und durch ihn bei Gott zu fassen ist.

Schließlich müßte nach der Vermittlung dieser beiden Denkrichtungen in einem gemeinsamen 'Medium', nämlich im Heiligen Geist als dem Geist Jesu Christi und der Gläubigen gefragt werden.

Zu dieser Aufgabe hat die vorliegende Untersuchung zwar eine Reihe von einzelnen Elementen erbracht; ihre Ausarbeitung kann hier jedoch nicht mehr geleistet werden. Sie würde, sollte sie auch nur einigermaßen ausreichend die angedeuteten Fragestellungen aufgreifen, eine neue, nicht minder umfangreiche Untersuchung erfordern.

In diesen abschließenden Überlegungen kann deshalb nur versucht werden, in einem Rückblick den Untersuchungsgang der vorliegenden Arbeit zu erläutern, ihre Ergebnisse zusammenzufassen und in einem Ausblick mögliche Richtungen, Wege und Ziele einer systematischen Fortführung dieser Untersuchung anzudeuten.

6.1. Rückblick

Im Rückblick auf den Gang der Untersuchung sollen jetzt nicht nochmals die jeweiligen Ergebnisse der einzelnen Teilschritte wiederholt werden; sie sind am Ende jedes Kapitels zusammenfassend formuliert. Hier geht es nur darum, die Linie des Gedankengangs insgesamt zu verdeutlichen.

6.1.1. Zur Vorgeschichte der Liturgiekonstitution

Aus dem Überblick über die Vorgeschichte der Liturgiekonstitution ergaben sich zwei verschiedene und aus unterschiedlichen Gründen entstandene Problemfelder: die Frage nach der Möglichkeit und Wirklichkeit einer liturgischen Gegenwart des Herrn überhaupt und die Frage nach den verschiedenen Verwirklichungsformen dieser Gegenwart.

Mysteriengegenwart und tätige Teilnahme

Die erste Frage stellte sich als das Problem der Vermittlung von im liturgischen Mysterium angebotener Heilsgabe und dem in der gläubigen Mitfeier dieses Mysteriums ermöglichten Heilsempfang dar[1].
Der erste Pol, die im Vollzug der Liturgie gegenwärtige und angebotene Heilsgabe, wurde insbesondere in der tridentinischen Liturgiereform, in der katholischen Restauration des

---

1 Vgl. oben, S. 119-123: Abschnitt 1.5.1.

19. Jahrhunderts und in der Mysterienlehre der ersten Hälfte des 20. Jahrhunderts betont.

Der zweite Pol, die subjektive Aneignung des angebotenen Heils im gläubigen Mitvollzug der Liturgie und in der tätigen Teilnahme daran, wurde von den Reformatoren des 16. Jahrhunderts, von den Liturgikern der Aufklärungszeit und in der Liturgischen Bewegung der ersten Hälfte des 20. Jahrhunderts als Forderung erhoben.

In einem globalen und von zahlreichen Details absehenden Überblick stellt sich die Vorgeschichte der Liturgiekonstitution des II. Vatikanischen Konzils als antithetisches Wechselspiel zwischen diesen beiden Kräften dar.

Pius XII. unternahm in seiner Enzyklika "Mediator Dei" (1947) den Versuch, die beiden Pole miteinander zu verbinden. Er betonte die Zusammengehörigkeit von objektiver und subjektiver Frömmigkeit, von objektiv angebotenem und subjektiv mitvollzogenem und angeeignetem Heil, von *opus operatum* und *opus operantis*. Eine wirkliche Integration dieser beiden Bewegungen gelang jedoch in dieser Enzyklika noch nicht. Sie wurde nicht zuletzt dadurch behindert, daß der Papst in Abwehr aktueller Einseitigkeiten in der Theologie selbst einseitig manche zentralen Lehrpunkte so betonte, daß eine sachliche Ausgewogenheit der verschiedenen Positionen nicht erreicht wurde. Insbesondere betrifft dies seine Hervorhebung der kirchlichen, speziell hierarchischen Funktion in der Vermittlung des Heils.

Die grundlegendere und umfassendere kirchliche Funktion des Heilsempfangs wurde zu wenig gesehen. Daraus ergab sich bei aller Anerkennung der Ziele der Liturgischen Bewegung und des Anliegens der Mysterienlehre doch eine neue Polarisierung, die auch in den Begriffen 'lehrende' und 'hörende' Kirche zum Ausdruck kam und dem Anliegen der 'tätigen Teilnahme' der Gläubigen zwar unter pastoraler Rücksicht zustimmte, ihm aber keinen theologischen Raum mehr gab. Dies zeigte sich bald in den schärfer werdenden Spannungen zwischen der römischen Kirchenleitung und den maßgeblichen Trägern der Liturgischen Bewegung.

Wenn also eine liturgische Gegenwart als Begegnung des Herrn

mit den Gläubigen gedacht werden sollte, so mußte ein Weg zur
Integration dieser Pole gefunden werden.

Realpräsenz

Der zweite Fragenkreis, der sich im geschichtlichen Rückblick
abzeichnete, dreht sich darum, ob es verschiedene Weisen der
Gegenwart des Herrn im Gottesdienst gibt und wie sie gegebenenfalls einander zuzuordnen sind [2].
In der nachtridentinischen katholischen Theologie wurde 'Gegenwart des Herrn im Gottesdienst' immer mehr identisch mit
'Realpräsenz' im Sinn von substantialer, somatischer Gegenwart
von Fleisch und Blut Jesu Christi in den eucharistischen Gestalten. Der Glaube an diese Realpräsenz des Herrn entwickelte
sich geradezu zum Kennzeichen katholischer Frömmigkeit und
Theologie, wobei die in der alten Kirche sehr betonte Gegenwart des Herrn im Wort des Evangeliums kaum noch bedacht wurde. Umgekehrt betonte die evangelische Theologie die Heilsmacht des Wortes zu Lasten der Bedeutung der Sakramente.
Die terminologische Festlegung des Begriffs 'Realpräsenz' auf
die substantiale eucharistische Gegenwart Jesu Christi mußte
auch zur Folge haben, daß andere Weisen seiner Gegenwart, etwa
in Wort und Sakrament, unwillkürlich als nicht real und insofern auch unwesentlich empfunden wurden. Daran konnte auch die
liturgische Praxis nichts ändern, die seit eh und je dem Evangelium eine ähnliche Verehrung erwies wie dem eucharistischen
Brot.
Auch hier kamen die Anstöße zur Neubesinnung aus dem Bereich
der Liturgischen Bewegung, der Mysterienlehre, der Bibelbewe-
gung und der Verkündigungstheologie und wurden in der Enzyklika "Mediator Dei" aufgenommen. Pius XII. zählt dort verschiedene Weisen auf, in denen Christus seiner Kirche in der Liturgie gegenwärtig ist. Bezeichnenderweise fehlt jedoch in dieser
Aufzählung die Gegenwart des Herrn im Wort. Die eucharistische
Realpräsenz dagegen wird stark hervorgehoben und im weiteren
Text der Enzyklika breit entfaltet.

---

2 Vgl. oben, S. 123 f.: Abschnitt 1.5.2.

Ein Ausgleich der verschiedenen Positionen gelang der Enzyklika auch in dieser Frage nicht, zumal sie mit dem Thema 'Realpräsenz' zugleich eine erneute Hervorhebung des priesterlichen Amtes und der hierarchischen Führung der Kirche verband.
Auch hier stand der in den letzten Jahren vor dem Konzil verstärkt einsetzenden Besinnung der Theologie auf die Bedeutung des Wortes Gottes die kirchenamtliche Einschärfung der Lehre von der Realpräsenz in der Eucharistie gegenüber.

6.1.2. Die konziliare Arbeit an der Liturgiekonstitution

In dieser Situation begann das II. Vatikanische Konzil. Es hatte, wenn es in Bezug auf unsere Frage weiterkommen wollte, zumindest in drei komplexen Sachgebieten die Integration sich polarisierender Strömungen zu leisten. Es mußte das Verhältnis von Heilsgabe und Heilsempfang, von 'Mysteriengegenwart' und 'tätiger Teilnahme' klären; es mußte die Gegenüberstellung von 'lehrender' und 'hörender' Kirche überwinden, und es mußte die Lehre von der eucharistischen Realpräsenz mit der Darstellung auch anderer Gegenwartsweisen des Herrn verbinden.
Die Frage, inwieweit dies gelang, steht im Hintergrund der Darstellung der konziliaren Diskussion im zweiten Kapitel dieser Arbeit.

Mysteriengegenwart und tätige Teilnahme

Die Aufgabe der Integration von Heilsgabe und Heilsempfang wurde von der Liturgiekonstitution nicht geleistet, zumindest nicht unmittelbar. Die Konstitution spricht zwar überaus häufig und betont von der tätigen Teilnahme der Gläubigen an der Liturgie, versteht dies aber, entsprechend dem Anliegen der Liturgischen Bewegung, vorwiegend unter pastoraler Rücksicht. Die Frage nach dem 'Wie' der liturgischen Gegenwart klammert die Konstitution aus. Weder übernimmt noch verwirft sie die Auffassung der Mysterienlehre.
Zu fragen wäre, inwieweit zur 'Mysteriengegenwart' der Heilsgeheimnisse innerlich notwendig die tätige Teilnahme der Gläu-

bigen hinzugehört und inwieweit diese Teilnahme innerlich bestimmt ist durch das, woran sie teilnimmt. Zu diesen Fragen
läßt sich aus der Liturgiekonstitution keine direkte Antwort
entnehmen.

Jesus Christus und die gegliederte Gemeinschaft der Kirche

Anders ist es im Hinblick auf die Frage nach der Funktion der
Kirche in der Liturgie[3]. Im Rückgriff auf patristisches Gedan-
kengut gelingt es der Liturgiekonstitution, einen Ausgangspunkt zu gewinnen, der es ermöglicht, die Spannung zwischen
hierarchischer Kirchenleitung als Instanz der Heilsvermittlung
und hörendem Kirchenvolk als Empfänger des Heils zu überwinden. Die Kirche wird von vornherein auf Jesus Christus hin
'relativiert': als ihr Haupt ist er das eigentliche Subjekt
ihrer gesamten Wirksamkeit und der Träger ihrer Wirklichkeit.
Als seine Braut steht die Kirche als ganze ihm gegenüber und
empfängt von ihm als Frucht seines Erlösungswerkes ihr ganzes
Wesen und ihre Sendung. Als sein Leib ist sie ihm eingegliedert und dient ihm beim Vollzug seines Erlösungswerkes und
seiner Hingabe an Gott vor allem in der Liturgie. Damit ist
die Kirche als ganze im feiernden Mitvollzug des Heilswerkes
zugleich Empfängerin des Heils und, Jesus Christus zu- und untergeordnet, Organ der Heilsvermittlung.
In dieser Klärung der Funktion der Kirche ist nun auf indirek-
tem Weg auch die Antwort auf die Frage nach der Integration
von Heilsvermittlung und Heilsempfang enthalten. Das in der
Kirche als dem mystischen Leib des Herrn in gegenwärtigem
Vollzug präsente Heil wird von der Kirche als der Braut des
Herrn dankbar empfangen. In diesem Heilsempfang entsteht und
wächst die Kirche und wirkt als Leib des Herrn zur Ehre Gottes
und zum Heil der Menschen.
Erst innerhalb dieser fundamentalen Funktion der Kirche insgesamt ist die Differenzierung in verschiedene Funktionen anzu-
setzen. Das der gläubigen Gemeinschaft als ganzer verliehene
gemeinsame Priestertum als Befähigung zur Teilnahme am prie-

---

3 Vgl. oben, S. 217 f.: Abschnitt 2.9.2.

sterlichen Dienst Jesu Christi verlangt nach dem spezifischen
Amtspriestertum, in welchem Jesus Christus sich als Haupt der
Kirche repräsentiert und durch welches er den Aufbau seines
mystischen Leibes so bewirkt, daß dieser fähig wird, als ganzer sein priesterliches Werk fortzusetzen.

In der Ausarbeitung dieser Sicht der Kirche liegt der erste
entscheidende Beitrag der Liturgiekonstitution zu unserem Thema.

Verschiedene Gegenwartsweisen des Herrn

Der zweite wichtige Beitrag der Liturgiekonstitution besteht
darin, daß sie die Lehre von verschiedenen Gegenwartsweisen
des Herrn in der Liturgie aufnimmt und daran gegen manche Kritik festhält. Allerdings gelingt es ihr im zusammenfassenden
Text von Artikel 7,1 noch nicht, die Lehre von der eucharistischen Realpräsenz so in die Darstellung der verschiedenen Gegenwartsweisen zu integrieren, daß ihre Zusammengehörigkeit,
ihre Unterschiedenheit und ihre systematische Zuordnung hinreichend deutlich würden[4].

6.1.3. Die theologische Interpretation der Liturgiekonstitution

Aus diesem Befund ergab sich die Aufgabenstellung für die beiden nächsten Kapitel unserer Untersuchung. Im dritten Kapitel
wird die Frage nach der liturgischen Gegenwart Jesu Christi im
allgemeinen weiterverfolgt, im vierten Kapitel die Frage nach
seinen verschiedenen liturgischen Gegenwartsweisen.

Die Gegenwart Jesu Christi im Gottesdienst

Da die Liturgiekonstitution die Frage nach dem 'Wie' der Gegenwart Jesu Christi im Gottesdienst nicht direkt beantwortet,
mußten aus dem Gesamttext die verschiedenen Elemente herausgearbeitet werden, aus denen eine Antwort erschlossen werden
kann[5].

---

4 Vgl. oben, S. 219: Abschnitt 2.9.3.
5 Vgl. oben, S. 350-353: Abschnitt 3.6.

Zunächst ergab die Untersuchung von *Begriff, Inhalt und Ziel* der Liturgie, daß darin das Faktum der Gegenwart des Herrn vorausgesetzt ist.

Die Untersuchung des *Subjekts der Liturgie* arbeitet die im zweiten Kapitel aus der Konzilsdiskussion erhobene Klärung der Funktion der Kirche weiter aus und verdeutlicht die Integration von Heilsvermittlung und Heilsempfang in der Kirche. Dabei zeigt sich, daß die tätige Gegenwart Jesu Christi in der Kirche und durch sie zum gegenwärtigen Vollzug seines priesterlichen Dienstes die Mitwirkung der Kirche so beansprucht, daß er gerade in dieser ihrer Mitwirkung seine Tätigkeit vollzieht.

Die tätige Teilnahme der Gläubigen an der Liturgie hat letztlich darin ihren Sinn, daß sie als Glieder des mystischen Leibes das Leben der Kirche selbst vollziehen und so in ihrer Teilnahme an der Liturgie das Wesen der Liturgie zur Erscheinung bringen. Dadurch wird die tätige Teilnahme der Gläubigen nicht nur als Weise des Heilsempfangs gekennzeichnet, sondern zugleich als Weise der kirchlichen Heilsvermittlung und Verehrung Gottes im Vollzug des gemeinsamen Priestertums.

Um die Art und Weise und die Möglichkeitsbedingungen einer solchen Gegenwart Jesu Christi im kirchlichen Vollzug der Liturgie weiter zu klären, wurden aus der Liturgiekonstitution einige *Grundbestimmungen* dieser Gegenwart erhoben, die in allen liturgischen Feiern verwirklicht sind.

Es handelt sich um eine Gegenwart *im Mysterium*: Das Heilswerk Jesu Christi wird von ihm selbst in einem anderen Geschehen, nämlich der kirchlichen Liturgie, als es selbst gegenwärtig vollzogen. Dies geschieht in den *sinnenfälligen Zeichen* der Liturgie, die zugleich *Ausdruck des Handelns* Jesu Christi und des Mitwirkens der gläubigen Gemeinde sind. Es ist also die Gegenwart des Herrn als Handelnden, die aber *dialogisch strukturiert* ist, indem sein Tun von vornherein das empfangende, dankende und mitwirkende Tun der Gläubigen erfordert und einschließt.

Die so erläuterte Art und Weise der liturgischen Gegenwart des Herrn wird schließlich auf ihre Möglichkeitsbedingungen hin befragt. Die Antwort liegt im Hinweis auf die *Funktion des Heiligen Geistes*, die in der Liturgiekonstitution freilich nur in spärlichen Andeutungen dargestellt ist. Immerhin konnten daraus schon wichtige Elemente zur näheren Bestimmung dieser Funktion erhoben werden.

Die Verwirklichungsweisen der liturgischen Gegenwart des Herrn

Im vierten Kapitel wurde der zweite Fragenkreis weiterverfolgt: die Frage nach den verschiedenen Verwirklichungsweisen der liturgischen Gegenwart des Herrn. Da die Liturgiekonstitution über die gegenseitige Zuordnung dieser in Artikel 7,1 aufgezählten Gegenwartsweisen keine eindeutigen Aussagen macht, mußte wiederum ein indirekter Weg gewählt werden. Jede einzelne Weise der liturgischen Gegenwart Jesu Christi wurde je für sich untersucht und aus dem Gesamttext der Liturgiekonstitution mit seinen theologischen Implikationen interpretiert. Daraus ergab sich nicht nur eine Präzisierung des Sinnes der einzelnen Gegenwartsweisen, sondern auch ihre innere Ordnung, ihre jeweilige Stellung in einem einheitlichen Gefüge wurde deutlich[6].

6.1.4. Die nachkonziliare Entwicklung

Die Wirkungsgeschichte der Lehre der Liturgiekonstitution über die Gegenwart Jesu Christi im Gottesdienst wurde im fünften Kapitel dargestellt[7]. Es diente dazu, die Interpretation der Liturgiekonstitution mit Hilfe der *übrigen Konzilsdokumente* und der *nachkonziliaren Dokumente*, die sich mit unserem Thema befassen, zu bestätigen und zu entfalten. Zugleich konnten Entwicklungslinien aufgezeigt werden, die im Sinn der Liturgiekonstitution über ihren Text hinausführen. Hier erwies sich insbesondere die Pneumatologie der übrigen Konzilstexte, speziell der Kirchenkonstitution, als wichtig. Außerdem ergaben

---

6 Vgl. oben, S. 574-581: Abschnitt 4.7.
7 Vgl. oben, S. 744-748: Abschnitt 5.4.

die nachkonziliaren Dokumente eine Verdeutlichung der in der Liturgiekonstitution angelegten inneren Ordnung des Gefüges der liturgischen Gegenwartsweisen.

Schließlich sollte das Referat wichtiger *theologischer Beiträge* zu unserem Thema mit der Weiterführung der systematischen Fragen bezüglich der Möglichkeitsbedingungen und Verwirklichungsweisen der liturgischen Gegenwart des Herrn zugleich auch die Zusammenführung der im dritten und vierten Kapitel getrennt untersuchten Problemkreise leisten. Das, was generell zur Möglichkeit und Wirklichkeit der liturgischen Gegenwart des Herrn zu sagen ist, muß sich an den einzelnen Verwirklichungsweisen dieser Gegenwart verifizieren lassen. Umgekehrt trägt die genauere Bestimmung der verschiedenen Gegenwartsweisen je für sich und in ihrem Zusammenhang zum Verständnis der grundsätzlichen Frage nach der Art und Weise der liturgischen Gegenwart Jesu Christi bei.

Diese Synthese ist allerdings nur in einzelnen Aufsätzen knapp angedeutet, insbesondere in den Arbeiten von Bernhard Langemeyer, Heribert Mühlen und Karl Rahner. Die umfangreicheren Untersuchungen von Armando Cuva und Atilio A. G. Gimeno leisten die systematische Integration der verschiedenen hier zur Frage stehenden Problemkreise nicht.

6.2. Ergebnis

Der Gedankengang der vorliegenden Untersuchung wurde von den Fragen geleitet, wie nach der Lehre der Liturgiekonstitution des II. Vatikanischen Konzils die Gegenwart Jesu Christi im Gottesdienst der Kirche zu denken ist und in welchen Weisen sie sich verwirklicht.

Nach dem Rückblick über diesen Gedankengang soll nun versucht werden, in thesenhafter Zusammenfassung die Antwort auf die genannten Fragen zu formulieren, wie sie sich aus der theologischen Interpretation der Liturgiekonstitution erheben ließ[8].

8 Zur ausführlicheren Darstellung muß nochmals auf die in Anm. 1-7 angegebenen Ergebnisformulierungen verwiesen werden.

Die Vollendung des Heilsplans Gottes durch Jesus Christus

Gott hat, um die Menschen aus ihrer Schuld zu befreien und ihnen Anteil an seinem eigenen Leben zu geben, Jesus Christus in
die Welt gesandt, der als menschgewordener Gottessohn dem Vater gehorsam in der Kraft des Heiligen Geistes in Wort und Tat
im Lauf seines irdischen Lebens den Heilswillen Gottes verkündet und verwirklicht hat. Durch sein Sterben für die Menschen
am Kreuz und durch seine Auferstehung und Verherrlichung hat
er als Haupt der Menschheit ihre Versöhnung mit Gott erlangt,
den Heilsplan Gottes vollendet und so Gott vollkommen verherrlicht.

Die Fortführung des Heilsplans Gottes in der Kirche

Damit dieses ein für allemal vollendete Heilswerk an den einzelnen Menschen als freien Personen verwirklicht werden kann,
muß jeder einzelne in der freien Zustimmung des Glaubens an
die Person und das Werk Jesu Christi die Versöhnung mit Gott
erbitten und empfangen, um so in die Gemeinschaft der Glaubenden eingegliedert zu werden, die in Jesus Christus das Heil
empfängt und Gott verherrlicht.
Um diesen heilsnotwendigen Glauben zu ermöglichen, hat Gott
den Geist Jesu Christi gesandt, in dessen Sendung Jesus Christus als der verherrlichte Gottmensch sich seinen Jüngern als
den Zeugen seines irdischen Lebens zeigte, sie durch seinen
Geist erleuchtete, so ihren Glauben an seine im Geist gewährte
Gegenwart ermöglichte und ihnen in diesem ihrem frei geleisteten Glauben gegenwärtig bleibt.
So wurden die Apostel als privilegierte Zeugen des Lebens,
Sterbens und der Erhöhung Jesu Christi zum Fundament der Kirche, die als das neue Gottesvolk gesammelt wird, indem immer
weitere Menschen in dem vom Geist getragenen Glaubenszeugnis
der Apostel und ihrer Nachfolger den lebendigen und gegenwärtigen Herrn erkennen und sich zu ihm in dem im Geist ermöglichten Glauben als zu ihrem Heil bekennen.
In diesem Glaubenszeugnis der apostolischen Kirche, das sich
in Wort und Tat vollzieht, macht der im Geist gegenwärtige

Jesus Christus durch alle Zeit sein Heilswort und sein Heilswerk so präsent, daß jeder Mensch, der kraft der Erleuchtung
durch den Geist an ihn glaubt, das Heil empfängt, das ihn dem
Herrn verähnlicht und ihm Anteil gibt an seinem göttlichen Leben und an seinem priesterlichen Dienst zur Ehre Gottes und
zum Heil der Menschen.

Die Gegenwart des Heils als vom Menschen empfangene göttliche
Gabe ereignet sich überall dort, wo die Kirche als Braut und
Leib des Herrn ihren Glauben an ihn in Wort und Tat bekennt,
so ihr Leben vollzieht und die Gläubigen in ihren Selbstvollzug einbezieht. Dies geschieht auf ausdrücklichste Weise in
der Liturgie und insbesondere in ihrem Mittelpunkt, der Feier
der Eucharistie.

Der Vollzug des Heilsplans Gottes in der Liturgie

In den liturgischen Feiern vollzieht der im Geist gegenwärtige
verherrlichte Herr seinen *priesterlichen Dienst* zur Versöhnung
mit Gott, worin die Menschen Heil empfangen und so Gott verherrlichen.

Er tut dies, indem er die im Glauben an ihn gesammelte Gemeinschaft der Kirche in der konkreten Gestalt der *liturgischen
Versammlung* zum sichtbaren Zeichen seiner Gegenwart macht, da
sie als sein Leib seine sichtbare Erscheinung ist und als seine Braut sich zu ihm als ihrem unsichtbaren Haupt bekennt.

Die gegenwärtige Verwirklichung des in Wort und Tat vollendeten Heilswerkes geschieht in Form einer *Gedächtnisfeier*. Im
Gehorsam gegenüber dem Auftrag, den die Kirche in den Aposteln
vom Herrn empfangen hat, verkündet sie sein Erlösungswerk und
stellt es in *Zeichenhandlungen* dar. Der im Heiligen Geist gegenwärtige Herr aber bringt in der in seinem Auftrag vollzogenen Gedächtnisfeier sich selbst und sein Heilswerk zur Erscheinung.

Kraft desselben Geistes, der den Gläubigen geschenkt ist, vermögen sie in den liturgischen Gedächtnisfeiern Jesus Christus
und sein Heilswerk zu erkennen, sich ihm im Glauben zu verbinden und so Anteil an seinem Leben und an seinem Dienst zu bekommen.

Die liturgische Gedächtnisfeier als Vollzug des gemeinsamen
Lebens Jesu Christi und seiner Kirche und damit als gegenwärtige Verwirklichung des Neuen Bundes Gottes mit den Menschen
findet in der Eucharistiefeier ihre umfassendste und intensivste Form.

In der *Person des Priesters* beruft Jesus Christus die liturgische Versammlung ein und leitet sie. Zu dieser Repräsentation
des Herrn wurde der Priester in der Weihe befähigt, in der er
durch den Heiligen Geist zum Bild Jesu Christi als des Hauptes
der Kirche gemacht wurde und von der Kirche die ihr anvertraute Sendung empfangen hat, Jesus Christus und sein Heilswerk
darzustellen.

Die *gläubige Gemeinde* aber ist vom selben Geist, den jeder
einzelne in Taufe und Firmung empfangen hat, befähigt, im
Dienst des Priesters den darin gegenwärtigen Herrn zu erkennen, sich von ihm das Heil zusagen und schenken zu lassen und
sich im Vollzug ihres gemeinsamen Priestertums mit ihm zum
Dienst an den Menschen und zur Verherrlichung Gottes zu verbinden.

Die Heilsbegegnung Jesu Christi mit den Gläubigen in der Begegnung des Priesters mit der Gemeinde entfaltet sich in der
liturgischen Feier, die insgesamt und in allen ihren Teilen
und Formen Manifestation des Bundes Jesu Christi und der Kirche und damit Erlösung im Vollzug ist.

Im Zentrum der Liturgie steht die *eucharistische Gedächtnisfeier*, in der Jesus Christus sich durch den Dienst des Priesters in der *Verwandlung von Brot und Wein in sein Fleisch und
Blut* nach seiner ganzen Wirklichkeit gegenwärtig macht in seiner Hingabe an die Gläubigen als Speise zum ewigen Leben.

Der im feiernden Glaubensvollzug der Kirche als Person *leib-
und wesenhaft und zugleich tathaft* gegenwärtige Herr entfaltet
seine Gegenwart und Tätigkeit durch die ihm verbundene und mit
ihm wirksame Kirche in verschiedenen Formen liturgischer Gedächtnisfeiern, die insgesamt von diesem Zentrum ausgehen und
zu ihm hinführen.

Im geistgewirkten *Wort der Verkündigung* in der Kirche verkündet Jesus Christus das Heil, das im geistgewirkten Glauben der Christen wirksam wird. In den geistgewirkten *Zeichen der Sakramente* vollzieht er das Heil, das im geistgewirkten gläubigen Empfang der Sakramente angenommen wird. Im geistgewirkten *Gebet der Kirche* bekennt er als ihr Haupt dankend und fürbittend das Heil, das im geistgewirkten Dank- und Bittgebet der Gläubigen zur Auswirkung kommt.

Zusammenfassend kann man sagen: In der Liturgie vollzieht Jesus Christus zusammen mit der Kirche, seiner Braut, und durch sie, seinen Leib, seinen priesterlichen Dienst zur Versöhnung Gottes mit den Menschen im Neuen Bund, in welchem die Menschen in der Verherrlichung Gottes das Heil empfangen. Der im Heiligen Geist gegenwärtige Herr begegnet der Kirche, die im Heiligen Geist ihn erkennt, sich zu ihm bekennt und so ihm gegenwärtig ist.

Diese gegenseitige im Geist wirkliche Gegenwart des Herrn und seiner Kirche findet ihren Ausdruck in der liturgischen Versammlung im Vollzug des gemeinsamen Priestertums der Gläubigen als Mitvollzug des priesterlichen Dienstes Jesu Christi. Darin stellt die Begegnung des amtlichen Priesters mit der gläubigen Gemeinde in ihrem gemeinsamen, aber in unterschiedlichen Funktionen verwirklichten Tun das Handeln Jesu Christi an seiner Kirche und mit ihr dar.

In der durch Wort und Zeichen konstituierten eucharistischen Gedächtnisfeier ist Jesus Christus kraft der Wandlung von Brot und Wein leib- und wesenhaft als Person in seiner Hingabe an Gott und die Menschen gegenwärtig. Er spricht zu seinem Volk in jeder Form kirchlicher Verkündigung und handelt an ihm in allen sakramentalen Zeichen. Die Gläubigen erkennen ihn in seinem Wort und Werk; sie bekennen sich zu ihm, empfangen so sein Leben und preisen mit ihm dankend und fürbittend Gott, den Vater.

Gegenwärtig ist der Herr demnach als Person, die sich in ihrem Tun offenbart und gegenwärtig macht. Gegenwärtig ist er den

Gläubigen, die im Mitvollzug dieses Tuns sich zum Herrn bekennen und ihm so gegenwärtig sind.

Liturgie als Vollzug der gegenseitigen Gegenwart Jesu Christi
und seiner Kirche kann wegen ihrer komplexen Struktur kaum definiert und auf einen Begriff gebracht werden. Sucht man dennnoch eine Formel, in der das Wesen der Liturgie zum Ausdruck
kommt, so müßte diese Formel die ganze Wirklichkeit von Person
und Heilswerk Jesu Christi in ihrer wesenhaften und im Tun
verwirklichten Bindung an die gesamte dem Herrn verbundene und
dies im Vollzug des Glaubens verwirklichende Menschheit zum
Ausdruck bringen, in welchem Bund sich Gottes Plan zum Heil
der Menschen und zu seiner Verherrlichung erfüllt.
Eine solche Formel könnte lauten: *"Ich für euch und ihr in mir
zur Ehre Gottes"*.

6.3. Ausblick

An diese Formel können die Fragen angeknüpft werden, die nach
weiterer theologischer Ausarbeitung verlangen. Die Fragen beziehen sich auf jedes der beiden Glieder der Formel und auf
ihre Verbindung miteinander. Um die Integration von Heilsgabe
und Heilsempfang in der gegenseitigen Gegenwart Jesu Christi
und der Gläubigen theologisch zu erhellen, müßte die 'Mysteriengegenwart' des Herrn und seiner Heilstat in der Liturgie
so dargestellt werden, daß das Gegenüber seiner Gegenwart,
nämlich die Gläubigen in ihrer den Herrn und sein Heil empfangenden Tätigkeit, als inneres Moment dieser 'Mysteriengegenwart' begriffen wird.
In der Darstellung der tätigen Teilnahme der Gläubigen an der
Liturgie muß deutlich werden, daß ihr Mitvollzug getragen und
innerlich bestimmt ist von dem, was sie mitvollziehen, so daß
ihre tätige Teilnahme an der Liturgie selbst als Vollzug der
Liturgie begriffen wird.
Und schließlich muß das einigende Band dieser zweifachen und
gegenläufigen Bewegung dargestellt werden. Es ist der Heilige

Geist als 'Medium' der gegenseitigen Gegenwart, der beide Bewegungen, die der 'Mysteriengegenwart' für die Gläubigen und
die der tätigen Teilnahme der Gläubigen an diesem Mysterium,
innerlich miteinander verbindet.
Im Blick auf diese Aufgabe können nur noch abschließend einige
Hinweise auf mögliche Zugangswege zu ihrer Bewältigung gegeben
werden.

6.3.1. Ausgangspunkt von der Liturgie

Die Frage nach der gegenseitigen Gegenwart Jesu Christi und
der Gläubigen in der Liturgie kann von allen Gliedern dieser
Frage her sinnvoll angegangen werden.
Man kann in der Tradition der Mysterienlehre danach fragen,
wie Jesus Christus mit seinem Heilswerk in einem gegenwärtigen
Vollzug 'unter dem Schleier' der liturgischen Zeichen gegenwärtig sein kann. Dabei besteht die Gefahr, daß der Blick so
sehr auf das Mysterium in sich konzentriert wird, daß die zu
seinem Wesen gehörende Bestimmung 'für uns' zu sehr außer Betracht bleibt. So würde die Gegenwart des Herrn aber nur von
ihm her gesehen und kann leicht zu einer bezugslosen 'Anwesenheit' verkürzt werden. Die liturgischen Zeichen sind für einen
solchen Denkansatz schließlich nur verhüllender Schleier, nicht
aber offenbarendes Symbol.
Einen anderen Ausgangspunkt schlägt Bernhard Langemeyer vor,
indem er von den gläubigen Menschen her denkt, deren von Gott
ermöglichter Glaube den Herrn als gegenwärtig erkennt. Dieser
Ansatz erlaubt eine ausgewogene Zuordnung des primären göttlichen Beitrags und des antwortenden menschlichen Beitrags zum
Zustandekommen der Begegnung zu gegenseitiger Gegenwart. Etwas
schwieriger ist allerdings von diesem Ausgangspunkt her der
Überstieg zur Bewertung der Liturgie als zentraler Weise der
Gegenwart des Herrn im Glaubensvollzug der Kirche[9].
Karl Rahner geht nochmals einen anderen Weg, indem er von ei-

---

9 Vgl. oben, S. 724-730, bes. 726 f.

ner allgemeinen Reflexion über den Sinn von 'Gegenwart' ausgeht und dann nach der spezifischen Verwirklichung von Gegenwart des Herrn in der Gottesdienstgemeinde fragt. Bei diesem
Vorgehen wird die notwendige Gegenseitigkeit für eine vollver-
wirklichte Gegenwart im personalen Bereich sehr klar erkennbar. Die spezifische und aus einem allgemeinen Begriff letztlich nicht ableitbare Gegenwart Jesu Christi und seines Heilswerks in der kirchlichen Feier der Liturgie kommt aber in einem solchen Gedankengang in ihrer Einmaligkeit möglicherweise
nicht voll zur Geltung[10].

Schließlich kann man noch mit Heribert Mühlen vom 'Medium'
dieser gegenseitigen liturgischen Gegenwart ausgehen, von der
Sendung des Heiligen Geistes als der Möglichkeitsbedingung
jeglicher liturgischer Gegenwart des Herrn. Bei diesem Ausgangspunkt ergibt sich die Gefahr, daß man bei der Beschreibung der Verwirklichungsweisen der liturgischen Gegenwart als
geistgewirkten Formen der Wirksamkeit des Herrn stehenbleibt
und zu wenig die Partner der Begegnung in der Liturgie, Jesus
Christus und die Kirche in ihren Gliedern, in den Blick bekommt[11].

Aufgrund dieser Überlegungen und im Blick auf die konkreten
bisher vorgelegten Versuche der Durchführung einer systematischen Darstellung der liturgischen Gegenwart Jesu Christi legt
sich ein Ausgangspunkt bei der Analyse des liturgischen Vollzugs selbst nahe.

Um zu klären, wie die gegenseitige Gegenwart Jesu Christi und
der Kirche in der Liturgie zu verstehen ist, wie sie zustandekommt und wie sie sich in ihren verschiedenen Verwirklichungsformen darstellt, kann man sinnvoll vom Begriff der Liturgie
selbst ausgehen, wie er aus einer Interpretation von Artikel 7
der Liturgiekonstitution des II. Vatikanischen Konzils zu erarbeiten ist. Liturgie ist der Vollzug des Priesteramtes Jesu
Christi, der durch seine Kirche als seinen im Glauben ihm verbundenen Leib und zusammen mit ihr, seiner Braut, in der gegenseitigen, in der Kraft des Heiligen Geistes ermöglichten

10 Vgl. oben, S. 716-723, bes. 723.
11 Vgl. oben, S. 699-703.

und wirklichen Gegenwart der liturgischen Gedächtnisfeier in sinnenfälligen, wirklichkeitserfüllten und wirksamen Zeichen sein Heilswerk zur Ehre Gottes und zum Heil der Menschen fortdauern läßt.

Ausgehend von einer solchen Wesensbeschreibung der Liturgie können die einzelnen Elemente dieser Beschreibung in ihrer Hinordnung auf den Begriff der Liturgie entfaltet werden.

Für unsere Frage nach den Möglichkeitsbedingungen einer liturgischen Gegenwart Jesu Christi wären vor allem die im Folgenden angedeuteten Zugangswege zu einer umfassenden Deutung zu erarbeiten[12].

6.3.2. Zugang von der 'Mysteriengegenwart'

Die Frage nach der liturgischen Gegenwart des Herrn und ihrer Heilsbedeutung stellt sich zunächst als die Frage, wie denn das vergangene, historische Heilswerk Jesu Christi in einer Weise gegenwärtig und wirksam sein kann, die seine historische Faktizität und Einmaligkeit wahrt und dennoch einen realen Kontakt des jeweils jetzt lebenden Gläubigen mit diesem Heilswerk ermöglicht.

Odo Casel antwortete auf diese Frage mit der These, daß das damalige Heilswerk in sakramentaler Form, nicht seiner historischen Bedingtheit nach, sondern in seiner Substanz, im heutigen liturgischen Mysterium objektiv gegenwärtig wird und so mitvollzogen werden kann.

Viktor Warnach versuchte den umgekehrten Weg, indem er lehrte, daß der Gläubige im Mitvollzug des liturgischen Mysteriums dem damaligen Geschehen gleichzeitig werde und so seine Heilskraft erfahre.

Die in beiden Positionen ungelöste Frage, wie denn die Zeitkluft zwischen damals und heute überwunden und eine wirkliche 'Gleichzeitigkeit' erreicht werden könnte, mußte weiter bedacht

---

12 Die im Folgenden gegebenen Literaturhinweise dienen lediglich zur Erläuterung des Gedankengangs. Sie können nicht als repräsentativ, schon gar nicht als vollständig betrachtet werden.

werden.

Polycarp Wegenaer fand in der thomistischen Lehre von dem Kontakt mit der aller Zeit enthobenen göttlichen Kraft (*virtus divina*) eine Lösung. Diese göttliche Heilskraft wirkte in den gottmenschlichen Heilstaten des irdischen Jesus ebenso wie in den sakramentalen Vollzügen seines mystischen Leibes, der Kirche, die durch den Kontakt mit der allgegenwärtigen göttlichen Kraft mit dem historischen Heilswerk und seiner für alle Zeit gegebenen Heilsmacht verbunden sind.

Andere Theologen arbeiteten in Weiterführung der Mysterienlehre einen überzeitlichen Kern, ein Perennitätsmoment, eine der Zeit enthobene Substanz der historischen Heilstat des Herrn heraus, die im liturgischen Vollzug stets gegenwärtig am Werk ist.

'Realsymbolische' Gegenwart des Herrn

Diese Erklärungsversuche konnten und mußten vor allem in zweifacher Richtung überstiegen werden. Einmal erkannte man, daß es nicht so sehr ein sachliches Perennitätsmoment ist, welches dem Heilswerk Jesu Christi bleibende Dauer und Gegenwart verleiht, als vielmehr der verherrlichte Herr selbst. Er ist mit dem seine Person bleibend bestimmenden Heilswerk in die überzeitliche, göttliche Existenzweise aufgenommen worden, so daß der Kontakt mit ihm, dem verherrlichten Gottmenschen, immer zugleich auch gegenwärtigen Kontakt mit seinem Heilswerk und dessen Heilskraft bedeutet.

Zum anderen konnte von mehreren Theologen überzeugend darauf hingewiesen werden, daß der 'Schleier' der Zeichen nicht so sehr verhüllende Außenseite, sondern vielmehr offenbarende Erscheinungsform des Heilsmysteriums ist, das nicht 'unter' ihnen, sondern gerade 'in' ihnen gegenwärtig ist.

Von grundlegender Bedeutung ist dabei die vor allem Karl Rahner zu verdankende Wiederbelebung des patristischen Gedankens vom 'Realsymbol'[13], einer zeichenhaften Darstellung des Heils-

---

13 Vgl. zu diesem Gedanken Rahners die demnächst erscheinende Dissertation von N. Schwerdtfeger.

mysteriums, in der das Dargestellte sich selbst zur Darstellung bringt und so in einer anderen Gestalt dennoch als es selbst zur Erscheinung kommt und gegenwärtig ist.

Beide Gedanken verbinden sich in der Überzeugung, daß es letztlich der verherrlichte Herr selbst sein muß, der in seiner überzeitlichen Allgegenwart sich mit seinem von seiner Person untrennbaren Heilswerk in der konkreten Gestalt der liturgischen Feier jeweils in objektiver Realität zur Erscheinung bringt, aber nicht in einem absoluten, von allem Zeitbedingten befreiten substanzhaften Kern, der als solcher und für sich nicht existieren kann, sondern in einer relativen, die zeitlich-räumlichen Bedingungen der liturgischen Feier und der sie feiernden Menschen als Ausdrucksmittel gebrauchenden konkreten Repräsentation seiner selbst.

Ein solches Weiterdenken der Mysterienlehre[14] lenkt den Blick auf die raum-zeitlichen Bedingungen des liturgischen Vollzugs und seiner menschlichen Träger, die zu Subjekten und zur 'Erscheinungsform' des Heilsmysteriums werden müssen, wenn es als es selbst in jeweils neuer Gestalt gegenwärtig werden soll.

Die in der herkömmlichen katholischen Theologie vorwiegend betonte 'objektive' Denkweise muß also ergänzt werden. In den Sakramenten ist nicht nur das *opus operatum* als objektives Heilsangebot, sondern auch das *opus operantis* als menschliche Vermittlung dieses Heils in Spendung und Empfang der Sakramente und des Wortes Gottes zu beachten. In der Eucharistie ist nicht nur die 'objektive' Realpräsenz des Leibes und Blutes des Herrn von Bedeutung, sondern ebenso auch die wesentlich zu ihrer 'Objektivität' hinzugehörende Bestimmung für die Menschen und ihr Heil, die nur in ihrer gläubigen Annahme, in menschlich realisierter Kommunikation ihr Ziel erreichen kann.

---

14 Vgl. dazu neben den einschlägigen Arbeiten vor allem von K. Rahner, E. Schillebeeckx und anderen auch die ausdrücklich von der Mysterienlehre selbst her weiterfragenden Beiträge beim ersten liturgischen Kolloquium in Löwen (1970). Vgl. dazu den Bericht von A. Verheul, Le premier Colloque liturgique de Louvain, in: QL(P) 50 (1970) 169 f., und die einzelnen Beiträge von T. J. van Bavel, Christus' aanwezigheid in liturgie en sacrament, ebd., 175-190; V. Warnach, Mysteriengegenwart in religionsgeschichtlicher und biblischer Sicht, ebd., 195-210; E. Dekkers, La théologie du mystère de O. Casel, ebd., 212 f. (Kurzbericht).

Solche hier nur ganz summarisch angedeuteten Hinweise führen
zur Ausarbeitung eines zweiten notwendigen Zugangsweges zur
Deutung der liturgischen Gegenwart des Herrn.

6.3.3. Zugang von der Anthropologie

Wenn der Mensch als Partner der liturgischen Begegnung mit dem
Herrn ernstgenommen wird, wenn also der menschliche Mitvollzug
des Heilsmysteriums in der liturgischen Feier selbst eine Bedingung der Möglichkeit für die Gegenwart dieses Heilsmysteriums ist, so muß nach diesem menschlichen Mitvollzug gefragt
werden, dessen Eigenart zugleich das gegenwärtige Heilsmysterium selbst bestimmt. Es muß gefragt werden, was den Menschen
dazu befähigt, in seinem menschlichen Tun Ausdruck und damit
'Gegenwart' des göttlichen Heilswerks zu sein.

Philosophische Hinweise

Entscheidende Voraussetzungen für ein solches Weiterdenken der
Frage nach der 'Mysteriengegenwart' des Herrn und seines Heilswerks im heutigen Vollzug sind in der zeitgenössischen Philosophie erarbeitet worden.
Es kann nun auch nicht andeutungsweise versucht werden, die
hier interessierenden philosophischen Beiträge sachgemäß vorzustellen. Nur einige Hinweise seien gegeben.
Die vor allem von Edmund Husserl ausgearbeitete Phänomenologie
macht es denkbar, daß im Bewußtsein des Menschen ein bewußt-
seinstranszendentes Ereignis oder eine Person zu einer neuen
Gegebenheit kommt. Diese im Bewußtsein des denkenden Subjekts
gegebene Realität der gedachten Wirklichkeit läßt auf die objektive Gegenständlichkeit dieser Realität als Bedingung ihrer
Gegebenheit im denkenden Bewußtsein schließen. So zeigt sich
die Möglichkeit einer raum-zeitlich unabhängigen Gegenwartsweise des Gedachten im denkenden Bewußtsein, die durchaus im
Sinn einer 'Realpräsenz' des Gedachten zu deuten ist [15].

-----

15 Vgl. den von E. Husserl ausgearbeiteten Gedanken der "Vergegenwärtigung

Einen Schritt weiter geht Martin Heidegger, der in der Analyse
des menschlichen Daseins als Grundbestimmungen des Menschen
sein Dasein in der Welt und sein Dasein mit anderen Menschen
herausarbeitet. So wird aus dieser Analyse die Realität der
bewußtseinstranszendenten Wirklichkeit von Welt und von anderen
Personen erkennbar und damit die Möglichkeit einer gegenseitigen Gegenwart von Personen vermittels der Dinge, in denen sie
sich ausdrücken, bzw. durch die sie bestimmt werden[16].

Dialogischer Personbegriff und die Kategorie der Begegnung

Die Frage nach der Möglichkeit einer gegenseitigen Gegenwart
von Personen ist nicht nur die Frage nach der Art und Weise
der möglichen Gegebenheit eines anderen im denkenden Bewußtsein oder in der Analyse des Seinsvollzugs. Es ist auch die
Frage nach dem Wesen der Person selbst und den darin gegebenen
Bedingungen einer Begegnung mit anderen Personen.
Von immer neuen Ansätzen aus wurde in unserem Jahrhundert versucht, die menschliche Person nicht so sehr als in sich stehende und von allem anderen getrennte Wirklichkeit zu betrachten, sondern Person von ihrer wesentlichen Bezogenheit zu anderen Personen her zu bestimmen[17].
Damit wird die Kategorie der 'Begegnung' zu einer bevorzugten
Deutungshilfe für das Wesen der Person und ihres Selbstvollzugs. Erst in der Begegnung mit anderen, im dialogischen

---

eines abwesenden Gegenwärtigen" (Husserliana X, 60 f.). Nach Husserl
ist es "ein prinzipieller Irrtum zu meinen, es komme die Wahrnehmung
(...) an das Ding selbst nicht heran" (Husserliana III, 98). Im Bewußtsein kommt vielmehr die Wirklichkeit selbst zur Gegebenheit und kann so
in ihrer objektiven Wirklichkeit erschlossen werden. - Vgl. dazu die
Einführung von S. Strasser, Phänomenologie und Erfahrungswissenschaft
vom Menschen. Grundgedanken zu einem neuen Ideal der Wissenschaftlichkeit, Berlin 1964.
16 Hier wäre vor allem der erste Abschnitt (§ 9-44) von M. Heidegger, Sein
und Zeit, Tübingen [13]1976, heranzuziehen. - Vgl. dazu E. Tugendhat,
Wahrheitsbegriff bei Husserl und Heidegger, Berlin 1967; M. Müller, Existenzphilosophie im geistigen Leben der Gegenwart, Heidelberg [2]1949.
17 Vgl. dazu die wichtigen Beiträge von M. Buber, vor allem ders., Ich und
Du, in: Ders., Das dialogische Prinzip, Heidelberg 1965, 7-136; vgl.
darüberhinaus die grundsätzliche Darstellung dieses Denkansatzes bei M.
Theunissen, Der Andere. Studien zur Sozialontologie der Gegenwart, Berlin 1965.

Selbstvollzug, wird der Mensch er selbst [18].

Theologische Anthropologie

Dieses Denken ließ den biblischen Personbegriff in neuem Licht
erscheinen. Dort wird menschliche Person grundsätzlich von
Gott her als Geschöpf und damit in ihrer fundamentalen Bestimmung durch ihr Gewolltwerden und Angesprochensein von Gott gedeutet. So ist es nicht verwunderlich, daß philosophische Überlegungen zu einem relationalen Personbegriff auf die Theologie
anregend wirkten und dort aufgenommen und im Licht der theologischen Analyse des menschlichen Wesens weitergeführt wurden[19].
Auch hier wurde die Kategorie der 'Begegnung' zu einem zentralen Begriff [20].

Vor allem im Bereich der Sakramententheologie und insbesondere
der Eucharistielehre wurden diese Gedanken theologisch weiterentwickelt. Um die eucharistische Realpräsenz des Herrn in ihrer wesentlichen Bezogenheit auf den gläubig die Eucharistie
mitfeiernden Menschen zu verdeutlichen, wurden die Begriffe
der 'Transfinalisation' und 'Transsignifikation' der eucharistischen Gestalten entwickelt. Gerade hier, im Vollzug des
zentralen liturgischen Mysteriums, ereignet sich 'Begegnung'
zur gegenseitigen Gegenwart [21].

Eine solche Sicht setzt aber voraus, daß Relationalität, Bezogenheit auf andere und anderes, nicht als eine zum Wesen der
Sache oder der Person nicht unmittelbar hinzugehörende, also
nicht nur als eine akzidentelle Bestimmung gedacht wird, sondern daß die Relationalität das Sein selbst betrifft. Hier
zeigt sich die Bedeutung einer "relationalen Ontologie" [22], die
im theologischen Kontext letztlich trinitarisch begründet sein

---

18 Vgl. dazu J. Böckenhoff, Die Begegnungsphilosophie. Ihre Geschichte –
   ihre Aspekte, Freiburg-München 1970.
19 Vgl. B. Langemeyer, Der dialogische Personalismus in der evangelischen
   und katholischen Theologie, Paderborn 1963 (s. S. 325, Anm. 489).
20 Vgl. O. Semmelroth, Gott und Mensch in Begegnung (s. S. 326, Anm. 491);
   H. Wagner, "Begegnung" als theologische Kategorie, in: TThZ 86 (1977) 25-30.
21 Vgl. M. Kehl, Eucharistie als Begegnung, in: J. Beutler/ O. Semmelroth
   (Hg.), Theologische Akademie 13, Frankfurt/ M. 1976, 27-42.
22 Vgl. A. Gerken, Theologie der Eucharistie (s. S. 50 f., Anm. 183), 199
   bis 210: "Das Desiderat: Relationale Ontologie".

müßte, nämlich aus der allem Sein ursprunghaft zugrundeliegenden dreifaltigen Bezogenheit der göttlichen Personen[23].

Christlicher Zeitbegriff

Die Frage nach einer möglichen gegenseitigen personalen Gegenwart ist aber nicht nur die Frage nach ihren Möglichkeitsbedingungen im Wesen der Person, es ist, damit zusammenhängend, auch die Frage nach dem Verständnis der Zeit und der Möglichkeit der Überwindung der Zeitkluft zwischen Personen, die auf der Zeitlinie an völlig verschiedenen Punkten stehen und dennnoch einander begegnen sollen. Voraussetzung dafür ist ein Zeitbegriff, der im gegenwärtigen Augenblick Vergangenheit und Zukunft in irgendeinem Sinn als gegenwärtig denkbar macht[24]. Wird dies aber theologisch bedacht, so erhält es seine entscheidende Begründung von dem aller Zeitlichkeit enthobenen und damit jeder Zeit gleichzeitigen göttlichen Heilsplan, der in Jesus Christus konkrete Gestalt angenommen hat. Damit ist gesagt, "daß die an einer bestimmten Stelle der horizontalen Zeit erfolgende Christusgeschichte zugleich zum gesamten Zeitablauf vertikal steht, ihn als ganzen begründet und ihn zugleich in der umfassenden Freiheit des dreieinigen Gottes verankert"[25].

---

23 Vgl. K. Hemmerle, Thesen zu einer trinitarischen Ontologie, Einsiedeln 1976. Vgl. auch den aufschlußreichen Aufsatz von W. Pannenberg, Person und Subjekt. Zur Überwindung des Subjektivismus im Menschenbild und im Gottesverständnis, in: NZSTh 18 (1976) 133-148.

24 Hier muß wiederum auf die Analyse der Zeitlichkeit bei M. Heidegger hingewiesen werden. Vgl. ders., Sein und Zeit, 231-437 (zweiter Abschnitt: "Dasein und Zeitlichkeit"). Vgl. auch die interessante Untersuchung von P. Hodgson, Jesus - Word and Presence. An Essay in Christology, Philadelphia 1971, der die Heidegger'sche Daseinsanalyse für die Christologie auszuwerten sucht. - Auf den Hintergrund eines christlichen Zeit- und Geschichtsverständnisses im Denken Heideggers verweist K. Lehmann, Christliche Geschichtserfahrung und ontologische Frage beim jungen Heidegger, in: O. Pöggeler (Hg.), Heidegger. Perspektiven zur Deutung seines Werkes, Köln-Berlin [2]1970 (FS M. Heidegger), 140-168, bes. 144.

25 H. U. v. Balthasar, Trinität und Zukunft, in: Ders., Klarstellungen. Zur Prüfung der Geister, Freiburg-Basel-Wien 1971 (= HerBü 393), 52-58, bes. 55-58, hier 56; vgl. auch O. Cullmann, Christus und die Zeit. Die urchristliche Zeit- und Geschichtsauffassung, Zollikon-Zürich 1946. Cullmann verbindet mit dem Begriff der göttlichen *oikonomia*, dem Ablauf der Heilsereignisse, ihren Einmaligkeitscharakter und ihre bleibende Bedeutung als *"eph' hapax"* geschehene Ereignisse.

Nicht nur die gegenseitige Gegenwart im personalen Bereich als solche, sondern auch ihre konkreten Ausdrucksformen, in denen allein sie bestehen kann, sind durchweg anthropologisch bestimmt. Auch zu diesem Aspekt einer anthropologischen Grundlegung der Theologie des Gottesdienstes sind in jüngster Zeit zahlreiche Untersuchungen vorgelegt worden. Die sakramentalen Zeichenhandlungen sind in ihrer Symbolsprache dem Lebensraum des Menschen entnommen und entsprechen ihm[26]. Ihnen entspricht im Menschen auch ein einheitliches und doch verschieden sich betätigendes Wahrnehmungsvermögen, vor allem Sehen und Hören[27]. In dieser dem Menschen allein verständlichen 'Sprache' ereignet sich die Heilsbegegnung in der Liturgie und ist damit selbst als ganze davon bestimmt. Deshalb sind, grundsätzlich durch die Inkarnation ermöglicht, die menschlichen Ausdrucksformen Weisen der Selbstvergegenwärtigung des göttlichen Heilswerkes, welches gar nicht anders als in diesen Ausdrucksformen dem Menschen gegenwärtig werden kann.

6.3.4. Pneumatologische Vermittlung

Die beiden bisher in äußerster Vereinfachung angedeuteten Zugangswege zu einem volleren systematischen Verständnis der gegenseitigen Gegenwart Jesu Christi und der Gläubigen in der

---

26 Vgl. aus der reichen Literatur z.B. F. Schupp, Glaube – Kultur – Symbol. Versuch einer kritischen Theorie sakramentaler Praxis, Düsseldorf 1974.
27 Vgl. z.B. H. Volk, Der Mensch und das Wort und der Mensch und das Bild, in: Cath 12 (1958) 138-141; K. Lammers, Hören, Sehen und Glauben im Neuen Testament, Stuttgart 1966 (= SBS 11); K. Rahner, Vom Hören und Sehen. Eine theologische Überlegung, in: W. Heinen (Hg.), Bild – Wort – Symbol in der Theologie, Würzburg 1968, 139-156; H. U. v. Balthasar, Sehen, Hören und Lesen im Raum der Kirche, in: Ders., Sponsa Verbi, Einsiedeln 1971, 484-501 (Erstveröffentlichung 1939); ders., Schauen, Glauben, Essen, ebd., 502-513; F. Hahn, Sehen und Glauben im Johannesevangelium, in: H. Baltensweiler/ B. Reicke (Hg.), Neues Testament und Geschichte. Historisches Geschehen und Deutung im Neuen Testament (FS O. Cullmann), Zürich-Tübingen 1972, 125-141. – Vgl. zur philosophischen Grundlegung auch E. Rosenstock-Huessy, Die Sprache des Menschengeschlechts I, Heidelberg 1963, bes. 86-109, 159-171.

Liturgie haben den Charakter von gegenläufigen Bewegungen.
Die Frage nach dem Sinn der 'Mysteriengegenwart' von Person
und Heilswerk Jesu Christi stellt sich als eine Bewegung 'von
oben' dar, als die Selbstvergegenwärtigung des Heilsmysteriums
im liturgischen Mysterium. Diese Bewegung sucht von sich her
nach ihrem Ziel, dem Menschen, zu dessen Heil der Herr sein
Heilswerk vergegenwärtigt.
Die Frage nach dem vollen, theologischen Sinn des menschlichen
Mitvollzugs des Heilsmysteriums, die Frage also nach dem Sinn
seiner 'tätigen Teilnahme' daran, stellt sich als eine Bewegung 'von unten' her dar. Sie untersucht die von einer theologischen Anthropologie her zu erhellenden Bestimmungen des Menschen, die ihn befähigen, die Gegenwart des göttlichen Heils
wahrzunehmen und aufzunehmen und so dieses Heilsangebot zum
Ziel zu bringen.
Beide Bewegungen müssen einander treffen; sie müssen einander
gegenseitig innerlich bestimmen, damit wirklich gegenseitige
Gegenwart und so Heil zustandekommt. Daraus ergibt sich die
Frage nach der Vermittlung der beiden Zugangswege.
Hier ist an Karl Rahners Hinweis auf den Heiligen Geist als
'Medium' der gegenseitigen Gegenwart von Jesus Christus und
der Kirche im Gottesdienst zu erinnern. Eine pneumatologische
Fundierung der Theologie der Liturgie müßte erweisen, daß der
Heilige Geist sowohl das Prinzip der Selbstvergegenwärtigung
von Person und Heilswerk Jesu Christi ist wie auch die Möglichkeitsbedingung der Erkenntnis und Aufnahme des Heils im
Menschen. Zugleich erweist sich der Heilige Geist damit als
das vermittelnde Band, in dem Heilsgabe und Heilsempfang in
einem einzigen Vorgang verbunden sind. Der Vollzug der liturgischen Feier ist letztlich Werk des Heiligen Geistes, der den
Herrn vergegenwärtigt, den Menschen zur Erkenntnis und gläubigen Anerkennung dieser Gegenwart befähigt, ihn so dem Herrn
gegenwärtig macht und darin die Heilsbegegnung in voller, gegenseitiger Gegenwart ermöglicht.
Zu dieser entscheidenden Funktion des Heiligen Geistes, die in
der Liturgiekonstitution noch nicht hinreichend gesehen war, in
den übrigen Dokumenten des II. Vatikanischen Konzils dagegen

schon deutlich ausgeführt ist [28], dennoch aber in der Liturgiewissenschaft noch nicht hinreichend aufgenommen wurde, gibt
es eine Fülle von einzelnen theologischen Untersuchungen [29],
die auf eine Systematisierung drängen [30].

Zunächst wäre zu untersuchen, wie die pneumatologischen Aussagen der Schrift für eine theologische Deutung der liturgischen
Gegenwart des Herrn ausgewertet werden können [31].

Wichtige Hinweise sind gerade für eine pneumatologische Durchführung der Theologie der Liturgie aus der orthodoxen Theologie zu gewinnen. Ihre Denkweise wird allmählich auch der westlichen Theologie zugänglich gemacht und kann weitreichende Anregungen erbringen [32].

Weiterhin könnte die Lehre vom gemeinsamen Priestertum der
Gläubigen so ausgeführt werden, daß gerade die Begabung mit

28 Vgl. außer den Arbeiten von H. Mühlen z.B. auch H. Laminski, Die Entdeckung der pneumatologischen Dimension der Kirche durch das Konzil und
ihre Bedeutung, in: F. Hoffmann u.a. (Hg.), Sapienter ordinare (FS Erich
Kleinadam), Leipzig 1969, 392-405. Laminski sieht darin "das eigentliche und grundlegend Neue der konziliaren Ekklesiologie" (ebd., 392).
29 Vgl. zum Überblick die auf der Dogmatikertagung 1979 in München gehaltenen Vorträge, in: W. Kasper (Hg.), Gegenwart des Geistes. Aspekte der
Pneumatologie, Freiburg-Basel-Wien 1979 (= QD 85), darin bes. W. Kasper, Aspekte gegenwärtiger Pneumatologie, ebd., 7-22; M. Kehl, Kirche
- Sakrament des Geistes, ebd., 155-180; K. Lehmann, Heiliger Geist, Befreiung zum Menschsein - Teilhabe am göttlichen Leben. Tendenzen gegenwärtiger Gnadenlehre, ebd., 181-204, dort, 201 f., Anm. 64, weitere Literatur.
30 Vgl. bes. die auf drei Teile angelegte Pneumatologie von Y. Congar, Je
crois en l'Esprit Saint (bisher 2 Bde.), Paris 1979. Vgl. außerdem die
in jüngster Zeit vorgelegten Werke evangelischer Systematiker, bes. H.
Thielicke, Der evangelische Glaube. Grundzüge der Dogmatik, Bd. III:
Theologie des Geistes, Tübingen 1978; G. Ebeling, Dogmatik des christlichen Glaubens, Bd. III, Tübingen 1979.
31 Eine Fülle von wichtigen und aufschlußreichen Ergebnissen findet sich
dazu für das Johannes-Evangelium bei F. Porsch, Pneuma und Wort (s. S.
334, Anm. 525).
32 Vgl. J. Tyciak, Maintenant il vient. L'ésprit épiphanique de la liturgie orientale, Lyon-Le Puy 1963; N. A. Nissiotis, Der pneumatologische
Ansatz und die liturgische Verwirklichung des neutestamentlichen νῦν,
in: F. Christ (Hg.), Oikonomia. Heilsgeschichte als Thema der Theologie
(FS O. Cullmann), Hamburg-Bergstedt 1967, 303-309; ders., Die Theologie
der Ostkirche im ökumenischen Dialog (s. S. 343, Anm. 561), bes. 64-85:
"Die pneumatologische Christologie als Voraussetzung der Ekklesiologie";
P. Evdokimov, L'orthodoxie (s. S. 343, Anm. 561); ders., L'Esprit Saint
dans la tradition orthodoxe (s. ebd.); R. Hotz, Sakramente im Wechselspiel zwischen Ost und West (s. ebd.); weitere Hinweise bei K. Lehmann,
Heiliger Geist ... (s. Anm. 29), 202, Anm. 65.

Heiligem Geist als das Prinzip erkennbar wird, das den Menschen befähigt, im liturgischen Tun kraft des göttlichen Geistes Gott selbst zu erreichen, ohne daß indessen die göttliche Souveränität in der liturgischen Selbstvergegenwärtigung des Heils tangiert wäre, da die Gabe des Geistes gerade als göttliche Gabe Bedingung und Prinzip jedes heilsbedeutsamen menschlichen Tuns ist.

So könnte gezeigt werden, daß der Heilige Geist es ist, der die göttliche Heilsgabe und den menschlichen Heilsempfang im Vorgang der liturgischen Feier innerlich miteinander verbindet. Damit könnte die Frage beantwortet werden, wie Gott am Menschen handeln kann, ohne die personale Freiheit des Menschen auszuschalten, und wie der Mensch Gott gegenüber heilsbedeutsam handeln kann, ohne die göttliche Freiheit in Frage zu stellen, und wie zugleich dieses freie menschliche Tun als solches nochmals getragen und unterfangen wird durch die freie göttliche Gabe des Geistes.

Diese Andeutungen müssen hier genügen; sie können im Rahmen der vorliegenden Arbeit nicht weiter ausgeführt werden. Es bleibt aber zu hoffen, daß in gemeinsamer Anstrengung von biblischer, dogmatischer und liturgiewissenschaftlicher Arbeit die Zugangswege weiter ausgebaut werden zu einer systematischen Erhellung der Gegenwart Jesu Christi im Gottesdienst.

Von diesem zentralen Selbstvollzug der Kirche her fällt aber dann auch Licht auf ihre gesamte Wirklichkeit. Was für die Gegenwart des Herrn im Gottesdienst erarbeitet wurde, gilt entsprechend auch für die übrigen Funktionen der Kirche. Der im Heiligen Geist gegenwärtige Herr trägt auch die kirchliche Glaubensverkündigung, die zum Gottesdienst hinführt; er ist gleichfalls gegenwärtig in dem aus dem Gottesdienst lebenden täglichen Glaubenszeugnis der Christen und ihrem selbstlosen Dienst an den Mitmenschen. Alle diese unterschiedlichen Gegenwartsweisen des Herrn aber werden schließlich aufgehoben sein in die endgültige und uneingeschränkte gegenseitige Gegenwart des Herrn und der Gläubigen im vollendeten Leben.

Im Kosmos dieser verschiedenartigen Gegenwartsweisen Jesu Christi in der Kirche und durch sie in der Welt ist aber "die Liturgie der Höhepunkt, dem das Tun der Kirche zustrebt, und zugleich die Quelle, aus der all ihre Kraft strömt" (Liturgiekonstitution, Nr. 10). "In der irdischen Liturgie nehmen wir vorauskostend an jener himmlischen Liturgie teil, die in der heiligen Stadt Jerusalem gefeiert wird, zu der wir pilgernd unterwegs sind, wo Christus sitzt zur Rechten Gottes" (ebd., Nr. 8).

Die unter den Bedingungen der zeitlichen Welt umfassendste und intensivste Verwirklichung dieser endgültigen Liturgie ist die Feier der Eucharistie. In ihr verwirklicht sich inmitten des gesamten Gefüges der Liturgie an der gläubigen Gemeinde in der Kraft des Heiligen Geistes die volle und gegenseitige Gegenwart Jesu Christi im Gottesdienst.

Anhang I: Erklärungen (*Declarationes*)

Auszug aus den Erklärungen (*Declarationes*), die die vorbereitende liturgische Kommission des II. Vatikanischen Konzils dem Text des Liturgieschemas beigegeben hatte. Diese Erklärungen, die in dem Schema, wie es den Konzilsvätern vorgelegt wurde, fehlten, finden sich in dem Text des Schemas, der in den Akten der vorbereitenden Kommissionen veröffentlicht ist: vgl. AD II/III/II, 10-68.

Im Folgenden wird die Artikelnummer angegeben, auf die sich im jetzigen Text der Konstitution die Erklärung bezieht; in Klammer steht die Nummer, den der betreffende Artikel im Schema hatte. Die beigefügten Seitenzahlen beziehen sich auf den angegebenen Band der Konzilsakten.

Erklärung zu SC 1-4 (Vorwort) (S. 10 f.)

(Declaratio). Prooemium totius Constitutionis de sacra Liturgia haec sibi proponit:
1. In lucem proferre momentum generale sacrae Liturgiae in vita Ecclesiae, in relationibus cum fratribus separatis, et in re missionali. Hinc, inter notas Ecclesiae, quae a fidelibus in Liturgia actu quodam vitali melius penetrantur, et per eam iis qui sunt extra melius manifestantur, hic notatur illa quae in relationibus cum fratribus separatis maximi est momenti, nempe natura eius theandrica, seu humana simul et divina, Fundatoris sui instar, cuius est Corpus Mysticum et continuatio atque manifestatio in hac terra. Apud christianos enim separatos quandoque viget conceptus Ecclesiae in quo eius aspectus visibilis et hierarchicus penitus evanescat. Unde illi, praesertim hodie, saepius exprobant catholicis quasi in Ecclesia solum aspectum externum, iuridicum, hierarchicum, administrativum videant. Genuina vero doctrina catholica de Ecclesia est eam, sicut ipsum Dei Verbum Incarnatum, cuius est Corpus, esse simul et ex essentia sui humanam et divinam, et ita, ut in ea quod humanum est ordinatur et subiciatur ei quod est divinum.
2. Explicite declarare praesentem Constitutionem nullam novam definitionem dogmaticam condere velle. Et ita satisfit desideriis eorum qui nolunt novas definitiones dogmaticas in hoc Concilio fieri; et tamen magnum inconveniens vitatur, ne tota res de Liturgia a Concilio tractanda ad decisiones mere practico-iuridicas restringatur. Ex huiusmodi enim decisionibus, fundamentis doctrinalibus non explicite suffultis, vix profundus, per saecula duraturus, fructus in vita Ecclesiae spirituali, pastorali et apostolica sperari posset. Quid vero in praesenti Constitutione sit de fide tenendum, propter propositiones iam alibi a magisterio Ecclesiae factas, et quid tale non sit, iure consueto labori theologorum determinandum relinquitur.
Proinde mens huius Constitutionis est solum normas generales et veluti summa principia practica proponere. Relinquitur vero Sanctae Sedi et spe-

cialibus Commissionibus peritorum, ex universo orbe deligendorum, post Concilium ad hoc instituendis, singula concreta executioni demandare.
3. Proponere ut Concilium sollemnem declarationem faciat de honorandis et fovendis omnibus ritibus in Ecclesia catholica vigentibus. Quamvis enim tales declarationes a Sancta Sede, praesertim a Leone XIII crebrae factae sint, tamen apud non paucos catholicos aliis ritibus adscriptos saepe viget persuasio, se, ex hoc ipso facto, practice quasi catholicos secundi ordinis considerari. Unde opportunum est ut Concilium, in quantum fieri potest, huiusmodi opinionem a catholicis eradicat, declarationibus Sanctae Sedis addens, prima vice uti videtur in historia, etiam sollemnem affirmationem conciliarem.

Erklärung zu SC 5-8 (1-4) (S. 12 f.)

(Declaratio). In praecedentibus nn. 1-4 non universa doctrina de sacra Liturgia, sed ea tantum elementa proponuntur quae ipsius veram naturam illustrent et locum determinent sive in actuositate Ecclesiae sive in vita fidelium. Sunt enim principia e quibus normae generales practicae deducuntur ad sacram Liturgiam instaurandam et fovendam.
Prima sectio huius capitis inculcare vult sacram Liturgiam non esse "divini cultus partem externam solummodo ac sensibus obiectam, vel quasi decorum quendam caeremoniarum apparatum", aut "veluti meram legum praeceptorumque summam, quibus ecclesiastica hierarchia iubeat sacros instrui ordinarique ritus".(18)
Ad veram autem indolem Liturgiae intellegendam, recolendum est eam esse exercitium sacerdotii Christi in suo Corpore Mystico, quod est Ecclesia, ut luculenter ostenderunt Litterae Encyclicae *Mediator Dei*, a Pio XII die 20 novembris 1947 datae.
Necesse est etiam eius locum discernere in historia sive oeconomia salutis, (19) quae quattuor velut periodos complectitur: 1) in Veteri Testamento, Deus in figuris praesignavit et praeparavit opus salutis nostrae; 2) postea Christus, Verbum caro factum, hoc opus adimplevit in vita sua, unico Sacrificio in Cruce peracto, passus sub Pontio Pilato, sepultus et resurgens tertia die; 3) in fine denique temporum iterum venturus, corpus suum mysticum glorificabit, ut sit Deus omnia in omnibus; 4) post vero Ascensionem suam et ante adventum, adest in Ecclesia sua, hominibus praebens in Sacramentis consortium suae mortis et suae resurrectionis atque pignus futurae gloriae. Unde sacra Liturgia celebrat praecipue paschale Christi mysterium, id annuntians lumine Veteris Testamenti, eius recolens memoriam Eucharistia Sacramentisque et festis, divina eius praesentia fruens et gratia, exspectans beatam spem.
Praeterea, id historia salutis illustratur, adesse in Liturgia modo lectionem sacrae Scripturae, modo Sacramentorum et Sacramentalium celebrationem: quia tam in Veteri quam in Novo Testamento Deus populum suum non tantum Redemptionis opere sed etiam verbo veritatis liberare et aggregare voluit. Merito igitur fides populi christiani excitanda est erga Deum, qui ei in Liturgia loquitur dum iterum leguntur quae "olim locutus est Patribus in prophetis, novissime vero in Filio".

Erklärung zu SC 24 (19) (S. 19)

(Declaratio). Non omnis instauratio vel aptatio commendari potest, sed ea tantum quae mentem sacrorum Bibliorum sapiat. Et non sufficit plures quam

antea Scripturae textus legi, sed oportet totam celebrationem liturgicam
recta et iucunda verbi Dei meditatione imbui. Unde optandum est ut e liturgicis libris tollantur ii sacrae Scripturae loci, qui interdum indebite
usurpantur; ut serventur et colantur preces et cantus ex Scriptura desump-
ti vel eius instinctu effusi, neque introducantur qui ab ea dissonent.
Exempla sunto illa optima carmina, troparia, responsoria, hymni, antipho-
nae, quae post tot saecula orantes laetificant, quod non aeque dici posset
de nonnullis aliis liturgicis officiis.

Erklärung zu SC 35 (25) (S. 22 f.)

(Declaratio). 1. *Abundantior lectio sacrae Scripturae.* - Recentiora studia
exegetica, historica, pastoralia satis superque ostendunt ipsam celebrationem liturgicam esse locum connaturalem et primarium in quo Ecclesia verbum Dei fidelibus annuntiare et fideles illud auscultare debent, et esse
simul optimum ambitum ad rectum intellectum christianum Scripturae. Multi
nostri aevi christiani de facto verbum Dei audire non possunt nisi in sola
actione liturgica.
Accedit ratio desumpta ex relationibus cum christianis separatis. Anglica-
ni et Protestantes exprobare solent catholicis ignorantiam sacrae Scripturae et mirari in Liturgia romana quendam adesse quasi defectum proportio-
nis inter elementum sacramentale et elementum scripturale proclamationis
et praedicationis verbi Dei.
2. *Connexio sermonis cum actione liturgica.* - In hoc numero inculcatur:
praedicationem, magis quam hodie fieri soleat, considerandam esse uti partem connaturalem praecipuorum rituum liturgicorum.
Tangitur deinde quaestio de obiecto praedicationis, et dicitur illud hau-
riri debere ex Scriptura et ex Liturgia, et ideo annuntiare praeprimis mysterium Christi sive historiam salutis in Christo ut aliquid semper in actu et ad nos semper spectans. Hoc tamen minime significat praedicationem
debere semper tractare directe schema de creatione, elevatione, lapsu,
praeparatione Redemptionis in VT, de Christo et Ecclesia et eschatologia,
et non posse fieri de aliis quaestionibus dogmaticis et moralibus. Nam
praedicatio, pro utilitate et necessitate audientium, potest et debet tan-
gere omnia quae pertinent ad dogma, ad theologiam moralem, ad fideles in-
struendos, exhortandos, commonendos, ab erroribus periculisque tuendos.
Sed dicitur praedicationem numquam oblivisci debere haec omnia ultimo in-
duci ad annuntianda, admiranda, laudanda opera Dei in historia nostrae salutis in Christo semper pro nobis in actu, praeprimis in ipsis celebrationibus liturgicis. Nam in Liturgia praedicatio est pars ritus sacri. Debet
ergo disponere ad plenam participationem ipsius ritus; et ideo ad melius
conceptualiter et praesertim vitaliter percipiendam ipsam rem sacram, quae
ibi continetur, et hoc sub aspectu quo ibi continetur, ad mentem ipsius
Liturgiae quae, quoad essentiam rei, a mente Scripturae non differt.
3. *Catechesis directius liturgica.* - Hac expressione intellegitur explica-
tio directa ipsius Liturgiae, quae saepius omnino fieri debet et, hic inde, fieri etiam potest in ipsa praedicatione liturgica.
Generatim vitandum est ut ritus multis explicationibus indigeant ut intel-
legantur. Tamen in traditione liturgica notae sunt quandoque admonitiones
didactico-exhortativae, ipsi ritui insertae, a ministro ad fideles diri-
gendae.

780

Erklärung zu SC 56 (43) (S. 33)

(Declaratio). Canon 1248 ait: "Festis de praecepto diebus Missa audienda est". Absolute dicitur "Missa", seu integer ritus. Nam:
1) Ritus Missae est indivisibilis. Eius finis non est solummodo divinae Maiestatis adoratio, sed etiam hominis sanctificatio, quae fit per auditionem verbi Dei, per eius insertionem in "mysterio" Christi, per eucharisticam Communionem. Haec omnia ita inter se connectuntur, ut si exigentiae verae efficaciorisque participationis considerantur, unum sine altero esse non possit. Perperam enim exigeretur ut conscie fidelis inseratur in mysterio et fructuose Christi Corpus suscipiat, nisi congrua habeatur mentis animique praeparatio per verbum Dei, orationem, catechesim et fidei professionem.
2) Magis magisque pro pluribus fidelibus ritus festivus Missae unicum constituit medium instructionis christianae, quae praesertim in liturgia verbi Dei habetur.

Erklärung zu SC 106 (80) (S. 55)

(Declaratio). Nisus actionis pastoralis hodiernae ut diei dominico sanctitas nativa servetur, vim suam habebit, si ipsius natura "diei Domini" pressius inculcetur et clare indicetur connexio quodammodo necessaria diei dominici cum Resurrectione Domini, immo cum mysterio paschali in omni sua parte. Dominico enim die, idest die Christi gloriose resurgentis, Ecclesia in unum convenire solet inde a suis incunabulis, ad mysterium paschale celebrandum, tum legendo "in omnibus Scripturis quae de ipso erant" (Lc. 24, 27), tum Eucharistiam conficiendo, in qua "mortis eius victoria et triumphus repraesentatur". (3) Aliud elementum in traditione Ecclesiae perseverans est directa connexio commemorationis Baptismi cum commemoratione Resurrectionis dominicae, eodem prorsus modo quo eadem duo elementa inter se connectuntur in nocte paschali.
Periculum vero quod diei dominico imminet in actione pastorali est eius deviatio ad alias celebrationes in honorem Sanctorum efficiendas. Disciplina liturgica admittit quidem ut aliqua festa et aliquae solemnitates, quae infra hebdomadam occurrunt, in dominica celebrentur cum sua solemnitate externa, in bonum fidelium. (4) Sed haec concessio ansam praebere non intendit praxi indebitae celebrationum in die dominico. Dies enim dominicus remanere debet "dies Domini" per excellentiam, dicatus pietati et occursui fidelium cum ipsorum Salvatore.

Auszug aus den von der liturgischen Konzilskommission vorgelegten Gegenüberstellungen des urspünglichen und des verbesserten Textes des Liturgieschemas. In Klammern ist jeweils die
Fundstelle in den Konzilsakten notiert[1].

Artikel 5-7 (AS I/III, 695-697)

Textus in Schemate propositus *Textus a Commissione emendatus*[2]

Caput I	Caput I
DE PRINCIPIIS GENERALIBUS AD SACRAM LITURGIAM INSTAURANDAM ATQUE FOVENDAM	DE PRINCIPIIS GENERALIBUS AD SACRAM LITURGIAM INSTAURANDAM ATQUE FOVENDAM
I - DE SACRAE LITURGIAE NATURA EIUSQUE MOMENTO IN VITA ECCLESIAE	I - DE SACRAE LITURGIAE NATURA EIUSQUE MOMENTO IN VITA ECCLESIAE

Textus in Schemate propositus:

1. *(Opus salutis a Deo praenuntia-
tum, in Christo eiusque opere impletur, ...).* Deus, qui "omnes homines vult salvos fieri et ad agnitionem veritatis venire" (1 Tim. 2,
4), "multifarium multisque modis
olim loquens patribus in prophetis"
(Hebr. 1,1), ubi venit plenitudo
temporis, misit Filium suum Verbum
carnem factum ad evangelizandum
pauperibus, ad sanandos contritos
corde,(1) "medicum carnalem et spiritualem",(2) Mediatorem Dei et hominum. Ipsius namque humanitas, in
unitate personae Verbi, fuit causa
nostrae salutis. Quare in eius persona et vita "nostrae reconciliationis processit perfecta placatio,
et divini cultus nobis est indita
plenitudo".(3)

Textus a Commissione emendatus:

5. Deus, qui "omnes homines vult
salvos fieri et ad agnitionem veritatis venire" (1 Tim. 2,4), "multi-
fariam multisque modis olim loquens
patribus in prophetis" (Hebr. 1,1),
ubi venit plenitudo temporis, misit
Filium suum, Verbum carnem factum,
SPIRITU SANCTO UNCTUM, ad evangelizandum pauperibus, ad sanandos contritos corde,(1) "medicum carnalem
et spiritualem"(2), Mediatorem Dei
et hominum.(3) Ipsius namque humanitas, in unitate personae Verbi,
fuit INSTRUMENTUM nostrae salutis.
Quare in *Christo* "nostrae reconciliationis processit perfecta placatio, et divini cultus nobis est indita plenitudo".(4)

---

1 Die Anmerkungen werden hier nicht wiedergegeben; sie finden sich oben,
im Text. Wohl aber werden die Anmerkungsziffern eingetragen.

2 Die Hervorhebungen entsprechen dem Original; dort steht: "Litteris ita-
licis seu *cursivis* indicantur additiones aut emendationes formales vel
minoris momenti; litteris autem grandioribus seu MAIUSCULIS emendationes
exhibentur maioris momenti, Patrum suffragationi proponendae".

Hoc autem humanae Redemptionis et perfectae Dei glorificationis opus, cui divina magnalia in populo Dei Veteris Testamenti praeluserant, adimplevit Christus Dominus, praecipue per suae beatae Passionis, ab inferis Resurrectionis et gloriosae Ascensionis paschale mysterium, ex quo Ecclesia nascitur, crescit et nutritur.

2. (... in Ecclesia perseverat, et in eius Liturgia perficitur, ...). Nam, sicut Christus missus est a Patre, ita et ipse, "totius Ecclesiae mirabile sacramentum"(4) instituens, Apostolos eorumque successores misit, non solum ut, praedicantes evangelium omni creaturae, (5) annuntiarent Filium Dei morte sua nos a potestate satanae(6) et a morte liberasse, ac resurrectione sua in regnum Patris transtulisse, sed etiam ut opus salutis, quod annuntiabant, per Sacramenta efficerent. Per baptismum enim et cetera Sacramenta, circa quae vita liturgica ordinatur, homines paschali Christi mysterio inseruntur: commortui, consepulti, conresuscitati; (7) spiritum accipiunt adoptionis filiorum, et ita fiunt veri adoratores, quos Pater quaerit.(8) Quotiescumque demum dominicam cenam manducant, mortem Domini annuntiant donec veniat.(9). Et ideo, ipso die Pentecostes, quo Ecclesia mundo apparuit, "qui receperunt sermonem" Petri "baptizati sunt". Et "erant perseverantes in doctrina Apostolorum et communicatione fractionis panis et orationibus ... collaudantes Deum et habentes gratiam ad omnem plebem" (Act. 2,41-47). Numquam posthac intermisit Ecclesia quin in unum conveniret ad paschale mysterium celebrandum, legendo "in omnibus Scripturis quae de ipso erant" (Lc. 24,27), Sacramenta administrando, Eucharistiam celebrando, in qua "mortis eius victoria et triumphus repraesentatur",(10) "gratias" agen-

Hoc autem humanae Redemptionis et perfectae Dei glorificationis opus, cui divina magnalia in populo Veteris Testamenti praeluserant, adimplevit Christus Dominus, praecipue per suae beatae Passionis, ab inferis Resurrectionis et gloriosae Ascensionis paschale mysterium, quo *"mortem nostram moriendo destruxit, et vitam resurgendo reparavit".(5) Nam de latere Christi in cruce dormientis ortum est "totius Ecclesiae mirabile sacramentum".(6)*

6. Nam, sicut Christus missus est a Patre, ita et ipse Apostolos, *repleletos Spiritu Sancto*, misit, non solum ut, praedicantes Evangelium omni creaturae,(7) annuntiarent Filium Dei morte sua *et* resurrectione nos a potestate satanae(8) et a morte liberasse et in regnum Patris transtulisse, sed etiam ut, quod annuntiabant, opus salutis per SACRIFICIUM ET Sacramenta, circa quae *tota* vita liturgica *vertit, exercerent. Sic* per Baptismum homines paschali Christi mysterio inseruntur: commortui, consepulti, conresuscitati;(9) spiritum accipiunt adoptionis filiorum, *"in quo clamamus: Abba, Pater"* (Rom. 8,15), et ita fiunt veri adoratores, quos Pater quaerit.(10) *Similiter* quotiescumque dominicam cenam manducant, mortem Domini annuntiant donec veniat. (11) *Idcirco*, ipso die Pentecostes, quo Ecclesia mundo apparuit,(12) "qui receperunt sermonem" Petri "baptizati sunt". Et "erant perseverantes in doctrina Apostolorum et communicatione fractionis panis et orationibus ... collaudantes Deum et habentes gratiam ad omnem plebem" (Act. 2,41-47). Numquam *exinde* omisit Ecclesia quin in unum conveniret ad paschale mysterium celebrandum: legendo *ea* "in omnibus Scripturis quae de ipso erant" (Lc. 24, 27), Eucharistiam celebrando in qua "mortis eius victoria et triumphus repraesentatur",(13) et simul gratias agendo "Deo super inenarrabili dono" (2 Cor. 9,15) in Christo Iesu, "in laudem gloriae eius" (Eph. 1,12),

do "Deo super inenarrabili dono"
(2 Cor. 9,15) in Christo Iesu, "in
laudem gloriae eius" (Eph. 1,10).

3. *(... ob praesentiam ipsius Christi in Liturgia, ...)*. Ad tantum
vero opus perficiendum, Christus
Ecclesiae suae semper adest, praesertim in actionibus liturgicis,
ipse qui promisit: "ubi sunt duo
vel tres congregati in nomine meo,
ibi sum in medio eorum" (Mt. 18,20).
*Ipse est qui loquitur dum verba sa-
crae Scripturae in Ecclesia leguntur et explicantur; qui opus salutis, quod degens in terra patraverat, in Sacramentis pergit; ipse
denique nunc in Sacrificio Missae
se offert "sacerdotum ministerio,
qui seipsum tunc in Cruce obtulit".
(11)*

In hoc opere perfectae Dei glorificationis et hominum sanctificationis perficiendo, Christus Ecclesiam, Sponsam suam dilectissimam, sibi semper consociat.(12)

Merito igitur Liturgia habetur uti
Iesu Christi "sacerdotalis muneris
exercitatio",(13) in qua, sub signis sensibilibus, ea quae significant suo modo efficientibus, homo
sanctificatur et a mystico Iesu
Christi Corpore, Capite nempe eiusque membris, integer cultus publicus exercetur.(14)

Proinde omnis liturgica celebratio,
utpote opus Christi sacerdotis eiusque Corporis, quod est Ecclesia,
est "actio sacra praecellenter",
(15) titulo qui eodem gradu nulli
alii actioni in Ecclesia factae
convenit.

PER VIRTUTEM SPIRITUS SANCTI.

7. Ad tantum vero opus perficiendum,
Christus Ecclesiae suae semper ad-
est, praesertim in actionibus li-
turgicis. PRAESENS ADEST IN MISSAE
SACRIFICIO CUM IN MINISTRI PERSONA,
TUM MAXIME SUB SPECIEBUS EUCHARI-
STICIS, "IDEM NUNC OFFERENS SACER-
DOTUM MINISTERIO, QUI SEIPSUM TUNC
IN CRUCE OBTULIT".(14) PRAESENS AD-
EST VIRTUTE SUA IN SACRAMENTIS, ITA
UT CUM ALIQUIS BAPTIZAT, CHRISTUS
IPSE BAPTIZET. (15) PRAESENS ADEST
IN VERBO SUO, SIQUIDEM IPSE LOQUI-
TUR DUM SACRAE SCRIPTURAE IN ECCLE-
SIA LEGUNTUR. PRAESENS ADEST DENI-
QUE DUM SUPPLICAT ET PSALLIT ECCLE-
SIA, IPSE QUI PROMISIT: "Ubi sunt
duo vel tres congregati in nomine
meo, ibi sum in medio eorum (Mt.
18,20).

*Reapse tanto in opere, quo Deus per-
fecte glorificatur, et homines sanctificantur,* Christus Ecclesiam,
sponsam suam dilectissimam, sibi
semper consociat,(16) QUAE DOMINUM
SUUM INVOCAT ET PER IPSUM AETERNO
PATRI CULTUM TRIBUIT.

Merito igitur Liturgia habetur *veluti* Iesu Christi sacerdotalis muneris exercitatio,(17) in qua *per signa sensibilia significatur et modo
singulis proprio efficitur sanctificatio hominis,* et a mystico Iesu
Christi Corpore, Capite nempe eiusque membris, integer cultus publicus exercetur.(18)

Proinde omnis liturgica celebratio,
utpote opus Christi sacerdotis, eiusque Corporis, quod est Ecclesia,
est actio sacra praecellenter, (19)
cuius efficacitatem eodem titulo
eodemque gradu *nulla alia actio Ecclesiae adaequat.*

Artikel 7,1 (MeD/ SC) (AS II/V, 517)

Mediator Dei

Praesens adest Christus in augusto
altaris Sacrificio, cum in administri sui persona, tum maxime sub
Eucharisticis speciebus;

praesens adest in Sacramentis virtute sua, quam in eadem transfundit
utpote efficiendae sanctitatis instrumenta;

praesens adest denique in Deo admotis laudibus ac supplicationibus,
secundum illud: "Ubi enim sunt duo
vel tres congregati in nomine meo,
ibi sum in medio eorum".

Schema emendatum

Praesens adest in Missae Sacrificio
cum in ministri persona "idem nunc
offerens sacerdotum ministerio qui
seipsum tunc in cruce obtulit", tum
maxime sub speciebus eucharisticis.

Praesens adest virtute sua in Sacramentis, ita ut cum aliquis baptizat,
Christus ipse baptizet.
Praesens adest in verbo suo, siquidem ipse loquitur dum Sacrae Scip-
turae in Ecclesia leguntur.

Praesens adest denique dum supplicat et psallit Ecclesia, Ipse qui
promisit: "Ubi sunt duo vel tres
congregati in nomine meo, ibi sum
in medio eorum".

Artikel 47-49 (AS II/II, 283 f.)

Textus in Schemate propositus

Caput II

DE SACROSANCTO EUCHARISTIAE MYSTERIO

Salvator noster, in cena novissima
qua nocte tradebatur, Apostolis paschale convivium in sui memoriam donec veniat iterandum praecepit, ita
ut "mortis eius victoria et triumphus"(1) repraesentaretur; et Ecclesiae dilectae Sponsae suae fie-
ret magnum sacramentum pietatis,
fons et exemplar unitatis, sacrificium laudis, pignus et figura caelestis convivii.

Itaque curat Ecclesia ut christifideles huic mysterio fidei non velut
inertes et muti spectatores intersint, sed ut ritus et preces bene

Textus a Commissione emendatus

Caput II

DE SACROSANCTO EUCHARISTIAE MYSTERIO

47. Salvator noster, in Cena novis-
sima, qua nocte tradebatur, SACRI-
FICIUM EUCHARISTICUM CORPORIS ET
SANGUINIS SUI INSTITUIT, QUO SACRI-
FICIUM CRUCIS IN SAECULA, DONEC VE-
NIRET, PERPETUARET, ATQUE ADEO EC-
CLESIAE DILECTAE SPONSAE MEMORIALE
CONCREDERET MORTIS ET RESURRECTIO-
NIS SUAE: SACRAMENTUM PIETATIS, SIG-
NUM UNITATIS, VINCULUM CARITATIS,
(1) CONVIVIUM PASCHALE, IN QUO CHRI-
STUS SUMITUR, MENS IMPLETUR GRATIA
ET FUTURAE GLORIAE NOBIS PIGNUS DA-
TUR.(2)

48. Itaque Ecclesia *sollicitas curas
eo intendit ne* christifideles huic
fidei mysterio *tamquam extranei vel*
muti spectatores (3) intersint, sed

intellegentes, ea actuose, conscie et pie participent, mensa cum verbi tum corporis Domini reficiantur, gratias Deo agant, immaculatam hostiam una cum sacerdote offerendo seipsos offerre discant, et de die in diem ad perfectiorem unitatem transferantur ut sit Deus omnia in omnibus.

Quapropter Sacrosanctum Concilium, ut Sacrificio Missae restituat, etiam in forma rituali, plenam pastoralem efficacitatem, ea quae sequuntur decernit.

per ritus et preces id bene intellegentes, *sacram actionem* conscie, pie et actuose participent, *verbo Dei instituantur,* mensa Corporis Domini reficiantur, gratias Deo agant, immaculatam hostiam, *non tantum per sacerdotis manus, sed etiam una cum ipso(4) offerentes,* seipsos offerre discant, et de die in diem *consumentur, Christo Mediatore,(5) in unitatem cum Deo et inter se,* ut sit *tandem* Deus omnia in omnibus.

49 Quapropter, *ut Sacrificium Missae, etiam rituum forma,* plenam pastoralem efficacitatem *assequatur,* Sacrosanctum Concilium, RATIONE HABITA MISSARUM, QUAE CONCURRENTE POPULO CELEBRANTUR, PRAESERTIM DIEBUS DOMINICIS ET FESTIS DE PRAECEPTO, ea quae sequuntur decernit.

Artikel 59-61 (AS II/II, 550 f.)

Textus in Schemate propositus

Caput III

DE SACRAMENTIS ET SACRAMENTALIBUS

Sacramenta et Sacramentalia ordinantur ad cultum Deo reddendum et ad hominem sanctificandum;(1) utpote vero signa "ad instructionem pertinent".(2) Unde fidem non solum supponunt, sed "verbis ac rebus" alunt; et ita eorum celebratio liturgica fideles ad cultum Deo debite reddendum et ad gratiam fructuose recipiendam etiam proxime disponit. Ideo "sacramenta fidei" dicuntur.

Maxime proinde interest ut qui ad fidem vocantur, Baptismum verum signum fidei inveniant, et fideles, ad propriam vitam christianam alendam, Sacramenta impensissime frequentent.

Textus a Commissione emendatus

Caput III

DE SACRAMENTIS ET SACRAMENTALIBUS

59. Sacramenta ordinantur *ad sanctificationem hominum, ad aedificationem Corporis Christi,* ad cultum *denique* Deo reddendum; *ut* signa vero *etiam* ad instructionem pertinent. (1) Fidem non solum supponunt, sed verbis et rebus *etiam* alunt, *roborant, exprimunt; quare* fidei sacramenta dicuntur. *Gratiam quidem conferunt, sed* eorum celebratio fideles *optime* etiam disponit ad *eandem* gratiam fructuose recipiendam, *ad Deum rite colendum et ad caritatem exercendam.*

Maxime proinde interest ut *fideles signa Sacramentorum facile intellegant et ea* Sacramenta impensissime frequentent, *quae ad vitam christianam alendam sunt instituta.*

786

60. SACRAMENTALIA PRAETEREA SANCTA
MATER ECCLESIA INSTITUIT. QUAE SA-
CRA SUNT SIGNA QUIBUS, IN ALIQUAM
SACRAMENTORUM IMITATIONEM, EFFECTUS
PRAESERTIM SPIRITUALES SIGNIFICAN-
TUR ET EX ECCLESIAE IMPETRATIONE
OBTINENTUR. PER EA HOMINES AD PRAE-
CIPUUM SACRAMENTORUM EFFECTUM SUS-
CIPIENDUM DISPONUNTUR ET VARIA VI-
TAE ADIUNCTA SANCTIFICANTUR.

Per liturgiam enim Sacramentorum et
Sacramentalium, fidelibus bene dispositis nullus iam fere eventus vitae gratia divina non sanctificatur,
ex mysterio paschali Passionis, Mortis et Resurrectionis Christi, a quo
omnia Sacramenta et Sacramentalia
suam virtutem derivant; nullusque
etiam materialium usus, per se honestus, ad finem hominem sanctificandi Deumque laudandi non dirigi-
tur. *Quod sane facilius fit, si ipsa, quoad eorum liturgicam structu-
ram, quoad textus et ritus, ita ordinantur, ut res divinas, quas significant et suo cuiusque modo efficiunt, sic exprimant ut a fidelibus
possint facile percipi et actuosa
atque communitaria participatione
celebrari.*

61. *Itaque liturgia Sacramentorum
et Sacramentalium id efficit ut fidelibus bene dispositis omnis fere
eventus vitae sanctificetur gratia
divina manante* ex mysterio paschali
Passionis, Mortis et Resurrectionis
Christi, a quo omnia Sacramenta et
Sacramentalia suam virtutem derivant; nullusque *paene* rerum materialium usus honestus ad finem hominem sanctificandi Deumque laudandi
dirigi non possit.

Artikel 83-85 (AS II/III, 117 f.)

Textus in Schemate propositus

Caput IV

DE OFFICIO DIVINO

Summus Novi atque aeterni Testamenti Sacerdos, Christus Iesus, "humanam naturam assumens, terrestri huic
exilio hymnum illum invexit, qui in
supernis sedibus per omne aevum canitur. Universam hominum communitatem ipse sibi coagmentat, eandemque
in divino hoc concinendo laudis
carmine secum consociat".(1)

Ecclesia autem, sacerdotio mirabili
in suo Capite insignita, et divinam

Textus a Commissione emendatus

Caput IV

DE OFFICIO DIVINO

83. Summus Novi atque aeterni Testamenti Sacerdos, Christus Iesus, humanam naturam assumens, terrestri
huic exilio hymnum illum invexit,
qui in supernis aedibus per omne
aevum canitur. Universam hominum
communitatem ipse sibi coagmentat,
eandemque in divino hoc concinendo
laudis carmine secum consociat.(1)

ILLUD ENIM SACERDOTALE MUNUS PER
IPSAM SUAM ECCLESIAM PERGIT, *quae*

ipsius missionem in terris pergens, "pro hominibus constituitur in iis quae sunt ad Deum",(2) ut Deum sine intermissione laudet et pro singulis interpellet. Quod munus absolvit non solum per celebrationem Eucharistiae, sed etiam per mirabile illud laudis canticum, in Officio divino exstans, quod christianorum omnium nomine eorumque in beneficium adhibetur Deo, cum a sacerdotibus aliisque fiat, in hanc rem ipsius Ecclesiae instituto delegatis. (3)

non tantum Eucharistia celebranda, sed etiam ALIIS MODIS PRAESERTIM Officio divino persolvendo, Dominum sine intermissione laudat et pro totius mundi salute interpellat.

84. Divinum Officium ex antiqua traditione christiana ita est constitutum ut totus cursus diei ac noctis per laudem Dei consecretur. CUM VERO MIRABILE ILLUD LAUDIS CANTICUM RITE PERAGUNT SACERDOTES ALIIQUE AD HANC REM ECCLESIAE INSTITUTO DEPUTATI(2) VEL CHRISTIFIDELES UNA CUM SACERDOTE FORMA PROBATA ORANTES, TUNC VERE VOX EST IPSIUS SPONSAE, QUAE SPONSUM ALLOQUITUR, IMMO ETIAM ORATIO CHRISTI CUM IPSIUS CORPORE AD PATREM.

Omnes proinde qui hoc munere funguntur tum gravem Ecclesiae obligationem, tum summum Sponsae Christi honorem participant, quia unusquisque in Officio divino orando ante thronum Dei stat nomine Matris Ecclesiae.

85. Omnes proinde qui *haec praestant, tum Ecclesiae officium explent,* tum summum Sponsae Christi honorem participant, *quia laudes Deo persolventes stant* ante thronum Dei nomine Matris Ecclesiae.

<u>Anhang III</u>: Die Liturgiekonstitution in der Konzilsarbeit –
Register der Fundstellen in den Konzilsakten

1. Text

Schema der vorbereitenden Kommission: AD II/III/II, 10-68
Schema zur Vorlage im Konzil: Schemata I, 155-201
Schema zur Vorlage im Konzil: AS I/I, 262-303
Konstitution mit Unterschriften: AS II/VI, 409-497

2. Diskussion

Zentralkommission: AD II/II/III, 26-144, 275-368, 460-492
Generaldebatte im Konzil: Allgemeiner Bericht (Larraona): AS I/I, 304
                      Allgemeiner Bericht (Antonelli): AS I/I, 304-308
Voten zur Generaldebatte: AS I/I 309-363 (mündlich)
                           383-396 (schriftlich)
Voten zur Spezialdebatte:
zu Vorwort und Kapitel I: AS I/I, 364-380, 399-594 (mündlich)
                                 607-664 (schriftlich)
zu Kapitel II: AS I/I, 598-603, AS I/II, 10-161 (mündlich)
                              195-287 (schriftlich)
zu Kapitel III: AS I/II, 161-192, 292-326 (mündlich)
                        341-385 (schriftlich)
zu Kapitel IV: AS I/II, 327-337, 390-425, 436-474 (mündlich)
                      491-584 (schriftlich)
zu Kapitel V-VIII: AS I/II, 475-487, 588-673 (mündlich)
                        679-769 (schriftlich)

3. Verbesserungsvorschläge *(Emendationes)*

Allgemeiner Bericht (Lercaro): AS I/III, 116-119,
                              AS II/II, 276-279
zum Vorwort: AS I/III, 114 f. (Text)
                  119-121 (Bericht Martin)
                  157 (Abstimmungen)
zu Kapitel I
(Nr. 5-13): AS I/III, 693 f. (Verbesserungen)
                  695-702 (Text)
                  702-707 (Bericht Martin)
                  739 f., AS I/IV, 10 (Abstimmungen)
(Nr. 14-20): AS I/IV, 166 (Verbesserungen)
                  166-170 (Text)
                  170-172 (Bericht Grimshaw)
                  213 (Abstimmungen)
(Nr. 21-40): AS I/IV, 266-268 (Verbesserungen)
                  268-277 (Text)
                  278-290 (Bericht Calewaert)
                  315, 319, 360 (Abstimmungen)
(Nr. 41-46): AS I/IV, 322 (Verbesserungen)
                  323-326 (Text)
                  326 f. (Bericht Grimshaw), 360 (Abstimmungen)

zu Kapitel II: AS II/II, 280-282 (Verbesserungen)
                     283-289 (Text)
                     290-308 (Bericht Enciso Viana)
                     329, 335, 338, 342, 360, 384, 435, 520 (Abstimm.)
zu Kapitel III: AS II/II,548 (Verbesserungen)
                     550-560 (Text)
                     560-571 (Bericht Hallinan)
                     598, 601, 639, AS II/III, 48, 91 (Abstimmungen)
zu Kapitel IV: AS II/III,114-116 (Verbesserungen)
                     117-123 (Text)
                     124-146 (Bericht Martin)
                     168, 171, 215, 259, 290 (Abstimmungen)
zu Kapitel V: AS II/III, 264-266 (Verbesserungen)
                     267-272 (Text)
                     272-277 (Bericht Zauner)
                     345, 390, 627 (Abstimmungen)
zu Kapitel VII: AS II/III,576 f. (Verbesserungen)
                     578-583 (Text)
                     583-589 (Bericht D'Amato)
                     627, 671 (Abstimmungen)
zu Kapitel VI und VIII: AS II/III, 10 f. (Verbesserungen)
                     12-23 (Text)
                     24-28 (Bericht Rossi)
                     77 (Abstimmungen)

4. Veränderungswünsche (*Modi*)

Allgemeiner Bericht (Lercaro): AS II/V, 406-409
zu Vorwort und Kapitel I: AS II/V, 496 f. (Modi)
                     497-509 (Text)
                     510-526 (Bericht Martin)
                     545 (Abstimmungen)
zu Kapitel II: AS II/V, 575 f. (Modi)
                     577-579 (Text)
                     580-596 (Bericht Enciso Viana)
                     631 (Abstimmungen)
zu Kapitel III: AS II/V, 637 f. (Modi)
                     639-642 (Text)
                     643-660 (Bericht Spülbeck)
                     686 (Abstimmungen)
zu Kapitel IV: AS II/V, 701 f. (Modi)
                     702-705 (Text)
                     706-724 (Bericht Martin)
                     757 (Abstimmungen)
zu Kap. V-VIII: AS II/V, 725 (Modi)
                     725-733 (Text)
                     733- 744 (Bericht Zauner, D'Amato, Rossi)
                     757 (Abstimmungen)

5. Verabschiedung des Schemas

Abstimmung über das gesamte Schema: AS II/V, 767
Schlußabstimmung: AS II/VI, 407

Omnes compertum habemus non unam esse rationem, qua Christus praesens adsit Ecclesiae suae. Rem iucundissimam, quam Constitutio *De sacra Liturgia* breviter exposuit,[30] paulo fusius recolere iuvat. Praesens adest Christus Ecclesiae suae oranti, cum ipse sit qui "et oret pro nobis, et oret in nobis, et oretur a nobis: orat pro nobis ut sacerdos noster, orat in nobis ut caput nostrum, oratur a nobis ut Deus noster",[31] quique ipse promisit: *ubi sunt duo vel tres congregati in nomine meo, ibi sum in medio eorum.*[32] Praesens adest Ecclesiae suae opera misericordiae exercenti, non solum quia, dum aliquid boni facimus uni ex fratribus eius minimis id ipsi Christo facimus,[33] verum etiam quia Christus est, qui per Ecclesiam haec opera facit, continenter hominibus divina caritate subveniens. Praesens adest Ecclesiae suae peregrinanti et ad portum aeternae vitae pervenire cupienti, cum Ipse habitet per fidem in cordibus nostris[34] et in ea caritatem diffundat per Spiritum Sanctum, quem dat nobis.[35] Alia quidem ratione, verissime tamen, praesens adest Ecclesiae suae praedicanti, cum Evangelium, quod annuntiatur, verbum Dei sit, et nonnisi nomine et auctoritate Christi, Verbi Dei incarnati, ipsoque adsistente, praedicetur, ut sit "unus grex de uno pastore securus".[36] Praesens adest Ecclesiae suae populum Dei regenti et gubernanti, cum sacra potestas a Christo sit et pastoribus eam exercentibus Christus adsit, "Pastor pastorum",[37] secundum promissionem Apostolis factam. Insuper, et sublimiore quidem modo, praesens adest Christus Ecclesiae suae Sacrificium Missae nomine ipsius immolanti; adest Sacramenta administranti. De praesentia Christi in Missae Sacrificio offerendo commemorare placet ea, quae S. Ioannes Chrysostomus admiratione percitus, non minus vere quam diserte, dixit: "Volo quid plane stupendum adicere, sed ne miremini neque turbemini. Quid hoc est? oblatio eadem est, quisquis offerat, sive Paulus, sive Petrus; eadem est, quam Christus dedit discipulis, et quam nunc sacerdotes faciunt: haec illa nihil minor est, quia non homines hanc sanctificant, sed is ipse qui illam sanctificavit. Sicut enim verba quae Deus locutus est, eadem sunt quae nunc sacerdos dicit, sic oblatio eadem ipsa est".[38] Sacramenta vero actiones esse Christi, qui eadem per homines administrat, nemo est qui ignoret. Et ideo Sacramenta per se ipsa sancta sunt et Christi virtute dum corpus tangunt animae gratiam infundunt. Hae praesentiae rationes stupore mentem replent et mysterium Ecclesiae contemplandum praebent. Sed alia est ratio, praestantissima quidem, qua Christus praesens adest Ecclesiae suae in sacramento Eucharistiae, quod est propterea inter cetera Sacramenta "devotione suavius, intellegentia pulchrius, continentia sanctius";[39] continet enim ipsum Christum et est "quasi consummatio spiritualis vitae et omnium sacramentorum finis".[40] Quae quidem praesentia "realis" dicitur non per exclusionem, quasi aliae "reales" non sint, sed per excellentiam, quia est substantialis, qua nimirum totus atque integer Christus, Deus et homo, fit praesens.[41]

Die Anmerkungen finden sich oben, im Haupttext.

Enzyklika "Mediator Dei" (Fortsetzung)

Register II: Konzilsdokumente

1. Konstitution über die heilige Liturgie (*Sacrosanctum Concilium*)

Konstitution über die heilige Liturgie (Fortsetzung)

Konstitution über die heilige Liturgie (Fortsetzung)

2. Dekret über die sozialen Kommunikationsmittel (*Inter mirifica*)

S. 605

3. Dogmatische Konstitution über die Kirche (*Lumen gentium*)

4. Dekret über den Ökumenismus (*Unitatis redintegratio*)

Nr.	Seite	Nr.	Seite
2	592, 594, 596, 606	8	294, 295
3	612, 294, 612	21	614

5. Dekret über die Hirtenaufgabe der Bischöfe in der Kirche
   (*Christus Dominus*)

Nr.	Seite	Nr.	Seite
2	606	15	616
11	609, 616	30	608, 616

6. Dekret über die Ausbildung der Priester (*Optatam totius*)

Nr.	Seite	Nr.	Seite
Vorwort	609	8	602, 604
1	606	16	604
4	609, 616		

7. Dekret über die zeitgemäße Erneuerung des Ordenslebens
   (*Perfectae caritatis*)

Nr.	Seite	Nr.	Seite
6	615	15	295, 608
8	695		

8. Erklärung über die christliche Erziehung (*Gravissimum educationis*)

Nr.	Seite
4	602

13. Dekret über die Missionstätigkeit der Kirche (*Ad gentes*)

Register III: Personenverzeichnis

799

Literaturverzeichnis

I. Quellen

1. Heilige Schrift

Die Heilige Schrift wird nach folgenden Ausgaben zitiert:
Einheitsübersetzung der Heiligen Schrift. Das Alte Testament, Stuttgart
1974;
Einheitsübersetzung der Heiligen Schrift. Das Neue Testament, Stuttgart
1979.

2. Meßbuch

Das tridentinische Meßbuch wird zitiert nach der Editio XXIX post typicam, Regensburg 1953.
Das erneuerte Römische Meßbuch wird nach der Editio typica von 1970 zitiert (lat.), bzw. nach: Meßbuch für die Bistümer des deutschen Sprachgebietes. Authentische Ausgabe für den liturgischen Gebrauch, 1975.

3. Konzil

a) Konzilsakten insgesamt

Vaticanum II, Acta et documenta Concilio Oecumenico Vaticano II apparando, Series I (Antepraeparatoria) (16 Bde.), Vatikan 1960-1961;
Vaticanum II, Acta et documenta Concilio Oecumenico Vaticano II apparando, Series II (Praeparatoria) (7 Bde.), Vatikan 1964-1969;
Vaticanum II, Acta Synodalia sacrosancti Concilii Oecumenici Vaticani II (bisher 19 Bde.), Vatikan 1970-1976;
Vaticanum II, Schemata Constitutionum et Decretorum de quibus
disceptabitur in Concilii sessionibus (4 Bde.), Vatikan 1962-1963.

b) Formalien

Sekretariat der vorbereitenden Zentralkommission (Hg.), Pontificie
Commissioni praeparatorie del Concilio Ecumenico Vaticano II, Vati-
kan ^{2}1961.
Ordo Concilii Oecumenici Vaticani II celebrandi, Vatikan 1962.
Hinweise des Generalsekretärs Erzbischof P. Felici, in: AS I/IV, 384,
AS II/V, 545 f.

c) Voten der Römischen Kongregationen, der zukünftigen Konzilsväter und der theologischen Fakultäten zur Vorbereitung des Konzils

Bibelinstitut, Päpstliches, in: AD I/IV/I/1, 123-136.
Cuglieri, Theol. Fakultät von, in: AD I/IV/II, 633-662.
Hl. Offizium, in: AD I/III, 3-17.
Kongregation, Riten-, in: AD I/III, 255-296.
Lovanicum, Kath. Universität Léopoldville, in: AD I/IV/II, 163-177.
Mailand, Päpstl. theol. Fakultät, in: AD I/IV/II, 665-696.
Salesianer, Päpstl. Hochschule der, in: AD I/IV/I/2, 113-220.

San Anselmo, Päpstl. Hochschule, in: AD I/IV/I2, 31-50.
Trier, Theol. Fakultät, in: AD I/IV/II, 737-770.

d) *Konzilsreden* (Die Fundstellen im Text sind dem Personenregister zu entnehmen).

Abed, Erzbischof A. (Tripolis/ Libanon), in: AS I/II, 494.
Alfrink, Kardinal J. (Utrecht/ Niederlande), in: AD II/II/III, 74 f.
Arattukulam, Bischof M. (Allepey/ Indien), in: AS I/II, 42 f.
Argaya Goicoechea, Bischof H. (Mondoñedo-Ferrol/ Spanien), in: AS
    I/II, 200-203.
Bea, Kardinal A., in: AS I/II, 22-26.
Bekkers, Bischof W. ('s-Hertogenbosch/ Holland), in: AS I/I, 441-445.
Bonomini, Bischof F. (Como/ Italien), in: AS I/II, 502.
Browne, Kardinal M. (Kurie), in: AD II/II/III, 77.
Charièrre, Bischof F. (Lausanne/ Schweiz), in: AS I/I, 615.
Confalonieri, Kardinal C., in: AS I/II, 106-108.
D'Agostino, Bischof B. (Vallo di Lucania/ Italien), in: AS I/I, 590.
D'Avack, Erzbischof J. (Camerino/ Italien), in: AS I/I, 155.
Del Campo y de la Bárcena, Bischof A. (Calahorra/ Spanien), in: AS
    I/I, 483.
Del Puio Gomez, Bischof A. (Lerida/ Spanien), in: AS I/II, 306-308.
Devoto, Bischof A. (Goya/ Argentinien), in: AS I/I, 523-525.
Döpfner, Kardinal J. (München), in: AS I/I, 319 f.
Enciso Viana, Bischof J. (Mallorca/ Spanien), in: AS I/I, 479 f.
Fares, Erzbischof A. (Catanzaro/ Italien), in: AS I/II, 116 f., 362 f.
Fernandez OP, A. (Generalmagister der Dominikaner), in: AS I/I, 512.
Flores Martin, Erzbischof, J. (Barbastro/ Spanien), in: AS I/I, 445.
Florit, Erzbischof H. (Florenz/ Italien), in: AS I/II, 28 f.
Frings, Kardinal J. (Köln), in: AS I/I, 309.
Garcia Martinez, Bischof F. (Spanien, i.R.), in: AS I/I, 580.
Guano, Bischof E. (Livorno/ Italien), in: AS I/II, 457-459.
Gut OSB, Abtprimas B., in: AS I/I, 625 f.
Hurley, Bischof D. E. (Durban/ Südafrika), in: AD II/II/III, 77.
Jenny, Weihbischof H. (Cambrai/ Frankreich), in: AS I/I, 513.
Kémérer, Bischof G. (Posada/ Argentinien), in: AS I/I, 520-523.
Kien Samophithale, Apost. Vikar M. (Tharé und Nonseng/ Thailand),
    in: AS I/II, 722.
Koslowiecki, Erzbischof A. (Lusaka/ Nord-Rhodesien), in: AS I/I, 421.
Lefebvre, Kardinal J. (Bourges/ Frankreich), in: AS I/II, 396 f.
Lefebvre, Erzbischof M. (Generaloberer der Spiritaner), in: AD
    II/II/III, 98 f.; AS I/I, 633.
Mansilla Reoyo, Weihbischof D. (Burgos/ Spanien), in: AS I/I, 460.
McGrath, Weihbischof M. (Panamà/ Panamà), in: AS I/II, 734 f.
Méndez Arceo, Bischof S. (Cuernavaca/ Mexiko), in: AS I/I, 416-418,
    638.
Montini, Kardinal G. (Mailand/ Italien), in: AD II/II/III, 84-90; AS
    I/I, 313-316.
Muldoon, Weihbischof Th. (Sydney/ Australien), in: AS I/I, 547 f.
Olaechea Loizaga, Erzbischof M. (Valencia/ Spanien), in: AS I/I, 495.
Ottaviani, Kardinal A. (Kurie), in: AD II/II/III, 76; AS I/I, 349 f.
Parente, Erzbischof P. (Kurie), in: AS I/II, 262, 376.
Philippe, Erzbischof P. (Kurie), in: AS I/II, 264 f.
Prou OSB, Erzabt J. (Frankreich), in: AS I/I, 478.

Rau, Bischof E. (Mar del Plata/ Argentinien), in: AS I/I, 481-483.
Reetz OSB, Erzabt B. (Beuron), in: AS I/I, 469; AS I/II, 559 f.
Rossi, Bischof C. (Biella/ Italien), in: AS I/II, 752-754.
Ruffini, Kardinal E. (Palermo/ Italien), in: AS I/II, 161-163, 328
   bis 330.
Sansieira, Weihbischof H. M. (San Juan de Cuyo/ Argentinien), in: AS
   I/II, 301 f.
Santos, Kardinal R. (Manila/ Philippinen), in: AS I/II, 198 f.
Silva Henriquez, Kardinal R. (Santiago/ Chile), in: AS I/I, 323 f.,
   609.
Siri, Kardinal J. (Kurie), in: AD II/II/III, 69; AS I/I, 440.
Sortais OCR, Generalabt G., in: AS I/I, 657.
Souto Vicoso, Bischof J. (Valencia/ Spanien), in: AS I/II, 468 f.
Staffa, Erzbischof D. (Kurie), in: AS I/I, 429.
Trindade Salgueiro, Erzbischof E. (Evora/ Portugal), in: AS I/II, 39
   bis 41.
Vagnozzi, Erzbischof Aeg. (Kurie), in: AS I/I, 326.
Valeri, Kardinal V. (Kurie), in: AS I/II, 493 f.
Vuccino, Erzbischof A. G. (Kurie), in: AS I/II, 285 f.

e) *Kommissionsberichte* (Die Fundstellen im Text sind dem Personenregister zu entnehmen).

Antonelli, F., in: AS I/I, 304-308.
Calewaert, Bischof K. (Gent/ Belgien), in: AS I/IV, 278-290.
Enciso Viana, Bischof J. (Mallorca/ Spanien), in: AS II/II, 290-308,
   AS II/V, 580-596.
Hallinan, Erzbischof P. J. (Atlanta/ USA), in: AS II/II, 560-571.
Larraona, Kardinal A. (Kurie), in: AD II/II/III, 46-63; AS I/I, 304.
Lercaro, Kardinal G. (Bologna/ Italien), in: AS I/III, 116-119; AS
   II/II, 276-279; AS II/V, 406-409.
Martin, Bischof J. A. (Nicolet/ Kanada), in: AS I/III, 702-707; AS
   II/III, 124-146; AS II/V, 510-526; 706-724.
Spülbeck, Bischof O. (Meißen), in: AS II/V, 643-660.
Zauner, Bischof F. (Linz/ Österreich), in: AS II/III, 272-277; AS
   II/V, 733-744.

f) *Konzilsdokumente*

Die Konzilsdokumente werden nach der lat.-deutschen Ausgabe, in:
LThK.E I-III, zitiert; dort sind jeweils auch die Fundstellen in den
AAS angegeben.

4. Gesamtkirchliche lehramtliche Dokumente (Für die päpstlichen
   Dokumente sind die Fundstellen im Text dem Personenregister zu entneh-
   men; für die übrigen Dokumente werden sie in Klammern angegeben; die
   Dokumente werden hier in chronologischer Reihenfolge aufgeführt).

Leo XIII., Enzyklika "Satis cognitum" (de unitate Ecclesiae) (29.6.
   1896), in: ASS 28/2 (1896) 708-739; deutsch: "Über die Einheit der
   Kirche" (offizielle deutsche Übersetzung), Freiburg 1896 (= Rund-

Baraúna, Turin 1964; portug. Original: A Sagrada Liturgia Renovada pelo
Concilio. Estudios e comentários em tôrno da Constitução Litúrgica do
Concílio Vaticano Segundo, hg. V. G. Baraúna, Petrópolis, RJ (Brasile):
Editoria Võzes, Ltda 1964.
Sapienter ordinare (FS E. Kleinadam), hg. v. F. Hoffmann u.a., Leipzig
1969.
Sentire Ecclesiam. Das Bewußtsein von der Kirche als gestaltende Kraft der
Frömmigkeit (FS H. Rahner), hg. v. J. Daniélou/ H. Vorgrimler, Frei-
burg-Basel-Wien 1961.
Tendenzen der Theologie im 20. Jahrhundert, hg. v. H. J. Schultz, Stutt-
gart-Freiburg 1966.
Theologie in Geschichte und Gegenwart (FS M. Schmaus), hg. v. J. Auer/ H.
Volk, München 1957.
Theologie und Predigt, hg. v. O. Wehner/ M. Frickel, Würzburg 1958.
Theologische Berichte 6. Liturgie als Verkündigung, hg. v. F. Furger, Zü-
rich-Einsiedeln-Köln 1977.
Umkehr und Erneuerung. Kirche nach dem Konzil, hg. v. Th. Filthaut, Mainz
1966.
Verkündigung und Glaube (FS F. X. Arnold), hg. v. Th. Filthaut/ J. A.
Jungmann, Freiburg 1958.
Vom christlichen Mysterium, hg. v. A. Mayer/ B. Neunheuser/ J. Quasten,
Düsseldorf 1951.
Wahrheit und Verkündigung (FS M. Schmaus), 2 Bde., hg. v. L. Scheffczyk/
W. Dettloff/ R. Heinzmann, München-Paderborn-Wien 1967.
Das Wort Gottes und die Liturgie (Referate des 3. französischen pastoral-
liturgischen Kongresses 1957), Mainz 1960; franz. Original: Parole de
Dieu et Liturgie, Paris 1958 (= LO 25).
Wort und Sakrament (ausgewählte Beiträge aus dem HThG), hg. v. H. Fries,
München 1966.

schreiben, erlassen von unserem heiligsten Vater Leo XIII., durch göttliche Vorsehung Papst. Vierte Sammlung, Freiburg o.J.), 228-309.

Leo XIII., Enzyklika "Divinum illud"(de praesentia et virtute mirifica Spiritus Sancti) (9.5.1897), in: ASS 29 (1896-97) 644-658; deutsch: "Über den Heiligen Geist" (= Rundschreiben, erlassen von unserem heiligsten Vater Leo XIII. 5. Sammlung, Freiburg o.J.), 77-117.

Pius X., Motu Proprio "Tra le sollecitudini" (über die Erneuerung der Kirchenmusik) (22.11.1903), in: ASS 36 (1903/04) 329-339 (ital.); 387-395 (lat.).

Konzilskongregation, Dekret "Sacra Tridentina Synodus" (22.12.1905), in: ASS 38 (1905) 400-466 (60, 61).

Sakramentenkongregation, Dekret "Quam singulari" (8.8.1910), in: AAS 2 (1910) 577-583 (60).

Pius X., Motu Proprio "Abhinc duos annos" (23.10.1913), in: AAS 5 (1913) 449-451.

Pius XI., Enzyklika "Miserentissimus" (8.5.1928), in: AAS 20 (1928) 165 bis 178.

Pius XI., Apost. Konstitution "Divini cultus" (20.12.1928), in: AAS 21 (1929) 33-41.

Pius XI., Enzyklika "Ad catholici sacerdotii" (20.12.1935), in: AAS 28 (1936) 5-53; deutsch: Rundschreiben Papst Pius' XI. über das katholische Priestertum, Innsbruck-Wien-München o.J.

Konzilskongregation, Instruktion (14.7.1941), in: AAS 33 (1941) 389-391 (60).

Pius XII., Ansprache an Pfarrer und Fastenprediger der Stadt Rom (13.3. 1943), in: AAS 35 (1943) 105-116.

Pius XII., Enzyklika "Mystici Corporis" (29.6.1943), in: AAS 35 (1943) 193-248; deutsch: Freiburg 1947, und H. Schäufele (Hg.), Unsere Kirche. Rundschreiben "Mystici Corporis" Papst Pius' XII. vom 29. Juni 1943, hg. u. erl. v. Dr. H. Schäufele, Heidelberg 1946.

Pius XII., Enzyklika "Mediator Dei" (20.11.1947), in: AAS 39 (1947) 521 bis 600; deutsch: Rundschreiben über die heilige Liturgie, Freiburg 1948.

Ritenkongregation, Memoria sulla Riforma Liturgica, Vatikan 1948 (Supplemento I, 1950; II, 1950; III, 1951; IV, 1957) (94, 99).

Pius XII., Adhortatio "Menti nostrae" (23.9.1950), in: AAS 42 (1950) 657-704.

Pius XII., Apost. Konstitution "Christus Dominus" (1953), in: AAS 45 (1953) 15-24.

Pius XII., Ansprache an Kardinäle und Bischöfe (2.11.1954), in: AAS 46 (1954) 666-677; deutsch (auszugsweise) in: LJ 6 (1956) 247-252.

Pius XII., Ansprache an die Teilnehmer des Ersten Internationalen Pastoralliturgischen Kongresses in Assisi-Rom (22.9.1956), in: AAS 48 (1956) 711-725; deutsch in: LJ 6 (1956) 234-246.

Hl. Offizium, Indult für die franz. Diözesen (17.10.1956), in: Bugnini II, 59 (93).

Hl. Offizium, Reskript (1957), in: AAS 49 (1957) 320 (294).

Ritenkongregation, Dekret (1.6.1957), in: AAS 49 (1957) 425 f. (302).

Hl. Offizium, Ermahnungen vom 14.2.1958, in: AAS 50 (1958) 114; vom 18. 2.1958 (ebd.); vom 24.7.1958 (ebd., 536) (94).

Ritenkongregation, Instructio de Musica sacra et sacra liturgia (3.9. 1958), in: AAS 50 (1958) 630-663 (83, 92, 94, 97, 162, 168, 237, 265, 281, 287).

Johannes XXIII., Predigt zur Besitzergreifung der Lateranbasilika (23. 11.1958), in: AAS 50 (1958) 913-921.

Johannes XXIII., Ansprache an Alumnen (18.2.1959), in: Bugnini II, 112.

Johannes XXIII., Ansprache an Priester (12.3.1959), in: AAS 51 (1959) 198-202.

Johannes XXIII., Motu Proprio "Superno Dei Nutu" (5.6.1960), in: AS I/I, 93-96.

Ritenkongregation, Codex Rubricarum, in: AAS 52 (1960) 597-705 (98).

Johannes XXIII., Motu Proprio "Rubricarum instructum" (25.7.1960), in: AAS 52 (1960) 593-595.

Paul VI., Rede zur Eröffnung der 2. Sitzungsperiode des Konzils (29.9. 1963), in: AS II/I, 183-200; deutsch in: HerKorr 18 (1963/64) 76-83.

Paul VI., Rede zum Abschluß der 2. Sitzungsperiode des Konzils (4.12. 1963), in: AAS 56 (1964) 31-40; deutsch in: Lengeling 5* f.

Paul VI., Motu Proprio "Sacram Liturgiam" (25.1.1964), in: AAS 56 (1964) 139-144; deutsch in: LJ 14 (1964) 152-156; Kommentar in: Lengeling, 253-268.

Paul VI., Enzyklika "Ecclesiam suam" (6.8.1964), in: AAS 56 (1964) 609 bis 659; deutsch in: HerKorr 18 (1963/64) 567-583.

Ritenkongregation, Instructio (prima) ad exsecutionem Constitutionis de sacra Liturgia recte ordinandam:"Inter Oecumenici" (26.9.1964), in: AAS 56 (1964) 877-900; deutsch mit Kommentar (H. Rennings), in: LebGo 7 (1965) 17-197 (629).

Consilium, Reskripte vom 20.11.1964, in: LebGo 7 (1965) 201-212 (629).

Ritenkongregation, Dekret (zur Einführung des erneuerten) "Ordo Missae" (27.1.1965), in: AAS 57 (1965) 408 f. (630).

Ritenkongregation, Dekret (zur Einführung des) "Ritus concelebrationis et communionis sub utraque specie" (7.3.1965), in: AAS 57 (1965) 410 bis 412 (436, 437, 630, 682, 683).

Paul VI., Enzyklika "Mense Maio" (1.5.1965), in: AAS 57 (1965) 353-358; deutsch in: HerKorr 19 (1965) 410 f.

Paul VI., Enzyklika "Mysterium fidei" (3.9.1965), in: AAS 57 (1965) 753 bis 774; deutsch in: HerKorr 19 (1965) 653-661.

Paul VI., Apost. Konstitution "Paenitemini" (17.2.1966), in: AAS 58 (1966) 177-198; deutsch in: NK 2 (1967) 4-47.

Sekretariat für die Einheit der Christen, Directorium ad ea quae a Concilio Vaticano Secundo de re oecumenica promulgata sunt exsequenda. Pars prima, in: AAS 59 (1967) 574-592; deutsch in: NK 7 (1967) 13 bis 59 (632, 692).

Paul VI., Apost. Konstitution "Indulgentiarum doctrina" (1.1.1967), in: AAS 59 (1967) 5-24; deutsch in: NK 2 (1967) 73-127.

Ritenkongregation, Instructio de musica sacra in sacra Liturgia: "Musicam sacram" (5.3.1967), in: AAS 59 (1967) 300-320; deutsch in: LJ 17 (1967) 106-126 (632).

Ritenkongregation, Instructio altera ad exsecutionem Constitutionis de sacra Liturgia recte ordinandam: "Tres abhinc annos" (4.5.1967), in: AAS 59 (1967) 442-448; deutsch in: LJ 17 (1967) 241-248 (632).

Ritenkongregation, Instructio de cultu mysterii eucharistici: "Eucharisticum mysterium" (25.5.1967), in: AAS 59 (1967) 539-573; deutsch in: NK 6 (1967) 29-117 (632, 649, 650, 651, 652, 653, 655, 657, 658, 659, 660, 672, 679, 680, 681, 682, 683, 684, 685, 692).

Paul VI., Ansprache an das *Consilium* (13.10.1966), in: AAS 58 (1966) 1145-1150; deutsch in: LJ 17 (1967) 53-56.

Paul VI., Professio fidei (30.6.1968), in: AAS 60 (1968) 436-445; deutsch in: HerKorr 22 (1968) 368-370.

Consilium, Instructio de interpretatione textuum liturgicorum (25.1. 1969), in: Notitiae 5 (1969) 3-12 (682).

Ritenkongregation, Ordo celebrandi Matrimonium (19.3.1969), Vatikan
1969 (634).

Paul VI., Apost. Konstitution "Missale Romanum" (3.4.1969), in: AAS 61
(1969) 217-222; deutsch in: LebGo 17/18 (1970) 122-125, und in: Meßbuch I, 15*-18*.

Ritenkongregation, Dekret zur Einführung des Ordo Missae (6.4.1969),
in: Notitiae 5 (1969) 147 (622).

Ritenkongregation, Institutio Generalis Missalis Romani (6.4.1969: Editio typica; 7.12.1974: Editio typica altera), in: Missale Romanum,
19*-92*; deutsch in: Meßbuch I, 19*-69* (664, 666, 669, 670, 673,
674, 676, 678, 681, 682, 683).

Paul VI., Apost. Konstitution "Sacra Rituum Congregatio" (8.5.1969),
in: AAS 61 (1969) 297-305.

Ritenkongregation, Ordo Baptismi parvulorum (15.5.1969), Vatikan 1969/
1973 (634, 683).

Gottesdienstkongregation, Instructio de Missis pro coetibus particularibus: "Actio pastoralis" (15.5.1969), in: AAS 61 (1969) 806-811;
deutsch in: LebGo 17/18 (1970) 42-47 (680).

Gottesdienstkongregation, Instructio de modo sanctam Communionem ministrandi: "Memoriale Domini" (29.5.1969), in: AAS 61 (1969) 541-545
(682).

Gottesdienstkongregation , Ordo exsequiarum (15.8.1969), Vatikan 1969
(634).

Ritenkongregation, Declaratio (zur Neuausgabe des Römischen Meßbuches)
(18.11.1969), in: Notitiae 5 (1969) 417 f. (663).

Gottesdienstkongregation, Dekret (zur neuen Ausgabe des Römischen Meßbuches) (26.3.1970), in: AAS 62 (1970) 554 (664).

Paul VI., Ansprache an das Consilium (10.4.1970), in: AAS 62 (1970) 272
bis 274.

Paul VI., Apost. Konstitution "Laudis canticum" (1.11.1970), in: AAS 63
(1971) 527-535; deutsch in: NK 34 (1975) 15-31.

Gottesdienstkongregation, Institutio Generalis de Liturgia Horarum
(2.2.1971), lat. und deutsch in: NK 34 (1975) 33-177 (634, 686, 688,
689, 690, 691, 692, 693).

Römische Bischofssynode, Der priesterliche Dienst. Gerechtigkeit in der
Welt (Bischofssynode 1971), Trier 1972; lat. in: AAS 63 (1971) 898
bis 992 (687, 688).

Kleruskongregation, Directorium catechisticum generale (11.4.1971), in:
AAS 64 (1972) 97-176 (684, 686).

Paul VI., Apost. Konstitution "Divinae consortium naturae" (über das
Sakrament der Firmung) (15.8.1971), in: AAS 63 (1971) 657-664.

Gottesdienstkongregation, Ordo Confirmationis (22.8.1971), Vatikan 1971
(634).

Gottesdienstkongregation, Ordo initiationis christianae adultorum (6.1.
1972), Vatikan 1972 (634).

Paul VI., Motu Proprio "Ministeria quaedam" (15.8.1972), in: AAS 64
(1972) 529-534; deutsch in: NK 38 (1974) 25-39.

Paul VI., Apost. Konstitution "Sacram unctionem infirmorum" (30.11.
1972), in: AAS 65 (1973) 5-9.

Gottesdienstkongregation, Ordo Unctionis infirmorum (7.12.1972), Vatikan 1972 (634).

Gottesdienstkongregation, Ritus de sacra communione et cultu mysterii
eucharistici extra Missam (21.6.1973), Vatikan 1973 (634, 679, 681,
683, 684, 685, 692).

Gottesdienstkongregation, Ordo Paenitentiae (2.12.1973), Vatikan 1973

(634, 682).

Paul VI., Apostolisches Schreiben über die Evangelisierung in der Welt
von heute: "Evangelii nuntiandi" (8.12.1975), in: AAS 68 (1976) 5-76;
hier zit. nach der lat.-deutschen Ausgabe, in: NK 7 (1976) 32-195
(681, 683, 689, 690).

Kongregation für die christliche Erziehung, Instructio de institutione
liturgica in Seminariis (3.6.1979), in: Notitiae 15 (1979) 526-549,
und Appendix: "Elenchus quaestionum quae in institutione liturgica
alumnorum Seminarii tractanda videntur", ebd., 549-565 (680).

5. Teilkirchliche und bischöfliche Dokumente

(Für Einzelpersonen sind die Fundstellen im Text dem Personenregister
zu entnehmen; für die übrigen Dokumente werden sie in Klammern angegeben. Die Dokumente sind hier chronologisch geordnet).

Directoire pour la pastorale des sacrements à l'usage du clergé adopté
par l'assemblée plénière de l'épiscopat pour tous les diocèses de
France, Paris 1951; deutsch: J. Hünermann (Hg.), Pastoral der Sakramente heute. Zum Gebrauch für den Klerus, Essen [3]1963 (461, 462,
463, 487).

Directoire pour la pastorale de la Messe à l'usage des diocèses de France, Paris 1956; deutsch: Richtlinien für die seelsorgliche Gestaltung der Meßfeier in den Bistümern Frankreichs, angenommen von der
Versammlung der Kardinäle und Erzbischöfe 1956, in: LJ 7 (1957) 163
bis 192 (383, 509, 513).

Montini, Kardinal G., Decennium Litt. Enc. "Mediator Dei" (Vortrag in
Verona, 14.9.1957), in: ELit 77 (1963) 244-259.

Montini, Kardinal G., De institutione liturgica (Fastenhirtenbrief
1958), in: ELit 77 (1963) 220-243.

Montini, Kardinal G., Pascha Nostrum (Fastenhirtenbrief 1959), in: ELit
77 (1963) 265-289.

Prima Romana Synodus 1960, Vatikan o.J. (534).

Montini, Kardinal, G., Predigten zur Karwoche 1961, in: ELit 77 (1963)
290-318.

Pastorale der deutschsprachigen Bischöfe an ihren Klerus (Rom, 4.12.
1963), in: Lengeling, 7*-12* (627, 628).

Österreichische Bischöfe, Fastenhirtenbrief und Instructio Pastoralis
(3.2.1964), in: Lengeling, 25*-31* (628).

Hirtenbrief der deutschen Bischöfe zur Veröffentlichung der Konstitution des II. Vatikanischen Ökumenischen Konzils "Über die Heilige Liturgie" (18.2.1964), in: Lengeling, 13*-16* (628, 629).

Deutsche Bischofskonferenz, Erlaß vom 18.2.1964, in: LebGo 7 (1965) 199
f. (628).

Deutsche Bischofskonferenz, Beschlüsse der Vollversammlung der Bischöfe
der Diözesen Deutschlands (Rom, 6.11.1964); Erklärungen und Anweisungen dazu, in: LebGo 7 (1965) 201-218 (629).

Weisungen der schweizerischen Bischöfe zur Einführung der Konstitution
über die heilige Liturgie, in: Lengeling, 35* f. (628).

Deutsche Bischofskonferenz, Richtlinien der deutschen Bischöfe für die
Feier der heiligen Messe in Gemeinschaft (1965) (20.1.1965), in:
LebGo 9 (1965) 9-61 (629, 630).

Deutsche Bischofskonferenz, Richtlinien für Meßfeiern kleiner Gruppen
(Gruppenmessen) (24.9.1970), in: NK 31 (1972) 54-64 (681).

Deutschsprachige Bischöfe, Die Feier der Kindertaufe in den katholischen

Bistümern des deutschen Sprachgebietes, Einsiedeln usw. 1971 (635).
Deutschsprachige Bischöfe, Die kirchliche Begräbnisfeier in den katholischen Bistümern des deutschen Sprachgebietes, Einsiedeln usw. 1973 (635).
Deutschsprachige Bischöfe, Die Feier der Firmung in den katholischen Bistümern des deutschen Sprachgebietes, Einsiedeln usw. 1973 (635).
Deutschsprachige Bischöfe, Die Feier der Buße nach dem neuen Rituale Romanum. Studienausgabe, Einsiedeln usw. 1974 (635, 682).
Deutschsprachige Bischöfe, Die Feier der Trauung in den katholischen Bistümern des deutschen Sprachgebietes, Einsiedeln usw. 1975 (635).
Deutschsprachige Bischöfe, Die Feier der Eingliederung Erwachsener in die Kirche nach dem neuen Rituale Romanum. Studienausgabe, Einsiedeln usw. 1975 (635).
Deutschsprachige Bischöfe, Die Feier der Krankensakramente. Die Krankensalbung und die Ordnung der Krankenpastoral in den katholischen Bistümern des deutschen Sprachgebietes, Einsiedeln usw. 1976 (634, 686).
Deutschsprachige Bischöfe, Kommunionspendung und Eucharistieverehrung außerhalb der Messe. Studienausgabe, Einsiedeln usw. 1976 (635, 678).
Gemeinsame Synode der Bistümer in der Bundesrepublik Deutschland. Offizielle Gesamtausgabe, Freiburg-Basel-Wien [2]1976 (145).
Deutschsprachige Bischöfe, Benediktionale. Studienausgabe, Einsiedeln usw. 1978 (635).

II. Literatur zur Liturgiekonstitution des II. Vatikanischen Konzils

(Die Fundstellen im Text sind dem Personenregister zu entnehmen; die mit Kurztiteln angeführten Sammelwerke verschiedener Autoren sind am Schluß dieses Verzeichnisses gesondert zusammengestellt).

Antonelli, F./ Falsini, R. (Hg.), Costituzione Conciliare sulla sacra Liturgia. Introduzione, Testo latino-italiano, commento, Mailand 1964, [2]1965 (= Sussidi litugico-pastorali 7).
Antonelli, F., Introduzione, in: F. Antonelli/ R. Falsini (Hg.), Costituzione sulla sacra Liturgia, 9-21.
Baraúna, G., La partecipazione attiva, principio inspirante e direttiva della Costituzione, in: Ders. (Hg.), La sacra Liturgia ..., 135-199.
-, (Hg.), A Sagrada Liturgia Renovada pelo Concilio. Estudios e comentários em tôrno da Constituçāo Litúrgica di Concílio Vaticano Segundo, Petrópolis, RJ (Brasile): Editoria Vōzes, Ltda 1964; italienisch: G. Baraúna (Hg.), La Sacra Liturgia rinnovata dal Concilio - Studia e commenti intorno alla Costituzione Liturgica del Concilio Ecumenico Vaticano II, Turin 1964, [2]1965.
Berthier, R., Comment l'Église annonce la Parole de Dieu, in: MD, Nr. 80 (1964) 201-216.
Bettencourt, S., L'Ufficio Divino rinnovato fonte di vita cristiana, in: G. Baraúna (Hg.), La Sacra Liturgia ..., 559-583.

Bormann, P. Der Pfeil des Wortes trifft sein Ziel. Theologische Erwägungen zum Themenkreis "Wort Gottes" und "Verkündigung", in: Ders./ H.-J.
Degenhardt (Hg.), Liturgie in der Gemeinde, 2 Bde., Paderborn 1965, II,
135-154.
Bugnini, H. (Hannibal = Annibale), De sacra Liturgia in prima periodo Con-
cilii Oecumenici Vaticani II (= Edizione Liturgiche), Rom 1963.
Castro Engler, J. (Juan = Giovanni), Il sacerdozio regale dei fedeli e la
sua attualizzazione, in: G. Baraúna (Hg.), La Sacra Liturgia ..., 201
bis 228.
Commentaire complet de la Constitution conciliaire sur la liturgie, in: MD,
Nr. 77 (1964) 8-224.
Constitutio de Sacra Liturgia cum Commentario, in: ELit 78 (1964) 227-401.
Crichton, J. D., The Church's Worship. Considerations on the Liturgical
Constitution of the Second Vatican Council, London 1964.
Decourtray, A.. Esquisse de l'Église d'après la constitution 'De Sacra Li-
turgia', in: MD, Nr. 78 (1964) 40-62.
Dürig, W. Die theologische Bedeutung der Liturgie-Konstitution. Zum 1.
Jahrestag der Veröffentlichung, in: MThZ 15 (1964) 251-258.
Falsini, R. (Kommentar zu SC 102-110), in: F. Antonelli/ R. Falsini (Hg.),
Costituzione conciliare sulla sacra Liturgia, 333-352.
Famoso, S., (Kommentar zu SC 21-36), in: ELit 78 (1964) 251-266.
Fesenmayer, G., L'omelia nella celebrazione eucharistica, in: G. Baraúna
(Hg.), La Sacra Liturgia ..., 411-435.
Floristán, C. u.a. (Hg.), Concilio Vaticano II, 1: Comentarios a la con-
stitución sobre la sagrada liturgia, Madrid 1964.
Franquesa, A.; (Kommentar zu SC 57 und 58, in: ELit 78 (1964) 296-308.
Gaillard, J., Chronique de la liturgie. La constitution conciliaire, in:
RThom 64 (1964) 260-279.
Garrido, M., (Kommentar zu SC 1-8), in: C. Floristán u.a. (Hg.), Concilio
Vaticano II, 112-194.
Garronne, G. Le rôle de la Constitution de Sacra Liturgia sur l'évolution
du Concile et l'orientation de la pastorale, in: Miscellanea Liturgica
FS Kard. G. Lercaro), 2 Bde., Rom-Paris-Tournai-New-York 1967, II, 11
bis 26.
Gavaler, C., Die Homilie als Teil der Messe, in: LJ 15 (1965) 103-107.
Gelineau, J., L'homélie, forme plénière de la prédication, in: MD, Nr. 82
(1965) 29-42.
Goltzen, H., Verständigung über den Gottesdienst, in: J. Chr. Hampe (Hg.),
Die Autorität der Freiheit. Gegenwart des Konzils und Zukunft der Kir-
che im ökumenischen Disput, 3 Bde., München 1967, I, 552-574.
Gy, P.-M., (Kommentar zu SC 13), in: MD, Nr. 77 (1964) 30 f.
-, (Kommentar zu SC, Kap. IV), in: MD, Nr. 77 (1964) 159-176.
-, De verbo Dei in Liturgia (Kommentar zu SC 24, 35, 52, 56), in: ELit 78
(1964) 272-275.
Jossua, J.-P., La Constitution "Sacrosanctum Concilium" dans l'ensemble de
l'oeuvre conciliaire, in: Ders./ Y. Congar (Hg.), La liturgie après Va-
tican II. Bilans, Études, Prospective, Paris 1967, 127-156.
Jounel, P., (Kommentar zu SC 21-36), in: MD, Nr. 77 (1964) 43-73.
-, (Kommentar zu SC 102-111), in: MD, Nr. 77 (1964) 177-191.
Jungmann, J. A., Einleitung, in: Konstitution des II. Vatikanischen Kon-
zils "Über die heilige Liturgie". Hg. und erl. von Bischof S. K. Landersdorfer, J. A. Jungmann u. J. Wagner, Münster 1964.
-, Einleitung und Kommentar (zur Konstitution des II. Vatikanischen Kon-
zils "Über die heilige Liturgie"), in: LThK.E I, 10-109.
Kémérer, G., Celebrazione della parola di Dio in localita dove non vi sian-

no sacerdoti, in: G. Baraúna (Hg.), La Sacra Liturgia, 303-310.

Langemeyer, B.,Der Gottesdienst der Pilger und Fremdlinge, in: LebZeug (1966), Heft 2/3/4, 124-144 (= in: K. Wittstadt (Hg.), Theologie im Dialog mit der Wirklichkeit, Würzburg 1979, 143-163).

Langemeyer, B.,Die Weisen der Gegenwart Christi im liturgischen Geschehen, in: O. Semmelroth (Hg.), Martyria - Leiturgia - Diakonia (FS H. Volk), Mainz 1968, 286-307.

Lengeling, E. J. (Hg.), Die Konstitution des Zweiten Vatikanischen Konzils über die heilige Liturgie. Lateinisch-deutscher Text mit einem Kommentar von E. J. Lengeling, Münster [2]1965 (= LebGo 5/6).

-, Die Lehre der Liturgiekonstitution vom Gottesdienst, in: LJ 15 (1965) 1-27.

-, Die Liturgiekonstitution des II. Vatikanischen Konzils. Grundlinien und kirchengeschichtliche Bedeutung, in: LJ 14 (1964) 107-121.

-, Die Meßfeier als Eucharistie, in: P. Bormann/ H.-J. Degenhardt (Hg.), Liturgie in der Gemeinde, I, 57-68.

Maertens, Th., La Constitution 'de la Sainte Liturgie' du Concile de Vatican II, in: ParLi 46 (1964) 81-102.

-, Où en est le Concile sur le plan liturgique?, in: ParLi 45 (1963) 261 bis 272.

Manders, H., Die Konzelebration, in: Conc 1 (1965) 136-144.

Marsili, S. La Messa mistero pasquale e mistero della chiesa, in: G. Baraúna (Hg.), La Sacra Liturgia ..., 343-369.

Massi, P., Catechesi e Predicazione liturgica, in: RivLi 50 (1963) 131-147.

-, Liturgia della Parola annuncio del mistero di Cristo, in: RivLi 53 (1966) 307-332.

-, Il segno dell'Assemblea, in: RivLi 51 (1964) 149-178; 52 (1965) 86-119.

Matura, M. C., Die Konstitution über die Liturgie und die Mysterientheologie, in: LuM, Heft 36 (1965) 7-11.

McManus, F. R., Die Rechtsvollmacht des Bischofs in der Konstitution über die heilige Liturgie, in: Conc 1 (1965) 86-93.

Michiels, G. Vers une redécouverte de l'office divin, in: QLP 45 (1964) 228-240.

Mühlen, H., Dogmatische Überlegungen zur liturgischen Konstitution, in: Cath 19 (1965) 108-135.

-, Die Wirksamkeit des Heiligen Geistes als Ermöglichungsgrund jeglichen liturgischen Tuns. Zum dogmatischen Verständnis der Aussagen der Liturgiekonstitution, in: P. Bormann/ H.-J. Degenhardt (Hg.), Liturgie in der Gemeinde, II, 40-61.

Mußner, F. Liturgiekonstitution und Schriftlesung für die Gemeinde, in: TThZ 75 (1966) 108-118.

Neunheuser, B., Mysterium Paschale. Das österliche Mysterium in der Konzilskonstitution "Über die heilige Liturgie", in: LuM, Heft 36 (1965) 12-33.

Nocent, A., Prospettive d'avvenire per l'Ordo Missae, in: G. Baraúna (Hg.), La Sacra Liturgia ..., 371-410.

Nuij, A.,Die Konzelebration der Eucharistiefeier, Münster 1965 (= LebGo 11).

Pascher, J., Ekklesiologie in der Konstitution des Vaticanum II über die Heilige Liturgie, in: LJ 14 (1964) 229-237.

-, (Kommentar zu SC 83-84), in: ELit 78 (1964) 338-341.

-, Das Wesen der tätigen Teilnahme. Ein Beitrag zur Theologie der Konstitution über die heilige Liturgie, in: Miscellanea Liturgica ... II, 211 bis 229.

Pauwels, C. F., De theologie van de Constitutie over de Liturgie, in: TL 48 (1964) 104-110.

Pou y Rius, R., La presenza di Cristo nei Sacramenti, in: RivLi 54 (1967) 21-38.
Rennings, H., Die Tätigkeit des Consilium. Weitere Schritte zur Durchführung der Konzilskonstitution bis zur Veröffentlichung der Instruktion vom 26. September 1964, in: LebGo 7 (1964) 9-15.
Rinaudo, S., L'Assemblea liturgica, in: RivLi 51 (1964) 179-192.
Roguet, A.-M., La célébration sacrée de la Parole de Dieu, in: Miscellanea Liturgica ..., II, 119-132.
-, (Kommentar zu SC 5-12), in: MD, Nr. 77 (1964) 20-31.
-, (Kommentar zu SC 59-82), in: MD, Nr. 77 (1964) 133-158.
-, La présence active du Christ dans la Parole de Dieu, in: MD, Nr. 82 (1965) 8-28.
Salmon, P., (Kommentar zu SC 83), in: F. Antonelli/ R. Falsini (Hg.), Costituzione Conciliare sulla sacra Liturgia, 315 f.
Schmidt, H., Die Konstitution über die heilige Liturgie. Text - Vorgeschichte - Kommentar, Freiburg-Basel-Wien 1965 (= HerBü 218).
Schürmann, H., Die Heilige Schrift im gottesdienstlichen Raum der Kirche, in: P. Bormann/ H.-J. Degenhardt (Hg.), Liturgie in der Gemeinde, I, 94 bis 101.
-, Das Wort Gottes in der Konstitution des II. Vatikanischen Konzils über die Heilige Liturgie, in: P. Bormann/ H.-J. Degenhardt (Hg.), Liturgie in der Gemeinde, II, 128-134.
Vagaggini, C., Der Bischof und die Liturgie, in: Conc 1 (1965) 75-82.
-, Idee fondamentale della Costituzione, in: G. Baraúna (Hg.), La Sacra Liturgia ..., 59-100.
-, (Kommentar zu SC 5-13), in: F. Antonelli/ R. Falsini, Costituzione Conciliare sulla sacra Liturgia, 189-202.
-, (Kommentar zu SC 5-13), in: ELit 78 (1964) 226-246.
-, Lo spirito della Costituzione sulla Liturgia, in: RivLi 51 (1964) 5-47.
-, Il valore teologico e spirituale della Messa concelebrata, in: RivLi 52 (1965) 189-219.
Vandenbroucke, F., La communione sotto le due specie e la concelebrazione, in: G. Baraúna (Hg.), La Sacra Liturgia ..., 463-475.
Verheul, A., Liturgie is Paasmysterie, in: TLi 48 (1964) 420-433.
Visentin, P., L'Assemblea liturgica, manifestazione del mistero della chiesa, in: RivPaLi 2 (1964) 175-188.
-, Il mistero di Cristo nella Liturgia secondo la Costituzione liturgica, in: RivLi 51 (1964) 50-52; 293-307.
Volk, H., Gottesdienst als Selbstdarstellung der Kirche, in: LJ 16 (1966) 65-90
-, Liturgie heute, in: Ders., Gesammelte Schriften II, Mainz 1966, 197-213.
-, Theologische Grundlagen der Liturgie. Erwägungen nach der Constitutio De Sacra Liturgia, Mainz 1964.
-, Volk, H., Theologische Grundlagen für die Neuordnung des Gottesdienstes, in: LebGo 9 (1965) 63-80 (= Ders., Gesammelte Schriften II, Mainz 1966, 179-196).
Wagner, J., Quellenhinweise, in: Konstitution des II. Vatikanischen Konzils "Über die heilige Liturgie", hg. u. erl. v. Bischof S. K. Landersdorfer, J. A. Jungmann und J. Wagner, Münster 1964, 94-100.
Zauner, F., (Kommentar zu SC 102-105), in: ELit 78 (1964) 357-360.

III. <u>Weitere Literatur</u> (in diesem Verzeichnis werden sämtliche weiteren in der vorliegenden Untersuchung zitierten Veröffentlichungen
aufgeführt; die Fundstellen im Text sind dem Personenregister zu
entnehmen; die mit Kurztitel angegebenen Sammelwerke sind am Schluß
dieses Verzeichnisses gesondert aufgeführt).

Adam, A., Erneuerte Liturgie. Eine Orientierung über den Gottesdienst heu-
te, Freiburg-Basel-Wien 1972.
-, Das Kirchenjahr mitfeiern. Seine Geschichte und seine Bedeutung nach
der Liturgieerneuerung, Freiburg-Basel-Wien 1979.
-, Die Meßpredigt als Teil der eucharistischen Liturgie, in: Th. Maas-
Ewerd/ K. Richter, Gemeinde im Herrenmahl. Zur Praxis der Meßfeier (FS
E. J. Lengeling), Einsiedeln-Zürich-Freiburg-Wien 1976, 242-250.
-, Sinn und Gestalt der Sakramente, Würzburg 1975 (= Pastorale Handrei-
chungen 16).
Agustoni, L./ Wagner, J., Tätige Teilnahme der Gläubigen am Gottesdienst
der Kirche. 3. Internationales Liturgisches Studientreffen (14.-18.9.
1953) in Lugano (Schweiz), in: LJ 3 (1953) 127-147.
-, Das Wort Gottes als kultisches Wort, in: Anima 10 (1955) 272-284.
Alszeghy, Z./ Flick, M., Il problema teologico della predicazione, in: Gr.
40 (1959) 671-744.
-, Die Theologie des Wortes Gottes bei den mittelalterlichen Theologen,
in: Gr. 39 (1958) 658-705.
Antonelli, F., Die Reform der Liturgie der Heiligen Woche. Ihre Bedeutung
und ihr pastoraler Charakter, in: LJ 5 (1955) 199-203.
Arnold, A., Der Ursprung des christlichen Abendmahls im Lichte der neu-
esten liturgiegeschichtlichen Forschung, Freiburg 1939 (= FThSt 45).
Arnold, F. X., Grundsätzliches und Geschichtliches zur Theologie der Seel-
sorge, Freiburg 1949.
Auer, J., Allgemeine Sakramentenlehre und das Mysterium der Eucharistie,
Regensburg 1971 (= KKD VI).
-, (Rezension zu J. Betz, Die Eucharistie in der Zeit der griechischen Vä-
ter I/1), in: ZfKg 68 (1957) 163-168.
Auf der Maur, H., Der neue Ordo Missae - Abschluß der Meßreform?, in:
MusAl 21 (1969) 147-153.
Augustinus, De civitate Dei; deutsch in: BKV, Augustinus, Bd. I-III.
-, In Ioannis Evangelium Tractatus; deutsch in: BKV, Augustinus, Bd. IV-VI.
Averbeck, W., Der Opfercharakter des Abendmahls in der neueren evangeli-
schen Theologie, Paderborn 1967.
Aymans, W., Das synodale Element in der Kirchenverfassung, München 1970.

Backes, I., Die Sakramente als Zeichen Christi, in: TThZ 65 (1956) 329-336.
Balthasar, H. U. v., Casta Meretrix, in: Ders., Sponsa Verbi. Skizzen zur
Theologie II, Einsiedeln 1961, 203-305.
-, Gott redet als Mensch, in: Ders., Verbum Caro. Skizzen zur Theologie I,
Einsiedeln 1960, 73-99 (= Gott hat eine menschliche Sprache gesprochen,
in: Das Wort Gottes und die Liturgie. Referate des 3. französischen pa-
storalliturgischen Kongresses 1957, Mainz 1960, 48-75); franz. Original:
Dieu a parlé un language d'homme, in: Parole de Dieu et Liturgie, Paris
1958 (= LO 25), 51-69.
-, Die Katholizität Pauls VI., in: IKaZ 6 (1977) 475-477.
-, Die Messe, ein Opfer der Kirche?, in: Ders., Spiritus Creator. Skizzen
zur Theologie III, Einsiedeln 1967, 166-217.
-, Priesterliche Existenz, in: Ders., Sponsa Verbi. Skizzen zur Theologie

II, Einsiedeln 1961, 388-433.
Balthasar, H. U. v., Schauen, Glauben, Essen, in: Ders., Sponsa Verbi.
Skizzen zur Theologie II, Einsiedeln 1971 502-513.
-, Sehen, Hören und Lesen im Raum der Kirche, in: Ders., Sponsa Verbi.
Skizzen zur Theologie II, Einsiedeln 1971, 484-501 (Erstveröff. 1939).
-, Trinität und Zukunft, in: Ders., Klarstellungen. Zur Prüfung der Gei-
ster, Freiburg-Basel-Wien 1971 (= HerBü 393), 52-58.
-, Wer ist die Kirche?, in: Ders., Sponsa Verbi. Skizzen zur Theologie II,
Einsiedeln 1961, 148-202.
-, Wer ist die Kirche? Vier Skizzen, Freiburg-Basel-Wien 1965 (= HerBü 239).
Barbel, J., (Rezension zu J. Betz, Die Eucharistie in der Zeit der grie-
chischen Väter I/1), in: ThRv 53 (1957) 61-71.
Barsotti, D., Christliches Mysterium und Wort Gottes, Einsiedeln-Köln-Zü-
rich 1957 ;ital. Original: Il mistero cristiano e la Parola di Dio,
Florenz 1954.
-, Wort Gottes und Liturgie, in: Anima 10 (1955) 284-292.
Bartz, W., (Kommentar zum Ökumenischen Direktorium, Teil I), in: NK 7
(1967) 7-11.
Baumgartner, J., Das Verkündigungsanliegen in der Liturgiereform des II.
Vatikanischen Konzils, in: F. Furger (Hg.), Theologische Berichte 6.
Liturgie als Verkündigung, Zürich-Einsiedeln-Köln 1977, 123-165.
Bavel, T. J. van, Christus' aanwezigheid in liturgie en sacrament, in:
QL(P) 50 (1970) 175-190.
Bea, A., Diener des Sakramentes und Diener des Wortes, in: LJ 10 (1960)
193-199.
-, Die seelsorgliche Bedeutung des Wortes Gottes in der Liturgie, in: J.
Wagner (Hg.), Erneuerung der Liturgie aus dem Geiste der Seelsorge un-
ter dem Pontifikat Papst Pius' XII. Akten des Ersten Internationalen
Pastoralliturgischen Kongresses zu Assisi. Deutsche Ausgabe, Trier
1957, 129-153.
Beauduin, L., L'encyclique "Mediator Dei", in: MD, Nr. 13 (1948) 7-25.
-, La Liturgie - Définition - Hiearchie - Tradition, in: QLP 29 (1948) 123
bis 144.
Behm, J., ἀνάμνησις, in: ThWNT I, 351 f.
Beinert, W., Die Enzyklika "Mysterium fidei" und neuere Auffassungen über
die Eucharistie, in: ThQ 147 (1967) 159-176.
Berbuir, E., Wort und Sakrament, in: LuM, Heft 12 (1953) 35-49.
Berger, R., Liturgische Bewegung, in: Ders., Kleines liturgisches Wörter-
buch, Freiburg-Basel-Wien 1969 (= HerBü 339/340/341), 272 f.
-, Tut dies zu meinem Gedächtnis. Einführung in die Feier der Messe, Mün-
chen 1971.
Berkhof, H., Theologie des Heiligen Geistes, Neukirchen-Vluyn 1968; amerik.
Original: The doctrine of the Holy Spirit, Richmond/ USA o.J. (1964).
Betz, J., Eucharistie I-VI, in: LThK² III (1959), 1142-1157.
-, Eucharistie, in: HThG I (1962), 336-355.
-, Eucharistie, in: SM I (1967), 1214-1233.
-, Eucharistie als zentrales Mysterium, in: MySal IV/2 (1973), 185-313.
-, Die Eucharistie in der Zeit der griechischen Väter, Bd. I/1: Die Aktu-
alpräsenz der Person und des Heilswerkes Jesu im Abendmahl nach der
vorephesinischen griechischen Patristik, Freiburg 1955; Bd. II/1: Die
Realpräsenz des Leibes und Blutes Jesu im Abendmahl nach dem Neuen Te-
stament, Freiburg-Basel-Wien 1961.
-, Die Gegenwart der Heilstat Christi, in: L. Scheffczyk/ W. Dettloff/ R.
Heinzmann (Hg.), Wahrheit und Verkündigung (FS M. Schmaus), 2 Bde.,
München-Paderborn-Wien 1967, II, 1807-1826.

Betz, J., Die Prosphora in der patristischen Theologie, in: B. Neunheuser (Hg.), Opfer Christi und Opfer der Kirche, Düsseldorf 1960, 99-116.
-, Sacrifice et action de grâce, in: MD, Nr. 87 (1966) 78-96.
-, Wort und Sakrament. Versuch einer dogmatischen Verhältnisbestimmung, in: Th. Filthaut/ J. A. Jungmann (Hg.), Verkündigung und Glaube (FS F. X. Arnold), Freiburg 1958, 76-99.
Beyer, K., Abendmahl und Messe. Sinn und Recht der 80. Frage des Heidelberger Katechismus, Neukirchen-Vluyn 1965.
Biemer, G., Verkündigung in der Geschichte der Kirche. Die hermeneutische Problematik christlicher Verkündigung, in: HVK I, 296-334.
Bienias, P., Bibliographie Odo Casel, in: A. Mayer/ B. Neunheuser/ J. Quasten (Hg.), Vom christlichen Mysterium, Düsseldorf 1951, 363-373.
Billot, L., De Ecclesia Sacramentis. Commentarius in tertiam partem S. Thomae, Rom ⁷1931.
Birnbaum, W., Die katholische liturgische Bewegung. Darstellung und Kritik, Gütersloh 1926 (= Beiträge zur Förderung christl. Theologie, 30. Bd., 1. Heft).
-, Das Kultusproblem und die liturgischen Bewegungen des 20. Jahrhunderts, Bd. I: Die deutsche katholische liturgische Bewegung, Tübingen 1966.
Biser, E., Das Christusgeheimnis der Sakramente, Heidelberg 1950.
Böckenhoff, Die Begegnungsphilosophie. Ihre Geschichte - ihre Aspekte, Freiburg-München 1970.
Boff, L., Die Kirche als Sakrament im Horizont der Welterfahrung. Versuch einer Legitimation und einer struktur-funktionalistischen Grundlegung der Kirche im Anschluß an das II. Vatikanische Konzil, Paderborn 1972.
Bogler, Th., Deutschland, in: Ders. (Hg.), Liturgische Erneuerung in aller Welt. Ein Sammelbericht, Maria Laach 1950, 15-28.
-, Die liturgische Bewegung seit dem Erscheinen von "Mediator Dei", in: LJ 1 (1951) 15-31.
-, Bogler, Th. (Hg.), Liturgische Erneuerung in aller Welt. Ein Sammelbericht, Maria Laach 1950.
Bornkamm, G., μυστήριον, in: ThWNT IV, 809-834.
Botte, B., Abriß der Liturgiegeschichte. Von den Anfängen bis zum Konzil von Trient, in: HLW I, 36-46.
-, Der Kollegialitätscharakter des Priester- und Bischofsamtes, in: J. Guyot (Hg.), Das apostolische Amt, Mainz 1961, 68-91.
Bouyer, L., Eucharistie. Théologie et spiritualité de la prière eucharistique, Tournai 1966.
-, Die Kirche, 2 Bde., Einsiedeln 1977.
-, Prédication et mystère, in: MD, Nr. 16 (1948) 12-33.
-, Le rite et l'homme. Sacralité naturelle et liturgie, Paris 1962 (= LO 32).
-, La vie de la liturgie, Paris 1956 (= LO 20).
-, Das Wort Gottes lebt in der Liturgie, in: Das Wort Gottes und die Liturgie, 76-94; franz. Original: La Parole de Dieu vit dans la Liturgie, in: Parole de Dieu et Liturgie, Paris 1958 (= LO 25), 105-126.
-, Wort - Kirche - Sakrament in evangelischer und katholischer Sicht, Mainz 1961.
Braga, C., De Liturgia in prima Synodo Episcoporum, in: ELit 81 (1967) 462-472.
-, In novum ordinem Missae, in: ELit 83 (1969) 375-385.
Brakmann, H., Der Laie als Liturge. Möglichkeiten und Probleme der erneuerten Römischen Messe, in: LJ 21 (1971) 214-231.
Brinkhoff, L., Liturgische Beweging I, in: LitW II, 1596-1606.
Bro, B., Der Mensch und die Sakramente. Anthropologische Infrastruktur der christlichen Sakramente, in: Conc 4 (1968) 15-24.

Buber, M., Ich und Du, in: Ders., Das dialogische Prinzip, Heidelberg 1965, 1-136.
Bugnini, A. (Hg.), Documenta Pontificia ad Instaurationem Liturgicam spectantia, Bd. I (1903-1953), Rom 1953; Bd. II (1953-1959), Rom 1959.
-, La liturgia è l'esercizio del sacerdozio di Gesù Cristo per mezzo della Chiesa, in: Asprenas 6 (1959) 4.
-, L'opera del Card. Gaetano Cicognani per il rinnovamento liturgico del' ultimo decennio, in: ELit 76 (1962) 130-133.
Bultmann, R. Das Evangelium nach Johannes, Göttingen [19]1968 (= Mayers Kommentar, II. Abtlg.).
Busse, U., Das Nazareth-Manifest Jesu. Eine Einführung in das lukanische Jesusbild nach LK 4,16-30 (= SBS 91).

Callewaert, C., De sacra liturgia universim, Brügge 1919, [4]1944.
Capelle, B., Autour de l'encyclique "Mediator" (Literaturbericht), in: QLP 31 (1950) 12-17.
-, Le Saint-Siège et le mouvement liturgique, in: QLP 21 (1936) 125-147.
Caprile, G., Die Chronik des Konzils und der nachkonziliaren Arbeit vom Oktober 1958 bis Dezember 1967, in: LThK.E III, 624-664.
Casel, O., Altchristlicher Kult und Antike, in: JLW 3 (1923) 1-17.
-, Art und Sinn der ältesten christlichen Osterfeier, in: JLW 14 (1938) 1 bis 78.
-, Das christliche Kultmysterium, Regensburg 1932, [4]1960.
-, Das christliche Opfermysterium. Zur Morphologie und Theologie des eucharistischen Hochgebetes (posthum hg. u. eingel. v. V. Warnach), Graz-Wien-Köln 1968.
-, Die Eucharistielehre des heiligen Justinus Martyr, in: Katholik 4 (1914) I, 153-176, 243-263, 351-355, 414-435.
-, Das Gedächtnis des Herrn in der altchristlichen Liturgie, Freiburg 1918, [5]1920 (= EcOra 2).
-, Glaube, Gnosis und Mysterium, in: JLW 15 (1941) 155-305.
-, Literaturbericht - Allgemeines, in: ALW 1 (1950) 135-199 (posthum).
-, Literaturbericht: Beziehungen zur Religionsgeschichte, in: ALW 1 (1950) 200-235 (posthum).
-, Die Liturgie als Mysterienfeier, Freiburg 1922, [5]1923 (= EcOra 9).
-, Die Meßopferlehre der Tradition, in: ThGl 23 (1931) 351-367.
-, Mysterienfrömmigkeit, in: BZThS 4 (1927) 101-117.
-, Das Mysteriengedächtnis der Meßliturgie im Lichte der Tradition, in: JLW 6 (1926) 113-204.
-, Mysteriengegenwart, in: JLW 8 (1928) 145-224.
-, Mysterium der Ekklesia. Von der Gemeinschaft der Erlösten in Christus Jesus. Aus Schriften und Vorträgen (aus dem Nachlaß hg. v. Th. Schneider), Mainz 1961.
-, (Hg.), Mysterium. Gesammelte Arbeiten Laacher Mönche, Münster 1926.
-, Das Mysterium des Kommenden, Paderborn 1952 (posthum).
-, Die Stellung des Kultmysteriums im Christentum, in: LiZs 3 (1930/31) 39-53, 72-83, 103-115.
-, Zur Kultsprache des heiligen Paulus, in: ALW 1 (1950) 1-64.
Caterina von Siena, Gespräch von Gottes Vorsehung, Einsiedeln 1964.
Ciappi, A., De praesentia Domini in communitate cultus ratione characteris baptismatis, in: ACI, 272-282.
Congar, Y., L'*Ecclesia* ou communautè chrètienne, sujet intègral de l'action liturgique, in: J.-P. Jossua/ Y. Congar (Hg.), La Liturgie après Vatican II, 241-282.
-, Heilige Kirche, Stuttgart 1966.

Congar, Y., Je crois en l'Esprit Saint (bisher 2 Bde.), Paris 1979.

-, Das Verhältnis zwischen Kult oder Sakrament und Verkündigung des Wortes, in: Conc 4 (1968) 176-181.

Contestabile, V., Uno sguardo complessivo al documento ("Eucharisticum mysterium"), in: ELit 81 (1967) 425-430.

Cordes, P. J., Sendung zum Dienst. Exegetisch-historische und systematische Studien zum Konzilsdekret "Vom Dienst und Leben der Priester", Frankfurt/ M. 1972 (= FTS 9).

Cullmann, O., Christus und die Zeit. Die urchristliche Zeit- und Geschichtsauffassung, Zollikon-Zürich 1946.

Cuva, A., La presenza di Cristo nella Liturgia, Rom 1973 (= Liturgica 4).

Dalmais, I.-H., Initiation à la Liturgie, Paris 1958.

-, /Henry, A.-M., Die Liturgie, in: Die katholische Glaubenswelt I, Freiburg 1959, 79-118.

-, La liturgie, acte de l'Église, in: MD, Nr. 19 (1949) 7-25.

-, Liturgie und Heilsmysterium, in: HLW I, 214-238.

Daniélou, J. Die liturgische Bewegung seit dem Konzil, in: IKaZ 3 (1974) 1 bis 7.

-, Die liturgische Verkündigung des Gotteswortes bei den Kirchenvätern, in: Anima 10 (1955) 292-295.

-, Sakramente und Heilsgeschichte, in: Das Wort Gottes und die Liturgie, 32-47; franz. Original: Sacrements et histoire du salut, in: Parole de Dieu et Liturgie, Paris 1958 (= LO 25), 51-69.

Darlapp, A., Anamnese, in: LThK^2 I (1957), 483-486.

-, Gegenwart(sweisen), in: LThK^2 IV (1960), 588-592.

Dausend, H. Kundgebungen der letzten Päpste zur liturgischen Bewegung und zum Kirchengesang, Düsseldorf 1931 (= Religiöse Quellenschriften 91).

Dekkers, E., Casel, Odo Johannes, in: LitW I (1962), 364 f.

-, Mysterieleer, in: LitW II (1968), 1831-1839.

-, La théologie du mystère de O. Casel, in: QL(P) 50 (1970) 212 f. (Kurzbericht).

De Smedt, E. J., Das Priestertum der Gläubigen, in: G. Baraúna (Hg.), De Ecclesia. Beiträge zur Konstitution "Über die Kirche" des Zweiten Vatikanischen Konzils, 2 Bde., Freiburg-Basel-Wien-Frankfurt/ M. 1966, I, 380-392.

Diederich, E. A., Das Gegenwärtigwerden Christi bei der Feier der Eucharistie, in: IKaZ 7 (1978) 498-508.

Diekamp, F./ Jüssen, K., Katholische Dogmatik nach den Grundsätzen des heiligen Thomas, Münster 10^{-12}1949-1954.

Dirks, A. (Rezension zu A. Verheul, Einführung in die Liturgie), in: ELit 77 (1963) 422-424.

Doerner, A., Sentire cum Ecclesia! Ein dringender Aufruf und Weckruf an Priester, Mönchen-Gladbach 1941.

Dournes, J., Die Siebenzahl der Sakramente - Versuch einer Entschlüsselung, in: Conc 4 (1968) 32-40.

Duda, B., De aspectibus trinitariis praesentiae Domini in communitate cultus, in: ACI, 283-294.

Dürig, W., Imago. Ein Beitrag zur Terminologie und Theologie der römischen Liturgie, München 1952 (= MThS.S 5).

Duffrer, G., Auf dem Weg zu liturgischer Frömmigkeit. Das Werk des M. A. Nickel (1800-1869) als Höhepunkt pastoralliturgischer Bestrebungen im Mainz des 19. Jahrhunderts, Speyer 1962 (= Quellen und Abhandlungen mittelrheinischer Kirchengeschichte, Bd. 6).

-, Gottesdienst. Besinnung und Praxis. Ein geistl. Werkbuch, München 1975.

Durrwell, F. X., La résurrection de Jésus, Paris 1950.

Ebeling, G., Dogmatik des christlichen Glaubens, Tübingen 1979.
Ebel, B. Ausgangspunkt und Anliegen der religiösen liturgischen Erneuerung in ihren Anfängen, in: LuM, Heft 24 (1959) 27-40.
-, Das Mysterium der Liturgie im Lichte der Enzyklika "Mediator Dei", in: Anima 3 (1948) 294-307.
Eisenhofer, L., Handbuch der katholischen Liturgik, Freiburg 1932 (begründet von V. Thalhofer, Freiburg 1883; bearbeitet von L. Eisenhofer, Freiburg ²1912).
Eising, H., zākar, in: ThWAT II, 571-593.
Emminghaus, J. H., Brevierreform: Das Stundengebet, in: ThPQ 127 (1979) 226-239.
-, Die Messe. Wesen-Gestalt - Vollzug, Klosterneuburg 1976.
Esser, W., Das Dialogische in der Predigt, in: O. Wehner/ M. Frickel (Hg.), Theologie und Predigt, Würzburg 1958, 33-56.
Evdokimov, P., L'Esprit Saint dans la tradition orthodoxe, Paris 1969.
-, L'orthodoxie, Paris ²1979 (= Théophanie).

Feckes, C., Die Kirche als Herrenleib, Köln 1949.
-, Das Mysterium der heiligen Kirche. Dogmatische Untersuchungen zum Wesen der Kirche, Paderborn 1934 (³1951 mit dem Untertitel: Ihr Sein und Wirken im Organismus der Übernatur).
Filthaut, Th., Die Kontroverse über die Mysterienlehre, Warendorf 1947.
Fischer, B., Le Christ dans les Psaumes, in: MD, Nr. 27 (1951) 86-109.
-, Christliches Psalmenverständnis, in: BiLe 3 (1962) 111-119.
-, Das "Mechelner Ereignis" vom 23. September 1909, in: LJ 9 (1959) 203 bis 219.
-, Die Psalmenfrömmigkeit der Martyrerkirche, Freiburg 1949 (Antrittsvorlesung, Bonn 1946).
-, Die Schluß-Bitten in Laudes und Vesper des neuen Stundengebetes, in: LJ 29 (1979) 14-23.
-, Übersetzungsfehler in der Wiedergabe päpstlicher Verlautbarungen zur Liturgie, in: LJ 2 (1952) 93-97.
-, Der verherrlichte Mensch Christus und die Liturgie, in: LJ 8 (1958) 205 bis 217.
-, Vom Missale Pius' V. zum Missale Pauls VI., in: LJ 26 (1976) 2-18.
Fischer, J. A. (Hg.), Die Apostolischen Väter. Griechisch und deutsch, München ⁷1976.
Fittkau, G., Der Begriff des Mysteriums bei Johannes Chrysostomus, Bonn 1953 (= Theophaneia 9).
Flick, M./ Alszeghy, Z., Il vangelo della grazia, Florenz 1964.
Frénaud, G., L'Encyclique "Mediator Dei" sur la Sainte Liturgie, in: RGr 27 (1948) 41-48, 174-181, 231-241; 28 (1949) 82-93, 127-136, 201-208; 29 (1950) 12-21.
Fries, H., Wort und Sakrament. Zur Einführung, in: Ders. (Hg.), Wort und Sakrament, München 1966, 7-24.
Froger, J., L'Encyclique "Mediator Dei" sur la liturgie, in: PenCath, Heft 7 (1948) 56-75.

Gadamer, H. G., Wahrheit und Methode. Grundzüge einer philosophischen Hermeneutik, Tübingen ²1965.
Gaillard, J., Chronique de liturgie. La théologie des mystères, in: RThom 57 (1957) 510-551.
-, Le Mystère pascal dans le renouveau liturgique. Essai d'un bilan doc-

trinal, in: MD, Nr. 67 (1961) 33-87.

Gaillard, J., Les Sacrements de la foi, in: RThom 59 (1959) 5-31, 270-309.

Gallagher, Significando causant. A Study of Sacramental Efficiency, Freiburg/ Schweiz 1965 (= Studia Friburgensia, New Series 40).

Galot, J., La nature du caractère sacramentel. Étude de théologie médiévale, Paris-Louvain ²1958.

Gamber, K., Missa, in: ELit 74 (1960) 48-52.

-, Nochmals zur Bedeutung von "missa" als Opfer, in: ELit 81 (1967) 70-73.

Gelineau, J., Die Kirche antwortet Gott mit dem Worte Gottes, in: Das Wort Gottes und die Liturgie, 115-123; franz. Original: L'Église répond à Dieu par la Parole de Dieu, in: Parole de Dieu et Liturgie, Paris 1958 (= LO 25), 155-179.

Gerken, A., Theologie der Eucharistie, München 1973.

-, Theologie des Wortes. Das Verhältnis von Schöpfung und Inkarnation bei Bonaventura, Düsseldorf 1963.

Gimeno, A. A. G., La presencia de Cristo en el Vaticano II (Diss. masch., unveröffentl.), Rom 1976.

-, La presencia de Cristo según el Vaticano II. Excerpta ex dissertatione ad Doctoratum in Facultate Theologiae Pontificiae Universitatis Gregorianae, Rom 1977.

Gnilka, J., Der Epheserbrief, Freiburg-Basel-Wien 1971 (= HThK X,2).

Gögler, R., Zur Theologie des biblischen Wortes bei Origenes, Düsseldorf 1963.

González Ruiz, J. M., Der Gebrauch der Bibel in der Kirche des Konzils, in: J. Chr. Hampe (Hg.), Die Autorität der Freiheit I, 232-239.

Gozier, A., Dom Casel, Paris 1968 (= Collection théologiens et spirituels contemporains).

Grasso, D., L'annuncio della salvezza. Teologia della predicazione, Neapel 1966 (= Historia salutis 1).

Grelot, P., La Parole de Dieu s'adresse-t-elle à l'homme d'aujourd'hui?, in: MD, Nr. 80 (1964) 151-200.

Grillmeier, A., (Kommentar zu LG, Kap. I), in: LThK.E I, 156-175.

-, (Kommentar zu LG, Kap. II), in: LThK.E I, 176-209.

Grün, S., Psalmengebet im Lichte des Neuen Testamentes, Regensburg 1959.

Guardini, R., Besinnung vor der Feier der heiligen Messe, 2 Bde., Mainz 1939.

-, Ein Wort zur liturgischen Frage, in: Ders., Liturgie und liturgische Bildung, Würzburg 1966, 193-213.

-, Liturgische Bildung, in: Ders., Liturgie und liturgische Bildung, Würzburg 1966, 114-126 (Erstveröffentl. Rothenfels/ Main 1923).

-, Papst Pius XII. und die Liturgie, in: LJ 6 (1956) 125-138.

-, Vom Erwachen der Kirche in der Seele, in: Hochland 19 (1922) 257-267.

-, Vom Geist der Liturgie, Freiburg 1918 (= EcOra 1).

-, Vom liturgischen Mysterium, in: Ders., Liturgie und liturgische Bildung, Würzburg 1966, 127-177 (Erstveröffentl.: Die Schildgenossen 5 (1925) 385-414).

-, Von heiligen Zeichen, Mainz 1923.

Günthör, A., Die Predigt. Theoretische und praktische Wegweisung, Freiburg-Basel-Wien 1963.

Gy, P.-M. u.a. (Hg.), Der Mensch unserer Zeit und die Meßfeier der Kirche. 2. Internationales Liturgisches Studientreffen (20.-24.10.1962) auf dem Odilienberg im Elsaß, in: LJ 3 (1953) 127-147.

-, Le Mystère pascal dans le renouveau liturgique: Esquisse d'un bilan historique, in: MD, Nr. 67 (1961) 23-32.

Häring, N. M., Charakter, Signum und Signaculum, in: Schol. 30 (1955) 481 bis 512; 31 (1956) 41-69, 181-212.

Häußling, A., Das Missale Romanum Pauls VI. Ein Zeugnis sucht Bezeugende, in: LJ 23 (1973) 145-158.

Hagemann, W., Wort als Begegnung mit Christus. Die christozentrische Schriftauslegung des Kirchenvaters Hieronymus, Trier 1970 (= TThSt 23).

Hahn, F., Sehen und Glauben im Johannesevangelium, in: H. Baltensweiler/ B. Reicke (Hg.), Neues Testament und Geschichte. Historisches Geschehen und Deutung im Neuen Testament (FS O. Cullmann), Zürich-Tübingen 1972, 125-141.

Hamman, A., Dogmatik und Verkündigung in der Väterzeit, in: ThGl 61 (1971) 109-140, 202-231.

Hanssens, J. M. (Jean M. = Giovanni M.), De concelebratione eucharistica, in: PRMCL 16 (1927) 143-154, 181-210; 17 (1928) 93-127; 21 (1932) 193 bis 219.

Hanssens, G. M., La liturgia nell'enciclica "Mediator Dei et hominum", in: CivCatt 99 (1948) Bd. I, 579-594; II, 242-255.

Hegel, E., Aufklärung, II. Kirchengeschichte; E. Liturgie und Seelsorge, in: LThK[2] I (1957), 1062 f.

Heidegger, M., Sein und Zeit, Tübingen [13]1976.

Heintze, G., Die Gegenwart Christi im Gottesdienst. Systematisch-theologische Betrachtungen zur Mysterienlehre Odo Casels, in: MPTh 43 (1954) 262-279.

Hemmerle, K., Thesen zu einer trinitarischen Ontologie, Einsiedeln 1976.

Herder Korrespondenz, Diskussion um die Realpräsenz, in: HerKorr 19 (1965) 517-520.

-, Entwicklungen im holländischen Katholizismus, in: HerKorr 20 (1966) 23 bis 28.

-, Liturgische Instruktion zur Eucharistie, in: HerKorr 21 (1967) 311-313.

-, Der römische Liturgierat und seine Reformarbeit. Problembericht, in: HerKorr 24 (1970) 234-242.

Herrmann, F., Symbol. I. Philosophisch, in: LThK[2] IX (1964), 1205 ff.

Hild, J., L'encyclique Mediator Dei et le mouvement liturgique de Maria Laach, in: MD, Nr. 14 (1948) 15-29.

-, L'encyclique "Mediator" et la sacramentalité des actes liturgiques, in: QLP 29 (1948) 186-203.

-, Das Wort Gottes in der Feier der Vesper und Komplet, in: Anima 10 (1955) 308-322.

Hintzen, G., Die neuere Diskussion über die eucharistische Wandlung. Darstellung, kritische Würdigung, Weiterführung (Diss. Bonn 1974), Bern-Frankfurt-München 1976.

Hodgson, Jesus - Word and Presence. An Essay in Christology, Philadelphia/ USA 1971.

Höslinger, N., Der Lebensweg von Pius Parsch, in: Ders./ Th. Maas-Ewerd (Hg.), Mit sanfter Zähigkeit. Pius Parsch und die biblisch-liturgische Erneuerung, Klosterneuburg 1979 (= Schriften des Pius Parsch-Instituts Klosterneuburg, Bd. 4), 13-78.

Hofinger, J., Heilige Schrift und missionarische Glaubensverkündigung, in: LJ 4 (1954) 187-209.

Hofmann, F., Glaubensgrundlagen der liturgischen Erneuerung, in: J. Feiner/ J. Trütsch/ F. Böckle (Hg.), Fragen der Theologie heute, Einsiedeln-Zürich-Köln 1957, 485-517.

Hofmann, H., Repräsentation. Studien zur Wort- und Begriffsgeschichte von der Antike bis ins 19. Jahrhundert, Berlin 1974.

Holböck, F., Das Mysterium der Kirche in dogmatischer Sicht, in: Ders./

Th. Sartory (Hg.), Mysterium Kirche in der Sicht der theologischen Disziplinen, 2 Bde., Salzburg 1962, I, 201-221.

Homeyer, J., Die Erneuerung des Pfarrgedankens. Eine bibliographische Übersicht, in: H. Rahner (Hg.), Die Pfarre. Von der Theologie zur Praxis, Freiburg 1956, 125-158.

Hotz, R., Geist und Sakrament, in: Orientierung 43 (1979) 107-110.

-, Sakramente - im Wechselspiel zwischen Ost und West, Gütersloh 1979.

Hout, L. van, Fragen zur Eucharistielehre, in: J. Chr. Hampe (Hg.), Die Autorität der Freiheit I, 598-607.

-, Fragen zur Eucharistielehre in den Niederlanden, in: Cath 20 (1966) 179 bis 199.

Husserl, E., Husserliana. Gesammelte Werke. Auf Grund des Nachlasses veröffentlicht vom Husserl-Archiv, Den Haag 1950 ff.

Iersel, B. van, Einige biblische Voraussetzungen des Sakraments, in: Conc 4 (1968) 2-9.

Ignatius von Loyola, Die Exerzitien, Einsiedeln [5]1965.

Iserloh, E., Abendmahl III.2. Mittelalter, in: TRE I (1976), 89-106; 3.2. Reformationszeit - Römisch- katholische Kirche, 122-131.

-, Die Devotio Moderna, in: HKG III,2, 516-538.

-, Der Kampf um die Messe in den ersten Jahren der Auseinandersetzung mit Luther, Münster 1952 (= KLK 10).

-, Die Kirchenfrömmigkeit in der Imitatio Christi, in: K. Wittstadt (Hg.), Verwirklichung des Christlichen im Wandel der Geschichte, Würzburg 1975, 33-49.

-, Die Kirchenfrömmigkeit in der "Imitatio Christi", in: J. Daniélou/ H. Vorgrimler (Hg.), Sentire Ecclesiam. Das Bewußtsein von der Kirche als gestaltende Kraft der Frömmigkeit (FS H. Rahner), Freiburg-Basel-Wien 1961, 251-267.

-, Messe als repraesentatio passionis in der Diskussion des Konzils von Trient während der Sitzungsperiode in Bologna 1547, in: W. Dürig (Hg.), Liturgie. Gestalt und Vollzug (FS J. Pascher), München 1963, 138-146.

-, Thomas von Kempen und die Devotio Moderna, in: Nachbarn (Veröffentlichungen der Presse- und Kulturabteilung der Kgl. Niederländischen Botschaft, Bonn) 21 (1976) 7-15.

-, Das tridentinische Meßopferdekret in seinen Beziehungen zu der Kontroverstheologie der Zeit, in: R. Bäumer (Hg.), Concilium Tridentinum, Darmstadt 1979 (= WdF 313), 341-381.

-, Der Wert der Messe in der Diskussion der Theologen vom Mittelalter bis zum 16. Jahrhundert, in: ZKth 83 (1961) 44-79.

Jacob, H., Theologie der Predigt. Zur Deutung der Wortverkündigung durch die neuere katholische Theologie (Diss. Innsbruck 1966), Essen 1969 (= Beiträge zur neueren Geschichte der Theologie 11).

Jedin, H., Die Geschäftsordnung des Konzils, in: LThK.E III, 610-623.

Jeremias, J., Die Abendmahlsworte Jesu, Göttingen [2]1949.

Jounel, P., Abriß der Liturgiegeschichte. Vom Konzil von Trient bis zum Zweiten Vatikanischen Konzil, in: HLW I, 46-54.

-, Die Bibel in der Liturgie, in: Das Wort Gottes und die Liturgie, 11-31; franz. Original: La Bible dans la Liturgie, in: Parole de Dieu et Liturgie, Paris 1958 (= LO 25), 17-49.

Journet, Ch., L'Église du Verbe Incarné, 2 Bde., Paris 1951.

Jung, H.-E., Die Vorarbeiten zu einer Liturgiereform unter Pius XII., in: LJ 26 (1976) 165-192, 224-240.

Jungmann, J. A., Bischof und 'sacra exercitita', in: Conc 1 (1965) 95-98.

Jungmann, J. A., De praesentia Domini in communitate cultus et de rationi-
bus, cur haec doctrina dudum obscurata et hodie redintegranda sit, in:
ACI, 295-299.
-, Eucharistische Frömmigkeit und eucharistischer Kult in Wandel und Be-
stand, in: Eucharistie in der Pfarrgemeinde. Vorträge der pastoralli-
turgischen Werkwoche (Trier 1960), Trier 1961, 19-38.
-, Gebet vor dem Tabernakel, in: GuL 40 (1967) 339-347.
-, Das Grundanliegen der liturgischen Erneuerung, in: LJ 11 (1961) 129-141.
-, Liturgie und 'pia exercitia', in: LJ 9 (1959) 79-86.
-, Liturgie zwischen Bewahrung und Bewegung, in: Ders., Liturgisches Erbe
und pastorale Gegenwart, Innsbruck-Wien-München 1960, 120-135.
-, Liturgische Bewegung, in: SM III (1969), 288-291.
-, Liturgische Erneuerung zwischen Barock und Gegenwart, in: LJ 12 (1962)
1-15.
-, Liturgisches Erbe und pastorale Gegenwart, Innsbruck-Wien-München 1960.
-, Missarum Sollemnia. Eine genetische Erklärung der römischen Messe, Wien
^{1}1948, Freiburg-Basel-Wien ^{5}1962.
-, Die Reform der Karwochen- und Osterliturgie in pastoraler Sicht, in: LJ
5 (1955) 204-213.
-, Statio orbis catholici - heute und morgen, in: Statio Orbis. Euchari-
stischer Weltkongreß 1960 in München, 2 Bde., München 1960, I, 81-89.
-, Die Stellung Christi im liturgischen Gebet, Münster 1925, ^{2}1963 (= LQ
19).
-, Um die Grundgestalt der Meßfeier, in: StZ 143 (1948/1949) 310-312.
-, Unsere liturgische Erneuerung im Lichte des Rundschreibens "Mediator
Dei", in: GuL 21 (1948) 249-259.
-, Was ist Liturgie?, in: ZKTh 55 (1931) 83-102.
-, Wortgottesdienst im Lichte von Theologie und Geschichte, Regensburg
1965 (= 4., überarb. Aufl. von "Die liturgische Feier", Regensburg 1939).

Kaczynski, R., Enchiridion Documentorum Instaurationis liturgicae I (1963
bis 1973), Turin 1976.
-, Schwerpunkte der allgemeinen Einführung in das Stundengebet, in: LJ 27
(1977) 65-91.
-, Das Wort Gottes in Liturgie und Alltag der Gemeinde des Johannes Chry-
sostomus, Freiburg-Basel-Wien 1974 (= FThSt 94).
Karrer, O., Die Eucharistie im Gespräch der Konfessionen, in: Th. Sartory
(Hg.), Die Eucharistie im Verständnis der Konfessionen, Recklinghausen
1961, 355-383.
Kasper, W., Aspekte gegenwärtiger Pneumatologie, in: Ders. (Hg.), Gegen-
wart des Geistes. Aspekte der Pneumatologie, Freiburg-Basel-Wien 1979
(= QD 85), 7-22.
-, Elemente einer Theologie der Gemeinde, in: J. Möller (Hg.), Virtus po-
litica (FS Hufnagel), Stuttgart 1974, 33-50 (= in: LS 27 (1976) 289
bis 298).
-, Jesus der Christus, Mainz 1974.
-, Die Kirche als Sakrament des Geistes, in: Ders./ G. Sauter, Kirche -
Ort des Geistes, Freiburg-Basel-Wien 1976, 13-55.
-, Wort und Sakrament, in: Ders., Glaube und Geschichte, Mainz 1970, 285
bis 310 (= in: O. Semmelroth/ R. Haubst/ K. Rahner (Hg.), Martyria -
Leiturgia - Diakonia (FS H. Volk), Mainz 1968, 260-285).
-, Wort und Symbol im sakramentalen Leben; eine anthropologische Begrün-
dung, in: W. Heinen (Hg.), Bild - Wort - Symbol in der Theologie, Würz-
burg 1969, 157-175.
Kassiepe, M., Irrwege und Umwege im Frömmigkeitsleben der Gegenwart, Keve-

laer 1939.

Kehl, M., Eucharistie als Begegnung, in: J. Beutler/ O. Semmelroth, (Hg.),
Theologische Akademie 13, Frankfurt/ M. 1967, 27-42.

-, Kirche - Sakrament des Geistes, in: W. Kasper (Hg.), Gegenwart des Geistes, 155-180.

Keller, E., Die Konstanzer Liturgiereform unter I. H. v. Wessenberg, Freiburg 1965 (= Freiburger Diözesan-Archiv, 85. Bd. (3. Folge, 17. Bd.).

Keller, H., Kirche als Kultgemeinschaft, in: BenM 16 (1934) 25-38.

Kirchgässner, A., Heilige Zeichen der Kirche, Aschaffenburg 1959 (= Der
Christ in der Welt. Eine Enzyklopädie, VII. Reihe, 9. Bd.).

Kleinheyer, B., Erneuerung des Hochgebetes, Regensburg 1969.

Klostermann, F., Allgemeine Pastoraltheologie der Gemeinde, in: HPTh III
(1968), 17-58.

-, Gemeinde - Kirche der Zukunft, 2 Bde., Freiburg-Basel-Wien 1974.

-, Kirche - Ereignis und Institution, Freiburg-Basel-Wien 1976.

Knauer, P., Der Glaube kommt vom Hören. Ökumenische Fundamentaltheologie,
Graz-Wien-Köln 1978.

-, Was heißt "Wort Gottes"?, in: GuL 48 (1975) 6-17.

Koch, G., Wort und Sakrament als Wirkweisen der Kirche, in: Ders. u.a.,
Gegenwärtig in Wort und Sakrament. Eine Hinführung zur Sakramentenlehre, Freiburg-Basel-Wien 1976 (= Buchreihe: Theologie im Fernkurs 5), 48
bis 83.

Koch, O., Gegenwart oder Vergegenwärtigung Christi im Abendmahl? Zum Problem der Repraesentatio in der Theologie der Gegenwart, München 1965.

Koch, R., Die Verkündigung des 'Wortes Gottes' in der Kirche, in: Anima 10
(1955) 256-265.

Kolbe, F., Ein Rückblick auf Assisi, in: LJ 8 (1958) 42-49.

-, Eucharistiefeier in Ost und West. 7. Internationales Liturgisches Studientreffen, in: LJ 11 (1961) 95-98.

-, Die liturgische Bewegung, Aschaffenburg 1964 (= Der Christ in der Welt.
Eine Enzyklopädie, IX. Reihe, 4. Bd.).

Korvin Krasinski, C. v., Christus praesens bei Thomas v. Aquin und den
griechischen Kirchenvätern, in: B. Neunheuser (Hg.), Opfer Christi und
Opfer der Kirche. Die Lehre vom Meßopfer als Mysteriengedächtnis in der
Theologie der Gegenwart, Düsseldorf 1960, 117-137.

Koster, M. D., Ekklesiologie im Werden, Paderborn 1940.

Krings, H., Wort. I. Zur Philosophie des Wortes, in: H. Fries (Hg.), Wort
und Sakrament, München 1966, 25-40.

Kühle, H., Sakramentale Christusgleichgestaltung. Studie zur allgemeinen
Sakramententheologie, Münster ^{2}1964 (Erstveröffentl. als Anhang zum
Vorlesungsverzeichnis der Staatlichen Akademie Braunsberg, WS 1939 und
SS 1943).

Küng, H., Die Kirche, Freiburg 1967.

Kuss, O., Der Römerbrief I, Regensburg ^{2}1963.

Lachenschmidt, H., Heilswerk Christi und Liturgie. Verständnis der Fortdauer des Heilswerkes Christi in der Liturgie aus der Überzeitlichkeit
des Christusgeheimnisses, in: ThPh 41 (1966) 211-227.

Lais, H., Gedanken zu den Meßopfertheorien, in: J. Auer/ H. Volk (Hg.),
Theologie in Geschichte und Gegenwart (FS M. Schmaus), München 1957,
67-88.

Laminski, H., Die Entdeckung der pneumatologischen Dimension der Kirche
durch das Konzil und ihre Bedeutung, in: F. Hoffmann u.a. (Hg.), Sapienter ordinare (FS. E. Kleinadam), Leipzig 1969, 392-405.

Landgraf, A., Die Einführung des Begriffspaares opus operans und opus operatum in die Theologie, in: DTh 29 (1951) 211-223.

Langemeyer, B., Das dialogische Denken und seine Bedeutung für die Theologie, in: Cath 17 (1963) 308-328.
-, Der dialogische Personalismus in der evangelischen und katholischen Theologie, Paderborn 1963.
-, Sündenvergebung und Brüderlichkeit, in: Cath 18 (1964) 290-314.
Lazzarini, A., Johannes XXIII. Das Leben des neuen Papstes, Freiburg 1958.
Lecuyer, J., Réflexions sur la théologie du culte selon saint Thomas, in: RThom 55 (1955) 339-362.
Leeuw, G. van der, Sakramentales Denken. Erscheinungsformen und Wesen der außerchristlichen und christlichen Sakramente, Kassel 1959 (holl. Original: Sacramentstheologie, Nijkerk).
Lefèvre, L. J., L'encyclique "Mysterium fidei", in: PenCath 99 (1965) 41 bis 60.
Lehmann, K., Chancen und Grenzen der neuen Gemeindetheologie, in: IKaZ 6 (1977) 111-127.
-, Christliche Geschichtserfahrung und ontologische Frage beim jungen Heidegger, in: O. Pöggeler (Hg.), Heidegger. Perspektiven zur Deutung seines Werkes (FS M. Heidegger), Köln-Berlin 21970, 140-168.
-, Glaube - Taufe - Ehesakrament. Dogmatische Überlegungen zur Sakramentalität der Ehe, in: Studia Moralia 16 (1978) 71-97.
-, Heiliger Geist, Befreiung zum Menschsein - Teilhabe am göttlichen Leben. Tendenzen gegenwärtiger Gnadenlehre, in: W. Kasper (Hg.), Gegenwart des Geistes. Aspekte der Pneumatologie, Freiburg-Basel-Wien 1979 (= QD 85), 181-204.
-, Karl Rahner. Ein Porträt, in: Ders./ A. Raffelt (Hg.), Rechenschaft des Glaubens. Karl Rahner-Lesebuch, Zürich-Köln-Freiburg-Basel-Wien 1979, 13*-53*.
-, Das priesterliche Amt im priesterlichen Volk, in: Gemeinde des Herrn. 83. Deutscher Katholikentag, Paderborn 1970, 247-261.
-, Das Verhältnis von Glaube und Sakrament in der katholischen Tauftheologie. Erwachsenen- und Kindertaufe, in: Ders., Gegenwart des Glaubens, Mainz 1974, 201-228.
-, Was ist eine christliche Gemeinde? Theologische Grundstrukturen, in: IKaZ 2 (1972) 481-497.
Lengeling, E. J., Die Errichtung der Kongregation für den Gottesdienst und das Ende des Consilium, in: LebGo 17/18 (1970) 452 f.
-, Die Eucharistie-Instruktion, in: LJ 17 (1967) 204-219.
-, Kult, in: HThG I (1962), 865-880.
-, Liturgia Horarum III. Ergänzungen und Korrekturen zum zweiteiligen Aufsatz "Liturgia Horarum" im LJ 1970 nach Erscheinen der Bände I-IV der Editio Typica, in: LJ 24 (1974) 176-193.
-, Liturgie, in: HThG II (1963), 75-97.
-, Liturgie, in: LitW II (1968), 1573-1595.
-, Liturgie, Dialog zwischen Gott und Mensch, in: Th. Filthaut (Hg.), Umkehr und Erneuerung. Kirche nach dem Konzil, Mainz 1966, 92-135.
-, Liturgie als Grundvollzug christlichen Lebens, in: B. Fischer u.a. (Hg.), Kult in der säkularisierten Welt, Regensburg 1974, 63-91.
-, Die neue Ordnung der Eucharistiefeier. Allgemeine Einführung in das Römische Meßbuch. Endgültiger lateinischer und deutscher Text. Einleitung und Kommentar, Münster 1970 (= LebGo 17/18).
-, (Rezension zu O. Casel, Das christliche Opfermysterium, in: Religion und Theologie, 29. Folge, Düsseldorf 1969, 7.
-, Was besagt "aktive Teilnahme"?, in: LJ 11 (1961) 186-188.
Lercaro, J., "Tätige Teilnahme" - das Grundprinzip des pastoralliturgischen Reformwerks Pius' X., in: LJ 3 (1953) 167-174.

Lheureux, H., L'Office est une célébration, in: MD, Nr. 95 (1968) 94-117.
Lies, L., Eulogia. Überlegungen zur formalen Sinngestalt der Eucharistie, in: ZKTh 100 (1978) 69-121.
Löhrer, M., Sakramentalien, in: LThK^2 IX (1964) 233-236.
-, Sakramentalien, in: SM IV (1969), 341-347.
Lubac, H. de, Corpus Mysticum. Kirche und Eucharistie im Mittelalter. Eine historische Studie (übertragen von H. U. v. Balthasar), Einsiedeln 1969.
-, Geist aus der Geschichte. Das Schriftverständnis des Origenes (übertr. u. eingel. von H. U. v. Balthasar), Einsiedeln 1968.
Lubich, Ch., Mitten unter ihnen, München-Zürich-Wien 1976.

Maas-Ewerd, Th., Die Krise der liturgischen Bewegung. Studien zu den Auseinandersetzungen um die "liturgische Frage" in Deutschland und Österreich von 1939-1944, Regensburg 1979 (= Studien zur Pastoraltheologie 3).
-, Liturgie und Pfarrei, Paderborn 1969.
-, Pius Parsch und die Erneuerung der Osterfeier, in: N. Höslinger/ Th. Maas-Ewerd (Hg.), Mit sanfter Zähigkeit. Pius Parsch und die biblisch-liturgische Erneuerung, Klosterneuburg 1979 (=Schriften des Pius Parsch-Instituts Klosterneuburg, Bd. 4), 215-239.
-, Pius Parsch und die Liturgische Bewegung im deutschen Sprachgebiet, in: N. Höslinger/ Th. Maas-Ewerd (Hg.), Mit sanfter Zähigkeit, 79-119.
-, Zur Reaktion Pius Parschs auf die Enzyklika "Mediator Dei", in: N. Höslinger/ Th. Maas-Ewerd (Hg.), Mit sanfter Zähigkeit, 199-214.
Maccarone, M., Il titolo papale di 'vicarius Christi' nella liturgia, in: Notitiae 15 (1979) 177-182.
-, Vicarius Christi. Storia del titulo papale, Rom 1952 (=Lateranum XVIII -1953-, Nr. 1-4).
Maggioni, B., I sacramenti e la "Historia salutis", in: RivLi 54 (1967) 7 bis 20.
Malmberg, F., Ein Leib - ein Geist. Vom Mysterium der Kirche, Freiburg 1960 (holl. Original: Eén Lichnaam en één Geest, Utrecht-Antwerpen 1958).
Manders, H., Deelname, actieve, aan de liturgie, in: LitW I (1962), 503 bis 512.
Marliangeas, B.-D., "In persona Christi" - "In persona Ecclesiae". Note sur les origines et le développement de l'usage de ces expressions dans la théologie latine, in: J.-P. Jossua/ Y. Congar (Hg.), Liturgie après Vatican II, 282-288.
Martimort, A.-G., L'Assemblée liturgique, in: MD, Nr. 20 (1949) 153-175.
-, L'Assemblée liturgique, mystère du Christ, in: MD, Nr. 40 (1954) 5-29.
-, Dimanche, assemblée et paroisse, in: MD, Nr. 57 (1959) 56-84.
-, Die Doppelbewegung der Liturgie: Verherrlichung Gottes und Heiligung der Menschen, in: HLW I (1963), 201-213.
-, Gott im Dialog mit seinem Volk, in: HLW I (1963), 121-162.
-, Grundbegriffe, in: HLW I (1963), 3-15.
-, (Hg.), Handbuch der Liturgiewissenschaft, 2 Bde., Freiburg 1963 (franz. Original: L'Église en prière. Introduction à la Liturgie, Tournai 1961).
-, "Praesens adest in verbo suo, siquidem ipse loquitur dum sacrae Scripturae in Ecclesia leguntur", in: ACI, 300-315.
-, Précisions sur l'Assemblée, in: MD, Nr. 60 (1959) 7-34.
-, Die Versammlung, in: HLW I (1963), 87-120.
-, Die Zeichen, in: HLW I (1963), 163-200.
Marxsen, W., Repräsentation im Abendmahl, in: MPTh 41 (1952) 69-78 (Auszug aus: Ders., Die Einsetzungsberichte zum Abendmahl (Diss. masch.), Kiel 1949; Mikroskopie Göttingen 1952).
Massi, P., L'Assemblea del popolo di Dio. Vol. I: Nella storia della sal-

vezza, Ascoli Piceno 1962 (= Principi di Teologia Biblica).

-, Massi, P., Catechesi ai fedeli sulla santa Messa, in: AA.VV., La santa Messa, mistero pasquale, Rom 1965.

Maurice-Denis-Boulet, N., Allgemeine Einführung in die Liturgie der Messe, in: HLW I (1963), 272-346.

-, Die Riten und die Gebete der Messe, in: HLW I (1963), 347-458.

Mayer, A. L., Die geistesgeschichtliche Situation der liturgischen Erneuerung in der Gegenwart, in: ALW 4/1 (1955) 1-51.

-, Die Stellung der Liturgie von der Zeit der Romantik bis zur Jahrhundertwende, in: ALW 3/1 (1953) 1-77.

Mayr, F., Symbol. II. Theologisch, in: LThK^2 IX (1964), 1207 f.

Menne, A. Zeichen. I. Philosophisch, in: LThK^2 X (1965), 1321 f.

Merkel, F., Fünfzehn Jahre römisch-katholische Liturgiereform, in: LJ 29 (1979) 129-142.

Meyer, H. B., Andachten und Wortgottesdienste. Zwei Grundtypen nichtsakramentaler Liturgie?, in: LJ 24 (1974) 157-175.

-, Kult - Liturgie - Sakrament. Bemerkungen zu einigen Neuerscheinungen, in: ZKTh 100 (1978) 122-126.

-, Von der liturgischen Erneuerung zur Erneuerung der Liturgie, in: StZ, Bd. 175 (1965) 81-97.

Michel, O., μιμνήσκομαι, in: ThWNT IV, 678-687.

Mittellateinisches Wörterbuch, München 1967.

Mörsdorf, K., Der Träger der eucharistischen Feier, in: M. Schmaus (Hg.), Aktuelle Fragen zur Eucharistie, München 1960, 72-91.

Molinaro, A., L'unità del mistero eucaristico. Osservazioni metodologiche in margine alla "Mysterium Fidei", in: DT(P) 70 (1967) 117-124.

Monden, L., Het Misoffer als Mysterie, Roermond-Maasseik 1947.

Mühlen, H., Entsakralisierung. Ein epochales Schlagwort in seiner Bedeutung für die Zukunft der christlichen Kirchen, Paderborn 1971.

-, Der Geist als Person. Beitrag zur Frage nach der dem Hl. Geiste eigentümlichen Funktion in der Trinität, bei der Inkarnation und im Gnadenbund (Diss. Münster 1961), Münster 1963; 2., erw. Aufl. 1967: Der Heilige Geist als Person in der Trinität, bei der Inkarnation und im Gnadenbund: Ich - Du - Wir.

-, Die Kirche als die geschichtliche Erscheinung des übergeschichtlichen Geistes Christi, in: ThGl 55 (1965) 270-289.

-, Das Pneuma Jesu und die Zeit. Zur Theologie des Amtes, in: Cath 17 (1963) 249-276.

-, Una mystica persona. Die Kirche als das Mysterium der Identität des Heiligen Geistes in Christus und den Christen: Eine Person in vielen Personen, München-Paderborn-Wien 1964; ^{3}1966, erw. um ein 4. Kap.: Die Aussagen des Vaticanum II über den Geist Christi als 'unus et idem in capite et in membris existens': Eine Person in vielen Personen.

-, Das Verhältnis zwischen Inkarnation und Kirche in den Aussagen des Vaticanum II, in: ThGl 55 (1965) 171-190.

Müller, M., Existenzphilosophie im geistigen Leben der Gegenwart, Heidelberg 1965.

Navatal, J.-J., L'apostolat liturgique et la piété personelle, in: Études 137 (1913) 452.

Negri, G., Gli atti di fede nel ricevere i Sacramenti: come educarli, in: RivLi 54 (1967) 61-80.

Neuenzeit, P., Biblische Ansätze zum urchristlichen Sakramentenverständnis, in: H. Fries (Hg.), Wort und Sakrament, 88-96.

-, Das Herrenmahl. Studien zur paulinischen Eucharistieauffassung (Diss.

München 1958), München 1960 (= StANT 1).

Neunheuser, B., L'année liturgique selon Dom Casel, in: QLP 38 (1957) 286 bis 298.

-, Casel, in: LthK² II (1958), 966.

-, De praesentia Domini in communitate cultus: Quaestionis evolutio historica et difficultas specifica, in: ACI, 316-329.

-, Ende des Gesprächs um die Mysteriengegenwart?, in: ALW 4/2 (1956) 316 bis 324.

-, Eucharistie in Mittelalter und Neuzeit, Freiburg 1963 (= HDG IV/4b).

-, Gesamtkirche und Einzelkirche, in: G. Baraúna (Hg.), De Ecclesia I, 547 bis 573.

-, Der Heilige Geist in der Liturgie, in: LuM, Heft 20 (1957) 11-23.

-, Literaturbericht zur Mysterientheologie, in: ALW 3/1 (1954) 171-174; ALW 4/2 (1956) 397.

-, Masters in Israel: Odo Casel, in: The Clergy Review, March 1970, 194 bis 212.

-, Mysteriengegenwart. Das Anliegen Dom Casels und die neueste Forschung, Berlin 1957 (= StPatr/ TU 64).

-, Mysteriengegenwart. Ein Theologumenon inmitten des Gesprächs, in: ALW 3/1 (1953) 104-122.

-, Mysterienlehre und Mediator Dei, in: A. Mayer/ J. Quasten/ B. Neunheuser (Hg.), Vom christlichen Mysterium, Düsseldorf 1951, 344-362.

-, Mysterientheologie, in: SM III (1969), 645-649.

-, Neue Äußerungen zur Frage der Mysteriengegenwart, in ALW 5/2 (1958) 333 bis 353.

-, Die numerische Identität von Kreuzesopfer und Meßopfer, in: Ders.(Hg.), Opfer Christi und Opfer der Kirche, 139-151.

-, Odo Casel a 25 anni della sua morte, in: RivLi 60 (1973) 228-235.

-, (Hg.), Opfer Christi und Opfer der Kirche. Die Lehre vom Meßopfer als Mysteriengedächtnis in der Theologie der Gegenwart, Düsseldorf 1960.

-, Vorwort, in: O. Casel, Das christliche Kultmysterium, Regensburg ⁴1960, 5-10, und Erläuterungen, ebd., 237-243.

-, Zur Einführung, in: J. Plooij, Die Mysterienlehre Odo Casels, Neustadt/ Aisch 1968, 1-6.

Niermann, E., Priester, Priestertum, in: SM III (1969), 1273-1281.

Nissiotis, N. A., Der pneumatologische Ansatz und die liturgische Verwirklichung des neutestamentlichen νῦν, in: F. Christ (Hg.), Oikonomia. Heilsgeschichte als Thema der Theologie (FS O. Cullmann), Hamburg-Bergstedt 1967, 303-309.

-, Die Theologie der Ostkirche im ökumenischen Dialog, Stuttgart 1968.

Nocent, A., Guéranger, Prosper-Louis-Pascal, in: LThK² IV (1960), 1263 f.

Nußbaum, O., Die Messe als Einheit von Wortgottesdienst und Eucharistiefeier, in: LJ 27 (1977) 136-171.

-, Zur Theologie und Spiritualität des neuen Meßbuches, in: LJ 26 (1976) 193-223.

Oñatiba, J., La presencia de la obre redentora en el Misterio del Culto. Un estudio sobre la Doctrina del Misterio de Odo Casel O.S.B., Vittoria 1954.

Ott, L., Grundriß der katholischen Dogmatik, 7., verb. Aufl., Freiburg-Basel-Wien 1965, 488.

Padberg, R., Die Mysterienlehre und die Religionsgeschichte. Die Verwertung der Religionsgeschichte durch die Laacher Mysterienlehre im Lichte der christlichen Verkündigung und Seelsorgekunde (Diss. masch.), Tübingen 1950.

Padberg, R., Verkündigung und Relgionsgeschichte, in: ThQ 131 (1951) 272 bis 287.

Palmier, S., Der ratione praesentiae Christi in Eucharistiae Sacramento et de transsubstantiatione iuxta Litteras Encyclicas "Mysterium Fidei" Pauli PP. VI, in: DT(P) 69 (1966) 169-198.

Pannenberg, W., Person und Subjekt. Zur Überwindung des Subjektivismus im Menschenbild und im Gottesverständnis, in: NZSTh 18 (1976) 133-148.

Parsch, P., Breviererklärung, Klosterneuburg 1940.

Pascher, J., Bischof und Presbyterium, in: Conc 1 (1965) 83-85.

-, Eucharistia. Gestalt und Vollzug, Münster-Freiburg 1947, [2]1953.

-, Die Hierarchie in sakramentaler Symbolik, in: Episcopus. Studien über das Bischofsamt (FS Kard. M. Faulhaber), Regensburg 1949, 278-295.

-, Der Priester in der Eucharistiefeier, Stellvertreter des Herrn und Vorsteher der Gemeinde, in: Eucharistiefeier in der Pfarrgemeinde. Vorträge der pastoralliturgischen Werkwoche (Trier 1960), Trier 1961, 219-230.

-, Das Stundengebet der römischen Kirche, München 1954.

-, Thesen über das Gebet im Namen der Kirche. Ergänzungen zu dem gleichnamigen Aufsatz von Karl Rahner, in: LJ 12 (1962) 58-62.

-, Um die Grundgestalt der Eucharistie, in: MThZ 1 (1950) 64-75.

Pasqualetti, G./ Bianchi, S., Variationes in "Institutionem generalem Missalis Romani" inductae, in: Notitiae 6 (1970) 177-193.

Pernot, P., La notion de communauté dans les Actes de Vatican II, in: MD, Nr. 91 (1967) 65-75.

Pesch, O. H., Besinnung auf die Sakramente. Historische und systematische Überlegungen und ihre pastoralen Konsequenzen, in: FZPhTh 18 (1971) 266 bis 321.

-, Theologie der Rechtfertigung bei Martin Luther und Thomas von Aquin. Versuch eines systematisch-theologischen Dialogs (Diss. München 1965), Mainz 1967 (= Walberberger Studien 4).

Peters, K., Repräsentation nach der Lehre des II. Vatikanischen Konzils (Diss. masch.), Trier 1976.

Piault, B., Was ist ein Sakrament?, Aschaffenburg 1964 (= Der Christ in der Welt. Eine Enzyklopädie, VII. Reihe, 2. Bd.); franz. Original: Q' est-ce qu'un sacrement?, Paris 1963.

Pinsk, J., Die sakramentale Welt, Freiburg 1938, [2]1941.

Pistoia, A., Il "Prooemium" e le modifiche della "Institutio generalis", in: ELit 84 (1970) 241-248.

Plock, H., Feier der Versöhnung und des göttlichen Lebens. Zur Theologie der Liturgie und ihrer heilsgeschichtlichen Begründung im Systemdenken Franz Anton Staudenmaiers, Münster 1978 (= LQF 61).

Plooij, J., Die Mysterienlehre Odo Casels. Ein Beitrag zum ökumenischen Gespräch, Neustadt/ Aisch 1968 (holl. Original: De Mysterie-Leer van Odo Casel. Een bijdrage tot het oecumenisch gesprek der Kerken, Zwolle 1964).

Porsch, F., Pneuma und Wort. Ein exegetischer Beitrag zur Pneumatologie des Johannesevangeliums, Frankfurt/ M. 1974 (= FTS 16).

Poschmann, B., "Mysteriengegenwart" im Licht des hl. Thomas, in: ThQ 116 (1935) 53-116.

Powers, J., Eucharistie in neuer Sicht, Freiburg-Basel-Wien 1968 (eng. Original: Eucharistic Theology, New-York 1967).

Probst, M., Gottesdienst in Geist und Wahrheit. Die liturgischen Ansichten und Bestrebungen J. M. Sailers (1751-1832), Regensburg 1976 (= Studien zur Pastoraltheologie 2).

-, Rezension zu J. Steiner, Liturgiereform in der Aufklärungszeit, in:

TThZ 86 (1977) 156 f.

Prümm, K., Christentum als Neuheitserlebnis, Freiburg 1939.

-, Der christliche Glaube und die altheidnische Welt, 2 Bde., Leipzig 1935.

Rahner, H., Eucharisticon fraternitatis, in: J. B. Metz u.a. (Hg.), Gott in Welt (FS K. Rahner), 2 Bde., Freiburg-Basel-Wien 1964, II, 895-899.

-, Geist und Kirche, in: Ders. (Hg.), Ignatius v. Loyola als Mensch und Theologe, Freiburg-Basel-Wien 1964, 370-386.

Rahner, K., Danksagung nach der heiligen Messe, in: Ders., Sendung und Gnade. Beiträge zur Pastoraltheologie, Innsbruck-Wien-München 1959, 201 bis 218.

-, De praesentia Domini in cummunitate cultus: synthesis theolocica, in: ACI, 330-338; deutsch: Die Gegenwart des Herrn in der christlichen Kultgemeinde, in: Ders., Schriften zur Theologie VIII (1967), 395-408.

-, Dogmatische Bemerkungen über die Frage der Konzelebration, in: MThZ 6 (1955) 81-106.

-, Die ewige Bedeutung der Menschheit Jesu für unser Gottesverhältnis, in: Ders., Schriften zur Theologie III, Einsiedeln ^{2}1957, 47-60.

-, Die Gegenwart Christi im Sakrament des Herrenmahles, in: Ders., Schriften zur Theologie IV, Einsiedeln 1960, 357-385.

-, Grundkurs des Glaubens. Einführung in den Begriff des Christentums, Freiburg-Basel-Wien 1976.

-, Hörer des Wortes. Zur Grundlegung einer Religonsphilosophie (neubearb. v. J. B. Metz), München ^{2}1963.

-, Kerygmatische Theologie, in: LThK^2 VI (1961), 126.

-, Kirche und Sakramente, Freiburg ^{2}1960 (= QD 10).

-, Das neue Bild der Kirche, in: Ders., Schriften zur Theologie VIII, Einsiedeln 1967, 329-354.

-, Rahner, K., Personale und sakramentale Frömmigkeit, in: Ders., Schriften zur Theologie II, Einsiedeln 1955, 115-141.

-, Thesen über das Gebet 'im Namen der Kirche', in: ZKTh 83 (1961) 307-324 (= in: Schriften zur Theologie V, Einsiedeln 1962, 471-493).

-, Über die Dauer der Gegenwart Christi nach dem Kommunionempfang, in: Ders., Schriften zur Theologie IV, Einsiedeln 1960, 387-397.

-, Über die Gegenwart Christi in der Diasporagemeinde nach der Lehre des Zweiten Vatikanischen Konzils, in: Ders., Schriften zur Theologie VIII, Einsiedeln 1967, 409-425.

-, Über den Versuch eines Aufrisses einer Dogmatik, in: Ders., Schriften zur Theologie I, Einsiedeln 1954, 9-47.

-, Die vielen Messen als die vielen Opfer Christi, in: ZKTh 77 (1955) 94 bis 101.

-, / Häußling, A., Die vielen Messen und das eine Opfer. Eine Untersuchung über die rechte Norm der Meßhäufigkeit, 2., erw. u. überarb. Aufl., Freiburg-Basel-Wien 1966 (= QD 31); Erstveröffentl. von K. Rahner, in: ZKTh 71 (1949) 257-317, unverändert nachgedruckt als Buch, mit einem Nachwort, Freiburg 1951.

-, Vom Hören und Sehen. Eine theologische Überlegung, in: W. Heinen (Hg.), Bild - Wort - Symbol in der Theologie, Würzburg 1968, 139-156.

-, Was ist ein Sakrament?, in: E. Jüngel/ K. Rahner, Was ist ein Sakrament?, Freiburg 1971.

-, Wort und Eucharistie, in Ders., Schriften zur Theologie IV, Einsiedeln 1960, 313-355.

-, Zur Theologie des Symbols, in Ders., Schriften zur Theologie IV, Einsiedeln 1960, 275-311.

Ratzinger, J./ Fries, H. (Hg.), Einsicht und Glaube (FS G. Söhngen), Freiburg-Basel-Wien 1962.

Ratzinger, J., Gestalt und Gehalt der eucharistischen Feier, in: IKaZ 6 (1977) 385-396.

-, Liturgie - wandelbar oder unwandelbar. Fragen an Joseph Kardinal Ratzinger, in: IKaZ 6 (1977) 417-427.

-, Die sakramentale Begründung christlicher Existenz, Meitingen-Freising [4]1973 (= Meitinger Kleinschriften 22).

Rauch, Ch., (Bericht über den dritten französischen pastoralliturgischen Kongreß 1957), in: LJ 8 (1958) 50-55.

-, Qu'est-ce qu'une homélie?, in: MD, Nr. 16 (1948) 34-47.

Reetz, B., Die Zielsetzung der liturgischen Erneuerung in der Gegenwart, in: LuM, Heft 24 (1959) 41-63.

Reifenberg, H., Fundamentalliturgie. Grundelemente christlichen Gottesdienstes, 2 Bde., Klosterneuburg 1978 (= Schriften des Pius Parsch-Instituts 3).

Rennings, H., Einleitung (zur Instruktion "Eucharisticum mysterium"), in: NK 6 (1967) 11-27.

-, Die gottesdienstlichen Versammlungen. Einführung in die römisch-deutsche Liturgie (angekündigt).

-, (Kommentar zur Instruktion der Ritenkongregation über die Kirchenmusik), in: LJ 17 (1967) 161-165.

-, Zur Diskussion über neue Hochgebete. Aus der Arbeit einer Studiengruppe im deutschen Sprachgebiet, in: LJ 23 (1973) 3-20.

Reuß, J. M., Opfermahl - Mitte des Christseins. Eine pastoraltheologische Untersuchung zur Meßfeier, Mainz 1960.

Righetti, M., Manuale di storia liturgica I, Mailand [2]1950.

Roguet, A.-M., Die ganze Messe verkündet das Wort Gottes, in: Das Wort Gottes und die Liturgie, 127-153 ;franz. Original: Toute la messe proclame la Parole de Dieu, in: Parole de Dieu et Liturgie, Paris 1958 (= LO 25), 127-153.

-, Gottesdienstliche Versammlung und tätige Teilnahme, in: LJ 3 (1953) 187 bis 195.

-, Qu'est-ce que le mystère pascal?, in: MD, Nr. 67 (1961) 5-12.

-, Les Sacrements, Tournai 1945.

Roo, G. van, De Sacramentis in Genere, Rom [2]1960.

-, Reflections on Karl Rahner's "Kirche und Sakramente, in: Gr. 44 (1963) 465-500.

Rose, A., La Parole vivante de Dieu dans la Bible et dans la liturgie, in: MD, Nr. 82 (1965) 43-58.

-, La présence du Christ dans l'assemblée liturgique, in: VS 85 (1951) 78 bis 85.

Rosenstock-Huessy, E., Die Sprache des Menschengeschlechts I, Heidelberg 1963.

Rousseau, O., Abriß der Liturgiegeschichte. Die Liturgische Bewegung von Dom Guéranger bis Pius XII., in: HLW I (1963), 54-59.

-, Beauduin, dom Lambert, in: LitW I (1962), 224 f.

-, Lecture et présence de l'Apôtre à la liturgie de la messe, in: MD, Nr. 62 (1960) 69-78.

-, La présence de l'Apôtre dans la liturgie de la messe, in: Vie spirituelle 96 (1957) 479-484.

Ruffini, E., I grandi temi della teologia contemporanea dei Sacramenti, in: RivLi 54 (1967) 39-52.

Saier, O., 'Communio' in der Lehre des Zweiten Vatikanischen Konzils. Eine rechtsbegriffliche Untersuchung, München 1973 (= MThS.K 32).

Saier, O., Die hierarchische Struktur des Presbyteriums, in: AKathKR 136 (1967) 341-391.

Salmon, P., Das Stundengebet, in: HLW II (1963), 326-422.

Santagada, O. D., Dom Odo Casel, in: ALW 10/1 (1967) 7-77.

Sauser, E., Lateinische Vätertheologie, in: SM III (1969), 145-154.

Sauter, G., Die Kirche in der Krisis des Geistes, in: W. Kasper/ G. Sauter, Kirche - Ort des Geistes, Freiburg-Basel-Wien 1976, 59-106.

Sayes, J. A., Presencia real de Cristo y Transustanciacion. La teología eucarística ante la física y la filosofía modernas, Burgos 1974.

Scheffczyk, L., Katholische Glaubenswelt. Wahrheit und Gestalt, Aschaffenburg 1977.

-, Die materielle Welt im Lichte der Eucharistie, in: M. Schmaus (Hg.), Aktuelle Fragen zur Eucharistie, 156-178.

-, Von der Heilsmacht des Wortes. Grundzüge einer Theologie des Wortes, München 1966.

Schillebeeckx, E., Christus, Sakrament der Gottesbegegnung, Mainz 1963 (holl. Original: De Christusontmoeting als sacrament van de Godsontmoeting, Bilthoven ²1957).

-, Die eucharistische Gegenwart. Zur Diskussion über die Realpräsenz, Düsseldorf 1967 (holl. Original: Christus' tegenwoordigheid in de Eucharistie).

-, Jesus. Die Geschichte von einem Lebenden, Freiburg-Basel-Wien 1975.

-, Parole et Sacrement dans l'Église, in: LV(L) 9 (1960) 25-45.

-, Sakramente als Organe der Gottbegegnung, in: J. Feiner/ J. Trütsch/ F. Böckle (Hg.), Fragen der Theologie heute, 379-401.

-, De sacramentele heilseconomie. Theologische Bezinning op S. Thomas' sacramentenleer in het licht van de traditie en van de hedendaagse sacramentsproblematiek, Antwerpen 1952.

Schlette, H. R., Kommunikation und Sakrament. Theologische Deutung der geistlichen Kommunion, Freiburg-Basel-Wien 1959 (= QD 8).

-, Sakrament. II. Dogmengeschichtlich, in: HThG II (1963), 456-461.

-, Wort und Sakrament, in: Orientierung 32 (1968) 128-131.

Schlier, H., Der Brief an die Epheser. Ein Kommentar, Düsseldorf ⁶1968.

-, Corpus Christi, in: RAC III, 439-444.

-, Die Kirche nach dem Brief an die Epheser, in: Ders., Die Zeit der Kirche. Exegetische Aufsätze und Vorträge, Freiburg 1956, 159-186.

-, Der Römerbrief, Freiburg-Basel-Wien 1977 (= HThK VI).

-, Wort. II. Das Wort im Licht der biblischen Offenbarung, in: H. Fries (Hg.), Wort und Sakrament, 40-73.

-, Wort Gottes. Eine neutestamentliche Besinnung, Würzburg 1958 (= Rothenfelser Reihe 4).

Schlink, E., Der Kult in der Sicht evangelischer Theologie, in: M. Schmaus/ K. Forster (Hg.), Der Kult und der heutige Mensch, München 1961.

-, Nach dem Konzil, München-Hamburg 1966 (= Siebenstern-Taschenbuch 75).

Schlußfolgerungen des Kongresses, in: Das Wort Gottes und die Liturgie, 197 bis 202; franz. Original: Conclusions du Congrès, in: Parole de Dieu et Liturgie, Paris 1958 (= LO 25), 381-387.

Schmaus, M. (Hg.), Aktuelle Fragen zur Eucharistie (Referate bei der Dogmatikertagung 1959 in Passau), München 1960.

-, Christus, Kirche und Eucharistie, in: Ders. (Hg.), Aktuelle Fragen zur Eucharistie, 53-71.

-, Das eucharistische Opfer im Kosmos der Sakramente, in: B. Neunheuser (Hg.), Opfer Christi und Opfer der Kirche. Die Lehre vom Meßopfer als Mysteriengedächtnis in der Theologie der Gegenwart, 13-27.

-, Der Glaube der Kirche. Handbuch katholischer Dogmatik, 2 Bde., München

1970.

Schmaus, M., Katholische Dogmatik, München $^{3-6}$1958-1965.

-, Die Liturgie als Lebensausdruck der Kirche, in: LJ 5 (1955) 80-95.

-, Der theologische Ort der kirchlichen Verkündigung, in: W. Dürig (Hg.), Liturgie, Gestalt und Vollzug, 286-296.

-, Wahrheit als Heilsbegegnung, München 1964.

Schmid, J., Das Evangelium nach Lukas, Regensburg ^{2}1951 (= RNT 3).

-, Das Evangelium nach Matthäus, Regensburg ^{3}1956 (= RNT 1).

Schmidt, H. A. P., Introductio in Liturgiam occidentalem, Rom-Freiburg-Barcelona 1960.

-, Schriftlesung in der Liturgie, in: Conc 12 (1976) 131-139.

Schmidt, K. L., βασιλεία, in: ThWNT I (1933) 579-592.

Schmitz, H., Nachkonziliare Rechtsprobleme um Pfarrei, Pfarrer und pastoralen Dienst, in: TThZ 88 (1979) 91-113.

Schnackenburg, R., Das Heilsgeschehen bei der Taufe nach dem Apostel Paulus. Eine Studie zur paulinischen Theologie, München 1950 (= MThS.H 1).

-, Das Johannesevangelium I, Freiburg-Basel-Wien 1965 (= HThK IV/1).

-, Die Kirche im Neuen Testament. Ihre Wirklichkeit und theologische Deutung. Ihr Wesen und Geheimnis, Freiburg-Basel-Wien 1961 (= QD 14).

Schneider, Th. (Hg.), Mysterium der Ekklesia. Von der Gemeinschaft aller Erlösten in Christus Jesus. Aus Schriften und Vorträgen (aus dem Nachlaß von O. Casel), Mainz 1961.

Schneyer, J. B., Geschichte der katholischen Predigt, Freiburg 1969.

Schnitzler, F., Ministerium verbi. Zur Verkündigungstheologie des Zweiten Vatikanischen Konzils und bei Augustinus, in: ThGl 57 (1967) 440-462.

-, Überlegungen zur neueren Entwicklung der Wort-Gottes-Theologie, in: TThZ 88 (1979) 145-162.

Schnitzler, Th., Was die Messe bedeutet. Hilfen zur Mitfeier, Freiburg-Basel-Wien 1976.

Schönmetzer, A. (Hg.), Acta Congressus Internationalis de Theologia Concilii Vaticani II (Rom, 26.9.-1.10.1966), Vatikan 1968.

Schott, F., Der eine kirchliche Heilsdienst in Wort und Sakrament (Diss. masch.), Mainz 1969.

Schottroff, W., zkr-gedenken, in: THAT I, 507-518.

Schürmann, H., Der Abendmahlsbericht Lk 22,(7-14) 15-18, Münster 1953 (= NTA XIX/5).

-, Der Einsetzungsbericht LK 22,19-20, Münster 1955 (= NTA XX/4).

-, Die Gestalt der urchristlichen Eucharistiefeier, in: P. Bormann/ H.-J. Degenhardt (Hg.), Liturgie in der Gemeinde, I, 69-93.

-, Das Lukasevangelium. Erster Teil, Freiburg-Basel-Wien 1969 (= HThK III/1).

Schulte, R., Die Einzelsakramente als Ausgliederung des Wurzelsakramentes, in: MySal IV/2 (1973), 46-155.

-, Kirche und Kult, in: F. Holböck/ Th. Sartory (Hg.), Mysterium Kirche ... II, 713-813.

-, Die Messe als Opfer der Kirche. Die Lehre frühmittelalterlicher Autoren über das eucharistische Opfer, Münster 1959 (= LWQF 35).

-, Die Wort-Sakrament-Problematik in der evangelischen und katholischen Theologie, in: F. Furger (Hg.), Theologische Berichte 6, 81-122.

Schupp, F., Glaube - Kultur - Symbol. Versuch einer kritischen Theorie sakramentaler Praxis, Düsseldorf 1974.

Schwager, R., Das dramatische Kirchenverständnis bei Ignatius von Loyola, Zürich-Einsiedeln-Köln 1970.

Seeber, D. A., Ende und Anfang. Zum Pontifikatswechsel, in: HerKorr 32 (1978) 425-435.

Semmelroth, O., Das geistliche Amt. Theologische Sinndeutung, Frankfurt/ M.

1958.

Semmelroth, O., Gott und Mensch in Begegnung, Ein Durchblick durch die katholische Glaubenslehre, Frankfurt/ M. 1956.

-, Die Kirche als Ursakrament, Frankfurt/ M. 1953.

-, (Kommentar zur Apost. Konstitution "Indulgentiarum doctrina"), in: NK 2 (1967) 51-71.

-, Opus operatum, in: LThK^2 VII (1962), 1184-1186.

-, Personalismus und Sakramentalismus. Zur Frage nach der Ursächlichkeit der Sakramente, in: J. Auer/ H. Volk (Hg.), Theologie in Geschichte und Gegenwart, 199-218.

-, Um die Einheit des Kirchenbegriffs, in: J. Feiner/ J. Trütsch/ F. Böckle, Fragen der Theologie heute, 319-335.

-, / Zerwick, M., Vaticanum II über das Wort Gottes. Die Konstitution "Dei Verbum": Einführung und Kommentar. Text und Übersetzung, Stuttgart 1966 (= SBS 16).

-, Vom Sinn der Sakramente, Frankfurt/ M. 1960.

-, Wirkendes Wort. Zur Theologie der Verkündigung, Frankfurt/ M. 1962.

-, Wortverkündigung und Sakramentenspendung als dialogisches Zueinander, in: Cath 15 (1961) 43-60.

Severus, E. v., Die Kultmysterien der Kirche als Mitte der Christus-Spiritualität, in: ALW 7 (1962) 349-359.

-, Maria Laach, in: LThK^2 VII (1962), 45 f.

Siebel, W./ Greiner, F./ Lehmann, K., Zehn Jahre Liturgiereform, in: IKaZ 3 (1974) 8-14.

Smulders, P., Die Kirche als Sakrament des Heils, in: G. Baraúna (Hg.), De Ecclesia I, 289-312.

Sobotta, F., Die Heilswirksamkeit der Predigt in der theologischen Diskussion der Gegenwart (Diss. Münster 1967), Trier 1968 (= TThSt 21).

Söhngen, G., Christi Gegenwart in uns durch den Glauben (Eph 3,17). Ein vergessener Gegenstand unserer Verkündigung von der Messe, in: Ders., Die Einheit in der Theologie. Gesammelte Abhandlungen, Aufsätze, Vorträge, München 1952, 324-341 = in: Ders., Christi Gegenwart in Glaube und Sakrament, München-Salzburg 1967, 19-50 (Erstveröffentl. 1949).

-, Die Kontroverse über die kultische Gegenwart des Christusmysteriums, in: Cath 7 (1938) 114-149.

-, Das Mysterium des lebendigen Christus und der lebendige Glaube. Ein Beitrag zu einer kategorialen Analysis fidei, in: Ders., Die Einheit in der Theologie, 342-369 (Erstveröffentl. 1943).

-, Le rôle agissant des mystères du Christ dans la liturgie d'après théologiens contemporains, in: QLP 20 (1939) 79-107.

-, Das sakramentale Wesen des Meßopfers, Essen 1946.

-, Symbol und Wirklichkeit im Kultmysterium, Bonn 1937, ^{2}1940 (= Grenzfragen zwischen Theologie und Philosophie, Heft IV).

-, "Tut dies zu meinem Gedächtnis". Wesen und Form der Eucharistie als Stiftung Jesu, in: Ders., Christi Gegenwart in Glaube und Sakrament, München-Salzburg 1967, 53-103 (Erstveröffentl. 1959).

-, Der Wesensaufbau des Mysteriums, Bonn 1938 (= Grenzfragen zwischen Theologie und Philosophie, Heft VI).

Soiron, Th., Das Mysterium Christi als Grundlage der Sakramententheologie, in: WiWei 12 (1949) 2-10.

Splett, J., Symbol, in: SM III (1969), 784-789.

Stadel, K., Buße in Aufklärung und Gegenwart. Buße und Bußsakrament nach den pastoraltheologischen Entwürfen der Aufklärungszeit in Konfrontation mit dem gegenwärtigen Sakramentsverständnis, München-Paderborn-Wien 1974.

Steidle, B. (Hg.), Die Benediktus-Regel. Lateinisch-deutsch, Beuron [3]1978.
Steiner, J., Liturgiereform in der Aufklärungszeit. Eine Darstellung am Beispiel V. A. Winters, Freiburg-Basel-Wien 1976 (= FThSt 100).
Stenzel, A., "Cultus publicus". Ein Beitrag zum Begriff und ekklesiologischen Ort der Liturgie, in: ZKTh 75 (1953) 174-214.
Stramare, T., "Mensae duae". Studio biblico patristico su s. Scrittura ed Eucaristia, in: Seminarium 18 (1966) 1020-1034.
Strasser, S., Phänomenologie und Erfahrungswissenschaft vom Menschen. Grundgedanken zu einem neuen Ideal der Wissenschaftlichkeit, Berlin 1974.
Stricker, S., Der Mysteriengedanke des hl. Paulus nach dem Römerbrief 6, 2-11, in: LiLe 1 (1934) 285-296.
Strigl, R. A., Grundfragen der kirchlichen Ämterorganisation, München 1960 (= MThS.K 13).
Sudbrack, J., Meditierter Personalismus. Zum Gespräch zwischen Ost und West, in: GuL 46 (1973) 206-216.

Theunissen, M., Der Andere. Studien zur Sozialontologie der Gegenwart, Berlin 1965.
Thiel, B., Die liturgische Bewegung im Zeitalter der Aufklärung und in unseren Tagen, in: BZThS 5 (1928) 32-41.
Thielicke, H., Der evangelische Glaube. Grundzüge der Dogmatik, Tübingen 1968 ff.
Thomas, H., Le prêtre dans la pensée de Vatican II, in: QLP 48 (1967) 121 bis 133.
Thomas von Aquin, Summa Theologica III.
Thurian, M., Eucharistie. Einheit am Tisch des Herrn?, Mainz-Stuttgart 1963 (franz. Original: L'Eucharistie. Mémorial du Seigneur, Sacrifice d'action de grâce et d'intercession, Neuchâtel-Paris 1959).
-, Feuer für die Erde. Vom Wirken des Geistes in der Gemeinschaft der Christen, Freiburg-Basel-Wien 1979.
-, La théologie des nouvelles prières eucharistiques, in: MD, Nr. 94 (1968) 77-102.
Tillard, J.-M. R., (Commentaire de l'Instruction sur le culte eucharistique), in: MD, Nr. 91 (1967) 45-63.
-, L'Eucharistie, Pâque de L'Eglise, Paris 1964.
-, (Kommentar zur Instruktion "Eucharisticum mysterium", Nr. 1-15), in: Notitiae 3 (1965) 261-270.
Timiados, E., Einige Bemerkungen zur Enzyklika "Mysterium fidei", in: Conc 2 (1966) 314-318.
Timmermann, J., Nachapostolisches Parusiedenken untersucht im Hinblick auf seine Bedeutung für einen Parusiebegriff christlichen Philosophierens, München 1968 (= Münchener Universitätsschriften, Reihe der philosophischen Fakultät, Bd. 4).
Trapp, W., Der Ursprung der liturgischen Bewegung, in: ThGl 25 (1933) 464 bis 475.
-, Vorgeschichte und Ursprung der liturgischen Bewegung, vorwiegend in Hinsicht auf das deutsche Sprachgebiet, Regensburg 1940.
Tromp, S., Annotationes ad Enc. 'Mystici Corporis', in: PRMCL 32 (1943) 377-401.
-, Corpus Christi quod est Ecclesia, 3 Bde., Rom 1937-1960.
-, De nativitate Ecclesiae e Corde Iesu in Cruce, in: Gr. 13 (1932) 489 bis 527.
-, (Hg.), Pius XII, Mystici Corporis. De novo edidit uberrimisque documentis illustravit S. Tromp, Pont. Univ. Gregoriana, Rom 1948 (= Textus et

documenta, series theologica 26).

Trübners Deutsches Wörterbuch, Berlin 1939.

Tugendhat, E., Wahrheitsbegriff bei Husserl und Heidegger, Berlin 1967.

Tyciak, J., Maintenant il vient. L'ésprit épiphanique de la liturgie orientale, Lyon-Le Puy 1963.

Umberg, J. B., "Mysterien"-Frömmigkeit?, in: ZAM 1 (1926) 351-366.

-, Die These von der Mysteriengegenwart, in: ZKTh 52 (1928) 357-400.

Vagaggini, C., Theologie der Liturgie, Einsiedeln 1959; ital. Original: Il senso teologico della Liturgia. Saggio di Liturgia teologica generale, Rom 1957, ²1958 (= Theologica 17).

Vajta, V., Einige Bemerkungen zur Enzyklika "Mysterium fidei", in: Conc 2 (1966) 308-313.

-, Die Folgen der Liturgiereform, in: J. Chr. Hampe (Hg.), Die Autorität der Freiheit I, 607-616.

Vandenbroucke, F., Jean XXIII, Paul VI et le mouvement liturgique, in: QLP 44 (1963) 201-207.

-, Rezension zu A. Verheul, Einführung in die Liturgie, in: QLP 46 (1965) 250.

-, Le sacerdoce selon Vatican II, in: QLP 47 (1966) 107-122.

Veith, L. A./ Lenhart, L., Kirche und Volksfrömmigkeit im Zeitalter des Barock, Freiburg 1956.

Venanzi, V., Bibliografia relativa alla recente controversia teologica sulla transsustanziazione (1945-1970), in: Augustinianum 12 (1972) 517 bis 542.

Verheul, A., Einführung in die Liturgie. Zur Theologie des Gottesdienstes, Wien 1964 (holl. Original: Inleiding tot de Liturgie. Haar theologische achtergrond, Roermond 1962, Antwerpen ²1964).

-, Le premier Colloque liturgique de Louvain, in: QL(P) 50 (1970) 169 f.

-, Le service de la Parole. Essai d'une approche de théologie pastorale, in: QL(P) 56 (1975) 225-256.

Viering, F., Christus und die Kirche in römisch-katholischer Sicht. Ekklesiologische Probleme zwischen dem ersten und dem zweiten Vatikanischen Konzil, Göttingen 1962 (= Kirche und Konfession. Veröffentlichungen des Konfessionskundlichen Instituts des Evangelischen Bundes, Bd. 1).

Villalón, J., Sacrements dans l'Ésprit. Existence humaine et théologie sacramentelle, Paris 1977.

Villette, L., Foi et Sacrement, 2 Bde., Paris 1959/1964 (= Travaux de l' Institut Catholique de Paris 5 und 6).

Volk, H., Der Mensch und das Wort und der Mensch und das Bild, in: Cath 12 (1958) 138-141.

-, Das Wirken des Heiligen Geistes in den Gläubigen, in: Ders., Gesammelte Schriften I, Mainz ²1967, 81-105.

-, Wort. III. Zur Theologie des Wortes Gottes, in: H. Fries (Hg.), Wort und Sakrament, 73-87.

-, Wort Gottes. Gabe und Aufgabe, in: Cath 16 (1962) 241-251.

-, Das Wort Gottes in der Seelsorge, in: Ders., Gesammelte Schriften I, Mainz ²1967, 211-222.

-, Zur Theologie des Wortes Gottes, in: Ders., Gesammelte Schriften III, Mainz 1978, 19-35 (Erstveröffentl. 1962).

Vonier, A., Das Mysterium der Kirche, Salzburg 1934.

Vorgrimler, H./ Vander Gucht, R., Bilanz der Theologie im 20. Jahrhundert, 3 Bde., 1 Ergänzungsband, Freiburg 1970.

Wagner, J. (Hg.), Erneuerung der Liturgie aus dem Geist der Seelsorge unter dem Pontifikat Papst Pius XII. Akten des Ersten Internationalen Pastoralliturgischen Kongresses zu Assisi, deutsche Ausgabe, Trier 1957; Rahmenbericht dazu: in: LJ 6 (1956) 189-225.

-, Initiationis Sacramenta. 6. Internationales Liturgisches Studientreffen, in: LJ 9 (1959) 95-98.

-, In sacratissima Nocte Paschali, in: LJ 2 (1952) 140-158.

-, u.a., Die Liturgiereform. Klärungen und Fragen. Das internationale liturgische Studientreffen vom 12.-15. Juli 1951 in Maria Laach, in: HerKorr 6 (1951/52) 178-187.

-, Liturgische Bewegung I, in: LThK^2 VI (1961), 1097-1099.

-, Liturgische Institute, in: LThK^2 VI (1961), 1101.

-, Liturgisches Referat - Liturgische Kommission - Liturgisches Institut, in: LJ 1 (1951) 8-14.

-, Viertes Internationales Liturgisches Studientreffen, in: LJ 4 (1954) 255.

-, Zweiter Deutscher Liturgischer Kongreß (29.8.-1.9.1955) in München, in: LJ 5 (1955) 69-73.

-, Zwischen München und Assisi, in: LJ 5 (1955) 197 f.

Walter, E., Eucharistie. Bleibende Wahrheit und heutige Fragen, Freiburg-Basel-Wien 1974 (= Buchreihe: Theologie im Fernkurs, Domschule Würzburg, Bd. 2).

Warnach, V., Abendmahl und Opfer, in: ThRv 58 (1962) 74-82.

-, Christusmysterium. Dogmatische Meditationen - ein Überblick (posthum hg. v. B. Neunheuser), Graz 1977.

-, Menschenwort und Wort Gottes. Zur Phänomenologie und Theologie der Sprache, in: LuM, Heft 12 (1953) 14-34.

-, Das Meßopfer als ökumenisches Anliegen, in: LuM, Heft 17 (1955) 65-90.

-, Mysteriengegenwart, in: LThK^2 VII (1962), 722.

-, Mysteriengegenwart in religionsgeschichtlicher und biblischer Sicht, in: QL(P) 51 (1970) 195-211.

-, Mysterientheologie, in: LThK^2 VII (1962), 724-727.

-, Das Mysterium des Wortes bei Augustin, in: Miscellanea Liturgica ... II, 95-117.

-, Odo Casel, in: H. J. Schultz (Hg.), Tendenzen der Theologie im 20. Jahrhundert, Stuttgart-Freiburg 1966, 277-282.

-, Taufe und Christusgeschehen nach Röm 6, in: ALW 3/2 (1954) 284-366.

-, Die Tauflehre des Römerbriefes in der neueren theologischen Diskussion, in: ALW 5/2 (1958) 274-332.

-, Zum Problem der Mysteriengegenwart, in: LiLe 5 (1938) 9-39.

-, Zur Einführung in die Theologie Odo Casels, in: O. Casel, Das christliche Opfermysterium, XVII-LV.

Weber, H., Wort und Sakrament. Diskussionsstand und Anregung zu einer Neuinterpretation, in: MThZ 23 (1972) 241-274.

Wegenaer, P., Heilsgegenwart. Das Heilswerk Christi und die virtus divina in den Sakramenten unter besonderer Berücksichtigung von Eucharistie und Taufe, Münster 1958 (= LQF 33).

Wehrle, P., Orientierung am Hörer. Die Predigtlehre unter dem Einfluß des Aufklärungsprozesses (Diss. München 1975), Zürich-Einsiedeln-Köln 1975 (= Studien zur praktischen Theologie 8).

Weisweiler, H., Die Wirksamkeit der Sakramente nach Hugo von St. Viktor, Freiburg 1932.

Welte, B., Heilsverständnis. Philosophische Untersuchung einiger Voraussetzungen zum Verständnis des Christentums, Freiburg-Basel-Wien 1966.

-, Religionsphilosophie, Freiburg-Basel-Wien 1978.

Welte, B., Zum Referat von L. Scheffczyk, in: M. Schmaus (Hg.), Aktuelle
    Fragen zur Eucharistie, 190-195 = (geringfügig überarbeitet) Ders.,
    Zum Verständnis der Eucharistie, in: Ders., Auf der Spur des Ewigen.
    Philosophische Abhandlungen über verschiedene Gegenstände der Religion
    und der Theologie, Freiburg-Basel-Wien 1965, 459-467, hier 464-467.
-, Zum Vortrag von A. Winklhofer, in: M. Schmaus (Hg.), Aktuelle Fragen
    zur Eucharistie, 184-190 = (geringfügig überarbeitet) Ders., Zum Ver-
    ständnis der Eucharistie, in: Ders., Auf der Spur des Ewigen, 459-467,
    hier 459-464.
Wetter, F., Das Sprechen Gottes in der Verkündigung der Kirche. Ein Bei-
    trag zur Theologie des Wortes Gottes, in: TThZ 76 (1967) 341-356.
Wieh, H., Konzil und Gemeinde. Eine systematisch-theologische Untersuchung
    zum Gemeindeverständnis des Zweiten Vatikanischen Konzils in pastoraler
    Absicht, Frankfurt/ M. 1978 (= FTS 25).
Wiéner, C., Exégèse et annonce de la Parole, in: MD, Nr. 82 (1965) 59-76.
Winklhofer, A., Eucharistie als Opfer, Speise und Anbetung, in: M. Schmaus
    (Hg.), Aktuelle Fragen zur Eucharistie, 92-109.
-, Eucharistie als Osterfeier, Frankfurt/ M. 1964.
-, Kirche in den Sakramenten, Frankfurt/ M. 1968.
Wintersig, A., Pfarrei und Mysterium, in: JLW 5 (1925) 136-143.
Winzen, D., (Kommentar zu Summa Theol. III, q. 60-72), in: DTA, Bd. 29
    (1935), 477-538.
Wittstadt, K., Frömmigkeitsformen im späten Mittelalter und in der Barock-
    zeit. Kirchengeschichtliche Aspekte zum Verhältnis von Sakrament und
    Frömmigkeit, in: G. Koch u.a., Gegenwärtig in Wort und Sakrament, 84
    bis 109.
Wucherer-Huldenfeld, A., Theologie des Symbols, in: E. Hesse/ H. Erharter
    (Hg.), Liturgie der Gemeinde (Weihnachts-Seelsorgetagung 1965, Seelsor-
    geinstitut Wien), Wien 1966, 93-106.

Zeeden, E. W., Die abendländische Liturgie im Zeitalter der Glaubenskämpfe
    und des Barock (Literaturbericht), in: ALW 5/1 (1957) 209-231.

IV. Festschriften und Sammelwerke

    (Die Festschriften und Sammelwerke verschiedener Autoren, die im Li-
    teraturverzeichnis z.T. mit Kurztitel angegeben sind, werden hier in
    alphabetischer Reihenfolge nach Titeln geordnet angegeben).

Aktuelle Fragen zur Eucharistie (Vorträge bei der Dogmatikertagung 1959 in
    Passau, hg. von M. Schmaus, München 1960.
Das apostolische Amt, hg. v. J. Guyot, Mainz 1961.
Die Autorität der Freiheit. Gegenwart des Konzils und Zukunft der Kirche
    im ökumenischen Disput, 3 Bde., hg. v. J. Chr. Hampe, München 1967.
Bild - Wort - Symbol in der Theologie, hg. v. W. Heinen, Würzburg 1969.
Concilio Vaticano II, 1: Comentarios a la constitución sobre la sagrada
    liturgia, hg. v. C. Floristán u.a., Madrid 1964.
Costituzione Conciliare sulla sacra Liturgia. Introduzione, Testo latino-
    italiano, commento, hg. v. F. Antonelli/ R. Falsini, Mailand 1964,
    ²1965 (= Sussidi liturgico-patorali 7).
De Ecclesia. Beiträge zur Konstitution "Über die Kirche" des Zweiten Vati-
    kanischen Konzils, 2 Bde., hg. v. G. Baraúna, deutsche Ausgabe, besorgt
    von O. Semmelroth, J. G. Gerhartz u. H. Vorgrimler, Freiburg-Basel-
    Wien, Frankfurt/ M. 1966.

Einsicht und Glaube (FS G. Söhngen), hg. v. J. Ratzinger/ H. Fries, Frei-
     burg-Basel-Wien 1962.
Episcopus. Studien über das Bischofsamt (FS Kard. M. Faulhaber), Regens-
     burg 1949.
Erneuerung der Liturgie aus dem Geiste der Seelsorge unter dem Pontifikat
     Papst Pius' XII. Akten des Ersten Internationalen Pastoralliturgischen
     Kongresses zu Assisi, deutsche Ausgabe, hg. v. J. Wagner, Trier 1957.
Die Eucharistie im Verständnis der Konfessionen, hg. v. Th. Sartory, Reck-
     linghausen 1961.
Fragen der Theologie heute, hg. v. J. Feiner/ J. Trütsch/ F. Böckle, Ein-
     siedeln-Zürich-Köln 1957.
Gegenwärtig in Wort und Sakrament. Eine Hinführung zur Sakramentenlehre,
     Freiburg-Basel-Wien 1976 (= Buchreihe: Theologie im Fernkurs, Bd. 5).
Gegenwart des Geistes. Aspekte der Pneumatologie (Referate bei der Dogma-
     tikertagung 1979 in München), hg. v. W. Kasper, Freiburg-Basel-Wien
     1979 (= QD 85).
Gemeinde im Herrenmahl. Zur Praxis der Meßfeier (FS E. J. Lengeling), hg.
     v. Th. Maas-Ewerd/ K. Richter, Einsiedeln-Zürich-Freiburg-Wien 1976.
Heidegger. Perspektiven zur Deutung seines Werkes (FS M. Heidegger), hg.
     v. O. Pöggeler, Köln-Berlin [2]1970.
Ignatius von Loyola als Mensch und Theologe, hg. v. H. Rahner, Freiburg-
     Basel-Wien 1964.
Kult in der säkularisierten Welt, hg. v. B. Fischer u.a., Regensburg 1974.
Der Kult und der heutige Mensch, hg. v. M. Schmaus/ K. Forster, München
     1961.
La liturgie après Vatican II. Bilans, Études, Prospective, hg. v. Y. Con-
     gar, Paris 1967.
Liturgie. Gestalt und Vollzug (FS J. Pascher), hg. v. W. Dürig, München
     1963.
Liturgie der Gemeinde (Weihnachts-Seelsorgetagung 1965, Seelsorgeinstitut
     Wien), hg. v. E. Hesse/ H. Erharter, Wien 1966.
Liturgie in der Gemeinde, 2 Bde., hg. v. P. Bormann/ H.-J. Degenhardt, Pa-
     derborn 1965.
Liturgische Erneuerung in aller Welt. Ein Sammelbericht, hg. v. Th. Bog-
     ler, Maria Laach 1950.
Martyria - Leiturgia - Diakonia (FS H. Volk), hg. v. O. Semmelroth/ R.
     Haubst/ K. Rahner, Mainz 1968.
Miscellanea Liturgica (FS Kard. G. Lercaro), 2 Bde., Rom-Paris-Tournai-
     New-York 1967.
Mit sanfter Zähigkeit. Pius Parsch und die biblisch-liturgische Erneuerung,
     hg. v. N. Höslinger/ Th. Maas-Ewerd, Klosterneuburg 1979 (= Schriften
     des Pius Parsch-Instituts Klosterneuburg, Bd. 4).
Mysterium. Gesammelte Arbeiten Laacher Mönche, hg. v. O. Casel, Münster
     1926.
Mysterium Kirche in der Sicht der theologischen Disziplinen, 2 Bde., hg.
     v. F. Holböck/ Th. Sartory, Salzburg 1962.
Oikonomia. Heilsgeschichte als Thema der Theologie (FS O. Cullmann), hg.
     v. F. Christ, Hamburg-Bergstedt 1967.
Opfer Christi und Opfer der Kirche. Die Lehre vom Meßopfer als Mysterien-
     gedächtnis in der Theologie der Gegenwart (Referate bei der Jahresta-
     gung des Abt-Herwegen-Instituts, 1958), hg. v. B. Neunheuser, Düssel-
     dorf 1960.
Die Pfarre. Von der Theologie zur Praxis, hg. v. H. Rahner, Freiburg 1956.
La Sacra Liturgia rinnovata dal Concilio - Studia e commenti intorno alla
     Costituzione Liturgica del Concilio Ecumenico Vaticano II, hg. v. G.